बी. एससी. नर्सिंग

सामान्य नर्सिंग
एवं
मिडवाइफरी
(GNM & CNET)

प्रशिक्षण चयन परीक्षा- 2027

12
प्रैक्टिस सेट्स

निरंजन सहाय

प्र
प्रभात
एग्जाम
www.prabhatexam.com

प्रकाशक

प्रभात एग्जाम

प्रभात प्रकाशन प्रा. लि. का उपक्रम

4/19 आसफ अली रोड, नई दिल्ली-110002

फोन - 232289555 • 23289666 • 23289777 • हेल्पलाइन/ 7827007777

ई-मेल : prabhatbooks@gmail.com ❖ वेब ठिकाना www.prabhatexam.com

मूल्य

तीन सौ पच्चीस रुपए

अ.मा.पु.स. 978-93-48203-55-7

मुद्रक

सिद्धी प्रेस, दिल्ली

———— ★ ————

B.SC. NURSING
SAMANYA NURSING EVAM MIDWIFERY (GNM & CNET)
PRASHIKSHAN CHAYAN PAREEKSHA-2027
12 PRACTICE SETS
by Niranjan Sahay

ISBN 978-93-48203-55-7

₹ 325.00

विषय-सूची

बी.एससी. नर्सिंग एवं मिडवाइफरी (जी.एन.एम.)

प्रशिक्षण चयन परीक्षा

मॉडल सॉल्व्ड पेपर-2026

भौतिक विज्ञान

1. जब एक प्रक्षेपी को 15° का कोण बनाकर प्रक्षेपित किया जाता है, तो वह क्षैतिज के साथ 1.5 किमी तक जाता है। यदि प्रक्षेपी को 45° कोण बनाकर प्रक्षेपित किया जाए, तो यह कितनी दूरी तय करेगा?

(a) 1.5 किमी (b) 3.0 किमी
(c) 6.6 किमी (d) 0.75 किमी

2. बल आघूर्ण (torque) का विमीय सूत्र है

(a) $[ML^0T^{-2}]$ (b) $[MLT^{-1}]$
(c) $[MLT^{-2}]$ (d) $[ML^2T^{-2}]$

3. चित्र में एक चलती ट्रेन के वेग और समय के बीच ग्राफ दर्शाया गया है। चित्रानुसार ट्रेन द्वारा चली गई कुल दूरी है-

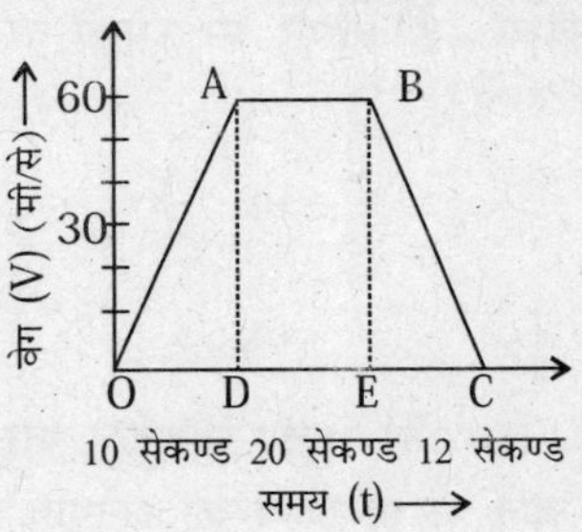

(a) 100 मी (b) 1860 मी
(c) 9 मी (d) 7.35 मी

4. द्रव्यमान m_1 की एक गतिशील वस्तु m_2 द्रव्यमान की किसी दूसरी स्थिर वस्तु से टकराती है। जब द्रव्यमान m_1 और m_2 को $\frac{m_1}{m_2}$ के अनुपात में रखते हैं, तो प्रथम (गतिशील) वस्तु को वेग 1.5 बार घटता है, तब अनुपात $\frac{m_1}{m_2}$ का मान है-

(a) 5 (b) $\frac{1}{5}$
(c) $\frac{1}{25}$ (d) 25

5. द्रव्यमान 2 किग्रा, 3 किग्रा तथा 5 किग्रा के तीन गुटकों, जो एक-दूसरे से एक हल्की रस्सी द्वारा जुड़े हैं, को एक घर्षण रहित तल पर रखा गया है। यदि इस निकाय को 10 न्यूटन के बल द्वारा खींचा जाता है, तो तनाव T_1 का मान होगा-

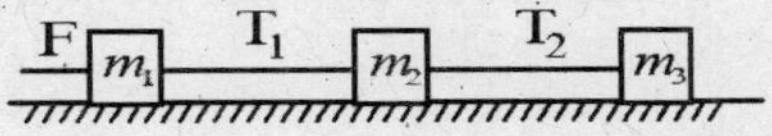

(a) 1 न्यूटन (b) 5 न्यूटन
(c) 8 न्यूटन (d) 10 न्यूटन

6. एक वस्तु A जिसका द्रव्यमान 1 किग्रा है, चिकने फर्श पर रखी है। एक दूसरी वस्तु B जिसका द्रव्यमान 0.2 किग्रा है, वस्तु A के ऊपर रखी है। A और B के बीच स्थैतिज गुणांक 0.15 है। वस्तु B के फिसलने के लिए वस्तु A को किस अधिकतम बल से खींचा जाना चाहिए?

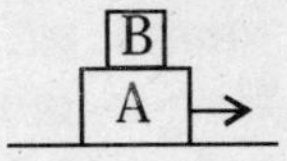

(a) 1.764 न्यूटन
(b) 0.1764 न्यूटन
(c) 0.3 न्यूटन
(d) किसी बल से नहीं गिरेगी

7. R त्रिज्या के वृत्त पर घूमते किसी कण गतिज ऊर्जा *k*, कण द्वारा चली गई दूरी पर निर्भर करती है। यदि कण की गतिज ऊर्जा KE = as^2 हो, जहाँ *a* एक नियतांक है, तब कण पर कार्य करने वाला बल है-

(a) $2a\frac{s^2}{R}$ (b) $2as\left(1+\frac{s^2}{R^2}\right)^{1/2}$
(c) 2as (d) $2a\frac{R^2}{s}$

8. एक लिफ्ट पम्प 200 वोल्ट तथा 10 ऐम्पियर पर कार्य करता है। यह पम्प 4°C पर औसतन ऊँचाई 15 मी पर स्थिर 3 मी × 2 मी × 1 मी आयतन वाले टैंक का भरता है।
यदि $g = 10$ मी से$^{-2}$ और पम्प की क्षमता 75% हो, तो टैंक को भरने में कितना समय लगेगा?

(a) 10 मिनट (b) 20 मिनट
(c) 24 मिनट (d) 28 मिनट

9. एक कण, जो *X*-अक्ष पर घूमने के लिए बाध्य है, को किसी बल द्वारा उसी दिशा में दूरी *X* से धकेला जाता है। इस बल को $f_{(x)} = kx + ax^3$ के द्वारा प्रदर्शित किया जाता है, जहाँ *k* और *a* धनात्मक स्थिरांक है। $x > 0$ के लिए उस कण की स्थैतिक ऊर्जा $U_{(x)}$ का कार्यिक मान होगा-

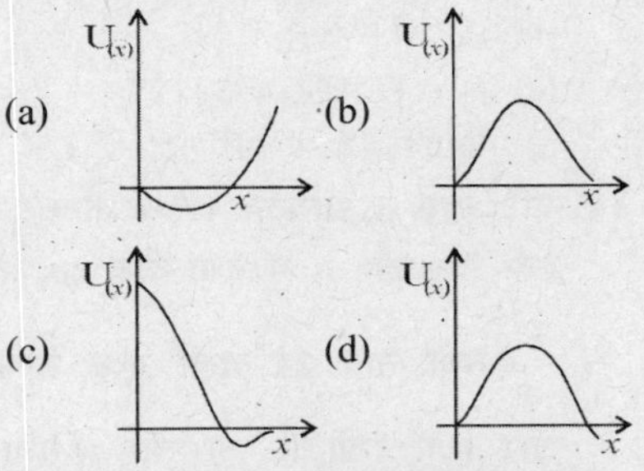

10. समान द्रव्यमान M तथा लम्बाई *l* की चार पतली छड़ों को चित्रानुसार वर्ग के रूप में रखा गया है। इस नियम का केन्द्र O तथा तल के लम्बवत् अक्ष के परितः आघूर्ण का मान है-

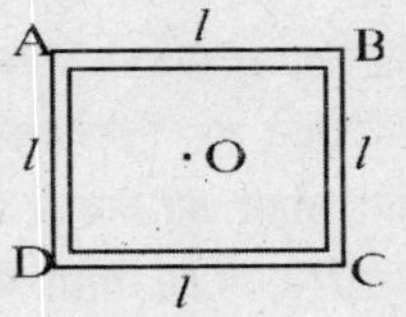

(a) $\frac{4}{3}Ml^2$ (b) $\frac{Ml^2}{3}$
(c) $\frac{Ml^2}{6}$ (d) $\frac{2}{3}Ml^2$

11. चित्र में दिये गए टुकड़े B का त्वरण होगा-

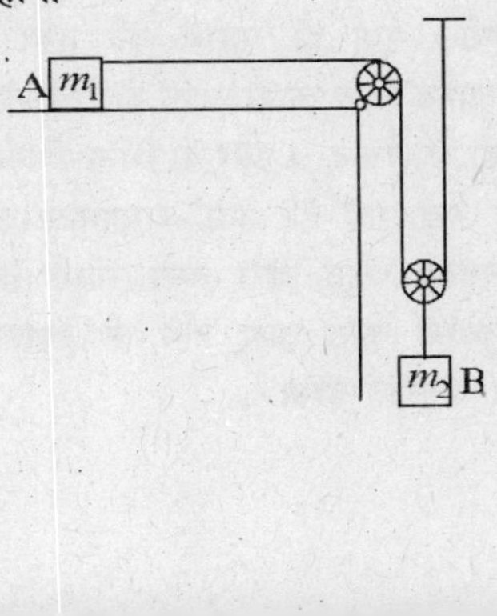

(a) $\frac{m_2 g}{(4m_1+m_2)}$ (b) $\frac{2m_2 g}{(4m_1+m_2)}$

(c) $\frac{2m_1 g}{(m_1+4m_2)}$ (d) $\frac{2m_1 g}{(m_1+m_2)}$

12. r त्रिज्या की द्रव की कुछ बूँदे मिलकर एक R त्रिज्या की बूँद बनाती है। यदि पृष्ठ तनाव T एवं आयतन V माना जाए, तो निष्कासित ऊर्जा होगी–

(a) $3VT\left(\frac{1}{r}+\frac{1}{R}\right)$ (b) $3VT\left(\frac{1}{r}-\frac{1}{R}\right)$

(c) $VT\left(\frac{1}{r}-\frac{1}{R}\right)$ (d) $VT\left(\frac{1}{r^2}+\frac{1}{R^2}\right)$

13. घनत्वों ρ_1 व ρ_2 के दो पदार्थों को समान आयतन में मिलाया जाता है और मिश्रण का आपेक्षिक घनत्व 4 है। जब उन्हें समान द्रव्यमान में मिलाया जाता है, तो मिश्रण का आपेक्षिक घनत्व 3 होता है। ρ_1 व ρ_2 का मान होगा–

(a) $\rho_1 = 6$ तथा $\rho_2 = 2$
(b) $\rho_1 = 3$ तथा $\rho_2 = 5$
(c) $\rho_1 = 12$ तथा $\rho_2 = 4$
(d) उपरोक्त में से कोई नहीं

14. यदि दाब p, आयतन V तथा ताप T वाली एक गैस जार A में तथा दाब 2p, आयतन $\frac{V}{4}$ तथा ताप 2T वाली एक अन्य गैस जार B में रखी है, तो जार A तथा जार B में रखी गैसों के अणुओं की संख्या का अनुपात होगा–

(a) 1 : 1 (b) 1 : 2
(c) 2 : 1 (d) 4 : 1

15. एक पहिया 20 रेडियन/से की कोणीय गति से घूम रहा है। यह 4 सेकण्ड तक एक नियत बलाघूर्ण लगाने पर विरामावस्था में आ जाता है। यदि पहिए का जड़त्व आघूर्ण इसकी अक्ष के परितः 0.20 किग्रा-मी² हो, तो 2 सेकण्ड में बलाघूर्ण द्वारा कृत कार्य होगा–

(a) 10 जूल (b) 20 जूल
(c) 30 जूल (d) 40 जूल

16. दो छड़ें (एक अर्द्ध-चन्द्राकार और दूसरी सीधी) एक ही पदार्थ की तथा समान अनुप्रस्थ काट के क्षेत्रफल वाली चित्रानुसार जुड़ी हैं। बिन्दु A और B भिन्न-भिन्न तापों पर रखे गये हैं। अर्द्ध-चन्द्राकार छड़ से अनुप्रस्थ काट द्वारा तथा सीधी छड़ के अनुप्रस्थ काट द्वारा ताप के स्थानान्तरण का अनुपात होगा–

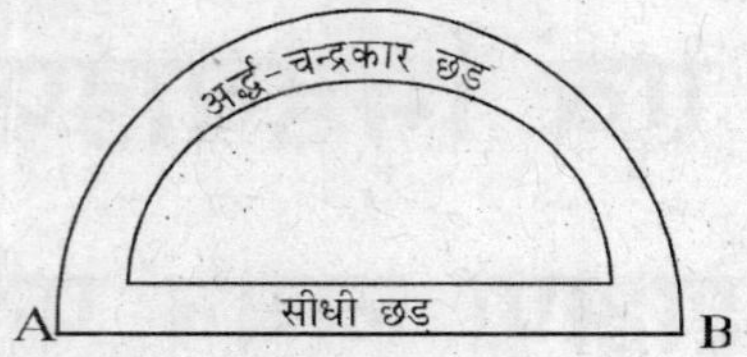

(a) 2 : π (b) 1 : 2
(c) π : 2 (d) 3 : 2

17. V_0 आयतन के दो आदर्श पात्र एक छोटे पाइप से जेड़े हैं। पात्रों में ताप T_0 तथा दाब p_0 पर आदर्श गैसें भरी हैं। एक पात्र को $2T_0$ ताप तक गर्म करते हैं और दूसरे को उसी ताप पर बनाए रखते हैं। यदि $2T_0$ ताप पर पात्र में गैस के मोलों की संख्या n और उभयनिष्ठ दाब p हो, तब–

(a) $p = 2p_0$ (b) $p = \frac{4}{3}p_0$

(c) $n = \frac{2}{3}\frac{p_0 V_0}{RT_0}$ (d) $n = \frac{3}{2}\frac{p_0 V_0}{RT_0}$

18. किसी फ्लास्क में निश्चित बिन्दु तक द्रव भरा गया है। जब फ्लास्क को गर्म किया गया है, तो द्रव का स्तर–

(a) तुरन्त बढ़ेगा
(b) पहले घटेगा और फिर बढ़ेगा
(c) अचानक बढ़ेगा
(d) अचानक घटेगा

19. एक प्लेट संधारित्र की प्लेटों के मध्य वोल्टेज 5 वोल्ट से 10 वोल्ट बढ़ाने पर कृत कार्य W है। वोल्टेज को 10 वोल्ट से 15 वोल्ट बढ़ाने पर कृत कार्य होगा–

(a) 0.6 W (b) 20 W
(c) 1.25 W (d) 1.67 W

20. मानव नेत्र द्वारा देखे जा सकने वाले प्रकाश की न्यूनतम तीव्रता 10^{-10} वेबर/मी² है। यदि पुतली का क्षेत्रफल 10^{-6} मी² हो, तो न्यूनतम दृष्टि के लिए नेत्र में प्रवेश करने वाले 5.6×10^{-6} मी तरंगदैर्ध्य के फोटॉनों की संख्या प्रति सेकण्ड होगी–

(a) 100 (b) 200
(c) 300 (d) 400

21. नीचे प्रदर्शित विद्युत परिपथ में वोल्टमीटर V का पाठ्यांक है–

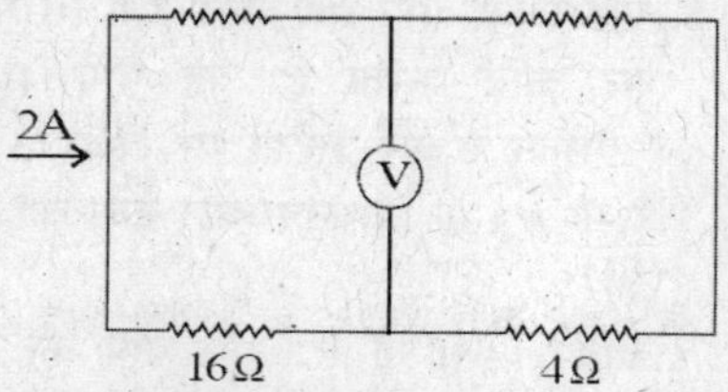

(a) 12 वोल्ट (b) 8 वोल्ट
(c) 20 वोल्ट (d) 16 वोल्ट

22. दो कण समान विपुलता (amplitiude) तथा आवृत्ति के साथ सीधी रेखा में साधारण आवर्त गति कर रहे हैं। विपरीत दिशा में गति करने पर वे एक-दूसरे को पार करते है। प्रत्येक समय में उनका विस्थापन, उनकी विपुलता (amplitude) का आधा रह जाता है, तब उनकी स्थिति के बीच अन्तर होगा–

(a) 30° (b) 60°
(c) 90° (d) 120°

23. एक इलेक्ट्रॉन के प्रकाशीय उत्सर्जन सैल में उत्तेजक तरंगदैर्ध्य λ और गति v है। यदि उत्तेजक तरंगदैर्ध्य बदलकर $\frac{3\lambda}{4}$ कर दी जाए, तो तेजी से उत्सर्जित होने वाले इलेक्ट्रॉन का वेग होगा–

(a) $v\left(\frac{3}{4}\right)^{1/2}$

(b) $v\left(\frac{4}{3}\right)^{1/2}$

(c) $v\left(\frac{4}{3}\right)^{1/2}$ से कम

(d) $v\left(\frac{4}{3}\right)^{1/2}$ से ज्यादा

24. एक न्यूट्रॉन की 27°C पर द-ब्रोगली तरंगदैर्ध्य λ है। 927°C पर इसकी तरंगदैर्ध्य क्या होगी?

(a) $\frac{\lambda}{2}$ (b) $\frac{\lambda}{3}$

(c) $\frac{\lambda}{4}$ (d) $\frac{\lambda}{9}$

25. Li^{2+}, He^{+} और H का इलेक्ट्रॉन स्तर II से I में जाने पर तरंगदैर्ध्य का अनुपात होगा–

(a) 1 : 2 : 3 (b) 1 : 4 : 9
(c) 4 : 9 : 36 (d) 3 : 2 : 1

26. एक छोटी छड़ चुम्बक को दक्षिण ध्रुव से भौगोलिक उत्तर दिशा में रखा गया। चुम्बक के केन्द्र से 20 सेमी की दूरी पर उदासीन बिन्दु स्थित है, यदि $B_H = 0.3 \times 10^{-4}$ वेबर/मी² हो, तब चुम्बक का चुम्बकीय आघूर्ण होगा–

(a) 9.0 amp × cm²
(b) 0.9 amp × cm²
(c) 1.2 amp × cm²
(d) 2.25 amp × cm²

27. रेडियोऐक्टिव तत्व के परमाणुओं का 6 दिन में 7/8 भाग क्षय होता है, तो 10 दिनों में कितना भाग क्षय होगा?

(a) $\frac{77}{80}$ (b) $\frac{71}{80}$

(c) $\frac{31}{32}$ (d) $\frac{15}{16}$

28. द्रव्यमान संख्या A वाला एक नाभिक विरामावस्था में है। जब यह v वेग से α– कण उत्सर्जित करता है, तब संतती (daughter) नाभिक के घटने की गति होगी-

(a) $\frac{2v}{(A+4)}$ (b) $\frac{4v}{(A+4)}$

(c) $\frac{4v}{(A-4)}$ (d) $\frac{2v}{(A-4)}$

29. एक चुम्बक को तीव्रता 0.1×10^{-5} वेबर/मी^{2} वाले चुम्बकीय क्षेत्र में रखने पर यह प्रति मिनट 40 दोलन करती है। एक अन्य स्थान पर यह 2.5 सेकण्ड में एक कम्पन्न पूरा करती है। इस स्थान पर पृथ्वी के क्षैतिज चुम्बकीय क्षेत्र का मान क्या होगा?

(a) 0.25×10^{-6} टेस्ला

(b) 0.36×10^{-6} टेस्ला

(c) 0.66×10^{-8} टेस्ला

(d) 1.2×10^{-6} टेस्ला

30. एक रेडियोधर्मी पदार्थ 40 दिनों में अपनी प्रारम्भिक अवस्था का 1/6 भाग रह जाता है। इस पदार्थ की अर्द्ध-आयु होगी-

(a) 2.5 (b) 5

(c) 10 (d) 20

31. किसी इकाई समय में X- अक्ष के लम्बवत् इकाई क्षेत्रफल से गुजरने वाले कणों की संख्या $n = -D\frac{n_2 - n_1}{x_2 - x_1}$ है। जहाँ n_1 तथा n_2 इकाई आयतन में कणों की संख्या के लिए X का मान क्रमशः x_2 तथा x_1 हो, तो D की विमा (विसरण स्थिरांक) ज्ञात कीजिए-

(a) $[M^0LT^{-2}]$ (b) $[M^0L^2T^{-4}]$

(c) $[M^0LT^{-3}]$ (d) $[M^0L^2T^{-1}]$

32. एक छोटे छड़ चुम्बक की निग्राहिता (coercivity) 4×10^3 ऐम्पियर/मिनट है। इसे अचुम्बकित करने के लिए 1 मी लम्बाई तथा 500 चक्कर वाली परिनालिका में प्रवेश कराया जाता है। परिनालिका से गुजरने वाली धारा का मान होगा-

(a) 2.5 ऐम्पियर (b) 5 ऐम्पियर

(c) 8 ऐम्पियर (d) 10 ऐम्पियर

33. समीकरण $\left(p + \frac{a}{V^2}\right)$ (V – b) = स्थिरांक में a की इकाई होगी-

(a) डाइन × सेमी^{5} (b) डाइन × सेमी^{4}

(c) डाइन × सेमी^{3} (d) डाइन/सेमी^{2}

34. एक वस्तु मूल बिन्दु से X- अक्ष के परितः घूमना आरम्भ करती है, तथा $(4t^3 - 2t)$ मी/से का वेग प्राप्त करती है। जहाँ t सेकण्ड में है। कण का त्वरण क्या होगा, जबकि कण मूल बिन्दु से 2 मी दूर है?

(a) 28 मी/से^{2} (b) 22 मी/से^{2}

(c) 12 मी/से^{2} (d) 10 मी/से^{2}

35. जब संचायक परिवर्तन होता है, तो विद्युत धारा के वाहक हैं-

(a) H^+ तथा SO_4^{2-} (b) छिद्र

(c) इलेक्ट्रॉन (d) प्रोटॉन

36. एक अनुप्रस्थ काट वाले तार में धारा, माध्य विचलन वेग v से गति करते मुक्त इलक्ट्रानों के कारण प्रवाहित होती है। यदि समान पदार्थ से बने परन्तु दुगनी त्रिज्या के तार में समान धारा प्रवाहित होती है, तब माध्य विचलन वेग क्या होगा?

(a) v/4 (b) v/2

(c) v (d) 2v

37. एक वर्ग रूप में बनाए गए सार्वजनिक पार्क का क्षेत्रफल (100 ± 0.2) मी^{2} है। पार्क की भुजा होगी-

(a) (10 ± 0.01) मी

(b) (10 ± 0.1) मी

(c) (10.0 ± 0.1) मी

(d) (10.0 ± 0.2) मी

38. यदि किसी कण के संवेग मापन में त्रुटि (+ 100%) हो, तो गतिज ऊर्जा के मापन में त्रुटि होगी-

(a) 25% (b) 200%

(c) 300% (d) 400%

39. द्रव्यमान (M), लम्बाई (L), समय (T) और धारा (A) को मूल राशियाँ मानते हुए, पारगम्यता की विमाएँ हैं-

(a) $[M^{-1}LT^{-2}A]$ (b) $[ML^{-2}T^{-2}A^{-1}]$

(c) $[MLT^{-2}A^{-2}]$ (d) $[MLT^{-1}A^{-1}]$

40. 4 मी^{3} जल, 20 मी ऊचाई पर एक टंकी में 2×10^5 न्यूटन/मी^{2} दाब पर पम्प किया जाता है। मोटर द्वारा किया गया कार्य है (बाह्य दाब = 10^5 न्यूटन/मी^{2})-

(a) 8×10^5 जूल (b) 16×10^5 जूल

(c) 12×10^5 जूल (d) 32×10^5 जूल

41. यदि $B_H = \frac{1}{\sqrt{3}} B_V$, नमन कोण ज्ञात कीजिए। जहाँ संकेतों के समान्य अर्थ हैं-

(a) 60° (b) 30°

(c) 45° (d) 90°

42. विभवमापी में, शून्य बिन्दु 7वें तार पर प्राप्त हुआ। शून्य बिन्दु को 9वें तार पर प्राप्त करने के लिए-

(a) बैटरी के श्रेणी क्रम में प्रतिरोध जोड़ना होगा

(b) मुख्य परिपथ में प्रतिरोध बढ़ाना होगा

(c) मुख्य परिपथ में प्रतिरोधा घटाना होगा

(d) आरोपित वि.वा.ब. घटाना होगा

43. यदि औसत वेग चार गुना हो जाए तब उस ताप पर वर्ग माध्य मूल वेग हो जाएगा-

(a) 1.4 गुना (b) 4 गुना

(c) 2 गुना (d) $\frac{1}{4}$ गुना

44. अनुरणन काल (reverberation time) निर्भर नहीं करता-

(a) ताप पर

(b) कमरे के आयतन पर

(c) खिड़की के आकार पर

(d) कालीन और पर्दों पर

45. पृथ्वी चित्रानुसार एक दीर्घवृत्ताकार कक्षा में गति करती है जिसके नाभि पर सूर्य S स्थित है। इसकी घूर्णन गतिज ऊर्जा किस बिन्दु पर अधिकतम है?

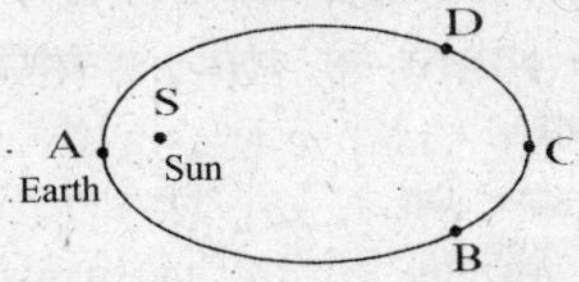

(a) A (b) B

(c) C (d) D

46. निम्नलिखित क्रिया का Q- मान है $p + {}^7Li \rightarrow {}^4He + {}^4He$ ^1H, ^4He और ^7Li के परणामु द्रव्यमान क्रमशः 1.007825 u, 4.002603 u और 7.016004 u हैं-

(a) 17.35MeV (b) 18.06 MeV

(c) 177.35 MeV (d) 170.35 MeV

47. एक कॉर्नो इंजन की 50°C ताप पर दक्षता 50% है। स्रोत का ताप ज्ञात कीजिए-

(a) 133°C (b) 143°C

(c) 100°C (d) 373°C

48. वायु का एक बुलबुला पानी के अन्दर है। वह व्यवहार करता है-

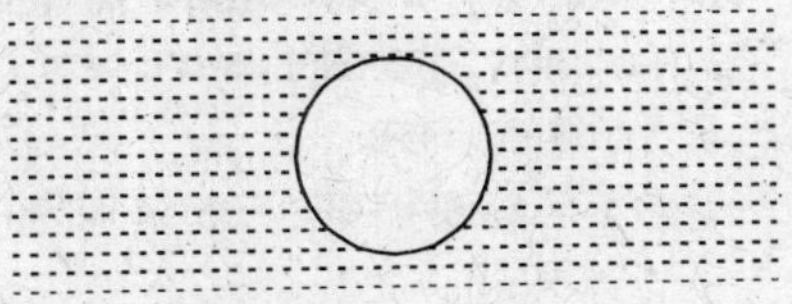

(a) अवतल लेन्स के समान

(b) उत्तल लेन्स के समान

(c) न उत्तल लेन्स के समान, न ही अवतल लेन्स के समान

(d) कुछ नहीं कहा जा सकता

49. एक कण के संवेग में अनिश्चितता (uncertainty) 10^{-30} किग्रा-मी/से है। इसकी स्थिति में न्यूनतम अनिश्चितता होगी-

(a) 10^{-8} मी (b) 10^{-12} मी
(c) 10^{-16} मी (d) 10^{-4} मी

50. एक लोलक का गोलक पारा (Hg) से भरा है। जब उसकी तली में एक छिद्र किया जाता है, तब सम्पूर्ण पारा (Hg) बहने लगता है। लोलक का आवर्तकाल-

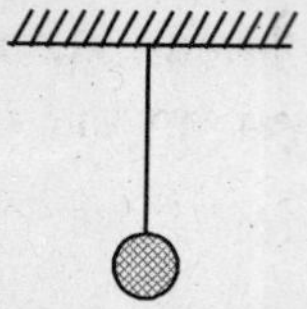

(a) असमान रहेगा
(b) घटेगा
(c) बढ़ेगा
(d) पहले बढ़ेगा फिर घटेगा

51. किसी दूरदर्शी में यदि अभिदृश्यक का व्यास अधिक होगा, तो–

(a) विभेदन क्षमता अधिक होगी
(b) विभेदन क्षमता कम होगी
(c) आवर्धन क्षमता अधिक होगी
(d) आवर्धन क्षमता कम होगी

52. उच्च आवृत्ति के लिये, संधारित्र का प्रतिरोध–

(a) उच्च होता है (b) निम्न होता है
(c) शून्य होता है (d) इनमें से कोई नहीं

53. एकदिशीय धारा वाले दो समान्तर चालकों के बीच आकर्षण बल लगाने का कारण है–

(a) उनके बीच विधुत वाहक बल
(b) उनके बीच अन्योन्य प्रेरण
(c) उनके बीच विद्युत बल
(d) उनके बीच चुम्बकीय बल

54. ताप-विधुत (thermoelectric) फ्रिज, निम्न में से किस सिद्धान्त पर कार्य करता है?

(a) जूल प्रभाव
(b) सीबैक प्रभाव
(c) पेल्टियर प्रभाव
(d) तापायनिक उत्सर्जन

55. किसी नाभिक के स्थायित्व के लिये–

(a) प्रति न्यूक्लिऑन बन्धन ऊर्जा अधिक होनी चाहिए
(b) प्रति न्यूक्लिऑन बन्धन ऊर्जा कम होनी चाहिए
(c) इलेक्ट्रॉनों की संख्या अधिक होनी चाहिए
(d) उपरोक्त में से कोई नहीं

56. इलेक्ट्रॉनों का उत्सर्जन सम्भव है–

(a) प्रकाश विद्युत प्रभाव द्वारा
(b) तापायनिक प्रभाव
(c) दोनों के द्वारा
(d) इनमें से कोई नहीं

57. एक *n*- टाइप अर्द्धचालक होता है–

(a) ऋणावेशित (b) धनावेशित
(c) उदासीन (d) इनमें से कोई नहीं

58. किसी रेडियोऐक्टिव प्रतिदर्श के औसत आयुकाल में–

(a) प्रतिदर्श का लगभग $\frac{1}{3}$ भाग विघटित हो जाता है
(b) प्रतिदर्श का लगभग $\frac{2}{3}$ भाग विघटित हो जाता है
(c) प्रतिदर्श का लगभग 90% भाग विघटित हो जाता है
(d) लगभग सम्पूर्ण प्रतिदर्श विघटित हो जाता है

59. सतंत उत्सर्जन स्पेक्ट्रम में, उत्सर्जित तरंगदैर्ध्य परास निर्भर करती है–

(a) स्त्रोत के ताप पर
(b) स्त्रोत के पदार्थ पर
(c) स्त्रोत के पृष्ठ क्षेत्रफल पर
(d) उपरोक्त सभी पर

60. दृढ़ता गुणांक का मात्रक है–

(a) न्यूटन-मीटर (b) न्यूटन/मीटर
(c) न्यूटन-मीटर^2 (d) न्यूटन/मीटर^2

रसायन विज्ञान

61. PCl_5 का अस्तित्व है, किन्तु NCl_5 का नहीं क्योंकि-

(a) नाइट्रोजन में रिक्त *d*-कक्षक नहीं होते
(b) N की आयनन ऊर्जा बहुत अधिक होती है
(c) Cl के समान नहीं होता है
(d) उपर्युक्त में से कोई नहीं

62. प्राकृतिक रबर बहुलक होता है-

(a) स्टीयरीन का
(b) क्लोरोप्रीन का
(c) $CH_2=\underset{\displaystyle CH_3}{\underset{|}{C}}-CH=CH_2$ (आइसोप्रीन का)
(d) 1, 3-ब्यूटा-डाइन का

63. वर्ग में नीचे जाने पर आयनन ऊर्जा घटती है क्योंकि

(a) आवेश बढ़ता है
(b) परमाणु आकार बढ़ता है
(c) परमाणु आकार घटता है
(d) आवरण प्रभाव घटता है

64. लिथोफोन है-

(a) $ZnSO_4 + PbS$ (b) $BaSO_4 + ZnS$
(c) PbO_2 (d) $ZnSO_4$

65. नाइट्रोजन तथा कार्बन मोनोऑक्साइड के समान द्रव्यमानों का एक पात्र में मिलाया गया। गैसीय मिश्रण का कुल दाब 1 वायुमण्डलीय है। मिश्रण में नाइट्रोजन का आंशिक दाब ज्ञात कीजिए-

(a) 1 वायुमण्डलीय
(b) 0.50 वायुमण्डलीय
(c) 2 वायुमण्डलीय
(d) 3 वायुमण्डलीय

66. एक परखनली जिसमें अमोनियामय Cu_2Cl_2 है, में CH_4, C_2H_2 तथा C_2H_4 गैसें प्रवाहित की जाती हैं, ज्ञात कीजिए निम्न में से कौन-सी गैस परखनली से बाहर निकलेगी?

(a) C_2H_2 और CH_4
(b) C_2H_2 और C_2H_4
(c) C_2H_4 और CH_4
(d) C_2H_2

67. प्रकाशीय समावयवता प्रदर्शित करता है-

(a) प्रोपेनॉल-2 (b) ब्यूटेनॉल-2
(c) एथेनॉल (d) मेथेनॉल

68. टर्शरी ब्यूटाईल एल्कोहॉल है-

(a) 2-मेथिल प्रोप-2-ऑल
(b) 2-मेथिल प्रोप-1-ऑल
(c) 3-मेथिल ब्यूट-1-ऑल
(d) 3-मेथिल ब्यूट-2-ऑल

69. निम्नलिखित किस यौगिक में रेखांकित कार्बन बन्ध निर्माण के लिए केवल *sp*^{3}-संकरित ऑर्बिटलों का प्रयोग करता है?

(a) CH_3-COOH
(b) $CH_3-CO\,NH_2$
(c) CH_3CH_2OH
(d) $CH_3-CH=CH_2$

70. ऐरोमैटिक यौगिक है-

(a) 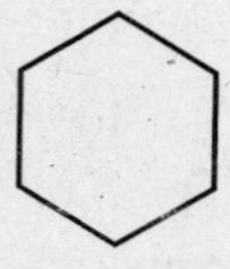
(b) 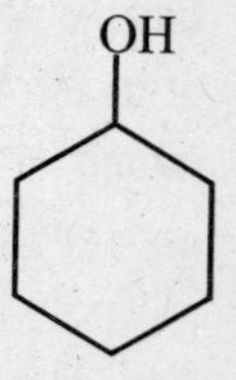

(c) 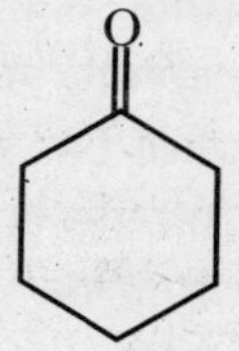

(d) 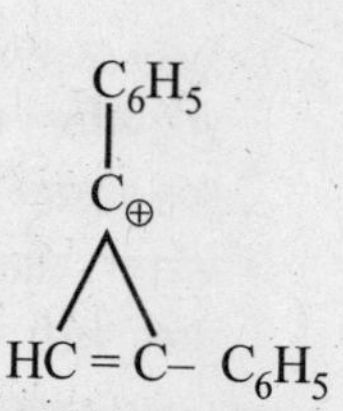

71. लोहे को जंग लगने से बचाने के लिए, निम्न में से किस पेन्ट का प्रयोग किया जाता है?

(a) PbO (b) PbO_2
(c) Pb_3O_4 (d) $PbSO_4$

72. इण्डेन है-

(a) व्यवसायिक ब्यूटेन, आइसो-ब्यूटेन और प्रोपेन का मिश्रण
(b) ब्यूटेन और ऐथेन का मिश्रण
(c) व्यवसायिक प्रोपेन
(d) ऐथेन, ऐथेन का मिश्रण

73. स्थिर ताप पर, P एवम् V के मध्य आरेख है:

(a) सीधी रेखा
(b) बढ़ता वक्र
(c) ढ़लान के साथ सीधी रेखा
(d) उपरोक्त में से कोई नहीं

74. कार्बनिक यौगिक में सल्फर के लैसेग्ने परीक्षण में बैगनी रंग किसका बनता है?

(a) $Na_4[Fe(CN)_5NOS]$
(b) $Na_3[Fe(CN)_5NOS]$
(c) $Na_2[Fe(CN)_5NOS]$
(d) $Na_2[Fe(CN)_5NOS]$

75. निम्न में से किस यौगिक का शोधन भाप-आसवन विधि द्वारा किया जाता है?

(a) एनिलीन (b) बेन्जोइक अम्ल
(c) पेट्रोलियम (d) नैफ्थलीन

76. ग्लूकोस, फेनिल हाइड्राजीन की अधिक मात्रा से क्रिया करके बनाता है-

(a) ग्लूकोसाजोन
(b) ग्लूकोस फेनिल हाइड्राजीन
(c) ग्लूकोस ऑक्जाइम
(d) सॉरबिटॉल

77. निम्न में से कौन-सी अक्रिय गैस द्रव्यकरण का असामान्य व्यवहार प्रदर्शित करती है?

(a) Xe (b) He
(c) Ar (d) Kr

78. निम्न में से किसकी स्वर्ण संख्या सबसे कम होती है?

(a) जिलैटिन (b) स्टार्च
(c) एल्बूमिन (d) रक्त

79. किसी यौगिक में C, H तथा N भार के अनुसार 9 : 1 : 3.5 के अनुपात में उपस्थित है। यदि यौगिक का अणुभार 108 है, तो यौगिक का अणु-सूत्र होगा-

(a) $C_2H_6N_2$ (b) C_3H_4N
(c) $C_6H_8N_2$ (d) $C_9H_{12}N_3$

80. HI, H_2 व I_2 को एक बन्द पात्र में लिया गया। साम्यावस्था पर H_2 के मोलों की संख्या 0.2 है। तो साम्यावस्था पर I_2 तथा HI के मोलों की संख्या ज्ञात कीजिए-

(a) 1.2, 1.6 (b) 1.8, 1.0
(c) 0.4, 2.4 (d) 0.8, 2.0

81. एल्डिहाइड $NH_2.NH_2$ के साथ बनाता है-

(a) हाइड्राजोन (b) एनिलीन
(c) नाइट्रोबेन्जीन (d) इनमें से कोई नहीं

82. एसिटोन, सान्द्र H_2SO_4 के साथ आसवित करने पर बनाता है-

(a) फोरॉन
(b) एक्रोलिन
(c) मैसिटिलीन
(d) मैसीटिल ऑक्साइड

83. निम्नलिखित अभिक्रिया-

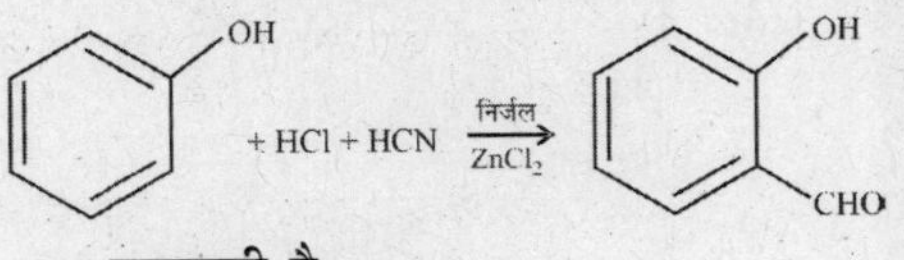

कहलाती है:

(a) पर्किन अभिक्रिया
(b) गाटर-मैन अभिक्रिया
(c) कोल्बे अभिक्रिया
(d) गाटर-मैन एल्डिहाइड अभिक्रिया

84. एक एल्किल हैलाइड, जिसे उसके ग्रिनार्ड अभिकर्मक से बनाया गया है, जल के साथ गरम करने पर प्रोपेन देता है। मौलिक एल्किल हैलाइड होगा-

(a) मेथिल आयोडाइड
(b) एथिल आयोडाइड
(c) एथिल ब्रोमाइड
(d) प्रोपाइल ब्रोमाइड

85. निनहाइड्रिन से अभिकृत करने पर, निम्न में से कौन नीला रंग देता है?

(a) प्रोटीन (b) पेप्टाइड
(c) α-ऐमीनो अम्ल (d) सभी

86. अरहीनियस प्लॉट में, अन्तः खण्ड बराबर होता है-

(a) $\frac{-E_a}{R}$ (b) InA
(c) lnK (d) $\log_{10} a$

87. ट्राइमेथिल बेन्जीन के कुल सम्भव समावयवी है-

(a) 2 (b) 3
(c) 4 (d) 6

88. निम्न में से कौन-सा अम्ल मार्जक की तरह कार्य करता है?

(a) HNO_3 (b) HCl
(c) H_2SO_4 (d) HNO_2

89. $CaOCl_2$ की विरंजन क्षमता का कारण है-

(a) नवजात ऑक्सीजन
(b) क्लोरीन
(c) HClO
(d) HCl

90. ऐलिल (Allyl) आइसोसायनाइड में σ तथा π बन्ध होते हैं-

(a) $9\,\sigma, 3\,\pi$ (b) $9\,\sigma, 9\,\pi$
(c) $3\,\sigma, 4\,\pi$ (d) $5\,\sigma, 7\,\pi$

91. निम्न में से कौन-सी गैस युद्ध में प्रयोग की जाती है?

(a) N_2O (b) $CCl_3.NO_2$
(c) CO_2 (d) O_2

92. निम्न में से कौन सा नाइट्रोजन का ऑक्साइड सबसे अधिक ऊष्मीय स्थिर होता है?

(a) N_2O_5 (b) N_2O
(c) NO (d) N_2O_3

93. किसी धातु के हाइड्रॉक्साइट के 1.520 ग्राम जलाने पर 0.995 ग्राम ऑक्साइड देता है, धातु का तुल्यांकी भार ज्ञात कीजिए-

(a) 1.52 (b) 0.995
(c) 190 (d) 9

94. $3A \rightarrow 2B$ अभिक्रिया की दर $\frac{+d[B]}{dt}$ समान होगी-

(a) $-\frac{3}{2}\frac{d[A]}{dt}$ (b) $-\frac{2}{3}\frac{d[A]}{dt}$
(c) $-\frac{1}{3}\frac{d[A]}{dt}$ (d) $+2\frac{d[A]}{dt}$

95. निम्न में से कौन-सी गैस कृत्रिम श्वसन में प्रयोग की जाती है?

(a) O_2 (b) CO_2
(c) हीलियम (d) इनमें सभी

96. 0.5 N H_2SO_4 के 100 cm^3 को डेसीनॉर्मल सान्द्रता वाला विलयन बनाने के लिए कितना जल डालना होगा?

(a) 400 cm^3 (b) 450 cm^3
(c) 500 cm^3 (d) 100 cm^3

97. निम्नलिखित में से कौन-सा कथन सत्य नहीं है?

(a) NCl_3 जल-अपघटन पर NH_3 तथा HOCl देता है
(b) NH_3, PH_3 की अपेक्षा कम स्थायी है
(c) NH_3, PH_3 की अपेक्षा दुर्बल अपचायक है
(d) नाइट्रिक ऑक्साइड, ठोस अवस्था में, प्रतिचुम्बकीय गुण प्रदर्शित करता है

98. पोटेशियम ऐसीटेट के जलीय विलयन का वैद्युत-अपघटन करने पर एनोड पर उत्पन्न होने वाले यौगिक हैं

(a) C_2H_6 तथा CO_2 (b) C_2H_4 तथा CO_2
(c) CH_4 तथा H_2 (d) CH_4 तथा CO_2

99. एक ऑक्सीकरण-अपचयन अभिक्रिया में, MnO_4^- आयन, Mn^{2+} में परिवर्तित हो जाते हैं। 0.04 M $KMnO_4$ वियलन के 250 मिली में उपस्थित, $KMnO_4$ (अणुभार = 158) के तुल्यांकों की संख्या होगी-

(a) 0.02 (b) 0.05
(c) 0.04 (d) 0.07

100. निम्न में से कौन-सा कथन सत्य है?
(a) उत्प्रेरक में स्थायी रासायनिक परिवर्तन हो जाता है
(b) वास्तविक विलयन में, विलेय के कणों का आकार 10^{-3} मी होता है
(c) स्टार्च का विलयन एक हाइड्रोसॉल है
(d) खनिज अम्ल की उपस्थिति में, द्रव एस्टर का जल-अपघटन, विषमांगी उत्प्रेरण अभिक्रिया का उदाहरण है

101. निम्नलिखित में से सत्य कथन छाँटिए-
(a) 0.49 ग्राम H_2SO_4 के एक लीटर विलयन का pH मान 2 होगा
(b) H_2S का संयुग्मी क्षार S^{2-} है
(c) BF_3, लूइस क्षार है
(d) फीनॉलफ्थेलिन, क्षारीय माध्यम में रंगहीन होती है

102. SiO_2 की सोडियम कार्बोनेट के साथ अभिक्रिया करने पर कौन-सी गैस उत्पन्न होती है?
(a) CO (b) O_2
(c) CO_2 (d) O_3

103. निम्नलिखित अभिक्रिया के लिए, साम्य स्थिरांक (K_c) के लिए समीकरण है-

$$\frac{1}{2}A(g)+\frac{1}{3}B(g)\xrightleftharpoons{T(K)}\frac{2}{3}C(g)$$

(a) $K_c=\frac{[A]^{1/2}[B]^{1/3}}{[C]^{3/2}}$

(b) $K_c=\frac{[C]^{3/2}}{[A]^2[B]^3}$

(c) $K_c=\frac{[C]^{2/3}}{[A]^{1/2}[B]^{1/3}}$

(d) $K_c=\frac{[C]^{2/3}}{[A]^{1/2}+[B]^{1/3}}$

104. निम्न में से कौन-सा यौगिक, शुष्क ईथर की उपस्थिति में, मैग्नीशियम के साथ अभिक्रिया करके ग्रिगनार्ड अभिकर्मक बनाता है?
(a) C_2H_6 (b) C_2H_5Cl
(c) C_2H_5OH (d) C_2H_5CN

105. H_2O में, H—O—H बन्ध कोण 109°28' के बजाय 104.5° होता है जिसका कारण है-
(a) एकाकी युग्म-एकाकी युग्म प्रतिकर्षण
(b) एकाकी युग्म-आबन्ध युग्म प्रतिकर्षण
(c) आबन्ध युग्म-आबन्ध युग्म प्रतिकर्षण
(d) ऑक्सीजन की अत्यधिक विद्युतऋणात्मकता

106. अर्जेन्टाइड अयस्क को घोलने के लिए निम्न में से किसका प्रयोग किया जाता है?
(a) $Na[Ag(CN)_2]$ (b) NaCN
(c) NaCl (d) HCl

107. यदि एक रेडियोएक्टिव पदार्थ का 5%, 15 मिनट में वियोजित होता है, तब इसके 99% के वियोजन में समय लगेगा:
(a) 50 मिनट (b) 100 मिनट
(c) 99 मिनट (d) 150 मिनट

108. ऐडिपिक अम्ल गर्म करने पर देता है-

(a) 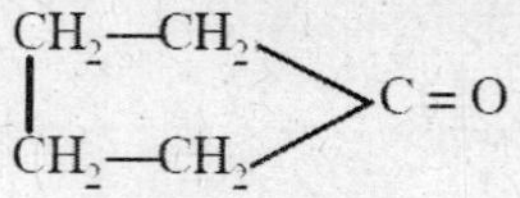

(b) 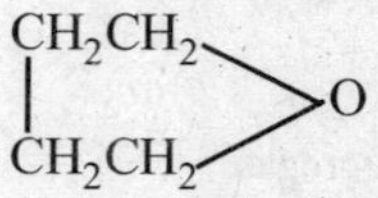

(c) 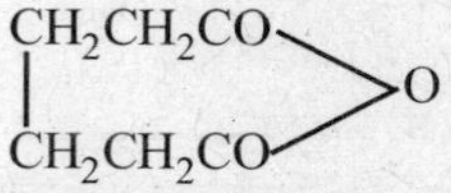

(d) 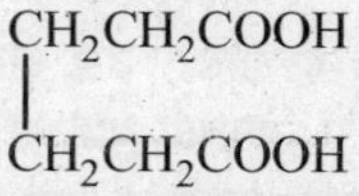

109. *t*-ब्यूटिल क्लोराइड मुख्य रूप से जल-अपघटित होगा-
(a) S_N1 क्रियाविधि द्वारा
(b) S_N2 क्रियाविधि द्वारा
(c) (a) तथा (b) में से कोई नहीं
(d) उपरोक्त में से कोई नहीं

110. ग्लूकोस का 0.5 ग्राम $ली^{-1}$ विलयन, एक कार्बनिक यौगिक के 2.5 ग्राम $ली^{-1}$ विलयन के समपरासरी है। इस कार्बनिक यौगिक का अणुभार होगा-
(a) 300 (b) 600
(c) 900 (d) 200

111. निम्न में से कौन-सा कथन सत्य नहीं है?
(a) Al, NaOH से अभिक्रिया करके, H_2 मुक्त करता है
(b) $AlCl_3$ लूइस अम्ल है
(c) Al, विद्युत तारों के निर्माण में प्रयुक्त किया जाता है
(d) बॉक्साइट के शुद्धिकरण के हॉल प्रक्रम के दौरान NaOH का प्रयोग किया जाता है

112. $CO(g)$ तथा $CO_2(g)$ के उत्पादन की ऊष्मा क्रमशः $\Delta H=-110$ तथा $\Delta H=-393$ किलो जूल $मोल^{-1}$ हैं। निम्नलिखित अभिक्रिया के लिए अभिक्रिया की ऊष्मा (ΔH) (किलो जूल $मोल^{-1}$ में) होगी-

$$CO(g)+\frac{1}{2}O_2(g)\longrightarrow CO_2(g)$$

(a) –504 (b) –142.5
(c) –283 (d) 504

113. निम्नलिखित में से कौन सा अभिकर्मक ऐसीटैल्डिहाइड तथा ऐसीटोन दोनों को ऐल्केनों में परिवर्तित कर देता है?
(a) Ni/H_2 (b) $LiAlH_4$
(c) $I_2/NaOH$ (d) Zn-Hg/सान्द्र HCl

114. 25°C पर, निम्नलिखित इलेक्ट्रोड के लिए इलेक्ट्रोड विभव (वोल्ट में) का मान होगा Ni^{2+} (0.1 M) | Ni(*s*)
(Ni^{2+}/Ni का मानक अपचयन विभव = –0.25 वोल्ट, $\frac{2.303\,RT}{F}=0.06$)
(a) –0.28 वोल्ट (b) –0.34 वोल्ट
(c) –0.82 वोल्ट (d) –0.22 वोल्ट

115. आवर्त सारणी में परमाणु क्रमांक 38 वाला तत्व उपस्थित होगा।
(a) II A समूह तथा पाँचवें आवर्त में
(b) II A समूह तथा द्वितीय आवर्त में
(c) V A समूह तथा द्वितीय आवर्त में
(d) III A समूह तथा पाँचवें आवर्त में

116. भारी जल है–
(a) H_2O (b) D_2O
(c) H_2O_2 (d) इनमें से कोई नहीं

117. निम्नलिखित युग्मों में से, किस युग्म में दोनों अणु स्थायी द्विध्रुव आघूर्ण रखते हैं?
(a) CO_2, SO_2 (b) BCl_3, PCl_3
(c) H_2O, SO_2 (d) CO_2, CS_2

118. एक तत्व 'M' का परमाणु क्रमांक 26 है। इस तत्व की M^{3+} अवस्था में M–कोश में कितने इलेक्ट्रॉन उपस्थित होंगे?
(a) 11 (b) 15
(c) 14 (d) 13

119. एक दुर्बल अम्ल का 0.1 जलीय विलयन, 2% आयनित होता है। जल का आयनिक गुणनफल 1×10^{-14} है। $[OH^-]$ की सान्द्रता होगी-
(a) 5×10^{-12} M
(b) 2×10^{-3} M
(c) 1×10^{-14} M
(d) इनमें से कोई नहीं

120. हाइड्रोजन के परमाण्विक स्पेक्ट्रम की लाइमन श्रेणी में H_β रेखा प्राप्त करने के लिए n_1 तथा n_2 के मान क्रमशः होंगे-
(a) 3 तथा 5 (b) 2 तथा 3
(c) 1 तथा 3 (d) 2 तथा 4

वनस्पति विज्ञान

121. निम्नलिखित में से कौन-सी भारतीय सरसों है?
(a) ब्रैसिका जन्सिया (Brassica juncea)
(b) ब्रैसिका कम्पेस्ट्रिस (Brassica campestris)
(c) ब्रैसिका नाइजर (Brassica niger)
(d) उपरोक्त में से कोई नहीं

122. निम्नलिखित में से कौन 'कोशिका का ऊर्जा गृह' कहलाता है?
(a) प्रोटीन (b) माइटोकॉण्ड्रिया
(c) लाइसोसोम (d) केन्द्रकद्रव्य

123. वृक्ष की मोटाई में वृद्धि होती है-
(a) अन्तर्वेशी विभज्योतक (intercalary meristem) द्वारा
(b) पार्श्व विभज्योतक (Lateral meristem) द्वारा
(c) शीर्षस्थ विभज्योतक (apical meristem) द्वारा
(d) पट्टिका विभज्योतक (plate meristem) द्वारा

124. पर्णाभवृन्त (phyllode) है, एक-
(a) रूपान्तरित पत्ती
(b) रूपान्तरित जड़
(c) रूपान्तरित तना
(d) रूपान्तरित पर्णवृन्त

125. जूफिली (zoophily) से तात्पर्य है-
(a) अकशेरुकियों तथा कशेरुकियों द्वारा परागण
(b) वायु द्वारा परागण
(c) जल द्वारा परागण
(d) इनमें से कोई नहीं

126. फाइकोकोलॉइड्स (phycocolloids) प्राप्त होते हैं-
(a) भूरे शैवालों से
(b) हरे शैवालों से
(c) नीले-हरे शैवालों से
(d) डायटम्स से

127. निम्नलिखित में से 'सागो पाम' है-
(a) साइकस रिवोल्यूटा (Cycas revoluta)
(b) साइकस सर्सिनेलिस (Cycas circinalis)
(c) साइकस पैक्टिनेटा (Cycas pectinata)
(d) साइकस रम्फाई (Cycas rumphii)

128. आवृतबीजियों में 7-कोशिकीय तथा 8-केन्द्रकीय संरचना होती है-
(a) भ्रूणकोष (b) तना
(c) भ्रूण (d) अण्ड उपकरण

129. निम्नलिखित में से कौन-सी मृदा कृषि हेतु सर्वोत्तम होती है?
(a) चिकनी मृदा (clay)
(b) सिल्ट (silt)
(c) सिल्ट तथा चिकनी मिट्टी के साथ दोमट का मिश्रण
(d) दोमट मृदा (loamy soil)

130. आवृत्तबीजियों में मादा युग्मकोद्भिद् कहलाता है-
(a) भ्रूणपोष (endosperm)
(b) भ्रूणकोष (embryo sac)
(c) भ्रूण (embyro)
(d) युग्मनज (zygote)

131. निम्नलिखित में से कौन-सा वर्णक पुष्पन एवं अंकुरण हेतु उत्तरदायी होता है-
(a) फाइटोहॉर्मोन (b) साइटोक्रोम
(c) फॉइटोक्रोम (d) फोटोहॉर्मोन

132. पथरीय अन्तः फलभित्ति (stony endocarp) पाई जाती है-
(a) पुंजफल (aggregate) में
(b) अष्ठिल फल (drupe) में
(c) सरसफल (berry) में
(d) पोमफल (pome) में

133. निम्नलिखित में से किसमें बीज फल के भीतर नहीं पाए जाते हैं?
(a) अनावृत्तबीजियों में
(b) आवृत्तबीजियों में
(c) टेरिडोफाइट्स में
(d) ब्रायोफाइट्स में

134. लीची का खाने योग्य भाग है-
(a) सेमिला (semilla)
(b) एरिल (aril)
(c) फलभित्ति (pericarp)
(d) वृन्त (pedicel)

135. निम्नलिखित में से कौन-सा फलों को पकाने के लिए प्रयोग होता है?
(a) C_2H_2 (b) C_2H_4
(c) C_2H_6 (d) C_2H_8

136. निम्नलिखित में से कौन-सा 'बॉग मॉस' (bog moss) कहलाता है?
(a) पॉलीट्राइकम (b) स्फैग्नम
(c) फ्यूनेरिया (d) रिक्सिया

137. कम्पोजिटी कुल से सम्बन्धित फल है-
(a) पुंजफल (aggregate)
(b) सिप्सेला (cypsela)
(c) अष्ठिल फल (drupe)
(d) पोम (pome)

138. फ्यूनेरिया के बीजाणुद्भिद् का विकास प्रारम्भ होता है-
(a) पुंधानी में (b) सम्पुट में
(c) प्रोटोनीमा में (d) स्त्रीधानी में

139. पौधों में निम्नलिखित में से कौन-सा तत्व सर्वाधिक होता है?
(a) C (b) Zn
(c) Ca (d) Mg

140. क्लोरोफिल का निम्नलिखित में से कौन-सा प्रकार प्रकाश-संश्लेषण में प्रत्यक्ष रूप से भाग लेता है?
(a) क्लोरोफिल-*a* (b) क्लोरोफिल-*b*
(c) जैन्थोफिल (d) कैरोटिनॉएड

141. कपास के तन्तु होते हैं-
(a) तने से निकाले गए तन्तु
(b) बीज के बाह्य त्वचीय तन्तु
(c) फलों के बाह्य त्वचीय तन्तु
(d) जड़ों से निकाले गए तन्तु

142. कैक्टस के शूल (spines) होते हैं, रूपान्तरित-
(a) शल्क (scales)
(b) तना (stem)
(c) पत्तियाँ (leaves)
(d) पर्णवृत्त (petioles)

143. पादपों में जल निरन्तरता किसके कारण होती है?
(a) परासरण (b) अधिचूषण
(c) बिन्दुस्त्राव (d) आसंजन बल

144. मक्का में जम्पिंग जीन की खोज किसने की थी?
(a) ह्यूगो डी व्रीज ने
(b) बारबरा मैन्किलिन्टॉक ने
(c) टी एच मॉर्गन ने
(d) मेण्डल ने

145. भिण्डी किस कुल से सम्बन्धित है-
(a) मालवेसी (b) कुकुरबिटेसी
(c) लिलिएसी (d) ब्रेसिकेसी

146. पादपों में भोजन किस रूप में स्थानान्तरित होता है?
(a) सुक्रोस (b) फ्रक्टोस
(c) ग्लूकोस (d) लैक्टोस

147. मशरूम का खाने योग्य भाग है-
(a) बेसिडियोकार्प
(b) द्वितीयक कवकजाल
(c) प्राथमिक कवकजाल
(d) तृतीयक कवकजाल

148. उष्णकटिबन्धीय वन में कुछ जातियों के विलुप्त होने का मुख्य कारण क्या है?
(a) वन नष्टीकरण (b) वनीकरण
(c) प्रदूषण (d) मृदा अपरदन

149. मृदा जिसका परिवहन वायु द्वारा होता है। उसे क्या कहते हैं?
(a) कॉलुवियल (b) इओलियन
(c) एलुवियल (d) ग्लेशियल

150. पत्तियों के विलगन का कारण है-
(a) ABA (b) साइटोकाइनिन
(c) ऑक्सिन (d) जिबरेलिन

जन्तु विज्ञान

151. विटामिन-C सहायक होता है-
(a) सभी दीर्घपोषकों के उपापचय में
(b) प्रोथ्रॉम्बिन के निर्माण में
(c) कोलेजन के निर्माण में
(d) अमीनों अम्लों के उपापचय में

152. गोनेडोट्रॉपिक हॉर्मोन स्रावित होता है-
(a) पिट्यूटरी ग्रन्थि द्वारा
(b) एड्रीनल ग्रन्थि द्वारा
(c) थायरॉइड ग्रन्थि द्वारा
(d) इनमें से कोई नहीं

153. मेंढक में मेरु तन्त्रिकाओं (spinal nerves) की संख्या होती है-
(a) 10 जोड़ी (b) 30 जोड़ी
(c) 12 जोड़ी (d) 33 जोड़ी

154. पेशी संकुचन की आधारभूत इकाई है-
(a) कोलेजन (b) सार्कोमीयर
(c) पट्ट (d) मायोफइब्रिल्स

155. पाँच जगत वाली वर्गीकरण पद्धति प्रतिपादित की थी-
(a) आर.एच.व्हिटेकर ने
(b) कोपलैण्ड ने
(c) कार्ल वीज ने
(d) ई.हेकल ने

156. वैलिसनेरिया तथा हाइड्रिला हैं-
(a) जलोद्भिद् आवृतबीजी
(b) मरुद्भिद आवृतबीजी
(c) समोद्भिद् आवृतबीजी
(d) लवणोद्भिद् आवृतबीजी

157. टिड्डे (grasshopper) में किस प्रकार का लिंग निर्धारण पाया जाता है?
(a) XY प्रकार का (b) WZ प्रकार का
(c) XO प्रकार का (d) इन सभी का

158. नील-हरित शैवाल होते हैं-
(a) प्रोकैरियोटिक (b) यूकैरियोटिक
(c) एकबीजपत्री (d) द्विबीजपत्री

159. मच्छर के मुखांग होते हैं-
(a) स्पन्जी (sponging) प्रकार के
(b) भेदन (piercing) प्रकार के
(c) काटने के (biting) प्रकार के
(d) फाड़ने के (tearing) प्रकार के

160. श्वान कोशिकाएँ उपस्थित होती हैं, जहाँ-
(a) तन्त्रिका मायलिन आच्छद से ढँकी होती हैं
(b) न्यूरीलेमा तथा मायलिन आच्छद असतत् होती हैं
(c) मायलिन आच्छद असतत् होता है
(d) न्यूरीलेमा असतत् होती है

161. निम्नलिखित में से कौन सुमेलित है?
(a) अमोनोटीलिज्म – कीट
(b) अमीनोटीलिज्म – कछुआ
(c) यूरियोटीलिज्म – स्तनधारी
(d) यूरिकोटीलिज्म – प्रोटोजोआ

162. मस्तिष्क में निम्नलिखित में से कौन-सा रन्ध्र (foramen) उपस्थित होता है?
(a) फोरामेन मैग्नम (foramen magnum)
(b) शीर्ष फोरमेन (apical foramen)
(c) फोरामेन ओवेल (foramen ovale)
(d) फोरामेन ट्रांसवर्सेरियम (foramen transversarium)

163. बोमेन सम्पुट पाया जाता है?
(a) वृक्क वल्कुट (renal cortex) में
(b) वृक्क मध्यांश (renal medulla) में
(c) वृक्क सम्पुट (renal capsula) में
(d) वृक्क सम्पट्ट (renal fascia) में

164. निम्नलिखित में से कौन-से सबसे छोटी कपाल तन्त्रिका (cranial nerve) है?
(a) एब्ड्युलेन्स (abdulens)
(b) ऑप्टिक (optic)
(c) ट्रॉक्लियर (trochlear)
(d) फेशियल (facial)

165. बिन्दुस्त्रवण (guttation) एक प्रक्रिया है, जिसमें-
(a) स्टोमेटा द्वारा पौधों से जल की हानि होती है
(b) हाइडेथोड्स द्वारा पौधों से जल की हानि होती है
(c) वातरन्ध्रों द्वारा पौधों से जल की हानि होती है
(d) घावों द्वारा पौधों से जल की हानि होती है

166. मेण्डल के सिद्धान्तों की पुनः खोज की थी-
(a) हेक्सले ने (b) ह्यूगो डी व्रीज ने
(c) एरिक फर्मी (d) इनमें से कोई नहीं

167. कवकों में संचित भोजन होता है-
(a) ग्लाइकोजन (b) स्टार्च
(c) सेलुलोस (d) ये सभी

168. असूत्री विभाजन (amitosis) होता है-
(a) जीवाणुओं में (b) यीस्ट में
(c) कारा में (d) इन सभी में

169. यदि पुत्र का रुधिर वर्ग 'O' तथा उसके पिता का रुधिर वर्ग 'B' है, तो पिता का जीन प्ररूप है-
(a) I^oI^o (b) I^AI^B
(c) I^oI^B (d) I^oI^A

170. भ्रूण में समान संरचनाओं का निर्माण दर्शाता है-
(a) बायोजेनेटिक नियम (biogenetic law)
(b) अनुकूली विकिरण (adaptive radiation)
(c) उत्परिवर्तन (mutation)
(d) प्राकृतिक वरण (natural selection)

171. साइटोकाइनिन सहायक होता है?
(a) कोशिका विभाजन में
(b) कोशिका के दीर्घीकरण में
(c) शीर्ष प्रभाविता में
(d) उपरोक्त सभी में

172. निम्नलिखित में से कौन-सा स्वयं की पुनरुद्भवन क्षमता के लिए जाना जाता है?
(a) हाइड्रा (b) ओबेलिया
(c) फाइसेलिया (d) ऑरेलिया

173. सिग्नेट वलय की अवस्था में पाई जाती है-
(a) प्लाज्मोडियम में (b) पैरामीशियम में
(c) एण्टअमीबा में (d) अमीबा में

174. निम्नलिखित में से कौन-सा कॉर्डेटा का एक अभिलक्षण है?
(a) त्रिस्तरीय शरीर
(b) अन्धकोष प्रकार की शरीर योजना
(c) खोखली पृष्ट तन्त्रिका रज्जु
(d) नलिकाएँ तथा स्पंजगुहा कशाभीय कोशिकाओं द्वारा स्तरित होती है

175. केंचुए के निम्नलिखित में से किन खण्डों में क्लाइटेलम पाया जाता है?
(a) 10वें–20वें खण्ड में
(b) 14वें–16वें खण्ड में
(c) 12वें–18वें खण्ड में
(d) 14वें–15वें खण्ड में

176. सिनेप्टोनिमल कॉम्पलेक्स पाया जाता है?
(a) लेप्टोटीन प्रावस्था में
(b) जाइगोटीन प्रावस्था में
(c) पैकीटीन प्रावस्था में
(d) डाइकाइनेसिस में

177. अनुकम्पी तन्त्रिका तन्त्र का अन्य नाम है-
(a) क्रेनियल (cranial)
(b) क्रेनियोसैक्रल (craniosacral)
(c) थोरेसोलम्बर (thoracolumbar)
(d) उपरोक्त में से कोई नहीं

178. टायफॉइड रोग उत्पन्न होता है-
(a) साल्मोनेला टायफी द्वारा
(b) माइकोबैक्टीरियम द्वारा
(c) प्लाज्मोडियम वाइवैक्स द्वारा
(d) ट्रेपीनीमा पैलिडम द्वारा

179. शशक में सेलुलोस का पाचन होता है–

(a) अंधनाल (caecum) में
(b) कोलोन (colon) में
(c) आँत (intestine) में
(d) उपरोक्त सभी में

180. कवकमूल होता है–

(a) शैवालों एवं कवकों का सम्बन्ध
(b) कवकों एवं उच्च पादपों का सम्बन्ध
(c) शैवालों एवं उच्च पादपों का सम्बन्ध
(d) उपरोक्त में से कोई नहीं

General English

181. Fill in the blank with the correct option.
Politicians make many promises, but very .... of them are implemented.

(a) few (b) little
(c) some (d) a few

182. Fill in the blank with the correct option.
...........you tell me the way to the station please?

(a) Might (b) Must
(c) May (d) Could

183. Fill in the blank with the correct preposition.
There was a small table............the bed, on which there was a book.

(a) into (b) in
(c) besides (d) beside

184. In changing the following Direct speech into Indirect speech, what change is required in the verb 'eat'?
"I never eat fish", he explained.

(a) Ate
(b) Eats
(c) Have eaten
(d) No change is required

185. Which is the correct spelling?

(a) bivouck (b) bivouk
(c) bivouac (d) bivouk

186. Find the correct sentence:

(a) He is one of those boys who are wicked.
(b) He is one of those boys who is wicked.
(c) He is one of those boy who is wicked.
(d) He is one of those boy who are wicked.

187. Out of the four alternatives, choose the one which best expresses the meaning of the given word.
Solitary

(a) Solid (b) Solicitous
(c) Lonely (d) Voluntary

188. Choose the most appropriate translation of the given sentence into English :
हमने नाश्ता कर लिया है।

(a) We are having our breakfast.
(b) We had our morning breakfast.
(c) We have eaten our breakfast.
(d) We have already taken our breakfast.

Direction (189–190): In the following questions, you have only 1 question in each passage. Read the passages carefully and choose the best answer of the given question out of the four alternatives.

189. "I must find a hiding place," he thought, "in the next few seconds or I am done for."
Scarcely had the thought crossed his mind that the lane took a sudden turning so that he found himself hidden from his pursuers. There are circumstances in which the least energetic of mankind team to act with speed and decision. This was such an occasion for Rehmat Ali and those who knew him best would have been the most astonished at the lad's boldness. He stopped dead, threw the box of jewellery over a garden wall and, leaping upwards with incredible lightness, seized the top of the walls with his hands and tumbled head long into the garden.
Rehmat Ali is most likely:

(a) a burglar
(b) a policeman
(c) a night watchman
(d) a jogger

190. The saving of certain wild animals from extinction has for many years been a problem for zoologists and other specialists, but more recently the problem has become so acute, and has received so much publicity, that most people are now concerned about it. This may at first seem strange because one of the most gratifying developments of the last few years has been the passing of strict laws to protect wild animals and the consequent decline in the hunting of big-game for sport. Why is it then that some rare wild animals are still threatened with extinction and even some of the less rare ones are rapidly declining in number?
One reason is the 'march of civilisation'. When an area is wholly cleared of vegetation to make room for new towns, factory sites or hydroelectric plant, the natural home of several species is destroyed. The displaced animal must either migrate to another area or perish. Even the clearing of land for a road or an airfield may involve 'pushing back' the jungle and the smaller the area in which wild animals compete for a living, the smaller the number that can hope to survive.
According to the author what is referred to 'This may at first seem strange'?

(a) The problem of saving certain wild animals
(b) The hunting of big-game
(c) The clearing vegetation
(d) The extinction of animals

सामान्य ज्ञान

191. गोदावरी नदी का उद्गम स्थल .... राज्य में है।

(a) मध्य प्रदेश (b) छत्तीसगढ़
(c) महाराष्ट्र (d) उड़ीसा

192. भारत की संविधान सभा की संघ शक्ति समिति के अध्यक्ष कौन थे?

(a) डॉ. राजेन्द्र प्रसाद
(b) जे.बी. कृपलानी
(c) सरदार वल्लभभाई पटेल
(d) जवाहरलाल नेहरु

193. हिमालय का तीसरा सबसे बड़ा शिखर कौन-सा है?

(a) माउण्ट ल्होत्से (b) माउण्ट मकालू
(c) माउण्ट फूजी (d) माउण्ट कंचनजंगा

194. मगध का कौन-सा सम्राट 'अपरोपरशुराम' के नाम से जाना जाता है?

(a) बिन्दुसार (b) अजातशत्रु
(c) कालाशोक (d) महापद्मनन्द

195. 'मत्त विलास प्रहसन' का लेखक कौन था?

(a) गौतमीपुत्र शातकर्णी
(b) महाक्षत्रप रुद्रदामन
(c) महेन्द्र वर्मन
(d) पुलकेशिन द्वितीय

196. निम्नलिखित में से किसने भारत सरकार अधिनियम, 1935 को "गुलामी का अधिकार पत्र" कहा था?

(a) जवाहरलाल नेहरू
(b) एम. ए. जिन्ना
(c) डॉ. राजेन्द्र प्रसाद
(d) मौलाना अबुल कलाम आजाद

197. निम्नलिखित में से कहां तेल शोधक कारखाना नहीं है?

(a) कोयली (b) नूनमाटी
(c) हटिया (d) बरौनी

198. विश्व तंबाकू निषेध दिवस कब मनाया जाता है?
(a) 28 मई
(b) 29 मई
(c) 30 मई
(d) 31 मई

199. निम्नलिखित में से किसे भारत सरकार का प्रथम विधि अधिकारी समझा जाता है?
(a) भारत का मुख्य न्यायाधीश
(b) महान्यायाभिकर्ता
(c) महान्यायवादी
(d) महाधिवक्ता

200. भारत के सिक्के जारी करने के लिए कौन अधिकृत है?
(a) रिजर्व बैंक ऑफ इंडिया
(b) वित्त मंत्रालय
(c) स्टेट बैंक ऑफ इंडिया
(d) राष्ट्रीय स्टॉक बाजार

व्याख्या सहित उत्तर

भौतिक विज्ञान

1. (b) प्रक्षेप्य की परास

$$(R) = \frac{u^2 \sin 2\theta}{g}$$

$\because$ $R \propto \sin 2\theta$

$\therefore$ $$\frac{R'}{R} = \frac{\sin 90^o}{\sin 30^o} = \frac{1}{1/2} = 2$$

R' = 2R = 2 × 1.5 किमी = 3 किमी

2. (d) बल आघूर्ण (τ) = बल × विस्थापन
$= [MLT^{-2}][L] = [ML^2T^{-2}]$

3. (b) दूरी = समलम्ब (ABOC) का क्षेत्रफल

$$\text{दूरी} = \frac{1}{2}(42 + 20) \times 60 \text{ मी}$$
$= 1860$ मी

4. (a) प्रश्नानुसार,

$$v' = \frac{u}{1.5} = \frac{2}{3}u$$

संवेग संरक्षण के नियम से,

$$m_1 u = m_2 v' + m_2 v$$
$$m_1 u = m_1 \frac{2u}{3} + m_2 v$$

या $$\frac{1}{3} m_1 u = m_2 v \quad \text{(i)}$$

न्यूटन के समघात के नियम से,

$$v - \frac{2u}{3} = u \text{ या } v = \frac{5}{3}u$$
$$m_1 u = m_1 + m_2 v$$

समी. (i) से

$$\frac{1}{3} m_1 u = \frac{5}{3} m_2 u$$

या $$\frac{m_1}{m_2} = 5$$

5. (c) रस्सी का तनाव,

$$T_1 = \frac{(m_2 + m_3)F}{m_1 + m_2 + m_3}$$
$$\frac{(3+5)10}{2+3+5} = \frac{8 \times 10}{10} = 8 \text{ न्यूटन}$$

6. (a) B, A की दिशा में गिरेगा, यदि छद्म बल निश्चित घर्षण से अधिक होगा

$$F > F_1 = m\left(\frac{F}{m+M}\right) > \mu_s R$$
$$= m\left(\frac{F}{m+M}\right) > 0.15\, mg$$
[$\because$ R = mg]

$\therefore$ F > 1.764 न्यूटन[$\therefore$ M = 1kg, m = 0.2 kg]

7. (b) यदि एक कण जिस पर दो असामान्य, गतिशील बल f_c एवं f_t कार्य करते हैं, तो

कुल बल $f_{\text{कुल}} = \sqrt{f_c^2 + f_t^2}$ (i)

अभिकेन्द्रीय बल,

$$f_c = \frac{mv^2}{R} = \frac{2as^2}{R} \quad \text{(ii)}$$

(गतिज ऊर्जा $= \frac{1}{2}mv^2 = as^2$ दिया है)

$$\frac{1}{2}mv^2 = as^2$$
$$v^2 = \frac{2as^2}{m} \Rightarrow v = s\sqrt{\frac{2a}{m}}$$

स्पर्श रेखीय त्वरण,

$$a_1 = \frac{dv}{dt} = \frac{dv}{ds}.\frac{ds}{dt} = \frac{d}{ds}\left[s\sqrt{\frac{2a}{m}}\right] \times v$$
$$= v\sqrt{\frac{2a}{m}} = s\sqrt{\frac{2a}{m}}\sqrt{\frac{2a}{m}} = \frac{2as}{m}$$
$$f_t = ma_t = 2as \quad \text{..(iii)}$$

समी (i) से f_c तथा f_t के मान रखने पर

$$f_{\text{कुल}} = \sqrt{(2as)^2 + \left(\frac{2as^2}{R}\right)^2}$$
$$= \sqrt{4a^2s^2\left[1 + \frac{s^2}{R^2}\right]}$$
$$\Rightarrow \quad = 2as\left[1 + \frac{s^2}{R}\right]^{1/2}$$

8. (a) $v = 6$ मी^{3}, $m = 6000$ किग्रा तथा P = 2000 वाट

P = Vi = 200 × 10 = 2000 वाट

प्रश्नानुसार,

$$p \times \frac{75}{100} = \frac{mgh}{t \times 60 \text{ मिनट}}$$

अत: $$\frac{75}{100} \times 2000 = \frac{6000 \times 10 \times 15}{t \times 60}$$
$$\frac{3}{4} = \frac{3 \times 10}{t \times 4}$$

या $t = 10$ मिनट

9. (d) $$F = -\frac{dU}{dx}$$

$\Rightarrow$ $dU = -F.\,dx$

$$U = -\int_0^x (-kx + ax^3)dx$$

$\Rightarrow$ $$U = \frac{kx^2}{2} - \frac{ax^4}{4}$$

$x = 0$ पर, U = 0 प्राप्त होता है।

और $$x = \sqrt{\frac{2k}{a}}$$

U = x के लिए, नकारात्मक $> \sqrt{\frac{2k}{a}}$

दिये गये कार्य में हम देख सकते हैं, कि F = 0 पर $x = 0$ अर्थात् $x = 0$ पर U-x ग्राफ का ढाल शून्य है।

10. (a) छड़ AB का बिन्दु P के परित: जड़त्व आघूर्ण

$$= \frac{1}{12}Ml^2$$

छड़ AB का बिन्दु O के परित: जड़त्व आघूर्ण

$$= \frac{Ml^2}{12} + M\left(\frac{l}{2}\right)^2 = \frac{1}{3}Ml^2$$

(लम्बवत् अक्ष की प्रमेय द्वारा)

परन्तु निकाय में समान प्रकार की 4 छड़े है अत:

$$I_{\text{निकाय}} = \frac{4}{3}Ml^2$$

11. (a) जब m_2 टुकड़ा त्वरण a के साथ नीचे की ओर जाता है। तब द्रव्यमान m_1 का त्वरण a से $2a$ हो जायेगा क्योंकि यह उसी समय m_2 की तुलना में दुगनी दूरी तय करेगा।

माना, रस्सी में तनाव T है

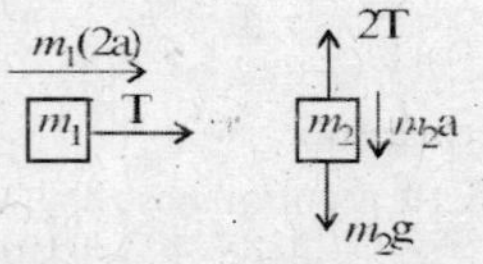

चित्रानुसार,

$$T = m_1 2a \quad \text{...(i)}$$
$$m_2 g - 2T = m_2 a \quad \text{...(ii)}$$

समी (i) व (ii) को हल करने पर

$$a = \frac{m_2 g}{(4m_1 + m_2)}$$

12. (b) मुक्त ऊर्जा,

$$E = 4pTR^3\left[\frac{1}{r}-\frac{1}{R}\right]$$

$$= 3\left(\frac{4}{3}\pi R^3\right)T\left[\frac{1}{r}-\frac{1}{R}\right]$$

$$= 3VT\left[\frac{1}{r}-\frac{1}{R}\right]$$

13. (a) जब पदार्थ समान आयतन में मिश्रित किये जाते हैं, तो घनत्व

$$= \frac{\rho_1+\rho_2}{2} = 4$$

$$\Rightarrow \quad \rho_1+\rho_2 = 8 \quad ...(i)$$

जब पदार्थ समान द्रव्यमानों में मिश्रित किये जाते हैं, तब

$$\text{घनत्व} = \frac{2\rho_1\rho_2}{\rho_1+\rho_2} = 3$$

$$2\rho_1\rho_2 = 3(\rho_1+\rho_2) \quad ...(ii)$$

समी (i) व (ii) को हल करने पर

$\rho_1 = 6$ और $\rho_2 = 2$

14. (d) आदर्श गैस समीकरण,

$$pV = \mu RT = \left(\frac{N}{N_A}\right)RT$$

जहाँ, N = अणुओं की संख्या

N_A = आवोगाद्रो संख्या

$$\therefore \quad \frac{N_1}{N_2} = \left(\frac{p_1}{p_2}\right)\left(\frac{V_1}{V_2}\right)\left(\frac{T_2}{T_1}\right)$$

$$= \left(\frac{p}{2p}\right)\left(\frac{V}{V/4}\right)\left(\frac{2T}{T}\right) = \frac{4}{1}$$

15. (c) $\omega_1 = 20$ रेडियन/से

$\omega_2 = 0$

तथा $t = 4$ सेकण्ड

तो कोणीय मंदन

$$\alpha = \frac{\omega_1-\omega_2}{t} = \frac{20}{4}\text{रेडियन/से}^2$$

2 सेकण्ड बाद कोणीय गति

$\omega_2 = \omega_1 - \alpha t$

$= 20 - 5 \times 2 = 10$ रेडियन/से

2 सेकण्ड में बल आघूर्ण द्वारा किया गया कार्य = गतिज ऊर्जा में कमी

$$= \frac{1}{2}I(\omega_1^2-\omega_2^2)$$

$$= \frac{1}{2}\times(0.20)(20)^2-(10)^2$$

= 30 जूल

16. (a) $\frac{d\varphi}{dt} = \frac{kA\Delta\varphi}{l}$ दोनों छड़ों के लिए k, A और ΔQ समान हैं

$$\frac{dQ}{dt} \propto \frac{1}{l}$$

तो $$\frac{dQ/dt_{(\text{अर्द्ध-चन्द्राकार})}}{dQ/dt_{(\text{सीधी})}}$$

$$= \frac{l_{(\text{सीधी})}}{l_{(\text{अर्द्ध-चन्द्राकार})}}$$

$$= \frac{2r}{\pi r} = \frac{2}{\pi}$$

17. (b) पात्र A के लिए,

$$p_0V_0 = n_0RT_0$$

पात्र B के लिए,

$$p_0V_0 = n_0RT_0$$

$$n_0 = \frac{p_0V_0}{RT_0}$$

कुल मोलों की संख्या $= n_0 + n_0 = 2n_0$

अत: गर्म करने पर संरक्षित कुल अणुओं की संख्या

$$n_1 + n_2 = 2n_0 \quad ...(i)$$

यदि p उभयनिष्ठ दाब है, तो

पात्र A के लिए,

$$pV_0 = n_1R2T_0$$

$$n_1 = \frac{pV_0}{2RT_0}$$

पात्र B के लिए,

$$pV_0 = n_2RT_0$$

$$n_2 = \frac{pV_0}{RT_0}$$

n_0, n_1 और n_2 का मान समी (i) में रखने पर

$$\frac{pV_0}{2RT_0}+\frac{pV}{RT_0} = \frac{2pV_0}{RT_0} \Rightarrow p = \frac{4}{3}p_0$$

पात्र A में अणुओं की संख्या ($2T_0$ ताप पर)

$$= n_1 = \frac{pV_0}{2RT_0}$$

$$= \left(\frac{4}{3}p_0\right)\frac{V_0}{2RT_0}$$

$$= \frac{2}{3}\frac{p_0V_0}{RT_0}\left[\because p = \frac{4}{3}p_0\right]$$

18. (b) चूँकि फ्लास्क एवं द्रव दोनों के आयतन में वृद्धि होती है परन्तु फ्लास्क का आयतन पहले बढ़ता है, जिसके कारण द्रव का स्तर पहले गिरता है तथा बाद में बढ़ता है।

19. (d) हम जानते हैं, कि किया गया कार्य

$$U_{\text{अन्तिम}} - U_{\text{प्रारम्भिक}} = \frac{1}{2}C(V_2^2 - V_1^2)$$

जब विभवान्तर को 5 वोल्ट से बढ़ाकर 10 वोल्ट कर दिया जाता है,

तो $$W = \frac{1}{2}C(10^2-5^2) \quad ...(i)$$

जब विभवान्तर को 10 वोल्ट से बढ़ाकर 15 वोल्ट कर दिया जाता है,

तो $$W' = \frac{1}{2}C(15^2-10^2) \quad ...(ii)$$

समी (i) व (ii) को हल करने पर

$$W' = 1.67W$$

20. (c) प्रयोग द्वारा $I = \frac{P}{A}$ जहाँ P = विकिरण शक्ति

$$\Rightarrow \quad p = I\times A = \frac{nhc}{t\lambda} = IA$$

$$\Rightarrow \quad \frac{n}{t} = \frac{IA}{hc}$$

अत: नेत्र में प्रति सेकण्ड प्रवेश करने वालों फोटॉनों की संख्या

$$\frac{n}{t} = \frac{10^{-10}\times10^{-6}\times5.6\times10^{-7}}{6.6\times10^{-34}\times3\times10^{8}} \approx 300$$

21. (a) X और Y के बीच विभवान्तर

$V_{XY} = V_X - V_Y$

$= 1 \times 4 = 4$ वोल्ट ...(i)

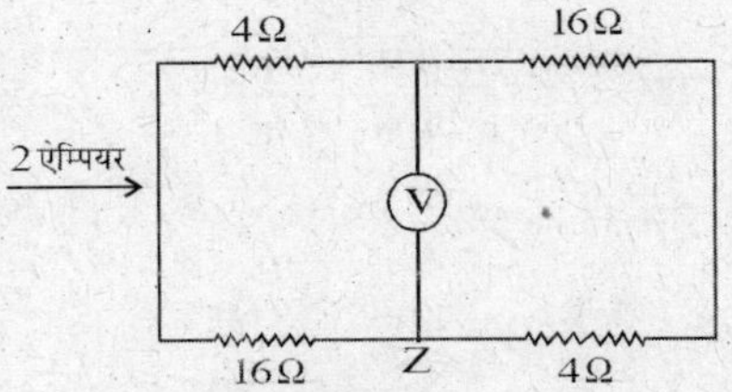

X और Z के बीच विभवान्तर

$V_{XZ} = V_X - V_Z = 1 \times 16 = 16$ वोल्ट ..(ii)

सभी (i) व (ii) को हल करने पर Y और Z के बीच विभवान्तर प्राप्त होता है।

अत: वोल्टमीटर का पाठयांक

$V_Y - V_Z = 12$ वोल्ट

22. (d) माना दो सरल आवर्त गतियों की समीकरण निम्न है।

$$y = a\sin\omega t$$

$$y = a\sin(\omega t+\phi)$$

प्रथम शर्तानुसार,

$$\frac{a}{2} = a\sin\omega t$$

$$\Rightarrow \quad \sin\omega t = \frac{1}{2}$$

$$\cos\omega t = \frac{\sqrt{3}}{2}$$

द्वितीय शर्तानुसार

$$\Rightarrow \quad \frac{a}{2} = a\sin(\omega t+\phi)$$

$$\Rightarrow \quad \frac{1}{2} = [\sin\omega t\cos\phi + \cos\omega t\sin\phi]$$

$$\Rightarrow \quad \frac{1}{2} = \left[\frac{1}{2}\cos\phi + \frac{\sqrt{3}}{2}\sin\phi\right]$$

$$\Rightarrow \quad 1-\cos\phi = \sqrt{3}\sin\phi$$

$$\Rightarrow \quad (1-\cos\phi)^2 = 3\sin^2\phi$$

$$\Rightarrow \quad (1-\cos\phi)^2 = 3(1-\cos^2\phi)$$

हल करने पर

$\cos\phi = \pm 1$

$\cos\phi = -\dfrac{1}{2}$

$\phi = 0$ Or $\phi = 120^\circ$

23. (d) $E = W_0 + \dfrac{1}{2}mv^2_{\text{अधिकतम}}$

$\Rightarrow \quad v_{\text{अधिकत}} = \sqrt{\dfrac{2E}{n} - \dfrac{2W_0}{m}}$

जहाँ, $E = \dfrac{hc}{\lambda}$

यदि आपतित प्रकाश की तरंगदैर्ध्य 1 से $\dfrac{3\lambda}{4}$ परिवर्तित होती है, तब आपतित प्रकाश की ऊर्जा E से E' तथा तीव्रतम इलेक्ट्रॉन की गति v से v' परिवर्तित होगी। अत:

$$v = \sqrt{\frac{2E}{m} - \frac{2W_0}{m}} \qquad ...(i)$$

और $\quad v' = \sqrt{\dfrac{2E'}{m} - \dfrac{2W_0}{m}} \qquad ...(ii)$

जैसे $\quad E \propto \dfrac{1}{\lambda}$

$\Rightarrow \quad E' = \dfrac{4}{3}E'$

अत: $\quad v' = \sqrt{\dfrac{2\left(\dfrac{4}{3}E\right)}{m} - \dfrac{2W_0}{m}}$

हम देख सकते हैं कि

$$\sqrt{\frac{2E}{m} - \frac{2W_0}{m\left(\frac{4}{3}\right)}} > v$$

$\because \quad v' = \left(\dfrac{4}{3}\right)^{1/2}\sqrt{\dfrac{2E}{m} - \dfrac{2W_0}{m\left(\frac{4}{3}\right)}}$

$\therefore \quad v' > \left(\dfrac{4}{3}\right)^{1/2} > v$

अत: तेजी से उत्सर्जित होने वाले इलेक्ट्रॉन का वेग $v\left(\dfrac{4}{3}\right)^{1/2}$ से ज्यादा होगा।

24. (a) $l_{\text{न्यूट्रॉन}} \propto \dfrac{1}{\sqrt{T}}$

$\Rightarrow \quad \dfrac{\lambda_1}{\lambda_2} = \sqrt{\dfrac{T_2}{T_1}}$

$\Rightarrow \quad \dfrac{\lambda_1}{\lambda_2} = \sqrt{\dfrac{(273+927)}{(273+27)}}$

$= \sqrt{\dfrac{1200}{300}} = 2$

$\Rightarrow \quad \lambda_2 = \dfrac{\lambda}{2}$

25. (c) सूत्र $\dfrac{1}{\lambda} = RZ^2\left(\dfrac{1}{n_1^2} - \dfrac{1}{n_2^2}\right)$ के प्रयोग द्वारा

$\Rightarrow \quad \lambda \propto \dfrac{1}{Z^2}$

$\Rightarrow \quad \lambda_{Li} : \lambda_{He^+} : \lambda_H = \dfrac{1}{9} : \dfrac{1}{4} : \dfrac{1}{1}$

$\Rightarrow \quad = 4 : 9 : 36$

26. (c) उदासीन बिन्दु पर, चुम्बक के कारण चुम्बकीय क्षेत्र = पृथ्वी के चुम्बकीय क्षेत्र का क्षैतिज घटक

$\Rightarrow \quad \dfrac{m_0}{4\pi}\dfrac{2M}{r^3} = B_H$

$\Rightarrow \quad \dfrac{10^{-7} \times 2 \times M \times 1}{(0.2)^3} = 0.3 \times 10^{-4}$

$\Rightarrow \quad M = 1.2$ ऐम्पियर × मी^{2}

27. (c) सूत्र $N = N_0\left(\dfrac{1}{2}\right)^{t/T_{1/2}}$ द्वारा

$$t = \frac{T_{1/2}\log_e\left(\frac{N_0}{N}\right)}{\log_e(2)}$$

$\Rightarrow \quad t \propto \log_e \dfrac{N_0}{N}$

$\Rightarrow \quad \dfrac{t_1}{t_2} = \dfrac{\left(\log_e \dfrac{N_0}{N}\right)_1}{\left(\log_e \dfrac{N_0}{N}\right)_2}$

$\dfrac{6}{10} = \dfrac{\log_e\left(\dfrac{8}{1}\right)}{\log_e\left(\dfrac{N_0}{N}\right)}$

$\Rightarrow \quad \log_e \dfrac{N_0}{N} = \dfrac{10}{6}\log_e(8) = \log_e 32$

$\Rightarrow \quad \dfrac{N_0}{N} = 32$

क्षय अंश $= 1 - \dfrac{1}{32} = \dfrac{31}{32}$

28. (c) (A) → v' ← (A–4) m' + (4) m → v

विराम

संवेग संरक्षण के नियमानुसार

$4v = (A-4)v'$

$\Rightarrow \quad v' = \dfrac{4v}{A-4}$

29. (b) सूत्र $T = 2\pi\sqrt{\dfrac{1}{MB_H}}$ के प्रयोग द्वारा

$\Rightarrow \quad \dfrac{T_1}{T_2} = \sqrt{\dfrac{(B_H)_2}{(B_H)_1}}$

$\Rightarrow \quad \dfrac{60/40}{2.5} = \sqrt{\dfrac{(B_H)_2}{0.1 \times 10^{-5}}}$

$\Rightarrow \quad (B_H)_2 = 0.36 \times 10^{-6}$ टेस्ला

30. (c) $N = N_0 e^{-\lambda t}$

$\dfrac{N_0}{2} = N_0 e^{-\lambda T1/2}$ या $\dfrac{1}{2} = e^{-\lambda T1/2}$

$2 = e^{\lambda T1/2}$ या $\log_e 2 = \lambda T_{1/2}$

द्वितीय स्थिति में,

$\dfrac{1}{16}N_0 = N_0 e^{-\lambda t}$ या $16 = e^{\lambda t}$

$\lambda t = \log_e 16$

$\therefore \quad \dfrac{t}{T_{1/2}} = \dfrac{\log_e 16}{\log_2 2} = \dfrac{\log_e (2)^4}{\log_2(2)}$

$\dfrac{40}{T_{1/2}} = 4\dfrac{\log_e 2}{\log_2 2} = 4$

या $T_{1/2} = 10$ दिन

31. (d) n = इकाई समय में इकाई क्षेत्र से प्रवाहित कणों की संख्या $= \dfrac{\text{कणों की संख्या}}{A \times t} = \dfrac{[M^0L^0T^0]}{[L^2][T]}$

$\Rightarrow \quad = [L^{-2}\,T^{-1}]$

$[n_1] = [n_2]$

इकाई आयतन में कणों की संख्या $= [L^{-3}]$

दिए गये सूत्र से,

$[D] = \dfrac{[n][x_2 - x_1]}{[n_2 - n_1]} = \dfrac{[L^{-2}\,T^{-1}][L]}{[L^{-3}]}$

$= [L^2T^{-1}]$

32. (c) छोटे छड़ चुम्बक की निग्राहिता

$H = ni \Rightarrow i = \dfrac{H}{n}$

$= \dfrac{4 \times 10^3}{500} = 8$ ऐम्पियर

33. (b) विमीय समरूपता के सिद्धान्त के अनुसार

$\Rightarrow \quad [a] = [p]\,[V^2]$

$= [ML^{-1}T^{-2}]\,[L^6]$

$= [ML^5T^{-2}]$

a का मात्रक = ग्राम × सेमी^{5} × से$^{-2}$

= डाइन × सेमी^{4}

34. (b) दिया है, $v = 4t^3 - 2t$

$x = \int v\,dt$

$x = t^4 - t^2 + c$

जहाँ $\quad t = 0, x = 0$

$\Rightarrow \quad c = 0$

जब कण मूल बिन्दु से 2 मी दूर है, तो

$2 = t^4 - t^2$

$\Rightarrow \quad t^4 - t^2 - 2 = 0$

$\Rightarrow \quad (t^2 - 2)(t^2 + 1) = 0$

$\Rightarrow \quad t = \sqrt{2}$ सेकण्ड

$a = \dfrac{dv}{dt} = \dfrac{d}{dt}(4t^3 - 2t)$

$= 12t^2 - 2$

$\Rightarrow \quad a = 12t^2 - 2$

$t = \sqrt{2}$ सेकण्ड के लिए

$\Rightarrow \quad a = 12 \times \left(\sqrt{2}\right)^2 - 2$

$\Rightarrow \quad a = 22$ मी/से^{2}

35. (a) संचायक में आवेश वाहक H^+ तथा SO_4^{2-} हैं।

36. (a) मुक्त इलेक्ट्रॉनों का माध्य विचलन वेग v, धारा i से निम्न प्रकार सम्बन्धित है।

$i = nA_e \overline{v}$

गोलीय अनुप्रस्थ काट के लिए,

$A = \pi r^2$

जहाँ r = तार की त्रिज्या

अत: $i = n\pi r^2 \overline{v}$

समान धारा प्रवाह परन्तु दुगनी त्रिज्या के लिए समान पदार्थ के तार में नया विचलन वेग v' होगा।

(n समान रहता है)

अत: $i = n\pi r^2 v = n\pi(2r)^2 v'$

या $v' = \frac{v}{4}$

37. (a) भुजा में प्रतिशत त्रुटि,

$= \frac{1}{2}\left[\frac{0.2}{100} \times 100\right] = 0.1$

भुजा में पूर्ण त्रुटि $= \frac{0.1}{100} \times 10 = 0.01$

$\therefore$ पार्क की भुजा $= (10 \pm 0.01)$ मी

38. (c) गतिज ऊर्जा E_R तथा संवेग P में सम्बन्ध

$E_R = \frac{P^2}{2m}$

जब संवेग P दुगना है, तो गतिज ऊर्जा E_R चार गुना होगी।

अत: गतिज ऊर्जा 300% बढ़ेगी।

39. (c) लम्बी परिनालिका के कारण चुम्बकीय क्षेत्र

$B = \mu_0 ni$

$\therefore \mu_0 = \frac{B}{ni} = \frac{[MLT^{-2}]/[AL]}{[L^{-1}A]}$

$= [MLT^{-2}A^{-2}]$

40. (c) कार्य $W = mgh + \Delta PV$

$= V\rho gh + \Delta PV$

$= 4 \times 10^3 \times 10 \times 20 + (2 \times 10^5 - 1 \times 10^5) \times 4$

$= 12 \times 10^5$ जूल

41. (a) चुम्बकीय नति कोण

$\tan\delta = \frac{B_V}{B_H}$

दिया है, $B_H = \frac{1}{\sqrt{3}} B_V$

$\therefore \frac{B_V}{B_H} = \sqrt{3}$

अत: $\tan\delta = \sqrt{3}$

$\therefore \delta = 60^o$

42. (b) शून्य-बिन्दु को अधिक लम्बाई पर विस्थापित करने के लिए तार की विभव प्रवणता को कम करना होगा जो कि मुख्य परिपथ की धारा को क्रम करके किया जा सकता है। यह केवल तभी सम्भव है जब विभवमापी के तार में प्रतिरोध बढ़ाया जाए।

43. (b) $v_{av} = \sqrt{\frac{8RT}{M\pi}}, v_{rms}$

$= \sqrt{\frac{3RT}{M}}$

$\therefore v_{av} = \sqrt{\left(\frac{8}{3\pi}\right)} v_{rms}$

या $\frac{v_{av}}{v_{rms}}$ = नियतांक

44. (a) अनुरणन काल

$T = \frac{0.16\,V}{\Sigma as}$

जहाँ V, कमरे का आयतन है और Σas कमरे का कुल अवशोषण है। अत: स्पष्ट है कि अनुरणन काल ताप पर निर्भर नहीं करता।

45. (a) K घूर्णन $= \frac{1}{2}I\omega^2, J = I\omega$

= नियतांक

ग्रह गति में, कोणीय संवेग (J) नियत रहता है। A पर जड़त्व आघूर्ण (I) न्यूनतम है, अत: कोणीय वेग अधिकतम है। अत: A पर घूर्णन गतिज ऊर्जा अधिकतम है।

46. (a) प्रारम्भिक नाभिकों का कुल द्रव्यमान

$m_i = 1.007825 + 7.016004$

$= 8.023829$ u

उत्पादों का कुल द्रव्यमान

$m_f = 2 \times 4.002603$

$= 0.005206$ u

Q-मान,

$Q = (\Delta m)c^2 = (m_i - m_f)c^2$

$= 0.018623 \times 931.5$

$= 17.35$ MeV

47. (d) $h = \frac{W}{Q_1} = \frac{Q_1 - Q_2}{Q_1} = 1 - \frac{Q_2}{Q_1}$

परन्तु $\frac{Q_2}{Q_1} = \frac{T_2}{T_1}$

$\therefore \eta = 1 - \frac{T_2}{T_1}$ ...(i)

या $\frac{50}{100} = 1 - \frac{(273+50)}{T_1}$

या $\frac{50}{100} = 1 - \frac{323}{T_1}$

या $T_1 = 646\text{ K} = 373°C$

48. (a) वायु का बुलबुला पानी के अन्दर अवतल लेन्स के समान व्यवहार करता है।

49. (d) $\Delta p \Delta x \geq \hbar$

इसकी स्थिति में न्यूनतम अनिश्चितता

$\Delta x = \frac{\hbar}{\Delta p} = \frac{1.034 \times 10^{-34}}{10^{-30}} = 10^{-4}$ मी

50. (d) जब गोलक की तली में छिद्र किया जाता है तो उसमें से पारा बाहर धीरे-धीरे बहने लगता है, जिससे उसका द्रव्यमान केन्द्र पहले नीचे आता है और फिर ऊपर जाता है। इस कारण लोलक की प्रभावी लम्बाई पहले बढ़ती है फिर घटती है पुन: चूँकि लोलक का आवर्तकाल

$T = 2\pi\sqrt{\frac{L}{g}}$

अर्थात् $T \propto \sqrt{L}$ है अत: यह पहले बढ़ता है और फिर घटता है।

51. (a) दूरदर्शी की विभेदन क्षमता

$R = \frac{D}{1.22\lambda}$

$R \propto D$

या जहाँ D दूरदर्शी के अभिदृश्यक का व्यास है।

अत: अधिक व्यास वाले अभिदृश्यक के दूरदर्शी की विभेदन क्षमता अधिक होगी।

52. (b) संधारित्र का प्रतिरोध $X_C = \frac{1}{\omega C}$

$X_C = \frac{1}{2\pi f C} \Rightarrow X_C \propto \frac{1}{f}$

अत: उच्च आवृत्ति पर संधारित्र का प्रतिरोध निम्न होता है।

53. (d) समान्तर चालकों में धारा के समान दिशा में प्रवाहित होने पर उनके बीच आकर्षण बल का कारण उनके बीच लगने वाला चुम्बकीय बल है।

54. (c) ताप-विद्युत फ्रिज पेल्टियर प्रभाव पर आधारित है।

55. (a) नाभिक के स्थायित्व के लिये इसकी बन्धन ऊर्जा प्रति न्यूक्लिऑन अधिक होनी चाहिए।

56. (c) तापायनिक प्रभाव व प्रकाश विद्युत प्रभाव, दोनों से ही इलेक्ट्रॉनों का उत्सर्जन सम्भव है।

57. (c) दोनों प्रकार के अर्द्धचालक p-टाइप तथा n-टाइप विद्युत उदासीन प्रकृति के होते हैं।

58. (a) किसी रेडियोऐक्टिव पदार्थ की अर्द्ध-आयु वह समय अन्तराल है जिसमें इसका दो तिहाई भाग विघटित हो जाता है।

59. (a) सतत उत्सर्जन स्पेक्ट्रम में तरंगदैर्ध्य परास केवल स्त्रोत के ताप पर निर्भर करती है।

60. (d) दृढ़ता गुणांक n का मात्रक न्यूटन/मी^{2} है।

अत: इसकी विमा $[ML^{-1}T^{-2}]$ है।

रसायन विज्ञान

61. (a) नाइट्रोजन (N) दूसरे आवर्त का तत्व है और इसका इलेक्ट्रॉनिक विन्यास $1s^2, 2s^2, 2p^3$ होता है। इसके संयोजी कोश ($n = 2$) में d-कक्षक (d-orbitals) अनुपस्थित होते हैं। इस कारण यह अपने अष्टक का प्रसार नहीं कर सकता और 5 सहसंयोजक बंध नहीं बना सकता। वहीं, फॉस्फोरस (P) के पास रिक्त 3d-कक्षक होते हैं, जिससे PCl_5 बन सकता है।

62. (c) व्यवसायिक प्राकृतिक रबर हीविया ब्राजिलियेन्सिस नामक वृक्ष के लेटेक्स से प्राप्त होता है। प्राकृतिक रबर सिस आइसोप्रीन

$CH_2 = C—CH = CH_2$ (C पर CH_3) का बहुलक होता है।

इसलिए, इसे सिस-पॉलीआइसोप्रीन कहते हैं।

63. (b) वर्ग में ऊपर से नीचे जाने पर प्रभावी नाभिकीय आवेश घटता है। अत: आयनन ऊर्जा घटती है।

64. (b) $BaSO_4 + ZnS$, $BaSO_4$ और ZnS का मिश्रण है। यह दीवारों के पेन्ट तथा एनेमल पेन्ट बनाने के काम आता है। यह बहुत सस्ता तथा इसमें फैलने की क्षमता बहुत अच्छी होती है।

65. (b) गैस का आंशिक दाब

$$= \frac{\text{गैस (मोलों की संख्या)}}{\text{कुल मोलों की संख्या}} \times \text{कुल दाब}$$

$$= \frac{1}{2} \times 1 = \frac{1}{2} = 0.5 \text{ वायुमण्डलीय}$$

66. (c) परखनली से C_2H_4 और CH_4 बाहर लिकलेगी। ऐल्काइन अमोनियम क्यूप्रस क्लोराइड या अमोनियम सिल्वर नाइट्रेट के साथ क्रिया करके कॉपर एल्केलाइड या सिल्वर एल्केलाइड बनाते हैं। यह अभिक्रिया ऐसिटिलीनिक हाइड्रोजन परमाणु की उपस्थिति की जाँच करने के लिए प्रयोग की जाती है।

$$HC \equiv CH + \underbrace{Cu_2Cl_2 + 2NH_4OH}_{} \longrightarrow$$

एसिटिलीन अमोनियामय क्यूप्रस क्लोराइड

$$CuC \equiv C.Cu \downarrow + 2NH_4Cl + 2H_2O$$

क्यूप्रस एसिटिलाइड (लाल रंग)

इस प्रकार ऐल्केन तथा एल्कीन अप्रभावित रहते हैं।

67. (b) प्रकाशीय समावयवता, असममित कार्बन परमाणु प्रदर्शित करते हैं जिसमें कार्बन परमाणु चार भिन्न समूहों या परमाणुओं से जुड़ा रहता है।

इसलिए ब्यूटेनॉल-2 प्रकाश सक्रिय होता है।

$H_3C–CH_2–C(H)(OH)–CH_3$

ब्यूटेनॉल-2

68. (a) 2-मेथिल प्रोप-2-ऑल एक टर्शरी ब्यूटाईल ऐल्कोहॉल है।

$H_3C—C(CH_3)(OH)—CH_3$

69. (c) $CH_3—C(=O)—OH$ (sp^2) $CH_3—C(=O)—NH_2$ (sp^2)

$CH_3—C(H)(H)—OH$ (sp^3) $CH_3—C(H)=CH_2$ (sp^2)

70. (d)

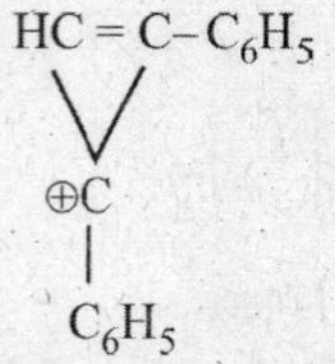

एक ऐरोमैटिक यौगिक है क्योंकि यह एक चक्रीय यौगिक तथा इसमें π इलेक्ट्रोनों की संख्या 2 है जोकि हैकेल नियम $(4n + 2)\pi$ के अनुसार है और इस नियम के अनुसार, जहाँ $n = 0$ है।

$$(4 \times 0 + 2) = 2$$

71. (c) Pb_3O_4 या लाल लैड को लिनसीड तेल के साथ मिलाकर लोहे, स्टील और सिल्वर के दर्पण के लिए सुरक्षात्मक पेन्ट की तरह प्रयोग किया जाता है।

72. (a) इण्डेन, ब्यूटेन, आइसोब्यूटेन और प्रोपेन का मिश्रण होता है जिसे सामान्यता एल.पी.जी. गैस कहते हैं।

73. (d) बॉयल के नियमानुसार, "समान ताप पर किसी गैस की निश्चित मात्रा के लिए गैस का आयतन उस गैस के दाब के व्युत्क्रमानुपाती होता है।"

$$P \propto \frac{1}{V}$$

$$PV = \text{स्थिरांक}$$

स्थिर ताप पर P एवम् V के मध्य आरेख खींचने पर अतिपरवलय आरेख प्राप्त होता है।

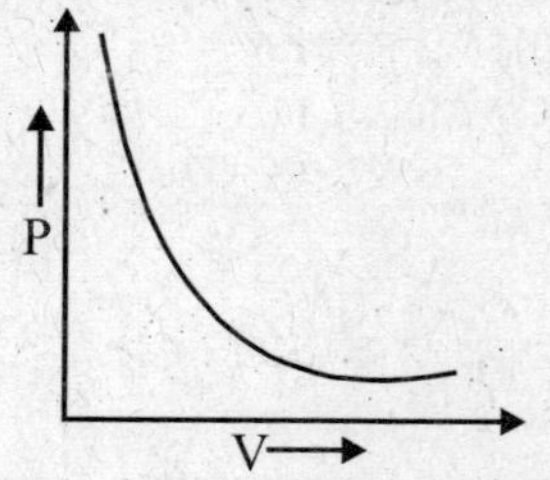

74. (a) जब Na_2S को ताजे बने सोडियम नाइट्रोप्रोसाइड में मिलाया जाता है तो गहरा बैंगनी रंग, सल्फर की उपस्थिति को दर्शाता है।

$$Na_2S + Na_2[Fe(NO)(CN)_5] \rightarrow$$

सोडियम नाइट्रोप्रोसाइड सोडियम थायोनाइट्रोप्रोसाइड

$$Na_4[(Fe(CN)_5NOS]$$

(बैंगनी रंग का यौगिक)

75. (a) एनिलीन (क्वथनांक – 184°C) भाप की उपस्थिति में 98.5°C पर उबलने लगता है। इसलिए एनिलीन का शोधन भाप आसवन विधि द्वारा किया जाता है।

76. (a) ग्लूकोस फेनिल हाइड्राजीन के तीन अणुओं से क्रिया करके ग्लूकोसाजोन बनाता है।

77. (b) द्रवीकरण पर, हीलियम गैस असामान्य व्यवहार दिखाती है, क्योंकि यह गैस के गुणों वाले द्रव के समान कार्य करती है अर्थात् विघटित गैस के समान व्यवहार करती है। हीलियम के अन्तर अणुक बल बहुत दुर्बल होते हैं। अत: यह जमती नहीं है।

78. (a) जिलैटिन की स्वर्ण संख्या सबसे कम होती है। दिए गये यौगिकों की स्वर्ण संख्या

जिलैटिन	– 0.005 से 0.1
स्टार्च	– 15 से 25
एल्बूमिन	– 0.1 से 0.2
हीमोग्लोबिन या रक्त	– 0.03 से 0.07

79. (c)

C	H	N
9	1	3.5

9/12 = 0.751/ 1=13.5/14 = 0.25

$$\frac{0.75}{0.25} = 3 \quad \frac{1}{0.25} = 4 \quad \frac{0.25}{0.25} = 1$$

अत: मूलानुपाती सूत्र $= C_3H_4N$

$$n = \frac{108}{54} = 2$$

तो अणु–सूत्र $= (C_3H_4N)_2 = C_6H_8N_2$

80. (a) प्रारम्भ में 1 मोल 1 मोल 2 मोल

↓ ↓ ↓

साम्यावस्था पर 0.2 मोल 2– 0.8 2 × 0.8

= 1.2 मोल = 1.6 मोल

प्रयुक्त हुई H_2 की मात्रा (और आयोडीन) = 1 – 0.2 = 0.8

81. (a) एल्डिहाइड तथा कीटोन $NH_2 . NH_2$ के साथ हाइड्राजोन बनाते हैं।

$$R–CHO + H_2N.H_2 \rightarrow RCH = N.NH_2 + H_2O$$

एल्डिहाइड हाइड्राजोन

$$R_2CO + H_2N.NH_2 \rightarrow R_2C = N.NH_2 + H_2O$$

82. (c)

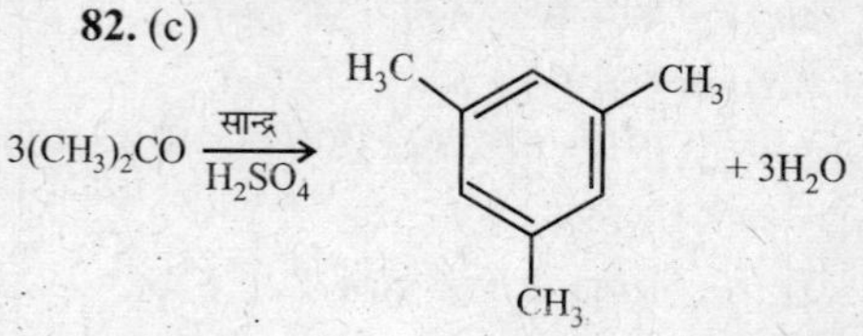

मैसिटिलीन

83. (d) निर्जल $ZnCl_2$ की उपस्थिति में फिनोल, सैलिसैल्डिहाइड बनाता है। यह क्रिया गाट्रमैन एल्डिहाइड अभिक्रिया कहलाती है।

84. (d) ग्रिग्नार्ड अभिकर्मक से बनने वाले एल्केन में ऐल्किल समूह सदैव ग्रिग्नार्ड अभिकर्मक से आता है। इस प्रकार, ग्रिग्नार्ड अभिकर्मक में कार्बन परमाणुओं की संख्या तथा ग्रिग्नार्ड अभिकर्मक से बने ऐल्केन में कार्बन परमाणुओं की संख्या समान होती है। इस प्रकार मौलिक ऐल्किन हैलाइड, प्रोपाइल ब्रोमाइड होगा।

85. (d) निनहाइड्रिन अभिक्रिया – प्रोटीन, पेप्टाइड, α-एमीनो अम्ल, सभी निनहाइड्रिन से अभिकृत करने पर अभिलाक्षणिक नीला रंग देते हैं।

86. (b) अरहीनियस समीकरण

$$K = Ae^{-Ea/RT}$$

$$\ln K = \frac{-E_a}{RT} + \ln A$$

इस प्रकार अन्त: खण्ड = ln A

87. (b)

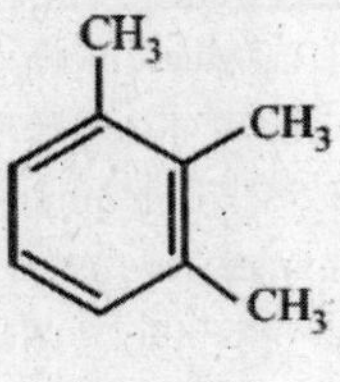

1, 2, 3

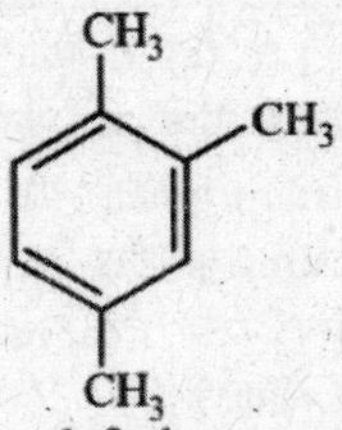

1, 2, 4

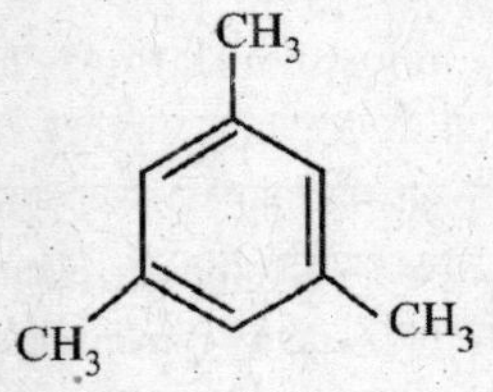

1, 3, 5

इस प्रकार तीन समावयवी सम्भव है।

88. (b) HCl अम्ल मार्जक की तरह कार्य करता है। HCl का उपयोग सफाई के कार्यो के लिए किया जाता है। यह धातुओं की सतह पर जमी चूना तथा अन्य अशुद्धियों को हटाने में प्रभावी होता है।

89. (a) $2CaOCl_2 + H_2SO_4 \rightarrow CaCl_2 + CaSO_4 + 2HClO$

(सीमा में) $HClO \rightarrow HCl + [O]$

नवजात ऑक्सीजन उत्सर्जित होने के कारण यह ब्लीचिंग कारक तथा ऑक्सीकारक की तरह कार्य करता है।

90. (a)

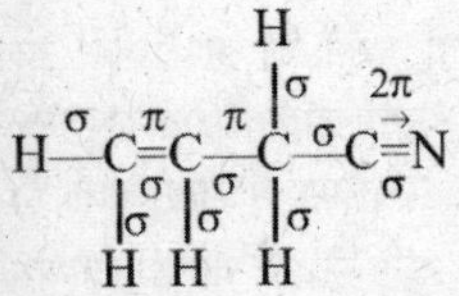

$9\sigma, 3\pi$ बन्ध

91. (b) N_2O नाइट्रोजन डाइऑक्साइड है, यह हास्य गैस कहलाती है। $CCl_3.NO_2$ आँसू गैस है और यह युद्ध में प्रयोग की जाती है। फॉस्जीन गैस $(COCl_2)$ मस्टर्ड गैस $(ClC_2H_4 - S - C_2H_4Cl)$ और ल्यूसाइट $(CHCl = CHAsCl_2)$ गैसें युद्ध में प्रयोग की जाती है।

92. (c) नाइट्रिक ऑक्साइड (NO) 900°C पर अपघटित होती है। अत: यह नाइट्रोजन का ऑक्साइड सबसे अधिक ऊष्मीय स्थिर होता है।

93. (d) $\frac{E_{\text{हाइड्रॉक्साइड}}}{E_{\text{धातु}} + E_{OH^-}} -> \frac{E_{\text{ऑक्साइड}}}{E_{\text{धातु}} + E_O}$

$$\frac{1.520}{E+17} = \frac{0.995}{E+8}$$

या $E = 9$

94. (b) $3A \rightleftharpoons 2B$ दर

$$= -\frac{1}{3}\frac{d[A]}{dt} = \frac{1}{2}\frac{d[B]}{dt}$$

दोनों दरों को 2 से गुणा करने पर

$$\text{दर} = 2\left[-\frac{1}{3}\frac{d[A]}{dt}\right] = \frac{d[B]}{dt}$$

$$= -\frac{2}{3}\frac{d[A]}{dt}$$

95. (c) ऑक्सीजन CO_2 के साथ मिश्रित करके या हीलियम गैस के साथ मिश्रित करके कृत्रिम श्वसन में प्रयोग की जाती है। क्योंकि उच्च दाब पर रक्त में हीलियम की विलेयता कम होती है।

96. (a) $N_1V_1 = N_2V_2$

$$0.5 \times 100 = 0.1 \times V_2$$

$$V_2 = 500 \text{ cm}^3$$

$\therefore$ 100 cm^3 विलयन में जल की मात्रा डालनी होगी = 500 – 100 = 400 cm^3

97. (b) VA समूह के हाइड्राइडो का स्थायित्व, समूह में नीचे जाने पर घटता है क्योंकि समूह में नीचे जाने पर बन्ध-लम्बाई बढ़ती है। अत: स्थायित्व का क्रम

$NH_3 > PH_3 > AsH_3 > SbH_3 > BiH_3$

इस प्रकार NH_3, PH_3 के अपेक्षा कम स्थाई है।

98. (a) यह कोल्बे वैद्युत-अपघटन का उदाहरण है।

$$2CH_3COOK \xrightarrow{\text{वैद्युत-अपघटन}} 2CH_3COO^- + 2K^+$$

कैथोड पर :

$2K^+ + 2e^- \rightarrow 2K$

$2K + H_2O \rightarrow 2KOH + H_2\uparrow$

ऐनोड पर :

$2CH_3COO^- \longrightarrow 2CH_3COO + 2e^-$

$\downarrow -2CO_2$

$2CH_3$

$\downarrow$

C_2H_6

99. (b) $MnO^-_4 \rightarrow Mn^{2+}$

ऑक्सीकरण संख्या में परिवर्तन

$= (+7) - (+2) = +5$

$\therefore$ विलयन की नॉर्मलता $= 5 \times 0.04$

$= 0.20$ N

आयतन = 250 मिली

$\therefore$ $KMnO_4$ के तुल्यांको की संख्या

$$= 0.20 \times \frac{250}{1000} = 0.05$$

100. (c) स्टार्च विलयन एक हाइड्रोसॉल है क्योंकि यह जल के साथ कोलॉइडी विलयन बनाता है।

101. (a) w = 0.49 ग्राम

E = 49

V = 1000 mL

$$\Rightarrow N = \frac{w \times 1000}{E.V}$$

$$= \frac{0.49 \times 1000}{49 \times 1000} = 0.01 \text{ N}$$

$\therefore$ $[H^+] = 0.01$

$\Rightarrow$ $pH = -\log[H^+]$

$= -\log 0.01 = 2$

102. (c) सिलिका (SiO_2) को धात्विक कार्बोनेटों के साथ गर्म करने पर सिलिकेट बनते हैं तथा CO_2 गैस मुक्त होती है।

$$SiO_2 + Na_2CO_3 \xrightarrow{\Delta} NaSiO_3 + CO_2\uparrow$$

103. (c) $\frac{1}{2}A(g) + \frac{1}{3}B(g) \xrightleftharpoons{T(K)} \frac{2}{3}C(g)$

साम्य स्थिरांक,

$$K_c = \frac{\text{अग्र अभिक्रि की दर}}{\text{पश्च अभिक्रिया की दर}}$$

$$= \frac{\text{उत्पादों की सान्द्रता}}{\text{अभिकारकों की सान्द्रता}}$$

$$K_c = \frac{[C]^{2/3}}{[A]^{1/2}[B]^{1/3}}$$

104. (b) C_2H_5Cl, शुष्क ईथर की उपस्थिति में Mg के साथ अभिक्रिया करके ग्रिगनार्ड अभिकर्मक बनाता है।

RX + Mg (शुष्क) $\rightarrow$ RMg X

$C_2H_5Cl + Mg \rightarrow C_2H_5MgCl$

एथिल मैग्नीशियम क्लोराइड

105. (a) जल के अणु में ऑक्सीजन की संकरण अवस्था sp^3 है। अत: जल का अणु चतुष्फलकीय होना चाहिए तथा इसमें बन्ध कोण 109°28' होना चाहिए परन्तु ऑक्सीजन परमाणु पर दो एकाकी युग्मों की उपस्थिति के कारण (एकाकी युग्म-एकाकीयुग्म प्रतिकर्षण के कारण) बन्ध कोण घटकर 104.5° रह जाता है तथा ज्यामिती कोणीय या V के आकार की हो जाती है।

106. (b) अर्जेन्टाइट अयस्क को घोलने के लिए NaCN का प्रयोग किया जता है।

अर्जेन्टाइट अयस्क का सूत्र Ag_2S है।

$Ag_2S + 4NaCN \rightarrow 2Na[Ag(CN)_2] + Na_2g$

$AgCl + 2NaCN \rightarrow Na[Ag(CN)_2] + NaCl$

107. (c) रेडियोएक्टिव विघटन एक प्रथम कोटि की अभिक्रिया है।

अत:

$$k = \frac{2.303}{t}\log\frac{a}{a-x}$$

$$\therefore \quad k = \frac{2.303}{15}\log\frac{100}{100-50}$$

तथा $k = \frac{2.303}{t}\log\frac{100}{100-99}$

$$\therefore \quad \frac{2.303}{15}\log\frac{100}{50} = \frac{2.303}{t}\log\frac{100}{1}$$

$$\frac{1}{15}\log 2 = \frac{1}{t}\log 100$$

$$\frac{0.3010}{15} = \frac{2}{t}$$

$t = \frac{2\times 15}{0.3010} = 99$ मिनट

108. (a) $HOOC-(CH_2)_4-COOH \xrightarrow{\Delta}$

ऐडिपिक अम्ल

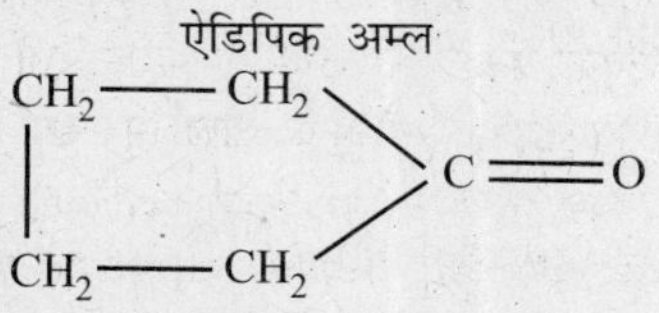

साइक्लोपेन्टेनोन

109. (a) टर्शियरी (tertiary) एल्किल क्लोराइड में कार्बन से जुड़े तीन अल्किल समूह होते हैं, जिससे बनने वाला कार्बोकैटायन अत्यधिक स्थिर होता है। जल-अपघटन (hydrolysis) में पहले क्लोराइड आयन निकलकर कार्बोकैटायन बनता है, और फिर जल अणु आक्रमण करता है। यह प्रक्रिया S_1 (Substitution Nucleophilic Unimolecular) तंत्र से होती है। इसलिए टर्शियरी क्लोराइड का जल-अपघटन मुख्यत: S_1 mechanism द्वारा होता है।

110. (c) ग्लूकोस विलयन की सान्द्रता (मोल/ली) = कार्बनिक यौगिक की सान्द्रता (मोल/ली)

($\because$ दोनों समपरासरी विलयन है तथा समपरासरी विलयनों की सान्द्रताएँ समान होती है)

$$\frac{0.5}{180} = \frac{2.5}{M}$$

$$M = \frac{2.5\times 180}{0.5} = 900$$

111. (d) NaOH का प्रयोग बेअर प्रक्रम में किया जाता है।

112. (c) $C + \frac{1}{2}O_2 \rightarrow CO, \Delta H$

$= -110$ किलो जूल मोल$^{-1}$

$C + O_2 \rightarrow CO_2, \Delta H = -393$ किलो जूल मोल$^{-1}$

समी (i) को समी (ii) में से घटाने पर

$$CO + \frac{1}{2}O_2 \rightarrow CO_2$$

$\Delta H = -393 - (-110)$

$= -283$ किलो जूल मोल$^{-1}$

113. (d) $>C=O$ समूह को $>CH_2$ समूह में अपचयित करने के लिए क्लेमेन्सन अपचयन (सान्द्र HCl/Zn.Hg द्वारा) अथवा वुल्फ-किश्नर अपचयन (C_2H_5ONa/NH_2NH_2 द्वारा) का प्रयोग किया जा सकता है।

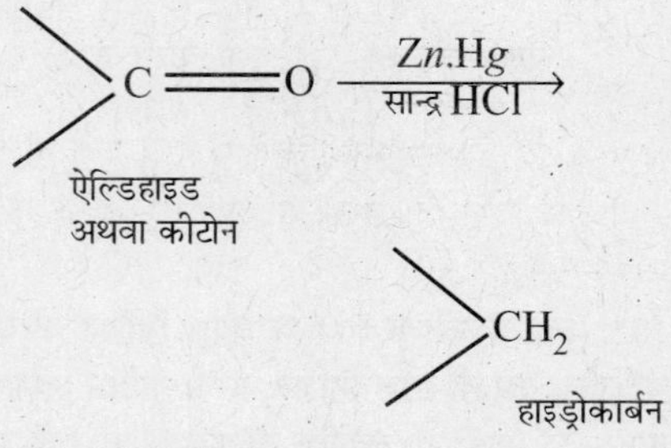

114. (a) $E_{सेल}$

$$= E^o_{सेल} - \frac{2.303RT}{nF}\log\left[\frac{[Ni]}{[Ni^{2+}]}\right]$$

$$= -0.25 - \frac{0.06}{2}\log\left(\frac{1}{0.1}\right)$$

$= -0.25 - 0.03$

$E_{सेल} = -0.28$ वोल्ट

115. (a) परमाणु क्रमांक 38 का इलेक्ट्रॉनिक विन्यास निम्न है

X (38) = $1s^2, 2s^2, 2p^6, 3s^2, 3p^6, 4s^2, 3d^{10}, 4p^6, 5s^2$

अथवा $1s^2, 2s^2 2p^6, 3s^2, 3p^6, 3d^{10}, 4s^2, 4p^6, 5s^2$

इस प्रकार, यह तत्व आवर्त सारणी के IIA समूह तथा पाँचवें आवर्त में उपस्थित है अत: यह तत्व स्ट्रान्शियम (Sr) है।

116. (b) रासायनिक रूप से भारी जल, ड्यूटिरियम ऑक्साइड (D_2O) होता है।

117. (c) H_2O तथा SO_2 की कोणीय सरंचना के कारण इनका द्विध्रुव आघूर्ण स्थायी होता है।

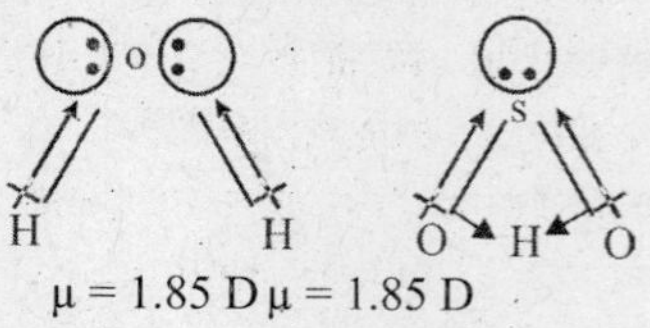

$\mu = 1.85$ D $\mu = 1.85$ D

118. (d) K L M N

M $1s^2 2s^2 2p^6 3s^2$ $3p^6 3d^6$ $4s^2$

(26)

M^{3+} $1s^2$, $2s^2 2p^6 3s^2$ $3p^6 3d^5$

इस प्रकार M^{3+} अवस्था में M-कोश में 13 इलेक्ट्रॉन उपस्थित हैं।

119. (a) दुर्बल अम्ल के लिए

$[H^+] = C \times \alpha$ (α = आयनीकरण की प्रतिशतता)

$= 0.1 \times 0.02 = 2 \times 10^{-3}$M

$K_w = [H^+][OH^-]$

$$[OH^-] = \frac{K_w}{[H^+]} = \frac{1\times 10^{-14}}{2\times 10^{-3}}$$

$= 5 \times 10^{-12}$ M

120. (c) लाइमन श्रेणी में, जब एक इलेक्ट्रॉन तीसरे कक्षक से प्रथम कक्षक में कूदता है तो H_β रेखा उत्पन्न होती है।

$$n_1 = 1, n_2 = 3$$

वनस्पति विज्ञान

121. (a) *ब्रैसिका जन्सिया* (Brassica juncea) सरसों के पौधे की एक जाति है। इसे हरी सरसों (mustard green) या भारतीय सरसों (Indian mustard) या चाइनीज सरसों (chinese mustard) या पत्र सरसों (leaf mustard) इत्यादि नामों से भी जाना जाता है।

122. (b) श्वसन में ऑक्सीकारक फॉस्फोरिलीकरण (Oxidative phosphorylation) के दौरान **माइटोकॉण्ड्रिया में** ए.टी.पी. का संश्लेषण होता है। अत: माइटोकॉण्ड्रिया को कोशिका का ऊर्जा गृह (powder house) या शक्ति संयंत्र (power plant) या ऊर्जा परिवर्तक कोशिकांग (energy converting organelle) या कोशिकीय भट्टियाँ (cellular furnaces) या ऊर्जा भण्डार गृह (energy store house) कहा जाता है।

123. (b) **पार्श्व विभज्योतक** (lateral meristem) केवल पेरीक्लाइनल अथवा अरीय (radial) रूप से विभाजित होता है तथा मोटाई अथवा व्यास में वृद्धि हेतु उत्तरदायी होता है। यह पार्श्व भाग में उपस्थित होता है। **उदाहरण**–संवहन एधा (vascular cambium) तथा कॉर्क एधा (cork cambium)। अन्तर्वेशी विभज्योतक (intercalary meristem) लम्बाई में वृद्धि हेतु उत्तरदायी होता है।

124. (d) **पर्णाभवृन्त** (phyllodes) रूपान्तरित पर्णवृन्त होते हैं। कुछ पौधों में पर्णवृन्त चपटा एवं पत्तियों के समान चौड़ा हो जाता है, जबकि वास्तविक पत्तियाँ ह्रासित हो जाती हैं। इस प्रकार पर्णाभवृन्त ही पत्तियों का कार्य करने लगता है। पर्णाभवृन्त सामान्यतया *अकेसिया* (Acacia) वंश में पाए जाते हैं।

125. (b) जूफिली से तात्पर्य केशुरुकियों तथा अकशेरुकियों द्वारा परागकरण से है।

126. (a) एल्जिनेट्स, लैमीनेरिन, एगार तथा कैराजीनन औद्योगिक उपयोग हेतु प्रयुक्त चार प्रमुख फाइकोकोलॉइड्स (phycocolloids) हैं।

एल्जिनेट्स तथा लैमीनेरिन मुख्यतया फियोफाइटा (भूरे शैवाल) से प्राप्त होते हैं, जबकि एगार तथा कैराजीनन मुख्तया रोडोफाइटा (लाल शैवाल) से प्राप्त होते हैं।

127. (a) सागो साइकैड या साइकस रिवोल्यूटा धीमी वृद्धि वाला जंगली अथवा सजावटी पादप है।

'सागोपाम' तथा 'किंग सागो पाम' इसके भ्रामक नाम हैं, क्योंकि वास्तव में यह एक साइकैड (cycad) है। साइकैड्स साइकेडेसी कुल से सम्बन्धित अनावृत बीजी होते हैं, जबकि पाम (palm) एरीकेसी कुल से सम्बन्धित आवृत्तबीजी (पुष्पीय पादप) हैं। अत: ये दोनों वर्गक (taxa) पूर्णतया भिन्न-भिन्न हैं साइकैड जीवित जीवाश्म का एक प्रकार हैं, क्योंकि ये प्रारम्भिक पर्मियन काल से जीवित बचे हुए हैं।

128. (a) आवृत्तबीजियों में पूर्ण विकसित सामान्य प्रकार का मादा युग्मकोद्भिद् या भ्रूणकोष 8-केन्द्रीय तथा 7-कोशिकीय संरचना होती है। इसमें बीजाण्डद्वारीय सिरे (micropylar end) पर 3-कोशिकीय (2 apparatus), निभागीय सिरे (chalazal end) पर 3 प्रतिपिण्ड कोशिकाएँ (antipodal cells) तथा मध्य में दो केन्द्रकों वाली एक केन्द्रीय कोशिका होती है।

129. (d) दोमट मिट्टी (loam soil), रेत (sand), सिल्ट (silt) तथा चिकनी मिट्टी (clay) का आपेक्षिक समसान्द्रण (relatively even concentration) मिश्रण होती है।

दोमट मिट्टी कृषि तथा बागवानी हेतु अत्यन्त उपयुक्त होती है, क्योंकि इसमें पोषक पदार्थों तथा जल को धारण करने की पर्याप्त क्षमता होती है तथा इसमें जल का प्रवाह भी सुगमता से होता है। संसार के उपजाऊ भूमि वाले अनेक क्षेत्रों में इस प्रकार की मिट्टी पायी जाती है। दोमट मिट्टी के भी अनेक प्रकार होते हैं। जिनके लक्षणों में कुछ अन्तर होता है। तथा इनमें से कुछ शेष अन्य की अपेक्षा जल की निकासी अधिक प्रभावी रूप से करती हैं।

130. (b) **भ्रूणकोष** (embyro sac) आवृत्तबीजी पादप के बीजाण्ड में पायी जाने वाली अण्डाकार संरचना है, जिसमें अण्ड (egg) उपस्थित होता हैं निषेचित अण्डे के साथ यह एक बीज में विकसित हो जाती है। भ्रूणकोष आवृत्तबीजी के मादा युग्मकोद्भिद् को प्रदर्शित करता है, जिसमें आठ केन्द्रक होते हैं। इनमें एक केन्द्रक अण्डे में, बीजाण्ड द्वार के निकट दो लघु कालिक, समीपस्थ सिनर्जिड केन्द्रक, दो केन्द्रीय (जो एक परागकेन्द्रक से संयुक्त होकर भ्रूणपोष या एण्डोस्पर्म बनाते हैं) तथा भ्रणकोष के बीजाण्ड द्वार से विपरीत सिरे पर तीन प्रतिपिण्ड (antipodal) केन्द्रक होते हैं।

131. (c) **फाइटोक्रोम** एक पादप वर्णक (pigment) है, जो प्रकाश की अनुपस्थिति या उपस्थिति का पता लगाता है तथा दीप्तिकाल से सम्बन्धित कई क्रियाओं को नियमित करता है, जैसे-बीज अंकुरण तथा पुष्पों में प्रारम्भन।

132. (b) **अष्ठिल फल** (drupe) फल का एक प्रकार है, जिसमें बाह्य माँसल भाग, अर्थात् बाह्य फल भित्ति (exocarp) या छिलका (skin) तथा मध्य फलभित्ति (measocarp) या गूदा (flesh) एक कठोर अन्त: फलभित्ति (endocarp) को घेरे रहते हैं; जिसके भीतर एक बीज होता है। ये फल अधिकांशतया ऊधर्व अण्डाशय (superior ovary) वाले पुष्पों से तथा एकल अण्डप (single carpel) से विकसित होते हैं। पुष्प की अण्डाशय भित्ति से व्युत्पन्न कठोर, लिग्निफाइड 'स्टोन' अष्ठिफल का एक प्रमुख अभिलक्षण है। कॉफी, जोजोबा, आमा, जैतून अधिकांश पाम (खजूर, नारियल, पाम ऑयल इत्यादि) पिस्ता, *प्रूनस वंश* के सभी सदस्य, जिनमें बादाम (जिसकी मध्यफल भित्ति कुछ चर्ममय होती है।), खुबानी, चैरी, आड़ू, बेर इत्यादि सम्मिलित हैं, अष्ठिफल उत्पन्न करने वाले कुछ प्रमुख पुष्पीय पादप हैं।

133. (a) अनावृत्तबीजियों में बीज फल के भीतर नहीं पाये जाते हैं। इनमें से अण्डाणु के बाहर देखे जा सकते हैं।

134. (b) एरिल रज्जुभ (funiculus) (बीज का आसक्त बिन्दु) से निकला एक विशिष्ट उद्वर्ध (outgrowth) या नाभिका (hilum) (जो बीज को घेरे रहता है) है। यह एक फलनुमा रचना बनाता है, जिसे आभासी फल कहते हैं। आभासी फल कई आवृत्तबीजी वर्गों में पाये जाते हैं। लीची तथा अन्य कई प्रकार के फलों में खाने योग्य भाग अतिविकसित एरिल होता है तथा पेरीकार्प सतह की अपेक्षा बीज को घेरे रहता है।

135. (b) एथलीन (C_2H_4) फलों के परिपक्वन तथा पुष्पीय जीर्णता को तीव्र करके फलों की औसत आयु (shelf life) को कम कर देती है। टमाटर, केले तथा सेब एथलीन की उपस्थिति में शीघ्रता से पक जाते हैं। अन्य फलों के पास रखे हुए केले पर्याप्त मात्रा में इथाइलीन उत्पन्न करते हैं, जिससे फलों की परिपक्वन तीव्र हो जाता है। इथाइलीन पुष्पीय जीर्णता (floral sensescence) तथा पुष्पीय विलगन (floral abscission) को तीव्र करके कटे हुए पुष्पों तथा गमले में लगे पौधों की शैल्फ लाइफ (shelf life) को कम कर देती है।

136. (b) दलदली मॉस या बॉग मॉस या **स्फैग्नम** पीटयुक्त भूमि (peatland) पर पाया जाता है तथा दलदलों में पाया जाने वाला महत्वपूर्ण पादप है। यह अपने शुष्क भार से लगभग 20 गुना जल अवशोषित कर सकता है, तथा मृदा की अम्लता में वृद्धि करता है। तरल को अवशोषित करने की क्षमता तथा एण्टीसैप्टिक गुण के कारण इसका प्रयोग प्रथम विश्व युद्ध में घावों पर पट्टी बाँधने में भी किया गया था। **स्फैग्नम** पीटभूमि की खनिज रहित भूमि पर भी उग सकता है क्योंकि इसमें वर्षा के जल के खनिजों को अवषोषित करने की क्षमता होती है।

137. (b) एस्टेरेसी (कम्पोजिटी) कुल का फल एकीन के समान (achene like) होता है; जिसे **सिप्सेला** (cypsella) कहते हैं। यद्यपि यह दो संयुक्त अण्डपों द्वारा निर्मित होता है, किन्तु इसमें केवल एक ही कोष्ठ (locule) होता है तथा प्रत्येक फल में केवल एक ही बीज पाया जाता है। प्राय: फल पर बाह्यदलीय ऊतक (calyx tissue) शेष रह जाता है, जिससे व्युत्पन्न **पैपस** (pappus) के कारण फल पंखदार (winged) अथवा शूकयुक्त (spiny) हो जाता है। **उदाहरण**-डेन्डेलायन (Dendelion) कुछ जातियों (हेलिएन्थस) में पैपस सूख कर गिर जाता है।

138. (d) **फ्यूनेरिया** में बीजाणुद्भिद् (sporophyte) का विकास स्त्रीधानी (archegonium) में होता है, क्योंकि पुंधाणु (antherozoid) स्त्रीधानी में स्थित अण्डे से संयुक्त होकर द्विगुणित युग्मनज का निर्माण करता है, जो विभाजित होकर बीजाणुद्भिद के रूप में विकसित हो जाता है।

139. (a) C, H तथा O वृहत्पोषक तत्व (macronutrients) हैं, जो पौधों के शुष्क भाग के लगभग 96% भाग का निर्माण करते हैं तथा इन्हीं से शरीर के वृहत् अणु (macromolecules) निर्मित होते हैं।

140. (a) क्लोरोफिल-*a* ($C_{55}H_{72}O_5N_4Mg$) एक सार्वत्रिक प्रकाश-संश्लेषी वर्णक है, जो सभी ऑक्सीजनिक प्रकाश-संश्लेषी जीवों में पाया जाता है। यह प्रकाश परिवर्तन (Photoconversion) अर्थात् प्रकाश-संश्लेषण की प्राथमिक अभिक्रिया में भी सम्मिलित होता है, जिसमें प्रकाश ऊर्जा रासायनिक ऊर्जा के रूप में परिवर्तित हो जाती है। इसी कारण क्लोरोफिल-a को प्राथमिक प्रकाश-संश्लेषी वर्णक (primary photosynthetic pigment) भी कहा जाता है।

141. (b) कपास के तन्तु बीजों के बाह्यत्वचीय रोम (epidermal hair) होते हैं। ये रोम दो प्रकार के (लम्बे एवं छोटे) होते हैं। लम्बे रोमों को 'लिण्ट' (lint) कहते हैं, जबकि छोटे रोम 'फज' (fuzz) कहलाते हैं। कपास के तन्तु वस्त्र उद्योग में महत्वपूर्ण रूप से प्रयोग होते हैं।

142. (c) **कैक्टाई** (cacti) सरस पादप (succulen) होते हैं, जो शुष्क वातावरण में उगते हैं तथा सूखे की लम्बी अवधि में भी जीवित रह सकते हैं। अधिकांश कैक्टाई में सामान्य पत्तियों के स्थान पर शूल (spines) अथवा शल्क (scales) होते हैं, जोकि पत्तियों का ही एक रूपान्तरण होते हैं। इन शूलों तथा शल्कों से वाष्पीकरण द्वारा जल की हानि होती है तथा शूल (काँटे) कैक्टस के पौधे की भक्षक जीवों (predators) से भी रक्षा करते हैं।

143. (d) पौधों में जल निरन्तरता आसंजन बल (adhesion force) के कारण होती है।

जब दो विलयनों को अर्द्धपारगम्य झिल्ली द्वारा अलग किया जाता है, तो विलयन के अणु अधिक सान्द्रता से कम सान्द्रता की तरफ गति करते हैं, यह क्रिया परासरण (osmosis) कहलाती है।

पौधों की पत्तियों से पानी का बूँदों के रूप में निकलना बिन्दुस्राव (guttation) कहलाता है।

144. (b) मक्का में जम्पिंग जीन (jumping genes) की खोज बारबरा मैकक्लिन्टॉक ने की थी। जम्पिंग जीन को आर. डब्ल्यू. हेज तथा ए.ई.जैकब ने ट्रांसपोजोन कहा। ह्यूगो डी. व्रीज ने उत्परिवर्तन (mutation) शब्द दिया, इसके वाद (theory) को उत्परिवर्तनवाद (mutation theory) कहा गया।

मॉर्गन ने सहलग्नता (linkage) की खोज की। मेण्डल को अनुवांशिकी का जनक (father of genetics) कहा जाता है। इन्होंने सर्वप्रथम आनुवंशिकी के लक्षणों को प्रतिपादित किया।

145. (a) भिण्डी (lady finger), कपास (cotton) गुड़हल (gurhal) भाँग (hemp) इत्यादि मालवेसी कुल में आते हैं।

146. (a) पौधों मे प्रकाश संश्लेषण (photosynthesis) की क्रिया द्वारा बना भोजन फ्लोएम सुक्रोस के रूप में स्थानान्तरित होता है। ग्लूकोस के रूप में जन्तु अपना भोजन ग्रहण करते हैं। फ्रक्टोस (fructose) फलों से प्राप्त होने वाली तथा लैक्टोस (lactose) दूध से प्राप्त होने वाली शर्कराएँ हैं।

147. (a) मशरूम में टोपी और तना (cap and stalk) मिलकर एक रचना बनाते हैं, जिसे बेसिडियोकार्प (basidiocarp) या स्पोरोकार्प (sporocarp) कहते हैं। यह पौधे का खाने योग्य भाग होता है।

148. (a) वन नष्टीकरण (deforestation) ऊष्णकटिबन्धीय वनों में कुछ जातियों के विलुप्त होने का मुख्य कारण है। वनीकरण (afforestation) वनों को बचाने का एकमात्र उपाय है।

149. (b) वायु द्वारा मृदा का परिवहन इओलियन (eolian) कहलाता है। ग्लेसियल में मृदा का परिवहन बर्फ के बड़े-बड़े टुकड़ों, एल्युवियल (alluvial) में पानी तथा कोल्युवियल (colluvial) में गुरुत्व (gravity) द्वारा होता है।

150. (a) एब्सिसिक एसिड (ABA) एजिड (ABA) एक प्रकार का हॉर्मोन है, जो पत्तियों तथा फलों के विलगन के लिए उत्तरदायी होता है। ऑक्सिन, जिबरेलिन तथा साइटोकाइनिन वृद्धि को नियन्त्रित करने वाले हॉर्मोन हैं, जो पत्तियों के विलगन को रोकते हैं।

जन्तु विज्ञान

151. (c) विटामिन-C जल में घुलनशील विटामिन है। अतः हमारा शरीर इस विटामिन का संग्रह नहीं कर सकता है। यह विटामिन शरीर के सभी भागों में ऊतकों की वृद्धि एवं मरम्मत में सहायक होता है। विटामिन-C शरीर में कोलेजन प्रोटीन के निर्माण में सहायक होता है, जिससे त्वचा, उपस्थियाँ, कण्डरा, स्नायु तथा रुधिर वाहिकाएँ बनी होती हैं। इसके अतिरिक्त यह विटामिन अस्थियों एवं दाँतों की मरम्मत, घावों के भरने इत्यादि में भी सहायता करता है।

152. (a) **गोनेडोट्रॉपिन्स** (gonadotropins) प्रोटीन हॉर्मोन्स हैं, जो कशेरुकियों में पिट्यूटरी ग्रन्थि की गोनेडोट्रॉपिक कोशिकाओं द्वारा स्रावित होते हैं। ल्युटिनाइजिंग हॉर्मोन (LH) तथा पुटिका प्रेरक हॉर्मोन या फॉलिकिल स्टिम्युलेटिंग हॉर्मोन (FSH) कशेरुकियों के दो मुख्य गोनेडोट्रॉपिन्स हैं।

153. (a) मेंढक में **दस जोड़ी मेरु तन्त्रिकाएँ** (मनुष्य में तीस जोड़ी) होती हैं, जो मेरु रज्जु से निकलकर शरीर के विभिन्न भागों में वितरित हो जाती हैं। मेंढक की मेरु तन्त्रिकाएँ सफेद रंग की धागेनुमा संरचनाएँ हैं, जो कशेरुकाओं के बीच से निकलती हैं तथा देहगुहा की पृष्ठ भित्ति के साथ स्थित होती हैं। मेरु तन्त्रिकाएँ मेरु रज्जु द्वारा सूचनाओं को शरीर के अंगों से मस्तिष्क तक पहुँचाती हैं।

154. (b) **सार्कोमीयर** पेशी के क्रॉस-रेखित (cross-striated) मायोफाइब्रिल की आधारीय इकाई है। सार्कोमीयर तीन भिन्न प्रकार के तन्तु तन्त्रों (filament systems) द्वारा निर्मित बहुप्रोटीन सम्मिश्र (multiprotein complexes) होते हैं।

155. (a) अमेरिकी वर्गिकीविद (taxonomist) **आर.एच.व्हिटेकर ने,** सन् 1969 में, जीवों के पाँच-जगत वर्गीकरण (five-kingdom classification) का निम्न आधार पर प्रतिपादन किया-

(i) इनकी प्रोकैरियोटिक तथा यूकैरियोटिक प्रकृति

(ii) एककोशिकीयता (unicellularity) तथा बहुकोशिकीयता (multicellularity)।

(iii) पोषण के प्रकार इत्यादि।

पाँच जगत हैं-मोनेरा, प्रोटिस्टा, प्लाण्टी, एनीमेलिया तथा फंजाई।

156. (a) **वैलिसनेरिया** तथा **हाइड्रिला** दोनों जलोद्भिद् पादप हैं। **जलोद्भिद्** (hydrophytes) वे पादप हैं, जो अत्यधिक गीली मिट्टी में या जल में पूर्ण या आंशिक रूप से डूबे हुए उत्पन्न होते हैं। यान्त्रिक तथा सहारा प्रदान करने वाले ऊतक और संवहन ऊतक का ह्रास, जड़ तन्त्र की अनुपस्थिति या ह्रास तथा विशिष्टीकृत पत्तियाँ (कम या बिना क्यूटिकल वाली, प्लावी या महीन विभाजित) जलोद्भिदों के मुख्य संरचनात्मक रूपान्तरणों को प्रदर्शित करते हैं।

157. (c) XX/XO प्रकार के लिंग निर्धारण में मादा में लिंग गुणसूत्रों की दो प्रतियाँ (XX) होती हैं, जबकि नर में केवल एक ही लिंग गुणसूत्र (XO) होता है। यहाँ O द्वितीय लिंग गुणसूत्र की अनुपस्थिति को प्रदर्शित करता है। लिंग निर्धारण की यह विधि अनेक कीटों; जैसे टिड्डों, झींगुर (गण-ऑर्थोप्टेरा) तथा गण-ब्लेटोडिया के तिलचट्टों इत्यादि में पाई जाती है।

158. (a) नीले-हरे जीवाणुओं के लिए पहले 'नीले-हरित' शब्द का प्रयोग किया जाता था, किन्तु अब इन्हें सायनोबैक्टीरिया (cyanobacteria) के रूप में वर्गीकृत किया जाता है। यह प्रोकैरियोटिक कोशिकाओं के एक समूह को प्रदर्शित करता है, जो प्रकाश-संश्लेषण हेतु पर्णहरिम (chlorophyll) का उपयोग करती हैं।

159. (b) मच्छर के मुखांग भेदन प्रकार के होते हैं।

160. (a) श्वान कोशिकाएँ तन्त्रिका तन्तु के एक्सॉन को घेरती हैं। ग्लियल अथवा श्वान कोशिकाओं द्वारा निर्मित आच्छद **न्यूरीलेमा** (neurilemma) कहलाता है। न्यूरीलेमा के नीचे सर्पिल रूप से कुण्डलित एक अतिरिक्त आच्छद पाया जाता है। जो चमकदार लिपिड प्रचुर पदार्थ **माइलिन** का बना होता है, इस प्रकार के तन्त्रिका तन्तु माइलिनेटेड अथवा मेड्युलेटेड तन्त्रिका तन्तु कहलाते हैं। मायलिन आच्छद रहित तन्त्रिका तन्तु नॉन्र-मायलिनेटेड अथवा नॉन-मेड्यूलेटेड तन्त्रिका तन्तु कहलाते हैं।

161. (c) जन्तुओं द्वारा यूरिया उत्सर्जन की क्रिया **यूरेयोटीलिज्म** कहलाती है। जिन तन्तुओं में यह क्रिया होती है, उन्हें **यूरिया उत्सर्जी** (ureotelic) कहते हैं; जैसे-केंचुआ, उपास्थि मछलियाँ, वयस्क उभयचर, कई प्रकार के समुद्री सरीसृप, स्तनधारी इत्यादि।

162. (a) शारीरिकीय अध्ययन (anatomical studies) के अनुसार, फोरामेन मैग्नम एक बड़ा छिद्र होता है, जो कपाल की ऑक्सिपिटल अस्थि (occipital bone) में स्थित होता है। यह कपाल के आधार या फोरामिना (foramina) पर स्थित अण्डाकार अथवा वृत्ताकार छिद्रों में से एक है, जिससे मेड्यूला ऑब्लोंगेटा (मेरू रज्जु का विस्तार) प्रवेश करती है तथा पाल कक्ष (skull vault) से बाहर निकलती है। मेड्यूला ऑब्लोंगेटा तथा इसकी कलाओं से सम्प्रेषण (transmission) से अलग, फोरामेन मैग्नम मेरु सहायक तन्त्रिका (spinal accessory nerve), कशेरुकी धमनियों (vertebral arteries), अग्र तथा पश्च पेरु धमनियों (vertebral arteries), अग्र तथा पश्च पेरु धमनियों (anterior and posterior spinal arteries), मेम्ब्रेना टेक्टोरिया (membrana tectoria) तथा एलर स्नायुओं (alar ligaments) को भी सम्प्रेषित (transmit) करता है।

163. (a) **वृक्क वल्कुट** (renal cortex) बाह्य भाग है, जो कोशिकागुच्छ, बोमेन सम्पुट, समीपस्थ तथा दूरस्थ संवलित नलिकाओं की उपस्थिति के कारण, गहरे रंग का तथा कणिकामय प्रकृति का होता है।

164. (c) अन्तःप्रद्रव्यी जालिका एक यूकैरियोटिक कोशिकांग है, जो कोशिका के भीतर नलिकाओं (tubules), थैलियों (vesicels) तथा सिस्टर्नी (cisternae) के अन्तर्सम्बन्धित जाल का निर्माण करता है। रुक्ष अन्तःप्रद्रव्यी जालिका (rough endoplastmic reticulum) प्रोटीनों का संश्लेषण करती है, जबकि चिकनी अन्तःप्रद्रव्यी जालिका (smooth endoplasmic reticulum) लिपिड्स तथा स्टीरॉएड्स का संश्लेषण

करती है, कार्बोहाइड्रेट्स तथा स्टीरॉएड्स का उपापचय करती है। इसके अतिरिक्त यह कैल्शियम सान्द्रता द्वारा निराविषीकरण (drug detoxification) तथा कोशिका कला प्रोटीन्स पर ग्राहियों के जुड़ने को भी नियन्त्रित करती है।

165. (b) उच्च मूल दाब तथा निम्न वाष्पोत्सर्जन की दशाओं में शाकीय पादपों (herbaceous plants) की पत्तियों के किनारों से अतिरिक्त जल का तरल बूँदों के रूप में ह्रास **बिन्दुस्रवण** (guttation) कहलाता है। यह प्रक्रिया उच्च नमी वाली मृदा में उगने वाले पौधों में होती है तथा गर्म एवं आर्द्र रातों में अत्यन्त सामान्य रूप से देखी जा सकती है। बिन्दुस्रवण की क्रिया पत्तियों की शिराओं से सिरों (vein ending) पर स्थित विशेष छिद्रों द्वारा होती है, जिन्हें जलरन्ध्र (water stomata) या हाइडेथोड्स (hydathodes) कहते हैं।

166. (b) ग्रेगर जॉन मेंडल के अनुवंशिकता के नियमों की सन् 1900 में तीन वैज्ञानिकों ने अलग-अलग काम करते हुए स्वत्रंत खोज की थी वे है–(i) ह्यूगो डी व्रीज (ii) कार्ल कॉरेन्स (iii) एरिक शेरमाक

167. (a) कवकों में संचित भोजन ग्लाइकोजन तथा तेल के रूप में पाया जाता है।

168. (d) असूत्री विभाजन (Amitosis) एक प्रत्यक्ष कोशिका विभाजन है, जिसमें केंद्रक बिना स्पिंडल ततुओं के सीधे दो भागों में विभाजित हो जाता है।

- जीवाणुओं (Bacteria) में द्विखंडन द्वारा विभाजन होता है, जिसे कई पुस्तकों में असूत्री विभाजन का उदाहरण माना जाता है।
- यीस्ट (Yeast) में मुख्यत: मुकुलन (Budding) होता है, जिसमें केंद्रक का सरल विभाजन देखा जाता है।
- कुछ कवकों (Fungi) में भी असूत्री प्रकार का केंद्रकीय विभाजन पाया जाता है।

इसलिए यदि विकल्पों में जीवाणु, यीस्ट और कवक सभी दिए गए हों, तो "इन सभी में" उत्तर अधिक उपयुक्त माना जाता है।

169. (c) 'B' रुधिर वर्ग वाले व्यक्ति का जीन प्ररूप I^BI^B अथवा I^OO^B हो सकता है, जबकि 'O' रक्त समूह वाले व्यक्ति का जीन प्रारूप I^OI^O होता है, I^BI^B जीन प्रारूप वाले व्यक्ति किसी भी दशा में 'O' रुधिर वर्ग वाली सन्तान उत्पन्न नहीं कर सकते हैं। किन्तु यदि व्यक्ति का जीन प्रारूप I^OI^B हो तो उनकी सन्तान का रुधिर वर्ग 'O' हो सकता है।

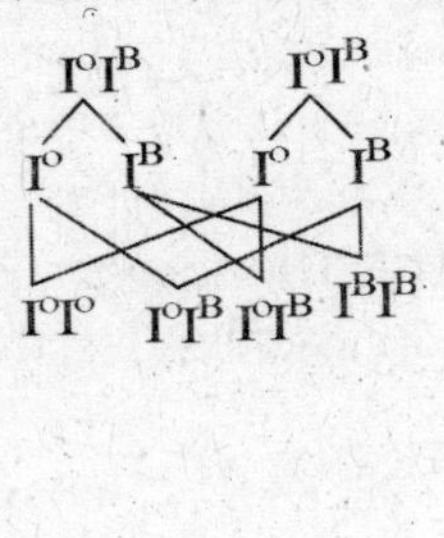

170. (a) बायोजेनेटिक नियम (Biogenetic law) के अनुसार, विकासीय क्रम में उच्च जातियों (जैसे–मनुष्य) के भ्रूण की प्रारम्भिक अवस्थाएँ पूर्वज जातियों (जैसे–मछली) के भ्रूण से समानता प्रदर्शित करती हैं। यह नियम केवल भ्रूणीय विकास पर लागू होता है तथा वयस्क अवस्थाओं से सम्बन्धित नहीं है। जैसे-जैसे विकास होता है, विभिन्न जातियों के भ्रूणों में असमानताएँ बढ़ती जाती हैं। इस नियम का प्रारम्भिक रूप 19 वीं शताब्दी के एस्टोनियन जन्तु वैज्ञानिक के.ई. वॉन बेयर (K.E. Von Vaer) द्वारा प्रस्तुत किया गया।

171. (a) साइटोकाइनिन द्वारा कोशिका विभाजन की प्रक्रिया तीव्र हो जाती है।

172. (a) *हाइड्रा* अपनी पुनरुद्भवन क्षमता (Regeneration power) के लिए जाना जाता है। इस जन्तु में पुनरुद्भवन की खोज सर्वप्रथम **ट्रैम्ब्ले** (Trembly) ने 1744 में की थी। उसके चयनात्मक कर्तन (selection cutting) तथा पृथक्करण (segregation) द्वारा सात सिरों वाला *हाइड्रा* उत्पन्न करने में सफलता प्राप्त की थी।

173. (a) *प्लाज्मोडियम* की सिग्नेट वलय अवस्था (signet ring stage) में ट्रोफोजॉइट के केन्द्र में एक असंकुचनशील धानी (non-contractile vacuole) उत्पन्न होती है। परिधीय कोशिकाद्रव्य केन्द्रक वाले भाग में एक उभार (bulge) के समान संरचना प्रदर्शित करने लगता है। जिसके कारण यह एक सिग्नेट वलय के समान प्रतीत होता है। *प्लाज्मोडियम फैल्सीपेरम* में यह अवस्था अनुपस्थित होती है, सिग्नेट वलय अवस्था द्वारा अवशोषण क्षेत्र, बढ़ जाता है तथा वह तीव्र वृद्धि में भी सहायक होती है।

174. (c) कॉर्डेटा यूसीलोमेट त्रिस्तरीय जन्तुओं (eucoelomate triploblastic animals) का एक संघ है, जिसमें जन्तु जीवन की किसी न किसी अवस्था में खोखली पृष्ठ तन्त्रिका रज्जु, पश्च गुद पुच्छ (post anal tail), ग्रसनी के ऊपर क्लोम विदर (gill slits) तथा पृष्ठ नोटोकॉर्ड करते हैं। इस संघ में सभी आवासों में पायी जाने वाली लगभग 48,000 जातियाँ सम्मिलित हैं। कॉर्डेटा शब्द सर्वप्रथम बेलफोर (Balfour) द्वारा 1880 में प्रतिपादित किया गया था।

175. (b) केंचुए का 14 से 16 खण्डों का भाग ग्रन्थिल ऊतक की एक सुस्पष्ट, वृत्ताकार पट्टी (band) द्वारा ढँका रहता है जिसे क्लाइटेलम कहते हैं। यह अण्डे का खोल (egg case) या ऊथीका (oothca) स्रावित करता है। क्लाइटेलम केंचुए के शरीर को तीन भागों में विभाजित करता है। प्रीक्लाइटेलर (preclitellar), क्लाइटेलर (clitellar) तथा पोस्ट क्लाइटेलर (post clitellar) भाग है।

176. (b) न्यूक्लियोप्रोटीन सम्मिश्र (nucleoprotein complex) जो बहनी अर्धगुणसूत्रों (sister chromatids) तथा समजात गुणसूत्रों (homologous chromosomes) के जुड़े रहने में सहायता करता है। **सिनेप्टोनिमल कॉम्पलैक्स** (synaptonemal complex) कहलाता है। यह सर्वप्रथम जाइगोटीन अवस्था में देखा गया।

177. (c) अनुकम्पी तन्त्रिका तन्त्र (sympathetic nervous system) सभी वक्षीय (thoracic) तथा प्रथम तीन कटि मेरू तन्त्रिकाओं (lumbar spinal nerves) के रेमी कम्युनिकेन्स (rami communicans) से उत्पन्न होता है। अत: इसे वक्षकटि (thoracolumbar or thoracicolumbar) तन्त्रिका तन्त्र भी कहते है।

178. (a) टायफॉइड ज्वर **साल्मोनेला टायफी** (Salmonella typhii) नामक जीवाणु द्वारा उत्पन्न होता है। यह ग्राम ऋणात्मक छोटा बैसीलस जीवाणु होता है। जो पेरीट्राइकस कशाभों (Peritrichous flagella) के कारण चलनशील (motile) होता है। टायफॉइड विश्वव्यापी सामान्य रोग है, जो संक्रमित व्यक्ति के मल द्वारा दूषित भोजन तथा जल को ग्रहण करने से संचारित होती है।

179. (a) शशक (rabbit) का प्राकृतिक आहार मुख्यतया पादप पदार्थों पर आधारित होता है। जिसका मुख्य संघटक सेलुलोस होता है। अन्य स्तनधारियों की भाँति शशक में भी सेलुलोस के पाचन हेतु एन्जाइम नहीं होते हैं, बल्कि यह इस कार्य हेतु अन्धनाल (caecum) में उपस्थित जीवाणुओं पर निर्भर होता है, जो सेलुलोस का इसके वास्तविक 'बिल्डिंग ब्लॉक्स' (building blocks) में विघटन कर देते हैं।

180. (b) कवकमूल (mycorrhiza) कवकों तथा उच्च पादपों की जड़ों के मध्य सहजीवी सम्बन्ध (symbiotic association) है। कवकमूलीय जड़ें प्राय: महीन कवक तन्तुओं द्वारा ढकी रहती हैं। जड़ों पर कवक वृद्धि से पौधे को कोई हानि नहीं होती है। कवकमूल द्वारा भूमि से जल के साथ-साथ फॉस्फोरस एवं नाइट्रोजन का भी अवशोषण होता है।

General English

181. (a) The correct option for the blank will be 'few'.

182. (d) The correct option is 'could'. Could is a verb used in making suggestions or polite requests.

183. (d) The correct option is 'beside'. Beside is a preposition which means 'at the side of'.

184. (a) The indirect sentence would be: He explained that he never ate fish.

185. (c) The correctly spelt word is: bivouac which means a temporary camp for soldiers or mountaineers.

186. (a) There is boys, a plural, before 'who' so the verb after it will also be plural. Hence, option (a) is correct.

187. (c) Solitary means single; only, lonely.

188. (c) Let's look at the word for word translation of the Hindi text given below:

हमने- We

नाश्ता- breakfast

कर लिया है। - eaten, since we are talking about breakfast, the verb eaten will be used.

As per the Hindi text, the given sentence is in the present perfect tense. When we rearrange the given words or phrases (according to the tense), the correct sentence is- We have eaten our breakfast.

189. (a) a burglar

190. (a) The problem of saving certain wild animals

सामान्य ज्ञान

191. (c) गोदावरी दक्षिण भारत की एक प्रमुख नदी है। यह अन्य प्रायद्वीपीय नदियों में सबसे बड़ी है। इसका उद्गम पश्चिमी घाट में त्र्यम्बकेश्वर पहाड़ी (महाराष्ट्र) से हुआ है। यह महाराष्ट्र के नासिक से निकलती है तथा तेलंगाना एवं आन्ध्र प्रदेश में प्रवाहित होते हुए यह बंगाल की खाड़ी में गिरती है।

192. (d) संविधान सभा ने संविधान के निर्माण से सम्बन्धित कार्यों को करने के लिए कई समितियों का गठन किया। इसमें आठ बड़ी समितियाँ थीं। पहली समिति संघ शक्ति समिति थी, जिसके अध्यक्ष जवाहरलाल नेहरू थे।

193. (d) कंचनजंगा विश्व की तीसरी (हिमालयन रेंज) सबसे ऊँची पर्वत चोटी है। यह सिक्किम के उत्तर-पश्चिमी भाग में नेपाल की सीमा पर स्थित है। इसकी ऊँचाई 8586 मी है।

194. (d) पुराणों के अनुसार नंद वंश का संस्थापक महापद्मनन्द एक शूद्र शासक था। इसे सर्वक्षत्रान्तक (क्षत्रियों का नाश करने वाला) तथा भार्गव (दूसरे परशुराम का अवतार) कहा गया है। एक विशाल साम्राज्य स्थापित कर उसने एकराट और एकच्छत्र की उपाधि धारण की।

195. (c) मत्त विलास प्रहसन के लेखक महेन्द्र वर्मन हैं। ये पल्लव वंश के शासक थे जो तमिल संत अय्यर के प्रभाव में आकर शैव बन गए।

196. (a) पं. जवाहरलाल नेहरू ने 1935 के अधिनियम को दासता का अधिकार पत्र कहा उन्होंने इस अधिनियम को एक ऐसी मशीन बताया जिसमें ब्रेक अनेक हैं लेकिन इंजन कोई नहीं। जिन्ना ने इस अधिनियम के बारे में कहा है कि पूर्णत: सड़ा हुआ, मूल रूप से बुरा और बिल्कुल अस्वीकृत है। सी. राजगोपालाचारी ने इसे द्वैध शासन से भी बुरा कहा।

197. (c) प्रश्नानुसार बरौनी, कोयली तथा नूनमाटी में तेल शोधक कारखाने हैं जबकि हटिया में कोई तेलशोधक कारखाना नहीं है।

198. (d) तंबाकू सेवन के घातक प्रभावों के बारे में जागरूकता फैलाने के लिए प्रत्येक वर्ष 31 मई को 'विश्व तंबाकू निषेध दिवस' के रूप में मनाया जाता है। विश्व तंबाकू निषेध दिवस की घोषणा विश्व स्वास्थ्य संगठन के सदस्य राष्ट्रों द्वारा वर्ष 1987 में की गई ताकि तंबाकू महामारी से होने वाली मृत्यु तथा बीमारियों पर वैश्विक ध्यान आकर्षित किया जा सके। वर्ष 1988 में संकल्प WHA 42.19 पारित कर प्रत्येक वर्ष 31 मई को विश्व तंबाकू निषेध दिवस मनाने का आह्वान किया गया था।

199. (c) संविधान के अनुच्छेद 76 के तहत महान्यायवादी की नियुक्ति की जाती है। यह भारत का प्रथम विधि अधिकारी होता है।

200. (b) एक रुपये के नोट तथा सिक्के का निर्गमन वित्त मंत्रालय (भारत सरकार) करता है तथा इसके अतिरिक्त समस्त करेंसी नोटों का निर्गमन रिजर्व बैंक करता है।

❑❑❑

बी.एससी. नर्सिंग एवं मिडवाइफरी (जी.एन.एम.)

प्रशिक्षण चयन परीक्षा

सॉल्व्ड पेपर-2024

भौतिक विज्ञान

1. एक मीटर लम्बा तार 2 मी/से की चाल से, इसकी लम्बाई के लम्बवत् एवं समांगी चुम्बकीय क्षेत्र 0.5 टेस्ला के लम्बवत् गति कर रहा है। तार के दोनों सिरों को 6 ओम के विद्युत परिपथ से जोड़ा गया है। तार की गति को नियत बनाये रखने के लिये कार्य करने की दर है-

(a) $\frac{1}{2}$ वॉट (b) $\frac{1}{6}$ वॉट

(c) $\frac{1}{3}$ वॉट (d) 1 वॉट

2. किसी पदार्थ से बने तार पर (x) न्यूटन/मी^{2} का प्रतिबल आरोपित करने पर उसकी लम्बाई दोगुनी हो जाती है। इस पदार्थ के लिए यंग प्रत्यास्थता गुणांक का मान न्यूटन/मी^{2} में होगा- (हुक के नियम को मानते हुए)

(a) x (b) $2x$

(c) $\frac{x}{2}$ (d) अपूर्ण जानकारी

3. प्रति चुम्बकीय पदार्थ की प्रवृत्ति 3×10^{-4} है। इसे 4×10^{-4} ऐम्पियर/मी के चुम्बकीय क्षेत्र में स्थित किया गया है। तब ऐम्पियर/मी मात्रक में चुम्बकन की तीव्रता होगी-

(a) 1.33×10^{8} (b) 0.75×10^{-8}

(c) 12×10^{-8} (d) 14×10^{-8}

4. निम्न चित्र में बिन्दु P की ओर अभिसरित प्रकाश पुंज दिखाया गया है, जब 16 सेमी फोकस दूरी वाले अवतल लेन्स को प्रकाश पुंज के मार्ग में बिन्दु O पर इस प्रकार रख दिया जाये कि OP, लेन्स का अक्ष हो जाये, तो पुंज लेन्स से x दूरी पर अभिसरित होता है, तो x का मान है-

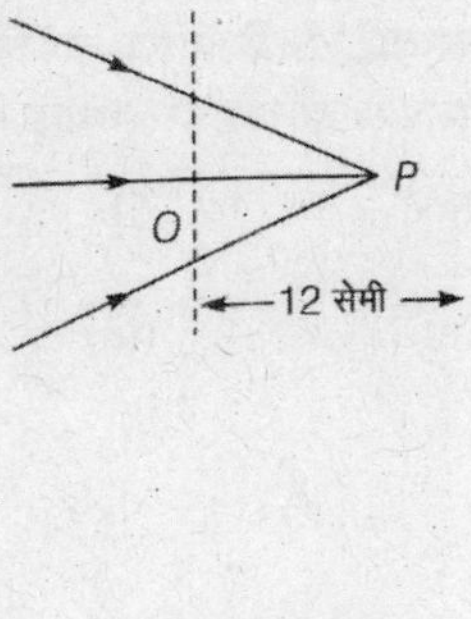

(a) 12 सेमी (b) 24 सेमी

(c) 36 सेमी (d) 48 सेमी

5. एक समतल तरंगाग्र ($\lambda = 6 \times 10^{-7}$ मी) 0.4 मिमी चौड़ाई की झिर्री पर आपतित होता है। झिर्री के पीछे रखा 0.8 मी फोकस दूरी का उत्तल लेन्स प्रकाश को पर्दे पर फोकस करता है। द्वितीय उच्चिष्ठ का रेखीय व्यास क्या होगा?

(a) 6 मिमी (b) 12 मिमी

(c) 3 मिमी (d) 9 मिमी

6. एक सरल लोलक आयाम a तथा आवर्तकाल T के साथ $x = 0$ के परितः सरल आवर्त गति करता है। $x = \frac{a}{2}$ पर लोलक की चाल होगी-

(a) $\frac{\pi a\sqrt{3}}{2T}$ (b) $\frac{\pi a}{T}$

(c) $\frac{3\pi^2 a}{T}$ (d) $\frac{\pi a\sqrt{3}}{T}$

7. दो लाउडस्पीकर L_1 व L_2 एक दोलित्र और प्रवर्धक से जुड़े हैं जैसा कि चित्र में प्रदर्शित है। दोलित्र की आवृत्ति शून्य से धीरे-धीरे बढ़ायी जाती है जिससे D पर स्थित संसूचक उच्चिष्ठ और निम्निष्ठ की एक श्रृंखला रिकॉर्ड करता है। यदि ध्वनि की चाल 330 मी/से है, तो प्रथम उच्चिष्ठ किस आवृत्ति पर प्राप्त होगा?

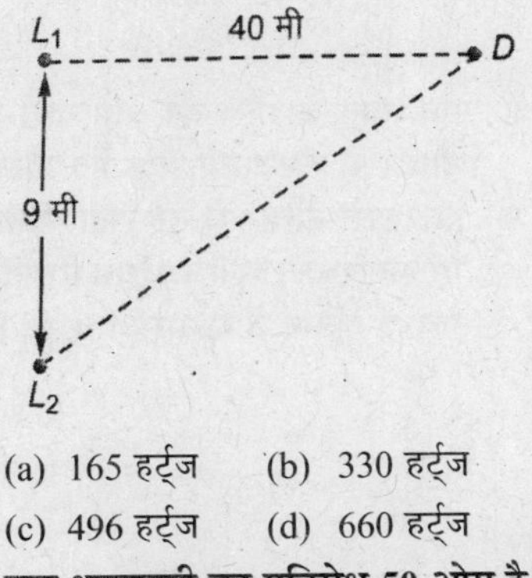

(a) 165 हर्ट्ज (b) 330 हर्ट्ज

(c) 496 हर्ट्ज (d) 660 हर्ट्ज

8. एक धारामापी का प्रतिरोध 50 ओम है तथा इसका पूर्ण विक्षेप धारा का मान 100 माइक्रो ऐम्पियर है। इसे 10 ऐम्पियर परास के अमीटर में परिवर्तित करने के लिये आवश्यक प्रतिरोध होगा-

(a) समान्तर क्रम में 5×10^{-3} ओम

(b) समान्तर क्रम में 5×10^{-4} ओम

(c) श्रेणी क्रम में 10^{5} ओम

(d) श्रेणी क्रम में 99950 ओम

9. तीन ब्लॉक A, B व C जिनका द्रव्यमान क्रमशः 5 किग्रा, 3 किग्रा तथा 2 किग्रा हैं एक क्षैतिज सतह पर रखे हुए हैं। ब्लॉक C, व सतह के मध्य घर्षण गुणांक 0.2 जबकि ब्लॉक A व सतह तथा B व सतह के मध्य घर्षण गुणांक शून्य है। यदि ब्लॉक A पर पहले F = 10 न्यूटन का बल चित्रानुसार आरोपित किया जाता है तथा बाद में (द्वितीय अवस्था) में C पर आरोपित किया जाता है, तो दोनों अवस्थाओं में B व C के मध्य सम्पर्क बलों का अनुपात होगा ($g = 10$ मी/से^{2})

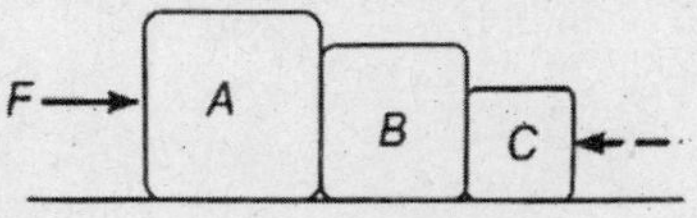

(a) $\frac{13}{12}$ (b) $\frac{12}{13}$

(c) $\frac{1}{2}$ (d) $\frac{2}{1}$

10. एक सदिश a को लघु कोण $d\theta$ दिया जाता है। यदि सदिश की लम्बाई को अपरिवर्तित रखा जाए, तो $|\Delta a|$ तथा Δa के मान क्रमशः हैं-

(a) $0, a d\theta$

(b) $a d\theta, 0$

(c) 0, 0

(d) उपरोक्त में से कोई नहीं

11. 25°C पर एक स्टील की छड़ का व्यास 3.00 सेमी है। एक पीतल की वलय का 25°C पर आन्तरिक व्यास 2.992 सेमी है। किस ताप पर छड़, वलय के अन्दर आसानी से प्रवेश करेगी?

($\alpha_s = 11 \times 10^{-6}$ °C^{-1} तथा $\alpha_b = 19 \times 10^{-6}$ °C^{-1})

(a) 460°C (b) 260°C
(c) 500°C (d) 360°C

12. हाइड्रोजन परमाणु में इसकी मूल अवस्था में इलेक्ट्रॉन की आयनन ऊर्जा 13.6 इलेक्ट्रॉन वोल्ट है। परमाणु की 6 तरंगदैर्ध्यों के विकिरणों को उत्सर्जित करने के लिए ऊर्जा स्तर तक उत्तेजित किया जाता है। उत्सर्जित विकिरण की अधिकतम तरंगदैर्ध्य किस संक्रमण के संगत है?

(a) $n = 3$ से $n = 2$
(b) $n = 3$ से $n = 1$
(c) $n = 2$ से $n = 1$
(d) $n = 4$ से $n = 3$

13. नाभिकीय अभिक्रिया
$_{92}U^{238} \rightarrow {}_{Z}Th^{A} + He^{4}$ में A और Z के मान है-

(a) $A = 234, Z = 94$
(b) $A = 234, Z = 90$
(c) $A = 238, Z = 94$
(d) $A = 238, Z = 90$

14. एक अनन्त लम्बे PQR चालक को समकोण पर मोड़ा गया है जैसा कि चित्र में दिखाया गया है। PQR में (I) धारा प्रवाहित होती है। इस धारा के कारण बिन्दु M पर चुम्बकीय क्षेत्र H_1 है। अब अनन्त लम्बाई के एक अन्य तार QS को Q पर जोड़ा जाता है, तो QR व QS में प्रवाहित धारा (I)/2 है, PQ में धारा अपरिवर्तित रहती है। अब बिन्दु M पर चुम्बकीय क्षेत्र H_2 है। अनुपात H_1/H_2 होगा-

(a) $\frac{1}{2}$ (b) 1
(c) $\frac{2}{3}$ (d) 2

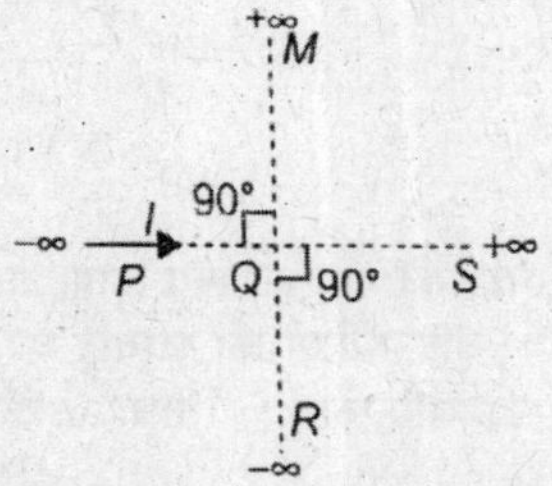

15. क्राउन काँच ($n = 1.525$) का उत्तल लेन्स अपसारी लेन्स की तरह कार्य करेगा, यदि उसे निम्न में डुबा दिया जाए-

(a) पानी ($n = 1.33$)
(b) माध्यम ($n = 1.525$)
(c) कार्बन डाई-सल्फाइड ($n = 1.66$)
(d) यह अपसारी लेन्स की तरह कभी व्यवहार नहीं करेगा

16. काँच की एक प्लेट पर प्रकाश की एक किरण ब्रूस्टर कोण ϕ के बराबर आपतन कोण पर आपतित होती है। यदि काँच का हवा के सापेक्ष अपवर्तनांक μ हो, तो परावर्तित एवं अपवर्तित किरणों के बीच कोण होगा-

(a) $90° + \phi$
(b) $\sin^{-1}(\mu \cos\phi)$
(c) 90°
(d) $90° - \sin^{-1}\left(\frac{\sin\phi}{\mu}\right)$

17. एक चोटी की ओर 30 मी से$^{-1}$ की चाल से गतिमान एक कार का चालक 600 हर्ट्ज आवृत्ति का हॉर्न बजाता है। यदि वायु में ध्वनि का वेग 330 मी से$^{-1}$ हो, तो चालक द्वारा परावर्तित ध्वनि की सुनाई पड़ने वाली आवृत्ति है-

(a) 500 हर्ट्ज (b) 555.5 हर्ट्ज
(c) 720 हर्ट्ज (d) 550 हर्ट्ज

18. यदि अभिदृश्यक लेन्स की फोकस दूरी बढ़ाई जाए, तो-

(a) सूक्ष्मदर्शी की आवर्धन क्षमता बढ़ेगी किन्तु दूरदर्शी की घट जाएगी
(b) सूक्ष्मदर्शी व दूरदर्शी दोनों की आवर्धन क्षमता बढ़ जाएगी
(c) सूक्ष्मदर्शी व दूरदर्शी दोनों की आवर्धन क्षमता घट जाएगी
(d) सूक्ष्मदर्शी की आवर्धन क्षमता घटेगी किन्तु दूरदर्शी की बढ़ जाएगी

19. 3 सेमी भुजा वाला एक वर्गाकार तार 10 सेमी फोकस दूरी वाले अवतल दर्पण से 25 सेमी की दूरी पर रखा गया है। वर्ग का केन्द्र, दर्पण के अक्ष पर है तथा उसका तल अक्ष के लम्बवत् है। तार के प्रतिबिम्ब द्वारा घिरा क्षेत्रफल होगा-

(a) 4 सेमी^{2} (b) 6 सेमी^{2}
(c) 16 सेमी^{2} (d) 36 सेमी^{2}

20. एक इलेक्ट्रॉन को 2.00×10^{-4} न्यूटन/कूलॉम तीव्रता के विद्युत क्षेत्र में विरामावस्था से छोड़ा जाता है। इलेक्ट्रॉन का त्वरण होगा-

(a) 2.51×10^{15} मी/से^{2}
(b) 2.51×10^{-15} मी/से^{2}
(c) 3.51×10^{15} मी/से^{2}
(d) 3.51×10^{-15} मी/से^{2}

21. एक धातु के गोले को धागे द्वारा एक स्थिर दीवार से लटकाया गया है। गोले को एक छड़ द्वारा दीवार से दूर रखा जाता है। गोले पर लगने वाले बलों को चित्र में प्रदर्शित किया गया है। निम्न में से असत्य कथन है-

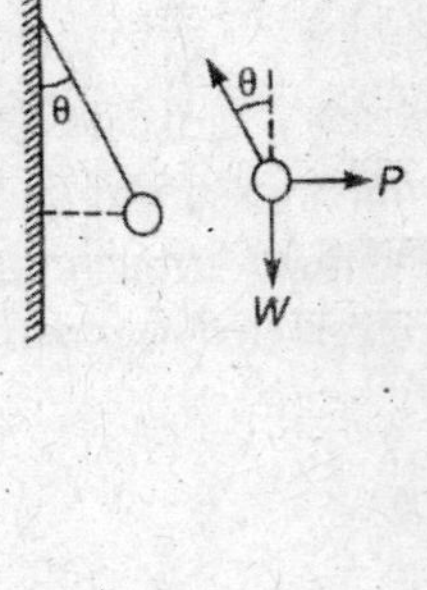

(a) $P = W \tan\theta$
(b) $T + P + W = 0$
(c) $T^2 = P^2 + W^2$
(d) $T = P + W$

22. एक दूरदर्शी के अभिदृश्यक की फोकस दूरी 50 सेमी तथा नेत्रिका की फोकस दूरी 5 सेमी एवं स्पष्ट दृष्टि की न्यूनतम दूरी 25 सेमी है। दूरदर्शी को 200 सेमी दूर एक स्केल पर स्पष्ट दृष्टि के लिए फोकस किया गया है, तो अभिदृश्यक तथा नेत्रिका के बीच दूरी है-

(a) 75 सेमी (b) 60 सेमी
(c) 71 सेमी (d) 74 सेमी

23. निर्वात् से संचरित एक विद्युत चुम्बकीय तरंग $E = E_0 \sin(kx - \omega t)$; $B = B_0 \sin(kx - \omega t)$ से व्यक्त की जाती है, तो निम्न में कौन-सा सही समीकरण है?

(a) $E_0 k = B_0 \omega$
(b) $E_0 B_0 = \omega k$
(c) $E_0 \omega = B_0 k$
(d) इनमें से कोई नहीं

24. एक उत्तल लेन्स एवं एक समतल दर्पण के बीच की दूरी 10 सेमी है। प्रकाश की समानान्तर किरणें लेन्स पर आपतित होती हैं एवं दर्पण से परावर्तन के बाद लेन्स के प्रकाशीय केन्द्र पर प्रतिबिम्ब बनाती हैं, तो लेन्स की फोकस दूरी होगी-

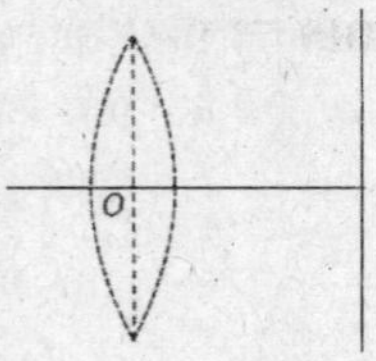

(a) 10 सेमी
(b) 20 सेमी
(c) 30 सेमी
(d) ज्ञात नहीं किया जा सकता

25. कठोर X-किरणों के लिए-

(a) तरंगदैर्ध्य उच्चतर होती है
(b) तीव्रता उच्चतर होती है
(c) आवृत्ति उच्चतर होती है
(d) फोटॉन ऊर्जा निम्नतर होती है

26. L लम्बाई व r त्रिज्या के तार के एक सिरे को दृढ़ता से स्थिर किया गया है। दूसरे सिरे पर F बल लगाने पर लम्बाई में वृद्धि l है। $2L$ लम्बाई, $2r$ त्रिज्या के तार को इसी प्रकार $2F$ बल से खींचने पर लम्बाई में वृद्धि होगी-

(a) $\frac{l}{2}$ (b) l
(c) $2l$ (d) $\frac{l}{4}$

27. एक रेडियोएक्टिव तत्व x एक अन्य स्थायी तत्व y में परिवर्तित हो जाता है। x की अर्द्ध-आयु 2 घण्टे है, प्रारम्भ में केवल x उपस्थित है। समय पश्चात् x तथा y के परमाणुओं का अनुपात 1:4 पाया जाता है। t का मान घण्टे में है-

(a) 2

(b) 4

(c) 4 तथा 6 के बीच

(d) 6

28. चुम्बकीय फ्लक्स का SI मात्रक है

(a) वेबर (b) मैक्सवेल

(c) टेस्ला (d) गॉस

29. O^{16} की प्रति न्यूक्लिऑन बन्धन ऊर्जा 7.97 Mev है और O^{17} की 7.75 Mev है। O^{17} से एक न्यूट्रॉन हटाने के लिये आवश्यक ऊर्जा (MeV) में होगी-

(a) 3.52 (b) 3.64

(c) 4.23 (d) 7.86

30. एक ट्रांजिस्टर उभयनिष्ठ उत्सर्जक संयोजक में है, $R_O = 4$ किलोओम $R_i = 1$ किलोओम $i_c = 1$mA तथा $i_b = 200$ mA वोल्टता लब्धि ज्ञात है-

(a) 200 (b) 250

(c) 20 (d) 2

31. चार बिन्दु आवेशों के कारण बिन्दु P पर कुल विभव का मान होगा-

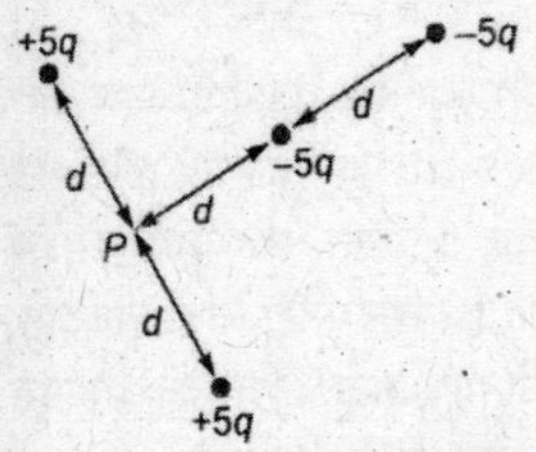

(a) $\frac{3q}{8\pi\varepsilon_0}$ (b) $\frac{5q}{8\pi\varepsilon_0}$

(c) $\frac{7q}{8\pi\varepsilon_0}$ (d) $\frac{9q}{8\pi\varepsilon_0}$

32. एक पट्टिका दो चकतियों से बनी है। दोनों सतहों के ताप क्रमशः T_1 व T_2 ($>T_1$), चकतियों की मोटाई क्रमशः x व $4x$ व ऊष्मा चालकता गुणांक k व $2k$ है। ऊष्मा के स्थानान्तरण की दर (स्थायी अवस्था में) $\left[\frac{A(T_2 - T_1)k}{x}\right] f$ से दी जाती है जहाँ f का मान है-

(a) 1 (b) $\frac{1}{2}$

(c) $\frac{2}{3}$ (d) $\frac{1}{3}$

33. 6328 Å तरंगदैर्ध्य का प्रकाश 0.2 मिमी चौड़ाई की झिर्री पर अभिलम्बवत् आपतित होता है। केन्द्रीय उच्चिष्ठ की कोणीय चौड़ाई होगी-

(a) 0.36° (b) 0.18°

(c) 0.72° (d) 0.09°

34. R त्रिज्या की एकसमान आवेशित चकती के केन्द्र से कितनी दूरी पर विद्युत क्षेत्र का मान केन्द्र पर, विद्युत क्षेत्र के मान का आधा होगा ?

(a) $\frac{R}{\sqrt{2}}$ (b) $\frac{R}{\sqrt{3}}$

(c) $\sqrt{2}R$ (d) $\sqrt{3}R$

35. रदरफोर्ड प्रकीर्णन प्रयोग में जब आवेश Z_1 तथा द्रव्यमान M_1 का एक प्रक्षेप्य, आवेश Z_2 तथा द्रव्यमान M_2 के लक्ष्य नाभिक के समीप पहुँचता है, तब निकटतम उपगमन की दूरी r_0 है। प्रक्षेप्य की ऊर्जा-

(a) $M_1 \times M_2$ के अनुक्रमानुपाती है

(b) Z_1Z_2 के अनुक्रमानुपाती है

(c) Z_1 के व्युत्क्रमानुपाती है

(d) M_1 के व्युत्क्रमानुपाती है

36. एक समतल-उत्तल लेन्स ($\mu = 1.6$) की वक्र सतह की वक्रता त्रिज्या 60 सेमी है तो लेन्स की फोकस दूरी होगी-

(a) 50 सेमी (b) 100 सेमी

(c) 200 सेमी (d) 400 सेमी

37. दिए गए $X_L - f$ वक्र तथा $X_C - f$ के लिए अनुनाद बिन्दु है-

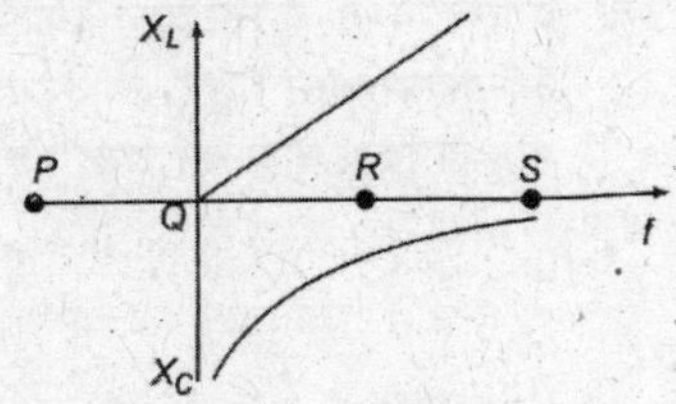

(a) P (b) Q

(c) R (d) S

38. निम्न चार तरंगों में से जो विभिन्न चार स्त्रोतों S_1, S_2, S_3 व S_4 से उत्सर्जित है

तरंग (1) $y = a \sin (kx + \omega t)$

तरंग (2) $y = a \sin (\omega t - kx)$

तरंग (3) $y = a \cos (kx + \omega t)$

तरंग (4) $y = a \cos (\omega t - kx)$

में व्यतिकरण घटना उपयुक्त प्रतिबन्धों के अन्तर्गत होती है, जब-

(a) स्त्रोत S_1 तरंग (1) को व S_2 तरंग (2) को उत्सर्जित करता है

(b) स्त्रोत S_3 तरंग (2) को व S_4 तरंग (4) को उत्सर्जित करता है

(c) स्त्रोत S_2 तरंग (2) को व S_4 तरंग (4) को उत्सर्जित करता है

(d) स्त्रोत S_4 तरंग (4) को व S_3 तरंग (3) को उत्सर्जित करता है

39. 20 किग्रा का एक ब्लॉक, 50 किग्रा के ब्लॉक के ऊपर चित्रानुसार रखा हुआ है। A पर लगाया गया क्षैतिज बल F, A में 3 मी/से² तथा B में 2 मी/से² का त्वरण उत्पन्न करता है जैसा कि चित्र में प्रदर्शित है । इस स्थिति में सत्य कथन है-

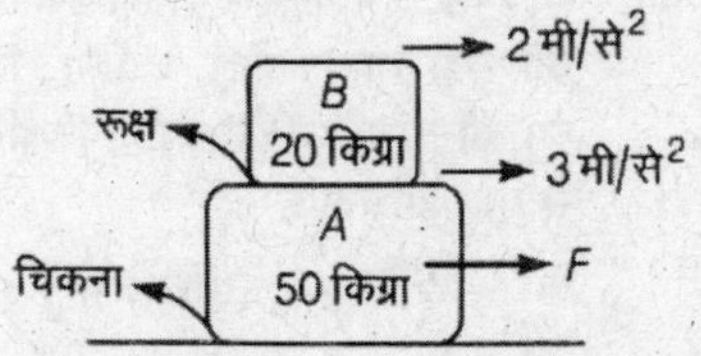

(a) A व B के मध्य घर्षण बल 40 न्यूटन है

(b) A पर आरोपित कुल बल 150 न्यूटन है

(c) F का मान 190 न्यूटन है

(d) उपरोक्त सभी

40. एक काँच के गोलीय पेपरवेट पर प्रकाश किरण अभिलम्ब से α कोण बनाती हुई आपतित होती है एवं β कोण से माध्यम में अपवर्तित हो जाती है, तो उत्सर्जित किरण का आपतित किरण की दिशा से विचलन कोण है-

(a) $(\alpha - \beta)$ (b) $2(\alpha - \beta)$

(c) $(\alpha - \beta)/2$ (d) $(\beta - \alpha)$

41. एक रेडियो स्टेशन 300 मी तरंगदैर्ध्य वाली तरंगें प्रसारित कर रहा है। यदि ट्रांसमीटर की विकिरण क्षमता 10 किलोवॉट है, तो प्रति सेकण्ड विकरित होने वाले फोटॉनों की संख्या होगी-

(a) 2.32×10^{20}

(b) 2.16×10^{30}

(c) 1.52×10^{31}

(d) 1.44×10^{30}

42. गैलीलियन दूरदर्शी में यदि अभिदृश्यक की शक्ति +1.25D हो तथा नेत्र लेन्स की शक्ति -20D हो, तो श्रांत दृष्टि (relaxed vision) के लिये दूरदर्शी की लम्बाई तथा आवर्धन होंगे-

(a) 21.25 सेमी तथा 16

(b) 75 सेमी तथा 20

(c) 75 सेमी तथा 16

(d) 8.5 सेमी तथा 21.25

43. एक विभवमापी के तार की लम्बाई 200 सेमी तथा प्रतिरोध 20 ओम है। यह श्रेणी क्रम में एक प्रतिरोध 10 ओम तथा एक सेल 6 वोल्ट से संयोजित है। 2.4 वोल्ट के एक स्त्रोत की सन्तुलन लम्बाई L है, तो L का मान है-

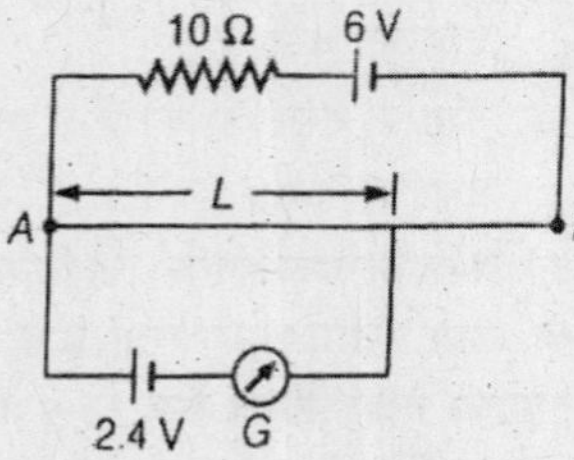

(a) 100 सेमी (b) 120 सेमी
(c) 110 सेमी (d) 140 सेमी

44. वायु का अपवर्तनांक 1.0003 है। वायु स्तम्भ की सही मोटाई होनी चाहिए, जिसमें पीले रंग की तरंगदैर्ध्य की संख्या निर्वात् में मोटाई से एक अधिक है-

(a) 2 मिमी (b) 2 सेमी
(c) 2 मी (d) 1 सेमी

45. पृथ्वी व चन्द्रमा के गुरुत्वाकर्षण को उदासीन करने के लिये समान मात्रा में धनात्मक आवेशों को पृथ्वी व चन्द्रमा पर रखा जाता है। इन धनात्मक आवेशों को उत्पन्न करने के लिये कितने किलोग्राम हाइड्रोजन गैस की आवश्यकता होगी?

(a) 6.0×10^5 किग्रा
(b) 5.0×10^5 किग्रा
(c) 7.0×10^5 किग्रा
(d) 6.0×10^6 किग्रा

46. पारे की एक बूँद की त्रिज्या 1.0 सेमी है इसे समान आकार की 10^6 बूँदों में विभाजित किया जाता है। इस प्रक्रम में विभाजित ऊर्जा है-

(a) 3.98×10^{-4} जूल
(b) 8.46×10^{-4} जूल
(c) 3.98×10^{-2} जूल
(d) 8.46×10^{-2} जूल

47. हाइड्रोजन परमाणु की आयनन ऊर्जा 13.6 इलेक्ट्रॉन वोल्ट है। एक फोटॉन किसी हाइड्रोजन परमाणु पर, जो प्रारम्भ में निम्नतम ऊर्जा अवस्था में है, गिरता है और उसे $n = 4$ अवस्था तक उत्तेजित करता है। इस प्रक्रम में उत्सर्जित होने वाले फोटॉन की ऊर्जा होगी-

(a) 1.89 eV
(b) 2.55 eV
(c) 12.09 eV
(d) 12.75 eV

48. $+6D$ क्षमता के उत्तल लेन्स को $-4D$ क्षमता के अवतल लेन्स के सम्पर्क में रखा जाता है। संयोजन की प्रकृति तथा फोकस दूरी होगी-

(a) अवतल 25 सेमी
(b) उत्तल, 50 सेमी
(c) अवतल, 20 सेमी
(d) उत्तल, 100 सेमी

49. 60 दिन की अवधि के बाद जिस रेडियोधर्मी तत्व का द्रव्यमान प्रारम्भिक मान का केवल $\frac{1}{32}$ रह जाए, उस तत्व की अर्द्ध-आयु है-

(a) 12 दिन (b) 32 दिन
(c) 60 दिन (d) 64 दिन

50. एक-दूसरे से 1 मी की दूरी पर स्थित दो क्लैम्पों के मध्य कसे हुए एक तार का घनत्व 9×10^3 किग्रा/मी^{3} है। तार में उत्पन्न अनुप्रस्थ कम्पनों की न्यूनतम आवृत्ति होगी ($Y = 9 \times 10^{10}$ न्यूटन/मी^{2}, विकृति $= 4.9 \times 10^{-4}$)

(a) 40 हट्र्ज (b) 35 हट्र्ज
(c) 30 हट्र्ज (d) 25 हट्र्ज

51. पानी गर्म करने की एक छोटी छड़ से 100 ग्राम पानी को कॉफी बनाने के लिये गर्म किया जाता है। छड़ पर 200 वॉट अंकित है। 23°C पानी को 100°C तक गर्म करने में समय लगेगा-
($c = 4190\ Jkg^{-1}k^{-1}$)

(a) 100 सेकण्ड (b) 200 सेकण्ड
(c) 190 सेकण्ड (d) 160 सेकण्ड

52. एकल झिर्री विवर्तन में क्रमागत उच्चिष्ठों की तीव्रताओं का अनुपात होगा-

(a) 1:4:9
(b) 1:2:3
(c) $1: \frac{4}{9\pi^2} : \frac{4}{25\pi^2}$
(d) $1: \frac{1}{\pi^2} : \frac{9}{\pi^2}$

53. प्रगामी तरंग करने वाले किसी कण की अधिकतम चाल V_0 है, तो आयाम की आधे मान के लिये कण की चाल होगी-

(a) $\frac{V_0}{2}$ (b) $\frac{\sqrt{3}V_0}{4}$
(c) $\frac{\sqrt{3}V_0}{2}$ (d) V_0

54. किसी बिन्दु पर कार्य कर रहे दो बलों के परिमाणों का योग 18 तथा उनका परिणामी 12 है। यदि परिणामी बल की दिशा कम परिमाण वाले बल के लम्बवत् है, तो दोनों का परिमाण है-

(a) 12, 3 (b) 14, 4
(c) 5,13 (d) 10,8

55. एक पदार्थ का पॉयसन अनुपात 0.50 है। इसी पदार्थ की एकसमान छड़ का अनुदैर्ध्य विकृति 2×10^{-3} है, तो इसके आयतन में प्रतिशत परिवर्तन होगा-

(a) 0.6 (b) 0.4
(c) 0.2 (d) शून्य

56. एक उदासीन हीलियम परमाणु से एक इलेक्ट्रॉन को हटाने के लिये आवश्यक ऊर्जा 24.6 इलेक्ट्रॉन वोल्ट है। उदासीन हीलियम परमाणु से दोनों इलेक्ट्रॉनों को हटाने के लिए आवश्यक ऊर्जा (इलेक्ट्रॉन वोल्ट) में है

(a) 79.0 (b) 51.8
(c) 49.2 (d) 38.2

57. यदि $A = 3\hat{i} - 6\hat{j} + 2\hat{k}$ तथा $B = 2\hat{i} - \hat{j} + 2\hat{k}$ हैं, तो मूलबिन्दु O पर बने त्रिभुज OAB का क्षेत्रफल होगा

(a) $\frac{5}{2}\sqrt{17}$ वर्ग इकाई
(b) $\frac{2}{5}\sqrt{17}$ वर्ग इकाई
(c) $\frac{3}{5}\sqrt{17}$ वर्ग इकाई
(d) $\frac{5}{3}\sqrt{17}$ वर्ग इकाई

58. 10 मी लम्बाई व 10^{-2} मी^{2} अनुप्रस्थ-काट क्षेत्रफल के स्टील के तार का 2500 न्यूटन बल द्वारा 0.01 मी लम्बाई के अनुदिश प्रसार किया जाता है। दिये गये आँकड़ों से स्टील का यंग प्रत्यास्थता गुणांक होगा

(a) 2.5×10^7 न्यूटन/मी^{2}
(b) 2.5×10^9 न्यूटन/मी^{2}
(c) 2.5×10^{11} न्यूटन/मी^{2}
(d) उपरोक्त में से कोई नहीं

59. X समस्थानिक रेडियोएक्टिव की अर्द्ध- आयु 1.37×10^9 वर्ष है। यह X समस्थानिक क्षय होकर Y स्थिर रेडियोएक्टिव में परिवर्तित होता है। चन्द्रमा से प्राप्त चट्टान के नमूने में दोनों पाये जाते हैं जिनका अनुपात 1:7 है, तो चट्टान की आयु होगी

(a) 1.96×10^8 वर्ष
(b) 3.85×10^9 वर्ष
(c) 4.11×10^9 वर्ष
(d) 9.59×10^9 वर्ष

60. He का द्रव्यमान क्रमांक 4 है तथा सल्फर के लिए यह 32 है। सल्फर नाभिक की त्रिज्याएँ हीलियम नाभिक की त्रिज्या से कितने गुना बड़ी है?

(a) $\sqrt{8}$ (b) 4
(c) 2 (d) 8

रसायन विज्ञान

61. दिया गया है, $E^O_{Cr^{3+}/Cr} = -0.72$ वोल्ट: $E^O_{Fe^{2+}/Fe} = -0.42$ वोल्ट, तब सेल

Cr|Cr3+ (0.1 M) || Fe2+ (0.01 M) | Fe के लिए विभव है–

(a) – 0.26 वोल्ट

(b) 0.26 वोल्ट

(c) 0.339 वोल्ट

(d) – 0.339 वोल्ट

62. अभिक्रिया की दर प्रत्येक 10°C ताप के बढ़ाने पर दोगुनी हो जाती है। जब परिणामी ताप 10°C से 100°C तक बढ़ाया जाता है, तब अभिक्रिया की दर कितनी बढ़ेगी ?

(a) 112 (b) 512

(c) 400 (d) 614

63. रक्षी कोलाइड A, B, C और D की स्वर्ण संख्या क्रमशः 0.5 0.01 0.1 और 0.05 हैं। इन सभी की रक्षण शक्ति का क्रम है–

(a) B < D < A < C

(b) D < A < C < B

(c) C < B < D < A

(d) A < C < B < D

64. निम्न में से किस ऑक्सी अम्ल में हाइड्रोजन सीधे P से जुड़े हैं ?

(a) $H_4P_2O_7$ (b) H_3PO_2

(c) H_3PO_3 (d) H_3PO_4

65. लेन्थैनाइडों का सामान्यतः इलेक्ट्रॉनिक विन्यास है–

(a) $(n-2)f^{1-14}(n-1)s^2p^6d^{0-1}ns^2$

(b) $(n-2)f^{10-14}(n-d)d^{0-1}ns^2$

(c) $(n-2)f^{0-14}(n-1)d^{10}ns^2$

(d) $(n-2)d^{0-1}(n-1)f^{1-14}ns^2$

66. निम्न में से कौन-सा संकर रंगहीन है ?

(a) MnO_4^-

(b) $Cr_2O_7^{2-}$

(c) $[Ti(H_2O)_6]^{+4}$

(d) $[Cu(NH_3)_4]SO_4$

67. यौगिक A को गर्म करने पर एक रंगहीन गैस प्राप्त होती है तथा अवशेष को जल में घोलने पर B प्राप्त होता है। CO_2 की बुदबुदाहट को B के जलीय विलयन से गुजारने पर, C का निर्माण होता है जो ठोस है। ठोस C को पुनः धीरे-धीरे गर्म करने पर वापिस A प्राप्त होता है। यौगिक A है–

(a) $CaSO_4 \cdot 2H_2O$

(b) $CaCO_3$

(c) Na_2CO_3

(d) K_2CO_3

68. ऐनिलीन शीत में डाइऐजोकृत होकर डाइमेथिल ऐनिलीन के साथ क्रिया करने पर एक रंगीन यौगिक देता है। वह उत्पाद है–

(a) 

(b) 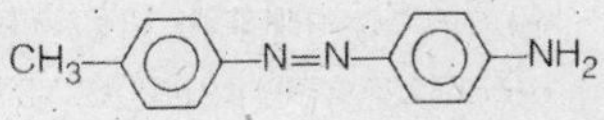

(c) 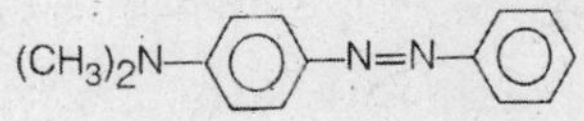

(d) 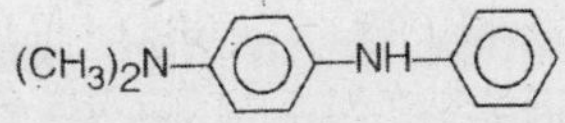

69. 2-पेण्टेनॉन और 3-पेण्टेनॉन को निम्न में से किस एक परीक्षण द्वारा पहचाना जा सकता है ?

(a) टॉलेन अभिकर्मक

(b) फेहलिंग विलयन

(c) शिफ़ परीक्षण

(d) आयोडोफॉर्म परीक्षण

70. निम्न में से कौन-सी ऐल्कीन ओजोनीकरण पर $CH_3—CH_2—CHO$ और $CH_3—\overset{\overset{O}{||}}{C}—CH_3$ देती है ?

(a) $CH_3—CH_2—CH=C\begin{smallmatrix}CH_3\\CH_3\end{smallmatrix}$

(b) $CH_3—CH_2—CH=CH—CH_2—CH_3—CH$

(c) $CH_3—CH_2—CH=CH—CH_3$

(d) $CH_3—\underset{\underset{CH_3}{|}}{C}=CH—CH_3$

71. S_N1 अभिक्रिया के सम्बन्ध में निम्न में से कौन-सा एक सबसे अधिक अभिक्रियाशील है ?

(a) $C_6H_5CH(C_6H_5)Br$

(b) $C_6H_5CH(CH_3)Br$

(c) $C_6H_5C(CH_3)(C_6H_5)Br$

(d) $C_6H_5CH_2Br$

72. $R—Br + Cl^S \xrightarrow{DMF} RCl + Br^-$, प्रकार की एक SN^2 प्रतिस्थापन अभिक्रिया में कौन-सा संकर उच्चतम आपेक्षिक वेग वाला है ?

(a) $CH_3—CH_2—CH_2—Br$

(b) $CH_3—\underset{\underset{CH_3}{|}}{CH}—CH_2Br$

(c) $CH_3—\underset{\underset{CH_3}{|}}{\overset{\overset{CH_3}{|}}{C}}—CH_2Br$

(d) $CH_3—CH_2—Br$

73. $CH_3—O—CH(CH_3)_2 + HI \longrightarrow$ उत्पाद, इस अभिक्रिया के लिए मुख्य कार्बनिक उत्पाद है–

(a) $I—CH_2—O—CH(CH_3)_2$

(b) $CH_3—O—\underset{\underset{I}{|}}{C}(CH_3)_2$

(c) $CH_3—I + (CH_3)_2CHOH$

(d) $CH_3OH + (CH_3)_2CHI$

74. निम्न में से ब्यूना-S बहुलक है–

(a) ब्यूटाडाइन

(b) ब्यूटाईन और नाइट्राइल

(c) ब्यूटाडाइन और स्टाइरीन

(d) ब्यूटाडाइन और आइसोप्रीन

75. MgBr $\xrightarrow[H_3O^+_2]{CO_2}$ P, उत्पाद P है

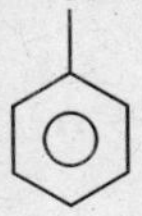

(a) 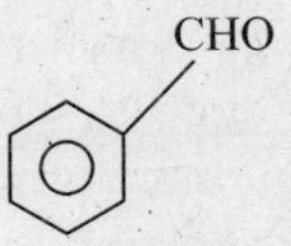

(b) 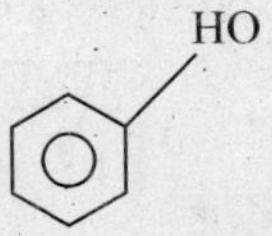

(c) 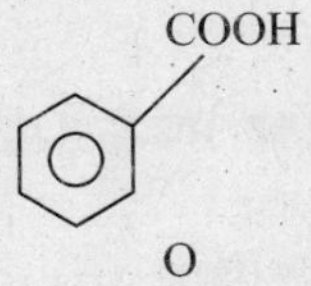

(d) $C_6H_5—\overset{\overset{O}{||}}{C}—C_6H_5$

76. निम्न में से कौन-सी स्थिति एक धातु ऑक्साइड का धातु में अपचयन करने के पक्ष में है ?

(a) निम्न ताप पर, ΔH = धनात्मक, $T\Delta S$ = धनात्मक

(b) किसी भी ताप पर, ΔH = धनात्मक, $T\Delta S$ = ऋणात्मक

(c) उच्च ताप पर, ΔH = ऋणात्मक, $T\Delta S$ = ऋणात्मक

(d) किसी भी ताप पर, ΔH = ऋणात्मक, $T\Delta S$ = धनात्मक

77. निम्न में से किसका द्विध्रुव आघूर्ण सबसे अधिक है ?

(a) NH_3 (b) H_2O

(c) HI (d) SO_3

78. निम्न में से कौन-सा उभयधर्मी है ?

(a) CO_2 (b) PbO_2

(c) SiO_2 (d) GeO_2

79. $[Pt(NH_3)_4NO_2Cl]\ SO_4$ का आई.यू.पी.ए.सी. नाम है–

(a) क्लोरोनाइट्रोप्लेटिनम (IV) सल्फेट
(b) टेट्राऐमीन क्लोरोनाइट्राइटोप्लेटिनम (IV) सल्फेट
(c) क्लोरोनाइट्राइटोटेट्राऐमीनप्लेटिनम (IV) सल्फेट
(d) प्लेटिनम (IV) टेट्राऐमीननाइट्रोक्लोरो सल्फेट

80. निम्न यौगिकों का इनके जलीय विलयन में मोलर चालकता का बढ़ता हुआ सही क्रम है

I. $[Cr(NH_3)_6]Cl_3$
II. $[Cr(NH_3)_4Cl_2]Cl$
III. $[Cr(NH_3)3Cl_3]$
IV. $[Cr(NH_3)5Cl]Cl_2$

(a) I > II > III > IV
(b) IV > III > II > I
(c) I > IV > II > III
(d) I > II > IV > III

81. प्रकाश रासायनिक स्मॉग का निर्माण कौन-सी गैसों द्वारा होता है ?

(a) CO_2 तथा SO_2
(b) SO_2 तथा NO
(c) NO तथा हाइड्रोकार्बन
(d) N_2 तथा O_2

82. दिये गये यौगिक का आई.यू.पी.ए.सी. नाम है-

CH_2—CH—COOH
|　　|
NH_2　OH

(a) 3-ऐमीनो-2-हाइड्रॉक्सी प्रोपेनोइक अम्ल
(b) 2-हाइड्रॉक्सी-3-ऐमीनो प्रोपेनोइक अम्ल
(c) 2-हाइड्रॉक्सी- 1- ऐमीनो प्रोपेनोइक अम्ल
(d) 1-हाइड्रॉक्सी-2- ऐमीनो प्रोपेनोइक अम्ल

83. दिए गए युग्म यौगिक है

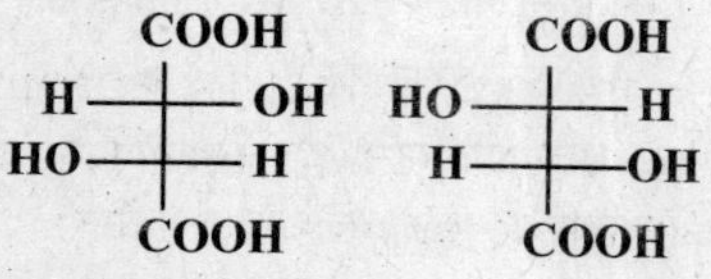

(a) प्रतिबिम्ब रूप
(b) अप्रतिबिम्ब रूप
(c) सर्वसम
(d) ज्यामितीय समावयवी

84. निम्न में से कौन-सा कार्बधनायन सबसे अधिक स्थायी है ?

(a) 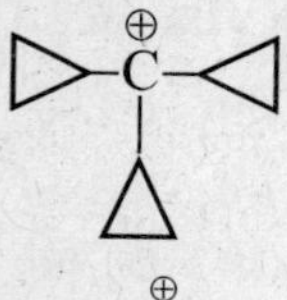

(b) $C_2H_5—\overset{\oplus}{C}H_2$

(c) 

(d) $CH_3—\overset{\oplus}{C}H—CH_3$

85. अमोनिया की अभिक्रिया क्लोरीन के आधिक्य से कराने पर प्राप्त होते हैं

(a) N_2 और NH_4Cl
(b) NCl_3 और HCl
(c) NH_4Cl और NCl_3
(d) N_2 और HCl

86.  **+ $CHCl_3$ + NaOH ⟶ *P* मुख्य यौगिक *P* है -**

(a) 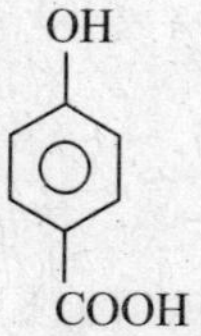

(b) 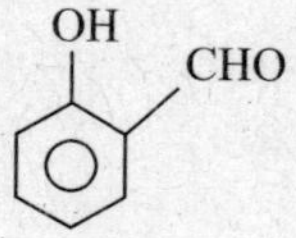

(c) 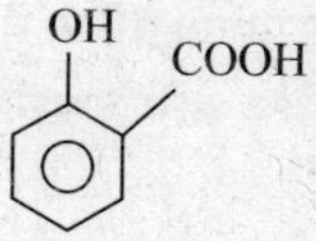

(d) 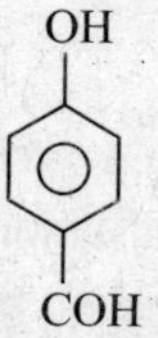

87. C_6H_5—CH—CH_3 निम्न में से
**　　　|**
**　　OH**

किसके योग द्वारा बनाया जाता है ?

(a) C_6H_5—CHO तथा CH_3MgCl
(b) C_6H_5MgBr तथा CH_3CHO
(c) $C_6H_5—\underset{\underset{O}{\|}}{C}—CH_3$ तथा $NaBH_4$
(d) उपरोक्त सभी

88. गलित $AlCl_3$ में, वैद्युत धारा प्रवाहित करने पर NTP पर, ऐनोड पर 11.2 लीटर Cl_2 मुक्त होती है। कैथोड पर जमे हुए ऐलुमिनियम की मात्रा है

(a) 9 ग्राम　(b) 18 ग्राम
(c) 27 ग्राम　(d) 36 ग्राम

89. 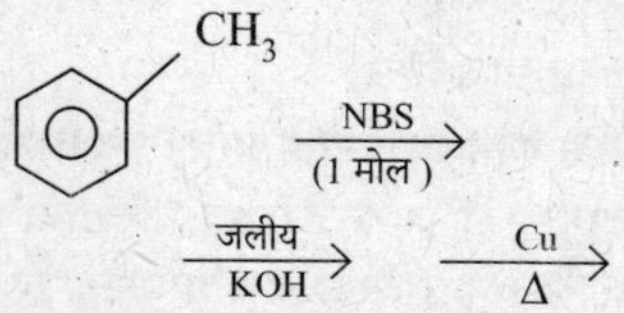

अन्तिम उत्पाद पहचानिए-

(a) 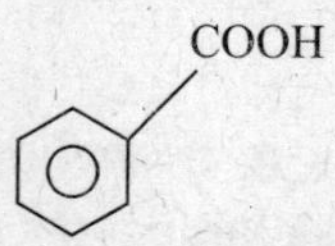

(b) 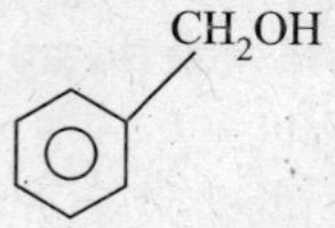

(c) 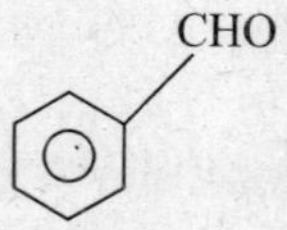

(d) 

90. $$CH_3—\overset{\overset{O}{\|}}{C}—\overset{18}{O}—H + CH_3OH \xrightleftharpoons{\text{शुष्क HCl}}$$ **प्राप्त एस्टर है-**

(a) $CH_3—\overset{\overset{O}{\|}}{C}—O—CH_3$

(b) $CH_3—\overset{\overset{O}{\|}}{C}—\overset{18}{O}—CH_3$

(c) $CH_3—\overset{\overset{O}{\|}}{C}—O—C_2H_5$

(d) उपरोक्त सभी

91. $CH_3COOH + HCOOH \xrightarrow[570K]{MnO}$
उपरोक्त अभिक्रिया का मुख्य उत्पाद है-

(a) CH_3CHO
(b) CH_3COCH_3
(c) HCHO
(d) $(CH_3CO)_2O$

92. कार्बोक्सिलिक अम्ल के व्युत्पन्नों की क्रियाशीलता नाभिकस्नेही अभिक्रिया में इस क्रम में होगी-

(a) ऐसिल क्लोराइड > एमाइड > ऐस्टर > ऐनहाइड्राइड

(b) ऐसिल क्लोराइड > ऐनहाइड्राइड > एमाइड > एस्टर

(c) ऐसिल क्लोराइड > ऐनहाइड्राइड > एस्टर > एमाइड

(d) एस्टर > एमाइड > ऐसिल क्लोराइड > ऐनहाइड्राइड

93. निम्न में से कौन-सा ताप बढ़ाने पर परिवर्तित होता है ?

(a) मोललता

(b) विलेय का द्रव्यमान प्रभाज

(c) जल में उपस्थित विलेय का प्रभाज

(d) मोल प्रभाज

94. बन्द घनीय संरचना के बन्द संघनित परमाणुओं तथा चतुष्फलकीय छिद्रों का अनुपात है-

(a) 1:1 (b) 1:2

(c) 1:3 (d) 2:1

95. निम्न में से किस यौगिक में आयनिक गुण सबसे अधिक है ?

(a) Cl_2O (b) NCl_3

(c) $PbCl_2$ (d) $BaCl_2$

96. अभिक्रिया

$$\frac{1}{2}H_2(g) + AgCl(s) \longrightarrow H^+(aq) + Cl^-(aq) + Ag(s)$$

गैल्वेनिक सेल में पायी जाती है।

(a) $Ag|AgCl(s)|KCl|AgNO_3|Ag$

(b) $Pt|H_2(g)|HCl|AgNO_3|Ag$

(c) $Pt|H_2(g)|HCl|AgCl|Ag$

(d) $Pt|H_2(g)|KCl|\ AgCl|Ag$

97. निम्न समीकरण का अन्तिम उत्पाद

$$CH_3CH_2COOH \xrightarrow[\text{लाल P}]{Cl_2} \times \xrightarrow[\text{KOH}]{\text{ऐल्को}} y$$

(a) CH3—CH—COOH (OH, CH पर)

(b) CH3—CH—COOH (OH, CH3 पर)

(c) $CH_2 = CHCOOH$

(d) CH_2—CH_2—COOH (Cl, प्रथम CH_2 पर; OH, द्वितीय CH_2 पर)

98. N_2O_5 के अपघटन का प्रथम कोटि वेग स्थिरांक 6×10^{-4} सेकण्ड$^{-1}$ है। इस अपघटन का अर्द्ध- आयुकाल होगा-

(a) 1155 सेकण्ड

(b) 1117 सेकण्ड

(c) 223.4 सेकण्ड

(d) 160.9 सेकण्ड

99. निम्न में से कौन-सा पॉलीएमाइड है ?

(a) बेकेलाइट (b) टेरीलीन

(c) नायलॉन 66 (d) टेफ्लॉन

100. यदि संवेग तथा स्थिति में अनिश्चितता समान है, तब वेग में अनिश्चितता है-

(a) $\sqrt{\frac{h}{\pi}}$ (b) $\left(\frac{h}{2\pi}\right)$

(c) $\frac{1}{2m}\sqrt{\frac{h}{\pi}}$ (d) इनमें से कोई नहीं

101. लैंग्म्यूर समतापीय अधिशोषण के अनुसार, अधिक दाब पर अधिशोषित गैस की मात्रा-

(a) एक निश्चित स्थिर मान तक पहुँच जाती है।

(b) दाब बढ़ने के साथ बढ़ती है।

(c) दाब घटने के साथ घटती है।

(d) दाब के साथ पहले बढ़ती फिर घटती है।

102. दिए गए ऑक्साइडों के क्षारीय गुण का क्रम है-

(a) $Na_2O > MgO > Al_2O_3 > CuO$

(b) $MgO > Al_2O_3 > CuO > Na_2O$

(c) $Al_2O_3 > MgO > CuO\ Na_2O$

(d) $CuO > Na_2O > MgO > Al_2O_3$

103. किस प्रक्रम द्वारा Pb और Sn क्रमशः निष्कर्षित किए जाते हैं ?

(a) कार्बन अपचयन : स्वतः अपचयन

(b) स्वतः अपचयन : कार्बन अपचयन

(c) वैद्युत अपघटनी अपचयन: सायनाइड प्रक्रम

(d) सायनाइड प्रक्रम : वैद्युत अपघटनी अपचयन

104. $AgNO_3$, $CuSO_4$, $Al(NO_3)^3$ तथा NaCl के जलीय विलयन में तीन फैराडे आवेश प्रवाहित करने पर, जमा होने वाली धातुओं का अनुपात (मोलर) क्रमशः है-

(a) 1:2: 3:1 (b) 6:3:2:6

(c) 6:3:0:0 (d) 3:2:1:0

105. $Zn|zn^{2+}(C_1)||\ Zn^{2+}(C_2)|Zn$, यह सेल स्वेच्छा से होता है, यदि-

(a) $C_1 = C_2$ (b) $C_1 > C_2$

(c) $C_1 < C_2$ (d) इनमें से कोई नहीं

106. परमाणु त्रिज्या का सही क्रम है-

(a) Ce > Sn > Yb > Lu

(b) Sn > Ce > Lu > Yb

(c) Lu > Yb > Sn > Ce

(d) Sn > Yb > Ce > Lu

107. निम्न अभिक्रिया के लिए वेग नियम है-

$$H_2(g) + I_2(g) \rightleftharpoons 2\ HI$$

(a) $\frac{-d[I_2]}{dt} = \frac{-d[H_2]}{dt} = \frac{-d[HI]}{dt}$

(b) $\frac{d[H_2]}{dt} = \frac{d[I_2]}{dt} = \frac{d[HI]}{dt}$

(c) $\frac{1}{2}\frac{-d[I_2]}{dt} = \frac{-d[H_2]}{dt} = \frac{-d[HI]}{dt}$

(d) $\frac{-2d[H_2]}{dt} = \frac{-2d[L_2]}{dt} = \frac{-d[HI]}{dt}$

108. निम्न में से कौन-सा रसोवशोषण का लक्षण नहीं है ?

(a) बहुपरतीय अधिशोषण

(b) प्रकृति में ऊष्माक्षेपी

(c) मुक्त रिक्तियों द्वारा प्रबल अधिशोषण

(d) अनुत्क्रमणीय

109. एक अभिक्रिया का तापमान गुणांक होता है- (C को प्राथमिकता देते हुए 25°C से 35°C के अन्तर पर)

(a) स्थिर ताप पर वेग स्थिरांकों का अनुपात

(b) दो तापों पर वेग स्थिरांकों का अनुपात

(c) वेग स्थिरांकों का अनुपात

(d) उपरोक्त में से कोई नहीं

110. निम्न में से कौन-सा दोष क्रिस्टल के घनत्व को कम करने का कारण है ?

(a) फ्रेन्केल (b) शॉटकी

(c) अन्तराकाशी (d) F-केन्द्र

111. एक द्रव को एथेनॉल के साथ घोला गया तथा एक बूँद सान्द्र H_2SO_4 की मिलायी गयी जिससे फलों की गन्ध जैसा एक यौगिक बनता है। द्रव था-

(a) CH_3OH (b) HCHO

(c) CH_3COCH_3 (d) CH_3COOH

112. निम्न में से कौन-सा सबसे प्रबल ऑक्सीकारक है ?

(a) Br_2 (b) I_2

(c) Cl_2 (d) F_2

113. Cl_2 गैस की अभिक्रिया गर्म तथा सान्द्र NaOH से कराने पर, क्लोरीन की ऑक्सीकरण संख्या में परिवर्तन होगा-

(a) 0 से +1 तथा 0 से 5

(b) 0 से –1 तथा 0 से +5

(c) 0 से –1 तथा 0 से +3

(d) 0 से +1 तथा 0 से 3

114. जैम-डाइहैलाइड की अभिक्रिया, ऐल्कोहॉलीय KOH से कराने पर प्राप्त होता है-

(a) ऐल्काइन (b) ऐल्कीन

(c) ऐल्केन (d) उपरोक्त सभी

115. एक 0.01 M दुर्बल अम्ल की वियोजन की मात्रा 10^{-3} है, इसका pOH मान है-

(a) 5 (b) 3

(c) 9 (d) 11

116. नायलॉन-6, 6 के बहुसंघनन द्वारा बनाया जाता है–
(a) ऐडिपिक अम्ल + हेक्सामिथाइलीन डाइऐमीन
(b) थैलिक अम्ल + ग्लिसरॉल
(c) फिनॉल + फॉर्मेल्डिहाइड
(d) यूरिया + फॉर्मेल्डिहाइड

117. प्रोटीन की हैलिक्स संरचना को दृढ़ता प्रदान करता है–
(a) डाइपेप्टाइड बन्ध
(b) हाइड्रोजन बन्ध
(c) ईथर बन्ध
(d) पेप्टाइड बन्ध

118. 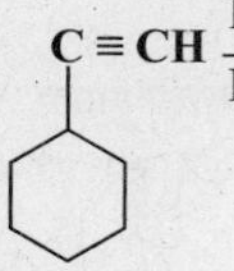 **$C\equiv CH \xrightarrow[HgSO_4]{H_2SO_4}$ A, यौगिक A है**

(a) 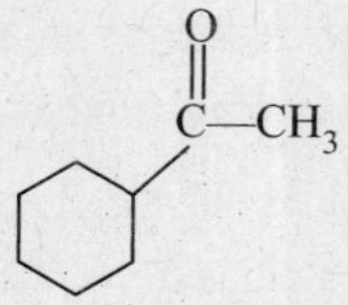

(b) 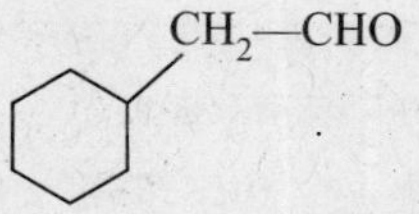

(c) 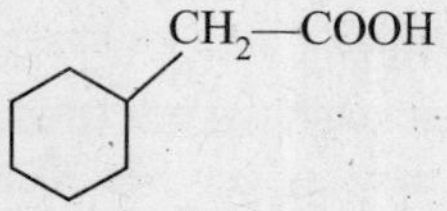

(d) 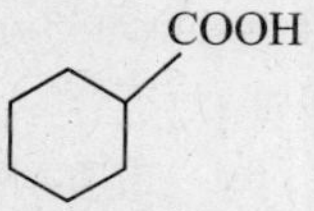

119. निम्न में से कौन-सा सबसे अधिक अम्लीय होगा?
(a)  (b) 
(c)  (d) 

120. $K_2Cr_2O_7$ की अभिक्रिया NaOH तथा सान्द्र H_2SO_4 से कराने पर देता है–
(a) $CrCl_3$ (b) $CrOCl_2$
(c) CrO_2Cl_2 (d) Cr_2O_3

वनस्पति विज्ञान

121. कुछ पादपों में फल के बनने में पुष्पासन का योगदान होता है। ऐसे फलों को क्या कहा जाता है?
(a) आभासी फल
(b) पुँज फल
(c) सत्य फल
(d) अनिषेकजनन फल

122. पहली बार खोजा गया प्रतिबन्धन एण्डोन्यूक्लिएज जो सदैव छः क्षार युग्मों के एक विशिष्ट अनुक्रम को पहचानकर DNA अणु को एक विशेष बिन्दु पर काटता है, वह कौन-सा है?
(a) EcoRI
(b) एडीनोसिन डीएमिनेज
(c) तापस्थायी DNA पॉलीमरेज
(d) Hind II

123. प्रकृति में अन्तर्जातीय प्रतिस्पर्धा के बावजूद, प्रतिस्पर्धा करने वाली जातियों ने अपनी उत्तरजीविता के लिए कौन-सी विधि का विकास किया होगा?
(a) संसाधन विभाजन
(b) स्पर्धा निर्मुक्त
(c) सहोपकारिता
(d) भक्षण

124. कुछ वंश जैसे कि सिलेजिनैला और साल्विनिया, दो प्रकार के बीजाणु उत्पादित करते हैं। ऐसे पादपों को क्या कहा जाता है?
(a) होमोसोरस
(b) हेटेरोसोरस
(c) समबीजाणुक
(d) विषमबीजाणुक

125. पादप कोशिकाओं में किसके द्वारा उत्परिवर्तन प्रेरित किया जा सकता है?
(a) काइनेटिन (b) अवरक्त किरणें
(c) गामा किरणें (d) जिएटिन

126. एक पादप के परागकोष से पराग कणों के, एक भिन्न पादप के वर्तिकाग्र पर स्थानान्तरण के लिए कौन - सा शब्द प्रयुक्त होता है, जिसमें परागण के दौरान वर्तिकाग्र पर आनुवंशिक रूप में भिन्न प्रकार के परागकण लाए जाते हैं?
(a) परनिषेचन
(b) सजातपुष्पी परागण
(c) उन्मील परागण
(d) अनुन्मील्ल परागण

127. एलेक्जेण्डर वॉन हम्बोल्ट के अनुसार–
(a) खोज का क्षेत्र बढ़ने पर जाति प्रचुरता कम होती जाती है
(b) क्षेत्र बढ़ने पर जाति प्रचुरता बढ़ती है, परन्तु केवल एक सीमा तक
(c) जाति प्रचुरता और खोज के क्षेत्र के बीच कोई सम्बन्ध नहीं है
(d) खोज का क्षेत्र बढ़ने पर जाति प्रचुरता बढ़ती जाती है

128. निम्नलिखित में से कौन-सा कथन गलत है?
(a) परिपक्व चालनी नलिका तत्वों में एक स्पष्ट केन्द्रक और साधारण कोशिकाद्रव्यीय उपांग होते हैं
(b) सूक्ष्मकाय, पादपों और जन्तुओं दोनों में पाई जाती हैं
(c) परिकेन्द्रकी अवकाश, केन्द्रक के अन्दर उपस्थित पदार्थों और कोशिकाद्रव्य में उपस्थित पदार्थों के बीच अवरोध का काम करता है
(d) केन्द्रक छिद्र, केन्द्रक और कोशिकाद्रव्य के बीच दोनों दिशाओं में प्रोटीन और RNA अणुओं के लिए, एक पथ की भाँति कार्य करते हैं

129. निम्नलिखित में से कौन एक, PCR (पॉलिमरेज शृंखला अभिक्रिया) का एक अनुप्रयोग नहीं है?
(a) आण्विक निदान
(b) जीन प्रवर्धन
(c) पृथक् किए गए प्रोटीन का शुद्धीकरण
(d) जीन उत्परिवर्तन का पता लगाना

130. वायु-परागित पादपों के विषय में निम्नलिखित में से कौन-सा कथन गलत है?
(a) स्पष्ट प्रदर्शित पुंकेसर और वर्तिका
(b) प्रत्येक अण्डाशय में बहुत से बीजाण्ड
(c) पुष्प छोटे और चमकीले रंग वाले नहीं होते हैं
(d) परागकण हल्के और चिपकने में असमर्थ होते हैं

131. निम्नलिखित में से कौन लिलिएसी का सही पुष्पसूत्र हैं?
(a) % ⚥ $C_{1+2+(2)}\ A_{(9)+1}\ G_1$
(b) ⊕ ⚥ $K_{(5)}\ \widehat{C_{(5)}\ A_5}\ \underline{G}_2$
(c) Br ⊕ ⚥ $\widehat{P_{(3+3)}\ A_{3+3}}\ G_{(3)}$
(d) ⊕ ⚥ $K_{(5)}\ \widehat{C_{(5)}\ A_5}\ \underline{G}_{(2)}$

132. सॉरघम में CO_2 स्थिरीकरण में पहला स्थायी उत्पाद क्या है?
(a) पाइरुविक अम्ल
(b) ऑक्जेलोएसिटिक अम्ल
(c) सक्सीनिक अम्ल
(d) फॉस्फोग्लिसरिक अम्ल

133. निम्नलिखित में से कौन-सा कथन सही नहीं है?
(a) समुद्र में जीवभार का पिरामिड साधारणतया उल्टा होता है
(b) समुद्र में जीवभार का पिरामिड साधारणतया सीधा होता है
(c) ऊर्जा का पिरामिड सदैव सीधा होता है
(d) एक घास भूमि पारितन्त्र में संख्या का पिरामिड सीधा होता है

134. निम्नलिखित में से कौन, पादपों में द्वितीयक उपापचयज नहीं है ?

(a) मार्फीन, कोडीन

(b) अमीनो अम्ल, ग्लूकोज

(c) विनब्लेस्टीन, करक्यूमिन

(d) रबर, गोंद

135. DNA की पॉलिन्यूक्लियोटाइड श्रृंखला में एक नाइट्रोजनी क्षार किसके-OH से जुड़ा होता है ?

(a) 2′C पंच शर्करा

(b) 3′C पंच शर्करा

(c) 5′C पंच शर्करा

(d) 1′C पंच शर्करा

136. ग्लाईसीन मैक्स में जैविक नाइट्रोजन-यौगिकीकरण का उत्पाद जड़ ग्रन्थिकाओं से अन्य भागों में किस रूप में अभिगमित होता है ?

(a) अमोनिया (b) ग्लूटामेट

(c) नाइट्रेट (d) यूरिड्स

137. परिपक्व अवस्था में एक प्रारूपी आवृतबीजी भ्रूणकोष निम्नलिखित में से कौन-सा होता है ?

(a) 8-केन्द्रकीय और 7-कोशिकीय

(b) 7-केन्द्रकीय और 8-कोशिकीय

(c) 7-केन्द्रकीय और 7-कोशिकीय

(d) 8-केन्द्रकीय और 8-कोशिकीय

138. रोग को ठीक करने के लिए, जीन प्रवर्धन करते हुए एक जीन को लक्ष्य किया जाता तब यह प्रक्रिया क्या कहलाती है ?

(a) बायोपाइरेसी

(b) जीन चिकित्सा

(c) आण्विक निदान

(d) सुरक्षा परीक्षण

139. जब गुणसूत्रबिन्दु गुणसूत्र की दो बराबर भुजाओं के मध्य में स्थित होता है तब यह क्या कहलाता है ?

(a) मध्यकेन्द्रीय (b) अन्तकेन्द्री

(c) उपमध्यकेन्द्री (d) अग्रबिन्दुक

140. एक खेत में घासपात को समाप्त करने के लिए कौन-सा पादप हॉर्मोन उपयोग में लाया जाता है ?

(a) IAA (b) NAA

(c) 2, 4–D (d) IBA

141. निम्नलिखित में से सही युग्म को चुनिए-

(a) घास की पत्तियों की बाह्य-त्वचा में बड़ी रंगहीन कोशिकाएँ-सहायक कोशिकाएँ

(b) द्विबीजपत्री पत्तियों में संवहन बण्डल, मोटी भित्ति वाली बड़ी कोशिकाओं से घिरे होते हैं- यौगिक ऊतक

(c) मज्जा किरणों की कोशिकाएँ जो कैम्बियम वलय के भाग का निर्माण करती हैं- अन्तरापूलीय कैम्बियम

(d) बाह्यत्वचा को तोड़ने वाली शिथिल मृदु कोशिकाएँ जो छाल में लेन्स के आकार का छिद्र बनाती हैं-स्पन्जी मृदूतक

142. कोशिकाओं के एक क्लोन में रेडियोधर्मी प्रोब से इसके DNA का संस्करण कर और उसके बाद ऑटोरेडियोग्राफी प्रयुक्त कर इसकी पहचान कर कैंसर उत्पन्न करने वाली उत्परिवर्तित जीन का पता लगाना आजकल सम्भव है, क्योंकि-

(a) उत्परिवर्तित जीन फोटोग्राफिक फिल्म पर आंशिक रूप में आती है

(b) उत्परिवर्तित जीन फोटोग्राफिक फिल्म पर पूर्ण और स्पष्ट रूप में आती है

(c) उत्परिवर्तित जीन फोटोग्राफिक फिल्म पर नहीं आती, क्योंकि प्रोब में इसका कोई पूरक नहीं है

(d) उत्परिवर्तित जीन फोटोग्राफिक फिल्म पर नहीं आती क्योंकि प्रोब में इसका पूरक होता है

143. चरघातांकी वृद्धि समीकरण $N_t = N_0 e^{rt}$ में, e किसे निरूपित करता है ?

(a) संख्या लघुगणक का आधार

(b) चरघातांकी लघुगणक का आधार

(c) प्राकृतिक लघुगणक का आधार

(d) ज्यामितिक लघुगणक का आधार

144. निम्नलिखित में से कौन-सा कथन गलत है ?

(a) ATP और NADPH + H^+ दोनों का गैर चक्रीय प्रकाश फॉस्फोरिलेशन के दौरान संश्लेषण होता है

(b) पीठिका-लैमिली में केवल PSI होता है और NADP रिडक्टेज का अभाव होता है

(c) ग्रैना लैमिली में PSI और PS II दोनों होते हैं

(d) चक्रीय प्रकाश फॉस्फोरिलेशन में PS I और PS II दोनों शामिल होते हैं

145. निम्नलिखित में से कौन-सा कथन गलत है ?

(a) वायवीय श्वसन के दौरान, ऑक्सीजन की भूमिका अन्तिम अवस्था तक सीमित है

(b) ETS (इलेक्ट्रॉन परिवहन श्रृंखला) में, NADH + H+ के एक अणु से ATP के दो अणु बनते हैं और एक $FADH_2$ से तीन ATP अणु बनते हैं

(c) ATP का संश्लेषण सम्मिश्र V के द्वारा होता है

(d) उपापचयन अभिक्रियाएँ, श्वसन में प्रोटॉन प्रवणता उत्पन्न करती हैं

146. निम्नलिखित में से किन कुलों के युग्म में उनके कुछ सदस्यों में पराग कणों की जीवनक्षमता, उनके मुक्त होने के बाद महीनों तक रहती है ?

(a) पोएसी, रोजेसी

(b) पोएसी, लेग्यूमिनोसी

(c) पोएसी, सोलेनेसी

(d) रोजेसी, लेग्यूमिनोसी

147. प्लाज्मिड pBR32 में जीन amp^R जो एम्पीसिलीन प्रतिरोध दर्शाता है के अन्दर Pst I प्रतिबन्धन एन्जाइम है, यदि इस एन्जाइम को बीटा-गैलेक्टोसाइड उत्पादन के लिए, एक जीन के लिए निवेशित किया जाता है और पुनर्योगज प्लाज्मिड को ई. कोलाई स्ट्रेन में निवेशित किया जाता है

तब-

(a) यह पोषी कोशिका का एम्पीसिलीन प्रतिरोध नहीं बना पाएगा

(b) रूपान्तरित कोशिकाओं में एम्पीसिलीन प्रतिरोध की क्षमता होगी और साथ ही बीटा-गैलेक्टोसाइड उत्पादन करेंगी

(c) इससे पोषी कोशिका में लयन हो जाएगा

(d) इसमें द्वैत क्षमता के साथ नए प्रोटीन उत्पादन की क्षमता होगी

148. DNA अंगुलीछापी में DNA अनुक्रम में कुछ विशिष्ट स्थानों में भिन्नताओं की पहचान की जाती है। इन विशिष्ट स्थानों को क्या कहा जाता है ?

(a) अनुषंगी DNA

(b) पुनरावृत्ति DNA

(c) एकल न्यूक्लियोटाइड

(d) बहुरूपीय DNA

149. घास की पत्तियों की शिराओं के बगल में अभ्यक्ष बाह्यत्वचा की बड़ी, खाली वर्णरहित कोशिकाएँ क्या हैं ?

(a) वातरंध्र

(b) द्वार-कोशिकाएँ

(c) पूलाच्छद कोशिकाएँ

(d) आवर्ध त्वक् कोशिकाएँ

150. राइबोसोम युक्त RNA का जैव संश्लेषण कहाँ होता है ?

(a) राइब्रोसोम

(b) गॉल्जी उपकरण

(c) माइक्रोबॉडीज (सूक्ष्मकाय)

(d) केन्द्रिका

जन्तु विज्ञान

151. अन्तः झिल्लिका तन्त्र में कौन-से कोशिकांग सम्मिलित होते हैं ?

(a) अन्त:प्रद्रव्यी जालिका, सूत्रकणिका, राइबोसोम एवं लयनकाय

(b) अन्त:प्रद्रव्यी जालिका, गॉल्जी सम्मिश्र, लयनकाय एवं रसधानी
(c) गॉल्जी सम्मिश्र, सूत्रकणिका, राइबोसोम एवं लयनकाय
(d) गॉल्जी सम्मिश्र, अन्त:प्रद्रव्यी जालिका, सूत्रकणिका एवं लयनकाय

152. निम्न में किस जीव में लम्बी अस्थियाँ खोखली एवं वातिल होती हैं ?
(a) निओफ्रॉन (b) हैमीडेक्टायलस
(c) मैक्रोपस (d) ऑरनिथोरिंकस

153. एक नर और मादा दोनों दाँत्र कोशिका अरक्तता के जीन के लिए विषमयुग्मजी हैं के संकरण से उत्पन्न सन्तति का कितना प्रतिशत रोगयुक्त होगा ?
(a) 50% (b) 75%
(c) 25% (d) 100%

154. तारककेन्द्र कब द्विगुणित होता है ?
(a) S-प्रावस्था (b) पूर्वावस्था
(c) मध्यावस्था (d) G_2 प्रावस्था

155. डॉबसन इकाई किसकी मोटाई मापने के लिए उपयोग की जाती है ?
(a) CFCs (b) समतापमण्डल
(c) ओजोन (d) क्षोभमण्डल

156. निम्न में कौन मस्किडी कुल में आता है ?
(a) जुगनू (b) टिड्डा
(c) तिलचट्टा (d) मक्खी

157. निम्न में कौन-सा विकल्प फसलों के बायोफोर्टिफिकेशन का उद्देश्य नहीं है ?
(a) प्रोटीन की मात्रा में सुधार करना
(b) रोगों की प्रतिरोधकता में सुधार करना
(c) विटामिन की मात्रा में सुधार करना
(d) सूक्ष्म पोषकों एवं खनिजों की मात्रा में सुधार करना

158. PCR के उपयोग से जीन प्रवर्धन की अभिक्रिया के दौरान यदि आरम्भ में उच्च तापमान बना नहीं रहता तब निम्न में PCR का कौन-सा चरण पहले प्रभावित होगा ?
(a) तापानुशीलन (b) प्रसार
(c) निष्क्रियकरण (d) लाइगेशन

159. यदि एक DNA अणु में ऐडीनीन की मात्रा 30% है तब थायमीन, ग्वानीन एवं साइटोसीन कितने प्रतिशत होंगे ?
(a) T : 20, G: 30 C : 20
(b) T : 20, G: 20, C : 30
(c) T : 30, G: 20, C : 20
(d) T : 20, G: 25, C : 25

160. निम्न में कौन-सा हॉर्मोन मोचक IUD का उदाहरण है ?
(a) CuT (b) LNG 20
(c) Cu 7 (d) मल्टीलोड 375

161. दीर्घकाली स्वप्रतिरक्षा विकार पेशीय सन्धि को प्रभावित करती है एवं जिसके कारण कंकाल पेशी में कमजोरी एवं पक्षघात होता है, कहलाती है-
(a) सन्धिशोथ
(b) पेशीय दुष्पोषण
(c) माइस्थेनिया ग्रेविस
(d) गाउट

162. किसी रोग के प्रभावी उपचार के लिए इसके आरम्भिक निदान एवं रोग-क्रिया विज्ञान को समझना बहुत महत्त्वपूर्ण है। निम्न में कौन-सी आण्विक निदान तकनीक आरम्भिक पहचान के लिए बहुत उपयोगी है ?
(a) वैस्टर्न ब्लोटिंग तकनीक
(b) सदर्न ब्लोटिंग तकनीक
(c) ELISA तकनीक
(d) संकरण तकनीक

163. निम्न में कौन-सी STD का पूरी तरह उपचार नहीं हो सकता ?
(a) जननिक परिसर्प, यकृतशोथ-B, HIV संक्रमण
(b) क्लेमिडियता, सिफिलिस, लैंगिक मस्से
(c) HIV, सुजाक, ट्राइकोमोनिएसिस
(d) सुजाक, ट्राइकोमोनिएसिस, यकृतशोथ-B

164. स्पूलिंग है-
(a) DNA का प्रवर्धन करना
(b) एगेरॉस जैल से अलग किए DNA बन्ध का संवर्धन करना
(c) DNA खण्डों को कृत्रिम झिल्लियों में स्थानान्तरित करना
(d) पृथक् किए गए DNA को इकट्ठा करना

165. फलमक्खी की प्रत्येक कोशिका में 8 गुणसूत्र (2n) होते हैं। यदि सूत्री विभाजन की अन्तरावस्था की G_1–प्रावस्था में गुणसूत्रों की संख्या 8 है तब S-प्रावस्था के बाद गुणसूत्रों की संख्या क्या होगी ?
(a) 8 (b) 16
(c) 4 (d) 32

166. मानव जीनोम एवं DNA फिंगरप्रिंटिंग के आनुवंशिक मानचित्र बनाने का आधार क्या हैं ?
(a) DNA क्रमों में बहुरूपता
(b) एकल न्यूक्लिओटाइड बहुरूपता
(c) hnRNA क्रमों में बहुरूपता
(d) RNA क्रमों में बहुरूपता

167. निम्न में किस अवस्था में इरिथ्रोब्लास्टोसिस फिटैलिस होता है ?
(a) माता Rh^{+ve} एवं भ्रूण Rh^{-ve} होने पर
(b) माता Rh^{-ve} एवं भ्रूण Rh^{+ve} होने पर
(c) माता एवं भ्रूण दोनों Rh^{-ve} होने पर
(d) माता एवं भ्रूण दोनों Rh^{+ve} होने पर

168. सभी वर्टीब्रेट कॉर्डेट हैं, लेकिन सभी कॉर्डेट वर्टीब्रेट नहीं हैं, क्योंकि-
(a) कुछ कॉर्डेटों के वयस्कों में पृष्ठरज्जु मेरुदण्ड में बदल जाती है
(b) कुछ कॉर्डेटों के समस्त जीवन में अधरीय खोखली तन्त्रिका/रज्जु होती है
(c) सभी कॉर्डेटों में मेरुदण्ड होता है
(d) सभी कॉर्डेटों के समस्त जीवन में पृष्ठरज्जु होती है

169. कौन-सा एन्जाइम निष्क्रिय फाइब्रिनोजन को फाइब्रिन में बदलने के लिए उत्तरदायी है ?
(a) थ्रोम्बिन (b) रेनिन
(c) एपिनेफ्रीन (d) थ्रोम्बोकाइनेज

170. अनुचित युग्म को पहचानिए-
(a) एल्कलॉइड्स-कोडीन
(b) विष-एबरिन
(c) लैक्टिन-कोनेकैनावलिन A
(d) ड्रग-रिसिन

171. 'AB' रक्त समूह के व्यक्तियों को सर्व ग्राही क्यों कहते हैं ?
(a) RBC की सतह पर प्रतिजन A एवं B की अनुपस्थिति के कारण
(b) प्लाज्मा में प्रतिजन A एवं B की अनुपस्थिति के कारण
(c) RBC में एण्टी-A एवं एण्टी-B की उपस्थिति के कारण
(d) प्लाज्मा में एण्टी-A एवं एण्टी-B प्रतिरक्षी की अनुपस्थिति के कारण

172. तिलचट्टे के सम्बन्ध में कौन-सी विशिष्टताएँ अनुचित हैं ?
(a) मध्यान्त्र एवं पश्चान्त्र के सन्धि स्थल पर जठरीय अंधनाल का एक वलय होता है
(b) अधोग्रसनी मुख भागों द्वारा बनाई गई प्रगुहा में होती है
(c) मादा में 7–9 तक अधरक मिलकर जननिक कोष्ठ बनाते हैं
(d) दोनों लिंगों में दसवें खण्ड में गुदीय लूम पाए जाते हैं

173. असीमकेन्द्रकी की अनुलेखन प्रक्रिया में कौन-सा एन्जाइम प्रारम्भन, दीर्घीकरण एवं समापन को उत्प्रेरित करता है ?
(a) डी एन ए पर निर्भर डी एन ए पॉलीमेरज
(b) डी एन ए पर निर्भर आर एन ए पॉलीमेरज
(c) डी एन ए लाइगेज
(d) डी एन ऐज

174. कूपिकाओं (विसरण स्थल) में ऑक्सीजन (O_2) एवं कार्बन डाइऑक्साइड (CO_2) का आंशिक दबाव (mm Hg में) होता है-

(a) $pO_2 = 104$ एवं $PCO_2 = 40$

(b) $pO_2 = 40$ एवं $pCO_2 = 45$

(c) $pO_2 = 95$ एवं $PCO_2 = 40$

(d) $pO_2 = 159$ एवं $PCO_2 = 0.3$

175. निम्न में कौन मल्टीपल ओव्यूलेशन ऐम्ब्रयो ट्रान्सफर तकनीक (MOET) का चरण नहीं है ?

(a) गाय में उच्च अण्डोत्सर्जन के लिए LH जैसी क्रिया वाला हॉर्मोन दिया जाता है

(b) गाय एक समय में लगभग 6-8 अण्डे उत्पन्न करती है

(c) गाय को कृत्रिम वीर्यसेचन द्वारा निषेचित किया जाता है

(d) निषेचित अण्डे 8-32 कोशिका अवस्था में प्रतिनियुक्त मादा में स्थानान्तरित किए जाते हैं

176. सही कथन का चयन कीजिए-

(a) एट्रियल नेट्रियूरेटिक कारक रक्त दाब को बढ़ाता है

(b) एंजियोटेंसिन एक प्रभावकारी वाहिका विस्तारक है

(c) रुधिर प्रवाह का प्रतिधारा प्रतिरूप वासा रेक्टा में अवलोकित नहीं होता

(d) गुच्छीय निस्यन्दन की दर में कमी JG कोशिकाओं को रेनिन मोचन के लिए क्रियाशील करती हैं

177. निम्न में क्या निकास के घटने से सम्बन्धित है ?

(a) अनुकम्पी तन्त्रिकाएँ

(b) परानुकंपी तन्त्रिकीय संकेत

(c) श्वासप्रभावी केन्द्र

(d) अधिवृक्क मध्यांश के हॉर्मोन

178. अन्त: प्रजनन अवसादन हैं-

(a) निकट अन्त:प्रजनन के कारण गतिशीलता एवं प्रतिरक्षा में कमी

(b) श्रेष्ठ नर एवं निम्न मादा के संगम के कारण उत्पादकता में कमी

(c) निरन्तर निकट अन्त:प्रजनन के कारण संतति के शारीरिक द्रव्यमान में कमी

(d) निरन्तर निकट अन्त: प्रजनन के कारण जनन क्षमता एवं उत्पादकता में कमी

179. निम्न में अनुचित मिलान का चयन कीजिए-

(a) कोन्ड्रियोसाइट्स-चिकनी पेशी कोशिकाएँ

(b) न्यूरॉन-तन्त्रिका कोशिकाएँ

(c) तन्तुकोरक-ऐरियोलर ऊतक

(d) ओस्टियोसाइट्ट्स्-अस्थि कोशिकाएँ

180. जैव-संसाधनों के अनाधिकृत शोषण को रोकने के लिए बनाए गए नियमों एवं कानून को कहते हैं-

(a) बायोपेटेन्टिंग (b) बायोएथिक्स

(c) बायोइंजीनियरिंग (d) बायोपाइरेसी

General English

181. Select the grammatically correct version of the following sentence.
He was youngest than his brother.

(a) He was younger than his brother.

(b) He was youngest to his brother.

(c) He was too young than his brother.

(d) He was young to his brother.

182. Select the most appropriate antonym of the underlined word in the given sentence.
We were very much <u>enthusiastic</u> about our tour to Agra.

(a) obsessed (b) anxious

(c) casual (d) inclined

183. Select the most appropriate synonym of the word 'Bleak' from the given sentence.
He looked gloomy, frail, broken and slow after the sudden demise of his brother.

(a) slow (b) gloomy

(c) frail (d) sudden

184. Select the correct spelling from the given options to fill in the blank.
Mihika was one of the .... in the Master Chef competition held in our society last year.

(a) contextants (b) contestents

(c) contestants (d) kontestants

185. Parts of a sentence are given below in jumbled order. Arrange the parts in the correct order to form a meaningful sentence.

(O) on a regular basis can improve

(P) engaging in physical activity

(Q) the risk of chronic diseases and boost mental health

(R) cardiovascular health, reduce

(a) RPOQ (b) PROQ

(c) PORQ (d) OQRP

Directions (Q. Nos. 186-190) In the following passage, some words have been deleted. Read the passage carefully and select the most appropriate option to fill in each blank.

The entertainment ....(1) .... built by Walt Disney is sometimes called the 'House of Mouse' in acknowledgement of the leading role played by Disney's most famous creation, Mickey Mouse. Mickey's round mouse ears, either in silhouette or adorning a hat, have become one of the most (2) .... corporate logos in the world. But if a few business decisions in the 1920s had gone differently, they could have been rabbit ears.

In the mid-1920s Disney was a young.........(3) ..... producing a series called the Alice Comedies, short films that combined live-action footage with animated images so, that human actors appeared to interact with cartoon characters. But he had grown tired of the series and wanted to move on to making completely animated films. In 1927, he got his wish, (4) .... a deal with Universal to produce a new series based on the adventures of a character called Oswald the Lucky Rabbit. Both the name and the species of the character had been picked by Universal-'Oswald' was (5) .... picked out of a hat of names and the character was made a rabbit because there were already too many cartoon cats on the market.

186. Select the most appropriate option to fill in blank number 1.

(a) empire (b) power

(c) province (d) country

187. Select the most appropriate option to fill in blank number 2.

(a) visible (b) measurable

(c) notifiable (d) recognisable

188. Select the most appropriate option to fill in blank number 3.

(a) artisan (b) craftsman

(c) animator (d) miniaturist

189. Select the most appropriate option to fill in blank number 4.

(a) striking (b) crossing

(c) bewitching (d) possessing

190. Select the most appropriate option to fill in blank number 5.

(a) apparently (b) anatomically

(c) reasonably (d) outwardly

सामान्य ज्ञान

191. कपिल देव को पद्मश्री पुरस्कार से कब सम्मानित किया गया था ?

(a) वर्ष 1982 (c) वर्ष 1981

(b) वर्ष 1983 (d) वर्ष 1980

192. इनमें से कौन-सी स्थिति MFIs की अधिक संसाधनों को आकर्षित करने और अपने ग्राहकों के लिए सेवाओं का विस्तार करने की क्षमता को बढ़ाती है ?

(a) विदेशी सहायता तक पहुँच

(b) जिन समुदायों में वे काम करते हैं, उनसे अलग होने की क्षमता

(c) वित्तीय रूप से व्यवहार्य और आत्मनिर्भर एमएफआई

(d) बड़ी मात्रा में ऋण देने की क्षमता

193. लोकप्रिय राग 'मिया की मल्हार' की रचना का श्रेय किसे दिया जाता है ?

(a) अमीर खुसरो (b) तानसेन

(c) जाकिर हुसैन (d) मीरा बाई

194. निम्नलिखित में से रामकृष्ण परमहंस के शिष्य कौन थे ?

(a) स्वामी विवेकानन्द

(b) स्वामी श्रद्धानन्द

(c) स्वामी दयानन्द

(d) स्वामी सहजानन्द

195. भारतीय संविधान का कौन-सा अनुच्छेद नए राज्यों के गठन और मौजूदा राज्यों के क्षेत्रों, सीमाओं या नामों में परिवर्तन से सम्बन्धित है ?

(a) 6 (b) 3

(c) 5 (d) 4

196. समष्टि आर्थिक प्रदर्शन का सबसे सामान्यतः उपयोग किया जाने वाला संकेतक कौन-सा है ?

(a) मानव विकास सूचकांक

(b) जीवन स्तर

(c) प्रतिव्यक्ति सकल राष्ट्रीय उत्पाद

(d) जीवन सूचकांक की भौतिक गुणवत्ता

197. निम्नलिखित में से किस तत्कालीन रियासत का सम्बन्ध मुख्य रूप से कथक से था ?

(a) त्रिपुरा (b) अवध

(c) विजयनगर (d) वडोदरा

198. आर्थिक पर्यावरण लेखांकन प्रणाली में अर्थव्यवस्था और पर्यावरण के बीच अन्तर्सम्बन्धों का विश्लेषण.......द्वारा प्रस्तुत किया गया था।

(a) अर्थशास्त्र और सांख्यिकी निदेशालय

(b) केन्द्रीय सांख्यिकी कार्यालय

(c) राष्ट्रीय पर्यावरण इन्जीनियरिंग संस्थान

(d) संयुक्त राष्ट्र सांख्यिकी कार्यालय

199. निम्नलिखित में से किसे मुगल प्रशासन के दौरान शाही घराने की देखभाल का प्रभार दिया गया था ?

(a) मीर सामान (Mir Saman)

(b) मीर बाहरी (Mir Bahri)

(c) मीर-ए-आतिश (Mir-e-aatish)

(d) मीर बख्शी (Mir Bakshi)

200 कितने देश SAARC का हिस्सा हैं ?

(a) 8 (b) 2

(c) 5 (d) 7

व्याख्या सहित उत्तर

भौतिक विज्ञान

1. (b) कार्य करने की दर $= \frac{W}{t} = P = Fv$

$\because \quad F = ilB = B\left(\frac{Bvl}{R}\right)l$

$\Rightarrow \quad P = \frac{B^2v^2l^2}{R}$

$= \frac{(0.5)^2(2)^2(1)^2}{6} = \frac{1}{6}$ वॉट

2. (a) Y $= \frac{\text{प्रतिबल}}{\text{विकृति}} = \frac{x}{\frac{2l-l}{l}} = \frac{x}{1} = x$

3. (c) तब ऐम्पियर/मी मात्रक में चुम्बकन की तीव्रता होगी 12×10^{-8}

4. (d) लेन्स सूत्र से,

$\frac{1}{f} = \frac{1}{u} - \frac{1}{v}$

$\frac{1}{-16} = \frac{1}{v} - \frac{1}{(+12)}$

$\Rightarrow \quad \frac{1}{v} = \frac{1}{12} - \frac{1}{16} = \frac{12-3}{48}$

$\Rightarrow \quad v = 48$ सेमी

5. (a) द्वितीय उच्चिष्ठ का रेखीय व्यास 6 मिमी होगा।

6. (d) $y = a \sin \omega t$

$v = \frac{dy}{dt} = a\omega \cos \omega t$

$= a\omega\sqrt{1-\sin^2 \omega t} = \omega\sqrt{a^2 - y^2}$

यहाँ, $y = \frac{a}{2}$

$\therefore \quad v = \omega\sqrt{a^2 - \frac{a^2}{4}} = \omega\sqrt{\frac{3a^2}{4}}$

$= \frac{2\pi}{T}\frac{a\sqrt{3}}{2} = \frac{\pi a\sqrt{3}}{T}$

7. (b) D पर पहुँचने वाली तरंगों के बीच पथान्तर $\Delta x = L_2D - L_1D$

$= \sqrt{40^2 + 9^2} - 40 = 41 - 40 = 1$ मी

उच्चिष्ठ के लिए,

$\Delta x = 2(n)\frac{\lambda}{2} \quad \Rightarrow \quad 1 = 2(1)\frac{\lambda}{2}$

$\Rightarrow \quad$ आवृत्ति $= \frac{v}{\lambda} = 330$ हट्र्ज

8. (b) समान्तर क्रम में प्रतिरोध,

$S = \frac{Gl_g}{l - l_g} = \frac{50 \times 100 \times 10^{-6}}{(10 - 100 \times 10^{-6})}$

$\Rightarrow \quad S = 5 \times 10^{-4}$ ओम

9. (a) दोनों अवस्थाओं में B व C के मध्य सम्पर्क बलों का अनुपात $\frac{13}{12}$ होगा।

10. (b) चित्र द्वारा $|OA| = \alpha$ तथा $|OB| = a$

त्रिभुज नियम द्वारा

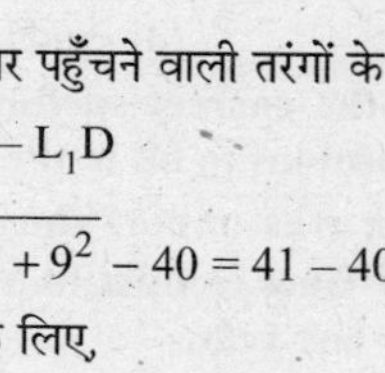

$OB - OA = AB = \Delta a$

$\Rightarrow \quad |\Delta a| = AB$

चूँकि कोण $d\theta = \frac{\text{चाप }(AB)}{\text{त्रिज्या }(\alpha)}$

$\Rightarrow \quad AB = \alpha.d\theta$

इसलिए, $|\Delta a| = \alpha.d\theta$

$\Delta a =$ सदिश के परिमाण में परिवर्तन

$|OB| - |OA| \Rightarrow \alpha - a = 0$

इसलिए, $\Delta a = 0$

11. (d) 360°C ताप पर छड़ के अन्दर आसानी से प्रवेश करेगी।

12. (d) स्पेक्ट्रमी रेखाओं की कुल संख्या

$N = \frac{n(n-1)}{2} \Rightarrow \frac{n(n-1)}{2} = 6$

या $\quad n^2 = n - 12 = 0$

या $\quad (n-4)(n+3) = 0$

या $\quad n = 4$

अब चूँकि श्रेणी की प्रथम रेखा की तरंगदैर्ध्य अधिकतम है, इसलिए इलेक्ट्रॉन चौथी कक्षा से तीसरी कक्षा में जाएगा।

13. (b) $A = 238 - 4 = 234$

तथा $\quad Z = 92 - 2 = 90$

14. (c) क्योंकि धारावाही चालक पर स्थित किसी भी बिन्दु पर चुम्बकीय क्षेत्र शून्य होता है।

इसलिए यहाँ, $H_1 = PQ$ के कारण M पर चुम्बकीय क्षेत्र $H_2 = QR$, QS व PQ के कारण M पर

चुम्बकीय क्षेत्र $= 0 + \frac{H_1}{2} + H_1 = \frac{3}{2}H_1$

$\Rightarrow \quad \frac{H_1}{H_2} = \frac{2}{3}$

15. (c) यदि $\mu_{माध्यम} > \mu_{लेन्स}$ तब उत्तल लेन्स की प्रकृति बदल जाएगी तथा लेन्स अपसारी लेन्स की तरह कार्य करेगा।

16. (c) ध्रुवण कोण पर अपवर्तित व परावर्तित किरणें एक-दूसरे के लम्बवत् होती हैं।

17. (c)

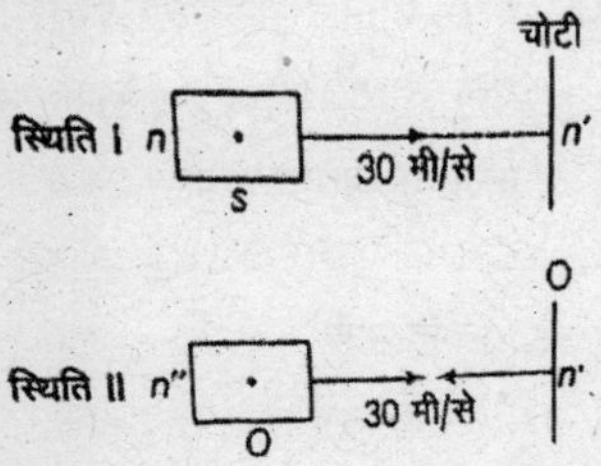

स्थिति I के लिए $n' = \frac{v}{v-30}n$ ...(i)

स्थिति II के लिए $n'' = \frac{v+30}{v}n'$ ...(ii)

समी (i) व (ii) से

$n'' = \frac{v+30}{v-30}n = \frac{360}{300} \times 600 = 720$ हट्र्ज

18. (d) सूक्ष्मदर्शी कम फोकस दूरी का लेन्स होता है। जबकि दूरदर्शी में अभिदृश्यक लेन्स की फोकस दूरी अधिक होती है। इसलिए जब अभिदृश्यक लेन्स की फोकस दूरी बढ़ायी जाती है, तो सूक्ष्मदर्शी की आवर्धन क्षमता घटेगी, किन्तु दूरदर्शी की बढ़ जाएगी।

19. (a) $m = \frac{I}{O} = \frac{f}{u-f}$

$= \frac{10}{25-10} = \frac{10}{15} = \frac{2}{3}$

$m^2 = \frac{A_i}{A_o} \Rightarrow A_i = m^2 \times A_o$

$= \left(\frac{2}{3}\right)^2 \times (3)^2 = 4$ सेमी^{2}

20. (c) $F = eE$

न्यूटन के दूसरे नियम से,

$\alpha = \frac{F}{m} = \frac{eE}{m}$

$= \frac{(1.60 \times 10^{-19})(2.00 \times 10^4)}{9.11 \times 10^{-31}}$

$= 3.51 \times 10^{15}$ मी/से^{2}

21. (d) प्रश्नानुसार, $T + P + W = 0$

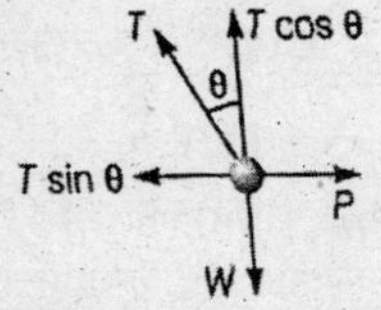

चित्रानुसार, $T \cos \theta = W$

$T \sin \theta = P \Rightarrow P = W \tan \theta$

तथा $T^2 = P^2 + W^2$

22. (c) अभिदृश्यक व अभिनेत्र के बीच दूरी

$L = \frac{u_0 f_0}{u_0 - f_0} + \frac{f_e D}{(f_e + D)}$

$= \frac{200 \times 50}{200 - 50} + \frac{5 \times 25}{5 + 25} = 71$ सेमी

23. (a) $\frac{E_0}{B_0} = c, k = \frac{2\pi}{\lambda}$ तथा $\omega = 2\pi v$

$\Rightarrow \quad E_0 k = B_0 \omega$

24. (b)

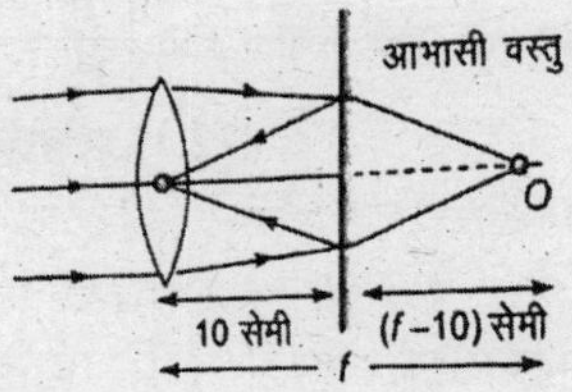

चित्रानुसार,

प्रतिबिम्ब की दूरी = वस्तु की दूरी

$f - 10 = 10$

$\Rightarrow \quad f = 20$ सेमी

25. (c) कठोर X-किरणों की आवृत्ति उच्चतर होती है।

26. (b) $Y = \frac{F/A}{\Delta l / l}$

पहले तार के लिए, $Y = \frac{F \times l}{\pi r^2 \times l}$

दूसरे तार के लिए, $Y = \frac{2F \times 2l'}{\pi (2r)^2 \times l'}$

उपरोक्त समीकरण द्वारा $l' = l$

27. (c) हम यह मान सकते हैं कि विघटन की दर के अनुसार समय बीतने पर तत्व x का आधा हिस्सा y में बदल जाएगा। चूंकि x और y के परमाणुओं का अनुपात 1:4 है। यह 4 से 6 घंटे के बीच का समय हो सकता है, क्योंकि अर्द्ध-आयु 2 घंटे है और चार अर्द्ध-आयुओं के बाद अधिक परिवर्तन देखा जाएगा।

28. (a) चुम्बकीय फ्लक्स का SI मात्रक वेबर है।

29. (c) समीकरण

$O^{17} \longrightarrow {}_0n^1 + O^{16}$

$\therefore$ आवश्यक ऊर्जा = O^{17} की बन्धन ऊर्जा – O^{16} की बन्धन ऊर्जा

$= 17 \times 7.75 - 16 \times 7.97 = 4.23$ MeV

30. (a) वोल्टता लब्धि 200 ज्ञात है।

31. (b) $V = \frac{q}{2\pi\varepsilon_0}\left[-\frac{5}{2d} - \frac{5}{d} + \frac{5}{d} + \frac{5}{d}\right]$

$= \frac{5q}{8\pi\varepsilon_0}$

32. (d) ऊष्मा चालकता

$K_{eq} = \frac{L_1 + L_2}{\frac{L_1}{K_1} + \frac{L_2}{K_2}} = \frac{x + 4x}{\frac{x}{K} + \frac{4x}{2K}} = \frac{5}{3}K$

अतः ऊष्मा स्थानान्तरण की दर

$\frac{\theta}{t} = \frac{K_{eq} A (T_2 - T_1)}{(x + 4x)}$

$= \frac{\left(\frac{5}{3}\right) KA (T_2 - T_1)}{5x} = \frac{\frac{1}{3} KA (T_2 - T_1)}{x}$

दी गई समीकरण से तुलना करने पर $f = \frac{1}{3}$

33. (b) केन्द्रीय उच्चिष्ठ की कोणीय अर्द्ध चौड़ाई (θ) निम्न सूत्र से प्रदर्शित की जाती है।

$\sin \theta = \frac{\lambda}{a}$

$\Rightarrow \quad \theta = \frac{6328 \times 10^{-10}}{02 \times 10^{-3}}$ रेडियन

$= \frac{6328 \times 10^{-10} \times 180°}{02 \times 10^{-3} \times \pi} = 0.18°$

34. (b) प्रश्नानुसार, माना x दूरी पर विद्युत क्षेत्र का परिमाण,

$E = \frac{\sigma}{2\varepsilon_0}\left[1 - \frac{x}{\sqrt{x^2 + R^2}}\right]$

लेकिन, $E_c = \frac{\sigma}{2\varepsilon_0} \Rightarrow \frac{E}{E_c} = \frac{1}{2}$

तब, $1 - \frac{x}{\sqrt{X^2 - R^2}} = \frac{1}{2}$

या $\quad \frac{x}{\sqrt{X^2 + R^2}} = \frac{1}{2}$

$\Rightarrow \quad x^2 = \frac{x^2}{4} + \frac{R^2}{4}$

अतः $x^2 = \frac{R^2}{3} \Rightarrow x = \frac{R}{\sqrt{3}}$

35. (b) निकटतम उपगमन की दूरी पर कण की गतिज ऊर्जा, स्थितिज ऊर्जा में पूर्ण रूप से परिवर्तित हो जाएगी। गणितीय रूप से,

$\frac{1}{2}Mu^2 = \frac{1}{4\pi\varepsilon_0}\frac{Z_1 Z_2}{r_0}$

$\Rightarrow KE \propto Z_1 Z_2$

36. (b) $f = \frac{R}{\mu - 1} = \frac{60}{1.6} = 100$ सेमी

37. (c) अनुनाद की स्थिति में $X_L = X_c$

38. (c) व्यतिकरण होने के लिये दो तरंगों के बीच निश्चित कला सम्बन्ध होना चाहिए। समीकरण 1 व 3 एवं 2 व 4 के मध्य निश्चित कला सम्बन्ध $\frac{\pi}{2}$ है। S_2 केवल 2 एवं S_4 केवल 4 को उत्सर्जित करता है।

39. (d) उपरोक्त सभी

40. (b) $2(\alpha - \beta)$

41. (c) यदि ट्रांसमीटर की विकिरण क्षमता P तथा एक सेकण्ड में उत्सर्जित फोटॉनो की संख्या n तथा एक फोटॉन की ऊर्जा hv हो, तो

$P = nhv$

$n = \frac{P}{hv} = n = \frac{c}{\lambda} = \frac{p\lambda}{hv}$

$= \frac{10^4 \times 300}{6.6 \times 10^{-34} \times 3 \times 18}$

$= \frac{1}{6.6} \times 10^{32} = 1.52 \times 10^{31}$

42. (c) $f_0 = \frac{1}{1.25} = 0.8$ मी. एवं

$f_0 = \frac{1}{-20} = -0.05$ मी.

$\because |L_\infty|\, |f_0| - |f_e| = 0.8 - 0.05$ मी. एवं

$= 0.75$ मी. $= 75$ सेमी.

तथा $|m_\infty| = \frac{f_0}{f_e} = \frac{0.8}{0.05} = 16$

43. (b) तार AB में धारा

$= \frac{6}{20+10} = 0.2$ ऐम्पियर

AB पर विभवान्तर $V = 0.2 \times 20 = 4$ वोल्ट

तार पर विभव प्रवणता

$k = \frac{V}{l} = \frac{4}{200} = 0.02$ वोल्ट/सेमी

2.4 वोल्ट के सेल के लिये $2.4 = kL$

$L = \frac{2.4}{k} = \frac{2.4}{0.02} = 120$ सेमी

44. (a) निर्वात् में, $t = n\lambda_0$ ...(i)

वायु में, $t = (n+1)\lambda_a$ ...(ii)

समी (i) व (ii) से

$t = \frac{l}{\mu - 1} = \frac{6 \times 10^{-7}}{1.003-1}$ $\left(\because \mu = \frac{\lambda_0}{\lambda_a}\right)$

$= 2 \times 10^{-3}$ मी $= 2$ मिमी

यह सवाल विद्युत आवेशों और गुरुत्वाकर्षण बलों के बीच संतुलन स्थापित करने के लिए आवश्यक हाइड्रोजन गैस की मात्रा का अनुमान करता है। सही उत्तर 6.0×10^5 किग्रा है।

45. (a) इन धनात्मक आवेशों को उत्पन्न करने के लिए 6.0×10^5 किग्रा हाइड्रोजन गैस की आवश्यकता होगी। जब हम एक निश्चित गुरुत्वाकर्षण बल को उदासीन करने के लिए समान मात्रा में धनात्मक आवेशों को पृथ्वी और चन्द्रमा पर रखते हैं, तो हम हाइड्रोजन गैस के परमाणुओं का उपयोग कर सकते हैं।

46. (c) माना एक बूंद की त्रिज्या r है।

अब $\frac{4}{3}\pi R^3 = 10^6 \times \frac{4}{3} = \pi r^3$

$r = \frac{R}{100} = \frac{1}{100}$ सेमी $= 10^{-4}$ मी

$A_i = 4\pi r^2$

$A_j = 10^6 \times 4\pi r^2$

क्षेत्रफल में परिवर्तन

$\Delta A = A_j - A_i$

$= 4\pi \times 99 \times 10^{-4}$ मी^{2}

पृष्ठ ऊर्जा में वृद्धि $= S\Delta A$

$= 32 \times 10^{-2} \times 4\pi \times 99 \times 10^{-4}$ जूल

$= 3.98 \times 10^{-2}$

चूँकि ये ऊर्जा आन्तरिक ऊर्जा से प्राप्त होती है अत: यही व्ययित ऊर्जा होगी।

47. (d) मुक्त ऊर्जा $= 136\left[\frac{1}{1^2} - \frac{1}{4^2}\right]$

$= 12.75$ इलेक्ट्रॉन वोल्ट

48. (b) $P = P_1 + P_2$

$\Rightarrow \quad P = +6 - 4 = +2D$

फोकस दूरी,

$f = \frac{1}{2}$ 1 मी

$\Rightarrow f = +50$ सेमी (उत्तल लेन्स)

49. (a) $\frac{N_0}{32} = N_0 = \left(\frac{1}{2}\right)^{60/T}$

$\Rightarrow \quad 5 = \frac{60}{T} \Rightarrow T = 12$ दिन

50. (b) 35 हर्ट्ज

51. (d) यहाँ $Q = Pt$

$t = \frac{Q}{P} = \frac{\text{cm}\,(T_f - T_i)}{200}$

$= \frac{(4190)\,(0.100)\,(100° - 23°)}{200}$

$= 160$ सेकण्ड

52. (c) $1 : \frac{4}{9\pi^2} : \frac{4}{25\pi^2}$

53. (c) तरंग समीकरण $y = A\sin(\omega t - kx)$

$V_0 = A\omega$

जहाँ A अधिकतम विस्थापन है।

दी गई स्थिति के लिये $\frac{A}{2} = A\sin(\omega t - kx)$

$\Rightarrow \quad \sin(\omega t - kx) = \frac{1}{2}$

तथा $\quad \frac{dy}{dt} = A\omega\cos(\omega t - kx)$

$= A\omega\frac{\sqrt{3}}{2} = \frac{\sqrt{3}v_0}{2}$

54. (c) माना P व Q क्रमश: कम परिमाण व अधिक परिमाण के बल हैं तो

$P + Q = 18$ ...(i)

$R = \sqrt{P^2 + Q^2 + 2PQ\cos\theta} = 12$ ...(ii)

$\tan\phi = \frac{Q\sin\theta}{P + Q\cos\theta} = \tan 90° = \infty$

$P + Q\text{cose} = 0$ ...(iii)

समीकरण को हल करने पर,

$P = 5$ व $Q = 13$

55. (b) $\frac{dV}{V} = (1 + 2\sigma)\frac{dl}{l}$

$= 2 \times 2 \times 10^{-3} = 4 \times 10^{-3}$

$\left(\because Q = 0.5 = \frac{1}{2}\right)$

आयतन में प्रतिशत परिवर्तन

$= 4 \times 10 - 1 = 0.4\%$

56. (a) प्रथम इलेक्ट्रॉन निकल जाने के बाद शेष परमाणु हाइड्रोजन तुल्य परमाणु की भाँति व्यवहार करेगा।

परमाणु से दूसरा इलेक्ट्रॉन निकालने के लिए आवश्यक ऊर्जा

$E = 136 \times \frac{2^2}{1} = 54.4$ इलेक्ट्रॉन वोल्ट

$\therefore$ कुल आवश्यक ऊर्जा $= 24.6 + 54.4$

$= 79$ इलेक्ट्रॉन वोल्ट

57. (a) दिया है,

$OA = \hat{a} = 3\hat{i}\,6\hat{j} + 2\hat{k}$

तथा $\quad OB = \hat{b} = 2\hat{i} - \hat{j} + 2\hat{k}$

$\therefore \quad (\hat{a} \times \hat{b}) = \begin{vmatrix} \hat{i} & \hat{j} & \hat{k} \\ 3 & -6 & 2 \\ 2 & 1 & -2 \end{vmatrix}$

$= (12-2)\hat{i} + (4+6)\hat{j} + (3+12)\hat{k}$

$= 10\hat{i} + 10\hat{j} + 15\hat{k}$

$\Rightarrow |\hat{a} \times \hat{b}| = \sqrt{10^2 + 10^2 + 15^2}$

$= \sqrt{425} = 5\sqrt{17}$

ΔOAB का क्षेत्रफल $= \frac{1}{2}|A \times B|$

$= \frac{5\sqrt{17}}{2}$

58. (c) $Y = \frac{\text{प्रतिबल}}{\text{विकृति}} = \frac{F/A}{\Delta l/l}$

$= \frac{2500 \times 10}{10^{-5} \times 0.01}$

$= 2.5 \times 10^{11}$ न्यूटन/मी^{2}

59. (c) यदि पदार्थ में Y तत्व नहीं हो तब X तत्व द्वारा प्रारम्भिक मान का $\frac{1}{2}$ समय

$\frac{1}{8} = \left(\frac{1}{2}\right) \Rightarrow n = 3$

इसलिए शुरुआत से ही तीन अर्द्ध-आयु का समय व्यतीत होगा। अत: पदार्थ की आयु

$= 3 \times 1.37 \times 10^9 = 4.11 \times 10^9$ वर्ष

60. (c) नाभिक की त्रिज्या $r \propto (A)^{1/3}$

$r_{He} \propto (4)^{1/3}$ $r_s \propto (32)^{1/3}$

$\therefore \quad \frac{r_s}{r_{He}} = \frac{(32)^{1/3}}{(4)^{1/3}} = \frac{2}{1}$

रसायन विज्ञान

61. (b) 0.26 वोल्ट

62. (b) दर दोगुनी होने का समय

$= \frac{100-10}{10} = 9$ सेमी

ताप गुणांक = 2

$$= \frac{R_{नया}}{10} = 2^9 = 512$$

63. (d) स्वर्ण संख्या निम्न होने पर रक्षण क्षमता उच्च होती है। इसलिये रक्षण क्षमता का बढ़ता हुआ क्रम इस प्रकार है

A < C < B < D

64. (b) H_3PO_2

65. (a) लैन्थेनाइडों का सामान्य विन्यास

$(n-2)f^{1-14}\ (n-1)s^2p^6d^{0-1}ns^2$ होता है।

66. (c) $[Ti(H_2O)_6]^{4+}$ में कोई *d*-इलेक्ट्रॉन नहीं है। अत: *d–d* संक्रमण नहीं होता, इसलिए रंगहीन होते हैं।

$[Cu(NH_3)_4]SO_4$. MnO तथा CO_2–संक्रमण आवेश स्थानान्तरण के कारण रंगहीन आयन होते हैं।

67. (b) $\underset{A}{CaCO_3(s)} \xrightarrow{\Delta} \underset{B}{CaO} + CO_2\uparrow$

$\underset{B}{CaO} + H_2O \longrightarrow Ca(OH)_2$

$\xrightarrow{2CO_2} \underset{C}{Ca(HCO_3)_2}$

$\underset{C}{Ca(HCO_3)_2} \xrightarrow{\Delta} \underset{A}{CaCO_3} + CO_2 + H_2O$

68. (c) 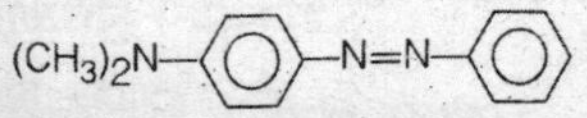

69. (d) आयोडोफॉर्म परीक्षण एक विशेष रसायनिक परीक्षण है जिसका उपयोग उन यौगिकों की पहचान के लिए किया जाता है जिनमें मेथिल ($-CH_3$) समूह जुड़े होते हैं, जैसे कि एसीटोन, एसीटाल्डिहाइड, और अल्डिहाइड्स तथा कीटोन के कुछ अन्य रूप। 2-पेण्टेनॉन और 3-पेण्टेनॉन में कीटोन समूह होते हैं, और ये दोनों आयोडोफॉर्म परीक्षण में सकारात्मक परिणाम दिखा सकते हैं, जिससे इनकी पहचान हो सकती है।

70. (a) $\underset{ऐल्कीन}{CH_3—CH_2—CH = C(CH_3)_2}$

$\xrightarrow[Zn.H_2O]{O_3} CH_3CH_2—\overset{O}{\overset{||}{C}}—H + CH_3—\overset{O}{\overset{||}{C}}—CH_3$

71. (c) $C_6H_5—\underset{CH_3}{\overset{Br}{C}}—C_6H_5$

(ज्यादा अभिक्रियाशील होने के कारण ये अधिक स्थायी कार्बधनायन देता है)

$\xrightarrow[\text{दर निर्धारण पद}]{S_N1} C_6H_5—\underset{CH_3}{\overset{\oplus}{C}}—C_6H_5$

(अधिक स्थायी कार्बधनायन)

तृतीयक कार्बधनायन अधिक स्थाई होता है। क्योंकि यह + *I* (प्रेरणिक प्रभाव) प्रदर्शित करता है।

72. (d) 1° ऐल्किल हैलाइड ज्यादा अभिक्रियाशील होता है इसलिए यह S_N2 अभिक्रिया के माध्यमिक पद को ज्यादा स्थायी संक्रमण पद बनाता है।

73. (c) $CH_3—I + (CH_3)_2\ CHOH$

74. (c) ब्यूटाडाईन और स्टाइरीन

75. (d) $C_6H_5—\overset{O}{\overset{||}{C}}—C_6H_5$

76. (d) क्योंकि $\Delta G = \Delta H - T\Delta S$

यदि ΔG ऋणात्मक है, तब अभिक्रिया स्वत: या अनुकूल है। किसी भी ताप पर ΔG ऋणात्मक होना चाहिए और ΔS धनात्मक होना चाहिए।

77. (b) O—H बन्ध सबसे अधिक ध्रुवीय है इसलिए H_2O का द्विध्रुव आघूर्ण सबसे अधिक है।

78. (b) PbO_2, क्योंकि यह अम्ल तथा क्षार दोनों से क्रिया करता है।

$PbO_2 + 4HCl \longrightarrow PbCl_4 + 2H_2O$

$PbO_2 + 2NaOH \longrightarrow Na_2PbO_3 + H_2O$

79. (b) यह एक प्लेटिनम (IV) यौगिक है जिसमें चार अमोनिया (NH_3), एक नाइट्रेट (NO_2), और एक क्लोराइड (Cl) आयन जुड़ा हुआ है। इस जटिल यौगिक का नामकरण करते समय, सभी के नाम के साथ उनका क्रम, संयोजन और प्लेटिनम के आक्सीकरण को ध्यान में रखते हुए नाम दिया जाता है। इसका सही नाम "टेट्राऐमीन क्लोरोनाइट्राइटोप्लेटिनम (IV) सल्फेट" है।

80. (c) वैद्युत चालकता विलयन में उपस्थित आयनों की संख्या पर निर्भर करती है। केवल समन्वय ([]) पर उपस्थित आयन ही आयनित होते है। इस प्रकार सही क्रम I > IV > II > III होगा।

81. (c) नाइट्रिक ऑक्साइड (NO) तथा हाइड्रोकार्बन प्रकाश रासायनिक स्मॉग का निर्माण करते हैं।

82. (a) IUPAC नाम 3-ऐमीनो-2-हाइड्रॉक्सी प्रोपेनोइक अम्ल है।

83. (a) जो एक-दूसरे के दर्पण प्रतिबिम्ब हैं तथा एक-दूसरे पर अध्यारोपित नही किये जा सकते हैं, प्रतिबिम्ब रूपी कहलाते हैं।

84. (a) अनुनाद संरचना के कारण ट्राइसाइक्लोप्रोपिल कार्बधनायन सबसे अधिक स्थाई है।

85. (b) $NH_3 + 3Cl_2 \longrightarrow NCl_3 + 4HCl$

86. (b) 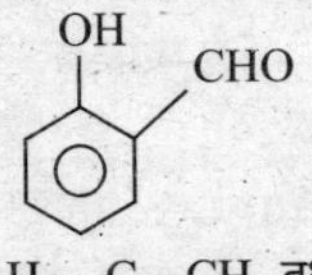

87. (c) $C_6H_5—\underset{O}{\underset{||}{C}}—CH_3$ तथा $NaBH_4$

88. (a) Al का तुल्यांक = Cl_2 का तुल्यांक

$$\Rightarrow \frac{w}{27/3} = \frac{11.2\times 2}{22.4}$$

$$w = 9g$$

89. (c) 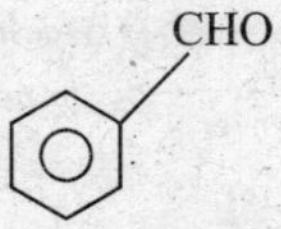

90. (a) यह एक एस्टरीकरण अभिक्रिया है, जिसे एसिडिक कंडिशन (शुष्क HCl) में किया जाता है। जब एसीटिक एसिड CH_3COOH और मेथनॉल (CH_3OH) एक साथ प्रतिक्रिया करते हैं, तो मेथिल एस्टर CH_3COOCH_3 उत्पन्न होता है।

91. (a) $CH_3COOH + HCOOH \xrightarrow[570\,K]{MnO} \underset{ऐसीटेल्डिहाइड}{CH_3CHO} + CO_2 + H_2O$

92. (c) सभी कार्बोक्सिलिक अम्ल समूह का सामान्य सूत्र RCOY होता है।

जहाँ, Y = Cl, OCOR, NH_2.

OR

इन Y समूह की क्षारियता का बढ़ता क्रम इस प्रकार है

$Cl^- < OCOR^- < OR^- < NH_2^-$

इन व्युत्पन्नों की क्रियाशीलता का क्रम विपरीत है

ऐसिल क्लोराइड > ऐनहाइड्राइड > एस्टर > एमाइड

93. (c) ताप बढ़ाने के साथ-साथ जल का आयतन भी बढ़ जाता है। इसलिए जल में उपस्थित विलेय के प्रभाज परिवर्तित हो जाते हैं।

94. (b) ccp जालक में परमाणुओं की संख्या = 4

समचतुष्फलकीय रिक्ति = 4 × 2 = 8

इस प्रकार अनुपात = 1 : 2

95. (d) सह-संयोजक गुण

$$\propto \frac{1}{\text{धनायन का आकार}} \propto \text{ऋणायन का आकार}$$

फैजान्स नियम के अनुसार सहसंयोजक गुण जितना कम होगा, आयनिक गुण उतना ही अधिक होगा Cl_2O में O^{2-}, NCl_3 में N^{3-} $PbCl_2$ में Pb^{2+} तथा $BaCl_2$ में Ba^{2+} आयन होते हैं।

अत:, संयोजक गुण का घटता क्रम निम्न है

$NCl_3 > Cl_2O > PbCl_2 > BaCl_2$

$BaCl_2$ में आयनिक गुण सबसे अधिक होगा।

96. (c) सेल अभिक्रियाएँ

$H_2 \longrightarrow 2H^+ + 2e^-$ (ऐनोड पर)

$2Ag^+ + 2e^- \longrightarrow Ag$ (कैथोड पर)

अत: सेल को इस प्रकार प्रदर्शित कर सकते हैं।

Pt | H_2(g) | HCl | AgCl | Ag

97. (c) $CH_2 = CHCOOH$

98. (a) $t_{1/2} = \frac{0.693}{k} = \frac{0.693}{6\times10^{-4}}$

$= 1155$ सेकण्ड

99. (c) नायलॉन 66 एक पॉलिऐमाइड है। जिसमे $—\overset{\overset{O}{\|}}{C}—NH—$ समूह उपस्थित होता है।

100. (c) $\Delta x.\Delta p = \frac{h}{4\pi}$

दिया है, $\Delta x = \Delta p$

$$(\Delta p)^2 = \frac{h}{4\pi}$$

$$m\Delta v = \sqrt{\frac{h}{4\pi}}$$

$$\Delta v = \frac{1}{2m}\sqrt{\frac{h}{\pi}}$$

101. (a) लैंग्म्यूर सिद्धान्त के अनुसार,

$$\frac{x}{m} = \frac{ap}{1+bp}$$

अधिक दाब पर,

$1 + bp = bp$

$\therefore \quad \frac{x}{m} = \frac{ap}{bp} = \frac{a}{b} =$ स्थिरांक

इस प्रकार अधिशोषण की मात्रा निश्चित मान तक पहुँच जाती है।

102. (a) Na से Cu तक धात्विक गुण घटता जाता है, अत: Na_2O से CuO तक क्षारीय गुण घटता है।

अत: क्षारीय गुण का क्रम $Na_2O > MgO > Al_2O_3 > CuO$

103. (b) $2PbS + 3O_2 \longrightarrow 2PbO + 2SO_2$

$2PbO + PbS \longrightarrow 3Pb + SO_2$

(स्वत: अपचयन)

$SnO_2 + 2C \xrightarrow{\Delta} Sn + 2CO\uparrow$

(कार्बन अपचयन)

104. (c) Ag तथा Cu के 3 तुल्यांक, Na तथा Al के शून्य तुल्यांक जमा होंगे।

NaCl तथा $AlCl_3$ के जलीय विलयनों का वैद्युत अपघटन करने पर, कैथोड पर Na तथा Al धातु नहीं देते हैं।

Ag तथा Cu के लिए मोलर अनुपात

$$= \frac{3}{1} : \frac{3}{2}$$

या $3 : \frac{3}{2} : 0 : 0$ या $6 : 3 : 0 : 0$

105. (c) ऐनोड पर,

$Zn \longrightarrow Zn^{2+}(C_1)$

कैथोड पर,

$Zn_2 + (C_2) \longrightarrow Zn$

पूर्ण अभिक्रिया

$Zn^{2+}(C_2) \longrightarrow Zn^{2+}(C_1)$

$E°_{सेल} = 0$

$$E_{सेल} = -\frac{0.0591}{2}\log\frac{[C_1]}{[C_2]}$$

$\Delta G = -nE_{सेल}F$

$\Delta G =$ ऋणात्मक के लिए $E_{सेल} =$ धनात्मक

$\therefore \quad C_1 < C_2$

106. (a) लैन्थेनाइडों में परमाणु क्रमांक बढ़ने के साथ-साथ परमाणु त्रिज्या घटती जाती है। इसके अतिरिक्त समूह में त्रिज्या ऊपर से नीचे जाने पर बढ़ती जाती है। इस प्रकार त्रिज्या का सही क्रम है

Ce > Sn > Yb > Lu

107. (d) $\frac{-2d[H_2]}{dt} = \frac{-2d[L_2]}{dt} = \frac{-d[HI]}{dt}$

108. (a) बहुपरतीय अधिशोषण रसोवशोषण का लक्षण नहीं है। रसोवशोषण एक एकल परतीय अधिशोषण है जबकि प्रकृति में ऊष्माक्षेपी, मुक्त रिक्तियों द्वारा प्रबल अधिशोषण और अनुत्क्रमणीय रसोवशोषण के लक्षण है।

109. (c) वेग स्थिरांकों का अनुपात, जब 10°C का अन्तर होता है, 25°C तथा 35°C को प्राथमिकता देते हुए ताप गुणांक कहलाता है।

$$\text{ताप गुणांक} = \frac{(t+10°C) \text{ पर } k \text{ का मान}}{t°C \text{ पर } k \text{ का मान}}$$

110. (b) शॉटकी दोष में, जालक सिरों पर धनायनों तथा ऋणायनों की समान मात्रा मिलाने पर क्रिस्टल के घनत्व को कम करता है।

111. (d) जो द्रव, H_2SO_4 की उपस्थिति में ऐथेनॉल से क्रिया करके फलों जैसी गन्ध देता है। वह कार्बोक्सिलिक अम्ल होता है।

$$CH_3COOH + C_2H_5OH \xrightarrow{H_2SO_4} CH_3COOC_2H_5 + H_2O$$

एस्टर (फलों जैसी गन्ध)

112. (d) फ्लोरिन (F_2) सबसे प्रबल ऑक्सीकारक है, क्योंकि इसके पास उच्च इलेक्ट्रोनगतिकता और अत्यधिक ऑक्सीकरण क्षमता होती है। यह किसी भी रासायनिक प्रतिक्रिया में सबसे पहले ऑक्सीकरण प्रक्रिया को प्रारंभ करता है।

113. (b) 0 से –1 तथा 0 से +5

114. (a) जैम-डाइहैलाइड की अभिक्रिया ऐल्कोहॉलीय KOH से कराने पर ऐल्काइन प्राप्त होता है।

$$CH_3CH\begin{matrix} X \\ X \end{matrix} \xrightarrow{\text{ऐल्को. KOH}} HC\equiv CH + 2HX$$

इथाइन

115. (c) $[H^+] = \sqrt{K_a \cdot C} = \sqrt{\alpha^2 c^2}$

$= \sqrt{(10^{-3})^2 \cdot (0.01)^2} = 10^{-5}$

$pH = -\log[H^+]$

$= -\log 10^{-5} = 5$

$pOH = 14 - 5 = 9$

116. (a) नायलॉन-6, 6 का निर्माण ऐडिपिक अम्ल और हेक्सामिथाइलीन डाइऐमीन से किया जाता है। यह पॉलिमर अपने मजबूत और लचीले गुणों के लिए प्रसिद्ध है और इसे विभिन्न उपयोगों में उपयोग किया जाता है।

117. (b) हाइड्रोजन बन्ध

118. (a)

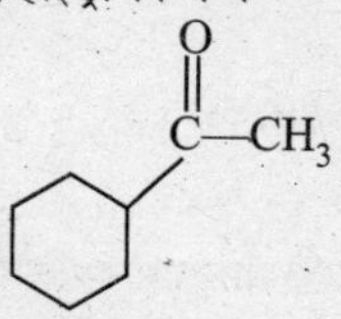

119. (b) साइक्लोपेन्टाडाइन एक प्रोटॉन त्यागकर, अधिक स्थायी ऐरोमैटिक साइक्लोपेन्टाडाइऐनाइल ऋणायन में बदल जाता है। (π-इलेक्ट्रॉनों के विस्थापन के कारण)

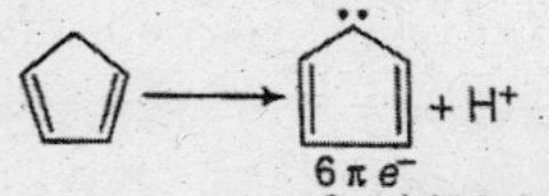

समतलीय, ऐरोमैटिक

यह आसानी से प्रोटॉन त्यागता है, अर्थात् दिए गए सभी संकरों में यह अधिक अम्लीय है।

120. (c) यह प्रतिक्रिया क्रोमियम (VI) से क्रोमियम (V) यौगिक में परिवर्तन करती है। NaOH और सान्द्र H_2SO_4 के साथ $K_2Cr_2O_7$ की अभिक्रिया पर, CrO_2Cl_2 (क्रोमियम (V) क्लोराइड) उत्पन्न होता है।

वनस्पति विज्ञान

121. (a) पुष्पासन (Thalamus) द्वारा निर्मित फलों को कूट या आभासी फल कहते हैं। ये फल पुष्प के अण्डाशय के अतिरिक्त किसी अन्य भाग से विकसित होते हैं। उदाहरणस्वरूप सेब एवं नाशपाती में फल का खाद्य भाग या फूला हुआ माँसल भाग वास्तव में पुष्पासन होता हैं। इन्हें पोम फल कहते हैं।

122. (d) सर्वप्रथम खोजा गया प्रतिबन्धन एण्डोन्यूक्लिएज एन्जाइम Hind II है। सन् 1970 में नैथन्स एवं स्मिथ (Nathans and Smith) ने हीमोफिलस इन्फ्लूएन्जी (Haemophilus influenzae) नामक जीवाणु की कोशिकाओं से एक ऐसे एन्जाइम को पृथक किया, जो 6 न्यूक्लियोटाइड अणुओं युक्त विशिष्ट प्रकार के अनुक्रमों को पहचानकर, DNA अणु को इस स्थान पर खण्डित कर सकता है। इस प्रकार के एन्जाइम को प्रतिबन्धन एण्डोन्यूक्लिएज (Restriction endonuclease) कहा गया तथा इसे Hind II का नाम दिया गया।

123. (a) अन्तर्जातीय प्रतिस्पर्धा का मतलब है कि एक ही पर्यावरण में विभिन्न जातियाँ एक दूसरे से संसाधनों (जैसे भोजन, पानी, स्थान) के लिए प्रतिस्पर्धा करती हैं। हालांकि, इस प्रतिस्पर्धा को कम करने के लिए जातियाँ संसाधन विभाजन का तरीका अपनाती हैं। इसका मतलब यह है कि प्रतिस्पर्धा करने वाली जातियाँ समय, स्थान या अन्य संसाधनों का विभाजन कर अपने अस्तित्व को बनाए

रखती हैं। इस प्रकार, वे एक-दूसरे से कम प्रतिस्पर्धा करती हैं और अपनी उत्तरजीविता सुनिश्चित करती हैं।

124. (d) कुछ टेरिडोफाइट वंश जैसे कि सिलेजिनैला और साल्विनिया, दो प्रकार के बीजाणु उत्पादित करते हैं। ऐसे पादपों को विषमबीजाणुक (Heterosporous) कहते हैं। इनमें आकार में छोटे लघुबीजाणु सदैव नर प्रोथैलस तथा आकार में बड़े गुरुबीजाणु सदैव स्त्री प्रोथैलस का निर्माण करते है।

125. (c) पादप कोशिकाओं में गामा किरणों के द्वारा उत्परिवर्तन प्रेरित किया जाता है। प्रेरित उत्परिवर्तन (Induce mutation) प्रजनन के अन्तर्गत पादपों की जीन एवं गुणसूत्रों पर गामा किरणों का उपयोग करके नई पादप किस्म बनाई जाती है। जब ये किरणें किसी पदार्थ से गुजरती है, तो इसके अणुओं का आयनीकरण कर देती हैं। आयनकारी (lonisation) विकिरणों में मुख्यतया एल्फा किरणें (α-rays), बीटा किरणें (β-rays) और एक्स किरणें भी सम्मिलित होती हैं।

126. (a) एक पुष्प के परागकोष से पराग कणों की उसी जाति के आनुवंशिकीय रूप से भिन्न दूसरे पुष्प के वर्तिकाग्र पर स्थानान्तरित होने की प्रक्रिया पर निषेचन जीनोगैमी (Xenogamy) कहलाती है। इस परागण में दोनों पुष्प अलग-अलग पादपों पर लगे रहते हैं। एकलिंगी पादपों के पुष्पों में केवल पर-निषेचन ही सम्भव होता है।

127. (b) जर्मन पारिस्थितिकविद् एजेक्लेण्डर वॉन हम्बोल्ट (Alexander von Humboldt) के अनुसार, किसी भी क्षेत्र की सीमा बढ़ाने पर जातीय समृद्धि बढ़ती हैं, किन्तु एक निश्चित सीमा तक ही। इसके पश्चात् यह प्रतिस्पर्धा जैसे कारणों के कारण सीमित हो जाती है। इन्होंने दक्षिणी अमेरिका के वनों में अध्ययन एवं शोध कर जातीय-क्षेत्र सम्बन्ध सिद्धान्त का प्रतिपादन किया।

128. (a) चालनी नलिका (sieve tube) पादपों में पाए जाते हैं और इनका काम पोषक तत्वों और जल का परिवहन करना है। परिपक्व चालनी नलिका तत्वों में केन्द्रक और कोशिकाद्रव्यीय उपांग नहीं होते हैं। जब चालनी नलिका परिपक्व होते हैं, तो उनका केन्द्रक गायब हो जाता है। इसलिए, (a) कथन गलत है।

129. (c) पृथक किए गए प्रोटीन का शुद्धिकरण PCR (पॉलीमरेज श्रृंखला अभिक्रिया) का अनुप्रयोग नहीं है। PCR तकनीक का उपयोग सन्देहप्रद कैंसर रोगियों के जीन में होने वाले उत्परिवर्तनों का पता लगाने में, जीन (DNA) के प्रवर्धन (Amplification) एवं आनुवंशिक रोगों का पता लगाने अर्थात् उनके आण्विक निदान में किया जाता है।

130. (b) प्रत्येक अण्डाशय में बहुत से बीजाण्ड

131. (c) विकल्प (c) में दिया गया पुष्पसूत्र लिलिएसी का सही पुष्पसूत्र है। लिलिएसी कुल के पुष्प सहपत्री (Bracteate, Br), त्रितयी (Trimerous) एवं त्रिज्यासममित होते हैं। इनमें बाह्यदलपुंज एवं दलपुंज का अभाव होता है एवं इनके स्थान पर परिदलपुंज (P) दो चक्रों के रूप में पाया जाता है। पुमंग प्रायः दललग्न (PA) होते हैं।

132. (b) सॉरघम और अन्य C_4 पौधों में CO_2 का स्थिरीकरण ऑक्जेलोएसिटिक अम्ल (Oxaloacetic acid) के रूप में होता है। यह अम्ल CO_2 के साथ जुड़कर पहले उत्पाद के रूप में बनता है, और इसके बाद यह अन्य जैविक प्रक्रियाओं में परिवर्तित होता है।

133. (b) समुद्र में जीवभार का पिरामिड आमतौर पर उल्टा होता है, क्योंकि समुद्र में उत्पादकों (जैसे प्लांकटन) का वजन बहुत कम होता है, जबकि उपभोक्ताओं (जैसे मछलियाँ) का वजन ज्यादा होता है। इसलिए (b) कथन सही नहीं है।

134. (b) द्वितीयक उपाचयज (secondary metabolites) वे रासायनिक पदार्थ होते हैं जो पौधों द्वारा उनकी रक्षा, संचार या अन्य विशिष्ट कार्यों के लिए बनाए जाते हैं, जैसे कि मार्फीन, कोडीन, विनब्लेस्टीन आदि। वहीं, अमीनो अम्ल और ग्लूकोज प्राथमिक उपाचयज (primary metabolites) होते हैं, जो पौधों की सामान्य जीवित रहने की प्रक्रिया में उपयोग होते हैं। इसलिए (b) विकल्प सही है, क्योंकि अमीनो अम्ल और ग्लूकोस द्वितीयक उपाचयज नहीं हैं।

135. (d) 1'C पंच शर्करा

136. (d) ग्लाईसीन मैक्स या सोयाबीन लेग्यूमिनोसी कुल का एक दलहनी पादप है। इसके मूल में सहजीवी नाइट्रोजन स्थिरीकारक जीवाणु राइजोबियम पाया जाता है जो यहाँ ग्रन्थिकाएँ (Nodules) बनाकर रहता है। यह जीवाणु वायुमण्डलीय आण्विक N_2 को अवायवीय परिस्थितियों में नाइट्रोजिनेज एन्जाइम द्वारा नाइट्रेट में परिवर्तित कर देता है। यह स्थिर नाइट्रोजनी उत्पाद मूल ग्रन्थिकाओं से प्ररोह तक की लम्बी दूरी तय करने के लिए यूरिड्स (Ureides) के रूप में रूपान्तरित कर दिया जाता है। ये एलेन्टाइन एवं एलेन्टॉइक अम्ल के व्युत्पन्न होते हैं। इस कार्य में यूरिड परमिएज एन्जाइम सहायक होते हैं।

137. (a) परिपक्व अवस्था में एक प्रारूपी आवृतबीजी भ्रूणकोष 7-कोशिकीय एवं 8-केन्द्रकीय होता है। यह पॉलीगोनम (Polygonum) प्रकार का भ्रूणकोष होता है, जो 60% आवृतबीजी पादपों में पाया जाता है।

138. (b) जब एक व्यक्ति के ऊतकों में रोग (आनुवंशिक विकार) को ठीक करने के लिए जीन प्रवर्धन करते हुए एक जीन को लक्षित किया जाता है, तो इस प्रक्रिया को जीन चिकित्सा कहते हैं।

इस नई विधि की खोज सन् 1992 में इटली तथा अमेरिका के वैज्ञानिकों ने आनुवंशिक रोगों के नियन्त्रण हेतु की थी।

139. (a) जब गुणसूत्र बिन्दु (Centromere) गुणसूत्र की दो बराबर भुजाओं के मध्य में उपस्थित होता है, तो इस स्थिति को मध्यकेन्द्री (Metacentric) कहते हैं।

140. (c) 2,4-D (2, 4-डाइक्लोरोफिनॉक्सी एसीटिक एसिड) नामक ऑक्सिन का खरपतवारनाशी के रूप में प्रयोग किया जाता है। इसके प्रयोग में द्विबीजपत्री खरपतवार के जड़ की कोशिकाओं में अत्यधिक कोशिका विभाजन होता है। इससे जड़ विकृत (Distorted) हो जाती है, चालनी नलिकाएँ बन्द हो जाती हैं और अन्त में पादप की मृत्यु हो जाती है। गेहूँ, मक्का, जौ आदि के खेतों में पाए जाने वाली बड़ी पत्तियों वाले खरपतवार को इससे नष्ट किया जाता है।

141. (c) मज्जा किरणों (Pith rays) की कोशिकाएँ, जो कैम्बियम के वलय के भाग का निर्माण करती हैं, अन्तरापूलीय कैम्बियम (Inter fascicular cambium) कहलाती है।

142. (c) वर्तमान में कोशिकाओं के एक क्लोन में रेडियोधर्मी प्रोब से इसके सम्पूरक DNA का संकरण करने के बाद ऑटोरेडियोग्राफी (Autoradiography) जाँच के उपयोग द्वारा कैंसर उत्पन्न करने वाली उत्परिवर्तित जीन पता लगाना संभव है, क्योंकि उत्परिवर्तित जीन का DNA अनुक्रम परिवर्तित हो चुका होता है। इसके कारण प्रोब में इसका पूरक DNA अनुक्रम अनुपस्थित होता है एवं प्रोब DNA से नहीं जुड़ पाता है तथा ऑटोरेडियोग्राफी जाँच के दौरान उत्परिवर्तित जीन फोटोग्राफिक फिल्म पर दिखाई नहीं देता है। एक सूत्रीय DNA या RNA का सूक्ष्म खण्ड जिसमें रेडियोधर्मी अणुओं का प्रयोग किया जाता है, प्रोब (Probe) कहलाता है।

143. (c) चरघातांकी वृद्धि समीकरण Nt = N0 ert में "e" प्राकृतिक लघुगणक का आधार होता है। यह एक गणितीय निरंतरांक है, जिसका मान लगभग 2.718 होता है। इसे प्राकृतिक लघुगणक (Natural logarithm) के आधार के रूप में जाना जाता है, और यह चरघातांकी वृद्धि या गिरावट का प्रतिनिधित्व करता है।

144. (d) प्रकाश-संश्लेषण की प्रकाशिक अभिक्रिया में चक्रीय प्रकाश फॉस्फोरिलेशन में केवल प्रकाश तन्त्र I (PS-I) शामिल होता है, जबकि अचक्रीय प्रकाश फॉस्फोरिलेशन में प्रकाश तन्त्र-I एवं II (PS-I एवं II) दोनों शामिल होते हैं। ATP एवं NADPH + H^+ का संश्लेषण अचक्रीय प्रकाश फॉस्फोरिलेशन होता है, जबकि चक्रीय प्रकाश फॉस्फोरिलेशन में केवल ATP का संश्लेषण होता है, क्योंकि इनमें NADP का अभाव होता है। पीठिका (Stroma) लैमिली में NADP रिडक्टेज एन्जाइम का अभाव होता है एवं यह केवल PS-I में पाया जाता है। प्रकाश-संश्लेषण की प्रकाशिक अभिक्रिया (PS-I एवं PS-II) ग्रेना लैमिली में ही सम्पन्न होती है।

145. (b) इलेक्ट्रॉन परिवहन शृंखला (ETS) में क्रेब्स चक्र एवं ग्लाइकोलाइसिस (Glycolysis) से प्राप्त इलेक्ट्रॉन ग्राही या हाइड्रोजन ग्राही NADPH + H^+ एवं $FADH_2$ से क्रमश: ATPs के तीन एवं दो अणु प्राप्त होते हैं।

146. (d) रोजेसी, सोलेनेसी एवं लेग्यूमिनोसी कुल के सदस्यों के परागकणों की जीवन क्षमता (परागण पश्चात् जीवित बने रहने की अवधि) कई महीनों तक की होती है, जबकि पोएसी कुल के सदस्यों के पराग कणों में यह केवल 30 मिनट होती है।

147. (a) यह पोषी कोशिका का एम्पीसिलीन प्रतिरोध नहीं बना पाएगा।

148. (b) DNA अंगुलीछापी (Fingerprinting) में DNA अनुक्रम के कुछ विशिष्ट क्षेत्रों में अन्तर या भिन्नता की पहचान की जाती है। इन विशिष्ट क्षेत्रों को पुनरावृत्ति (Repetitive) DNA कहते हैं।

DNA फिंगरप्रिन्टिंग को DNA प्रोफाइलिंग या DNA टाइपिंग भी कहते हैं। इस तकनीकी में व्यक्ति के रुधिर, त्वचा, वीर्य, आदि के नमूने से DNA लेकर विश्लेषण किया जाता है और सही अपराधी का पता लगाया जा सकता है। DNA फिंगरप्रिन्टिंग की तकनीक को सर्वप्रथम एलेक्स जेफ्री (Alex Jeffery) तथा उसके सहयोगियों ने सन् 1985 में इंग्लैण्ड में विकसित किया था।

149. (d) एकबीजपत्री पादपों जैसे घास की पत्तियों की अभ्यक्ष या ऊपरी सतह में शिराओं के पास उपस्थित बड़ी, रंगहीन तथा बुलबुले–नुमा कोशिकाएँ आवर्ध त्वक् या बुलिफॉर्म कोशिकाएँ (Bulliform cells) कहलाती हैं। इन्हें चालक कोशिकाएँ भी (Motor cells) कहते हैं। ये कोशिकाएँ दिन के समय वाष्पोत्सर्जन की दर अधिक होने पर पत्तियों को मोड़कर पत्तियों के पृष्ठीय क्षेत्रफल को कम करती हैं। यह कार्य परासरण दाब के कारण इन कोशिकाओं की स्थिति (श्लथ या स्फीत) पर निर्भर करता है।

150. (d) राइबोसोमल RNA (*r* RNA) का संश्लेषण केन्द्रक के केन्द्रिका (Nucleolus) भाग में होता है। यह केन्द्रक में उपस्थित एक सघन गुणसूत्रीय क्षेत्र होता हैं, जिसकी खोज फेलिस फोन्टाना ने 1774 में की थी। यह *r*RNA संश्लेषण के साथ–साथ राइबोसोम के उपइकाइयों को जोड़ने तथा *t*RNA के रूपान्तरण में भी सहायक होता है।

जन्तु विज्ञान

151. (b) कोशिका में अन्त: झिल्लिका तन्त्र (Endomembrane system) में अन्त: प्रद्रव्यी जालिका, गॉल्जी सम्मिश्र, लयनकाय एवं रसधानी शामिल होते हैं, जो जीवद्रव्य के एक बड़े भाग को घेरे रहते हैं एवं परस्पर पदार्थों का आदान–प्रदान करने के साथ–साथ एक–दूसरे के कार्यों का सहयोग भी प्रदान करते हैं।

152. (a) पक्षियों जैसे नियोफ्रॉन में लम्बी अस्थियाँ खोखली एवं वातिल होती हैं, जोकि शरीर को हल्का कर उड़ान में सहायता करती है।

153. (c) यदि दोनों माता–पिता विषमयुग्मजी (heterozygous) हैं, तो संकरण के परिणामस्वरूप 25% संतति को आनुवंशिक रोग हो सकता है। दाँत्र कोशिका अरक्तता (Sickle cell anemia) एक गुणसूत्रीय विकार है, जो एक रिसेसिव गुणसूत्र के कारण होता है। जब दोनों माता–पिता में एक सामान्य (N) और एक रोगग्रस्त (n) एलील होता है, तो संतति में 25% संभावना होती है कि वह रोगग्रस्त होगी।

154. (a) तारककेन्द्र (Centriole) DNA की भाँति ही संश्लेषण प्रावस्था या S–प्रावस्था में द्विगुणित होता है। इसमें तारककेन्द्र में दो दूरस्थ सिरों पर दो प्राक् तारककेन्द्रों का निर्माण होता है।

155. (c) डॉबसन इकाई (DU) समतापमण्डल में ओजोन परत की मोटाई नापने प्रयुक्त होती है।

156. (d) मक्खी (मस्का डोमेस्टिका) कुल–मस्किडी का जन्तु है। जुगनू (Firefly) कुल–लैम्प्रिडी, टिड्डा कुल–एक्रिडिडी एवं कॉकरोच कुल–ब्लाटिडी का सदस्य है।

157. (b) रोग के लिए प्रतिरोधकता में सुधार करना बायोफोर्टीफिकेशन या फसलों में जैव प्रबलीकरण (Biofortification) का उद्देश्य नहीं है।

158. (c) PCR (पॉलीमरेज चेन रिएक्शन) में जीन प्रवर्धन के दौरान आरम्भ में उच्च तापमान के बने नहीं रहने की स्थिति में PCR का प्रथम चरण निष्क्रियकरण या विकृतिकरण (Denaturation) प्रभावित होता है। इस चरण में DNA के दोनों रज्जुकों को अलग करने के लिए इसमें उपस्थित हाइड्रोजन बन्धों को उच्च ताप (94° – 96°C) द्वारा तोड़ा जाता है, जोकि तापमान कम होने पर, सम्भव नहीं हो पाएगा एवं PCR प्रक्रिया प्रारम्भ ही नहीं होगी।

159. (c) T : 30, G: 20, C : 20

160. (b) LNG 20 (Levonorgestrel 20) एक हॉर्मोन मोचक अन्त: गर्भाशयी युक्ति (IUD) है, जो महिलाओं के गर्भाशय में लगाने के बाद प्रतिदिन 20 μg प्रोजेस्टेरॉन हॉर्मोन का स्रावण करती है। यह IUD लम्बे समय तक प्रयोग में आने वाली एक हॉर्मोनल गर्भ निरोधक युक्ति है, जो गर्भाशय एवं निकटवर्ती ऊतकों में हॉर्मोन की मात्रा बढ़ाती है, जबकि रुधिर में हॉर्मोन की मात्रा को कम करती है। इससे गर्भाशय में रोपण नहीं हो पाता है। CuT, Cu7 एवं मल्टीलोड 375 ताँबा (Cu^{2+}) मोचक IUDs है।

161. (c) माइस्थेनिया ग्रेविस (Myasthenia gravis) एक दीर्घकालिक स्वप्रतिरक्षा विकार है, जो तन्त्रिका–पेशीय सन्धि को प्रभावित करता है, जिससे कंकाली पेशियाँ कमजोर हो जाती हैं, इनमें शीघ्र थकान उत्पन्न होती है तथा गम्भीर स्थिति में इनमें पक्षघात या लकवा भी हो जाता है।

162. (c) ELISA (Enzyme Linked Immuno Sorbent Assay) HIV AIDS, हिपेटाइटिस–B जैसे रोगों की आरम्भिक पहचान हेतु प्रयुक्त आण्विक निदान तकनीक है। यह प्रतिजन–प्रतिरक्षी पारस्परिक क्रिया (Antigen-antibody interaction) के सिद्धान्त पर कार्य करता है। इसमें रोगजनकों (Pathogens) द्वारा उत्पन्न संक्रमण प्रतिजन (प्रोटीन्स, ग्लाइकोप्रोटीन्स, आदि) की उपस्थिति या रोगजनकों के विरुद्ध संश्लेषित प्रतिरक्षी की पहचान के आधार पर की जाती है।

163. (a) विषाणुजनित यौन संचारित रोग (STD) जननिक हर्पीज या परिसर्प, यकृतशोथ–B या हिपेटाइटिस B तथा HIV-AIDS पूर्ण रूप से उपचारित रोग नहीं हैं। ये तीनों प्राणघातक रोग है, जिनका संक्रमण प्रमुखतया संक्रमित व्यक्ति से असुरक्षित यौन सम्बन्ध बनाने से होता है। क्लैमाइडियासिस, सुजाक (Gonorrhoea) एवं सिफिलिस जीवाणु जनित STD हैं, जबकि ट्राइकोगोनिएसिस प्रोटोजोअन जनित STD है। ये चारों प्रतिजैविकों द्वारा ठीक होने वाले रोग हैं।

164. (d) लक्षित कोशिकाओं से पृथक किए गए DNA को परखनली में से काँच की छड़ के द्वारा पृथक करना स्पूलिंग (Spooling) कहलाता है।

इसके लिए सर्वप्रथम कोशिका को पीसकर उसके प्रोटीन, वसा, RNA आदि भागों को एन्जाइमों द्वारा अपघटित करवाकर तन्तुनुमा, श्वेत, चमकीला एवं महीन DNA प्राप्त या अवक्षेपित किया जाता है।

165. (a) फलमक्खी की प्रत्येक कोशिका में $2n$ = 8 गुणसूत्र है तथा समसूत्री विभाजन की G_1-अवस्था में भी इतने ही गुणसूत्र उपस्थित हैं। इस स्थिति में S–अवस्था के बाद भी गुणसूत्रों की संख्या समान अर्थात् 8 ही होगी, क्योंकि S–अवस्था में DNA द्विगुणन पश्चात् गुणसूत्र प्रतिकृतित होकर दो समजात क्रोमेटिड को उत्पन्न करते हैं, जोकि उनके काइनेटोकोर (Kinetochore) से ही जुड़े रहते हैं।

166. (a) DNA फिंगरप्रिंटिंग और मानव जीनोम के मानचित्र में DNA के क्रमों में बहुरूपता (polymorphism) का उपयोग किया जाता है। बहुरूपता का मतलब है कि DNA में कुछ ऐसे स्थान होते हैं जहां विभिन्न व्यक्तियों में परिवर्तन होते हैं, और इन परिवर्तनों का अध्ययन कर के व्यक्तिगत पहचान और आनुवंशिक मानचित्र तैयार किया जाता है।

167. (b) इरिथ्रोब्लास्टोसिस फीटेलिस (Erthroblastosis Foetalis) माता के Rh^- एवं भ्रूण के Rh^+ होने पर उत्पन्न होती है।

इसका अध्ययन लेवाइन (Levine), लैण्डस्टीनर (Landsteiner) तथा वीनर (Weiner) द्वारा किया गया।

168. (a) सभी कशेरुकी जन्तु (वर्टीब्रेट) कॉर्डेट होते हैं, किन्तु सभी कॉर्डेट वर्टीब्रेट नहीं होते हैं, क्योंकि

वर्टीब्रेट्स में वयस्क में नोटोकार्ड कशेरुक दण्ड या मेरुरज्जु द्वारा प्रतिस्थापित हो जाती है। संघ कॉर्डेटा के तीन उपसंघ हैं। यूरोकॉर्डेटा, सिफैलोकॉर्डेटा एवं वर्टीबेटा। कशेरुकदण्ड केवल वर्टीब्रेट में ही पाया जाता है।

169. (a) चोट लगने पर बहते हुए रुधिर को रोकने के लिए चोटग्रस्त भाग पर रुधिर के थक्के के निर्माण हेतु थ्रोम्बिन एन्जाइम निष्क्रिय फाइब्रिनोजन (Fibrinogen) को सक्रिय फाइब्रिन में परिवर्तित करता है।

170. (d) ड्रग-रिसिन युग्म गलत है।

171. (d) AB रुधिर वर्ग वाले व्यक्ति में RBCs पर दोनों प्रकार के प्रतिजन A एवं B पाए जाते हैं अत: इनमें प्लाज्मा में दोनों प्रकार की प्रतिरक्षी एण्टी-A एवं एण्टी-B अनुपस्थित होती हैं। जिस कारण किसी भी प्रकार का रुधिर देने पर इनमें प्रतिजन प्रतिरक्षा क्रिया नहीं हो पाती है एवं AB रुधिर वर्ग सर्वग्राही कहलाता है।

172. (a) मध्यान्त्र एवं पश्चान्त्र के सन्धि स्थल पर जठरीय अंधनाल का एक वलय होता है।

173. (b) असीमकेन्द्रकी या प्रोकैरियोटिक जीवों में अनुलेखन में प्रारम्भन, दीर्घीकरण एवं समापन का कार्य केवल एक ही एन्जाइम द्वारा सम्पन्न किया जाता है एवं इसका नाम DNA आधारित (निर्भर) RNA पॉलीमरेज एन्जाइम है। यूकैरियोटिक जीवों में यह कार्य तीन प्रकार के DNA आधारित RNA पॉलीमरेज-I, II एवं III करते हैं।

174. (a) वायु कूपिकाओं (Air alveoli) में गैसों के विनिमय के समय विसरण स्थल पर ऑक्सीजन (O_2) एवं कार्बन डाइऑक्साइड (CO_2) का आंशिक दाब pO_2 = 104 mm Hg एवं pCO_2 = 40 mm Hg होता है।

यही दाब धमनी एवं ऊतकों के मध्य pO_2 = 95 mm Hg एवं pCO_2 = 40 mm Hg होता है तथा शिरा एवं ऊतकों के मध्य pO_2 = 40 mm Hg एवं pCO_2 = 45 mm Hg होता है।

175. (a) गाय में उच्च अण्डोत्सर्जन के लिए LH जैसी क्रिया वाला हॉर्मोन दिया जाता है।

176. (d) गुच्छीय निस्यन्दन (glomerular filtration rate, GFR) की दर में कमी के कारण गुच्छीय अंगों में रेनिन की स्रावन क्रियाशील होती है। रेनिन के स्राव से एंजियोटेंसिन-II का निर्माण होता है, जो रक्तचाप को नियंत्रित करने में मदद करता है। यह एक महत्वपूर्ण रासायनिक प्रतिक्रिया है जो किडनी में रक्त प्रवाह को नियंत्रित करती है।

177. (b) परानुकम्पी तन्त्रिका संकेत हृदयी निकास अर्थात् प्रति मिनट हृदय से निष्कासित या पम्प होने वाली रुधिर की मात्रा में कमी करते हैं। प्राय: स्वस्थ मानव का हृदयी निर्गत 5 लीटर/मिनट होता है। परानुकम्पी तन्त्रिकाएँ ऊर्जा संरक्षण हेतु हृदय स्पन्दन दर को धीमा कर हृदय को आराम की दशा में लाती है।

178. (d) निकट अन्त:प्रजनन के कारण जीन की विविधता कम होती है, जिससे संतति की जनन क्षमता और उत्पादकता में कमी हो सकती है। यह समय के साथ आनुवंशिक विकारों को उत्पन्न करने का कारण भी बनता है, जिससे प्रजनन क्षमता में गिरावट आती है।

179. (a) कोन्ड्रियोसाइट्स (chondrocytes) वह कोशिकाएँ होती हैं जो उपास्थि (cartilage) का निर्माण करती हैं, जबकि चिकनी पेशी कोशिकाएँ (smooth muscle cells) मांसपेशियों की कोशिकाएँ होती हैं। इन दोनों का कार्य और संरचना बिल्कुल अलग होती है। "कोन्ड्रियोसाइट्स-चिकनी पेशी कोशिकाएँ" का मिलान गलत है क्योंकि इन दोनों का संबंध एक ही ऊतक से नहीं है।

180. (a) जैव संसाधनों के अनाधिकृत शोषण या दोहन को रोकने के लिए बनाए गए नियमों एवं कानूनों को जैव एकस्व या जैव पेटेन्ट (Bio-Patent) कहते हैं। जैव पेटेन्ट के अंतर्गत कोई व्यक्ति या संस्था किसी जैविक पदार्थ के उत्पादन का एकमात्र अधिकार प्राप्त कर लेता है। इस तरह उसके अतिरिक्त कोई व्यक्ति या संस्था उस वस्तु का उत्पादन नहीं कर सकता है।

General English

181. (a) 'He was younger than his brother,' is the grammatically correct version of 'He was youngest than his brother'

182. (c) The word "enthusiastic" means being eager or excited. The most appropriate antonym in the list is "casual," which refers to a relaxed, indifferent, or nonchalant attitude, the opposite of being enthusiastic. "Obsessed" and "anxious" are more related to intense emotions, but they don't serve as true antonyms in this context. "Inclined" means having a tendency or preference, which isn't a direct opposite of "enthusiastic."

183. (b) 'Bleak' means without hope. 'Gloomy' from the given sentence is the most appropriate synonym of 'Bleak' as it means unhappy and without hope.

184. (c) The correct spelling is "contestants," which refers to people who compete in a contest or competition. The other options are misspellings.

185. (c) PORQ

186. (a) 'Empire'

187. (d) Recognisable'

188. (c) animator

189. (a) "Striking" refers to something that is visually impressive or noticeable, making it the most appropriate word. "Crossing" refers to moving across, "bewitching" means enchanting or captivating, and "possessing" relates to having ownership, none of which fit the context as well as "striking" does.

190. (a) Apparently'

सामान्य ज्ञान

191. (a) कपिल देव को वर्ष 1982 में पद्मश्री पुरस्कार से सम्मानित किया गया था। कपिल देव वर्ष 1983 में विश्व कप जीतने वाले टीम के कप्तान थे। उन्हीं की कप्तानी में भारत ने वर्ष 1983 में वेस्ट इंडीज को हराकर विश्व कप जीता था।

इसके अतिरिक्त इन्हें वर्ष 2002 में विजडन द्वारा सदी के भारतीय क्रिकेटर के रूप में चुना गया। 11 मार्च 2010 को इन्हें ICC क्रिकेट हॉल ऑफ फेम में शामिल किया गया था। इनका जन्म 6 जनवरी, 1959 को हरियाणा में हुआ था।

192. (c) वित्तीय रूप से व्यवहार्य और आत्मनिर्भर MFIs अधिक संसाधनों को आकर्षित करने और अपने ग्राहकों के लिए सेवाओं का विस्तार करने की क्षमता को बढ़ाती है। माइक्रो फाइनेंसिंग को बांग्लादेशी नोबेल विजेता मुहम्मद यूनुस द्वारा प्रतिपादित किया गया था। भारत में ₹ 1 लाख से कम के सभी ऋणों को माइक्रो लोन या सूक्ष्म ऋण माना जा सकता है।

193. (b) लोकप्रिय राग 'मिया की मल्हार' की रचना का श्रेय तानसेन को दिया जाता है। तानसेन अकबर के नौ रत्नों में शामिल थे। 'मिया की मल्हार' एक मानसून राग है। यह राग मानसून का स्वागत करने के लिए गाया जाता है।

194. (a) स्वामी विवेकानन्द, रामकृष्ण परमहंस के शिष्य थे। स्वामी विवेकानन्द का जन्म 12 जनवरी, 1863 तथा मृत्यु 4 जुलाई, 1902 को हुई थी। उन्होंने अमेरिका स्थित शिकागो में सन् 1893 ई. में आयोजित विश्व धर्म सभा में भारत की ओर से सनातन धर्म का प्रतिनिधित्व किया था। उन्होंने रामकृष्ण मिशन की स्थापना वर्ष 1897 ई. में की थी जो अभी भी कार्यरत है।

195. (b) भारतीय संविधान का अनुच्छेद 3 नए राज्यों के गठन और मौजूदा राज्यों के क्षेत्रों, सीमाओं या नामों में परिवर्तन से संबंधित है। यह संसद को किसी भी राज्य से क्षेत्र के अलग होने या दो या दो से अधिक राज्यों या राज्यों के कुछ हिस्से को एकजुट करके एक नया राज्य बनाने का अधिकार देता है।

196. (c) समष्टि आर्थिक प्रदर्शन का सबसे सामान्यत: उपयोग किया जाने वाला संकेतक प्रतिव्यक्ति सकल राष्ट्रीय उत्पाद होता है। प्रति व्यक्ति सकल घरेलू उत्पाद की गणना देश के सकल घरेलू उत्पाद को देश की कुल जनसंख्या से विभाजित करके की जाती है।

उल्लेखनीय है कि समष्टि अर्थशास्त्र में किसी भी समग्र अर्थव्यवस्था के समग्र चरों; जैसे राष्ट्रीय आय,

रोजगार, मूल्य ह्रास, बचत विनियोग, भुगतान शेष आदि का अध्ययन किया जाता है।

197. (b) अवध रियासत का संबंध मुख्य रूप से कथक से है। कथक शब्द का अर्थ कथा को नृत्य के रूप में कथन करना है। प्राचीन काल में इसे कुशिलव के नाम से जाना जाता था। कथक उत्तर भारतीय शास्त्रीय नृत्य है। इस नृत्य के तीन प्रमुख घराने जयपुर घराना [कछवा राजपूत], लखनऊ घराना [अवध नवाब] तथा वाराणसी घराना हैं।

198. (d) आर्थिक पर्यावरण लेखांकन प्रणाली में अर्थव्यवस्था और पर्यावरण के बीच अन्तर्सम्बन्धों का विश्लेषण संयुक्त राष्ट्र सांख्यिकी कार्यालय द्वारा प्रस्तुत किया गया था। संयुक्त राष्ट्र सांख्यिकी आयोग की स्थापना वर्ष 1947 में की गई थी। यह आयोग संयुक्त राष्ट्र सांख्यिकी प्रभाव (यू एन एस डी) के काम की देखरेख करता है। इसका मुख्यालय न्यूयॉर्क में है। इसमें 24 सदस्य देश शामिल हैं जो आर्थिक और सामाजिक परिषद् द्वारा भौगोलिक वितरण के आधार पर चुने जाते हैं तथा इसके सदस्यों का कार्यकाल 4 वर्ष का होता है।

199. (a) मुगल प्रशासन के सम्बन्ध में 'मीर सामान' को शाही घराने की देखभाल का प्रभार दिया गया था। इसके अतिरिक्त 'मीर बख्शी' सैन्य विभाग का सर्वोच्च अधिकारी होता था। 'मीर-ए-आतिश' शाही तोपखाने का प्रधान था तथा 'मीर-ए-बाहरी' जल सेना का प्रधान होता था। इसका प्रमुख कार्य शाही नौकाओं की देखभाल करना था।

200. (a) 8 देश SAARC का हिस्सा हैं। सार्क संगठन के अंग्रेजी नाम-साउथ एशिया एसोसिएशन फॉर रीजनल कोऑपरेशन है। इसके सदस्य देशों में अफगानिस्तान, बांग्लादेश, भूटान, भारत, मालदीव, नेपाल, पाकिस्तान और श्रीलंका शामिल हैं। इस संगठन का मुख्य उद्देश्य दक्षिण एशिया में आपसी सहयोग में शांति और प्रगति हासिल करना है। सार्क की स्थापना बांग्लादेश के ढाका में 8 दिसम्बर, 1985 में हुई थी। इसका मुख्यालय काठमाण्डू नेपाल में है।

❑❑❑

प्रैक्टिस सेट्स

प्रैक्टिस सेट–1

भौतिक विज्ञान

1. किसी नाव पर अधिकतम 1000 किग्रा का भार रख सकता है। खाली नाव का $\frac{1}{5}$ भाग पानी में डूबता है। नाव का भार है–

(a) 150 किग्रा (b) 250 किग्रा

(c) 500 किग्रा (d) 100 किग्रा

2. एक पत्थर 80 मीटर गहरे कुएं में गिराया जाता है। पानी टकराने पर उत्पन्न ध्वनि 4.24 सेकण्ड बाद सुनी ध्वनि का वेग है– ($g = 10$ मी/से^{2})

(a) 310.33 मी./से.

(b) 320 मी./से.

(c) 330 मी./से.

(d) 333.33 मी./से.

3. दों समतल दर्पणों के बीच रखे फूल के कुल 11 प्रतिबिम्ब बनते हैं। दर्पणों के बीच कोण है–

(a) 30° (b) 60°

(c) 72° (d) 36°

4. बरनौली का सिद्धान्त आधारित है–

(a) कोणीय संवेग संरक्षण के नियम पर

(b) रेखीय संवेग संरक्षण के नियम पर

(c) द्रव्यमान संरक्षण के नियम पर

(d) ऊर्जा संरक्षण के नियम पर

5. पानी में वस्तुओं की दूरी, दिशा और वेग को मापने के लिए प्रयुक्त होता है–

(a) राडार (b) सोनार

(c) पुकर (d) इनमें से कोई नहीं

6. एक लेन्स की शक्ति, जिसको 40 सेमी फोकस दूरी के अभिसारी लेन्स से संयोजन पर 6 डायोप्टर शक्ति का संयोजन बने, है–

(a) 16.66 डायोप्टर (b) 34 डायोप्टर

(c) 2.5 डायोप्टर (d) 3.5 डायोप्टर

7. कार चालक द्वारा पीछे से आ रहे यातायात पर नजर रखने के लिए किस दर्पण का प्रयोग किया जाता है?

(a) समतल-उत्तल (b) अवतल

(c) उत्तल (d) समतल

8. एक टेलीफोन का विशिष्ट प्रतिरोध 4.2 माइक्रो ओम सेमी है। यदि तार का व्यास 1 सेमी है, तो 3.3 किमी तार का प्रतिरोध ओम में होगा–

(a) 1.764 ओम (b) 1.386 ओम

(c) 168.46 ओम (d) इनमें से कोई नहीं

9. 3 किग्रा तांबे का तापमान 0°C से 10°C तक बढ़ाने में उतनी कैलोरी ऊष्मा की आवश्यकता होती है, जितनी कि 1 किग्रा सीसे का तापमान 10°C से बढ़कर 100°C तक करने की आवश्यकता होती है। यदि तांबे की विशिष्ट ऊष्मा 0.09 कैलोरी/किग्रा$^\circ$C है, तो सीसे की विशिष्ट ऊष्मा होगी–

(a) 0.27 कैलोरी/किग्रा$^\circ$C

(b) 0.01 कैलोरी/किग्रा$^\circ$C

(c) 0.03 कैलोरी/किग्रा$^\circ$C

(d) उपरोक्त में से कोई नहीं

10. सूर्य की कोर गैसों से बनी है जिनका औसत परमाणु भार 2 है। उसका घनत्व एवं दाब क्रमशः 1.4 ग्राम/सेमी^{3} तथा 1.12×10^9 वायुमण्डल है। सूर्य का तापमान है–

(a) 67.6×10^7 K

(b) 28672 K

(c) 1.95×10^7 K

(d) उपरोक्त में से कोई नहीं

11. आकाशीय बिजली की चमक देखने और उसकी आवाज सुनने में 2.5 सेकण्ड का अन्तर है। यदि ध्वनि की गति तथा प्रकाश की गति क्रमशः 332 मी/से तथा 30000 किमी/से है, तो बिजली के चमक के स्थान की दूरी लगभग है–

(a) 1660 मी (b) 830 मी

(c) 74170 मी (d) 415 मी

12. +6D तथा –1D क्षमता वाले दो लेन्सों को एक-दूसरे के साथ जोड़कर रखा जाता है। इस प्रकार बने लेन्स युग्म की फोकस दूरी होगी–

(a) 20 सेमी (b) 5 सेमी

(c) 10 सेमी (d) 4 सेमी

13. एक दिष्टधारा जनित्र के आर्मचर से प्रेरित विद्युत वाहक बल होगा–

(a) AC

(b) उच्चवचन DC

(c) AC तथा DC दोनों

(d) DC

14. विद्युत चुम्बकीय प्रेरण में विद्युत वाहक बल समानुपाती होता है–

(a) चुम्बकीय फ्लक्स के

(b) परिपथ के प्रतिरोध के

(c) चुम्बकीय फ्लक्स में परिवर्तन के

(d) चुम्बकीय फ्लक्स की परिवर्तन की ऋणात्मक दर के

15. स्थायी साम्य की स्थिति में किसी वस्तु में होगी–

(a) अधिकतम स्थितिज ऊर्जा

(b) न्यूनतम स्थितिज ऊर्जा

(c) अधिकतम गतिज ऊर्जा

(d) न्यूनतम गतिज ऊर्जा

16. एक संयुक्त सूक्ष्मदर्शी के अभिदृष्य के द्वारा I_o प्रतिबिम्ब बनता है और नेत्रिका द्वारा I_e प्रतिबिम्ब बनता है, तो–

(a) I_o काल्पनिक है और I_e वास्तविक

(b) I_o वास्तविक है और I_e काल्पनिक

(c) I_o और I_e दोनों वास्तविक हैं

(d) I_o और I_e दोनों काल्पनिक हैं

17. 100 किग्रा का एक व्यक्ति लिफ्ट में खड़ा है। यदि लिफ्ट 8 मी/से^{2} के त्वरण से नीचे की ओर जा रही है, तो व्यक्ति पर लगने वाला बल होगा–

(a) 20 न्यूटन
(b) 40 न्यूटन
(c) 60 न्यूटन
(d) उपरोक्त में से कोई नहीं

18. यदि 125 मी गहरे कुएं में एक पत्थर गिराने पर उसके पानी में छपाक की ध्वनि, गिराने के समय के 5.4 सेकण्ड के बाद सुनाई पड़ती है तो वायु में ध्वनि की गति होगी– ($g = 10$ मी/से^{2})

(a) 312.5 मी/से (b) 320 मी/से
(c) 330 मी/से (d) 340 मी/से

19. 2.2 ग्राम CO_2 प्राप्त करने के लिए $CaCO_3$ के कितने भार की आवश्यकता होगी?

(a) 5 ग्राम (b) 10 ग्राम
(c) 15 ग्राम (d) 50 ग्राम

20. एक प्रकाश किरण द्वारा पृथ्वी से चन्द्रमा तक पहुँचने में कितना समय लगेगा?

(a) 2 सेकण्ड (b) 1.4 सेकण्ड
(c) 8 मिनट (d) 1.16 सेकण्ड

21. एक मनुष्य की स्वस्थ आंख के लिए 'निकट बिन्दु' है–

(a) 25 मी (b) 17 मी
(c) 1 मी (d) 25 सेमी

22. कार के इंजन को ठण्डा रखने के लिए, रेडिएटर में जल का प्रयोग किया जाता है, क्योंकि-

(a) जल की विशिष्ट ऊष्मा अधिक है।
(b) जल का घनत्व अधिक है।
(c) जल का पृष्ठ-तनाव कम है।
(d) जल घनत्व कम है।

23. 1 किलोवॉट/घण्टा के बराबर है–

(a) 36×10^5 जूल
(b) 36×10^3 जूल
(c) 10^3 जूल
(d) 10^5 जूल

24. यदि पृथ्वी तथा सूर्य के बीच की दूरी *r* है तो पृथ्वी का सूर्य के चारों ओर कोणीय संवेग अनुक्रमानुपाती होगा-

(a) $\sqrt{r}$ के
(b) $r^{3/2}$ के
(c) r के
(d) उपरोक्त में से कोई नहीं

25. निम्न में से किस रंग के लिए विचलन कोण न्यूनतम होगा?

(a) लाल (b) पीला
(c) बैंगनी (d) सफेद

26. सेलों के संयोग से अधिकतम धारा प्राप्त करने के लिए सेलों को जोड़ा जाना चाहिए-

(a) श्रेणीक्रम में
(b) समान्तर क्रम में
(c) आन्तरिक और बाह्य प्रतिरोध के मान पर निर्भर करेगा
(d) मिश्रित क्रम में

27. एक एंग्स्ट्रॉम का मान माइक्रॉन में होता है–

(a) $10^{-4}\mu$ (b) $10^{4}\mu$
(c) $10^{-6}\mu$ (d) $10^{6}\mu$

28. एक वर्ग ABCD के चारों बिन्दुओं पर क्रमशः –5 कूलॉम, + 3 कूलॉम, + 5 कूलॉम तथा -3 कूलॉम आवेश के कण हैं, तो वर्ग के केंद्र पर स्थित एक कूलॉम आवेश पर लगने वाला बल होगा–

(a) शून्य (b) + 2
(c) – 2 (d) –3

29. जब ताप-युग्मों की एक संख्या को श्रेणीक्रम में जोड़ा जाता है, तो ताप विद्युत वाहक बल-

(a) घटता है
(b) बढ़ता है
(c) शून्य रहता है
(d) समान रहता है

30. एक मनुष्य को समतल दर्पण में अपना प्रतिबिम्ब 10 सेमी/मिनट की चाल से पीछे हटता हुआ प्रतीत होता है। दर्पण के पीछे हटने की चाल होगी–

(a) 4 सेमी/मिनट (b) 5 सेमी/मिनट
(c) 6 सेमी/मिनट (d) 7 सेमी/मिनट

31. 6 किग्रा. तांबे का तापमान 10 °C से 20 °C तक बढ़ाने में उतनी ही ऊष्मा (कैलोरी में) की आवश्यकता होती है, जितनी कि 3 किग्रा सीसे का तापमान 20 °C से 100 °C तक करने में होती है। यदि ताँबे की विशिष्ट ऊष्मा 0.09 हो, तो सीसे की विशिष्ट ऊष्मा होगी–

(a) 0.044 (b) 0.033
(c) 0.022 (c) 0.055

32. यदि पृथ्वी की त्रिज्या 4% सिकुड़ जाए तथा द्रव्यमान में कोई परिवर्तन न हो, तो गुरुत्वीय त्वरण के मान में परिवर्तन होगा–

(a) 16% (b) 8%
(c) 2% (d) 4%

33. दो प्रतिरोध जब श्रेणी क्रम में संयोजित किए जाते हैं, तो 50 ओम मान का प्रतिरोध प्रदान करते हैं तथा जब उन्हें समान्तर क्रम में जोड़ते हैं, तो 8 ओम का प्रतिरोध प्रदान करते हैं। इन प्रतिरोधों का मान होगा–

(a) 21 ओम और 29 ओम
(b) 10 ओम और 40 ओम
(c) 20 ओम और 30 ओम
(d) 15 ओम और 35 ओम

34. एक गोलीय दर्पण और एक पतला गोलीय लेन्स प्रत्येक की फोकस दूरी –15 सेमी है। दर्पण एवं लेन्स होंगे–

(a) अवतल और उत्तल
(b) दोनों उत्तल
(c) दोनों अवतल
(d) उत्तल और अवतल

35. 10 कूलॉम आवेश को अनन्त से एक दूसरे आवेश के समीप बिन्दु P तक लाने में 200 जूल कार्य करना पड़ता है। बिन्दु P पर विद्युत विभव होगा–

(a) 200 वोल्ट (b) 100 वोल्ट
(c) 20 वोल्ट (d) 10 वोल्ट

36. एक वस्तु 12 सेमी फोकस दूरी के उत्तल लेन्स के सामने स्थित है। यदि वास्तविक प्रतिबिम्ब का आकार, वस्तु के आकार का आधा हो, तो वस्तु की लेन्स से दूरी होगी–

(a) 48 सेमी (b) 26 सेमी
(c) 36 सेमी (d) 30 सेमी

37. एक पत्थर 20 मी की ऊँचाई से गिराया जाता है। गिरने के दौरान पत्थर का वेग 10 मी/से^{2} की दर से बढ़ता है। जमीन पर टकराते समय पत्थर का वेग एवं लगा समय होगा–

(a) 20 मी/से, 20 सेकेण्ड
(b) 10 मी/से, 2 सेकेण्ड
(c) 10 मी/से, 20 सेकेण्ड
(d) 20 मी/से, 2 सेकेण्ड

38. एक विद्युत क्षेत्र में किसी बिन्दु पर विद्युत क्षेत्र की तीव्रता 30 न्यूटन/कूलॉम है। इस बिन्दु पर 20 कूलॉम के आवेश पर लगने वाला बल होगा–

(a) 20 न्यूटन
(b) 300 न्यूटन
(c) 30 न्यूटन
(d) 600 न्यूटन

39. चित्र में दर्शाए गये परिपथ में बिन्दुओं A व B के बीच विभवान्तर होगा

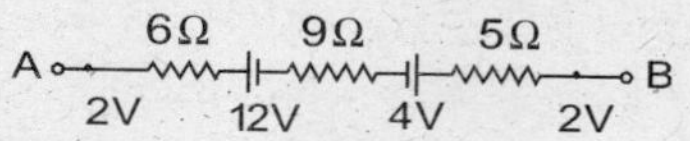

(a) 24 वोल्ट (b) 14 वोल्ट
(c) 32 वोल्ट (d) 48 वोल्ट

40. एक प्रोटॉन 2500 न्यूटन/एम्पियर–मी वाले चुम्बकीय क्षेत्र में 4×10^5 मी/से के वेग से क्षेत्र के समान्तर प्रवेश करता है। प्रोटॉन पर आरोपित बल का मान होगा–

(a) 4.8×10^{-10} न्यूटन
(b) 0.48×10^{-10} न्यूटन
(c) 0 न्यूटन
(d) 4.8×10^{10} न्यूटन

41. 60 °C ताप के 100 ग्राम पानी को 95 °C ताप वाले 180 ग्राम पानी में मिलाया जाता है, तो मिश्रण का परिणामी ताप होगा–

(a) 80 °C (b) 82.5 °C
(c) 85 °C (d) 77.5 °C

42. दो असमान समान्तर बल 2 न्यूटन और 16 न्यूटन एक 21 सेमी लम्बी छड़ के सिरों पर कार्य कर रहे हैं। बड़े बल से उस बिन्दु की दूरी होगी जहाँ पर उक्त दोनों बलों का परिणामी बल कार्य करेगा–

(a) 2.3 सेमी (b) 2 सेमी
(c) 1 सेमी (d) 4 सेमी

43. 500 हर्ट्ज आवृत्ति एवं 80 सेमी तरंगदैर्ध्य की एक ध्वनि तरंग को 1 किमी दूरी तय करने में समय लगेगा–

(a) 2.5 मिनट (b) 2.5 सेकेण्ड
(c) 25 सेकेण्ड (d) 25 मिनट

44. एक 4.0 सेमी आकार की वस्तु अवतल दर्पण जिसकी फोकस दूरी 15 सेमी है, के सम्मुख 25.0 सेमी दूरी पर स्थित है। दर्पण से किस दूरी पर एक पर्दा रखा जाए कि वस्तु का तीक्ष्ण प्रतिबिम्ब बन सके?

(a) +25.5 सेमी (b) +25 सेमी
(c) –37.5 सेमी (d) –35.5 सेमी

45. दो द्रव्यमान जो एक–दूसरे से निश्चित दूरी पर स्थित हैं, के बीच में गुरुत्वाकर्षण बल P न्यूटन है। इन्हीं दोनों द्रव्यमानों को पानी में एक–दूसरे से समान दूरी पर रखने पर गुरुत्वाकर्षण बल Q न्यूटन हो, तब–

(a) $P > Q$ (b) $P = Q$
(c) इनमें से कोई नहीं (d) $P < Q$

46. एक L-C-R परिपथ के सिरों के बीच 100 वोल्ट का प्रत्यावर्ती विभव लगाया गया है। परिपथ में प्रेरण प्रतिघात X_L = 20 ओम, धारितीय प्रतिघात X_C = 20 ओम तथा प्रतिरोध R = 5 ओम है। परिपथ की प्रतिबाधा होगी–

(a) 45 ओम (b) 15 ओम
(c) 5 ओम (d) 20 ओम

47. काँच के एक प्रिज्म में बैंगनी, लाल एवं हरे प्रकाश का वेग क्रमशः V_V, V_R, V_G हैं, तो निम्न में से कौन–सा सम्बन्ध सही है?

(a) $V_V = V_R = V_G$
(b) $V_V < V_G < V_R$
(c) $V_V < V_R < V_G$
(d) $V_V > V_R > V_G$

48. 4 ओम प्रतिरोध में प्रति सेकण्ड 100 जूल ऊष्मा उत्पन्न की जाती है। प्रतिरोध के सिरों पर विभवान्तर होगा–

(a) 100 वोल्ट (b) 40 वोल्ट
(c) 20 वोल्ट (d) 50 वोल्ट

49. एक कण 1 मी त्रिज्या के वृत्ताकार पथ पर एकसमान चाल से गति कर रहा है। कण द्वारा आधा चक्कर लगाने में चली गई दूरी एवं विस्थापन में अनुपात होगा–

(a) $\pi : 1$ (b) $\pi : 2$
(c) $2 : \pi$ (d) $1 : 1$

50. एक 20 फेरों की कुण्डली से बद्ध चुम्बकीय फ्लक्स 1 सेकेण्ड में 0.3 वेबर से घटकर शून्य रह जाता है, तो कुण्डली के सिरों के बीच प्रेरित विद्युत वाहक बल (e.m.f.) होगा–

(a) 6 वोल्ट (b) 1.5 वोल्ट
(c) 2.5 वोल्ट (d) 3 वोल्ट

51. 2000 किग्रा की एक कार 18 किमी/घण्टा के वेग से चल रही है। कार को रोकने में कार्य करना होगा–

(a) 2.5×10^3 जूल
(b) 2.5×10^4 जूल
(c) 2.5×10^6 जूल
(d) 2.5×10^5 जूल

52. 6 किग्रा द्रव्यमान का एक लकड़ी का ब्लॉक घर्षण बल F के विरुद्ध 54 न्यूटन बल द्वारा एक खुरदरी सतह पर खींचा जाता है। ब्लॉक का त्वरण 6 मी/से^{2} हो, तो घर्षण बल F का मान होगा–

(a) 9 न्यूटन (b) 54 न्यूटन
(c) 36 न्यूटन (d) 18 न्यूटन

53. एक संधारित्र की धारिता 3μF है। यदि इसमें 108 μC का आवेश हो, तो संधारित्र की प्लेटों के बीच विभवान्तर होगा–

(a) 24 वोल्ट (b) 224 वोल्ट
(c) 36 वोल्ट (d) 324 वोल्ट

54. एक पिण्ड का हवा में द्रव्यमान 75 ग्राम है। अज्ञात द्रव में पूर्ण रूप से डुबोने पर 51 ग्राम तथा पानी में 67 ग्राम है। अज्ञात द्रव का घनत्व है–

(a) 4 ग्राम/सेमी^{3} (b) 3 ग्राम/सेमी^{3}
(c) 6 ग्राम/सेमी^{3} (d) 8 ग्राम/सेमी^{3}

55. किसी छात्र द्वारा सरल लोलक का प्रयोग करते समय गणना द्वारा g का मान 9.92 मी/से^{2} प्राप्त होता है; जबकि g का प्रामाणिक मान 9.80 मी/से^{2} है, तो g के मान के आकलन में प्रतिशत त्रुटि होगी–

(a) 1.32% (b) 1.22%
(c) 1.12% (d) 1.42%

56. यदि किसी वस्तु का द्रव्यमान *m* kg है तथा वेग *v* मी/से है। तो इसकी गतिज ऊर्जा (*k*) है–

(a) $K = \frac{1}{2}mv^2$
(b) $K = \frac{1}{2}mv$
(c) $K = \frac{2}{mv^2}$
(d) इनमें में कोई नहीं

57. श्वेत प्रकाश को कहा जा सकता है?

(a) मोनोक्रोमेटिक
(b) डाईक्रोमेटिक
(c) पॉलीक्रोमेटिक
(d) इनमें में कोई नहीं

58. तारों के चमकने का कारण है-

(a) अपवर्तन
(b) परावर्तन
(c) (a) एवं (b) दोनों
(d) इनमें से कोई नहीं

59. यदि चित्र में दर्शाए गये प्रत्येक संधारित्र की धारिता 3μF हो, तो, बिन्दुओं A व B के बीच तुल्य धारिता होगी-

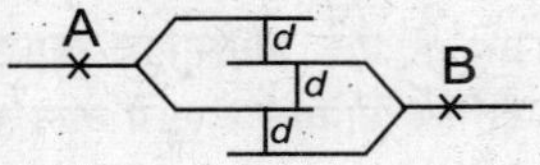

(a) 2 μF (b) 4 μF
(c) 7 μF (d) 9 μF

60. एक विद्युत बल्ब को 220V के जनरेटर से जोड़ा गया। विद्युत धारा का मान 0.50A है। बल्ब की क्षमता क्या है?

(a) 110W (b) 120W
(c) 130W (d) 140W

रसायन विज्ञान

61. $KMnO_4$ का क्षारीय माध्यम में तुल्यांकी भार होता है (जबकि परमाणु भार दिया है Mn = 5, K = 39 व O = 16)

(a) 52.66 (b) 79
(c) 158 (d) 316

62. C_2H_2 की सजातीय श्रेणी एवं IUPAC नाम है–
(a) एल्काइन एवं एथेन
(b) एल्काइन एवं एथाइन
(c) एल्कीन एवं एथेन
(d) एल्कीन एवं एथाइन

63. निर्जल सोडियम एसीटेट व सोडालाइम के मिश्रण को गर्म करने से बनती है–
(a) CH_4 (b) C_2H_6
(c) C_2H_2 (d) C_2H_4

64. निम्न अभिक्रियाओं में से, उपचयन-अपचयन अभिक्रिया का उदाहरण है–
(a) $2KOH + H_2SO_4 \rightarrow K_2SO_4 + 2H_2O$
(b) $NaCl + AgNO_3 \rightarrow NaNO_3 + AgCl$
(c) $NaOH + HCl \rightarrow NaCl + H_2O$
(d) $SnCl_2 + 2HgCl_2 \rightarrow SnCl_4 + Hg_2Cl_2$

65. तत्वों के निम्न जोड़े में कौन-से जोड़े के दोनों तत्व संक्रमण तत्व हैं?
(a) H, C (b) Pt, C
(c) Fe, Pt (d) Ni, Ca

66. बेयर अभिकर्मक निम्न में से किसके द्वारा रंगहीन नहीं होता है?
(a) एल्केन
(b) एल्कीन
(c) एल्काइन
(d) इनमें से कोई नहीं

67. $2H_2S + SO_2 \rightarrow 2H_2O + 3S$ में अपचायक है–
(a) S (b) SO_2
(c) H_2O (d) H_2S

68. नाइट्रोजन के एक ऑक्साइड का अणुभार 30 है। यौगिक के एक अणु में कुल इलेक्ट्रॉन हैं–
(a) 30 (b) 15
(c) 14 (d) 11

69. यूरेनियम $_{92}U^{235}$ से प्रति नाभिक विखण्डन ऊर्जा उत्पन्न होती है–
(a) 10 MeV (b) 100 MeV
(c) 200 MeV (d) 300 MeV

70. Mg वायु में जलकर एक पाउडर बनाता है। यह पाउडर, जल से क्रिया करके एक गैस देता है जो गीले लिटमस पत्र को नीला कर देती है तथा सान्द्र HCl के साथ सफेद धुआं देती है। यह गैस है–
(a) O_2 (b) N_2
(c) NH_3 (d) CO_2

71. CaC_2 से ऐसीटिलीन प्राप्त की जा सकती है–
(a) इसको 1200ºC तक गर्म करके उसके ऊपर H_2 प्रवाहित करने पर
(b) इसके साथ ठण्डे पानी की क्रिया कराकर
(c) इसके ऊपर 160ºC पर भाप प्रवाहित करके
(d) H_2SO_4 की उपस्थिति इसे 140ºC तक गर्म करके

72. क्लोरीन का प्रयोग किया जाता है–
(a) एन्टीबायोटिक के रूप में
(b) संक्रमण रोगी की दवा के रूप में
(c) ज्वरनाशक के रूप में
(d) प्रतिरोधी के रूप में

73. बॉक्साइट अयस्क से NaOH की क्रिया से बनता है–
(a) $Al(OH)_3$ (b) Al_2O_3
(c) $NaAlO_2$ (d) Na_2AlO_2

74. $K_2Cr_2O_7$ का अम्लीय माध्यम में रंग होगा
(a) लाल (b) हरा
(c) पीला (d) गुलाबी

75. निम्न में से कौ-सी उत्कृष्ट गैस जल में घुलनशील है?
(a) He (b) Ne
(c) Ar (d) Xe

76. नाभिकीय रिएक्टर को नियंत्रित करने के लिए किसकी छड़ों का प्रयोग किया जाता है?
(a) कैडमियम (b) बोरान
(c) कार्बन (d) क्रोमियम

77. कच्चे फलों को पकाने में प्रयोग की जाती है–
(a) C_3H_8 (b) $CHCl_3$
(c) C_2H_4 (d) CH_4

78. एल्काइन का सामान्य सूत्र है–
(a) C_nH_{2n+2} (b) C_nH_{2n}
(c) C_nH_{2n-2} (d) C_nH_{2n-1}

79. कृत्रिम रेशम तैयार किया जाता है–
(a) गेलेक्टोस से (b) लेक्टोस से
(c) माल्टोस से (d) सेल्यूलोस से

80. HNO_3 में नाइट्रोजन की ऑक्सीकरण संख्या होती है–
(a) –3 (b) +3
(c) +5 (d) शून्य

81. C_2H_2 की सजातीय श्रेणी एवं आई.यू.पी.ए.सी. नाम क्रमशः हैं–
(a) एल्काइन एवं एथेन
(b) एल्काइन एवं एथाइन
(c) एल्कीन एवं मथेन
(d) एल्कीन एवं एथाइन

82. 100 लीटर H_2 से संयोग करने के लिए O_2 लेना होगा–
(a) 100 ली. (b) 200 ली
(c) 50 ली. (d) 10 ली.

83. बेकिंग सोडा का रासायनिक सूत्र है–
(a) Na_2CO_3
(b) $Na_2CO_3.2H_2O$
(c) $Na_2CO_3.10H_2O$
(d) $NaHCO_3$

84. मिश्र धातु सोल्डर (टांका) के अवयव हैं–
(a) लैड (75%) एवं टिन (25%)
(b) लैड (50%) एवं टिन (50%)
(c) लैड (25%) एवं टिन (75%)
(d) इनमें से कोई नहीं

85. एल्डिहाइड समूह है–
(a) >CO (b) –OH
(c) –COOH (d) –CHO

86. निम्न में से कौन-सा एक उभयधर्मी ऑक्साइड है?
(a) N_2O_5 (b) Na_2O
(c) Al_2O_3 (d) NO

87. निम्न यौगिक के ओजोन द्वारा ऑक्सीकरण में O_2 मुक्त नहीं होती–
(a) SO_2 (b) HCl
(c) CuS (d) KNO_2

88. 0.005N NaOH विलयन में $[H_3O^+]$ है $[K_w = 10^{-14}]$
(a) 5×10^{-3} M
(b) 2×10^{-2} M
(c) 5×10^{-13} M
(d) 2×10^{-12} M

89. निम्न में से कौन-सा अयस्क मैग्नेटाइट कहलाता है?
(a) FeO (b) Fe_2O_3
(c) Fe_3O_4 (d) FeS

90. HCOOH + सान्द्र H_2SO_4 का 373 K पर क्या उत्पाद होगा?
(a) CO_2 (b) HCHO
(c) CO (d) CH_4

91. एक रेडियोएक्टिव तल का अर्द्ध-आयु काल 150 दिन है। 600 दिन बाद 1 ग्राम तत्व घटकर रह जाएगा–

(a) $\frac{1}{32}$ ग्राम (b) $\frac{1}{8}$ ग्राम
(c) $\frac{1}{16}$ ग्राम (d) $\frac{15}{16}$ ग्राम

92. 2.8 ग्राम नाइट्रोजन में अणुओं की उपस्थित संख्या है–
(a) 6.023×10^{23}
(b) 6.023×10^{21}
(c) 6.023×10^{20}
(d) 6.023×10^{22}

93. भंजन प्रक्रिया प्रयोग में आती है परिवर्तित करने के लिए–
(a) एल्कोहॉल को एल्डिहाइड में
(b) एल्केन को एरोमेटिक हाइड्रोकार्बन में
(c) उच्च अणुभार वाले एल्केन को निम्न अणुभार वाले एल्केन में
(d) कीटोन को एल्डिहाइड में

94. कॉपर सल्फेट से युक्त किसी विद्युत अपघटनी सेल में 2 एम्पियर की धारा 30 मिनट तक प्रवाहित करने पर कैथोड पर संगृहीत कॉपर की मात्रा है (कॉपर का परमाणु भार = 63.5)
(a) 2.214 ग्राम (b) 0.2214 ग्राम
(c) 1.184 ग्राम (d) 0.1184 ग्राम

95. कौन–सी दवाइयाँ बुखार कम करने के काम आती हैं?
(a) एण्टीपायरेटिक (b) एनलजेसिक
(c) एण्टीबायोटिक (d) ट्रांक्यूलाइजर्स

96. 2–ब्यूटेनोन का सामान्य नाम है–
(a) एसीटोन
(b) ब्युटिरेल्डिहाइड
(c) एसीटिक एनहाइड्राइड
(d) इथाइल मिथाइल कीटोन

97. किसी गैस के विसरण की दर r तथा उसका घनत्व d है, तो समान दाब एवं ताप की स्थिति में–
(a) $r \propto d$ (b) $r \propto \frac{1}{\sqrt{d}}$
(c) $r \propto \frac{1}{d}$ (d) $r \propto \sqrt{d}$

98. एक द्विभास्मिक अम्ल का तुल्यांकी भार 12 है। इसका अणुभार होगा–
(a) 12 (b) 48
(c) 24 (d) 6

99. $HC \equiv C - \underset{H}{\overset{C_2H_5}{C}} - CH_3$ **का IUPAC नाम है–**
(a) 3-मिथाइल-1-पेण्टाइन
(b) 3-मिथाइल-4-पेण्टाइन
(c) 2-इथाइल-2-प्रोपाइन
(d) 3-मिथाइल-5-पेण्टाइन

100. 10.0 ग्राम $CaCO_3$ गर्म करने पर 5.6 ग्राम CaO एवं 4.4 ग्राम CO_2 देता है। दिया हुआ आँकड़ा नियम का समर्थन करता है–
(a) गुणित अनुपात
(b) स्थिर अनुपात
(c) द्रव्य की अविनाशिता का नियम
(d) उपर्युक्त सभी

101. अमलगम का मुख्य घटक है–
(a) पारा
(b) एक क्षारीय धातु
(c) एक क्षार
(d) चाँदी

102. आयनिक त्रिज्याओं के लिए निम्नलिखित में से कौन–सा सही क्रम है?
(a) $H^- > H^+ > H$
(b) $Na^+ > F^- > O^{2-}$
(c) $F^- > O^{2-} > Na^+$
(d) $Al^{3+} < Mg^{2+} < N^{3-}$

103. डिटर्जेण्ट्स लवण हैं–
(a) सल्फोनिक अम्ल या एल्किल हाइड्रोजन सल्फेट के।
(b) कार्बोक्सिलिक अम्ल एवं सल्फोनिक अम्ल या एल्किल हाइड्रोजन सल्फेट दोनों के।
(c) कार्बोक्सिलिक अम्ल के।
(d) उपर्युक्त में से कोई नहीं

104. थर्मोसेटिंग प्लास्टिक का एक उदाहरण है–
(a) PVC (b) बैकेलाइट
(c) ये सभी (d) पॉलीथीन

105. निम्न अभिक्रिया में
$$SO_2 + 2H_2S \rightarrow 3S + 2H_2O$$
(a) सल्फर का अपचयन व ऑक्सीजन का ऑक्सीकरण हुआ है।
(b) सल्फर का ऑक्सीकरण एवं अपचयन दोनों हुए हैं।
(c) सल्फर ऑक्सीकृत एवं हाइड्रोजन अपचयित हुआ है।
(d) हाइड्रोजन ऑक्सीकृत एवं सल्फर अपचयित हुआ है।

106. पानी की कठोरता का कारण है–
(a) सोडियम तथा पोटैशियम लवण
(b) कैल्शियम तथा मैग्नीशियम लवण
(c) लेड एवं कॉपर लवण
(d) उपर्युक्त में से कोई नहीं

107. निम्नलिखित में से कौन–सा युग्म समान इलेक्ट्रॉन संख्या वाला नहीं है?
(a) Mg^{2+} एवं Ar
(b) O^{2-} एवं F^-
(c) P^{-3} एवं Ar
(d) Na^+ एवं Al^{3+}

108. निम्न में से किस यौगिक में ऑक्सीजन के लिए ऑक्सीकरण संख्या का मान +2 है?
(a) O_3 (b) Na_2O_2
(c) F_2O (d) K_2O

109. $F_2C = CF_2$ एकलक है–
(a) ब्यूना–S का
(b) टेफ्लॉन का
(c) ग्लिप्टॉल का
(d) नायलॉन–6 का

110. निम्नलिखित में से आयनिक हाइड्राइड है–
(a) MgH_2 (b) SiH_4
(c) BH_3 (d) PH_3

111. एक कार्बनिक पदार्थ में कार्बन = 38.71%, हाइड्रोजन = 9.67% तथा ऑक्सीजन है। यौगिक का मूलानुपाती सूत्र होगा–
(a) CHO (b) CH_3O
(c) CH_2O (d) CH_4O

112. वेल्डिंग में प्रयुक्त हाइड्रोकार्बन है–
(a) इथाइन (b) इथीन
(c) एथेन (d) बेन्जीन

113. कॉपर का इलेक्ट्रॉनिक विन्यास प्रदर्शित किया जा सकता है–
(a) $[Ar]4S^1 3d^{10}$
(b) $[Ar]4S^2 3d^9$
(c) $[Ar]4s^2 3d^9 4p^1$
(d) $[Ar]4s^2 3d^{10} 4p^1$

114. वास्तविक गैस आदर्श गैस की तरह व्यवहार करती है–
(a) निम्न तापमान पर
(b) उच्च तापमान पर
(c) उच्च दाब पर
(d) इनमें से कोई नहीं

115. ऑस्टवाल्ड विधि में अमोनिया (NH_3) के ऑक्सीकरण में प्रयुक्त उत्प्रेरक है–
(a) मॉलिब्डेनम (b) V_2O_5
(c) Pt (d) FeO

116. Z = 25 का बाह्यतम विन्यास होगा:
(a) $4s^2, 3d^5$ (b) $5s^2, 4d^5$
(c) $4s^2, 3d^3$ (d) $4s^2, 3d^1$

117. यौगिक जो योगशील प्रतिक्रिया में भाग लेता है, वो है–

(a) $H-C\equiv C-H$ (b) CH_4
(c) C_2H_6 (d) C_3H_8

118. इनमें से कौन विनेगर है ?
(a) CH_3COOH (b) HCOOH
(c) C_6H_5COOH (d) C_6H_5OH

119. साबुन ऐल्काइन हाइड्रोलाइसिस द्वारा बनाया जाता है-
(a) साल्ट
(b) कार्बोक्सिलिक अम्ल
(c) एस्टर
(d) ऐल्कोहॉल

120. एक फल के जूस के H^+ आयनों की सान्द्रता 3.3×10^{-2} है, तो इसकी pH होगी
(a) 4.8, क्षारीय (b) 4.8, उदासीन
(c) 4.8, अम्लीय (d) 1.5, अम्लीय

वनस्पति विज्ञान

121. प्लेनेरिया निम्नलिखित में से किस समूह से संबंधित है ?
(a) सीलेन्टरेटा (b) प्लेटिहेल्मिंथेस
(c) निमेटोडा (d) ऐनेलिडा

122. पौधों में पर्णहरित के संश्लेषण के लिए .... आवश्यक होता है।
(a) बोरॉन
(b) आयोडीन
(c) मैग्नीशियम
(d) उपर्युक्त में से एक से अधिक

123. विभज्योतक के तीन प्रकार क्या हैं ?
(a) संवहन, अधिचर्मिक, मृदुतक
(b) संवहन, अग्रस्थ, मृदुतक
(c) अग्रस्थ, अंतर्वेशी, पार्श्व
(d) उपर्युक्त में से एक से अधिक

124. इनमें से कौन-सा पादप हार्मोन नहीं हैं ?
(a) गिब्बरेलिक
(b) ऑक्सिन्स
(c) थायरॉक्सिन
(d) उपर्युक्त में से एक से अधिक

125. जाइलम ऊतक के कौन से तत्व परस्पर जुड़े जल वाहक चैनल बनाते हैं ?
(a) वाहिकाएँ और जाइलम तंतु
(b) ट्रेकिड्स और जाइलम तंतु
(c) केवल
(d) वाहिकाएँ और ट्रेकिड्स

126. निम्नलिखित कथनों में से कौन-सा सही है/ हैं ?
1. पादप सूर्य के प्रकाश से प्राप्त ऊर्जा को कार्बोहाइड्रेट के रूप में संग्रहीत भोजन में परिवर्तित करते हैं
2. पादपों में पर्णहरित होता है
3. पादप कोशिकाओं में कोशिका भित्ति नहीं होती है
(a) केवल 1 सही है
(b) केवल 1 और 2 सही हैं
(c) केवल 1 और 3 सही हैं
(d) सभी सही हैं

127. पौधों में लचीलापन निम्नलिखित में से किस ऊतक के कारण होता है ?
(a) पैरेनकाइमा
(b) कोलेनकाइमा
(c) स्क्लेरेनकाइमा
(d) इनमें से कोई नहीं

128. सबसे बाह्य चक्र को .... कहा जाता है, और इसमें बाह्यदल होते हैं।
(a) केलिक्स (बाह्यदल पुंज)
(b) कोरोला (दलपुंज)
(c) पुमंग
(d) जायांग

129. निम्न में से कौन-सा हरी शैवाल का उदाहरण है ?
(a) लेमिनेरिया (b) सरगासम
(c) क्लैमाइडोमोनस (d) फ्यूकस

130. मैलस डोमेस्टिका किसका वैज्ञानिक नाम है ?
(a) आम का पेड़
(b) अनानास का पौधा
(c) केले का पेड़
(d) सेब का पेड़

131. पादप ऊतक में, ... की कोशिका भित्ति 'सूबेरिन' द्वारा स्कंदित होती हैं जो उन्हें गैस और जल के अणुओं के लिए अभेद्य बनाती हैं।
(a) एपिडर्मिस (बाह्यत्वचा)
(b) कॉर्क
(c) रंध्र
(d) फ्लोएम तंतु

132. अमरबेल (कस्कुटा) निम्न में से किसका एक उदाहरण है ?
(a) स्वपोषी (b) परजीवी
(c) मृतपोषी (d) परपोषी

133. पौधों को .... समूहों में विभाजित किया जाता है।
(a) 6 (b) 7
(c) 5 (d) 4

134. निम्नलिखित में से कौन सी सब्जी मूल (जड़) नहीं है ?
(a) आलू (b) गाजर
(c) मली (d) शलजम

135. एक पुष्प में स्त्रीकेसर के आधार पर उभरा-फूला भाग .... है।
(a) अंडाशय (b) वर्तिका
(c) वर्तिकाग्र (d) परागकोश

136. वनस्पति संवर्धन से संबंधित विज्ञान की शाखा को क्या कहते हैं ?
(a) फ्लोटीकल्चर
(b) एग्रीकल्चर
(c) हॉर्टिकल्चर
(d) इनमें से कोई नहीं

137. विषाणु की खोज सर्वप्रथम किसने की थी ?
(a) बीजेरिंग (b) इवानोवस्की
(c) लुईस पाश्चर (d) डार्विंग

138. पादपों के विकास तथा वृद्धि के लिए कितने अनिवार्य तत्व है ?
(a) 37 (b) 27
(c) 17 (d) 57

139. पत्तियों के मुरझाने के लिए जिम्मेदार हार्मोन कौन-सा है ?
(a) एब्सिसिक अम्ल (b) जिबरेलिन
(c) साइटोकाइनिन (d) ऑक्सिन

140. क्रेब्स चक्र का महत्व किसके उत्पादन में है ?
(a) अमीनो अम्ल के उत्पादन में
(b) ADP के उत्पादन में
(c) ATP के उत्पादन में
(d) इनमें से कोई नहीं

141. आनुवंशिक रूप से संशोधित फसल कौन सी है ?
(a) बीटी-बैंगन
(b) बीटी कपास
(c) सुनहरा चावल
(d) उपरोक्त सभी

142. निम्नलिखित में से कौन-सा एकबीजपत्री पौधा है ?
(a) सरसों
(b) मकई
(c) सेम
(d) इनमें से कोई नहीं

143. सूक्ष्म प्रवर्धन में रोग मुक्त पौधे निम्न के माध्यम से प्राप्त किए जा सकते हैं-
(a) पराग संवर्धन
(b) प्ररोह शिखाग्र पुनर्जनन
(c) विभज्योतक संस्कृति
(d) उपर्युक्त में से एक से अधिक

144. भारत में प्रथम कृषि विज्ञान केन्द्र की स्थापना हुई थी–
(a) बम्बई में (b) पोर्ट ब्लेयर में
(c) पाण्डिचेरी में (d) फ्रांस में

145. वनस्पति विज्ञान की निम्नलिखित में से कौन-सी शाखा उन्नत पादप किस्मों के विकास से संबंधित है ?
(a) पादप भ्रूणविज्ञान
(b) पादप प्रजनन
(c) पादप जैवरसायन
(d) पादप शारीरिकी

146. 'ट्रॉपिज्म' अधिकतर संदर्भित करता है-
(a) एक पौधे की दिशात्मक वृद्धि
(b) पशु प्रजातियों की दीर्घायु
(c) पक्षी प्रवास
(d) मनुष्यों का व्यवहार स्वरूप

147. जिब्रेलिन्स की खोज जापानी वैज्ञानिक .... वर्ष 1926 में की थी।
(a) कुरोसावा
(b) चार्ल्स डार्विन
(c) एन्टोसोवा
(d) इनमें से कोई नहीं

148. निम्नलिखित में से किसमें जेनेटिक इंजीनियरिंग शामिल है?
(a) जीन क्रांति (b) रक्तहीन क्रांति
(c) भूमंडलीकरण (d) हरित क्रांति

149. निम्नलिखित में से कौन-सा एकबीजपत्री पौधा है?
(a) मूंगफली (b) मकई
(c) बंगाल चना (d) सूरजमुखी

150. अकशेरुकी में नहीं होता-
(a) रक्तगुहा
(b) क्लोम
(c) पृष्ठरज्जु (नोटोकॉर्ड)
(d) देह गुहा

जन्तु विज्ञान

151. मानव शरीर में प्रचुर मात्रा में कौन-सा तत्त्व है?
(a) कार्बन (b) आयरन
(c) नाइट्रोजन (d) ऑक्सीजन

152. खट्टे स्वाद के लिए कोशिकाएं जिह्वा के किस भाग में होती हैं?
(a) अगले (b) पिछले
(c) पार्श्व (d) मध्य

153. आहार में लवण का मुख्य उपयोग है-
(a) जल में भोजन के कणों की विलेयता को बढ़ाना।
(b) भोजन में पाचन के लिए अपेक्षित हाइड्रोक्लोरिक एसिड लघु मात्रा में पैदा करना।
(c) पकाने की प्रक्रिया को सरल बनाना।
(d) भोजन को स्वादिष्ट बनाना।

154. पशु प्रोटीन को प्रथम श्रेणी का प्रोटीन माना जाता है, क्योंकि यह-
(a) अनिवार्य अमिनो एसिड से भरपूर होता है।
(b) बाजार में सस्ता होता है।
(c) सुपाच्य होता है।
(d) खाने में स्वादिष्ट होता है।

155. गहरे तले हुए खाद्य पदार्थ कैंसरजनक होते हैं क्योंकि उनमें प्रचुरता होती है-
(a) वसा की
(b) हाइड्रोकार्बनों की
(c) पकाने के तेल की
(d) निकोटीन की

156. निम्नलिखित में से वह पदार्थ कौन-सा है, जो 14 वर्ष की आयु तक के बच्चों के विकास (वर्धन) के लिए अत्यंत आवश्यक है?
(a) प्रोटीन (b) विटामिन्स
(c) वसा (d) दूध

157. लाल चने से कौन-सा एन्जाइम मिलता है?
(a) यूरिएस (b) जाइमेस
(c) माल्टेस (d) डाइस्टेस

158. एन्जाइम होते हैं-
(a) सूक्ष्म जीव
(b) प्रोटीन
(c) अकार्बनिक यौगिक
(d) फफूंदी (Molds)

159. एन्जाइम के प्रोटीन भाग को क्या कहते हैं?
(a) आइसोएन्जाइम
(b) होलोएन्जाइम
(c) एपोएन्जाइम
(d) उपर्युक्त सभी

160. निम्नलिखित में से कौन-सा लार (Saliva) का लाभ नहीं है?
(a) यह निगलने में मदद करती है
(b) यह शरीर में RBC की वृद्धि करती है
(c) यह मुख तथा दांतों को साफ रखती है
(d) यह होठों तथा जिह्वा की गति को अनुकूल बनाकर बोलने में मदद करती है।

161. लार किसके पाचन में मदद करती है?
(a) वसा (b) स्टार्च
(c) प्रोटीन (d) विटामिन

162. अन्न एक समृद्ध स्रोत है-
(a) स्टार्च के (b) ग्लूकोज के
(c) फ्रक्टोज के (d) माल्टोज के

163. दूध को दही में स्कंदित करने वाला एन्जाइम है-
(a) रेनिन (b) पेप्सिन
(c) रेजिन (d) सिट्रेट

164. किसकी उपस्थिति के कारण गाय के दूध का रंग पीला होता है?
(a) जैन्थोफिल (b) राइबोफ्लेविन
(c) राइब्यूलोस (d) कैरोटिन

165. खट्टे दूध में होता है-
(a) एसिटिक एसिड (b) टार्टरिक एसिड
(c) सिट्रिक एसिड (d) लैक्टिक एसिड

166. निम्नलिखित में से किसका संश्लेषण यकृत द्वारा किया जा सकता है?
(a) विटामिन-ए (b) विटामिन-ई
(c) विटामिन-डी (d) विटामिन-के

167. तंतु आहार में शामिल है-
(a) ग्लाइकोजन (b) प्रोटीन
(c) सेलुलोज (d) वसा

168. हमारे शरीर में त्वचा की सतह के नीचे मौजूद वसा किसके विरुद्ध अवरोधक का कार्य करती है?
(a) शरीर से ऊष्मा की क्षति
(b) शरीर के अनिवार्य द्रवों की क्षति
(c) शरीर से लवण की क्षति
(d) पर्यावरण से हानिकारक सूक्ष्म-जीवों का प्रवेश

169. आयोडीन मान का प्रयोग किसका प्राक्कलन करने के लिए किया जाता है?
(a) तेल में हाइड्रोऑक्सिल समूह
(b) तेल में क्षार तत्त्व
(c) तेल में असंतृप्ति
(d) तेल में कार्बोक्सिलिक समूह

170. निम्नलिखित में से किसको किसी कोशिका में 'अचल संपत्ति' माना जाता है?
(a) कार्बोहाइड्रेट (b) वसा
(c) प्रोटीन (d) न्यूक्लिक अम्ल

171. नाइट्रोजन किसका अनिवार्य घटक होता है?
(a) समस्त वसा का
(b) प्रोटीनों का
(c) विटामिनों का
(d) सभी कार्बोहाइड्रेटों का

172. निम्नलिखित में से किसका मस्तिष्क उसके शरीर के आकार के अनुपात में सबसे बड़ा है?
(a) चींटी (b) हाथी
(c) मनुष्य (d) डॉल्फिन

173. सही उत्तर के साथ सूची-I तथा सूची-II से बनाइए-

सूची-I	सूची-II
A. विटामिन B_1	1. पाइरिडॉक्सीन
B. विटामिन B_2	2. सायनोकोबालेमिन
C. विटामिन B_6	3. थायमिन
D. विटामिन B_{12}	4. राइबोफ्लेविन

कूट :

	A	B	C	D
(a)	4	1	2	3
(b)	1	2	3	4
(c)	2	3	4	1
(d)	3	4	1	2

174. लौह की कमी से कौन-सा रोग होता है?
(a) पोलियो (b) रिकेट्स
(c) स्कर्वी (d) एनीमिया

175. वह धातु कौन-सी है, जो विटामिन B_{12} का एक घटक है?
(a) आयरन (b) मैग्नीशियम
(c) जिंक (d) कोबॉल्ट

176. मानव शरीर में संक्रमण को रोकने में मदद करने वाला विटामिन है–
(a) विटामिन A (b) विटामिन B
(c) विटामिन C (d) विटामिन D

177. कौन-सा विटामिन प्रतिरक्षा प्रदान करता है?
(a) K (b) A
(c) C (d) E

178. साइट्रिक एसिड मुक्त रूप से किसमें होता है?
(a) इमली (b) दूध
(c) सेब (d) नीबू

179. गुर्दे की निस्यंदन इकाई कौन-सी होती है?
(a) एक्सॉन (b) नेफ्रॉन
(c) न्यूरॉन (d) पीत फाइबर

180. मूत्र बनता है–
(a) संग्राहक वाहिनियों में
(b) कैलिसीज में
(c) मूत्रवाहिनियों में
(d) मूत्राशय में

General English

Directions (181 – 184) : In the following questions, sentences are given with blanks to be filled in with an appropriate word(s). Four alternatives are suggested for each question. Choose the correct alternative out of the four as your answer.

181. Your ______ nature will aid you in attaining success in every venture you undertake.
(a) rotund
(b) persevering
(c) lackadaisical
(d) catalytic

182. This is our house and that is _____.
(a) theirs (b) their
(c) them (d) their's

183. The publisher is bringing ______ a revised edition of this book.
(a) round (b) out
(c) about (d) up

184. She had to _______ illness in order to avoid going to the party meeting.
(a) feint (b) feign
(c) faint (d) fain

Directions (185 – 187) : In each of the following questions, four alternatives are given for the Idiom/Phrase printed in *italic* in the sentence. Choose the alternative which best expresses the meaning of the Idiom/Phrase as your answer.

185. I have *taken fancy to* this car.
(a) given imaginative touches
(b) revised
(c) developed liking for
(d) improved

186. *Carry out*
(a) bring
(b) continue
(c) complete something
(d) to take in

187. He *beats about the bush*.
(a) talks sensibly
(b) talks continuously
(c) speak well
(d) does not talk specifically

Directions (188 – 190) : In the following questions, a part of the sentence is *italic*. Below are given alternatives to the *italic* part which may improve the sentence. Choose the correct alternative. In case no improvement is needed, choose "No Improvement".

188. Covering thirty kilometres in thirty minutes *are not a great distance* using a brand new car.
(a) aren't a great distance
(b) is no distance
(c) No improvement
(d) is not a great distance

189. Years ago, I met a man *which* was President and Chairman of the Board of a Company.
(a) Whom (b) No improvement
(c) Who (d) Whose

190. Where *are you coming from*?
(a) No improvement
(b) do you come from
(c) were you from
(d) you are coming from

सामान्य ज्ञान

191. 'अनफिनिश्ड : ए मेमॉयर' .... की आत्मकथा है।
(a) दीपिका पादुकोण
(b) करीना कपूर
(c) प्रियंका चोपड़ा
(d) आलिया भट्ट

192. मृदारहित कृषि को .... कहा जाता है।
(a) चारागाह खेती (b) शुष्क खेती
(c) हाइड्रोपोनिक्स (d) स्थानान्तरी कृषि

193. दस डिग्री चैनल पृथक् करता है–
(a) अण्डमान को निकोबार द्वीप से
(b) अण्डमान को म्यांमार से
(c) भारत को श्रीलंका से
(d) लक्षद्वीप को मालदीव से

194. प्राचीन भारत में 'निष्क' से जाने जाते थे–
(a) स्वर्ण आभूषण
(b) गायें
(c) तांबे के सिक्के
(d) चांदी के सिक्के

195. संविधान को 26 जनवरी के दिन लागू करने का निर्णय इसलिए किया गया, क्योंकि–
(a) कांग्रेस ने इस तिथि को 1930 में स्वतंत्रता दिवस के रूप में मनाया था
(b) इस तिथि को 1942 में भारत छोड़ो आन्दोलन प्रारम्भ किया गया था
(c) यह एक शुभ दिन था
(d) उपर्युक्त में से कोई नहीं

196. निम्नलिखित में से कौन प्रसिद्ध सितार वादक हैं?
(a) अनुष्का शंकर
(b) किशन महाराज
(c) उस्ताद रहमान खान
(d) अली अहमद हुसैन

197. वित्तीय सेवा का एक रूप, जो गरीब और कम आय वाले परिवारों को छोटे ऋण और अन्य वित्तीय सेवाएँ प्रदान करता है, ... कहलाता है।
(a) वाणिज्यिक बन्धक (कमर्शियल मॉर्गेज)
(b) चालान वित्तपोषण (इनवॉइस फाइनेंसिंग)
(c) व्यक्तिगत वित्त (पर्सनल फाइनेंस)
(d) सूक्ष्म वित्त (माइक्रो फाइनेंस)

198. मोहिनीअट्टम किस भारतीय राज्य की शास्त्रीय नृत्य शैली है?
(a) केरल (b) तमिलनाडु
(c) आन्ध्र प्रदेश (d) असम

199. निम्नलिखित में से किसने दिल्ली में खगोलीय वेधशाला, जिसे जन्तर-मन्तर कहते हैं, बनवायी थी–
(a) अकबर ने
(b) शाहजहां ने
(c) सूरजमल ने
(d) जयसिंह द्वितीय ने

200. गोविन्द महल, जो हिन्दू वास्तुकला का अप्रतिम उदाहरण है, स्थित है–
(a) दतिया में (b) खजुराहो में
(c) ओरछा में (d) ग्वालियर में

व्याख्या सहित उत्तर

भौतिक विज्ञान

1. (b) माना नाव का भार w किग्रा है।

$\therefore \quad w = \frac{1}{5} V\rho g \quad$ ......(i)

उस पर 1000 किग्रा भार रखने पर वह पूर्ण रूप से जल में डूब जाती है। अत:

$w + 1000 = V\rho g \quad$ ....(ii)

समीकरण (ii) को समीकरण (i) से भाग देने पर,

$$\frac{w+1000}{w} = \frac{V\rho g}{\frac{1}{5}V\rho g}$$

$\Rightarrow \quad 5w = w + 1000$

$\Rightarrow \quad x = \frac{1000}{4} = 250$ किग्रा

2. (d) माना पत्थर पानी से t समय पश्चात् टकराता है।

सूत्र $\quad S = ut + \frac{1}{2} gt^2$ से.

$\therefore \quad 80 = 0 + \frac{1}{2} \times 10 \times t^2$

$\Rightarrow \quad t = 4$ से.

ध्वनि सुनाई देने में लगा समय

$= 4.24 - 4.0 = 0.24$ से.

ध्वनि का वेग $= \frac{80}{0.24} = 333.33$ मी./से.

3. (a) $\quad n = \frac{360^\circ}{?} - 1$

$\therefore \quad 11 = \frac{360^\circ}{\theta} - 1$

$\Rightarrow \quad 12 = \frac{360^\circ}{\theta} \Rightarrow \theta = \frac{360^\circ}{12} = 30^\circ$

4. (d) बरनौली प्रमेय के अनुसार, नली की असमान अनुप्रस्थ काट में से गुजरने वाले आदर्श द्रव के लिये, दाब ऊर्जा, गतिज ऊर्जा तथा स्थितिज ऊर्जा का योग नियत रहता है।

5. (b) सोनार द्वारा समुद्र में डूबी हुई वस्तुओं पर लगाया जाता है। इसके लिए पराश्रव्य तरंगों का प्रयोग किया जाता है।

6. (d) लेन्स की संयोजन शक्ति

$$\frac{1}{F} = \frac{1}{f_1} + \frac{1}{f_2}$$

या $\quad P = P_1 + P_2$

$6 = \frac{100}{40} + P_2$

$6 = 2.5 + P_2$

$P_2 = 3.5$ डायोप्टर

7. (c) उत्तल दर्पण का उपयोग गाड़ी में चालकों के पास पीछे के दृश्य को देखने में किया जाता है।

8. (a) चालक तार का प्रतिरोध, $R = \rho\frac{l}{A}$

$$R = 4.2 \times 10^{-6} \times \frac{3.3 \times 10^5}{\pi r^2}$$

[$\because$ 1 कैलोरी 4.2×10^{-6} जूल]

$$R = 4.2 \times \frac{3.3 \times 10^{-1}}{3.14 \times (0.5)^2}$$

$R = 1.764$ ओम

9. (c) प्रश्नानुसार, सीसे के लिये आवश्यक उष्मा = तांबे के लिये आवश्यक ऊष्मा

अर्थात् $\quad m_1 s_1 t_1 = m_2 s_2 t_2$

$\therefore \quad 3 \times 0.09 \times (10 - 0) = 1 \times s_2 \times (100 - 10)$

$\Rightarrow \quad 2.7 = s_2 \times 90$

या $\quad s_2 = \frac{2.7}{90} = 0.03$ कैलोरी/किग्रा°C

10. (c) यहां $\quad P_1 = 1$ वायुमण्डल

$P_2 = 1.12 \times 10^9$ वायुमण्डल

$T_1 = 273$ K, V_1

$= 22400$ सेमी^{3}

$V_2 = \frac{m}{d} = \frac{2}{1.4}$ सेमी^{3}

सूत्र $\frac{P_1V_1}{T_1} = \frac{P_2V_2}{T_2}$ से

$$\therefore \frac{10 \times 22400}{273} = \frac{1.12 \times 10^9 \times 2}{T_2 \times 1.4}$$

$$T_2 = \frac{373 \times 1.12 \times 10^9 \times 2}{22400 \times 1.4}$$

$= 1.95 \times 10^7$ K

11. (b) माना बिजली के चमक के स्थान की दूरी x है। ध्वनि सुनाई देने में लगा समय - चमक दिखाई देने में लगा समय = 2.5 सेकण्ड

$$\therefore \frac{x}{332} - \frac{x}{3 \times 10^7} = 2.5$$

परन्तु चमक दिखाई देने में लगा समय चूंकि प्रकाश की चाल 3×10^7 मी/से

$\therefore \quad \frac{x}{332} = 2.5$

या $\quad x = 332 \times 2.5 = 830$ मीटर

12. (a) लेन्स युग्म की क्षमता $= 6 - 1 = 5$ डायोप्टर

यदि फोकस दूरी f सेमी है, तब,

$$P = \frac{100}{f}$$

$\therefore \quad 5 = \frac{100}{f}$

या $\quad f = \frac{100}{5} = 20$ सेमी.

13. (a) एक दिष्टधारा जनित्र के आर्मेचर से प्रेरित विद्युत वाहक बल AC होता है।

14. (d) फैराडे के नियम के अनुसार, "जब किसी परिपथ से गुजरने वाले चुम्बकीय फ्लक्स में परिवर्तन होता है, तो परिपथ में एक प्रेरित विद्युत वाहक बल उत्पन्न हो जाता है जिसका परिमाण चुम्बकीय फ्लक्स के परिवर्तन की ऋणात्मक दर के बराबर होता है।"

अत: विद्युत वाहक बल, $e = -\frac{\Delta\phi}{\Delta t}$

जहां $\Delta\phi_1 = \phi_2 - \phi_1$ (फ्लक्स परिवर्तन)

15. (b) स्थायी साम्य की स्थिति में वस्तु में न्यूनतम स्थितिज ऊर्जा होगी।

16. (b) संयुक्त सूक्ष्मदर्शी में अभिदृश्यक लेन्स द्वारा बना प्रतिबिम्ब वास्तविक होता है तथा नेत्रिका द्वारा बना प्रतिबिम्ब काल्पनिक होता है। अत: I_o वास्तविक तथा I_e काल्पनिक है।

17. (d) चित्रानुसार,

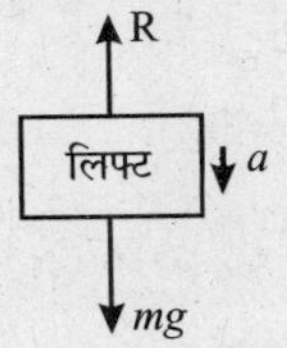

$mg - R = ma$

R = व्यक्ति पर आरोपित बल

$= (mg - ma)$

$= m(g - a)$

यहां $\quad m = 100$ किग्रा, $g = 10$ मी/से^{2}

$a = 8$ मी/से^{2}

$\therefore \quad R = 100(10 - 8) = 100 \times 2 = 200$ न्यूटन

18. (a) माना पत्थर पानी से t समय प्रश्चात् टकराता है।

$$S = ut + \frac{1}{2} gt^2$$

$\therefore \quad 125 = 0 + \frac{1}{2} \times 10 \times t^2$

$t^2 = \frac{125 \times 2}{10} = 25 \Rightarrow t = 5$ सेकण्ड

उत्पन्न ध्वनि को सुनाई देने में लगा समय

$= 5.4 - 5 = 0.4$ सेकण्ड

$\therefore$ ध्वनि का वेग $= \frac{\text{दूरी}}{\text{समय}} = \frac{125}{0.4} = 312.5$ मी/से

19. (a) $CaCO_3 \rightarrow CaO + CO_2$

$40 + 12 + 48 \rightarrow 12 + 32$

$= 100$ ग्राम $\rightarrow = 44$ ग्राम

44 ग्राम CO_2 के लिए आवश्यक $CaCO_3 = 100$ ग्राम

2.2 ग्राम CO_2 के लिए आवश्यक $CaCO_3$

$= \frac{100 \times 2.2}{44} = 5$ ग्राम

20. (d) प्रकाश का वेग, $c = 3 \times 10^8$ मी/से

चन्द्रमा की पृथ्वी से दूरी $= 3.5 \times 10^8$ मी

$\therefore$ समय $= \frac{\text{दूरी}}{\text{वेग}} = \frac{3.5 \times 10^8}{3 \times 10^8}$

$= 1.16$ सेकण्ड (लगभग)

21. (d) एक मनुष्य की स्वस्थ आंख के लिए निकट बिन्दु 25 सेमी होती है।

22. (a) एक द्रव्य द्वारा अवशोषित ऊष्मा, उसकी विशिष्ट ऊष्मा के अनुक्रमानुपाती होती है। इस प्रकार, एक उच्च विशिष्ट ऊष्मा वाला शीतलक इंजन से उत्सर्जित ऊष्मा का एक बड़ा भाग अवशोषित कर लेता है। अत: कार इंजन को ठण्डा रखने के लिए रेडिएटर में जल का प्रयोग किया जाता है।

23. (a) 1 किलोवॉट/घण्टा $= 60 \times 60 \times 10^3$

$= 36 \times 10^5$ जूल

24. (a) कैपलर की तृतीय नियम से,

$T^2 \propto r^3$

या $T \propto r^{3/2}$

परन्तु $\omega = \frac{2\pi}{T}$

$\therefore \omega \propto r^{-3/2}$

अब, कोणीय संवेग

$L = mr^2\omega$

या $L \propto r^2 \propto r^{-3/2}$

$\therefore L \propto r^{1/2}$

25. (a) लाल किरण का अपवर्तनांक न्यूनतम है तथा न्यूनतम विचलन कोण $\delta_m = (\mu - 1)A$

चूँकि प्रिज्म के लिए A नियत है, अत: μ घटाने से δm घटेगा। इसलिए लाल किरण का विचलन सबसे कम होगा।

26. (c) सेलों के संयोग से अधिकतम धारा प्राप्त करने के लिए

$R = \frac{nr}{m}$

जहाँ R = ब्राह्य प्रतिरोध,

r = आन्तरिक प्रतिरोध

n = प्रत्येक पंक्ति में सेलों की संख्या

m = कुल स्तम्भों की संख्या

अत: सेलों को संयोग, उनकी बाह्य व आन्तरिक प्रतिरोधों के मान पर निर्भर करेगा।

27. (a) 1 एंगस्ट्रॉम $= 10^{-10}$ मी $= 10^{-4} \times 10^{-6}$ मी

$\therefore$ 1 एंगस्ट्रॉम $= 10^{-4}$ माइक्रॉन $= 10^{-4}\,\mu$

28. (a) चूंकि F_C तथा F_A बराबर तथा विपरीत बल हैं। अत: इनका परिणामी शून्य होगा।

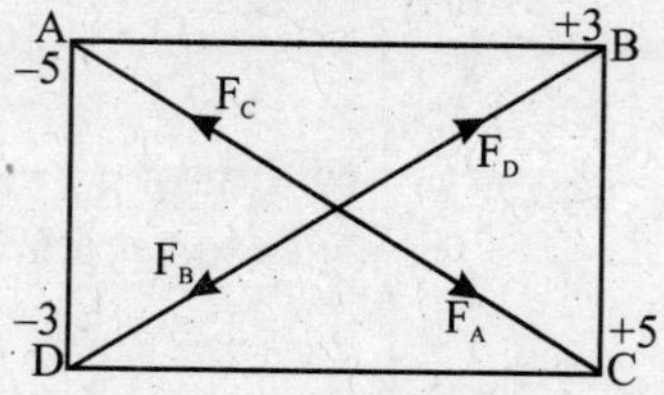

इसी प्रकार, F_D और F_B बराबर तथा विपरीत बल हैं। अत: इनका भी परिणामी शून्य होगा।

29. (b) जब ताप-युग्मों को श्रेणीक्रम में जोड़ा जाता है, तो प्रत्येक ताप-युग्म में उत्पन्न ताप विद्युत वाहक बल बाह्य लोड की धारा वृद्धि में सहायता है। अत: कुल ताप विद्युत वाहक बल बढ़ जाएगा।

30. (b) मनुष्य को अपना प्रतिबिम्ब 10 सेमी/मिनट की चाल से पीछे हटता हुआ प्रतीत हो रहा है।

अत: दर्पण की चाल $= \frac{10}{2} = 5$ सेमी/मिनट

31. (c) यदि सीसे की विशिष्ट ऊष्मा s_2 है।

और ताँबे का तापमान बढ़ाने हेतु प्रयुक्त ऊष्मा,

$Q_1 = m_1 \times s_1 \times \Delta t_1$

$= 6 \times 0.09 \times (20 - 10)$

$= 6 \times 0.09 \times 10$ कैलोरी

तो सीसे का तापमान बढ़ाने हेतु प्रयुक्त ऊष्मा,

$Q_2 = m_2 \times s_2 \times \Delta t_2$

$= 3 \times s_2 \times (100 - 20)$

$= 3 \times s_2 \times 80$ कैलोरी

दिए गए प्रश्न के अनुसार, $Q_2 = Q_1$.

$\Rightarrow 3 \times s_2 \times 80 = 6 \times 0.09 \times 10$

$\Rightarrow s_2 = \frac{6 \times 0.09 \times 10}{3 \times 80}$

$\therefore s_2 = 0.022$

32. (b) यदि गुरुत्वीय त्वरण, $g = \frac{GM}{R^2}$ है

$\Rightarrow \frac{\Delta g}{g}\% = \frac{2\Delta R}{R}\%$

$\therefore \frac{\Delta g}{g}\%$

$= 2 \times 4\% = 8\%$

तो गुरुत्वीय त्वरण के मान में परिवर्तन = 8%

33. (b) यदि प्रतिरोधों का मान क्रमश: R_1 और R_2 है और प्रतिरोधों को श्रेणी क्रम में जोड़े जाने पर 50 ओम का प्रतिरोध प्राप्त होता है। इसलिए

$R_1 + R_2 = 50$ ...(i)

समांतर क्रम में प्रतिरोधों को जोड़ने से 8 ओम का प्रतिरोध प्राप्त होता है। इसलिए

$\frac{1}{R_1} + \frac{1}{R_2} = \frac{1}{8}$

$\Rightarrow \frac{R_2 + R_1}{R_1 R_2} = \frac{1}{8}$

$\Rightarrow \frac{50}{R_1 R_2} = \frac{1}{8}$ [समी. (i) से]

$\therefore R_1 R_2 = 400$

हमें ज्ञात है कि–

$(R_1 - R_2)^2 = (R_1 + R_2)^2 - 4R_1R_2$

$\Rightarrow (R_1 - R_2) = \sqrt{(50)^2 - 4 \times 400}$

[समी. (i) व (ii) से]

$\Rightarrow R_1 - R_2 = \sqrt{2500 - 1600}$

$\Rightarrow R_1 - R_2 = \sqrt{900}$

$\therefore R_1 - R_2 = 30$

दोनों समीकरण (i) और (iii) को हल करने पर,

$R_1 = 40$ ओम एवं $R_2 = 10$ ओम

34. (c) 15 सेमी. वाले गोलीय दर्पण तथा गोलीय लेन्स दोनों अवतल होंगे। क्योंकि अवतल लेन्स तथा अवतल दर्पण दोनों की फोकस दूरी ऋणात्मक होती है।

35. (c) प्रश्नानुसार, आवेश = 10 कूलॉम

कार्य = 200 जूल

बिन्दु P पर विद्युत विभव

$V = \frac{W}{q} = \frac{200}{10}$

= 20 वोल्ट

36. (c) प्रश्नानुसार,

उत्तल लेन्स की फोकस दूरी, $f = +12$ सेमी है।

तो लेन्स से वस्तु की दूरी $= u$ सेमी

सूत्रानुसार,

$\frac{l}{O} = \frac{v}{u}$

दिए गए प्रश्नानुसार,

$\frac{l}{O} = \frac{-1}{2}$

$\therefore \frac{v}{u} = \frac{-1}{2}$

$\Rightarrow v = -\frac{u}{2}$ सेमी.

तो लेन्स से प्रतिबिम्ब की दूरी,

$v = -\frac{u}{2}$

लेन्स के सूत्र से,

$$\frac{1}{f}=\frac{1}{v}-\frac{1}{u}$$

$$\Rightarrow \frac{1}{12}=-\frac{2}{u}-\frac{1}{u}$$

$$\Rightarrow \frac{1}{12}=\frac{-2-1}{u}$$

$\therefore$ $u=-36$ सेमी

अत: वस्तु 36 सेमी दूरी पर स्थित होगी।

37. (d) प्रश्नानुसार,

पत्थर की ऊँचाई, $h = 20$ मी है

वेग की दर, $g = 10$ मी/से^{2} है

अत: गति का समीकरण, $v^2 = u^2 + 2gh$

$\Rightarrow$ $v^2 = 0 + 2 \times 10 \times 20$

$\Rightarrow$ $v^2 = 400$

$\Rightarrow$ $v = \sqrt{400}$

$\therefore$ जमीन पर टकराते समय पत्थर का वेग

$v = 20$ मी/से

अत: $v = u + gt$

$\Rightarrow$ $20 = 0 + 10 \times t$

$$\Rightarrow t=\frac{20}{10}$$

$\therefore$ जमीन पर टकराने में पत्थर द्वारा लगनेवाला समय $t = 2$ सेकेण्ड

38. (d) प्रश्नानुसार,

विद्युत क्षेत्र की तीव्रता, $E = 30$ न्यूटन/कूलॉम

आवेश, $q = 20$ कूलॉम

आवेश पर लगने वाला बल,

$F = qE = 20 \times 30 = 600$ न्यूटन

39. (d) किरचॉफ का नियम लगाने पर,

$V_A - (6\times2) - 12 - (9\times2) + 4 - (5\times2) = V_B$

$\Rightarrow V_A - V_B = 12 + 12 + 18 - 4 + 10$

$= 48$ V

40. (c) प्रश्नानुसार,

प्रोटॉन पर आवेश, $q = 1.6 \times 10^{-19}$ कूलॉम चुम्बकीय क्षेत्र, $B = 2500$ न्यूटन/एम्पियर–मी प्रोटॉन की गति $v = 4 \times 10^5$ मी/से

चूँकि प्रोटॉन गति पूर्वक क्षेत्र के समान्तर प्रवेश करता है।

$\therefore$ $\theta = 180°$

प्रोटॉन पर आरोपित बल का मान,

$F = qvB\sin\theta$

$= 1.6 \times 10^{-19} \times 4 \times 10^5 \times 2500 \times \sin 180°$

$= 0$ न्यूटन

41. (b) यदि मिश्रण का परिणामी ताप t °C है। कैलोरीमिति के सिद्धान्त से,

$m_1 \times s_1 \times (t_1 - t) = m_2 \times s_2 \times (t - t_2)$

$\Rightarrow$ $180 \times s \times (95 - t) = 100 \times s \times (t - 60)$

$\Rightarrow$ $18 \times 95 - 18t = 10t - 600$

$\Rightarrow$ $28t = 2310$

$$\therefore t=\frac{2310}{28}$$

$= 82.5$ °C

42. (a)

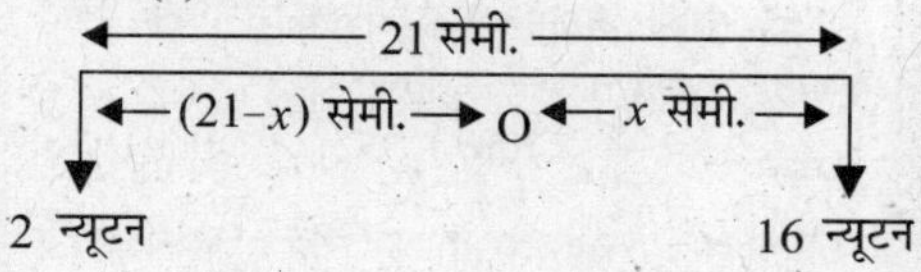

बड़े बल अर्थात् 16 न्यूटन से उस बिन्दु की दूरी x सेमी है।

आघूर्णों के सिद्धान्तनुसार,

$2(21 - x) = 16x$

$\Rightarrow$ $42 - 2x = 16x$

$\Rightarrow$ $18x = 42$

$$\Rightarrow x=\frac{42}{18}$$

$\therefore$ $x = 2.3$ सेमी.

43. (b) आवृत्ति, $\nu = 500$ हर्ट्ज

तरंगदैर्ध्य, $\lambda = 80$ सेमी

$=\frac{80}{100}$ मी

दूरी, s = 1 किमी = 1000 मी

गति, $v = \nu \times \lambda$

$$=500\times\frac{80}{100}$$

$= 400$ मी/से

$\therefore$ समय $=\frac{\text{दूरी}}{\text{गति}}=\frac{1000}{400}=2.5$ सेकेण्ड

44. (c) प्रश्नानुसार,

फोकस दूरी, $f = -15$ सेमी

दर्पण से वस्तु की दूरी, $u = -25$ सेमी

वस्तु का आकार, $l = 4.0$ सेमी

दर्पण के सूत्रानुसार,

$$\frac{1}{f}=\frac{1}{v}+\frac{1}{u}$$

$$\Rightarrow \frac{1}{-15}=\frac{1}{v}+\frac{1}{-25}$$

$$\Rightarrow \frac{1}{v}=\frac{1}{-15}+\frac{1}{25}$$

$$\Rightarrow \frac{1}{v}=\frac{-10+6}{150}$$

$$\Rightarrow \frac{1}{v}=\frac{-4}{150}$$

$$\therefore v=-\frac{150}{4}$$

$= -37.5$ सेमी

45. (b) दो द्रव्यमानों के बीच का गुरुत्वाकर्षण बल,

$$F=G\frac{m_1m_2}{r^2}$$

गुरुत्वाकर्षण बल गुरुत्वाकर्षण नियतांक G, द्रव्यमानों के गुणनफल (m_1m_2) तथा उनके मध्य की दूरी के वर्ग पर निर्भर करता है। यह बल माध्यम पर निर्भर नहीं करता है। इसलिए पानी में एक–दूसरे से समान दूरी पर रखे गए द्रव्यमानों के गुरुत्वाकर्षण बल में कोई परिवर्तन नहीं होगा।

अर्थात् गुरुत्वाकर्षण बल P तथा Q बराबर होंगे।

$P = Q$

46. (c) दिया है,

प्रेरण प्रतिघात, $X_L = 20$ ओम

धारितीय प्रतिघात, $X_C = 20$ ओम

प्रतिरोध, $R = 5$ ओम

परिपथ की प्रतिबाधा,

$\Rightarrow$ $Z = \sqrt{R^2 + (X_L - X_C)^2}$

$\Rightarrow$ $Z = \sqrt{(5)^2 + (20 - 20)^2}$

$\Rightarrow$ $Z = \sqrt{25}$

$\Rightarrow$ $Z = 5$ ओम

47. (b) प्रकाश का वेग,

$c = n\lambda$

प्रकाश का वेग तरंगदैर्ध्य पर निर्भर करता है।

प्रकाश के किसी प्रिज्म में से गुजरने के दौरान लाल रंग की तरंगदैर्ध्य सर्वाधिक, हरे रंग की मध्यम तथा बैंगनी रंग की सबसे कम होती है। इसी अनुपात में इन तरंगदैर्ध्यों का वेग भी रंगों के अनुसार निर्धारित होता है।

अर्थात् $V_V < V_G < V_R$

48. (c) प्रश्नानुसार,

प्रतिरोध, $R = 4$ ओम

ऊष्मा, $H = 100$ जूल

समय, $t = 1$ सेकण्ड

ऊष्मा, $H = \frac{V^2T}{R}$

$$\Rightarrow 100=\frac{V^2\times1}{4}$$

$\Rightarrow$ $V^2 = 400$

∴ अत: प्रतिरोधों के सिरों पर विभवान्तर होगा $V = 20$ वोल्ट

49. (b)

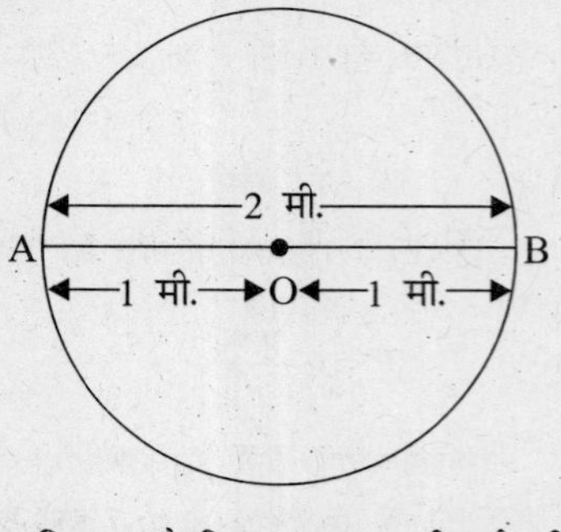

कण द्वारा बिन्दु A से बिन्दु B तक चली गई दूरी $= \frac{2\pi r}{2}$

$= \pi r = \pi \times 1 = \pi$ मी

कण द्वारा तय किया गया विस्थापन,

$AB = 2r = 2 \times 1 = 2$ मी

अत: दूरी तथा विस्थापन में अनुपात $= \pi : 2$

50. (a) प्रेरित विद्युत वाहक बल,

$$e = \frac{-N(\phi_2 - \phi_1)}{t}$$

$$= \frac{-20(0 - 0.3)}{1}$$

$= 6$ वोल्ट

51. (b) प्रश्नानुसार,

द्रव्यमान, $m = 2000$ किग्रा

वेग, $v = 18$ किमी/घण्टा

$= 18 \times \frac{5}{18}$ मी/से

$= 5$ मी/से

कार को रोकने के लिए किया गया कार्य

= कार की गतिज ऊर्जा

$$= \frac{1}{2} mv^2$$

$$= - \times 2000 \times (5)$$

$= 25000 = 2.5 \times 10^4$ जूल

52. (d) दिया है, ब्लॉक को खींचने में घर्षण बल के विरुद्ध लगाया गया बल,

$F = 54$ न्यूटन

$F' = ma = 6 \times 6 = 36$ न्यूटन

घर्षण बल $= F - F'$

$= 54 - 36 = 18$ न्यूटन

53. (c) दिया है,

संधारित्र की धारिता, $c = 3\mu F$

आवेश, $q = 108\mu C$

संधारित्र की प्लेटों के बीच विभवान्तर

$$V = \frac{q}{c} = \frac{108}{3}$$

$= 36$ वोल्ट

54. (b) अज्ञात द्रव का घनत्व

$$= \frac{\text{द्रव में पिण्ड के भार में कमी}}{\text{जल में पिण्ड के भार में कमी}}$$

$$= \frac{75 - 51}{75 - 67} = \frac{24}{8}$$

$= 3$ ग्राम/सेमी^{3}

55. (b) g के मान में प्रतिशत त्रुटि

$$= \frac{\Delta g}{g} \times 100\%$$

$$= \frac{9.92 - 9.80}{9.8} \times 100\%$$

$$= \frac{12}{9.8}\%$$

$= 1.22\%$

56. (a) वस्तु की गतिज ऊर्जा,

$$K = \frac{1}{2} mv^2$$

जहाँ, m = वस्तु का द्रव्यमान

v = वस्तु का वेग

57. (c) श्वेत प्रकाश में विभिन्न रंगों का प्रकाश उपस्थित होता है जिनकी तरंगदैर्ध्य भी भिन्न होती है। इसलिए इसको पॉलीक्रोमेटिक प्रकाश कहा जाता है।

58. (a) वायुमण्डलीय अपवर्तन के कारण तारे टिमटिमाते हुए प्रतीत होते है तारों से चलने वाला प्रकाश, भिन्न अपवर्तनांकों की वायुमण्डलीय परतों से गुजरने के कारण अपवर्तित हो जाता है जिस कारण तारे टिमटिमाते प्रतीत होते है।

59. (d) चित्र के अनुसार, दर्शाए गए संधारित्र, 3 समान्तर क्रम में जुड़े संधारित्र हैं।

अत: A व B के बीच तुल्य धारिता

$C_{AB} = C_1 + C_2 + C_3$

$= 3 + 3 + 3 = 9\mu F$

60. (a) दिया है,

वोल्टेज, $(V) = 220$ वोल्ट

धारा, $(f) = 0.50$ ऐम्पियर

हम जानते है,

$$P = V \times I$$

$$= 220 \times 0.50$$

$= 110$ वाट

रसायन विज्ञान

61. (a) $2KMnO_4 + H_2O \rightarrow 2MnO_2 + 2KOH + 3(O)$

$2(39 + 55 + 64) = 316$, $3 \times 16 = 48$

∵ 48 भार भाग O_2 विस्थापित होती है

$= 316$ भार भाग $KMnO_4$ से

∴ 8 भार भाग O_2 विस्थापित होती है

$$= \frac{316 \times 8}{48} = 52.66$$

∴ क्षारीय माध्यम में $KMnO_4$ का तुल्यांकी भार $= 52.66$

62. (b) C_2H_2 की सजातीय श्रेणी एवं IUPAC नाम क्रमश: एल्काइन एवं एथाइन है।

63. (a) निर्जल सोडियम ऐसीटेट और सोडालाइम के मिश्रण को गर्म करने पर मेथेन (CH_4) बनती है।

$CH_3COONa + NaOH + CaO \rightarrow CH_4 + Na_2CO_3$

सोडियम ऐसीटेट सोडालाइम मेथेन

64. (d) $SnCl_2 + 2HgCl_2 \rightarrow SnCl_4 + Hg_2Cl_2$

में स्टैनस क्लोराइड $SnCl_2$ का स्टैनिक क्लोराइड $SnCl_4$ में उपचयन (oxidation) हो रहा है जबकि मरक्यूरिक क्लोराइड Hg_2Cl_2 में अपचयन (reduction) हो रहा है।

65. (c) जिन तत्वों के परमाणु या किसी यौगिक में तत्व के d-कक्षक आंशिक रुप से भरे होते हैं। संक्रमण तत्व कहलाते हैं।

उदाहरण Fe, Zn, Pt, Cu आदि।

66. (a) 1% क्षारीय $KMnO_4$ का विलयन बेयर अभिकर्मक कहलाता है। यह असंतृप्त हाइड्रोकार्बनों द्वारा रंगीन हो जाता है। अत: एल्कीन तथा एल्काइन दोनों बेयर अभिकर्मक को रंगहीन कर देती हैं।

67. (d) $2H_2S + SO_2 \rightarrow 2H_2O + 3S$

H_2S में सल्फर की ऑक्सीकरण संख्या-2 है सल्फर में शून्य हो जाती है। अत: H_2S का ऑक्सीकरण तथा SO_2 का अपचयन हो रहा है। अत: H_2S अपचायक व SO_2 ऑक्सीकारक तरह कार्य कर रहा है।

68. (b) चूंकि नाइट्रोजन के ऑक्साइड का अणुभार 30 है। अत: स्पष्ट है कि इसका सूत्र NO (14 + 16) है

अब N का परमाणु क्रमांक 7 तथा O का 8 है।

अत: इलेक्ट्रॉनों की संख्या 7 + 8 = 15 है।

69. (c) ${}_{92}U^{235}$ यूरेनियम के प्रति नाभिक विखण्डन से 200 MeV ऊर्जा प्राप्त होती है।

70. (c) मैग्नीशियम को वायु में जलाने पर मैग्नीशियम नाइट्राइट (Mg_3N_2) बनता है, जो जल से क्रिया करके अमोनिया गैस बनाता है। अमोनिया गैस क्षारीय होने के कारण लाल लिटमस को नीला कर देती है और HCl के साथ क्रिया करके NH_4Cl का सफेद धुआं देती है।

$3Mg + N_2$ (वायु में) $\rightarrow Mg_3N_2$

$3MgN_2 + 6H_2O \rightarrow 3Mg(OH)_2 + 2NH_3$

$NH_3 + HCl \rightarrow NH_4Cl$ (सफेद धुआं)

71. (b) CaC_2 पर ठण्डे पानी की क्रिया से ऐसीटिलीन प्राप्त होती है।

$CaC_2 + 2H_2O \rightarrow C_2H_2 + Ca(OH)_2$

72. (d) क्लोरीन का प्रयोग प्रतिरोधी (Antiseptic) के रुप में किया जाता है।

73. (c) बॉक्साइट को पीसकर जब सोडियम हाइड्रॉक्साइड के साथ 150ºC तक गर्म करते हैं, तो सोडियम मेटाऐलुमिनेट का घोल बनता हैं।

$Al_2O_3.2H_2O + 2NaOH \rightarrow 2NaAlO_2 + 3H_2O$

74. (b) पोटैशियम डाइक्रोमेट ($K_2Cr_2O_7$) का अम्लीय माध्यम में रंग क्रोमिक सल्फेट बनने के कारण हरा होता है

$K_2Cr_2O_7 + 4H_2SO_4 \rightarrow K_2SO_4 + \underset{\text{हरा}}{Cr_2(SO_4)_3} + 4H_2O$

75. (d) उत्कृष्ट गैसें जल में अल्प विलेय होती हैं। जल में इनकी विलेयता He से Xe तक बढ़ती है। अत: Xe जल में आसानी से घुलनशील है।

76. (a) नाभिकीय रिएक्टर को नियन्त्रित करने के लिए कैडमियम की छड़ों का प्रयोग किया जाता है।

77. (c) C_2H_4 (एथिलीन) का कच्चे फलों को पकाने में प्रयोग किया जाता है।

78. (c) एल्काइन का सामान्य सूत्र C_nH_{2n-2} है।

79. (d) कृत्रिम रेशम सेल्यूलोस से तैयार किया जाता है।

80. (c) माना कि N की ऑक्सीकरण संख्या x है।

$\because \quad HNO_3 = \overset{+1x-6}{HNO}$

$\therefore \quad 1 + x - 6 = 0 \quad \Rightarrow x = +5$

81. (b) C_2H_2 की सजातीय श्रेणी एल्काइन है तथा आई.यू.पी.ए.सी. नाम एथाइन है।

82. (c) $2H_2 \quad + \quad O_2 \rightarrow 2H_2O$

2 मोल   1 मोल

2 आयतन   1 आयतन

$\therefore$ 2 ली H_2 के लिए आवश्यक O_2 की मात्रा = 1 ली

$\therefore$ 100 ली H_2 के लिए आवश्यक O_2 की मात्रा $= \frac{1}{2} \times 100 = 50$ ली

83. (d) बेकिंग सोडा का रासायनिक सूत्र $NaHCO_3$ है।

84. (b) मिश्र धातु सोल्डर (टांका) के अवयव लैड (50%) एवं टिन (50%) है।

85. (d) एल्डिहाइड समूह –CHO है।

86. (c) एल्युमिनियम ऑक्साइड एक उभयधर्मी (amphoteric) ऑक्साइड है तथा अम्लों तथा क्षारों दोनों से अभिक्रिया कर लेता हैं।

जैसे:

$Al_2O_3 + 6HCl \rightarrow 2AlCl_3 + 3H_2O$

$Al_2O_3 + 2NaOH \rightarrow 2NaAlO_2 + H_2O$

87. (a) SO_2 का ऑक्सीकरण करने पर O_2 मुक्त नहीं होती है।

$3SO_2 + O_3 \rightarrow 3SO_3$

जबकि HCl तथा KNO_2 का ऑक्सीकरण करने पर O_2 मुक्त हो जाती है।

$2HCl_2 + O_3 \rightarrow Cl_2 + O_2\uparrow + H_2O$

$KNO_2 + O_3 \rightarrow KNO_3 + O_2\uparrow$

88. (d) $K_W = (H_3O^+)(OH^-)$

$10^{-14} = (H_3O^+)(0.005\ N)$

(दिया है $OH^- = 0.005$ N)

$$[H_3O^+] = \frac{10^{-14}}{0.005}$$

$$[H_3O^+] = 2 \times 10^{-12}\ M$$

89. (c) Fe_3O_4 अयस्क मैग्नेटाइट कहलाता है।

90. (c) सान्द्र H_2SO_4 के साथ गर्म करने पर फॉर्मिक एसिड जल कर कार्बन मोनॉक्साइड देता है।

$$HCOOH \xrightarrow[373\,K]{\text{सान्द्र } H_2SO_4} H_2O + CO$$

91. (c) अर्द्ध-आयु कालों की कुल संख्या,

$$n = \frac{\text{कुल समय}}{\text{अर्द्ध-आयु काल}}$$

$$= \frac{600}{150} = 4$$

n अर्द्ध-आयु कालों के पश्चात् रेडियोसक्रिय तत्त्व की शेष मात्रा

$$= \left(\frac{1}{2}\right)^n N_0$$

$$= \left(\frac{1}{2}\right)^4 \times 1$$

$$= \frac{1}{16} \text{ ग्राम}$$

92. (d) नाइट्रोजन (N_2) का अणुभार

$= 2 \times 14 = 28$

मोल संकल्पना के अनुसार,

$\because$ 28 ग्राम N_2 में अणुओं की उपस्थित संख्या $= 6.023 \times 10^{23}$

$\therefore$ 2.8 ग्राम N_2 में अणुओं की उपस्थित संख्या

$$= \frac{6.023 \times 10^{23} \times 2.8}{28}$$

$= 6.023 \times 10^{22}$

93. (c) भंजन प्रक्रिया प्रयोग में आती है अणुओं को परिवर्तित करने के लिए। भंजन प्रक्रिया में उच्च अणुभार वाले संतृप्त हाइड्रोकार्बन (जैसे–एल्केन) टूटकर निम्न अणुभार वाले अधिक उपयोगी हाइड्रोकार्बन (जैसे–एल्केन, एल्कीन) में परिवर्तित हो जाते हैं।

उदाहरण स्वरूप

$$C_6H_{14} \xrightarrow[\text{(उच्च ताप)}]{\text{भंजन}} C_4H_{10} + C_2H_4$$

94. (c) फैराडे के विद्युत अपघटन के प्रथम नियमानुसार,

संगृहीत कॉपर की मात्रा,

$$w = \frac{E}{96500} \times it$$

जहाँ, $E = Cu^{2+}$ आयन का तुल्यांकी भार

$$= \frac{63.5}{2}$$

i = 2 एम्पियर

t = 30 मिनट = 30 × 60 सेकेण्ड

$$\therefore \quad w = \frac{63.5}{2 \times 96500} \times 20 \times 30 \times 60$$

= 1.184 ग्राम

95. (a) बुखार को कम करने हेतु प्रयोग में लाई जाने वाली दवाइयों को एण्टीपायरेटिक कहते हैं। जैसे– ऐस्प्रिन, इबुप्रोफिन आदि।

96. (d)

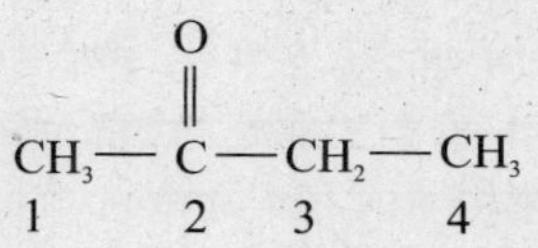

(2–ब्यूटेनोन) अथवा (इथाइल मिथाइल कीटोन)

97. (b) ग्राहम के विसरण के नियमानुसार, गैस के विसरण की दर (r) उसके घनत्व (d) के वर्गमूल के व्युत्क्रमानुपाती होती है।

$$r \propto \frac{1}{\sqrt{d}}$$

98. (c) अम्ल का अणुभार

= तुल्यांकी भार × भास्मिकता

= 12 × 2 = 24

99. (a)

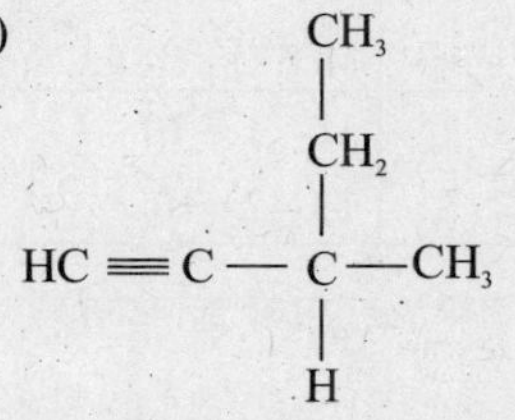

IUPAC नाम = 3 – मिथाइल – 1 – पेण्टाइन

100. (c) $\underset{10.0\text{ ग्राम}}{CaCO_3} \longrightarrow \underset{5.6\text{ ग्राम}}{CaO} + \underset{4.4\text{ ग्राम}}{CO_2}$

उत्पादों का कुल द्रव्यमान = 5.6 + 4.4 = 10.0 ग्राम

उपर्युक्त अभिक्रिया में अभिकारक का द्रव्यमान तथा उत्पादों का कुल द्रव्यमान समान है। इसलिए प्रश्न में दिए गए आँकड़े द्रव्य की अविनाशिता के नियम का समर्थन करते हैं।

101. (a) पारा (Hg) एवं अन्य धातुओं के संयोग से बनी मिश्रधातु को अमलगम कहते हैं; जैसे–

सोडियम अमलगम (Na-Hg)। सोडियम तथा पारा की मिश्रधातु है।

102. (d) समइलेक्ट्रॉनिक आयनों में धनावेश जितना अधिक होता है, आयनिक त्रिज्या उतनी ही छोटी होती है और ऋणावेश जितना अधिक होता है, आयनिक त्रिज्या उतनी ही कम होती है। आयनिक त्रिज्या का सही क्रम निम्नलिखित है–

$Al^{3+} < Mg^{2+} < N^{3-}$

103. (a) डिटर्जेण्ट्स में उच्च शृंखला के सल्फोनिक अम्ल या एल्किल हाइड्रोजन सल्फेट के सोडियम अथवा पोटैशियम लवण होते हैं।

104. (b) थर्मोसेटिंग प्लास्टिक का उदाहरण बैकेलाइट है।

PVC तथा पॉलीथीन थर्मोप्लास्टिक बहुलक हैं।

105. (b) $\overset{+4}{S}O_2 + 2H_2\overset{-2}{S} \rightarrow 3\overset{0}{S} + 2H_2O$

उपरलिखित अभिक्रिया में सल्फर की ऑक्सीकरण संख्या में वृद्धि (–2 से 0) तथा कमी (+4 से 0) दोनों हो रही है। इसलिए उपरोक्त अभिक्रिया में सल्फर का ऑक्सीकरण तथा अपचयन दोनों सम्मिलित हैं।

106. (b) पानी में कैल्शियम और मैग्नीशियम लवणों की मौजूदगी से इसमें कठोरता उत्पन्न हो जाती है।

107. (a)

स्पीशीज	इलेक्ट्रॉनों की संख्या
Mg^{2+}	12 – 2 = 10
Ar	18
O^{2-}	8 + 2 = 10
F^{-}	9 + 1 = 10
P^{3-}	15 + 3 = 18
Ar	18
Na^{+}	11 – 1 = 10
Al^{3+}	13 – 3= 10

Mg^{2+} तथा Ar युग्म में इलेक्ट्रॉनों की संख्या समान नहीं है।

108. (c) यौगिकों में फ्लुओरीन (F) की ऑक्सीकरण संख्या सदैव –1 होती है।

माना ऑक्सीजन की ऑक्सीकरण संख्या $= x$

F_2O

$2 \times (-1) + x = 0$

$\Rightarrow \quad -2 + x = 0$

$\Rightarrow \quad x = +2$

109. (b) टेट्राफ्लुरोएथीन, अर्थात् $F_2C=CF_2$, टेफ्लॉन बहुलक का एकलक है।

$$nF_2C=CF_2 \xrightarrow[\text{(उच्च दाब)}]{\text{उत्प्रेरक}} [CF_2-CF_2]_n$$

टेट्राफ्लुरोएथीन टेफ्लॉन

110. (a) MgH_2 आयनिक हाइड्राइड है; जबकि SiH_4, BH_3 तथा PH_3 सहसंयोजक हाइड्राइड हैं।

111. (b) कार्बनिक यौगिक में मौजूद ऑक्सीजन की प्रतिशत मात्रा = 100 – (38.71 + 9.67)

= 100 – 48.38 = 51.62%

तत्व	प्रतिशत मात्रा	परमाणु भार	मोलर अनुपात	सरलतम मोलर अनुपात
C	38.71	12	$\frac{38.71}{12} = 3.23$	$\frac{3.23}{3.23} = 1$
H	9.67	1	$\frac{9.67}{1} = 9.67$	$\frac{9.67}{3.23} = 3$
O	51.62	16	$\frac{51.62}{16} = 3.23$	$\frac{3.23}{3.23} = 1$

इसलिए यौगिक का मूलानुपाती सूत्र = CH_3O

112. (a) इथाइन ($CH \equiv CH$) गैस का प्रयोग वेल्डिंग करने के लिए किया जाता है।

113. (a) $_{29}Cu = [Ar]\,4s^1 3d^{10}$

114. (b) वास्तविक गैसें उच्च तापमान तथा निम्न दाब पर आदर्श गैस की तरह व्यवहार करती हैं।

115. (c) ऑस्टवाल्ट विधि में अमोनिया (NH_3) के ऑक्सीकरण में प्लैटिनम (Pt) उत्प्रेरक का इस्तेमाल होता है। यह एक उष्माक्षेपी अभिक्रिया है।

116. (a) Mn का परमाणु क्रमांक 25 होता है। इसका इलेक्ट्रॉनिक विन्यास निम्न है:

$Mn (Z=25): 1s^2, 2s^2, 2p^6, 3s^2, 3p^6, 4s^2, 3d^5$

117. (a) जिनमें दो या दो से अधिक अणु मिलकर एक बड़े अणु का निर्माण करते हैं। योगात्मक अभिक्रियाएँ कहलाती हैं। ये अभिक्रियाएँ बहुबन्ध युक्त यौगिकों द्वारा की जाती है।

एल्काइन में $C \equiv C$ उपस्थित होते है अत: यह योगात्मक अभिक्रिया देता है।

118. (a) विनेगर में 6-10% ऐसीटिक अम्ल (CH_3COOH) होता है। विनेगर ऐसीटिक अम्ल का जलीय विलयन होता है। इसको सिरका भी बोलते हैं।

119. (c) साबुन को एस्टर के क्षारीय जल अपघटन द्वारा बनाया जाता है यह अभिक्रिया साबुनीकरण कहलाती है। इस अभिक्रिया में एस्टर क्षार से क्रिया करके एल्कोहल तथा कार्बोक्सिलिक अम्ल का लवण देता है।

120. (d) $pH = -\log [H^+]$

$= -\log 3.3 \times 10^{-2}$

$= 2 - \log 3.3$

$= 2 - 0.5185$

$= 1.4815 \approx 1.5$

वनस्पति विज्ञान

121. (b) प्लेनेरिया एक फ्लैटवर्म का ज़ीनस है जो फाइलम प्लेटिहेल्मिन्थीज से संबंधित है। ये जीव अपने खोए हुए शरीर के अंगों को पुनर्जीवित करने की उल्लेखनीय क्षमता के लिए जाने जाते हैं। वे आमतौर पर मीठे जल के वातावरण में पाए जाते हैं लेकिन समुद्री और स्थलीय आवासों में भी पाए जा सकते हैं। प्लेनेरिया का उपयोग अक्सर वैज्ञानिक अनुसंधान में उनके पुनर्जनन गुणों के कारण किया जाता है। उनके पास एक सरल तंत्रिका तंत्र और एक पाचन तंत्र है।

122. (c) मैग्नीशियम पौधों में पर्णहरित के संश्लेषण के लिए आवश्यक होता है। पर्णहरित एक अभिन्न अंग बनाता है। पर्णहरित का केंद्रीय घटक नाइट्रोजन युक्त पोर्फिरीन वलय से घिरा होता है। मैग्नीशियम संरचना का एक महत्वपूर्ण भाग है और इसलिए पर्णहरित के संश्लेषण के लिए इसकी तत्काल आवश्यकता होती है।

123. (c) विभज्योतक पौधों में पाए जाने वाले ऊतक के प्रकार हैं जो विभाजित और पुनर्विभाजित होते रहते हैं और इसलिए पौधों के विकास में शामिल होते हैं। विभज्योतकों को क्षेत्र के आधार पर जहाँ वे मौजूद होते हैं, अग्रस्थ, पार्श्व और अंतर्वेशी के रूप में वर्गीकृत किया गया है।

124. (c) थायरॉक्सिन पादप हार्मोन नहीं है। यह थायरॉइड ग्रंथि द्वारा रक्त में स्त्रावित होने वाले मानव शरीर का एक हार्मोन है।

125. (d) जाइलम पौधों में एक प्रकार का संवहन ऊतक है जो पौधे के शेष भागों में जड़ों से पानी और पोषक तत्वों के संचालन के लिए जिम्मेदार है। वाहिकाएँ और ट्रैकिड्स जाइलम ऊतक में प्राथमिक जल-संचालन तत्व हैं। वाहिकाएँ लंबी नलिकाएँ होती हैं जो वाहिका तत्वों के अंत से अंत कनेक्शन द्वारा बनती हैं, जिससे कुशल जल परिवहन होता है। ट्रेकिड्स लम्बे कोशिकाएँ होती हैं जिनके नुकीले सिरे होते हैं जो एक-दूसरे का अतिव्यापन करते हैं, जिससे उनके छिद्रों के माध्यम से जल की गति होती है। वाहिकाओं और ट्रेकिड्स दोनों में मोटी, लिग्नित दीवारें होती हैं जो पौधे को संरचनात्मक सहारा प्रदान करती हैं।

126. (b) केवल 1 और 2 सही हैं।

पौधे सूर्य के प्रकाश से प्राप्त ऊर्जा को कार्बोहाइड्रेट के रूप में संग्रहीत भोजन में परिवर्तित करते हैं तथा पौधों में पर्णहरित होता है सही है। पादप कोशिकाओं में कोशिका भित्ति नहीं होती है गलत है।

127. (b) कोलेनकाइमा एक विशेष सरल स्थायी ऊतक है जो पौधों को स्थायित्व और लचीलापन प्रदान करता है। यह ऊतक जीवित कोशिकाओं से बना होता है, जो भित्ति पर सेल्यूलोज, पेक्टिन और हैमिसेलुलोज की असमान मोटाई होती है। कोशिकाओं में क्लोरोप्लास्ट होता है, फिर यह शर्करा और स्टार्च के निर्माण में शामिल होता है। पादप शरीर को तन्यता और नम्यता प्रदान करता है।

128. (a) फूलों में पौधे की प्रजनन संरचनाएँ होती हैं। एक विशिष्ट फूल के चार मुख्य भाग या चक्र होते हैं जिसे केलिक्स, कोरोला, पुमंग और जायांग के रूप में जाना जाता है। फूल के सबसे बाह्य चक्र में हरे, पत्तेदार संरचनाएं होती हैं जिन्हें बाहयदल कहा जाता है। बाह्यदल को सामूहिक रूप से केलिक्स कहा जाता है, जो बंद कली की रक्षा करने में मदद करता है।

129. (c) क्लैमाइडोमोनस एक हरी शैवाल का उदाहरण है। क्लैमाइडोमोनस रुके हुए पानी में और गीली मिट्टी में साथ ही साफ पानी में, समुद्र के पानी में और यहाँ तक कि बर्फ में पाया जाता है।

- समूह: क्लोरोफाइसी
- क्रम: क्लैमाइडोमोनाडेल्स
- वैज्ञानिक नाम: क्लैमाइडोमोनस
- फाइलम: क्लोरोफाइटा
- उच्च वर्गीकरण: क्लैमाइडोमोनाडेसिया
- श्रेणी: जीनस

क्रम संख्या	नाम	प्रकार	व्याख्या
1.	लेमिनेरिया	भूरी शैवाल	इसे केल्प के नाम से भी जाना जाता है। यह आमतौर पर गहरे समुद्र में पाई जाती है।
2.	सरगासम	भूरी शैवाल	यह समुद्री शैवाल (दीर्घशैवाल) का एक प्रकार है जिसे आमतौर पर इसकी प्लवकीय प्रजाति के लिए जाना जाता है।
3.	क्लैमाइडो-मोनस	हरी शैवाल	ये लगभग हर जगह पाई जाती है और इसकी 325 प्रजातियाँ हैं।
4.	फ्यूकस	भूरी शैवाल	इसे मूलरूप से चट्टानी शैवाल के तौर पर जाना जाता है और यह अन्त: ज्वारीय क्षेत्रों में पाई जाती है।

130. (d) मैलस डोमेस्टिका सेब के पेड़ का वैज्ञानिक नाम है।

131. (b) पादप उत्तक में कॉर्क की कोशिका भित्ति "सूबेरिन" द्वारा स्कंदित होती है, जो गैस और जल के अणुओं के लिए अभेद्य बनती हैं।

132. (b) अमरबेल एक परजीवी पौधा है। चूंकि अमरबेल में क्लोरोफिल नहीं होता है इसलिए यह प्रकाश संश्लेषण द्वारा अपने भोजन को संश्लेषित नहीं कर सकता है। अमरबेल अपनी वृद्धि के लिए परपोषी पौधों के पोषक तत्वों का उपयोग करता है।

133. (c) पौधे के समूह को 5 समूहों में बांटा गया है। ये पाँच समूह हैं (i) थैलोफाइटा (ii) ब्रायोफाइटा (iii) पेरिडोफाइटा (iv) जिमनोस्पर्म (v) एंजियोस्पर्म।

134. (a) आलू एक संधोधित तना है। इसके अतिरिक्त अदरक और रतालू भी एक संशोधित तनें है क्योंकि भोजन के भंडारण और सुरक्षा कार्यों के लिए तनों को संशोधित किया जाता है।

135. (a) एक फूल के नर अंग वाले भाग को पुंकेसर और फूल के महिला अंग भाग को स्त्रीकेसर कहा जाता है। यह पादप में नर युग्मक बनाने में मदद करता है और यह परागकणों में मौजूद होता है।

136. (c) हॉर्टिकल्चर यानि बागवानी, पौधों और फसलों की खेती से जुड़ा क्षेत्र है। यह कृषि की एक विशेष शाखा है, जिसमें खाद्य और अखाद्य दोनों फसल आते हैं।

137. (b) विषाणु की खोज सर्वप्रथम दिमित्री इवानोवस्की ने 1892 में की थी।

138. (c) पादपों के वृद्धि और विकास के लिए 17 अनिवार्य तत्व है। इनमें कार्बन, हाइड्रोजन और ऑक्सीजन को पौधे हवा ओर पानी से ग्रहण करते हैं, वहीं नाइट्रोजन, फॉस्फोरस और पोटैशियम को पौधे मिट्टी से लेते हैं।

139. (a) पत्तियों को मुरझाने के लिए जिम्मेदार हार्मोन एब्सिसिक अम्ल है। एब्सिसिक अम्ल कली प्रसुप्ति और बीज के साथ पौधों के विकास प्रक्रियाओं में मदद करता है।

140. (b) क्रेब्स चक्र का महत्व ADP के उत्पादन में है। क्रेब्स चक्र वायवीय श्वसन का मुख्य चरण है जिसमें ATP के सर्वाधिक अणु निर्मित होते हैं।

141. (d) बीटी-बैंगन, बीटी कपास तथा गोल्डन राइस आनुवंशिक रूप से संशोधित फसल है। आनुवंशिक रूप से संशोधित फसल-ये ऐसे बीज हैं जिनकी आनुवंशिक सामग्री को वैज्ञानिक रूप से संशोधित किया गया है। ऐसी फसलों को उनके स्वरुप में आनुवंशिक रूप से संशोधित किया जाता है। ऐसा करने से फसलों का उत्पादन बढ़ता है, और आवश्यक तत्वों की मात्रा बढ़ती है।

142. (b) मकई एक प्रकार की घास है। मकई एकबीजपत्री है, जिसका अर्थ है कि मकई में केवल एक बीजपत्र होता है। बीजपत्र पौधे की पहली पत्तियाँ बन जाते हैं। बीजपत्र भंडारित भोजन होते हैं जिनका उपयोग युवा पौधे अपनी वृद्धि में करते हैं।

143. (c) सूक्ष्म प्रवर्धन तकनीक बड़ी संख्या में आनुवंशिक रूप से समान रोग मुक्त पौधों के उत्पादन के लिए एक तीव्र विश्वसनीय प्रणाली प्रदान करती है। सूक्ष्म प्रवर्धन की विभिन्न तकनीकों में से विभज्योतक संस्कृति, विषाणु और अन्य रोगजनक उन्मूलन के लिए सबसे विश्वसनीय तरीका है।

144. (c) भारत में प्रथम कृषि विज्ञान केन्द्र की स्थापना पाण्डिचेरी में की गई थी। इसे भारतीय कृषि अनुसंधान संस्थान (IARI) के तहत स्थापित किया गया था। इस केन्द्र का उद्देश्य कृषि से संबंधित तकनीकी ज्ञान का विस्तार करना और किसानों को उन्नत कृषि विधियों से परिचित कराना था। इसे भारतीय कृषि की आधुनिकता की दिशा में एक महत्वपूर्ण कदम माना गया।

145. (b) पादप प्रजनन को वांछित विशेषताओं का उत्पादन करने के लिए फसल पौधों के आनुवंशिक लक्षणों को बदलने की कला, विज्ञान और प्रौद्योगिकी के रूप में वर्णित किया गया है।

146. (a) अनुवर्तन एक जैविक घटना है जो पौधों द्वारा बाह्य उद्दीपनों को ग्रहण या उससे दूर होकर उसके अनुसार उसमें होने वाली गति हैं। प्रकाश, गुरुत्व, जल, स्पर्श आदि जैसे तंतु पौधे के विकास को प्रभावित करते हैं और अनुवर्तन की ओर ले जाते हैं। यह एक ऐसा तंत्र है जिसके द्वारा पौधे उद्दीपन की उपस्थिति में पर्यावरणीय परिवर्तन के अनुकूल होते हैं। इसके परिणामस्वरूप अंतरीय वृद्धि होती है। पौधों के हार्मोन (औक्सिन) अंतरीय विकास को विनियमित करने में मदद करते हैं।

147. (a) जिब्रेलिन्स की खोज जापानी वैज्ञानिक कुरोसावा ने वर्ष 1926 में की थी।

148. (a) खाद्य उत्पादन में जैव प्रौद्योगिकी का अनुप्रयोग जीन क्रांति है। यह किसानों के लिए काफी संभावना है क्योंकि यह उन्हें रोग मुक्त रोपण सामग्री प्रदान करता है और ऐसी फसलें विकसित करता है जो कीटों और बीमारियों का विरोध करती है, पर्यावरण और मानव स्वास्थ्य को नुकसान पहुंचाने वाले रसायनों के उपयोग को कम करती हैं। यह विनाशकारी पशु रोगों को नियंत्रित करने में सहायता प्रदान कर सकता है।

149. (b) मकई एक प्रकार की घास है। मकई एकबीजपत्री होता है, जिसका अर्थ है कि मकई में केवल एक बीजपत्र होता है। बीजपत्र पौधे के पहले वास्तविक पत्ते बन जाते हैं। बीजपत्र संग्रहीत भोजन है, जिसे युवा पौधे वृद्धि करते समय उपयोग करते हैं।

150. (c) अकेशरुकी में नोटोकॉर्ड (पृष्ठरज्जु) अनुपस्थित होता है, जबकि कशेरुकियों में जीवन की किसी–न–किसी अवस्था में नोटोकॉर्ड (पृष्ठरज्जु) उपस्थित होता है।

जन्तु विज्ञान

151. (d) सजीव पदार्थ के संयोजन में लगभग 36 तत्व भाग लेते हैं, जिसमें ऑक्सीजन की मात्रा सर्वाधिक (62.00%) होती है। कार्बन (20%), हाइड्रोजन (10.00%) और नाइट्रोजन (3.00%) होता है।

152. (c) जिह्वा के पार्श्व किनारे पर खट्टे स्वाद के लिए कोशिकाएं होती हैं।

153. (d) आहार में लवण का मुख्य उपयोग भोजन को स्वाद देना होता है। लवण के स्वाद को पहचानने हेतु मानव की जीभ पर विशेष स्वाद कलियां (taste buds) मौजूद होती हैं। अत: उपयुक्त उत्तर विकल्प (d) है, जबकि शेष विकल्प तर्कसंगत नहीं हैं।

154. (a) पशु प्रोटीन (Animal Protein) को प्रथम श्रेणी का प्रोटीन माना जाता है, क्योंकि यह अनिवार्य अमीनो एसिड से भरपूर होता है। इन अमीनो अम्लों का निर्माण जंतु शरीर में नहीं होता, अत: इन्हें भोजन से लेना आवश्यक होता है।

155. (a) गहरे तले हुए खाद्य पदार्थ कैंसरजनक होते हैं– क्योंकि उनमें वसा की प्रचुरता होती है। खाद्य तेलों में उपस्थित ट्रांस फैट कैंसर के कारक हो सकते हैं।

156. (a) प्रोटीन अत्यंत जटिल तथा नाइट्रोजन युक्त पदार्थ है। इनकी रचना 20 अमीनो अम्लों के संयोग से होती है। ये शरीर के पोषण के लिए अत्यंत आवश्यक होते हैं। अत: यह 14 वर्ष की आयु तक के बच्चों के विकास के लिए आवश्यक होता है। शरीर में इसकी मात्रा 14% होती है। यह शरीर की नवीन कोशिकाओं का मुख्य आधार है।

157. (d) लाल चने में डाइस्टेस नामक एन्जाइम पाया जाता है। लाल चने को अरहर और तूर के नाम से भी जाना जाता है, जो विकासशील देशों में उगाई जाने वाली प्रमुख दलहनी फसल है।

158. (b) एन्जाइम (Enzymes) प्रमुख रूप से प्रोटीन होते हैं। एन्जाइम एक कार्बनिक पदार्थ है, जो कि एक रासायनिक अभिक्रिया को 10^{10} गुणा बढ़ा सकता है। एन्जाइम की खोज सर्वप्रथम जर्मन वैज्ञानिक कुहने ने की थी।

159. (c) एन्जाइम के प्रोटीन भाग को एपोएन्जाइम (Apoenzyme) कहा जाता है एवं एपोएन्जाइम की असक्रियता के आधार पर इसे प्रोएन्जाइम (Proenzyme) अथवा जाइमोजन (Zymogen) के नाम से भी जाना जाता है।

160. (b) लार हल्की अम्लीय (pH 6.8) होती है। यह लार-ग्रंथियों से निकलती है। इसमें लगभग 99.5% जल होता है। शेष भाग में जल में घुले कई प्रकार के विलेय पदार्थ होते हैं। इन पदार्थों में कुछ आयन (Na^+, K^+, Cl) तथा एन्जाइम होते हैं। लार खाद्य पदार्थ को निगलने में मदद करती है, मुख तथा दांतों को साफ रखती है। यह होठों तक जिह्वा की गति को अनुकूल बनाकर बोलने में मदद करती है।

161. (b) लार के कार्यों में शामिल हैं-भोजन को गीला करना और भोजन की लुग्दी बनाना, ताकि यह आसानी से निगला जा सके। लार में एन्जाइम एमीलेस (Amylase) होता है, जो स्टार्च (मंड) को माल्टोज में तोड़ता है।

162. (a) अन्न में स्टार्च (मंड) की प्रचुरता होती है। सभी पादपों के बीजों और फलियों में मंड अमाइलोज या अमाइलोपेप्सिन के रूप में उपस्थित रहता है।

163. (a) जठर रस में रेनिन (Rennin) नामक पाचक एन्जाइम पाया जाता है, जो दूध के पाचन में सहायता करता है। रेनिन, दूध को दही में स्कंदित करने वाला एन्जाइम है।

164. (d) गाय के दूध में कैरोटिन (Carotene) उपस्थित होने के कारण उसका रंग पीला होता है।

165. (d) खट्टे दूध में लैक्टिक एसिड (Lactic Acid) होता है।

166. (a) यकृत विटामिन-ए का संश्लेषण करता है तथा अल्प समय के लिए इसका संचय भी करता है। यह प्रोथ्रॉम्बिन नामक पदार्थ के संश्लेषण में सहायक होता है।

167. (c) सेलुलोज एक पॉलीसैकेराइड है, जो ग्लूकोज का बना होता है। यह तंतु आहार के रूप में लिया जाता है, परंतु इसके पाचन के लिए एन्जाइम अनुपस्थित होने के कारण शरीर में इसका पाचन नहीं हो पाता है।

168. (a) शरीर में त्वचा की सतह के नीचे मौजूद वसा शरीर से ऊष्मा की क्षति के विरुद्ध अवरोधक का कार्य करती है।

169. (c) आयोडीन मान का प्रयोग वसीय अम्लों में असंतृप्ति (Unsaturation) की मात्रा ज्ञात करने के लिए किया जाता है।

170. (d) कोशिका में 'अचल संपत्ति' न्यूक्लिक अम्ल को कहा जाता है। इसकी खोज 1869 ई. में फ्रेडरिक मिशर ने की थी।

171. (b) नाइट्रोजन, प्रोटीन का अनिवार्य घटक होता है। प्रोटीन का आण्विक यौगिक कार्बन, हाइड्रोजन, ऑक्सीजन एवं नाइट्रोजन से बना होता है।

172. (a) चीटियों के मस्तिष्क और शरीर के आकार का अनुपात बहुत अधिक होता है। चींटी के मस्तिष्क का आकार उसके शरीर के द्रव्यमान का लगभग 6% होता है।

173.(d) उपयुक्त सुमेलन निम्नवत है-

विटामिन B_1	-	थायमीन
विटामिन B_2	-	राइबोफ्लेविन
विटामिन B_6	-	पाइरिडॉक्सीन
विटामिन B_{12}	-	सायनोकोबालमिन

174. (d) लौह की कमी से प्रत्यक्ष या अप्रत्यक्ष रूप से थायराइड ग्रंथि की क्रिया प्रभावित होती है। शरीर में लौह की कमी रक्तक्षीणता या अरक्तता के अतिरिक्त गॉयटर के लिए भी जिम्मेदार होती है।

175. (d) विटामिन B_{12} का दूसरा नाम 'सायनोकोबालमिन' है। इसके स्रोत मांस, मछली, जिगर, अंडा, दूध इत्यादि हैं। इसका काम वृद्धि, लाल रुधिराणुओं का निर्माण एवं न्यूक्लिक अम्ल का संश्लेषण करना है। इसकी कमी से रक्तक्षीणता या प्रणाशी रक्ताल्पता एवं तंत्रिका तंत्र में गड़बड़ी हो जाती है। विटामिन B_{12} का प्रमुख घटक कोबाल्ट है।

176. (a) विटामिन A का रासायनिक नाम रेटिनॉल है। यह मानव शरीर में संक्रमण रोकने में मदद करता है, जबकि विटामिन B की कमी से बेरी-बेरी नामक रोग होता है। विटामिन C की कमी से स्कर्वी होता है तथा विटामिन D की कमी से सूखा रोग होता है।

177. (b) विटामिन A का प्रमुख कार्य दृश्य वर्णक (Visual Pigments) के संश्लेषण में भाग लेना होता है। इसके अतिरिक्त यह शरीर कोशिकाओं, विशेषत: एपिथीलियम कोशिकाओं में प्रोटीन-संश्लेषण, हड्डियों और शरीर में वृद्धि, जनन क्षमता, कार्बोहाइड्रेट उपापचय आदि के लिए आवश्यक होता है। कमजोर एपिथीलियम स्तरों पर जीवाणुओं आदि का संक्रमण हो जाता है। इसलिए इस विटामिन को 'संक्रमण रोधी विटामिन, (Antinfection Vitamin)' भी कहते हैं। यह शरीर को प्रतिरक्षा प्रदान करता है।

178. (d) साइट्रिक एसिड मुख्यत: साइट्रस फलों में पाया जाता है जैसे-नीबू, संतरा, मौसमी आदि।

179. (b) हर गुर्दे में लगभग 10 लाख 'वृक्काणु' (Nephron) होते हैं जिनमें से हर वृक्काणु मूत्र बनाने वाली एक स्वतंत्र इकाई होती है। गुर्दे की कार्यात्मक इकाई के रूप में वृक्काणु रक्त का प्रारंभिक निस्यंदन पूर्ण करके, निस्यंद से उन पदार्थों का दोबारा अवशोषण कर लेते हैं, जो शरीर के लिए उपयोगी होते हैं तथा व्यर्थ पदार्थ मूत्र के रूप में शरीर से बाहर निकल जाते हैं।

180. (a) मूत्र संग्राहक वाहिनियों में बनता है। संग्राहक वाहिनियां वृक्क का भाग होती हैं। मूत्र अम्लीय होता है। मूत्र का हल्का पीला रंग उसमें उपस्थित यूरोक्रोम (Urochrome) वर्णक के कारण होता है।

General English

181. (b) **Persevering (Adjective)** = showing determination to achieve a particular aim despite difficulties.

182. (d) Here possessive case (their's) should be used.

183. (b) **Bring out** = to produce something; to publish something.

184. (b) **Feign (Verb)** = to pretend that you have a particular feeling or that you are ill/ sick/tired etc.

185. (c) **Take fancy** = to attract or please somebody; to start liking somebody/something often without an obvious reason.

186. (c) **Carry out** = to do and complete a task.

187. (d) **Beat about the bush** = to talk about something for a long time without coming to the main point.

188. (d) It is a measure of certain distance/time. Hence, singular verb should be used.

189. (c) For a person, relative pronoun 'who' should be used.

190. (b) Here, present simple should be used.

Where do you come from? = Where do you live?

सामान्य ज्ञान

191. (c) 'अनफिनिश्ड ए मेमॉयर' प्रियंका चोपड़ा की आत्मकथा है। प्रियंका चोपड़ा ने कोविड-19 के दौरान 6 महीने के पृथकवास में अपने जीवन पर आधारित किताब अनफिनिश्ड ए मेमॉयर की रचना की। इस पुस्तक में उन्होंने भारत में बिताए अपने बचपन, अमेरिका प्रवास के अनुभव एवं सौन्दर्य प्रतियोगिता समेत अपने फिल्मी जीवन पर प्रकाश डाला है।

192. (c) मृदारहित कृषि को हाइड्रोपोनिक्स कहा जाता है। कृषि की एक ऐसी पद्धति जिसमें न तो मिट्टी की आवश्यकता होती है और न ही ज्यादा जल की, हाइड्रोपोनिक्स (Hydroponic Farming) कृषि कहलाती है। इसमें मिट्टी की जगह कंकड़ या बालू का प्रयोग किया जा सकता है।

यह पूर्णत: आधुनिक तकनीक पर आधारित कृषि है। आजकल शहरों में इसका प्रचलन काफी अधिक है एवं कई स्थानों पर व्यवसायिक लाभ हेतु लोग इसका उपयोग कर रहे हैं।

193. (a) 10 डिग्री चैनल - छोटा अण्डमान एवं निकोबार के बीच

कोको चैनल - अण्डमान एवं म्यांमार के बीच

पाक स्ट्रैट - भारत एवं श्रीलंका के बीच

8 डिग्री चैनल - लक्षद्वीप एवं मालदीव के बीच

194. (a) मौर्य युग से पूर्व 'निष्क' स्वर्ण आभूषण के लिए प्रयुक्त होता था, परन्तु मौर्य युग तक आते-आते व्यापार-व्यवसाय में निगमित सिक्कों का प्रचलन हो चुका था। इनमें सोने के सिक्कों की 'निष्क' और 'सुवर्ण' कहा जाता था। चांदी के सिक्कों को 'कार्षापण' या 'धरण' कहा जाता था। तांबे के सिक्के 'माषक' कहलाते थे और छोटे-छोटे तांबे के सिक्कों को 'काकणी' कहा जाता था।

195. (a) 1929 का लाहौर कांग्रेस अधिवेशन, जिसकी अध्यक्षता जवाहर लाल नेहरू ने की थी, में कांग्रेस ने पूर्ण स्वराज्य का प्रस्ताव पारित किया और यह निर्णय लिया कि आज के दिन को प्रतिवर्ष स्वतंत्रता दिवस के रूप में मनाया जायेगा। तदनुरूप कांग्रेस ने 26 जनवरी, 1930 को प्रथम स्वतंत्रता दिवस मनाया था। इसलिए 26 जनवरी के ही दिन स्वतंत्र भारत का संविधान लागू करने का निर्णय लिया गया।

196. (a) दिए गए विकल्पों में से अनुष्का शंकर एक प्रसिद्ध सितार वादक हैं। अनुष्का शंकर, प्रसिद्ध सितारवादक रविशंकर की पुत्री हैं। इनका जन्म वर्ष 1981 को लन्दन में हुआ था। इन्हें भारतीय शास्त्रीय संगीत सितारवादन के लिए कई राष्ट्रीय एवं अन्तर्राष्ट्रीय सम्मान प्रदान किए जा चुके हैं। विश्व संगीत श्रेणी में तीसरे एल्बम के लिए वर्ष 2003 में इन्हें ग्रैमी पुरस्कार के लिए नामांकित किया गया था।

197. (d) वित्तीय सेवा का एक रूप, जो गरीब और कम आय वाले परिवारों को छोटे ऋण और अन्य वित्तीय सेवाएँ प्रदान करता है, सूक्ष्म वित्त (माइक्रो फाइनेंस कहलाता है।)

सूक्ष्म वित्त (Microfinance) की परिभाषा विश्व के भिन्न-भिन्न देशों में अलग-अलग है। भारत में 1 लाख रुपये से कम सभी ऋणों को सूक्ष्म ऋण में शामिल किया जाता है। ये ऋण भारतीय समाज के वंचित और कमजोर वर्गों को जिनकी पहुँच बैंकों तक नहीं है, उन्हें प्रदान किया जाता है ताकि उनका आर्थिक सशक्तिकरण किया जा सके। भारत सरकार सूक्ष्म वित्त संस्थाओं के द्वारा निम्न आय वर्ग के लोगों को सस्ती ब्याज दर पर व्यवसाय करने हेतु सूक्ष्म वित्त उपलब्ध करवाती है।

198. (a) मोहिनीअट्टम भारतीय राज्य केरल की शास्त्रीय नृत्य शैली है जिसका मंचन महिलाओं के द्वारा किया जाता है। ऐतिहासिक सन्दर्भ में यह नृत्य कथकली से भी प्राचीन है। इसकी विषयवस्तु प्रेम एवं भगवान के प्रति समर्पण है। इस नृत्य के नायक भगवान विष्णु या कृष्ण होते हैं। एक कथा के अनुसार, समुद्र मन्थन में मिले अमृत को वितरित करने के लिए भगवान विष्णु के द्वारा मोहिनी का रूप धारण किया गया था, वैष्णव परम्परा में इसे ही मोहिनीअट्टम का रूप दे दिया गया।

199. (d) सवाई जयसिंह (1688-1743) ने जयपुर, दिल्ली, बनारस, उज्जैन तथा मथुरा में ज्योतिष की वेधशालाएं बनवाई।

200. (a) गोविंद महल मध्य प्रदेश के दतिया जिले में स्थित है। ग्वालियर में स्थित महत्त्वपूर्ण पर्यटक स्थल हैं-मोती महल, गूजरी महल, जयविलास महल, तानसेन का मकबरा, सास-बहू मन्दिर, तेली का मन्दिर इत्यादि।

□□□

प्रैक्टिस सेट-2

भौतिक विज्ञान

1. एक समान बल के अधीन कोई पिण्ड 10 सेकण्ड में 7 मी की दूरी तय करता है। बल व पिण्ड के भार में अनुपात है–

(a) 7 : 50 (b) 50 : 7
(c) 70 : 1 (d) 1 : 70

2. एक स्प्रिंग तुला को ऊर्ध्वाधर रूप से चढ़ते हुए एक गुब्बारे पर ले जाया गया है। यदि स्प्रिंग तुला 15 किग्रा का लटकाया हुआ भार 21 किग्रा दर्शाए तो गुब्बारे में लगभग त्वरण है–(g = 10 मी/से^{2})

(a) 3 मी/से^{2} (b) 4 मी/से^{2}
(c) 4.5 मी/से^{2} (d) 2.5 मी/से^{2}

3. वायु में 400 मी/से की चाल से चलती हुई ध्वनि तरंग की लम्बाई 80 सेमी है। ध्वनि तरंग की आवृत्ति होगी–

(a) 5 हर्ट्ज (b) 500 हर्ट्ज
(c) 800 हर्ट्ज (d) 8 हर्ट्ज

4. 0°C पर बादलों की गड़गड़ाहट रोशनी देखने के 5 सेकण्ड बाद सुनी गई। यदि तापमान 20°C होता, तो ध्वनि सुनाई देती–

(a) 4.8 सेकण्ड बाद
(b) 2.5 सेकण्ड बाद
(c) 3.8 सेकण्ड बाद
(d) 5.2 सेकण्ड बाद

5. किसी तरंग तरंगदैर्ध्य 40 मी है यदि आवर्तकाल 0.5 सेकण्ड हो, तो तरंग की चाल कितनी होगी?

(a) 85 मी/से. (b) 80 मी/से.
(c) 100 मी/से. (d) 95 मी/से.

6. एक वस्तु को एक अवतल दर्पण से 25 सेमी रखने पर उसका सीधा चार गुना प्रतिबिम्ब बनता है। वस्तु का चार गुना उल्टा प्रतिबिम्ब बनेगा, यदि वस्तु की दर्पण से दूरी है–

(a) पहली दूरी की $\frac{5}{3}$ गुना
(b) पहली दूरी की $\frac{3}{5}$ गुना
(c) उतनी ही दूरी पर
(d) उपरोक्त में से कोई नहीं

7. एक आयताकार टैंक में 1080 किग्रा/मी3 घनत्व का द्रव 20 सेमी ऊंचाई पर भरा है। टैंक की तली के एकांक क्षेत्रफल पर द्रव के कारण दाब है–
(g = 10 मी/से^{2})

(a) 108 न्यूटन (b) 1080 न्यूटन
(c) 2160 न्यूटन (d) 540 न्यूटन

8. 1.5 अपवर्तनांक वाले लेन्स की वायु में फोकस दूरी 20 सेमी है। यदि पानी का अपवर्तनांक $\frac{4}{3}$ हो, तो पानी में इसकी फोकस दूरी होगी–

(a) 18 सेमी (b) 80 सेमी
(c) 40 सेमी (d) 10 सेमी

9. 360 चक्कर/मिनट लगाने वाले गतिपालक चक्र का कोणीय वेग है-

(a) 12π (b) 6π
(c) 3π (d) 2π

10. यदि बर्फ का घनत्व 0.92×10^3 किग्रा/मी^{3} तथा समुद्री जल का घनत्व 1.03×10^3 किग्रा/दूरी^{3} है, तो बर्फ की शिला का कितने प्रतिशत आयतन के बाहर रहेगा?

(a) 11 % (b) 33 %
(c) 22 % (d) 89 %

11. दो स्थिर बिन्दुओं पर क्रमशः आवेश q_1 तथा q_2 हैं तथा प्रथम आवेश q_1, दूसरे आवेश q_2 पर कुछ बल लगा रहा है। जिसका परिमाण F है। यदि उनके पास एक तीसरा स्वतन्त्र आवेश q_3 लाकर छोड़ा जाए जोकि साम्य अवस्था पर आकर कहीं स्थिर हो जाए, तो q_3 के कारण F का मान–

(a) यदि q_3 का चिह्न q_1 के समान है, तो बढ़ेगा और विपरीत चिह्न का है, तो घटेगा
(b) स्थिर रहेगा
(c) घटेगा
(d) बढ़ेगा

12. 4 किग्रा द्रव्यमान की एक वस्तु समान गति 10 मी./से. से चल रही है। यह 6 किग्रा की दूसरी वस्तु से टकराती है तथा दोनों एक साथ एक ही दिशा में चलने लगती हैं। इन दोनों वस्तुओं की चाल होगी–

(a) 1.0 मी./से. (b) 6.7 मी./से.
(c) 4 मी./से. (d) 75.0 मी./से.

13. जल का ताप बढ़ाने पर इसकी श्यानता–

(a) अपरिवर्तनीय रहेगी
(b) कम होगी
(c) बढ़ेगी
(d) बढ़ेगी या घटेगी यह बाह्य दाब पर निर्भर करेगा

14. 3000 Å तरंगदैर्ध्य की प्रकाश तरंग की आवृत्ति होगी–

(a) 1×10^{15} हर्ट्ज
(b) 1×10^{14} हर्ट्ज
(c) 3×10^{15} हर्ट्ज
(d) 6×10^{14} हर्ट्ज

15. दो प्रतिरोधों को (a) श्रेणीक्रम में (b) समान्तर क्रम में संयोजित किया जाता हैं। दोनों अवस्थाओं में क्रमशः प्रतिरोध 9 ओम और 2 ओम है, तो प्रतिरोधों का मान होगा–

(a) 2 ओम और 7 ओम
(b) 3 ओम और 6 ओम
(c) 3 ओम और 9 ओम
(d) 5 ओम और 4 ओम

16. एक प्रोटॉन, एक ड्यूट्रॉन तथा एक α-कण एकसमान गतिज ऊर्जा से एक समान चुम्बकीय क्षेत्र में वृत्तीय पथों पर गति कर रहे हैं। यदि r_p , r_d एवं r_α इनके पथों की त्रिज्याएं हैं, तो–

(a) $r_\alpha = r_p < r_d$
(b) $r_\alpha > r_d < r_p$
(c) $r_\alpha = r_p < r_d$
(d) $r_\alpha = r_p < r_d$

17. एक बैरोमीटर में पारे के स्तम्भ की ऊंचाई 75 सेमी है। यदि पारे (आ.घ. = 13.6) के स्थान पर 0.8 आ.घ. वाला द्रव लिया जाये तो द्रव स्तम्भ की ऊंचाई होगी–

(a) 10.75 मी (b) 12.75 मी
(c) 22.7 मी (d) 14.24 मी

18. अचर वेग v से गतिमान m द्रव्यमान का गोला उसी द्रव्यमान के स्थिर गोले से टकराता है। यदि प्रत्यावस्थान गुणांक e हो, तो टक्कर के पश्चात् दोनों गोलों के वेगों का अनुपात होगा–

(a) $\frac{1-e}{1+e}$ (b) $\frac{1+e}{1-e}$
(c) $\frac{e+1}{e-1}$ (d) $\frac{e-1}{e+1}$

19. एक बैकुरल का अर्थ है–

(a) 1 विघटन प्रति सेकण्ड
(b) 10^6 विघटन प्रति सेकण्ड
(c) 3.7×10^{10} विघटन प्रति सेकण्ड
(d) 10^3 विघटन प्रति सेकण्ड

20. एक अवतल दर्पण की फोकस दूरी 50 सेमी है। एक वस्तु को कहां रखा जाये कि उसका वास्तविक व उल्टा प्रतिबिम्ब दोगुने आकार का बने?

(a) 75 सेमी (b) 72 सेमी
(c) 63 सेमी (d) 50 सेमी

21. एक ट्रांसफार्मर का प्रयोग 220 V से 11 V घटाने में किया जाता है। प्राथमिक कुण्डली में 5 A धारा तथा द्वितीयक कुण्डली में 90 A धारा बहती है। ट्रांसफॉर्मर की दक्षता है–

(a) 20 % (b) 40 %
(c) 70 % (d) 90 %

22. 100 Hz आवृत्ति वाला एक प्रत्यावर्ती धारा स्रोत श्रेणीक्रम में जुडे; एक प्रतिरोध, एक संधारित्र तथा एक कुण्डली के संयोग से जोड़ा जाता है। कुण्डली, प्रतिरोध तथा संधारित्र पर विभवान्तर क्रमशः 46, 8 तथा 40 वोल्ट हैं। प्रत्यावर्ती धारा स्रोत के विद्युत वाहक बल का मान वोल्ट में है–

(a) 94 (b) 14
(c) 10 (d) 76

23. 27°C ताप पर किसी एक-परमाणुक आदर्श गैस के 2 मोल का आयतन V है। यदि गैस को रुद्धोष्मीय रूप में 2V आयतन तक प्रसारित किया जाता है, तो गैस द्वारा किया गया कार्य होगा–(γ = 5/3, R = 8.31 जूल/मोल-K)

(a) – 2767.23 जूल
(b) + 2763.23 जूल
(c) 2500 जूल
(d) – 2500 जूल

24. जब एक आदर्श गैस (γ = 5/3) को स्थिर दाब पर गर्म किया जाता है, तो इसकी दो ऊष्मीय ऊर्जा का कितना प्रतिशत बाह्य कार्य करने में प्रयुक्त होगा?

(a) 40 % (b) 30 %
(c) 60 % (d) 20 %

25. 100 किलोग्राम द्रव्यमान वाली एक गाड़ी 5 मी/से के वेग से गतिमान है। इसे $\frac{1}{10}$ सेकण्ड में विरामावस्था में लाने के लिए विपरीत दिशा में बल लगाना पड़ेगा–

(a) 5000 न्यूटन (b) 500 न्यूटन
(c) 50 न्यूटन (d) 1000 न्यूटन

26. निम्न में से सदिश राशि है–

(a) द्रव्यमान (b) दूरी
(c) चाल (d) बल

27. सघन माध्य से परावर्तन पर कलान्तर होता है–

(a) $\frac{\pi}{4}$ (b) $\frac{\pi}{2}$
(c) π (d) 2π

28. किसी पिण्ड का द्रव्यमान दोगुना तथा वेग आधा करने पर उसकी गतिज ऊर्जा हो जाएगी–

(a) आधी (b) एक-चौथाई
(c) दोगुनी (d) अपरिवर्तित

29. फ्यूज तार का गलनांक है–

(a) उच्च
(b) कम
(c) परिवर्तनशील
(d) इनमें से कोई नहीं

30. 2 मिनट के लिए प्रतिरोधक तार को 12 वोल्ट के साथ जोड़ने पर 3.5 ऐम्पियर की धारा प्रवाहित होती है। तार में ऊर्जा होगी–

(a) 5041 जूल (b) 5040 जूल
(c) 4050 जूल (d) 4500 जूल

31. धातु के रेखीय प्रसार गुणांक, क्षेत्रीय प्रसार गुणांक तथा आयतन प्रसार गुणांक का अनुपात है-

(a) 3 : 2 : 1 (b) 2 : 3 : 1
(c) 1 : 2 : 3 (d) 3 : 1 : 2

32. निकट-दृष्टि दोष के निवारण के लिए प्रयोग किया जाता है-

(a) अवतल लेंस
(b) उत्तल लेंस
(c) अवतल तथा उत्तल दोनों
(d) इनमें से कोई नहीं

33. 600 ग्राम जल को 30°C से 80°C तक गर्म करने के लिए आवश्यक जल की विशिष्ट ऊष्मा की गणना कीजिए–

(a) 3000 कैलोरी
(b) 30000 कैलोरी
(c) 4000 कैलोरी
(d) शून्य

34. एक 20 मी. लंबी छड़ है। इसके दोनों अंतों पर 8 किग्रा तथा 12 किग्रा भार लटक रहा है, यदि छड़ का भार 6 किग्रा हो, तो संतुलन बिंदु 12 किग्रा से कितनी दूरी पर होगा?

(a) 1.54 मी. (b) 1.6 मी.
(c) 8.46 मी. (d) 1.2 मी.

35. $\mu_0 / 4$ होता है-

(a) 10^{-7} न्यूटन/ऐम्पियर^2
(b) 10^{-7} न्यूटन/ऐम्पियर
(c) 10^{-7} न्यूटन/ऐम्पियर^2
(d) 10^{-7} न्यूटन/ऐम्पियर

36. एक गोला दो समान्तर दर्पणों के बीच में रखा गया है। उसके कितने प्रतिबिम्ब बनेंगे?

(a) 5 (b) 7
(c) 3 (d) असंख्य

37. विद्युत ऊर्जा नापने का यंत्र है-

(a) स्विच (b) वॉट-घंटा-मी.
(c) वोल्टमीटर (d) प्लग

38. 1 किलोग्राम भार तुल्य है-

(a) 4.8 किग्रा-मी./से^{2} (b) 9.8 न्यूटन
(c) 4.2 न्यूटन (d) 981 डाइन

39. एक इंजन की सामर्थ्य 30 किलोवॉट है। इसके द्वारा 150 किग्रा का पिण्ड को 50 मी की ऊंचाई तक उठाने में लगने वाला समय है (g = 9.8 मी./से^{2}.)

(a) 2.45 सेकण्ड
(b) 4.25 सेकण्ड
(c) 24.5 सेकण्ड
(d) 0.245 सेकण्ड

40. दो समान वेक्टरों का परिणाम शून्य है, उनके बीच का कोण होगा-

(a) 90^0 (b) 180^0
(c) 45^0 (d) 0^0

41. सदिश राशि है-

(a) दूरी (b) चाल
(c) वेग (d) द्रव्यमान

42. यदि किसी सतह पर लगने वाले बल को दोगुना कर दिया जाए तो सतह के क्षेत्रफल को आधा कर दिया जाए, तो दाब, प्रारंभिक दाब के कितना गुना हो जाएगा?

(a) 4 गुना (b) 3 गुना
(c) 2 गुना (d) 8 गुना

43. संलग्न चित्र प्रदर्शित करता है-

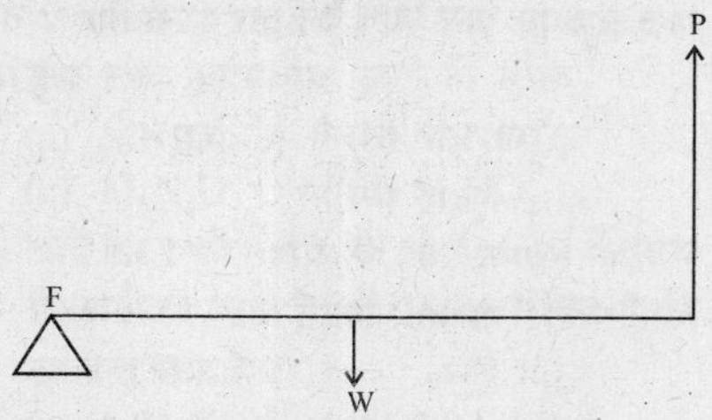

(a) प्रथम श्रेणी का उत्तोलक
(b) द्वितीय श्रेणी का उत्तोलक
(c) तृतीय श्रेणी का उत्तोलक
(d) कोई उत्तोलक नहीं

44. आदर्श गैस की आंतरिक ऊर्जा निर्भर करती है-

(a) केवल दाब पर
(b) केवल आयतन पर
(c) केवल ताप पर
(d) दाब तथा ताप दोनों पर

45. धात्विक तार का पृष्ठ क्षेत्रफल A का एक फ्रेम साबुन की फिल्म से ढका है। यदि धात्विक तार के फ्रेम का क्षेत्रफल 50% कम कर दिया जाये, तब साबुन की फिल्म की ऊर्जा में परिवर्तन होगा–

(a) 100% (b) 75%
(c) 50% (d) 25%

46. *d* घनत्व वाले जल के पृष्ठ से *h* गहराई पर कुल दाब है-

(a) *hdg* से अधिक (b) *hdg* के तुल्य
(c) *hdg* से कम (d) शून्य

47. अनुप्रस्थ तरंगें उत्पन्न की जा सकती हैं-

(a) ठोस व गैस में
(b) ठोस व द्रव में
(c) गैस व द्रव में
(d) ठोस, द्रव व गैस में

48. किसी माध्य में चलने वाली दो यांत्रिक तरंगों की आवृत्तियों का अनुपात 3 : 4 है। इन तरंगों के (i) तरंगदैर्घ्य का अनुपात तथा (ii) आवर्तकाल का अनुपात होगा-

(a) 4 : 3 तथा 3 : 4
(b) 3 : 4 तथा 3 : 4
(c) 4 : 3 तथा 4 : 3
(d) 3 : 4 तथा 4 : 3

49. यदि किसी वस्तु का वायु व जल में भार क्रमशः w_1 तथा w_2 है, तो उसका आपेक्षित घनत्व होगा-

(a) $\frac{w_1 - w_2}{w_1}$ (b) $\frac{w_1}{w_2 - w_1}$
(c) $\frac{w_1}{w_1 - w_2}$ (d) 1

50. श्वेत प्रकाश के स्पेक्ट्रम के सात रंगों में जिसकी आवृत्ति अधिकतम होती है, वह रंग है-

(a) बैंगनी (b) लाल
(c) हरा (d) पीला

51. यदि अवकलन समीकरण

$$\frac{d^2 y}{dt^2} + 2k\frac{dy}{dt} + \omega^2 y = F_0 \sin pt$$

एक क्षयिक माध्यम में आवर्ती बल के प्रभाव में दोलन गति को प्रदर्शित करती है तो दोलन के महत्तम आयाम की अवस्था मापक है–

(a) मुक्त कम्पन की
(b) अवमंदित कम्पन की
(c) प्रणोदित कम्पन की
(d) अनुनाद की

52. यदि पानी की एक बड़ी बूँद को छोटी बूँदों में जोड़ा जाये तो पृष्ठ ऊर्जा-

(a) बढ़ जाती है
(b) घट जाती है
(c) अपरिवर्तित रहती है
(d) बढ़ भी सकती है और घट भी सकती है

53. दूर-दृष्टि से पीड़ित एक मनुष्य ने निकट बिंदु की दूरी 0.40 मी. है। इस दोष के निवारण हेतु उपाय में लाए गए लेंस की प्रकृति तथा फोकस की दूरी होगी-

(a) अवतल तथा 6.67 सेमी
(b) उत्तल तथा 6.67 सेमी
(c) उत्तल तथा 66.7 सेमी
(d) अवतल तथा 66.7 सेमी

54. मानव नेत्र में रेटिना पर बनने वाला प्रतिबिम्ब-

(a) सीधा होता है, परंतु उल्टा दिखाई देता है
(b) उल्टा होता है, परंतु सीधा दिखाई देता है
(c) सीधा होता है, सीधा दिखाई देता है
(d) उल्टा होता है, उल्टा दिखाई देता है

55. एक वैद्युत -हीटर में 4 मिनट तक 3 ऐम्पियर की वैद्युत धारा प्रवाहित होने पर 540 किलो जूल ऊष्मा उत्पन्न होती है। हीटर के तार का प्रतिरोध होगा-

(a) 260 ओम (b) 250 ओम
(c) 205 ओम (d) 25 ओम

56. किस कारण बांध को नीचे से चौड़ा बनाया जाता हैं?

(a) गहराई के साथ जल की मात्रा बढ़ती है
(b) गहराई के साथ जल का घनत्व बढ़ता है
(c) गहराई के साथ जल का दाब बढ़ता है
(d) गहराई के साथ जल का ताप बढ़ता है

57. धात्विक लोलक की घड़ी द्वारा 0°C पर सही समय दिया जाता है। यह 25°C पर एक दिन में 12.5 सेकण्ड से क्षय होता है, तो धात्विक लोलक का रेखीय प्रसार गुणांक होगा–

(a) $\frac{1}{86400}/^oC$ (b) $\frac{1}{43200}/^oC$
(c) $\frac{1}{14400}/^oC$ (d) $\frac{1}{28800}/^oC$

58. यदि प्रिज्म का प्रिज्म कोण A = 60° और न्यूनतम विचलन कोण (d_m) = 30° हो, तो प्रिज्म का अपवर्तनांक होगा–

(a) $\sqrt{2}$ (b) $\frac{1}{\sqrt{2}}$
(c) 1 (d) $\frac{1}{\sqrt{3}}$

59. हीरे में प्रकाश की चाल 121000 किमी/से है, तो अपवर्तनांक का मान होगा– (वायु में प्रकाश का वेग = 3×10^8 मी/से)

(a) 1.26 (b) 1.9
(c) 2.48 (d) 2..1

60. निम्न में से किस सिद्धान्त पर ट्रांसफार्मर कार्य करता है?

(a) स्व-प्रेरण
(b) अन्योन्य प्रेरण
(c) भंवर
(d) इनमें से कोई नहीं

रसायन विज्ञान

61. नीले थोथे $CuSO_4 \cdot 5H_2O$ में विद्यमान जल की प्रतिशत मात्रा है– (Cu = 63.5, S = 32, O = 16, H = 1)

(a) 57.72 % (b) 36.07 %
(c) 45.32 % (d) 40.1 %

62. जब NaCl, $K_2Cr_2O_7$ और सान्द्र गन्धक के अम्ल को गर्म किया जाता है, तो बनता है?

(a) क्रोमाइल क्लोराइड वाष्प
(b) क्लोरीन गैस
(c) क्रोमिक गैस
(d) क्रोमिक सल्फेट

63. अभिक्रिया $H_2S + H_2O_2 \rightarrow S + 2H_2O$ प्रदर्शित करती है-
(a) H_2O_2 की अम्लीय प्रकृति
(b) H_2O_2 की क्षारीय प्रकृति
(c) H_2O_2 की ऑक्सीकारक प्रकृति
(d) H_2O_2 की अपचायक प्रकृति

64. बोरॉन पर परमाणु भार 10.81 है। इसके दो समस्थानिक $_5B^{10}$ एवं $_5B^{11}$ हैं, तो प्रकृति में अनुपात $_5B^{10}$: $_5B^{11}$ होगा-
(a) 19 : 81 (b) 10 : 11
(c) 15 : 16 (d) 81 : 19

65. यदि किसी तत्व A का इलेक्ट्रॉनिक विन्यास 2, 8, 3 है तथा B का इलेक्ट्रॉनिक विन्यास 2, 6 है। इन तत्वों के संयोग से बने यौगिक का सूत्र है-
(a) AB (b) A_2B_3
(c) A_3B_2 (d) AB_2

66. हाइड्रोजन के 60 घन सेमी के विसरण में 90 सेकण्ड लगते हैं, तो N_2O के 30 घन सेमी के विसरण में लगभग समय लगेगा-
(a) 200 से (b) 211 से
(c) 218 से (d) 248 से

67. 30 मोल O_2 प्राप्त करने के लिए कितने मोल $KClO_3$ की आवश्यकता है?
(a) 40 (b) 30
(c) 20 (d) 10

68. एक तत्व के दो समस्थानिकों का कौन-सा गुण/कौन-से गुण भिन्न हो सकते हैं?
(a) परमाणु संख्या
(b) इलेक्ट्रॉन संख्या
(c) द्रव्यमान संख्या
(d) ये सभी

69. एक तत्व का परमाणु क्रमांक 19 है। उसका इलेक्ट्रॉनिक विन्यास है-
(a) 2, 8, 8, 1 (b) 2, 8, 9, 0
(c) 2, 8, 7, 2 (d) 2, 8, 6, 3

70. निम्न अणुओं में से किसमें सहसंयोजक बन्ध है?
(a) $MgCl_2$ (b) NaCl
(c) CH_4 (d) CaO

71. हाइड्रोजन गैस होती है-
(a) अम्लीय
(b) क्षारीय
(c) न तो अम्लीय न ही क्षारीय
(d) उपरोक्त में से कोई नहीं

72. तत्व A तथा B जुड़कर तीन भिन्न यौगिक बनाते हैं-A के 0.3 ग्राम + B के 0.4 ग्राम → यौगिक x के 0.7 ग्राम A के 18 ग्राम + B के 48 ग्राम → यौगिक y के 66 ग्राम A के 40 ग्राम + B के 159.99 ग्राम → यौगिक z के 199.99 ग्राम।
उपरोक्त आंकड़े उदाहरण हैं-
(a) गुणित अनुपात का नियम
(b) व्युत्क्रम अनुपात का नियम
(c) स्थिर अनुपात का नियम
(d) द्रव्य अविनाशिता का नियम

73. नीले थोथे को 100°C ताप तक गर्म करने पर प्राप्त होते हैं-
(a) $Cu + SO_2 + O_2$
(b) $Cu_2S + O_2$
(c) $CuSO_4 + H_2O$
(d) $CuSO_4 \cdot H_2O + 4H_2O$

74. निम्नलिखित यौगिकों में किसमें वैद्युत संयोजी बन्ध है?
(a) CH_3Cl (b) CH_4
(c) NaCl (d) Cl_2

75. आवर्त तालिका में जिस तत्व का परमाणु क्रमांक 6 है, वह होगा-
(a) IV समूह में (b) IV आवर्त में
(c) VI आवर्त में (d) VI समूह में

76. NH_3 गैस में HCl की छड़ ले जाने पर निकलता है-
(a) भूरा धुआं (b) सफेद धुआं
(c) पीला धुआं (d) काला धुआं

77. CaC_2 से ऐसीटिलीन प्राप्त की जा सकती है-
(a) इसको 1200°C तक गर्म करके उसके ऊपर H_2 प्रवाहित करके
(b) इसकी ठण्डे जल से क्रिया कराकर
(c) इसके ऊपर 160°C पर वाष्प प्रवाहित करके
(d) इसको H_2SO_4 की उपस्थिति में 140°C तक गर्म करके

78. रस्ट (जंग) की रासायनिक संरचना है-
(a) $Fe.H_2O$ (b) $FeO.H_2O$
(c) $Fe_2O_3.xH_2O$ (d) $FeZnO_2.H_2$

79. निम्नलिखित में से कौन-सा तत्व एलोट्रोपी (अपररूपता) का घटनाक्रम दिखाता है?
(a) क्लोरीन (b) हाइड्रोजन
(c) कॉपर (d) कार्बन

80. प्लास्टर ऑफ पेरिस होता है-
(a) $CaSO_4$
(b) $(CaSO_4)_2 \cdot 2H_2O$
(c) $(CaSO_4)_2 . H_2O$
(d) $CaSO_4 \cdot 2H_2O$

81. एक कार्बनिक यौगिक का प्रतिशत संघटन निम्न प्रकार है-
C = 92.4%, H = 7.6% उसका मूलानुपाती सूत्र होगा-
(a) C_2H_2 (b) CH
(c) C_3H_3 (d) CH_4

82. एक पदार्थ रेडियोएक्टिवता तभी दर्शाता है, जब उसके परमाणु में होता है-
(a) अस्थायी इलेक्ट्रॉनिक विन्यास
(b) स्थायी इलेक्ट्रॉनिक विन्यास
(c) स्थायी नाभिक
(d) अस्थायी नाभिक

83. $CaCO_3$ के 12 ग्राम से पूरी तरह अभिक्रिया करने के लिए HCl की आवश्यकता है-
(a) 12 ग्राम (b) 8.76 ग्राम
(c) 4.38 ग्राम (d) 6.00 ग्राम

84. H_2SO_4 का तुल्यांकी भार है-
(a) 47 (b) 49
(c) 98 (d) 96

85. वैद्युत अपघट्नी सेल में इलेक्ट्रॉन का प्रवाह होता है
(a) विलयन में कैथोड से ऐनोड की ओर
(b) बाह्य परिपथ के द्वारा कैथोड से ऐनोड की ओर
(c) आन्तरिक परिपथ के द्वारा कैथोड से ऐनोड की ओर
(d) बाह्य परिपथ के द्वारा ऐनोड से कैथोड की ओर

86. $CH_3-\overset{\overset{CH_3}{|}}{\underset{\underset{CH}{|}}{C}}-CH = CH_2$ **का आई.यू.पी.ए.सी. नाम क्या है?**
(a) 3, 3, 3-ट्राइमेथिल प्रोपीन
(b) 1, 1, 1-ट्राइमेथिल 2-पेन्टीन
(c) 3, 3-डाइमेथिल-1-ब्यूटीन
(d) 2, 2-डाइमेथिल-3-ब्यूटीन

87. अमोनियामय द्रव इससे बनता है-
(a) कोक
(b) कोयला
(c) पेट्रोलियम
(d) अमोनियम सल्फेट

88. 'लैम्प ब्लैक' इससे प्राप्त किया जाता है-
(a) कोक (b) काष्ठ
(c) मिट्टी का तेल (d) चीनी

89. $CH = CH \xrightarrow[NH_2]{\text{द्रव } Na\,NH_2} X \xrightarrow{2\,CH_2I} Y$; **Y है-**

(a) $CH_3-C=CH$
(b) $CH_3CH_2-C=CH$
(c) $CH_3(CH_2)_2C=CH$
(d) $CH_3-C=C-CH_3$

90. Zn + सान्द्र H_2SO_4 का उत्पाद है–
(a) H_2 (b) SO_3
(c) SO_2 (d) H_2O_2

91. दर्पण के रजतीकरण में निम्नलिखित में से किस कार्बोहाइड्रेट का प्रयोग किया जाता है?
(a) सुक्रोज (b) फ्रक्टोज
(c) ग्लूकोज (d) गैलेक्टोज

92. प्रोड्यूसर गैस में होता है-
(a) $CO+H_2$ (b) $CO+N_2$
(c) CO_2+H_2 (d) CO_2+CH_4

93. तीव्रतम गति वाली अभिक्रिया है-
(a) $CH_3COO+C_2H_5OH \rightarrow CH_3COOC_2H_5+H_2O$
(b) $2H_2O_2 \rightarrow 2H_2O+O_2$
(c) $2N_2O_5 \rightarrow 4NO_2+O_2$
(d) $NaCl+AgNO_3 \rightarrow AgCl+NaNO_3$

94. निम्नलिखित में अश्रु गैस कौन-सी है?
(a) $COCl_2$ (b) CCl_3NO_2
(c) SO_3Cl_2 (d) NO_2

95. $CH_3-\overset{\overset{O}{||}}{C}-CH_3$ का IUPAC नाम है-
(a) एसीटोन
(b) डाइमेथिल कीटोन
(c) प्रोपेनोन
(d) 2-ऑक्सी प्रोपेन

96. सर्वाधिक क्षारीय कौन-सा है?
(a) Na_2O (b) MgO
(c) Al_2O_3 (d) SiO_2

97. क्रायोलाइट का सूत्र है-
(a) NaF (b) $Na_3[AlF_6]$
(c) AlF_6 (d) CaF_2

98. कौन-सा अवक्षेप पीले रंग का है?
(a) PbS (b) Bi_2S_3
(c) CdS (d) NiS

99. परमाणु का अंतर्राष्ट्रीय मानक है-
(a) कार्बन-12
(b) ऑक्सीजन-16
(c) हाइड्रोजन-1
(d) नाइट्रोजन-14

100. एल्काइन श्रेणी का प्रथम सदस्य है-
(a) CH_4 (b) CH_3
(c) C_2H_4 (d) C_2H_2

101. CO_2 के 6×10^{22} अणुओं का द्रव्यमान लगभग है-
(a) 1.4 ग्राम (b) 1.0 ग्राम
(c) 4.4 ग्राम (d) 3.0 ग्राम

102. किसी ऑर्बिटल में इलेक्ट्रॉनों की अधिकतम संख्या होगी-
(a) 4 (b) 2
(c) 8 (d) 10

103. किसी क्रिस्टल में ब्रेवे जालकों की कुल संख्या होती है–
(a) 7 (b) 14
(c) 230 (d) 32

104. निम्नलिखित किस यौगिक में आयनिक और सहसंयोजी दोनों प्रकार के बंध उपस्थित हैं?
(a) CH_4 (b) NaCl
(c) SO_2 (d) NaOH

105. β-कण हैं-
(a) प्रोटॉन
(b) हीलियम परमाणु के नाभिक
(c) इलेक्ट्रॉन
(d) न्यूट्रॉन

106. CO_2 तथा SO_2 गैसों की विसरण गतियों का अनुपात होगा-
(a) 11 : 4 (b) 11 : 2
(c) $\sqrt{11}:4$ (d) $4:\sqrt{11}$

107. निम्नलिखित में से किसको नाभिकीय संयंत्र में नियंत्रक के रूप में उपयोग करते हैं?
(a) कैडमियम (b) बोरोन
(c) (a) एवं (b) दोनों (d) ग्रेफाइट

108. सूर्य के प्रकाश में इथेन तथा क्लोरीन की क्रिया का अंतिम उत्पाद है-
(a) इथिल क्लोराइड
(b) कार्बन टेट्राक्लोराइड
(c) हेक्साक्लोरो ईथेन
(d) क्लोरोफार्म

109. जब लोहे का एक टुकड़ा कॉपर सल्फेट के विलयन में डाला जाता है, तो लोहा कॉपर सल्फेट के कॉपर (तांबा) को हटाकर आयरन सल्फेट बनाता है। इस प्रकार के अभिक्रिया कहलाती हैं–
(a) योगात्मक अभिक्रिया
(b) संयोजन अभिक्रिया
(c) वियोजन अभिक्रिया
(d) विस्थापन अभिक्रिया

110. आमोनीकल सिल्वर नाइट्रेट में एसिटिलीन प्रवाहित करने पर बनने वाले सफेद अवक्षेप का नाम तथा सूत्र है-
(a) सिल्वर क्लोराइड, AgCI
(b) अमोनियम क्लोराइड, NH_4CI
(c) सिल्वर एसिटिलाइड, C_2Ag_2
(d) अमोनियम एसिटिलाइड, $C_2(NH4)_2$

111. रेडियोएक्टिव तत्व से उत्सर्जित होता है-
(a) α-कण (b) β-कण
(c) γ-किरणें (d) उपर्युक्त सभी

112. सर्वाधिक यौगिक बनाने वाली अक्रिय गैस है-
(a) Ne (b) Xe
(c) He (d) Ar

113. निम्नलिखित में किसका कैलोरी मान सर्वाधिक है?
(a) ब्यूटेन (b) ईथेन
(c) प्राकृतिक गैस (d) मीथेन

114. नाइट्रोजन गैस लिटमस के प्रति है-
(a) अम्लीय (b) क्षारीय
(c) उदासीन (d) कम क्षारीय

115. धावन सोडा के एक अणु में क्रिस्टलन जल के कितने अणु हैं?
(a) 5 (b) 3
(c) 10 (d) 1

116. एक ट्रांसफार्मर का प्रयोग 220 V से 11 V घटाने में किया जाता है। प्राथमिक कुण्डली में 5 A धारा तथा द्वितीयक कुण्डली में 90 A धारा बहती हैं। ट्रांसफॉर्मर की दक्षता है–
(a) 20% (b) 40%
(c) 70% (d) 90%

117. गन्दे पानी के शोधन मे फिटकरी का कार्य होता है–
(a) अवशोषण (b) अधिशोषण
(c) अपोहन (d) स्कंदन

118. ऊष्मागतिकी में, कोई प्रक्रम तब उत्क्रमणीय कहलाता है, जब–
(a) वातावरण और निकाय एक दूसरे में परिवर्तित होते हैं।
(b) निकाय और वातावरण के मध्य कोई सीमा नहीं होती है।
(c) निकाय और वातावरण में साम्य बना रहता है।
(d) निकाय क्रमशः परिपार्श्व (वातावरण) में स्वतः परिवर्तित होता है।

119. लवण सेतु बनाने के लिए पोटैशियम नाइट्रेट का मानक विलयन उपयोग में लाते हैं, क्योंकि–
(a) K^+ आयन का वेग, NO_3^- से अधिक है।
(b) NO_3^- आयतन को वेग, K^+ आयन से अधिक है।
(c) K^+ तथा NO_3^- के वेग समान है।
(d) KNO_3 जल में अत्यधिक घुलनशील है।

120. इलेक्ट्रॉन बन्धुता का मान धनात्मक होता है, जब–
(a) O से, O^- बनता है
(b) O^- से, O^{2-} बनता है
(c) O से, O^+ बनता है
(d) O^- से, O^{3-} बनता है

वनस्पति विज्ञान

121. फलों के रस का परिरक्षण करने के लिए जो रसायन मिलाया जाता है, वह है-
(a) पोटैशियम मेटाबाइसल्फाइड
(b) पोटैशियम परमैंगनेट
(c) पोटैशियम क्लोराइड
(d) पोटैशियम क्लोरेट

122. जूट का वानस्पतिक नाम है-
(a) लाइनम यूसीटेटीसिमम
(b) कोरकोरस कैप्सूबेरिस
(c) हिबिस्कम सब्डरीफा
(d) क्रोटेलेरिया जून्सिया

123. प्रकाश-संश्लेषण में समस्थानिक प्रयोग किए जाते हैं-
(a) C^{11} और P^{32}
(b) C^{15} और P^{32}
(c) C^{16} और N^{15}
(d) C^{14} और O^{18}

124. मृदा की उर्वरकता घटती है-
(a) फसल चक्रण से
(b) अत्यधिक कृषि से
(c) मिश्रित कृषि से
(d) N_2 स्थिरीकरण बैक्टीरिया से

125. सरंध्र रात्रि में भी खुल सकते हैं-
(a) मरुद्भिद में
(b) युग्मकोद्भिद में
(c) जलोद्भिद् में
(d) इनमें से किसी में नहीं

126. रंध्र दिन में खुलते हैं क्योंकि रक्षक कोशिकाओं-
(a) की बाह्य भित्ति पतली होती है
(b) में वृक्क होते हैं
(c) में हरितलवक होते हैं
(d) में वृहत्त-केन्द्रक होते हैं

127. किसी जलीय वातावरण में सूक्ष्म जन्तुओं और पौधों को एक साथ कहते हैं-
(a) सहभोजी
(b) शाकाहारी
(c) प्राणिजात और पेड़-पौधे
(d) प्लवक

128. मटर का पौधा किस कुल का सदस्य है?
(a) सोलेनेसी (b) पोएसी
(c) फेबेसी (d) कम्पोजिटी

129. जब पुष्प नियमित एवं सममिति अरीय होती हैं, तब पुष्प की यह स्थिति कहलाती है-
(a) एकव्यास सममिति
(b) असममिति
(c) एकलिंगी
(d) त्रिज्या सममिति

130. निम्नलिखित में किस पादप हॉर्मोन द्वारा, फल, पुष्प एवं पत्तियों का विलगन का नियन्त्रण तथा फलों का पक्कवन प्रेरित किया जाता है?
(a) जिबरेलिन (b) इथाइलीन
(c) ऑक्सिन (d) साइटोकाइनिन

131. अल्पप्रदीप्तिकाली पादपों में पुष्पन नहीं होगा, यदि अन्धकार अवधि को निम्नलिखित में से एक के द्वारा अल्प अवधि के लिए भी बाधित कर दिया जाए-
(a) पीला प्रकाश (b) नीला प्रकाश
(c) हरा प्रकाश (d) लाल प्रकाश

132. निम्नलिखित में से कौन पौधों में एक मुख्य प्रकाश-संश्लेषणी पथ है?
(a) C_3 (b) C_4
(c) CAM (d) इनमें से कोई नहीं

133. एस्टेरेसी कुल का पुष्पक्रम होता है-
(a) अम्बल (b) स्पैडिक्स
(c) कैटकिन (d) केपीटुलम

134. निम्नलिखित में से किसकी पत्तियों में अनुपर्ण सम्पूर्ण जीवनकाल में चिरलग्न रहते हैं?
(a) माइकैलिया (b) केसिया
(c) हिबिस्कस (d) धान

135. फल पिपो होता है-
(a) क्रूसीफेरी कुल का
(b) लेग्यूमिनोसी कूल का
(c) कुकुरबिटेसी कुल का
(d) लिलिएसी कुल का

136. अन्तर्विष्ट विभज्योतक उत्तरदायी है-
(a) द्वितीयक वृद्धि हेतु
(b) प्राथमिक वृद्धि हेतु
(c) शीर्षस्थ वृद्धि हेतु
(d) द्वितीयक गोलार्द्ध हेतु

137. फसल चक्रण किसान द्वारा किसकी बढ़ोत्तरी हेतु अपनाना चाहिए?
(a) भूमि उर्वरता हेतु
(b) सामुदायिक क्षेत्र हेतु
(c) भूमि का कार्बनिक संघटक हेतु
(d) भूमि में नाइट्रोजन संघटक के लिए

138. हाइड्रोपोनिक्स द्वारा पौधे उगाने की प्रणाली होती है-
(a) मृदाविहीन संवर्धन
(b) अम्लीय भूमि
(c) मृदाविहीन संवर्धन (क्षारीय माध्यम में)
(d) मृदाविहीन संवर्धन (अम्लीय माध्यम में)

139. उच्च वर्ग के पौधों में हरितलवक की आकृति एवं संरचना होती है-
(a) डिस्कॉइड
(b) कप के आकार की
(c) गुहिकार
(d) जालिकावत

140. निम्नलिखित में किस हॉर्मोन द्वारा दीर्घप्रदीप्तिकाल पौधों में पुष्पन को प्रेरित किया जाता है?
(a) IBA (b) IAA
(c) GA_3 (d) NAA

141. वृक्ष की मोटाई में वृद्धि होती है-
(a) अन्तर्वेशी विभज्योतक (intercalary meristem) द्वारा
(b) पार्श्व विभज्योतक (Lateral meristem) द्वारा
(c) शीर्षस्थ विभज्योतक (apical meristem) द्वारा
(d) पट्टिका विभज्योतक (plate meristem) द्वारा

142. किन पौधों में संयुक्त स्पाइक पुष्पक्रम पाया जाता है?
(a) प्याज में (b) आलू में
(c) गेहूँ (d) खीरा में

143. जब पुष्प के विभिन्न भाग (अंग) एक, अथवा उनकी वास्तविक संख्या या उसके गुणन में पायी जाती है, तब पुष्प कहलाता है–
(a) हेटेरीमीरस (b) आइसोमीरस
(c) परिजायांगी (d) उपरिजायांगी

144. प्रकृति में संयुक्त पत्ती को कौन सा रूप सर्वाधिक रूप से पाया जाता है–
(a) द्विपिच्छिकी या द्विपिक्षाकार
(b) त्रिपिक्षाकार
(c) त्रिपर्णी संयुक्त पत्ती
(d) डी कम्पाउण्ड या विसंयुक्त पत्ती

145. सहचर कोशिकाएँ सम्बन्धित होती हैं-
(a) चालनी नलिकाओं से
(b) दारु से
(c) स्थूलकोण ऊतक से
(d) एधा से

146. काष्ठ किसका सामान्य नाम होता है?
(a) फ्लोएम का
(b) संवहन पूलों का
(c) कैम्बियम का
(d) द्वितीयक जाइलम का

147. भ्रूण उपस्थित होता है-
(a) यूलोथ्रिक्स में (b) स्पाइरोगाइरा में
(c) फ्यूनेरिया में (d) क्लोरेला में

148. जल रन्ध्र पाये जाते हैं-
(a) पत्ती में (b) तने में
(c) पुष्प में (d) जड़ में

149. एन्जाइम मूलतः होते हैं-
(a) विटामिन (b) वसा
(c) प्रोटीन (d) कार्बन

150. निम्नलिखित में से कौन C_4 पौधा है?
(a) गन्ना (b) आम
(c) सेब (d) टमाटर

जन्तु विज्ञान

151. निम्नलिखित में से कौन उत्सर्जक उत्पाद के रूप में यूरिक एसिड का उत्सर्जन करता है?
(a) अमीबा (b) तितलियां
(c) गौरैया (d) ऊंट

152. मूत्र के स्त्रावण को बढ़ाने वाली औषधि को कहते हैं-
(a) एड्रिनेलीन (b) मोरोयूरेटिक
(c) डाइयूरेटिक (d) ट्राइयूरेटिक

153. मूत्र का असामान्य घटक है-
(a) यूरिया (b) क्रिएटिनिन
(c) ऐल्ब्युमिन (d) सोडियम

154. एलोसोम होते हैं-
(a) कोशिकांग (b) पादप हॉर्मोन
(c) ऐलील (d) लिंग गुणसूत्र

155. भ्रूण की अपरापोषिका किसमें सहायक होती है?
(a) उत्सर्जन (b) श्वसन
(c) संरक्षण (d) पाचन

156. निम्नलिखित में से वह अंग कौन-सा है, जिससे पानी, वसा तथा विभिन्न अपचय (कैटाबोलिक) अपशिष्ट उत्सर्जित होते रहते हैं?
(a) वृक्क (b) त्वचा
(c) प्लीहा (d) लाल ग्रंथि

157. हेमीकॉर्डेटा में उत्सर्जन किसके द्वारा होता है?
(a) केशिका गुच्छ (b) प्राक वृक्क
(c) मध्य वृक्क (d) पश्च वृक्क

158. सामान्य शंबु (मसल) का वसा एक लिसलिसे पदार्थ का स्त्राव करता है, जिसका हृदय प्रत्यारोपण में प्रयोग किया जा सकता है। इस पदार्थ में मौजूद यह विलक्षण रासायनिक यौगिक क्या है?
(a) एमिनो फिनाइल एलैनिन
(b) हाइड्रॉक्सी फिनाइल एलैनिन
(c) फिनाइल एलैनिन
(d) डाई-हाइड्रॉक्सी फिनाइल एलैनिन

159. मनुष्य के शरीर में कुल कितनी हड्डियां होती हैं?
(a) 212 (b) 206
(c) 202 (d) 200

160. मनुष्यों में किसका पता लगाने के लिए अस्थीभवन परीक्षण किया जाता है?
(a) मस्तिष्क क्षमता (b) अंतरिम आयु
(c) अंतरिम ऊंचाई (d) औषधि व्यसन

161. हमारे शरीर में कुल कितनी मांसपेशियां होती हैं?
(a) 565 (b) 656
(c) 665 (d) 556

162. अक्ल दाढ़-
(a) पहली दाढ़ होती है
(b) दूसरी दाढ़ होती है
(c) तीसरी दाढ़ होती है
(d) चौथी दाढ़ होती है

163. ऑस्टियोसाइट पाए जाते हैं-
(a) अस्थि में (b) रुधिर में
(c) उपास्थि में (d) लसीका में

164. जानुफलक का दूसरा नाम है-
(a) जत्रुक (क्लेविकल)
(b) जान्विक (पटेल्ला)
(c) बर्हिप्रकाष्ठिका (रेडियस)
(d) जोड़

165. सिग्मारूपी बृहदांत्र किसका भाग है?
(a) बड़ी आंत (b) क्षुद्रांत्र (इलियम)
(c) छोटी आंत (d) गुदा

166. महारंध्र, जो एक द्वारक है, कहाँ होता है?
(a) कान (b) फेफड़े
(c) मेखला (d) कपाल

167. स्टारफिश के परिसंचरण तंत्र को क्या कहा जाता है?
(a) जठर वाही तंत्र (b) जलवाही तंत्र
(c) हीमल तंत्र (d) b एवं c दोनों

168. पुरानी और नष्टप्राय लाल रक्त कणिकाएं कहाँ नष्ट हो जाती हैं?
(a) प्लीहा (b) यकृत
(c) आमाशय (d) अस्थि मज्जा

169. सबसे बड़ा श्वेत रुधिराणु है-
(a) लसीकाणु (लिम्फोसाइट)
(b) एक केंद्रकाणु (मोनोसाइट)
(c) बिम्बाणु (थ्रोम्बोसाइट)
(d) रक्ताणु (लाल रुधिर कणिका) (एरिथ्रोसाइट)

170. रोग प्रतिकारकों को उत्पन्न करने वाला सेल कौन-सा है?
(a) रेड ब्लड सेल (b) न्यूट्रोफिल
(c) लिम्फोसाइट (d) प्लेटलेट्स

171. रक्त में प्रतिस्कंदक पदार्थ कौन-सा है?
(a) फाइब्रिनोजन (b) हिपैरिन
(c) थ्रॉम्बिन (d) ग्लोबिन

172. प्राकृतिक कोलाइड कौन-सा है?
(a) इक्षु-शर्करा
(b) रक्त
(c) सोडियम क्लोराइड
(d) यूरिया

173. रक्त में हीमोग्लोबिन एक सम्मिश्र प्रोटीन है, जिसमें भरपूर मात्रा में पाया जाता है-
(a) लौह (b) रजत
(c) तांबा (d) स्वर्ण

174. सर्वग्राही कौन-से रुधिर वर्ग का होता है?
(a) AB (b) O
(c) B (d) A

175. रक्त के AB वर्ग वाला व्यक्ति ऐसे व्यक्ति को रक्तदान कर सकता है, जिसके रक्त का वर्ग हो-
(a) A (b) B
(c) AB (d) O

176. मानव का सामान्य रक्तदाब कितना होता है?
(a) 80/120 मिमी. पारा
(b) 90/140 मिमी. पारा
(c) 120/160 मिमी. पारा
(d) 85/150 मिमी. पारा

177. रक्तदाब का नियंत्रण कौन करता है?
(a) अधिवृक्क (एड्रिनल) ग्रंथि
(b) अवटु (थाइरॉइड) ग्रंथि
(c) थाइमस
(d) पीत पिंड (कॉर्पस लूटियम)

178. 'हाइपरटेंशन' शब्द किसके लिए प्रयोग किया जाता है?
(a) हृदय की गति तेज होने के लिए
(b) हृदय की गति धीमी होने के लिए
(c) रक्तचाप घटने के लिए
(d) रक्तचाप बढ़ने के लिए

179. निम्नलिखित में से कौन-सा सही मेल है?
(a) किरीट अघात -संवहन तंत्र विस्तार
(b) एथिरोस्क्लेरोसिस -धमनियों का अवरुद्ध हो जाना
(c) हाइपरटेंशन -न्यून रक्तचाप
(d) हाइपोटेंशन -दिल का दौरा

180. सामान्य वयस्क पुरुष में RBC की संख्या होती है-
(a) 5.5 मिलियन (b) 5.0 मिलियन
(c) 4.5 मिलियन (d) 4.0 मिलियन

General English

Directions (181 – 183): In these questions, out of the four alternatives choose the one which can be substituted for the given words/ sentence.

181. One who cannot read and write
(a) Deaf (b) Dumb
(c) Illiterate (d) Blind

182. One whose wife is dead
(a) Widow (b) Widower
(c) Celibate (d) Divorcee

183. One who believes in God
(a) Secularist (b) Autocrat
(c) Agnostic (d) Theist

Directions (184 – 186): In these questions, choose the word opposite in meaning to the given word.

184. SEIZE
(a) Suppress (b) Celebrate
(c) Release (d) Promise

185. BLEAK
(a) Brown (b) Secret
(c) Calm (d) Bright

186. WORTH
(a) Useless (b) Familiar
(c) Wonderful (d) Harmless

187. Rhyming word to 'Soon' is
(a) Gun (b) Can
(c) Moon (d) Plan

188. "The river Ganga is held to be the most sacred of all the rivers." _____ Give the positive degree of the above.
(a) Very few rivers are held to be as sacred as Ganga.
(b) River Ganga is held to be more sacred than any other river.
(c) No other river is held to be as much sacred as the river Ganga.
(d) None of the above

189. "Sagar performed the Yajna and handed over the kingdom to Anshuman." The above sentence is a
(a) Simple sentence
(b) Complex sentence
(c) Exclamatory sentence
(d) Compound sentence

190. Plural of "mouse" is
(a) Mouses (b) Mice
(c) Mouse (d) None of these

सामान्य ज्ञान

191. सुल्तानपुर पक्षी विहार की स्थापना कब की गई?
(a) वर्ष 1919 (b) वर्ष 1971
(c) वर्ष 1922 (d) वर्ष 1974

192. ब्लॉक पर्वतों में उत्थान ब्लॉकों को .... कहा जाता है।
(a) शंकु (b) ढलान
(c) उत्खण्ड (d) द्रोणिका

193. गुजरात के हजीरा से उत्तर प्रदेश के जगदीशपुर तक जाने वाली HVJ गैस पाइपलाइन निम्न में से किस राज्य से होकर गुजरती है?
(a) उत्तराखण्ड (b) मध्य प्रदेश
(c) हिमाचल प्रदेश (d) झारखण्ड

194. प्रसिद्ध 'संगई महोत्सव (Sangai Festival)' पूर्वोत्तर भारत के किस राज्य में आयोजित किया जाने वाला एक वार्षिक सांस्कृतिक उत्सव है?
(a) नागालैंड (b) मणिपुर
(c) त्रिपुरा (d) मेघालय

195. निम्न में से कौन-सा कारण भारत में ग्रामीण गरीबी का नहीं है?
(a) निरक्षरता
(b) ग्रामीण क्षेत्रों से पलायन
(c) कृषि के अतिरिक्त वैकल्पिक रोजगार के अवसरों में कमी
(d) पूँजी की कमी

196. यदि न्यायपालिका का यह मानना है, कि संसद द्वारा पारित विशेष कानून संविधान के मूल ढाँचे का उल्लंघन करते हैं, तो उसके पास ऐसे कानूनों को रद्द करने की शक्ति है। इसे .... कहा जाता है।
(a) न्यायिक समीक्षा
(b) जनहित याचिका
(c) न्यायिक सक्रियता
(d) विवाद समाधान

197. निम्नलिखित में से कलकत्ता (कोलकाता) में ब्रह्म समाज की स्थापना की-
(a) स्वामी विवेकानन्द
(b) स्वामी दयानन्द सरस्वती
(c) ईश्वर चन्द्र विद्यासागर
(d) राजा राममोहन राय

198. प्रति इकाई क्षेत्र में व्यक्तियों की संख्या .... का माप देती है।
(a) जनसंख्या वृद्धि दर
(b) जनसंख्या लिंगानुपात
(c) जनसंख्या घनत्व
(d) जनसंख्या आवागमन

199. आईसीसी पुरुष चैंपियंस ट्रॉफी 2025 की मेज़बानी कौन-सा देश कर रहा है?
(a) भारत (b) ऑस्ट्रेलिया
(c) पाकिस्तान (d) इंग्लैंड

200. निम्न में से कौन-सी भारत की सबसे पुरानी पर्वत श्रेणी है?
(a) पूर्वी घाट (b) अरावली श्रेणी
(c) पश्चिमी घाट (d) सतपुड़ा श्रेणी

व्याख्या सहित उत्तर

भौतिक विज्ञान

1. (d) पिण्ड 10 सेकण्ड में 7 मी दूरी तय करता है।

$$s = ut + \frac{1}{2}at^2 \Rightarrow 7 = 0 + \frac{1}{2} a \times (10)^2$$

$$\Rightarrow \quad a = \frac{14}{100} = 0.17 \text{ मी/से}^2$$

$$\therefore \frac{F}{w} = \frac{ma}{mg} = \frac{0.14}{9.8} = \frac{14}{980} = \frac{1}{70}$$

2. (b) चित्रानुसार,

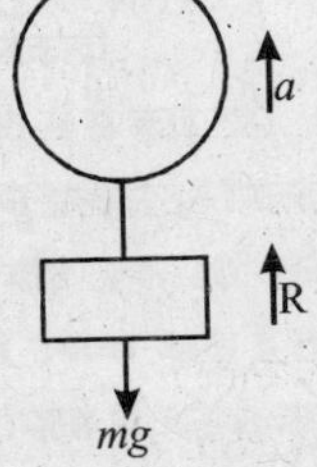

$$R - mg = ma$$

$$21g - 15g = 15a$$

$$\therefore \quad a = \frac{6g}{15} = \frac{6 \times 10}{15} = 4 \text{ मी/से}^2$$

3. (b) यहां $\lambda = 80$ सेमी; $v = 400 \times 100$
$= 40000$ सेमी/से

$v = n\lambda \Rightarrow 40000 = n \times 80 \Rightarrow n = 500$ हर्ट्ज

4. (a) 0°C पर ध्वनि का वेग =332 मी/से

5 सेकण्ड में ध्वनि द्वारा चली गई दूरी = vt
$= 332 \times 5 = 1660$ मी

$\Rightarrow$ बादलों की दूरी = 1660 मी

20°C पर ध्वनि का वेग $= 332 + 20 \times 0.6$
$= 344$ मी/से

अतः ध्वनि सुनने में समय लगेगा

$= \frac{s}{v} = \frac{1660}{344} = 4.8$ सेकण्ड

5. (b) तरंगदैर्ध्य $(\lambda) = 40$ मी

आवर्तकाल (T) = 0.5 सेकण्ड

$v = \frac{n}{\lambda}$

[जहां $n = \frac{1}{T} \Rightarrow \frac{1}{0.5} = n = 2$ प्रति सेकण्ड]

$v = (2 \times 40)$ मी/से. = 80 मी./से.

6. (a) $u = -25$ सेमी; $I = 4 \times O$

$\frac{I}{O} = -\frac{v}{u} \Rightarrow \frac{40}{O} = -\frac{v}{25}$

$\Rightarrow v = 100$ सेमी

सूत्र $\frac{1}{v} + \frac{1}{u} = \frac{1}{f}$ से,

$\therefore \quad \frac{1}{100} + \frac{1}{-25} = \frac{1}{f}$

$\Rightarrow \quad f = \frac{-100}{3}$ सेमी

पुनः: $I = -4 \times 0$

$\therefore \quad \frac{-4O}{O} = -\frac{v}{u}$

$\Rightarrow \quad v = 4u$

पुनः सूत्र $\frac{1}{v} + \frac{1}{u} = \frac{1}{f}$ से,

$\therefore \quad \frac{1}{4u} + \frac{1}{u} = -\frac{3}{100}$

$\Rightarrow \quad \frac{5}{4u} = \frac{-3}{100}$

$\Rightarrow \quad u = \frac{-125}{3} = \frac{5}{3} \times$ पहली दूरी

7. (c) $P = hdg = \frac{20}{100} \times 1080 \times 10$

$= 2160$ न्यूटन

8. (b) $\frac{1/f_a}{1/f_l} = \frac{({}_a\mu_g - 1)}{({}_l\mu_g - 1)}$

$\Rightarrow \quad \frac{f_l}{f_a} = \frac{{}_a\mu_g - 1}{\left(\frac{{}_a\mu_g}{{}_a\mu_l} - 1\right)}$

यहां $f_a = 20$ सेमी, ${}_a\mu_g = 1.5$, ${}_a\mu_l = 4/3$

$\therefore \quad \frac{f_l}{20} = \frac{1.5 - 1}{\frac{1.5}{4/3} - 1}$

$= \frac{f_l}{20} = 4$

$\Rightarrow \quad f_l = 80$ सेमी

9. (a) दिया है, चक्कर प्रति मिनट = 360

1 चक्कर/मिनट = 2π रेडियन/मिनट

$= \frac{2\pi}{60}$ रेडियन/से

360 चक्कर/मिनट के लिये,

$\frac{2\pi}{60} \times 360 = 12\pi$ रेडियन/सेकण्ड

10. (a) $\frac{\text{बर्फ के डूबे भाग का आयतन}}{\text{बर्फ के टुकड़े का कुल आयतन}}$

$= \frac{\text{बर्फ का घनत्व}}{\text{जल का घनत्व}}$

$\therefore \quad \frac{x}{1} = \frac{0.92 \times 10^3}{1.03 \times 10^3} \Rightarrow x = \frac{92}{103}$

अतः बर्फ का जल के बाहर निकला आयतन

$= 1 - \frac{92}{103} = \frac{11}{103}$

बर्फ का जल के बाहर निकला प्रतिशत आयतन

$= \frac{11}{103} \times 100 = 10.68 = 11\%$ (लगभग)

11. (a) माना A तथा B पर सजातीय आवेश q_1 तथा q_2 हैं तथा q_1, q_2 को बल F से प्रतिकर्षित करता है।

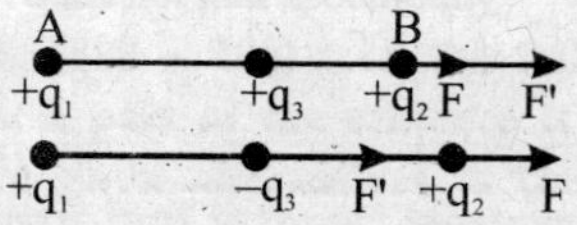

आवेश q_3 को दोनों के मध्य लाने पर यदि q_3 और q_1 सजातीय हैं, तो यह भी q_2 को प्रतिकर्षित करेगा जिससे q_2 पर प्रतिकर्षण बल F का मान बढ़ेगा और यदि q_3 विपरीत चिह्न का है, तो वह q_2 को आकर्षित करेगा जिससे F का मान घटेगा।

12. (c) रेखीय संवेग संरक्षण के सिद्धान्त से,

$m_1v_1 + m_2v_2 = (m_1 + m_2)v$

$4 \times 10 + 6 \times 0 = (4 + 6)v$

$\therefore \quad v = \frac{40}{10} = 4$ मी/से

13. (b) ताप बढ़ने के साथ द्रव की श्यानता कम हो जाती है क्योंकि वह बढ़ने से द्रव के अणुओं के बीच संसजक बल कम होता है।

14. (a) $n = \frac{3 \times 10^8}{3000 \times 10^{-10}} = 1 \times 10^{15}$ हर्ट्ज

15. (b) $R_1 + R_2 = 9$ और $\frac{R_1R_2}{R_1 + R_2} = 2$

$\Rightarrow \quad R_1 R_2 = 18$

$\therefore \quad R_1 - R_2 = \sqrt{(R_1 + R_2)^2 - 4R_1R_2}$

$= \sqrt{81 - 72} = 3$

$\therefore \quad R_1 = 6\,\Omega, R_2 = 3\,\Omega$

16. (a) $r = \frac{mv}{qB} = \frac{\sqrt{2mK}}{qB}$ या $r \propto \frac{\sqrt{m}}{q}$

($\because$ K व B कणों के लिए नियत हैं)

$\therefore \quad r_p \propto \frac{\sqrt{m_p}}{q_p}, \; r_d \propto \frac{\sqrt{m_d}}{q_d}$

$\Rightarrow \quad r_p \propto \frac{\sqrt{2m_p}}{q_p} \Rightarrow r_\alpha \propto \frac{\sqrt{m_\alpha}}{q_\alpha}$

अतः $r_\alpha = r_p < r_d$

17. (b) $h_1d_1g = h_2d_2g$

$\therefore \quad 0.75 \times 13.6 = h_2 \times 0.8$

$h_2 = \frac{0.75 \times 13.6}{0.8} = 12.75$ मी

18. (a) $v_1 - v_2 = -eu$ ...(i)

$v_1 + v_2 = u$ ...(ii)

$\Rightarrow \quad v_1 = \left(\frac{1-e}{2}\right)u$ और $v_2 = \left(\frac{1+e}{2}\right)u$ ...(iii)

$\Rightarrow \quad \frac{v_1}{v_2} = \frac{1-e}{1+e}$

19. (a) 1 बैकुरल, 1 विघटन प्रति सेकण्ड के बराबर होता है।

20. (a) वास्तविक प्रतिबिम्बों के लिए, आवर्धन

$m = \frac{f}{u - f}$

$\therefore \quad \frac{2x}{x} = \frac{50}{u - 50}$

$\Rightarrow \quad u = 75$ सेमी

21. (d) क्षमता $= \frac{90 \times 11}{20 \times 5} = \frac{990}{1100} \times 100 = 90\%$

22. (c) स्रोत का विद्युत वाहक बल

$V = \sqrt{(V_R)^2 + (V_L - V_C)^2}$

$= \sqrt{(8)^2 + (46 - 40)^2} = 10$ वोल्ट

23. (b) $W = \frac{nRT_1}{(\gamma - 1)}\left[1 - \left(\frac{V_1}{V_2}\right)^{\gamma - 1}\right]$

$= \frac{2 \times 8.31 \times 300}{\left(\frac{5}{3} - 1\right)}\left[1 - \left(\frac{1}{2}\right)^{\frac{5}{3} - 1}\right]$

$= +2763.23$ जूल

24. (a) $dQ = dU + dW$

$\Rightarrow \quad \frac{dW}{dQ} = 1 - \frac{dU}{dQ} = 1 - \frac{{}_nC_v dT}{{}_nC_p dT}$

$\Rightarrow \quad \frac{dW}{dQ} = 1 - \frac{C_v}{C_p} = 1 - \frac{3}{5} = \frac{2}{5}$

$= 0.4 = 40\%$

25. (a) प्रारम्भिक संवेग = 100 × 5 = 500 किग्रा-मी/से अन्तिम संवेग = 0

वस्तु को विरामावस्था में लाने के लिये लगाया गया

बल = संवेग परिवर्तन की दर

$= \frac{\Delta p}{\Delta t} = \frac{500}{1/10} = 5000$ न्यूटन

26. (d) बल एक सदिश राशि है।

27. (c) सघन माध्यम से परावर्तन पर कलान्तर में परिवर्तन π होता हैं।

28. (a) गतिज ऊर्जा $= \frac{1}{2} \times$ द्रव्यमान $\times$ (वेग)^2

$\Rightarrow K = \frac{1}{2}mv^2$

$\Rightarrow \quad K' = \frac{1}{2} \times \frac{mv^2}{2}$

$\therefore \quad K' = \frac{K}{2}$

29. (b) फ्यूज तार का गलनांक कम होता है।

30. (b) दिया है, $t = 2$ मिनट $= 2 \times 60 = 120$ सेकण्ड, $V = 12$ वोल्ट

$i = 3.5$ ऐम्पियर

तार में ऊर्जा $= Vit = 12 \times 3.5 \times 120 = 5040$ जूल

31. (c) $\alpha : \beta : \gamma = 1 : 2 : 3$

जहां α, β व γ

क्रमशः रेखीय प्रसार गुणांक, क्षेत्रीय प्रसार गुणांक व आयतन प्रसार गुणांक है।

32. (a) निकट-दृष्टि दोष के निवारण के लिए अवतल लेंस का प्रयोग किया जाता है।

33. (b) विशिष्ट ऊष्मा $Q = m \times s \times t$

$= 600 \times 1 \times (80 - 30)$

$= 600 \times 50 = 30000$ कैलोरी

34. (c)

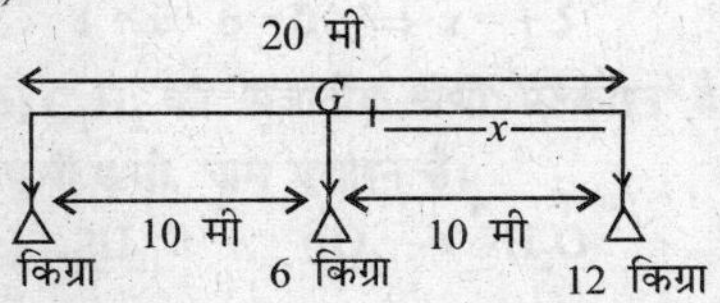

माना संतुलन बिंदु 12 किग्रा भार से x दूरी पर होगा। तब, संतुलन की अवस्था में,

$8 \times (20 - x) + 6\,(10 - x) = 12x$

$160 - 8x + 60 - 6x = 12x$

$26x = 220$

$x = \frac{220}{26}$

$x = 8.46$ मी.

35. (a) μ_0, निर्वात की चुंबकशीलता होती है, इसका मान 4×10^{-7} न्यूटन/ऐम्पियर^2 होता है।

अतः $\quad \mu_0 = 4 \times 10^{-7}$ न्यूटन/ऐम्पियर^2

या $\quad \frac{\mu_0}{4} = 10^{-7}$ न्यूटन/ऐम्पियर^2

36. (d) $\because$ दर्पण समान्तर है, अतः $\theta = 0$

प्रतिबिम्बों की संख्या

$n = \frac{360^o}{\theta} = \frac{360^o}{0} =$ (अनन्त)

37. (b) विद्युत ऊर्जा को वॉट-घंटा मीटर या किलोवॉट- घंटा-मीटर यंत्र द्वारा मापा जाता है।

38. (b) $w = mg$

$w = 1 \times 9.8 = 9.8$ न्यूटन

39. (a) इंजन की सामर्थ्य,

P = 30 किलोवॉट

= 30 × 1000 वॉट

सामर्थ्य $P = \frac{mgh}{t}$

$t = \frac{mgh}{p}$

$= \frac{150 \times 9.8 \times 50}{30 \times 1000} = 2.45$ सेकण्ड

40. (b) परिणाम, $R^2 = P^2 + Q^2 + 2PQ\cos\theta$

$0 = 2P^2 + 2P^2 + 2P^2\cos\theta$

$[\because P = Q]$

$\Rightarrow \quad \cos\theta = -1$

$\Rightarrow \quad \cos\theta = \cos 180^0$

$\Rightarrow \quad \theta = 180^0$

41. (c) वेग सदिश राशि है।

42. (a) $\quad$ दाब $= \frac{\text{दाब}}{\text{क्षेत्रफल}}$

प्रश्नानुसार, $P = \frac{2F}{\frac{A}{2}}$

$\Rightarrow \quad P = 4\left(\frac{F}{A}\right)$

$\therefore \quad P = 4P$

43. (b) द्वितीय वर्ग के उत्तोलक में भार W तथा आयाम P आलम्ब F के एक ही ओर होते हैं, अतः चित्र द्वितीय श्रेणी के उत्तोलक को प्रदर्शित करता है।

44. (c) आदर्श गैस की आंतरिक ऊर्जा केवल ताप पर निर्भर करती है।

45. (c) पृष्ठीय ऊर्जा = पृष्ठ तनाव × पृष्ठ क्षेत्रफल

$E = T \times 2A$

नयी पृष्ठीय ऊर्जा,

$E_1 = T \times 2\,(A/2) = T \times A$

पृष्ठीय ऊर्जा में प्रतिशत कमी

$= \frac{E - E_1}{E} \times 100$

$= \frac{2TA - TA}{2TA} \times 100 = 50\%$

46. (b) द्रव की गहराई पर दाब, $P = hdg$

47. (d) अनुप्रस्थ तरंगें ठोस, द्रव व गैस में उत्पन्न की जा सकती हैं।

48. (c) $\therefore \quad \frac{n_2}{n_1} = \frac{\lambda_1}{\lambda_2}$

$\Rightarrow \quad \frac{\lambda_1}{\lambda_2} = \frac{4}{3}$

तथा आवर्त्तकाल (T) $= \frac{1}{\text{आवृत्ति } (n)}$

$\frac{T_1}{T_2} = \frac{n_2}{n_1} = \frac{4}{3}$

49. (c) वस्तु का आपेक्षिक घनत्व

$= \frac{\text{पिण्ड का वायु में भार}}{\text{जल में पिण्ड के भार में कमी}}$

$= \frac{w_1}{w_1 - w_2}$

50. (a) सबसे अधिक आवृत्ति बैंगनी रंग की होती है।

51. (d) यहाँ दोलनों के अधिकतम आयाम की अवस्था अनुनाद की मापक है।

52. (a) जब R त्रिज्या की एक बड़ी बूँद को प्रत्येक r त्रिज्या की n छोटी बूँदों में तोड़ा जाता है तो द्रव का पृष्ठ क्षेत्रफल बढ़ता है, जिससे पृष्ठीय ऊर्जा बढ़ जाती है।

53. (c) $u = -25$ सेमी, $v = -0.40$ सेमी. $= -40$ सेमी.

फोकस दूरी के सूत्र $\frac{1}{f} = \frac{1}{v} - \frac{1}{u}$ से

$\frac{1}{f} = \frac{1}{-40} - \frac{1}{-25}$

$\frac{1}{f} = \frac{-5 + 8}{200}$

$f = 66.7$ सेमी

दूर दृष्टि दोष के निवारण के लिए उत्तल लेंस का प्रयोग किया जाता है।

54. (b) मानव नेत्र में रेटिना पर बनने वाला प्रतिबिंब उल्टा होता है, परन्तु सीधा दिखाई देता है।

55. (b) ऊष्मा, $w = i^2Rt$

प्रतिरोध, $\quad R = \frac{w}{i^2t}$

$= \frac{540 \times 1000}{(3)^2 \times 4 \times 60}$

$= 250$ ओम

56. (c) नदी पर निर्मित बांध को नीचे से चौड़ा बनाया जाता है, क्योंकि गहराई बढ़ने के साथ जल का दाब बढ़ता है। इस दाब को सहन करने हेतु बांध को नीचे से चौड़ा बनाया जाता है।

57. (a) एक दिन में क्षयित सेकण्डों की संख्या

$\Delta t = \frac{1}{2}\alpha\,\Delta\theta \times 86400$

धात्विक लोलक का रेखीय प्रसार गुणांक,

$\therefore \quad \alpha = \frac{2\,\Delta t}{\Delta\theta \times 86400}$

$\alpha = \frac{2 \times 12.5}{25 \times 86400}$

$\alpha = \frac{1}{86400}/^oC$

58. (a) प्रिज्य का अपवर्तनांक,

$\mu = \frac{\left(\frac{A + \delta_m}{2}\right)}{\sin\frac{A}{2}}$

$$= \frac{\sin\left(\frac{60^o + 30^o}{2}\right)}{\sin\frac{60^o}{2}} = \frac{\sin 45^o}{\sin 30^o} = \frac{\frac{1}{\sqrt{2}}}{\frac{1}{2}} = \sqrt{2}$$

59. (c) हीरे में प्रकाश का वेग,

v = 121000 किमी./से
$= 121000 \times 10^3$
$= 121 \times 10^6$ मी/से

हम जानते हैं,

अपवर्तनांक, $\mu = \frac{c}{v}$

$$= \frac{3 \times 10^8}{121 \times 10^6} = 2.48$$

60. (b) ट्रांसफार्मर अन्योन्य प्रेरण के सिद्धान्त पर कार्य करता है।

रसायन विज्ञान

61. (b) $CuSO_4 \cdot 5H_2O$ का अणुभार
$= Cu + S + 40 + 5\,(2H + O)$
$= 63.5 + 32 + 4 \times 16 + 5\,(2 \times 1 + 16)$
$= 159.5 + 90 = 249.5$

$\because$ 249.5 ग्राम नीले थोथे में पानी = 90 ग्राम

$\therefore$ 100 ग्राम नीले थोथे में पानी $= \frac{90 \times 100}{249.5}$ = 36.07 %

62. (a) जब NaCl, $K_2Cr_2O_7$ तथा सान्द्र H_2SO_4 को गर्म करते हैं तो क्रोमाइल क्लोराइड की संतरे रंग की वाष्प बनती है।

$4\,NaCl + K_2Cr_2O_7 + 3H_2SO_4 \rightarrow$
$2\,CrO_2Cl_4 + K_2SO_4 + 2Na_2SO_4 + 3H_2O$
क्रोमाइल क्लोराइड

63. (c)

1 यूनिट की कमी (अपचयन)

$$\overset{+1\,-2}{H_2S} + \overset{+1\,-1}{H_2O_2} \rightarrow \overset{0}{S} + \overset{+1\,-2}{2H_2O}$$

2 यूनिट की वृद्धि (ऑक्सीकरण)

H_2O_2 ऑक्सीकारक का कार्य करता है।

64. (a) माना कि B^{10} परमाणु का प्रतिशत x है, तो

औसत परमाणु भार $= \frac{10x + 11(100 - x)}{100} = 1081$

$\therefore \; = \frac{N_B^{10}}{N_B^{11}} = \frac{19}{81} = 19{:}81$

65. (b) तत्व A की संयोजकता = बाहरी कोश में इलेक्ट्रॉनों की संख्या = 3

तत्व B की संयोजकता = 8 – बाहरी कोश में इलेक्ट्रॉनों की संख्या

$= 8 - 6 = 2\;(Q\,e > 4)$

अत: यौगिक का सूत्र

$= (A^{3+})_2\,(B^{2-})_3 = A_2B_3$

66. (b) $\frac{r_1}{r_2} = \frac{V_1}{t_1} \times \frac{t_2}{V_2} = \sqrt{\frac{M_2}{M_1}}$ (सूत्र) ....(i)

$V_1 = 60$ सेमी^{3}, $t_1 = 90$
$V_2 = 30$ सेमी^{3}
H_2 का अणु भार $2 \times 1 = 2$
$= 2 \times 14 + 16 = 44$

(i) से,

$$\frac{V_1 t_2}{V_2 t_1} = \sqrt{\frac{M_1}{M_2}} \Rightarrow \frac{60 + t_2}{30 \times 90} = \sqrt{\frac{44}{2}}$$

$\Rightarrow \quad \frac{t_2}{45} = \sqrt{22} = 4.7$

$\Rightarrow \quad t_2 = 4.7 \times 45 = 211$ से (लगभग)

67. (c) $2KCIO_3 \rightarrow 2KCI + 3O_2$
2 मोल 3 मोल

3 मोल O_2 के लिये आवश्यक $KClO_3$ के = 2 मोल

30 मोल O_2 के लिये आवश्यक $KClO_3$ के मोल

$$= \frac{2 \times 30}{3} = 20$$

68. (c) किसी तत्व के वे परमाणु जिनका परमाणु क्रमांक समान होता है, परंतु द्रव्यमान संख्या भिन्न होती है। समस्थानिक कहलाते हैं। उदाहरण ($_1H^1$) (प्रोटियम), ड्यूटीरियम ($_1H^2$) तथा ट्राइटियम ($_1H^3$) हाइड्रोजन के तीन समस्थानिक हैं।

69. (a) 19 परमाणु क्रमांक वाला तत्व K (पोटैशियम) है, जिसका इलेक्ट्रॉनिक विन्यास 2, 8, 8, 1 है।

70. (c) C के चारों इलेक्ट्रॉन 4H के चारों इलेक्ट्रॉनों से साझेदारी कर के स्थायी संरचना प्राप्त करते हैं और सहसंयोजक बन्ध बनाते हैं।

71. (c) हाइड्रोजन गैस न तो अम्लीय होती है, न ही क्षारीय। यह लिटमस के प्रति उदासीन है।

72. (d) प्रश्न में दिए गए आंकड़ों के अनुसार क्रिया कारकों तथा उनके द्वारा बने उत्पादों के भार समान हैं। अत: इसके द्रव्य के अविनाशिता नियम की पुष्टि होती है।

73. (d) नीले थोथे को 100ºC तक गर्म करने पर उसमें से 4 पानी के अणु निकल जाते हैं।

$$CuSO_4 \cdot 5H_2O \xrightarrow{100^oC} CuSO_4 \cdot H_2O + 4H_2O$$

74. (c) दो परमाणुओं के मध्य इलेक्ट्रॉनों के स्थानान्तरण से बना बन्ध वैद्युत संयोजी बंध होता है। NaCl वैद्युत संयोजी बन्ध बनाता हैं। चूंकि Na एक इलेक्ट्रॉन देकर तथा Cl एक इलेक्ट्रॉन लेकर स्थायी संरचना प्राप्त कर लेते है।

$Na^o + \ddot{Cl} = Na^+ \; \ddot{Cl}^-$
(2,8,1) (2,8,7) (2,8) (2,8,8)

75. (a) 6 परमाणु क्रमांक का तत्व C है। जिसका इलेक्ट्रॉनिक विन्यास 2, 4 है। सबसे बाह्य कोश में. 4 इलेक्ट्रॉन हैं अत: यह (IV) समूह में होगा।

76. (b) NH_3 में HCI की छड़ ले जाने पर NH_4Cl का सफेद धुआं निकलता है।

$NH_3 + HCl \rightarrow NH_4Cl$
सफेद धुआं

77. (b) CaC_2 की ठण्डे पानी से क्रिया कराकर ऐसीटिलीन प्राप्त की जाती है।

$CaC_2 + 2H_2O \rightarrow C_2H_2 + Ca(OH)_2$

78. (c) जंग का रासायनिक सूत्र $Fe_2O_3.xH_2O$

79. (d) कार्बन एलोट्रोपी (अपररूपता) का घटनाक्रम दिखाता है।

80. (c) प्लास्टर ऑफ पेरिस $(CaSO_4)_2.H_2O$ होता है।

81. (b)

तत्व	प्रतिशत मात्रा	परमाणु भार	परमाणुओं की संख्या	सरल अनुपात
C	92.4	12	$\frac{92.4}{12} = 7.7$	$\frac{7.7}{7.6} = 1.01$
H	7.6	1	$\frac{7.6}{1} = 7.6$	$\frac{7.6}{7.6} = 1$

$\therefore$ सरल अनुपात C : H = 1 : 1
मूलानुपाती सूत्र = CH

82. (d) रेडियोएक्टिवता अस्थायी नाभिक के कारण होती है।

83. (b) $CaCO_3 + 2HCl \rightarrow CaCl_2 + CO_2 + H_2O$

$CoCO_3 = Ca + C + 30$
$= 40 + 12 + 48 = 100$
$2HCl = 2\,(H + Cl) = 2\,(1 + 35.5) = 73$

100 ग्राम $CaCO_3$ के लिये आवश्यक HCI
= 73 ग्राम

12 ग्राम $CaCO_3$ के लिये आवश्यक HCI

$= \frac{73 \times 12}{100} = 8.76$ ग्राम

84. (b) अम्ल का तुल्यांकी भार

$= \frac{\text{अम्ल का अणुभार}}{\text{अम्ल की क्षारकता}}$

H_2SO_4 का अणुभार
$= 2\,H + S + 40$
$= 2 \times 1 + 32 + 4 \times 16$
$= 98$

$\because$ SO_4^{2-} की सयोजक 2 है।

$\therefore$ H_2SO_4 की संयोजक = 2

$\Rightarrow$ H_2SO_4 का तुल्यांकी भार $= \frac{98}{2} = 49$

85. (d) वैद्युत अपघट्नी सेल में, बाह्य स्रोत द्वारा परिपथ में इलेक्ट्रॉनों का संचलन ऐनोड से कैथोड की ओर होता है। इस सेल में कैथोड (ऋणात्मक इलेक्ट्रोड) पर अपचयन होता है तथा ऐनोड (धनात्मक इलेक्ट्रोड) पर ऑक्सीकरण होता है।

86. (c)
$$\overset{4}{C}H_3 - \overset{3}{\underset{CH_3}{\overset{CH_3}{C}}} - \overset{2}{C}H = \overset{1}{C}H_2$$

IUPAC नाम = 3, 3 – डाइमेथिल – 1 – ब्यूटीन

87. (a) अमोनियामय द्रव कोक से बनता है।

88. (c) 'लैम्प ब्लैक' को मिट्टी के तेल से प्राप्त किया जाता है।

89. (d) $HC \equiv CH \xrightarrow[NH_2]{\text{द्रव } Na\,NH_2} NaC \equiv CNa$

डाइ सोडियम एसीटिलाइड

$$\xrightarrow{2\,CH_3I} CH_3C \equiv CCH_3$$

2–ब्यूटाइन

90. (a) जिंक सान्द्र H_2SO_4 से क्रिया करने पर हाइड्रोजन गैस को मुक्त करता है।

$$Zn + H_2SO_4 \rightarrow ZnSO_4 + H_2\uparrow$$

91. (c) ग्लूकोज का प्रयोग रजतीकरण में किया जाता है, क्योंकि यह अमोनिकल सिल्वर नाइट्रेट को सिल्वर में अपचयित करता है।

92. (b) प्रोड्यूसर गैस $(CO + N_2)$ का मिश्रण होती है।

$$2C + O_2 + 3.73N_2 \rightarrow 2CO + 3.73N_2$$

93. (d) $NaCl + AgNO_3 \rightarrow AgCl + NaNO_3$

94. (b) $CCl_3.NO_2$ अश्रु गैस कहलाती है।

95. (c) $CH_3-\overset{O}{\overset{\|}{C}}-CH_3$ का I.U.P.A.C पद्धति में नाम प्रोपेनोन होगा।

96. (a) आवर्त सारणी में क्षार धातुएं सर्वाधिक क्षारीय होती है, इसलिए Na_2O सर्वाधिक क्षारीय होगा।

97. (b) क्रायोलाइट $Na_3[AlF_6]$

98. (c) कैडमियम सल्फाइड (Cds) पीले रंग का अवक्षेप होता है।

99. (a) परमाणु का अंतर्राष्ट्रीय मानक कार्बन-12 है।

100. (d) C_2H_2 – एल्काइन श्रेणी का सामान्य सूत्र $= C_nH_{2n-2}$

101. (c) 6×10^{23} अणु = 44 ग्राम

6×10^{22} अणु = 4.4 ग्राम

102. (b) किसी आणविक ऑर्बिटल में उपस्थित इलेक्ट्रानों की अधिकतम संख्या दो होती है।

103. (b) ब्रेवे ने देखा कि त्रिविमीय स्थान में समान बिन्दुओं को, किसी क्रिस्टल में, 14 भिन्न प्रकार से व्यवस्थित किया जा सकता है अत: क्रिस्टल में ब्रेवे जालकों की कुल संख्या 14 होती है।

104. (d) $NaOH \rightarrow Na^+ \; [:\ddot{\underset{..}{O}}-H]$

105. (c) बीटा कण $= -1\beta^0$

इलेक्ट्रॉन $= -1\,e^0$

अर्थात् बीटा कण, इलेक्ट्रॉन ही है, इसका द्रव्यमान भी इलेक्ट्रॉन के बराबर होता है।

106. (d) ग्राह्म के विसरण नियम से,

$$\frac{r_1}{r_2} = \sqrt{\frac{M_2}{M_1}} = \sqrt{\frac{64}{44}}$$

$$= \sqrt{\frac{32}{22}} = \sqrt{\frac{16}{11}}$$

$$= 4 : \sqrt{11}$$

107. (a) कैडमियम (Cd) की छड़ों का प्रयोग नाभिकीय संयंत्र में नियंत्रक के रूप में किया जाता है।

108. (c) हेक्साक्लोरो ईथेन - C_2Cl_6

$$C_2H_6 \xrightarrow{Cl_2} C_2H_5Cl \xrightarrow{Cl_2} C_2H_4Cl_2 \xrightarrow{Cl_2}$$
$$C_2H_3Cl_3 \xrightarrow{Cl_2} C_2H_2Cl_4 \xrightarrow{Cl_2} C_2HCl_5 \xrightarrow{Cl_2} C_2Cl_6$$

109. (d) विस्थापन अभिक्रिया

$$Fe + CuSO_4 \rightarrow FeSO_4 + Cu$$

110. (c) $HC \equiv CH + \xrightarrow{AgNO_3 + NH_4OH}$

ऐसिटिलीन

$Ag\text{-}C \equiv CAg$

सिल्वर एसिटिलाइड

111. (d) रेडियो एक्टिव तत्व से α, β और γ कण उत्सर्जित होते हैं α कण के उत्सर्जन से तत्व के परमाणु क्रमांक में 2 की कमी तथा द्रव्यमान संख्या में 4 की कमी हो जाती है। β कण के उत्सर्जन से परमाणु क्रमांक में 1 की वृद्धि हो जाती है, जबकि γ एक किरण है, जिसके उत्सर्जन से तत्व के परमाणु क्रमांक तथा द्रव्यमान संख्या में कोई परिवर्तन नहीं होता है।

112. (b) सर्वाधिक यौगिक बनाने वाली अक्रिय गैस जेनॉन (Xe) है, जिसके कुछ यौगिक निम्नलिखित हैं–

$$XeF_2, XeF_4, XeOF_4, XeO_2F_2, XeO_3, [XeO_6]^4$$

113. (a) ब्यूटेन का कैलोरीमान सबसे अधिक 21109 होता है।

114. (c) नाइट्रोजन गैस लिट्मस के प्रति उदासीन होती है।

115. (c) धावन सोडा-सोडियम कार्बोनेट डिहाइड्रेट

$$Na_2CO_3\ 10H_2O$$

116. (d) क्षमता $= \dfrac{90 \times 11}{220 \times 5} = \dfrac{990}{1100} \times 100$

$= 90\%$

117. (d) गंदे पानी में धूल तथा मिट्टी के कण मिले रहते है। ये अशुद्धियाँ जल में कोलॉइडी विलयन के रूप में रहती है। इन्हें दूर करने के लिए जल में फिटकरी मिलाते हैं। फिटकरी में उपस्थित Al^{3+} आयन, धूल तथा मिट्टी के कणों आदि का स्कन्दन कर, उन्हें अवक्षेपित कर देते हैं। इन्हें छानकर या निथार कर पृथक् कर देते हैं।

118. (c) उत्क्रमणीय प्रक्रम में, निकाय तथा वातावरण के मध्य साम्य स्थापित हो जाता है। ऐसे प्रक्रम को पूर्ण होने में अनन्त समय लगता है।

119. (c) लवण सेतु बनाने हेतु केवल वे वैद्युत अपघट्य ही प्रयोग किये जाते हैं जिनमें धनायन तथा ऋणायन की आयनी प्रतिशीलता समान हो। KCl में K^+ तथा NO_3^- के वेग समान होने के कारण ही इसे लवण सेतु में प्रयोग करते हैं।

120. (b) जब कोई परमाणु किसी इलेक्ट्रॉन को ग्रहण करता है, तो उत्पन्न अथवा अवशोषित हुई ऊर्जा की मात्रा इलेक्ट्रॉन बन्धुता कहलाती है। अधिकतर परमाणुओं में, एक इलेक्ट्रॉन को ग्रहण करने की प्राकृतिक क्षमता होती है अत: प्रथम इलेक्ट्रॉन बन्धुता अर्थात् O से O^- के निर्माण की इलेक्ट्रॉन बन्धुता, ऋणात्मक होती है। परन्तु यदि ऋणावेशित आयन को एक और इलेक्ट्रॉन दिया जाये, तो यह इलेक्ट्रॉन O के छोटे आकार के कारण, प्रतिकर्षण का अनुभव करता है। अत: इस द्वितीय इलेक्ट्रॉन को परमाणु में प्रवेश कराने के लिए ऊर्जा देनी पड़ती है अर्थात् द्वितीय इलेक्ट्रॉन बन्धुता (O^- से O^{2-} के निर्माण की इलेक्ट्रॉन बन्धुता) धनात्मक होती है।

वनस्पति विज्ञान

121. (a) फलों के रस के परिरक्षण के लिए उसमें पोटैशियम मेटाबाईसल्फाइड मिलाया जाता है।

122. (b) जूट का वानस्पतिक नाम कोरकोरस कैप्सूलेरिस (Corchorus capsularis) है। इसके फ्लोएम से रेशे प्राप्त किए जाते हैं।

123. (d) प्रकाश-संश्लेषण में O^{16} के समस्थानिक O^{18} के जल में प्रयोग करने पर O^{18} निर्मुक्त हुई तथा अप्रकाशिक अभिक्रिया में C^{12} के समस्थानिक C^{14} के प्रयोग से क्लोरेला (Chlorella) तथा सेन्डेस्मस (Scendesmus) नामक शैवालों में C_3 चक्र का मार्ग प्रदर्शित किया गया।

124. (b) मृदा की उर्वरकता अधिक कृषि, अधिक चरने से घटती है जबकि फसल चक्रण, मिश्रित खेती तथा नाइट्रोजन स्थिरीकरण जीवाणुओं से बढ़ता है।

125. (a) मांसल मरुद्भिद पौधों में रंध्र रात में खुलते हैं तथा दिन में बन्द रहते हैं। यह पौधे CO_2 का रात में स्थिरीकरण करते हैं। इनमें रात्रि में C_4 चक्र तथा दिन में C_3 चक्र होता है।

126. (c) फोटोएक्टिव (photoactive) रन्ध्र प्रकाश में खुलते तथा अन्धकार में बन्द होते हैं। रन्ध्र प्रकाश की उपस्थिति में प्रकाश संश्लेषण (हरितलवक) के कारण CO_2 की सान्द्रता कम होने पर, अधिक ताप तथा द्वार कोशिकाओं के स्फीत (turgid) होने पर खुलते हैं तथा शिथिल होने पर बन्द हो जाते हैं।

127. (d) ऐसे सूक्ष्मजीव जो प्लवित (floating) अवस्था में जीवन व्यतीत करते हैं तथा जिनकी गति लहरों पर निर्भर करती है प्लवक (planktons) कहलाते हैं। ये सूक्ष्म पादक प्लवक (phytoplanktons) तथा सूक्ष्मप्राणी प्लवक (zooplanktons) होते हैं।

128. (c) मटर एक शाकीय पौधा है। यह लेग्यूमिनोसी या फेबेसी कुल का सदस्य है।

129. (d) जब पुष्प को केन्द्र से होकर किसी भी उदग्र तल से काटने पर दो समान अर्ध भागों में बाँटा जा सके अर्थात् सममिति अरीय व पुष्प नियमित हो तब यह स्थिति त्रिज्या सममिति पुष्प कहलाती है। क्रूसीफेरी एवं लिलिएसी जब पुष्प को केवल एक उदग्र तल से ही दो समान भागों में विभक्त किया जा सके तब पुष्प एक व्यास सममित कहलाता है। इस प्रकार के पुष्प भी नियमित होते हैं, लेकिन उन में सममिति दिपार्श्व पायी जाती है; जैसे-पेपिलियोनेसी कुल में से पुष्प जिनको किसी भी उदग्र तक से विभाजित नहीं किया जा सके असममित पुष्प कहलाते हैं। अर्थात् पुष्प सममित और असममित होते हैं।

130. (b) इथाइलीन (एथीलीन) एक वाष्पशील गैस है। यह पके फलों की कोशिकाओं के अन्तराकोशिकीय अवकाशों में अधिक मात्रा में पाई जाती है। इसकी कुछ मात्रा पौधों के मूल, प्ररोह, शीर्षस्थ विभज्योतक, पत्ती पर्व और पुष्पों में भी पायी जाती है।

131. (d) अल्पप्रदीप्तिकाल पादपों में यदि अन्धकार अवधि को लाल प्रकाश से अल्प समय के लिए भी बाधित कर दिया तो इस प्रकार के पौधों में पुष्पन नहीं होगा। इस बाधक अवधि की भरपाई सुदूर लाल प्रकाश से की जा सकती है; जैसे- *जैन्थियम*, गन्ना, सोयाबीन और तम्बाकू।

132. (a) C_3-चक्र की खोज (केल्विन एवं बेन्सन) की। C_3-चक्र का प्रथम उत्पाद फॉस्फोग्लिसरिक अम्ल होता है, जो एक 3°C कार्बन यौगिक है। कार्बन संश्लेषण का यह पथ अधिकांश पौधों में पाया जाता है।

133. (d) जब पुष्प का मुख्य अक्ष या आशय चपटा होता है, अर्थात् पुष्पाक्ष चपटा होता है। पुष्पक अवृन्तीय तथा आशय पर इकट्ठे लगे होते हैं। पुष्पक प्राय: दो प्रकार के होते हैं। बाहर की ओर रश्मि पुष्पक बड़े तथा केन्द्र में बिम्ब पुष्पक, सम्पूर्ण पुष्पक्रम एक अकेले पुष्प की भाँति दिखाई देता है, पुष्पक्रम मुण्डक या केपिटुलम कहलाता है।

उदाहरण गेंदा, सूरजमुखी। यह एस्टेरेसी (कम्पोजिटी) कुल का विशेष लक्षण है।

134. (c) अनुपर्ण या अनुपत्र पत्ती के पार्श्व तल पर दो उभार के रूप में दिखाई देते हैं। चिरलग्न प्रकार के अनुपर्ण पत्ती के साथ सदैव जुड़े रहते हैं। जैसे आम गुड़हल (*हिबिस्कस*)।

135. (c) पेपो (pepo) फल मांसल एवं गूदेदार होते हैं तथा बहुत कुछ बेरी के समान होते हैं, परन्तु वह फल, युक्ताण्डपी, अधोवर्ती (जायांगोपरिक) अण्डाशय, बहुअण्डपी एवं भित्तीय बीजाण्डासन से विकसित होते हैं। फल एककोष्ठीय, व बहुबीजी होते हैं। बाह्य फल भित्ति छिलका जबकि अन्त:फलभित्ति व मध्यफल भित्ती में विभेदन नहीं होता। यह फल कुकरबिटेसी कुल का विशेष लक्षण है। उदाहरण खीरा, लौकी, खरबूजा इत्यादि।

136. (c) अन्तर्विष्ट विभज्योतक एकबीजपत्री तनों के पर्वों तथा द्विबीजपत्री तनों में पर्व सन्धियों के नीचे पाए जाते हैं। *पाइनस* में यह पत्ती के आधार पर पाया जाता है। यह ऊतक वास्तव में शीर्षस्थ विभज्योतक का भाग होता है, जो जड़ और तने की लम्बाई में वृद्धि के समय शीर्षस्थ विभज्योतक से पृथक हो जाता है। ऊतक की कोशिकाओं में विभाजन के फलस्वरूप तना लम्बाई में वृद्धि करता है।

137. (a) फसल चक्रण एक खेत में फसलों की एक के बाद एक (एकान्तरण क्रम) खेती का क्रम है। जैसे अनाज के बाद दलहन तिलहन तथा उसके बाद चारा फसल या परती भूमि रखना। इस विधि में मृदा का संगठन संरक्षित रहता है तथा मृदा की उर्वरता बनी रहती है। क्योंकि विभिन्न फसलों की मृदा खनिज आवश्यकताएँ भिन्न-भिन्न होती है तथा दलहन की फसलें भूमि वायुमण्डलीय नाइट्रोजन का स्थिरीकरण करने के लिए उत्तरदायी भी होती हैं।

138. (a) पौधों में विभिन्न तत्वों की उपयोगिता का निर्धारण, मृदाविहीन संवर्धन द्वारा पौधों को उगाकर किया जाता है इस प्रणाली द्वारा पौधे उगाए जाने की यह तकनीक हाइड्रोपोनिक्स कहलाती है। मृदाविहीन संवर्धन विशेष रूप से दो प्रकार का होता है। बालू संवर्धन एवं विलयन संवर्धन।

139. (a) हरितलवक हरे रंग के लवक होते हैं, जो पौधों में प्रकाश-संश्लेषण की प्रक्रिया में भाग लेते हैं। हरितलवक में स्थायी या अस्थायी रूप से स्टार्च का संचय रहता है। विकसित पौधों की एक कोशा में 20 से 50 हरितलवक हो सकते हैं। उच्चवर्ग के पौधों में हरितलवक की आकृति डिस्कॉयड (4-6μm) व्यास तथा मोटाई (2-4μm) समान चपटे, गोल व अण्डाकार या दीर्घवृत्ताकार प्रकार के होते हैं।

140. (c) पादप हॉर्मोन जिबरेलिन या जिबरेलिक अम्ल के छिड़काव से दीर्घप्रदीप्तिकाल या प्रकाशकाल पौधों में पुष्पन को प्रेरित किया जा सकता है। जैसे प्रिमरोज में कम ताप क्रम एवं दीर्घ प्रकाश काल के स्थान पर जिबरेलिक अम्ल के छिड़काव से पुष्पन हो जाता है। जैसे गाजर को तापक्रम कम चाहिए। ऐसे पौधों में कम तापक्रम तथा दीर्घप्रकाशकाल के स्थान पर उचित सान्द्रता का जिबरेलिन का घोल छिड़कने पर एक लम्बा पुष्पवृन्त निकलकर पुष्प उत्पन्न करता है।

141. (b) पार्श्व विभज्योतक) केवल पेरीक्लाइनल अथवा अरीय (radial) रूप से विभाजित होता है तथा मोटाई अथवा व्यास में वृद्धि हेतु उत्तरदायी होता है। यह पार्श्व भाग में उपस्थित होता है। **उदाहरण**–संवहन एधा (vascular cambium) तथा कॉर्क एधा (cork cambium)। अन्तर्वेशी विभज्योतक (intercalary meristem) लम्बाई में वृद्धि हेतु उत्तरदायी होता है।

142. (c) संयुक्त स्पाइक या स्पाइकलेट का स्पाइक अवृन्त और सवृन्त हो सकता है। यह वास्तव में छोटे-छोटे स्पाइक होते हैं, जिसमें कभी-कभी अनेक तथा कभी-कभी केवल एक पुष्प होता है। इस प्रकार का पुष्पक्रम गेहूँ, जौ एवं जई में पाया जाता है।

143. (b) एक आइसोमीरस पुष्प डाइमीरस हो सकता है (2 या 2 से अधिक का गुणन) जैसे पोपी, ट्राइमिरस पुष्प (3 या 3 का गुणन) जैसे आर्जिमोन।

144. (a) प्रकृति में अधिकाँश पौधों की पत्तियों में पाई जाने वाली संयुक्त पत्ती का प्रकार द्विपिक्षाकार पत्री होती है। इस पत्ती का कटाव दो बार होता है। प्रथम बार के भेदन से बने पत्रक एक बार छोटे-छोटे भागों में विभाजित हो जाते हैं, जो पिक्षका कहलाते हैं।

145. (a) सहचर कोशिकाएँ (companion cells) चालनी नलिकाओं से सम्बन्धित होती है। ये कोशिकाएँ, जीवित, केन्द्रक युक्त, लम्बी, संकरी तथा पतली भित्तियों वाली होती हैं। आवृतबीजी पादपों में सहचर कोशिकाओं का केन्द्रक चालनी नलिकाओं के कार्य में सहायता करता है।

146. (d) द्वितीयक जाइलम को काष्ठ (wood) कहते हैं। द्विबीजपत्री पौधों के तनों में कैम्बियम कोशिकाएँ विभाजित होकर बाहर की ओर द्वितीयक फ्लोयम तथा अन्दर की ओर द्वितीयक जाइलम बनाती है। द्वितीयक जाइलम संकेन्द्रीय वलयाकार परतों के रूप में पाया जाता है।

147. (c) ओसवाल्ड टिप्पो (Oswald Tippo) ने पादप जगत को दो उपजगत थैलोफाइटा तथा एम्ब्रियोफाइटा (अर्थात् भ्रूणयुक्त) में विभाजित किया। एम्ब्रियोफाइटा में ब्रायोफाइटा, टेरिडोफाइटा, जिम्नोस्पर्म तथा एन्जियोस्पर्म को रखा गया। फ्यूनेरिया एक ब्रायोफाइट है। अत: उपरोक्त में से फ्यूनेरिया में भ्रूण उपस्थित होता है।

148. (a) पौधों की पत्तियों के किनारो से जल की बूंदों के रूप में हानि बिन्दु स्राव (guttation) कहलाती है। बिन्दु स्राव पत्तियों की शिराओं के बाहरी छोर पर स्थित जल रन्ध्रों (hydathodes) से होता है। यह जड़ों में सक्रिय अवशोषण से उत्पन्न मूलदाब के कारण होता है।

149. (c) रासायनिक दृष्टि से एन्जाइम प्रोटीन के बने पदार्थ होते हैं। जो एन्जाइम केवल प्रोटीन के बने होते हैं, उन्हें सरल एन्जाइम कहते हैं, जबकि प्रोटीन भाग तथा अप्रोटीन भाग से मिलकर बने एन्जाइम संयुग्मित एन्जाइम (conjugated enzymes) कहलाते हैं। एक संयुग्मित एन्जाइम में प्रोटीन का भाग एपोएन्जाइम तथा अप्रोटीन भाग प्रोस्थेटिक समूह कहलाता है।

150. (a) C_4 पादप मुख्यत: एकबीजपत्री, जैसे-मक्का (Zea mays), गन्ना (Saccharum officinarum), ज्वार (Sorghum) आदि तथा कुछ द्विबीजपत्री, जैसे-एमेरेन्थस (Amaranthus) तथा यूफोरबिया (Euphorbia) हैं।

जन्तु विज्ञान

151. (c) सरीसृप वर्ग (छिपकलियां) एवं पक्षी वर्ग (गौरैया) का मुख्य उत्सर्जक उत्पाद यूरिक एसिड होता है। जबकि स्तनधारियों (मनुष्य) का

मुख्य उत्सर्जक पदार्थ यूरिया होता है। पक्षियों में मूत्र उत्सर्जन यूरिया के रूप में न होकर यूरिक अम्ल के रूप में होता है।

152. (c) मूत्र के स्रावण को बढ़ाने वाली औषधि को डाइयूरेटिक कहते हैं।

153. (c) सामान्य मूत्र में 95% जल, 2% लवण जैसे (Na^+, K^+, Cl^- SO_4 इत्यादि) 2.6% यूरिया, 0.3% यूरिक एसिड तथा क्रिएटिनिन होता है। इसका रंग यूरोक्रोम के कारण पीला होता है। इसका pH मान 6 होता है। मूत्र में ऐल्ब्युमिन नहीं होता है, इसकी उपस्थिति को ऐल्ब्युनिरिया कहते हैं।

154. (d) एलोसोम लिंग गुणसूत्र होते हैं। मनुष्य में 23 जोड़ी (46) गुणसूत्र होते हैं। 22 जोड़ी गुणसूत्र स्त्रियों और पुरुषों में समान होते हैं। इन्हें समजात गुणसूत्र या ऑटोसोम कहते हैं। 23वीं जोड़ी के गुणसूत्र स्त्रियों और पुरुषों में भिन्न-भिन्न होते हैं जिसे विषमजात गुणसूत्र या एलोसोम (Allosomes) कहते हैं। लिंग निर्धारण में इनकी अहम भूमिका होती है। स्त्रियों में (XX) तथा पुरुषों में (XY) एलोसोम पाए जाते हैं।

155. (a) भ्रूण की अपरापोषिका (Allantois) मुख्यत: उत्सर्जन में सहायक होती है। यह भ्रूण में उपापचय (Metabolism) से उत्पन्न CO_2 यूरिया आदि अपशिष्ट पदार्थों का उत्सर्जन करती है।

156. (a) मनुष्य में प्राय: दो वृक्क गहरे लाल रंग के सेम के बीज के आकार के होते हैं। इनका प्रमुख कार्य अपशिष्ट पदार्थों को उत्सर्जित करना है। इसके अलावा अन्य कार्य जैसे समस्थैतिकता, pH का नियमन इत्यादि है।

157. (a) संघ हेमीकॉर्डेटा के अंतर्गत आने वाले जीव समुद्री (Marine) होते हैं। इनमें उत्सर्जन केशिका गुच्छ या ग्लोमेरुलस के द्वारा होता है, जो कि रुधिर वाहिनियों (Blood Vessels) से जुड़े होते हैं।

158. (d) सामान्य शंबु (Mytilus edulis) का वसा एक लिसलिसे पदार्थ का स्राव करता है। इस पदार्थ में मौजूद विलक्षण रासायनिक यौगिक डाई-हाइड्रॉक्सी फिनाइल एलैनिन (Di-Hydroxy phenyl alanine) है।

159. (b) वयस्क मनुष्य के शरीर में कुल 206 हड्डियां होती हैं। जिसमें से अक्षीय कंकाल में 80 तथा आंतरांगीय कंकाल में 126 हड्डियां होती हैं। बाल्यावस्था में इनकी संख्या 208 होती है। शरीर की सबसे बड़ी हड्डी 'फीमर' (उरु-अस्थि, जो जांघ में पाई जाती है) तथा सबसे छोटी हड्डी 'स्टेप्स' (कान की) होती है। मानव शरीर में कुल 12 जोड़ी पसलियां पाई जाती हैं। एक शिशु का शरीर 270 अस्थियों से मिलकर बनता है।

160. (b) कोशिकाओं से नई हड्डी के गठन की प्रक्रिया को 'अस्थीभवन' कहा जाता है। लगभग 25 वर्ष की आयु में मनुष्य की सभी हड्डियां बन जाती हैं। इसी आधार पर 'अस्थीभवन' परीक्षण द्वारा मनुष्य की अंतरिम आयु का पता लगाया जाता है।

161. (b) मानव शरीर में लगभग 656 मांसपेशियां होती हैं।

162. (c) अक्ल दाढ़ या तीसरी दाढ़ उन दांतों के नाम हैं, जो आखिर में निकलते हैं। अधिकतर लोगों को चार अकल दाढ़ होते हैं।

163. (a) ऑस्टियोसाइट अस्थि में, कॉन्ड्रोसाइट उपास्थि में तथा थ्राम्बोसाइट रुधिर में पाया जाता है।

164. (b) जानुफलक का दूसरा नाम जान्विक (पटेला) है, जो प्रत्येक घुटने पर आगे की ओर स्थित एक छोटी, त्रिकोणाकार सी हड्डी होती है, जो एक कंदरा में कैल्सिकरण के कारण बनती है। ऐसी हड्डी को सिसैमॉइड हड्डी कहते हैं। यह घुटने की संधि की सुरक्षा करती है और घुटने के मुड़ने में सहायता करती है।

165. (a) सिग्मारूपी बृहदांत्र बड़ी आंत का भाग है, जो मलाशय एवं गुदा से संबद्ध होता है।

166. (d) महारंध्र, जो एक द्वारक है, कपाल में होता है।

167. (d) स्टारफिश में परिसंचरण 3 स्थानों पर संपन्न होता है-

(1) पेरिविसेरल कोएलम (Perivisceral Coelom), (2) जलवाही तंत्र (Water Vascular System) एवं (3) हीमल तंत्र (Haemal System)। इस प्रकार इस प्रश्न के 2 उत्तर (b) एवं c) सही हैं।

168. (a) अस्थि मज्जा से उत्पन्न लाल रक्त कणिकाएं जब क्षतिग्रस्त या पुरानी हो जाती हैं, तो वे प्लीहा में नष्ट हो जाती हैं।

169. (b) मोनोसाइट सबसे बड़ा श्वेत रुधिराणु है तथा इसका व्यास 20 μm तक हो सकता है।

170. (c) लिम्फोसाइट कणिकाविहीन श्वेत रुधिराणु है। यह श्वेत रुधिराणुओं की कुल संख्या का 20% से 30% होता है। यह दो प्रकार का होता है। B-लिम्फोसाइट व T-लिम्फोसाइट जिसमें B लिम्फोसाइट प्रतिरक्षी प्रोटीन बनाता है। एचआईवी विषाणु लिम्फोसाइट को नष्ट कर प्रतिरक्षा तंत्र को कमजोर कर देते हैं।

171. (b) रुधिर में हिपैरिन नामक प्रतिस्कंदक पदार्थ तरल दशा में रहता है। हिपैरिन को एंटीथ्राम्बिन कहते हैं। यह एक संयुक्त पॉलीसैक्राइड है। इसकी वजह से रुधिर में थक्का नहीं जमता है।

172. (b) संपूर्ण रक्त, प्लाज्मा एवं एल्ब्युमिन प्राकृतिक कोलॉइड के उदाहरण हैं।

173. (a) हीमोग्लोबिन रुधिर की लाल कोशिकाओं में पाया जाने वाला प्रोटीन है, जिसमें लोहा पाया जाता है। यह टेट्रामर प्रोटीन होता है जिसमें 4 श्रृंखलाएं a2 b2 होती हैं। a में 141 अमीनो एसिड तथा b में 146 अमीनो एसिड होते हैं। हीमोग्लोबिन ऑक्सीजन (O_2) को अवशोषित कर गहरे लाल रंग का 'ऑक्सीहीमोग्लोबिन' नामक अस्थायी यौगिक बनाता है, जो विखंडित होकर ऑक्सीजन छोड़ देता है और यही ऑक्सीजन शरीर के विभिन्न हिस्सों में पहुंचती है व CO_2 को वापस लाती है।

174. (a) रक्त को चार प्रमुख समूहों में बांटा जा सकता है-A, B, AB तथा O। 'O' समूह का रक्त किसी भी व्यक्ति को दिया जाता है। इसलिए इसको 'सर्वदाता' कहते हैं तथा AB रक्त समूह वाले व्यक्ति को किसी भी रुधिर वर्ग के व्यक्ति द्वारा रक्त दिया जा सकता है, इसलिए इसको 'सर्वग्राही' कहते हैं।

175. (c) AB रुधिर वर्ग में एंटिजन A और B तथा कोई एंटीबॉडी नहीं होता है, इसलिए इसको सर्वग्राही रुधिर वर्ग कहते हैं। यह सिर्फ AB रुधिर वाले व्यक्ति को रुधिर दे सकता है।

176. (a) जब निलय अपने आकुंचन द्वारा धमनियों में रुधिर पंप करता है, तो इस रुधिर का दबाव धमनियों की दीवार पर पड़ता है। इस दबाव को रुधिर-दाब कहते हैं। इसे सबसे पहले एस. हेल्स ने घोड़ों में मापा। मानव का सामान्य रक्तदाब 80/120 होता है, जिसमें 80 मिमी. पारा डायस्टोलिक और 120 मिमी. पारा सिस्टोलिक होता है, इसको स्फिग्नोमैनोमीटर यंत्र द्वारा मापते हैं।

177. (a) यदि शरीर में रक्तदाब कम होता है, तो एड्रिनल ग्रंथि से एड्रिनलिन हार्मोन निकलता है, जो रक्तदाब को बढ़ाता है।

178. (d) 'हाइपरटेंशन' शब्द का प्रयोग उच्च रक्तचाप के संदर्भ में होता है। सामान्य मनुष्य में रक्तचाप 120/80 mm Hg होता है, जिसमें 120 mm Hg सिस्टोलिक और 80 mm Hg डायस्टोलिक होता है। हाइपरटेंशन के मरीजों में रक्तचाप सामान्य से कहीं ज्यादा बढ़ जाता है।

179. (b) धमनियों की ट्यूनिका मीडिया में कोलेस्ट्रॉल एकत्र हो जाने से धमनियां अवरुद्ध हो जाती हैं, जिसे एथिरोस्क्लेरोसिस कहते हैं। इसकी वजह से रक्तचाप बहुत बढ़ जाता है।

180. (b)

वयस्क पुरुष में -4.6-6.0 मिलियन/मिमी^{3}

वयस्क महिला में -4.2-5.0 मिलियन/मिमी^{3}

एक वयस्क पुरुष में RBC की सामान्य संख्या 5.0 मिलियन/मिमी^{3} होती है। लाल रुधिर कणिकाओं की संरचना उभयावतल तथा तश्तरीनुमा होती है। इसमें केंद्रक नहीं होता है, लेकिन ऊंट एवं लामा इसके अपवाद हैं, उनमें केंद्रक पाया जाता है। केंद्रक के साथ-साथ माइटोकॉण्ड्रिया, गॉल्जीकाय, राइबोसोम आदि अन्य प्रमुख अंग नहीं होते हैं। इसमें हीमोग्लोबिन नामक रंगयुक्त प्रोटीन होता है, जो ऑक्सीजन संवहन का कार्य करता है।

General English

181. (c) The term "illiterate" refers to a person who is unable to read or write, which directly answers the question. The other options refer to different conditions:

- **Deaf:** A person who cannot hear.
- **Dumb:** A person who cannot speak.
- **Blind:** A person who cannot see.

182. (b) A widower is a man whose wife has passed away. The other options mean:

- **Widow:** A woman whose husband has died.
- **Celibate:** A person who abstains from marriage or sexual relationships, usually for religious reasons.
- **Divorcee:** A person who has been divorced, regardless of whether their spouse is alive or not.

183. (d) A theist is someone who believes in the existence of God. The other options mean:

- **Secularist:** A person who advocates for a separation between religion and government or public affairs.
- **Autocrat:** A ruler who holds absolute power, typically in an oppressive manner.
- **Agnostic:** A person who believes that the existence of God is unknown or unknowable.

184. (c) Seize means to take possession or capture. The opposite will be release.

185. (d) Bleak means something that is not very clear, or foggy. The opposite of Black will be 'bright'.

186. (a) Worth means something that is useful and opposite of worth is 'useless'.

187. (c) A rhyme occurs when two words have similar ending sounds. "Soon" rhymes with "moon," as both share the same "oon" sound. The other words don't match the rhyme:

- **Gun:** Does not rhyme with "soon."
- **Can:** Does not rhyme with "soon."
- **Plan:** Does not rhyme with "soon."

188. (c) As statement claim that river ganga is 'most' sacred then option 'c' will be the appropriate answer.

189. (d) The word 'and' used in the sentence is making it a compound sentence. This means this sentence has two sub-sentences and both of them are joined by 'and'.

190. (b) The plural of mouse is mice.

सामान्य ज्ञान

191. (b) सुल्तानपुर पक्षी विहार की स्थापना वर्ष 1971 में की गई। यह पक्षी दर्शकों के लिए स्वर्ग की तरह है। इसमें लगभग 250 पक्षी प्रजातियाँ हैं।

192. (d) ब्लॉक पर्वतों के उठे हुए खण्डों को होर्स्ट (द्रोणिका) कहा जाता है।

193. (b) गुजरात के हजीरा से उत्तर प्रदेश के जगदीशपुर तक जाने वाली HVJ गैस पाइपलाइन मध्य प्रदेश राज्य से होकर जाती है। इस परियोजना की शुरुआत वर्ष 1986 में उत्तर प्रदेश राज्य में स्थित उर्वरक संयन्त्रों को गैस की आपूर्ति के लिए गैस लिमिटेड को शामिल करने के बाद की गई थी।

194. (b) प्रसिद्ध संगई महोत्सव मणिपुर राज्य में आयोजित किया जाना वाला एक वार्षिक सास्कृतिक उत्सव है, जो प्रत्येक वर्ष 21 से 30 नवंबर तक मनाया जाता है। इस उत्सव का नाम राज्य पशु संगई के नाम पर रखा गया है जो केवल मणिपुर में पाए जाने वाला भौंह वाला हिरण है।

195. (b) ग्रामीण क्षेत्रों से पलायन भारत में ग्रामीण गरीबी का स्रोत नहीं है।

196. (a) यदि न्यायपालिका का यह मानना है कि संसद द्वारा पारित विशेष कानून संविधान के मूल ढाँचे का उल्लंघन करते हैं, तो उसके पास ऐसे कानून को रद्द करने की शक्ति है। इसे न्यायिक समीक्षा कहा जाता है। न्यायिक समीक्षा विधायी अधिनियमों तथा कार्यपालिका के आदेशों की संवैधानिकता की जाँच करने हेतु न्यायपालिका की शक्ति है, जो केन्द्र एवं राज्य सरकारों पर लागू होती हैं।

197. (d) कलकत्ता में ब्रह्म समाज की स्थापना राजा राम मोहन राय ने की। ब्रह्म समाज भारत का एक सामाजिक धार्मिक आन्दोलन था, जिसने बंगाल के पुनर्जागरण युग को प्रभावित किया। 20 अगस्त, 1828 को इसकी स्थापना राजा राममोहन राय एवं द्वारकानाथ टैगोर ने की थी।

198. (c) प्रति इकाई क्षेत्र में व्यक्तियों की संख्या जनसंख्या घनत्व का माप देती है। प्रति इकाई क्षेत्रफल में रहने वाले लोगों की संख्या को जनसंख्या घनत्व कहते हैं।

199. (c) आईसीसी पुरुष चैंपियंस ट्रॉफी 2025, 19 फरवरी से 9 मार्च 2025 तक आयोजित होगी। यह 1996 के बाद पाकिस्तान द्वारा आयोजित पहला वैश्विक क्रिकेट टूर्नामेंट होगा, जिसमें यूएई न्यूट्रल वेन्यू के रूप में शामिल है।

200. (b) अरावली श्रेणी भारत की सबसे पुरानी पर्वत श्रेणी है। अरावली पर्वत का सर्वोच्च शिखर गुरु शिखर है, जो माउण्ट आबू की पहाड़ी पर स्थित है। पिपली घाट दर्रा इसी पर्वत में स्थित है। वर्तमान समय में इसे अवशिष्ट पर्वत कहा जाता है।

❑❑❑

प्रैक्टिस सेट-3

भौतिक विज्ञान

1. कोई गेंद किसी बिन्दु से उन्नयन कोण θ पर चाल υ_0 से फेंकी जाती है। उसी बिन्दु से उसी क्षण कोई व्यक्ति किसी नियत चाल $\upsilon_0 / 2$ से गेंद को लपकने के लिए दौड़ना आरम्भ कर देता है, क्या वह व्यक्ति उस गेंद को लपक पाएगा? यदि हाँ, तो प्रक्षेप कोण θ का क्या मान होना चाहिए?

(a) हाँ, 60° (b) हाँ, 45°
(c) नहीं (d) हाँ, 30°

2. R त्रिज्या की गोल गेंद η श्यानता के किसी श्यान तरल में वेग υ से गिर रही है। गोल गेंद पर कार्यरत मंदक श्यान बल है-

(a) *R* के अनुक्रमानुपाती परन्तु *V* के व्युत्क्रमानुपाती
(b) *R* के व्युत्क्रमानुपाती परन्तु के *V* के अनुक्रमानुपाती
(c) *R* तथा *V* दोनों के व्युत्क्रमानुपाती
(d) *R* तथा *V* दोनों के अनुक्रमानुपाती

3. कमरे के तापक्रम पर 'निकिल' लौह-चुम्बकत्व गुण दर्शाता है। यदि तापक्रम को क्यूरी तापक्रम से अधिक कर दें तो निकिल प्रदर्शित करेगा-

(a) अनुचुम्बकत्व
(b) प्रति लौह-चुम्बकत्व
(c) अचुम्बकत्व
(d) प्रतिचुम्बकत्व

4. रेडियो ऐक्टिव क्षय में उत्सर्जित ऋण आवेशी β-कण होते हैं-

(a) नाभिक के अन्दर विद्यमान इलेक्ट्रॉन
(b) नाभिक के अन्दर न्यूट्रॉनों के क्षय से उत्पन्न इलेक्ट्रॉन
(c) परमाणुओं के टकराने से उत्पन्न इलेक्ट्रॉन
(d) नाभिक के चारों ओर घूमने वाले इलेक्ट्रॉन

5. एक श्रेणीबद्ध *L-C-R* परिपथ में *C* = 10 माइक्रो हेनरी एवं ω = 1000 सेकण्ड$^{-1}$ है। परिपथ में महत्तम धारा के लिए प्रेरकत्व *L* का मान कितना होना चाहिए?

(a) 100 मिली हेनरी
(b) 1 मिली हेनरी
(c) *R* का मान ज्ञात न होने से परिकलन सम्भव नहीं
(d) 10 मिली हेनरी

6. तीन बिन्दु आवेशों $+q$, $2q$ और $+q$ को क्रमानुसार बिन्दुओं $(x = 0, y = 0, z = 0)$, $(x = 0, y = 0, z = 0)$ और $(x = a, y = 0, z = 0)$ पर रखा गया है। इस आवेश व्यवस्था के लिए वैद्युत द्विध्रुव सदिश के मान और दिशा क्रमानुसार होंगे-

(a) $\sqrt{2}qa$ + y दिशा
(b) $\sqrt{2}qa$ बिन्दुओं $(x = 0, y = 0, z = 0)$ और $(x = a, y = a, z = 0)$ को मिलाने वाली रेखा के साथ
(c) qa, बिन्दुओं $(x = 0, y = 0, z = 0)$ और $(x = 0, y = 0, z = 0)$ को मिलाने वाली रेखा के साथ
(d) $\sqrt{2}\ qa$, $+x$ दिशा में

7. यंग के द्वि-झिरी प्रयोग में तरंगदैर्ध्य के दोगुने के बराबर झिरी-पृथकन के लिए संभावित व्यतिकरण उच्चिष्ठों की अधिक संख्या होती है-

(a) अनन्त (b) शून्य
(c) तीन (d) पाँच

8. मीटर सेतु के किसी प्रयोग में प्रतिरोध X तथा प्रतिरोध Y को सन्तुलित करने पर शून्य विक्षेप की स्थिति तार के एक सिरे से 20 सेमी दूरी पर प्राप्त होती है। यदि X < Y हो, तो प्रतिरोध 4X को प्रतिरोध Y से संतुलित करने के लिए तार के उसी सिरे से कितनी दूरी पर शून्य विक्षेप की स्थिति प्राप्त होगी?

(a) 50 सेमी (b) 70 सेमी
(c) 40 सेमी (d) 80 सेमी

9. एक कण मूल बिन्दु (0, 0) से आरम्भ कर (*x*, *y*) तल में एक सीधी रेखा पर चलता है। कुछ समय पश्चात् इसके निर्देशांक $(\sqrt{3},\ 3)$ होते हैं। इस कण के चलन पथ का X-अक्ष के साथ कोण होगा-

(a) 30° (b) 45°
(c) 60° (d) 0°

**10. एक अमीटर का प्रतिरोध 13 ओम है और वह 100 ऐम्पियर तक की धाराएँ माप सकता है। इसमें अतिरिक्त शंट जोड़ने पर यह अमीटर 750 ऐम्पियर तक की धाराएँ मापने के लिए सक्षम हो जाता है।
अतिरिक्त शंट का प्रतिरोध होगा-**

(a) 20 ओम (b) 2 ओम
(c) 0.2 ओम (d) 2 किलो ओम

11. एक अचर चुम्बकीय क्षेत्र के प्रभाव में एक आवेशित कण त्रिज्या *R* के वृत्त में स्थिर चाल υ से चल रहा है। इस चलन के समय अन्तराल-

(a) v पर निर्भर करेगा और *R* पर नहीं।
(b) *R* और v दोनों पर निर्भर करेगा।
(c) *R* और v दोनों के प्रभाव से मुक्त रहेगा।
(d) *R* पर निर्भर करेगा और v पर नहीं।

12. एक ट्रांसफॉर्मर के प्राथमिक और द्वितीयक कुण्डलियों में फेरों की संख्याएँ क्रमानुसार 50 और 1500 हैं। प्राथमिक कुण्डली से सम्बन्धित चुम्बकीय फ्लक्स $\phi = \phi_0 + 4t$ द्वारा व्यक्त होती है जबकि ϕ वेबर में है, समय *t* सेकण्ड में है और ϕ_0 एक नियतांक है। द्वितीयक कुण्डली से प्राप्त वोल्टता होगी-

(a) 90 वोल्ट (b) 120 वोल्ट
(c) 220 वोल्ट (d) 30 वोल्ट

13. धारिता C और $\frac{C}{2}$ के दो संधारित्रों को चित्र के अनुसार V-वोल्ट की बैटरी से जोड़ा गया है।

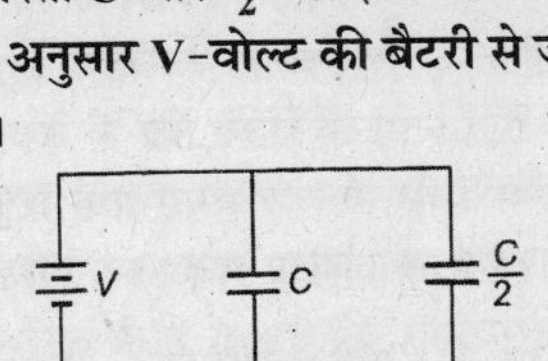

दोनों संधारित्रों को पूर्ण आवेशित करने में किया गया कार्य होगा-

(a) $2CV^2$ (b) $\frac{1}{4}CV^2$
(c) $\frac{3}{4}CV^2$ (d) $\frac{1}{2}CV^2$

14. l लम्बाई और m द्रव्यमान की एक अचर छड़ AB बिन्दु A पर घूर्णन के लिए स्वतंत्र है। क्षैतिज अवस्था में स्थित छड़ को स्वतंत्र किया जाता है। A के सापेक्ष छड़ का जड़त्व आघूर्ण $\frac{ml^2}{3}$ है। छड़ का 3 प्रारम्भिक कोणीय त्वरण होगा-

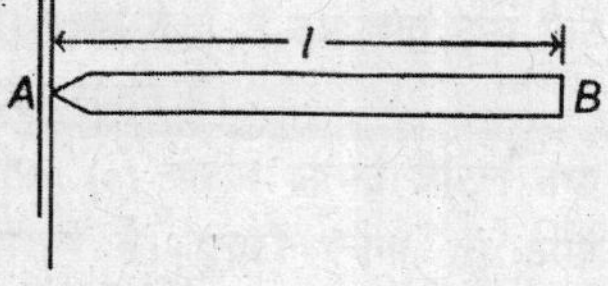

(a) $\frac{2g}{3l}$ (b) $mg\frac{l}{2}$

(c) $\frac{3}{2}gl$ (d) $\frac{3g}{2l}$

15. एक माध्यम में किसी प्रकाश तरंग की आवृत्ति 2×10^{14} Hz है और इसकी तरंगदैर्ध्य 5000Å है। माध्यम का अपवर्तनांक होगा-

(a) 1.40 (b) 1.50

(c) 3.00 (d) 1.33

16. एक ब्लॉक B को एक क्षैतिज तल पर आरम्भिक वेग υ से क्षण भर के लिए धकेला गया है। यदि B और तल के बीच सर्पिल घर्षण गुणांक μ हो तो ब्लॉक B कितने समय के उपरान्त विराम अवस्था को प्राप्त होगा?

(a) $v/g\mu$ (b) $g\mu/v$

(c) g/v (d) v/g

17. दो रेडियो सक्रिय पदार्थ A और B के क्षय नियतांक क्रमशः 5λ और λ हैं। $t = 0$ पर उनके नाभिकों की संख्या समान हैं। A के नाभिकों की संख्या का B के नाभिकों की संख्या से अनुपात किस समय अन्तराल के बाद $\left(\frac{1}{e}\right)^2$ होगा?

(a) $\frac{1}{4\lambda}$ (b) 4λ

(c) 2λ (d) $\frac{1}{2\lambda}$

18. 100 W और 110 V के बल्ब को 220 V की सप्लाई से प्रदीप्त करने के लिए एक ट्रांसफॉर्मर का प्रयोग किया गया है। यदि सप्लाई की धारा मान 0.5 ऐम्पियर हो तो ट्रांसफॉर्मर की दक्षता होगी लगभग-

(a) 30% (b) 50%

(c) 90% (d) 10%

19. पृथ्वी के दो उपग्रह S_1 और S_2 एक ही कक्षा में घूम रहे हैं। S_1 का द्रव्यमान S_2 के द्रव्यमान का चार गुना है। निम्नलिखित में से कौन-सा कथन सत्य है?

(a) S_1 का आवर्तकाल S_2 के आवर्तकाल से चार गुना है।

(b) दोनों उपग्रहों के लिए पृथ्वी और उपग्रह की स्थितिज ऊर्जाएँ बराबर हैं।

(c) S_1 और S_2 दोनों उपग्रह समान चाल से घूम रहे हैं।

(d) दोनों उपग्रह की गतिज ऊर्जाएँ समान हैं।

20. कोई प्रेक्षक किसी स्थिर ध्वनि स्रोत की ओर ध्वनि के वेग के 1/5वें वेग से गति करता है। आभासी आवृत्ति में प्रतिशत वृद्धि क्या है?

(a) 0.5% (b) शून्य

(c) 20% (d) 5%

21. काँच का अपवर्तनांक लाल प्रकाश के लिए 1.520 और नीले प्रकाश के लिए 1.525 है। इस काँच के प्रिज्म से क्रमशः लाल और नीले प्रकाश के लिए न्यूनतम विलयन कोण D_1 और D_2 हैं। तब-

(a) $D_1 = D_2$

(b) D_1 D_2 से कम या अधिक हो सकता है, यह प्रिज्म के कोण पर निर्भर करेगा

(c) $D_1 > D_2$

(d) $D_1 < D_2$

22. यदि ऑक्सीजन के समस्थानिक $_8O^{17}$ का द्रव्यमान M_O है, और M_p व M_n क्रमशः प्रोटॉन व न्यूट्रॉन के द्रव्यमान हैं, तो समस्थानिक की नाभिकीय बन्धन ऊर्जा है-

(a) $(M_O - 8M_p)\,c^2$

(b) $(M_O - 8M_p - 9M_n)\,c^2$

(c) $(M_O)\,c^2$

(d) $(M_O - 17M_n)\,c^2$

23. द्रव्यमान (mass) की विमा [M], लम्बाई (length) की विमा [L], समय (time) की विमा [T] और धारा (current) की विमा [I] मानते हुए किसी विद्युत परिपथ में प्रतिरोध की विमाएँ होंगी-

(a) $[ML^2T^{-3}I^{-1}]$ (b) $[ML^2T^{-2}]$

(c) $[ML^2T^{-1}I^{-1}]$ (d) $[ML^2T^{-3}I^{-2}]$

24. एक ऊर्ध्व स्प्रिंग मेज से खड़ा जोड़ा हुआ है। इसका बल नियतांक k है। द्रव्यमान m के एक गोले को स्प्रिंग के मुक्त सिरे से h ऊँचाई से गिराया जाता है, जिससे स्प्रिंग दूरी d से पिचक जाता है। इस प्रक्रम में हुआ शुद्ध कार्य होगा-

(a) $mg(h+d) + \frac{1}{2}kd^2$

(b) $mg(h+d) - \frac{1}{2}kd^2$

(c) $mg(h-d) - \frac{1}{2}kd^2$

(d) $mg(h-d) + \frac{1}{2}kd^2$

25. 3×10^4 वोल्ट/मी के किसी एक समान विद्युत क्षेत्र में एक आवेशित तेल-बूंद इस प्रकार निलम्बित है कि न तो नीचे गिर सकती है और न ही ऊपर जा सकती है, ऐसे में तेल - बूँद पर आवेश होगा (आवेश का द्रव्यमान = 9.9 × 10^{-15} किग्रा तथा g = 10 मी/से^{2})-

(a) 3.3×10^{-18} कूलॉम

(b) 4.8×10^{-18} कूलॉम

(c) 1.6×10^{-18} कूलॉम

(d) 3.2×10^{-18} कूलॉम

26. प्रयोगशाला में उपलब्ध चार उत्तल लेन्सों Ly, Lg, L_3 व L_4 की फोकस दूरियाँ क्रमशः 2,4,6 व 8 सेमी हैं। इनमें से दो लेन्सों से एक 10 सेमी लम्बी नली तथा 4 आवर्धन क्षमता का एक दूरदर्शी बनाया जाता है। अभिदृश्यक व अभिनेत्र लेन्स क्रमशः होंगे-

(a) L_2, L_3 (b) L_1, L_4

(c) L_3, L_2 (d) L_4, L_1

27. निर्देशांक निकाय के मूल बिन्दु O पर एक बल-$F\hat{k}$ कार्य करता है। बिन्दु (1, –1) पर बल-आघूर्ण है-

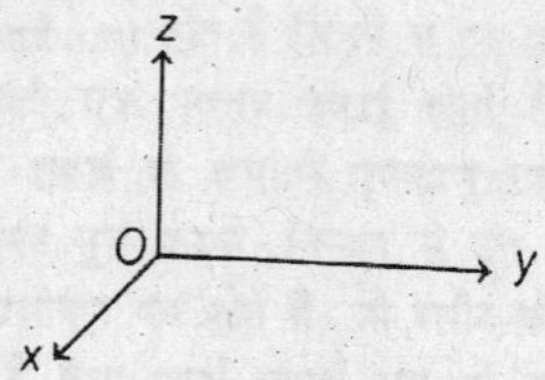

(a) $-F(\hat{i}+\hat{j})$ (b) $F(\hat{i}+\hat{j})$

(c) $-F(\hat{i}-\hat{j})$ (d) $F(\hat{i}-\hat{j})$

28. मर्करी 367°C पर उबलती है, फिर भी मर्करी तापमापी इस प्रकार बनाये जाते हैं कि वे 500°C तक का ताप माप सकें। ऐसा करने के लिए-

(a) तापमापी में मर्करी स्तम्भ के ऊपर निर्वात रखा जाता है।

(b) तापमापी में मर्करी स्तम्भ के ऊपर नाइट्रोजन गैस उच्च दाब पर भरी जाती है।

(c) तापमापी में मर्करी स्तम्भ के ऊपर ऑक्सीजन गैस उच्च दाब पर भरी जाती है।

(d) तापमापी में मर्करी स्तम्भ के ऊपर नाइट्रोजन गैस कम दाब पर भरी जाती है।

29. 300 mH प्रेरकत्व तथा 2Ω प्रतिरोध की कोई कुण्डली किसी 2V वोल्टता के स्रोत से संयोजित है। विद्युत धारा अपने स्थायी अवस्था मान के आधे मान तक पहुँचने में कितना समय लेगी?

(a) 0.1 सेकण्ड (b) 0.05 सेकण्ड

(c) 0.3 सेकण्ड (d) 0.15 सेकण्ड

30. एक सममित द्वि-उत्तल लेन्स, मुख्य अक्ष के एक लम्बवत् तल द्वारा दो बराबर भागों में

काट दिया जाता है। यदि मूल लेन्स की शक्ति 4D थी, तो कटे हुए लेन्स की शक्ति होगी-

(a) 2D (b) 3D
(c) 4D (d) 5D

31. 1000 किग्रा द्रव्यमान की एक जीप, 20 मी त्रिज्या के एक वृत्तीय पथ पर चलती है। यदि जीप और सड़क के बीच घर्षण गुणांक 0.64 है, तो अधिकतम वेग, जिससे जीप बिना फिसले चल सकती है, होगा-
($g = 10$ मी/से^{2})

(a) 5.6 मी/से (b) 11.3 मी/से
(c) 33.6 मी/से (d) 22.4 मी/से

32. चालकत्व 5 ओम $^{-1}$ वाले एक चालक पर 10 वोल्ट का विभवान्तर आरोपित किया जाता है। चालक के माध्यम से प्रवाहित धारा है-

(a) 25 ऐम्पियर (b) 60 ऐम्पियर
(c) 50 ऐम्पियर (d) 30 ऐम्पियर

33. एक साधारण लोलक की लम्बाई और समय अवधि के वर्ग के बीच का ग्राफ होता है-

(a) परवलय (b) वृत्त
(c) सीधी रेखा (d) अतिपरवलय

34. CGS प्रणाली में पारे का घनत्व 13.6 ग्राम सेमी$^{-3}$ है। SI प्रणाली में इसका मान होगा-

(a) 13.6×10^4 किग्रा-मी$^{-3}$
(b) 13.6×10^3 किग्रा-मी$^{-3}$
(c) 13.6×10^2 किग्रा- मी$^{-3}$
(d) 13.6 किग्रा-मी$^{-3}$

35. एक निश्चित स्थान पर नति कोण (Angle of dip) ज्ञात करें, जहाँ पृथ्वी के चुम्बकीय क्षेत्रों के क्षैतिज और ऊर्ध्वाधर घटक बराबर होते हैं-

(a) 60° (b) 45°
(c) 30° (d) 75°

36. धारा प्रवाहित करने वाले एक लम्बे तार से 4 सेमी दूर एक बिन्दु पर चुम्बकीय प्रेरण 10^{-3} टेस्ला है। समान धारा प्रवाहित करने वाले तार से 2 सेमी की दूरी पर चुम्बकीय प्रेरण क्या होगा ?

(a) 2×10^{-4} टेस्ला (b) 2×10^{-3} टेस्ला
(c) 3×10^{-3} टेस्ला (d) 4×10^{-3} टेस्ला

37. दो सदिशों $-2\hat{i} + 3\hat{j} + \hat{k}$ और $\hat{i} + 2\hat{j} - 4\hat{k}$ के बीच का कोण है-

(a) 180° (b) 0°
(c) 90° (d) 45°

38. हवा में एक सम-उत्तल लेंस की फोकस लम्बाई इसकी वक्रता त्रिज्या के बराबर होती है। लेंस के पदार्थ का अपवर्तनांक है-

(a) 2.5 (b) 1.5
(c) 1.33 (d) 1.25

39. पृथ्वी के एक सैटेलाइट की समय अवधि 5 घण्टे है। यदि पृथ्वी और सैटेलाइट के बीच पृथक्करण को पूर्व मान से बढ़ाकर 4 गुना तक कर दिया जाता है, तो नई समय अवधि होगी-

(a) 30 घण्टे (b) 10 घण्टे
(c) 80 घण्टे (d) 40 घण्टे

40. सरल आवर्त दोलक की कुल ऊर्जा किसके आनुपातिक होगी ?

(a) वेग के
(b) विस्थापन के वर्गमूल के
(c) आयाम के वर्ग के
(d) आयाम के

41. *m* द्रव्यमान के एक सैटेलाइट को $2R$ त्रिज्या वाले एक कक्ष से $3R$ त्रिज्या वाले एक कक्ष में गति कराने के लिए आवश्यक ऊर्जा की मात्रा है-

(a) mgR (b) $(mgR)/12$
(c) $(mgR)/8$ (d) $(mgR)/2$

42. एक ट्रांसफॉर्मर का कोर निम्न हेतु लैमिनेटेड होता है-

(a) प्रवाह रिसाव को कम करने के लिए
(b) भँवर धारा के कारण विद्युत क्षति को कम करने के लिए
(c) हिस्टैरिसीस क्षति को कम करने के लिए
(d) ताँबे की क्षति को कम करने के लिए

43. यदि एक सूक्ष्मदर्शी में वस्तु को रोशन करने के लिए लाल प्रकाश को नीले प्रकाश से प्रतिस्थापित कर दिया जाता है, तो सूक्ष्मदर्शी की विभेदन क्षमता-

(a) बढ़ जाती है
(b) कम हो जाती है
(c) अपरिवर्तित रहती है
(d) आधी हो जाती है

44. एक बर्तन में लिया गया तरल, 5 मिनट में 70°C से 60°C और 7 मिनट में 60°C से 50°C तक ठण्डा हो जाता है। कमरे का तापमान है-

(a) 28°C (b) 23°C
(c) 30°C (d) 25°C

45. एक नाभिक $_nX^m$ एक α- कण और दो β-कणों का उत्सर्जन करता है। परिणामी नाभिक होगा-

(a) $_{n-4}X^{m-6}$ (b) $_{n-2}X^{m-4}$
(c) $_nX^{m-4}$ (d) $_nX^{m-6}$

46. एक मशीन गन 40 ग्राम द्रव्यमान की एक गोली को 1200 मी/से के वेग से दागती है। इसे पकड़ने वाला आदमी बँदूक पर अधिकतम 144 न्यूटन का बल लगा सकता है। वह प्रति सेकण्ड अधिकतम कितनी गोलियाँ दाग सकता है ?

(a) 6 (b) 3
(c) 48 (d) 1

47. तापमान में वृद्धि के साथ, एक तरल पदार्थ का स्पर्श कोण (एंगल ऑफ कॉन्टेक्ट)-

(a) पहले बढ़ता है और फिर घटता है
(b) बढ़ जाता है
(c) घट जाता है
(d) स्थिर रहता है

48. यदि α_0 बोर की त्रिज्या है, तो बोर मॉडल के आधार पर इसकी निम्नतम अवस्था में Li^{++} आयन की त्रिज्या होगी-

(a) $a_o/2$ (b) $a_o/4$
(c) $a_o/3$ (d) a_o

49. जब उबलता हुआ पानी भाप में बदल रहा है, तब उबलते पानी की विशिष्ट ऊष्मा है-

(a) शून्य (b) एक से कम
(c) अनन्त (d) एक

50. एक निश्चित स्थान पर पृथ्वी के चुम्बकीय क्षेत्र का क्षैतिज घटक, ऊर्ध्वाधर घटक का $\frac{1}{\sqrt{3}}$ गुना है, उस स्थान पर नति कोण है-

(a) शून्य (b) 60°
(c) 45° (d) 30°

51. बल-विस्थापन ग्राफ के अन्तर्गत क्षेत्रफल निम्न में से दर्शाता है-

(a) कार्य (b) आवेग
(c) संवेग (d) विस्थापन

52. एक स्थिर इलेक्ट्रॉन पर एक प्रबल चुम्बकीय क्षेत्र लागू किया जाता है, तब इलेक्ट्रॉन-

(a) स्थिर रहता है।
(b) चुम्बकीय क्षेत्र की दिशा में लम्बवत् गतिशील होता है।
(c) चुम्बकीय क्षेत्र की दिशा में चलता है।
(d) चुम्बकीय क्षेत्र की दिशा के विपरीत चलता है।

53. यदि 50 की एक प्रत्यावर्ती धारा एक संवाहक तार से होकर बह रही है, तो एक सेकण्ड में धारा कितनी बार शून्य हो जाती है ?

(a) 125 (b) 75
(c) 25 (d) 100

54. एक लम्बी कमानी को 2 सेमी तक खींचा जाता है तथा इसकी स्थितिज ऊर्जा U है। यदि कमानी को 10 सेमी तक खींचा जाये तो इसकी स्थितिज ऊर्जा होगी-

(a) 25 U (b) 5 U
(c) U/5 (d) U/25

55. निम्नलिखित में से कौन-सा कथन सही है, यदि 40 वॉट और 80 वॉट बल्ब के फिलामेंट समान लम्बाई के हैं ?

(a) 80 वॉट वाला फिलामेंट अधिक मोटा है।
(b) 40 वॉट वाला फिलामेंट अधिक मोटा है।
(c) दोनों की लम्बाई समान नहीं हो सकती है।
(d) दोनों समान मोटाई के हैं।

56. निम्नलिखित में से कौन-सी एक मूल राशि (फण्डामेंटल क्वांटिटी) है ?
(a) वजन (b) कार्य
(c) विद्युत धारा (d) आवृत्ति

57. एक *p-n* सन्धि डायोड, ईएमएफ 5.5 वोल्ट की एक बैटरी तथा बाह्य प्रतिरोध 5.1 किलोओम से जुड़ा हुआ है, जैसा कि नीचे दर्शाया गया है। डायोड में अवरोध विभव 0.4 वोल्ट है। परिपथ में धारा है-

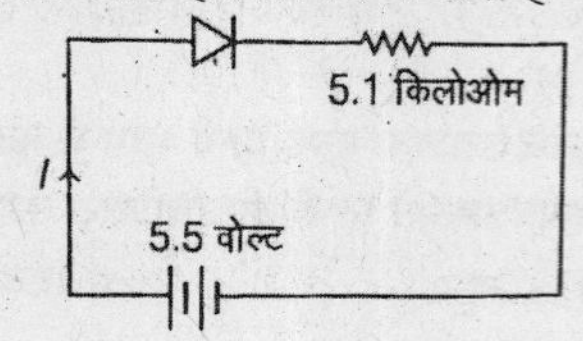

(a) 1 मिली ऐम्पियर
(b) 2 मिली ऐम्पियर
(c) 1.08 मिली ऐम्पियर
(d) 1 ऐम्पियर

58. 10 किग्रा द्रव्यमान तथा 0.5 मी त्रिज्या वाला एक गोला, इसकी सतह पर एक बिन्दु पर स्पर्श-रेखा से गुजरने वाली धुरी पर घूमता है। स्पर्श-रेखा के चारों ओर गोला का जड़त्वाघूर्ण होगा ?
(a) 2.7 किग्रा-मी^{2}
(b) 3.5 किग्रा-मी^{2}
(c) 4.5 किग्रा-मी^{2}
(d) 5 किग्रा-मी^{2}

59. भुजा a वाले एक घन से विद्युत फ्लक्स ϕ है, यदि घन की भुजा को 2a बना दिया जाए तथा संलग्न आवेश को आधा कर दिया जाए, तो विद्युत फ्लक्स का मान होगा ?
(a) $\phi / 2$ (b) ϕ
(c) 4ϕ (d) 2ϕ

60. तरंगदैर्ध्य 6280 ऐंस्ट्रॉम वाले दो सुसंगत स्रोतों द्वारा उत्सर्जित दो तरंगों के बीच पथान्तर 2.5 माइक्रॉन है, तब तरंगों के बीच रेडियन में कलान्तर होगा-
(a) 25 (b) 2.5r
(c) 20 (d) 25

रसायन विज्ञान

61. निम्नलिखित में से कौन-सा कथन सत्य नहीं है ?
(a) NCl_3 जल-अपघटन पर NH_3 तथा HOCI देता है
(b) NH_3, PH_3 की अपेक्षा कम स्थायी है
(c) NH_3, PH_3 की अपेक्षा दुर्बल अपचायक है
(d) नाइट्रिक ऑक्साइड, ठोस अवस्था में, प्रतिचुम्बकीय गुण प्रदर्शित करता है

62. पोटैशियम ऐसीटेट के जलीय विलयन का वैद्युत अपघटन करने पर ऐनोड पर उत्पन्न होने वाले यौगिक हैं-
(a) C_2H_6 तथा CO_2
(b) C_2H_4 तथा CO_2
(c) CH_4 तथा H_2
(d) CH_4 तथा CO_2

63. निम्न में से कौन-सा कथन सत्य है ?
(a) उत्प्रेरक में स्थायी रासायनिक परिवर्तन हो जाता है
(b) वास्तविक विलयन में, विलेय के कणों का आकार 10^{-3} मी होता है
(c) स्टार्च का विलयन एक हाइड्रोसॉल है
(d) खनिज अम्ल की उपस्थिति में, द्रव एस्टर का जल अपघटन, विषमांगी उत्प्रेरण अभिक्रिया का उदाहरण है

64. निम्नलिखित में से कौन-सा अभिकर्मक ऐसीटैल्डिहाइड तथा ऐसीटोन दोनों को ऐल्केनों में परिवर्तित कर देता है ?
(a) Ni / H_2
(b) $LiAlH_4$
(c) I_2 / NaOH
(d) Zn – Hg / सान्द्र HCl

65. CO(g) तथा CO_2 (g) के उत्पादन की ऊष्मा क्रमश: $\Delta H = -110$ तथा $\Delta H = -393$ 393 किलो जूल मोल$^{-1}$ है। निम्नलिखित अभिक्रिया के लिए अभिक्रिया की ऊष्मा (ΔH) (किलो जूल मोल$^{-1}$ में) होगी-

$$CO\,(g) + \frac{1}{2} = O_2\,(g) \rightarrow CO_2(g)$$

(a) – 504 (b) – 142.5
(c) – 283 (d) 504

66. 10^3 मी/से की गति से घूमते हुए एक कण, जिसका द्रव्यमान 6.62×10^{-29} ग्राम है, का तरंगदैर्ध्य (मी में) होगा-
(a) 6.62×10^{-4} (b) 6.62×10^{-3}
(c) 10^{-5} (d) 10^5

67. निम्नलिखित अभिक्रिया के लिए, साम्य स्थिरांक (K_c) के लिए समीकरण है-

$$\frac{1}{2}A(g) + \frac{1}{3}B(g) \xrightleftharpoons{T\,(K)} \frac{2}{3}C(g)$$

(a) $K_C = \dfrac{[A]^{1/2}[B]^{1/3}}{[C]^{3/2}}$

(b) $K_C = \dfrac{[C]^{3/2}}{[A]^2[B]^3}$

(c) $K_C = \dfrac{[C]^{2/3}}{[A]^{1/2}[B]^{1/3}}$

(d) $K_C = \dfrac{[C]^{2/3}}{[A]^{1/2} + [B]^{1/3}}$

68. निम्न में से कौन-सा यौगिक, शुष्क ईथर की उपस्थिति में, मैग्नीशियम के साथ अभिक्रिया करके ग्रिगनार्ड अभिकर्मक बनाता है ?
(a) C_2H_6 (b) C_2H_5Cl
(c) C_2H_5 OH (d) C_2H_5CN

69. ग्लूकोस का 0.5 ग्राम ली$^{-1}$ विलयन, एक कार्बनिक यौगिक के 2.5 ग्राम ली$^{-1}$ विलयन के समपरासरी है। इस कार्बनिक यौगिक का अणुभार होगा-
(a) 300 (b) 600
(c) 900 (d) 200

70. *t*-ब्यूटिल क्लोराइड मुख्य रूप से जल-अपघटित होगा-
(a) S_N1 क्रियाविधि द्वारा
(b) S_N2 क्रियाविधि द्वारा
(c) (a) तथा (b) में से कोई भी
(d) उपरोक्त में से कोई नहीं

71. अर्जेन्टाइट अयस्क को घोलने के लिए निम्न में से किसका प्रयोग किया जाता है ?
(a) $Na[Ag\,(CN)_2]$ (b) NaCN
(c) NaCl (d) HCI

72. यदि एक रेडियोऐक्टिव पदार्थ का 5%, 15 मिनट में वियोजित होता है, तब इसके 99% के वियोजन में समय लगेगा-
(a) 50 मिनट (b) 100 मिनट
(c) 99 मिनट (d) 150 मिनट

73. $C_6H_5CHO + CH_3COOC_2H_5 \rightarrow C_6H_5CH = CHCOOC_2H_5$
उपरोक्त अभिक्रिया कहलाती है-
(a) बेन्जॉइन संघनन
(b) क्लेजन संघनन
(c) कैनिजारो अभिक्रिया
(d) पर्किन अभिक्रिया

74. ऑर्थो तथा पैरा-नाइट्रोफीनॉल(1:1)के मिश्रण को पृथक् करने की सर्वोत्तम विधि है-
(a) वाष्पीकरण (b) रंगीन स्पेक्ट्रम
(c) आसवन (d) क्रिस्टलीकरण

75. आयोडोफॉर्म, $AgNO_3$ के साथ गर्म करने पर अवक्षेप देता है जबकि क्लोरोफॉर्म नहीं, क्योंकि-
(a) आयोडोफॉर्म में C-I बन्ध दुर्बल है तथा क्लोरोफॉर्म में C–CI बन्ध प्रबल है
(b) क्लोरोफॉर्म सहसंयोजी है
(c) आयोडोफॉर्म आयनिक है
(d) उपरोक्त में से कोई नहीं

76. एथाइन का समजात है-
(a) C_2H_2 (b) C_2H_6
(c) C_3H_8 (d) C_3H_4

77. एक दुर्बल अम्ल का 0.1 जलीय विलयन, 2% आयनित होता है। जल का आयनिक गुणनफल 1×10^{-14} है। $[OH^-]$ की सान्द्रता होगी-

(a) 5×10^{-12} M
(b) 2×10^{-3} M
(c) 1×10^{-14} M
(d) इनमें से कोई नहीं

78. पाँचवें ऊर्जा - स्तर में कक्षकों की कुल संख्या है-
(a) 5 (b) 10
(c) 18 (d) 25

79. 27°C पर हाइड्रोजन अणु का अधिकतम प्रायिकता वेग (सेमी/से में) होगा-
(a) 19.3×10^4 (b) 17.8×10^4
(c) 24.93×10^9 (d) 17.8×10^8

80. आवर्त सारणी में परमाणु क्रमांक 38 वाला तत्व उपस्थित होगा-
(a) II A समूह तथा पाँचवें आवर्त में
(b) II A समूह तथा द्वितीय आवर्त में
(c) V A समूह तथा द्वितीय आवर्त में
(d) III A समूह तथा पाँचवें आवर्त में

81. हाइड्रोजन स्पेक्ट्रम की बामर श्रेणी में चौथी रेखा की तरंग संख्या होगी-
(R = 1,09,677 सेमी$^{-1}$)
(a) 24,630 सेमी$^{-1}$
(b) 24,360 सेमी$^{-1}$
(c) 24,730 सेमी$^{-1}$
(d) 24, 372 सेमी$^{-1}$

82. मक्खन में, परिक्षेपण प्रावस्था तथा परिक्षेपण माध्यम क्रमशः हैं-
(a) ठोस तथा द्रव (b) द्रव तथा ठोस
(c) द्रव तथा द्रव (d) ठोस तथा ठोस

83. एक तत्व 'M' का परमाणु क्रमांक 26 है। इस तत्व की M^{3+} अवस्था में, M– कोश में कितने इलेक्ट्रॉन उपस्थित होंगे ?
(a) 11 (b) 15
(c) 14 (d) 13

84. ऐमीनो के ऐसीटिलीकरण के दौरान, ऐसीटिल समूह द्वारा प्रतिस्थापित होता है-
(a) नाइट्रोजन परमाणु से जुड़ा हाइड्रोजन परमाणु
(b) कार्बन परमाणु से जुड़ा एक या अधिक हाइड्रोजन परमाणु
(c) नाइट्रोजन परमाणु से जुड़े एक या अधिक हाइड्रोजन परमाणु
(d) या तो कार्बन अथवा नाइट्रोजन परमाणु से जुड़े हाइड्रोजन परमाणु

85. ऐल्कोहॉली सुपेयों में प्रयुक्त होने वाला यौगिक है-
(a) मेथेनॉल (b) एथेनॉल
(c) फीनॉल (d) ग्लिसरॉल

86. F_2O में, ऑक्सीजन की ऑक्सीकरण अवस्था है-
(a) +1 (b) – 1
(c) + 2 (d) – 2

87. $CH_3 - CH_2 - CH(CH_2CH_3) - C(CH_3) = CH_2$
का आई.यू.पी.ए.सी. नाम है-
(a) 2 - मेथिल - 3 - एथिल - 1- पेन्टीन
(b) 3 - एथिल - 4 - मेथिल - 4- पेन्टीन
(c) 3 - एथिल - 2 - मेथिल - 1 - पेन्टीन
(d) 3 - मेथिल - 2 - एथिल - 1- पेन्टीन

88. निम्न में से कौन-सा यौगिक जल में विलेय है परन्तु विलयन में कोई ऑक्सी-अम्ल नहीं बनाता है ?
(a) SO_2 (b) OF_2
(c) SCl_4 (d) SO_3

89. ऐमिलोज तथा ऐमिलोपेक्टिन का मिश्रण कहलाता है-
(a) लेक्टोज (b) स्टार्च
(c) सेलुलोज (d) सुक्रोज

90. एक गैस फूलों का रंग अपचयन द्वारा तथा दूसरी गैस ऑक्सीकरण द्वारा उड़ा देती है। गैसें क्रमशः हैं-
(a) SO_2 तथा Cl_2 (b) CO तथा Cl_2
(c) NH_3 तथा SO_2 (d) H_2S तथा Br_2

91. डीएनए का पूर्ण जल अपघटन (हाइड्रोलिसिस) उत्पन्न करता है-
(a) β–D–2–डीऑक्सीराइबोस, फॉस्फोरिक अम्ल और यूरेसिल
(b) β–D–2–डीऑक्सीराइबोस, फॉस्फोरिक अम्ल और ऐडेनिन
(c) β–D–राइबोस, फॉस्फोरिक अम्ल और थायमीन
(d) β–D–राइबोस, फॉस्फोरिक अम्ल और यूरेसिल

92. निम्नलिखित में से कौन सबसे प्रबल अम्ल है ?
(a) 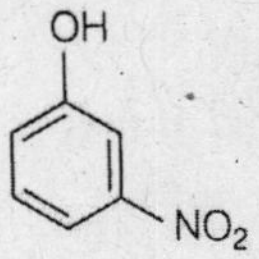

(b) 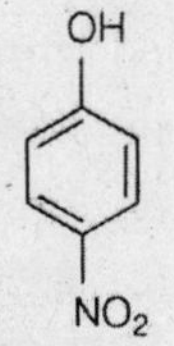

(c) 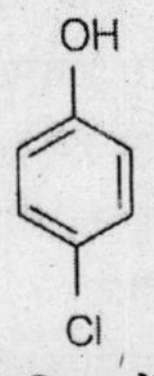

(d) 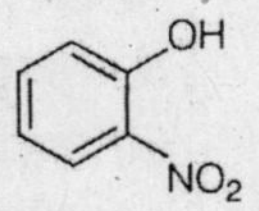

93. निम्नलिखित में से कौन-सा एक जैवनिम्नी बहुलक है ?
(a) नायलॉन - 2 - नायलॉन 6
(b) पॉलिविनाइल क्लोराइड
(c) बैकेलाइट
(d) पॉलिथीन

94. एक कार्बनिक यौगिक में C का 40.687%, H का 5.085% और शेष ऑक्सीजन है। इसका आण्विक सूत्र या मूलानुपाती सूत्र है-
(a) C_2H_5O (b) $C_2H_3O_2$
(c) $C_3H_4O_2$ (d) C_4H_3O

95. गैर-वाष्पशील विलेय युक्त एक विलेय का मोल अंश 0.20 है और विलायक का वाष्प दाब 0.75 atm है। निम्न में विलयन का वाष्पदाब क्या है ?
(a) 0.2 atm (b) 0.15 atm
(c) 0.30 atm (d) 0.6 atm

96. .... के निर्माण के लिए तनुकृत क्षारीय माध्यम में पोटैशियम आयोडाइड, पोटैशियम परमैग्नेट के साथ अभिक्रिया करता है।
(a) IO_2^- (b) IO_4
(c) IO_3^- (d) I_2

97. निम्नलिखित में से कौन-सा CH_3CHO और $C_6H_5CH_2CHO$ के बीच भेद करने के लिए उपयुक्त परीक्षण है ?
(a) बेनेडिक्ट परीक्षण
(b) टॉलेन परीक्षण
(c) आयोडोफॉर्म परीक्षण
(d) फेहलिंग विलयन परीक्षण

98. पोटैशियम डाइसायनो अर्जेंटेट (I) में, रोमन अंक .... का प्रतिनिधित्व करता है।
(a) संकुल पर आवेश
(b) संकुल की समन्वय संख्या
(c) केन्द्रीय धातु आयन की ऑक्सीकरण अवस्था
(d) केन्द्रीय धातु आयन की द्वितीयक संयोजकता

99. जिस विटामिन में धातु परमाणु (मेटल एटम) होता है, वह निम्न है-
(a) विटामिन D (b) विटामिन y
(c) विटामिन B_6 (d) विटामिन B_{12}

100. एक विलयन में $CaCl_2 + AlCl_3$ का मिश्रण है। ऐलुमिनियम हाइड्रॉक्साइड के रूप में केवल Al को अवक्षेपित करने के लिए आपको मिलाना चाहिए-
(a) $NH_4Cl + NH_4OH$
(b) $NH_4Cl + NaOH$
(c) $NaCl + NaOH$
(d) $NaCl + NH_4OH$

101. फ्रैंडलिक अधिशोषण समतापी वक्र में, *1 / n* का मान है-
(a) भौतिक अधिशोषण की स्थिति में 1
(b) रसोवशोषण की स्थिति में 1
(c) सभी स्थितियों में 0 और 1 के बीच
(d) सभी स्थितियों में 2 और 4 के बीच

102. एक गैस 2 atm के नियत दाब के अन्तर्गत 200 मिली से 500 मिली तक प्रसारित होती है। गैस द्वारा किए गए कार्य की गणना करें-

(a) 30.795 J (b) 121.59 J
(c) (–) 30.795 J (d) (–) 60.795 J

103. जल के वाष्पीकरण की गुप्त ऊष्मा 540. cal gm^{-1} है। जल के एक मोल के वाष्पीकरण के दौरान प्रेक्षित एन्ट्रॉपी परिवर्तन की गणना करें–
(a) 3.67 कैलोरी मोल$^{-1}$
(b) 2.6 कैलोरी मोल$^{-1}$
(c) 26 कैलोरी मोल$^{-1}$
(d) 1.82 कैलोरी मोल$^{-1}$

104. एक ठोस में, ऑक्साइड आयन ccp में व्यवस्थित होते हैं। चतुष्फलकीय रिक्तियों के 2/3 पर धनायन *M* अधिकार रखते हैं और अष्टफलकीय रिक्तियों के 1/3 पर धनायन *N* अधिकार रखते हैं। यौगिक का सूत्र क्या है?
(a) MN_4O_3 (b) M_4NO_3
(c) M_3N_4O (d) M_3NO_4

105. यदि KCl को $SrCl_2$ के 10^{-4} mol% के साथ मिला दिया जाता है, तो धनायन रिक्तियों की सान्द्रता क्या है?
(a) 6.02×10^{17} (b) 6.02×10^{18}
(c) 6.02×10^{19} (d) 1.0×10^{2}

106. प्रथम कोटि की अभिक्रिया में, अभिकारक की सान्द्रता एक घण्टे में 25% तक कम हो जाती है। अभिक्रिया का अर्द्ध-आयु काल है–
(a) 1/2 घण्टा (b) 2 घण्टे
(c) 4 घण्टे (d) 1/4 घण्टा

107. 37 के बराबर द्रव्यमान संख्या वाले ऋणायन X में नकारात्मक आवेश की एक इकाई है। यदि ऋणायन में इलेक्ट्रॉन की तुलना में 11.2% अधिक न्यूट्रॉन हैं, तो ऋणायन का प्रतीक क्या है?
(a) $_{16}X^{37-}$ (b) $_{18}X^{35-}$
(c) $_{18}X^{37-}$ (d) $_{17}X^{37-}$

108. निम्नलिखित में से किस स्थिति में एन्ट्रॉपी घट जाएगी?
(a) अण्डे का सख्त उबाल (हार्ड बॉयलिंग)
(b) एक यौगिक का अपघटन
(c) रबर बैंड का तनन
(d) जल का वाष्पीकरण

109. निम्नलिखित में से कौन-सा स्थिर द्विपरमाणुक जाति (स्पीशीज) है?
(a) N_2 (b) O_2^+
(c) O_2^- (d) O_2

110. निम्नलिखित में से कौन-सा यौगिक 60% KOH के साथ गर्म होने पर ऐल्कोहॉल और कार्बोक्सिलिक अम्ल का एक लवण देगा?
(a) बेन्जैल्डिहाइड (b) ब्यूटेनोइक अम्ल
(c) ब्यूटेनॉन (d) ब्यूटेनल

111. निम्नलिखित में से किस संक्रमण धातु में अन्तिम कोश के s कक्ष में कोई इलेक्ट्रॉन नहीं होता है?
(a) Pd (Z = 46) (b) Y (Z = 39)
(c) Ru (Z = 44) (d) Mo (Z = 42)

112. तत्वों के निम्नलिखित में से कौन-से युग्म में इलेक्ट्रॉनों के सममित वितरण के कारण स्थायित्व प्राप्त करने के लिए विसंगतिपूर्ण इलेक्ट्रॉनिक विन्यास है? (Z मान सहित तत्व – P, Q, R और S क्रमशः 27, 29, 24, 22 के समान हैं।)
(a) *S* और *Q* (b) *R* और *S*
(c) *P* और *S* (d) *Q* और *R*

113. निम्नलिखित में से कौन-सा गुणधर्म कार्बन मोनोऑक्साइड (CO) द्वारा नहीं दर्शाया जाता है?
(a) यह एक उदासीन ऑक्साइड है।
(b) यह प्रकृति में प्रतिचुम्बकीय है।
(c) यह CO_2 निर्माण के लिए गर्म करने पर O_2 के साथ अभिक्रिया करती है।
(d) इसकी आबंध कोटि 2.5 के बराबर है।

114. निम्नलिखित में से कौन-सा युग्म विषमदैशिकता दर्शाएगा?
(a) CaF_2 और ZnS
(b) काँच और लकड़ी का कोयला (चारकोल)
(c) प्लास्टिक और ग्रेफाइट
(d) हीरा और लकड़ी का कोयला (चारकोल)

115. निम्नलिखित में से कौन-सा जलीय विलयन प्रकृति में क्षारीय होगा?
(a) सोडियम क्लोराइड
(b) सोडियम ऐसीटेट
(c) अमोनियम नाइट्रेट
(d) पोटैशियम सल्फेट

116. अण्डे की एल्ब्यूमिन के आण्विक द्रव्यमान को यथार्थता से निर्धारित करने हेतु निम्नलिखित में से कौन-से अणुसंख्य गुणधर्म का उपयोग किया जाता है?
(a) परासरण दाब
(b) क्वथनांक का उन्नयन
(c) हिमांक का अवनमन
(d) वाष्पदाब का सापेक्षिक निम्न

117. निम्नलिखित में से कौन-सी प्रक्रिया बफर विलयनों का उपयोग शामिल करती है?
(a) पोटाश एलम (फिटकरी) की तैयारी
(b) चमड़े का चर्मशोधन (टैनिंग)
(c) उर्वरक का विनिर्माण
(d) रक्त का pH बनाए रखना

118. $2NO + Cl_2 \rightarrow 2NOCl$ की अभिक्रिया दर का दर समीकरण, दर = $k[NO]^2[Cl_2]$ के द्वारा दिया जाता है। दर स्थिरांक का मान ...... द्वारा बढ़ाया जा सकता है।
(a) तापमान में वृद्धि
(b) Cl_2 की सान्द्रता में वृद्धि
(c) तापमान में कमी
(d) NO की सान्द्रता में वृद्धि

119. अभिक्रिया 1/2 A → 2B के लिए, 'A' के लुप्त होने की दर (रेट ऑफ डिसएपियरेंस), 'B' के प्रकटीकरण की दर (रेट ऑफ एपियरेंस) से ...... व्यंजक द्वारा सम्बन्धित है।
(a) $-\frac{d[A]}{dt} = 4\frac{d[B]}{dt}$
(b) $\frac{-d[A]}{dt} = \frac{d[B]}{dt}$
(c) $\frac{-d[A]}{dt} = \frac{1}{2}\frac{d[B]}{dt}$
(d) $-\frac{d[A]}{dt} = \frac{1}{4}\frac{d[B]}{dt}$

120. $_{92}U^{238}$ से $_{82}Pb^{206}$ तक नीचे जाने में कितने α- और β - कण उत्सर्जित होते हैं?
(a) α = 4, β = 10
(b) α = 10, β = 4
(c) α = 6, β = 8
(d) α = 8, β = 6

वनस्पति विज्ञान

121. मक्का में जम्पिंग जीन की खोज किसने की थी?
(a) ह्यूगो डी व्रीज ने
(b) बारबरा मैक्लिन्टॉक ने
(c) टी.एच. मॉर्गन ने
(d) मेण्डल ने

122. द्विनाम नामकरण पद्धति दी गयी थी–
(a) जूलियन हक्सले द्वारा
(b) बेन्थम एवं हुकर द्वारा
(c) लिनियस द्वारा
(d) कैस्पर वाहिनी द्वारा

123. रिक्तिका एक कला द्वारा घिरी होती है, जिसे कहते हैं–
(a) टोनोप्लास्ट (b) जैकेट
(c) कोशिका कला (d) टोनोप्लाज्म

124. DNA खण्ड जिसमें अपना स्थान बदलने की क्षमता होती है, क्या कहलाता है?
(a) सिस्ट्रॉन (b) ट्रान्सपोजोन
(c) इन्ट्रॉन (d) रिकॉन

125. ड्यूरामैन उपस्थित होती है–
(a) द्वितीयक काष्ठ के आन्तरिक क्षेत्र में
(b) रस काष्ठ के भाग में
(c) द्वितीयक काष्ठ के बाह्य क्षेत्र में
(d) पेरीसाइकल के भाग में

126. पादपों में जल निरन्तरता किसके कारण होती है?
(a) परासरण (b) अधिचूषण
(c) बिन्दुस्राव (d) आसंजक बल

127. अधिकतर आर्थिक रूप से महत्वपूर्ण, रेशे प्रदान करने वाले पौधे किस कुल (family) के अन्तर्गत आते हैं ?
(a) मालवेसी (b) सोलेनेसी
(c) क्रूसीफेरी (d) पोऐसी

128. कौन प्रकाश रासायनिक स्मॉग में हमेशा पाया जाता है ?
(a) O_3 (b) CO_2
(c) SO_2 (d) CH_4

129. कोशिका चक्र की किस अवस्था में गुणसूत्र मध्यवर्ती प्लेट पर व्यवस्थित होते हैं ?
(a) मध्यावस्था में (b) पश्चावस्था में
(c) अन्तावस्था में (d) पूर्वावस्था में

130. तर्कु तन्तु बना होता है-
(a) ट्युबुलिन का
(b) ह्ययुमुलिन का
(c) मध्यफिलामेन्ट का
(d) फ्लैजीलिन का

131. सीमाकारी कारकों का नियम किसने दिया था ?
(a) लिबिग ने (b) ब्लैकमैन ने
(c) कैल्विन ने (d) ऑर्नन ने

132. पाइनस के नर शंकु में बहुत अधिक संख्या में उपस्थित होती है-
(a) लिग्यूल्स
(b) परागकोश
(c) माइक्रोस्पोरोफिल्स
(d) मैगास्पोरोफिल्स

133. निम्न ताप समाधान द्वारा पुष्पन का उत्प्रेरण क्या कहलाता है ?
(a) वसन्तीकरण (b) क्रायोबायोलॉजी
(c) दीप्तिकालिता (d) प्रुनिंग

134. निम्न में से कौन-सा पादप उत्पाद सबसे कठोर है ?
(a) लिग्निन (b) क्यूटिन
(c) सुबेरिन (d) स्पोरोपोलेनिन

135. क्लैम्प कनैक्शन पाया जाता है-
(a) बेसिडियोमाइसीट्स में
(b) जाइगोमाइसीट्स में
(c) एस्कोमाइसीट्स में
(d) ऊमाइसीट्स में

136. पत्तियों के विलगन का कारण है-
(a) ABA (b) साइटोकाइनिन
(c) ऑक्सिन (d) जिबरेलिन

137. उष्णकटिबन्धीय वनों में कुछ जातियों के विलुप्त होने का मुख्य कारण क्या है ?
(a) वन नष्टीकरण (b) वनीकरण
(c) प्रदूषण (d) मृदा अपरदन

138. रसारोहण के लिए सर्वमान्य परिकल्पना है-
(a) कोशिका परिकल्पना
(b) मूलदाब वाद
(c) स्पन्दन वाद
(d) वाष्पोत्सर्जनाकर्षण

139. निम्न में से कौन-सा अनावृतबीजियों का लक्षण नहीं है ?
(a) समान्तर शिराविन्यास
(b) बहुवर्षी पौधे
(c) भिन्न शाखाएँ (लम्बी एवं छोटी)
(d) वाहिनीयुक्त जाइलम

140. दो भिन्न आवासों के राज्य क्षेत्रों के सन्धि स्थान पर जैव विविधता की उपस्थिति कहलाती है-
(a) बॉटल नैक प्रभाव
(b) एज प्रभाव
(c) सन्धि स्थान प्रभाव
(d) पाश्चर प्रभाव

141. साइकस में परागण होता है-
(a) तीन कोशिकीय अवस्था में
(b) चार कोशिकीय अवस्था में
(c) दो कोशिकीय अवस्था में
(d) एक कोशिकीय अवस्था में

142. ऑक्सिन की जैविक क्रिया है-
(a) जई वक्रता परीक्षण
(b) कैलस निर्माण
(c) कवक का संवर्धन
(d) बीज प्रसुप्ति

143. एक पोषक स्तर से दूसरे पोषक स्तर पर स्थानान्तरित ऊर्जा है-
(a) 5% (b) 10%
(c) 15% (d) 20%

144. एक DNA अणु में एडीनीन एवं थायमीन के मध्य उपस्थित हाइड्रोजन बन्धों की संख्या है-
(a) 2 (b) 3
(c) 4 (d) 8

145. L- आकार के गुणसूत्र कहलाते हैं-
(a) अग्रबिन्दुक
(b) अन्तः केन्द्री
(c) उपमध्यकेन्द्री
(d) उपरोक्त में से काई नहीं

146. एक जीवाणु प्रत्येक 35 मिनट बाद विभाजित होता है। यदि एक 10^5 कोशिकाएँ/मिली संवर्धन को उगाया जाता है तो 175 मिनट के बाद एक मिली में कोशिकाओं की सान्द्रता कितनी होगी ?
(a) 175×10^5 (b) 125×10^5
(c) 48×10^5 (d) 32×10^5

147. द्विनिषेचन पाया जाता है-
(a) शैवालों में
(b) ब्रायोफाइटा में
(c) आवृतबीजियों में
(d) अनावृतबीजियों में

148. वर्ज्य जल अपशिष्ट के समाधान में निम्न में से किसमें जैविक समाधान का प्रयोग किया जाता है-
(a) प्राथमिक समाधान
(b) द्वितीयक समाधान
(c) तृतीयक समाधान
(d) विपरीत परासरण अवस्था

149. यदि एक पुष्पीय पौधे की जड़ में 24 गुणसूत्र हैं तो उसके युग्मक में कितने गुणसूत्र होंगे ?
(a) 24 (b) 12
(c) 4 (d) 8

150. भूमि के A_0 क्षेत्र में क्या अधिक होता है ?
(a) खनिज (minerals)
(b) ह्यूमस (hurnus)
(c) लिट्टर (litter)
(d) इनमें से कोई नहीं

जन्तु विज्ञान

151. 21वें गुणसूत्र की ट्राइसोमी कहलाती है-
(a) डाउन सिन्ड्रोम
(b) टर्नर सिन्ड्रोम
(c) दांत्र कोशिका अरक्तता
(d) क्लाइनफेल्टर सिन्ड्रोम

152. फेरिटिमा में पट किन खण्डों के बीच अनुपस्थित होते हैं ?
(a) पहले चार खण्डों के बीच
(b) 4/5 एवं 8/9
(c) 5/6 एवं 7/8
(d) 7/8 एवं 6/7

153. निम्न में से किस जन्तु में श्वसन श्वसन अंग के बिना ही होता है ?
(a) मेंढक (b) मछली
(c) कॉकरोच (d) केंचुआ

154. निम्न में से कौन पारदर्शी ऊतक है ?
(a) कण्डरा
(b) तन्तुकीय उपास्थि
(c) हायलिन उपास्थि
(d) उपरोक्त सभी

155. Rh कारक उपस्थित होता है-
(a) सभी कशेरुकियों में
(b) सभी स्तनियों में
(c) सभी सरीसृपों में
(d) मनुष्य तथा रिसस बन्दर में

156. स्पंजों में निम्न में से कौन-सी कोशिका अन्य प्रकार की कोशिकाओं के बनाने योग्य होती है ?

(a) थीसोसाइट (b) पिनैकोसाइट
(c) निडोसाइट (d) आर्कियोसाइट

157. स्पर्शानुचलन (thigmotaxis) किसके द्वारा नहीं दर्शायी जाती है ?

(a) पैरामीशियम (b) अमीबा
(c) एस्कैरिस (d) हाइड्रा

158. निम्न में से कौन सही मिलाया गया है ?

(a) एपीकल्चर - मधुमक्खी
(b) पिसीकल्चर - सिल्क मॉथ
(c) सेरीकल्चर - मछली
(d) एक्वाकल्चर - मच्छर

159. वे परिवर्तन जो लारवा को वयस्क में परिवर्तित कर देते हैं, कहलाते हैं-

(a) मेटाजेनेसिस (b) एकान्तरण
(c) कायान्तरण (d) मेटास्टेसिस

160. सिस्टोसोमा (Schistosoma) का मध्य परपोषी है-

(a) स्नेल (b) मच्छर
(c) घरेलू मक्खी (d) भेड़

161. रुधिर का थक्का जमने के लिए आवश्यक विटामिन कौन-सा है ?

(a) विटामिन - A (b) विटामिन - B
(c) विटामिन - C (d) विटामिन - K

162. फेरिटिमा पोस्थुमा (Pheretima posthuma) का मादा जनन छिद्र किस खण्ड में स्थित होता है ?

(a) 14वें (b) 16वें
(c) 18वें (d) 15वें

163. मेंढक के हृदय में हृदय पेशियाँ जिन तन्तुओं की बनी होती हैं उन्हें कहते हैं-

(a) पुरकिन्जे तन्तु (b) मायोनीमा
(c) टीलोडेन्ड्रिया (d) कोल्मनी कार्नी

164. LH तथा FSH को सगृहीत रूप से कहते हैं-

(a) ऑक्सिटोसिन (b) सोमेटोट्रॉपिन
(c) ल्यूटिओट्रॉपिक (d) गोनेडोट्रॉपिन

165. निम्न में से कौन विकास के महत्वपूर्ण प्रमाण प्रदान करता है ?

(a) जीवाश्म (b) आकारिकी
(c) भ्रूण (d) अवशेषी अंग

166. मोलस्का संघ में आँख एक पतली रचना के ऊपर स्थित होती है जिसे कहते हैं-

(a) ऑस्ट्रेंकम (b) ऑपरकुलम
(c) ऑमेटोफोर (d) ऑस्फ्रेडियम

167. निम्न में से कौन निवही कीट है ?

(a) लोकस्ट (b) मच्छर
(c) सफेद चींटी (d) खटमल

168. भारत की सबसे बड़ी मछली है-

(a) स्टोन फिश (b) व्हेल शार्क
(c) मार्लिन (d) हिलसा

169. खरगोश में अधिवृषण का शीर्ष, जो वृषण के सिर पर उपस्थित होता है, क्या कहलाता है ?

(a) शुक्र वाहक
(b) पुच्छ अधिवृषण
(c) गुबरनाकुलम
(d) शीर्ष अधिवृषण

170. रक्त में CO_2 का परिवहन मुख्यतः किस रूप में होता है ?

(a) सोडियम कार्बोनेट
(b) कार्बोक्सिहीमोग्लोबिन
(c) बाइकार्बोनेट
(d) CO_2 के रूप में

171. कुफ्फर कोशिकाएँ उपस्थित होती हैं-

(a) यकृत में (b) छोटी आँत में
(c) अग्न्याशय में (d) थायरॉइड ग्रन्थि में

172. 16 कोशिकीय अवस्था में भ्रूण क्या कहलाता है ?

(a) मॉरूला (b) गैस्ट्रुला
(c) ब्लास्टुला (d) ब्लास्टोमीयर

173. निम्न में से कौन-सा कथन हन्टिंगटन के रोग के बारे में सत्य है ?

(a) इस समय हन्टिंगटन के रोग के लिए निर्धारित एलील को जानने का आनुवंशिक परीक्षण उपलब्ध नहीं है
(b) हन्टिंगटन रोग जन्म और 3 वर्ष की आयु के मध्य होता है
(c) इस समय हन्टिंगटन के रोग की कोई प्रभावी चिकित्सा नहीं है
(d) हन्टिंगटन का रोग अप्रभावी एलील के व्यक्त होने के कारण होता है

174. निम्न में से कौन ऑर्निथीन चक्र का अंश है ?

(a) ऑर्निथीन, सिटरूलिन एवं ऐलेनीन
(b) ऑर्निथीन, सिटरूलिन एवं आर्जिनीन
(c) अमीनो अम्ल प्रयोग नहीं होते
(d) ऑर्निथीन, सिटरूलिन एवं फ्यूमेरिक अम्ल

175. गुणसूत्र प्ररूप $2n - 1$ को कहा जाता है-

(a) एन्युप्लोइडी (b) नल्लीसोमी
(c) ट्राइसोमी (d) टेट्रासोमी

176. एक छोटी मछली शार्क के आधार पर चिपकी रहती है और इससे भोजन प्राप्त करती है, यह सम्बन्ध कहलाता है-

(a) प्रतिजीविता (b) सहभोजिता
(c) परभक्षण (d) परजीविता

177. अस्थिल मछली का उत्सर्जी पदार्थ है-

(a) यूरिया (b) प्रोटीन
(c) अमोनिया (d) अमीनो अम्ल

178. ल्यूकोसाइट निम्न में से किसे अधिक मात्रा में रखती है ?

(a) बेसोफिल्स (b) न्यूट्रोफिल्स
(c) इओसिनोफिल्स (d) मोनोसाइट्स

179. पीनियल काय का क्या कार्य है ?

(a) त्वचा के रंग को हल्का करता है
(b) लैंगिक व्यवहार को नियन्त्रित करता है
(c) यौवनारम्भ काल को नियन्त्रित करता है
(d) उपरोक्त सभी

180. मिलर के प्रयोग में निम्न में से किसका संश्लेषण हुआ था ?

(a) अमीनो अम्ल (b) न्यूक्लिक अम्ल
(c) UV किरणें (d) माइक्रोस्फीयर

General English

181. Find the part of the given sentence that has an error in it. If there is no error, choose 'No error'. Atmospheric rivers are long, narrow bands of moisture in the atmosphere that extends from the tropics to higher latitudes.

(a) tropics to higher latitudes.
(b) of moisture in the atmosphere that extends from the
(c) No error
(d) Atmospheric rivers are long, narrow bands

182. Select the most appropriate 'one word' for the expression given below.
A professional rider in horse race.

(a) Jockey (b) Horse Pilot
(c) Autocrat (d) Cellar

183. Improve the underlined part of the sentence. Choose 'No improvement' as an answer if the sentence is grammatically correct.
The snowstorm will <u>effect thousand</u> of travellers.

(a) No improvement
(b) affect thousands
(c) effect thousands
(d) affected thousand

184. Select the correct indirect form of the given sentence.
The mayor said to the marshals, "Don't conduct any drill tomorrow."

(a) The mayor ordered the marshals not to conduct any drill the previous day.
(b) The mayor ordered the marshals not to conducted any drill the next day.

(c) The mayor ordered the marshals not to conduct any drill the next day.
(d) The mayor ordered the marshals not to conduct any drill tomorrow.

185. Choose the word that can substitute the given group of words.
Containing more words than necessary
(a) Revenant (b) Platonic
(c) Laconic (d) Verbose

186. Choose the word that is opposite in meaning to the given word.
Adequate
(a) Indolent (b) Wanting
(c) Superficial (d) Taunting

187. In the following question, out of the given four alternatives, select the alternative which best expresses the meaning of the Idiom/Phrase.
To meet one's Waterloo
(a) To meet one's look alike
(b) To face the reality
(c) To be badly defeated in a contest
(d) To realise one's mistake

188. Rearrange the parts of the sentence in correct order.
In a recent study,
P. little free time like a single parent nurse caring for
Q. more than one child and working long hours are
R. we showed that people on low incomes with
S. set to lose out most as energy prices rise
(a) PQSR (b) SPQR
(c) RPQS (d) RQSP

189. Choose the word that can substitute the given group of words.
One who does not know reading or writing.
(a) Fastidious (b) Scholar
(c) Illiterate (d) Erudite

190. Choose the incorrectly spelt word.
(a) Transparent (b) Letter
(c) Scatter (d) Monstar

सामान्य ज्ञान

191. 16 एंटी टैंक मिसाइलें छोड़ने वाला अपाचे हेलीकॉप्टर भारत को किस देश से प्राप्त हुआ है ?
(a) अमेरिका (b) रूस
(c) चीन (d) इजराइल

192. URL (यूआरएल) का पूर्ण रूप क्या है ?
(a) यूनिफ़ॉर्म रिसोर्स लैंग्वेज
(b) यूनियन रिसोर्स लोकेटर
(c) यूनिफ़ॉर्म रिसोर्स लोकेटर
(d) यूनियन रिसोर्स लैंग्वेज

193. निम्नलिखित में से किस तारामण्डल को शिकारी भी कहा जाता है ?
(a) लिओ मेजर (b) कैसियोपिया
(c) सप्तर्षि (d) ओरॉयन

194. निम्नलिखित में से कौन-सा एक बर्हिजनित बल है ?
(a) भूस्खलन (b) भूकम्प
(c) ज्वालामुखी (d) पवन

195. तहसील स्तर पर सरकारी निकायों को क्या कहा जाता है?
(a) पंचायत समिति (b) ग्राम सभा
(c) ग्राम पंचायत (d) नगरपालिका

196. माँग के नियम के अनुसार, किसी वस्तु के लिए उपभोक्ता की माँग ...... होनी चाहिए।
(a) वस्तु की आपूर्ति से प्रतिलोमत: संबद्ध
(b) वस्तु की कीमत से प्रत्यक्षत: संबद्ध
(c) वस्तु की आपूर्ति से प्रत्यक्षत: संबद्ध
(d) वस्तु की कीमत से प्रतिलोमत: संबद्ध

197. निम्नलिखित में से कौन-सा भारतीय संविधान की सातवीं अनुसूची की संघ सूची के अंतर्गत नहीं आता है ?
(a) मादक लिकर
(b) बैंकिंग
(c) डाक और तार
(d) राज्यों के लेखाओं की संपरीक्षा

198. अमृतसर एवं शिमला लगभग एक ही अक्षांश पर स्थित हैं, परन्तु उनकी जलवायु में भिन्नता का कारण है-
(a) उनकी ऊँचाई में भिन्नता
(b) उनकी समुद्र से दूरी
(c) शिमला में बर्फबारी
(d) अमृतसर में प्रदूषण

199. गाँधीजी का 'राष्ट्रपिता' नामकरण किसने किया?
(a) सुभाषचन्द्र बोस
(b) जवाहरलाल नेहरू
(c) मोतीलाल नेहरू
(d) सरोजिनी नायडू

200. कुतुब मस्जिद और कुतुब मीनार के अलावा कुतुब-उद-दीन ऐबक ने _______ का निर्माण किया है।
(a) अजमेर में अढ़ाई दिन का झोपड़ा मस्जिद
(b) जहाँपनाह में खिड़की मस्जिद
(c) खान-ए-जहाँ तिलंगानी का मकबरा
(d) उपर्युक्त में से कोई नहीं

व्याख्या सहित उत्तर

भौतिक विज्ञान

1. (a) व्यक्ति गेंद को लपक लेगा, यदि गेंद की चाल का क्षैतिज घटक व्यक्ति की नियत चाल के बराबर हो, अर्थात्

$V_0 \cos\theta = \frac{V_0}{2} \Rightarrow \cos\theta = \frac{1}{2}$

$\Rightarrow \cos\theta = \cos 60°$

$\therefore \theta = 60°$

2. (d) किसी श्यान तरल में गिरती गोल गेंद पर कार्यरत मंदक बल

$F = 6\pi\eta R v$

जहाँ R = गेंद की त्रिज्या, v = गेंद का वेग,

η = श्यानता गुणांक ...

$\therefore F \propto R$ तथा $F \propto v$

अर्थात् मंदक बल, R तथा V दोनों के अनुक्रमानुपाती है।

3. (a) निकिल एक लौह-चुम्बकीय पदार्थ (ferromagnetic material) है। किसी लौह-चुम्बकीय पदार्थ का ताप बढ़ाते रहने पर इसके लिए चुम्बकीय प्रवृत्ति (χ) का मान घटता जाता है तथा एक निश्चित ताप पर χ का मान एक से कम हो जाने पर लौह-चुम्बकीय पदार्थ, अनुचुम्बकीय पदार्थ (paramagnetic material) में परिवर्तित हो जाता है। इस निश्चित ताप को क्यूरी ताप (Curie temperature) कहते हैं। अत: क्यूरी-ताप पर लौह-चुम्बकीय पदार्थ, अनुचुम्बकीय पदार्थ में बदल जाता है।

4. (b) किसी तत्त्व के परमाणु के नाभिक में β-कण उपस्थित नहीं होते हैं। नाभिक से उत्सर्जित β-कणों की ऊर्जाएँ शून्य से लेकर एक अधिकतम मान के बीच सतत रूप से वितरित होती हैं। इस कारण केवल β-कण का 'उत्सर्जन मानने पर ऊर्जा तथा संवेग संरक्षित नहीं रह सकते हैं। जिनका संरक्षित रहना नाभिकीय अभिक्रिया में आवश्यक होता है।

सन् 1930 में पॉली ने बताया कि β-कण उत्सर्जन के समय नाभिक के भीतर एक न्यूट्रॉन, एक प्रोटॉन में बदलता है तथा द्रव्यमान-ऊर्जा संरक्षण के लिए एक इलेक्ट्रॉन की उत्पत्ति हो जाती है। इसके साथ ही संवेग संरक्षण के लिए एक ऐन्टिन्यूट्रिनों की उत्पत्ति होती है। यह क्रिया निम्न प्रकार है-

$${}_0n^1 \rightarrow {}_1H^1 + {}_{-1}\beta^0 + \bar{\nu} + Q \text{ (ऊर्जा)}$$

5. (a) श्रेणी L-C-R परिपथ में धारा

$$i = \frac{V}{\sqrt{R^2 + (X_L - X_C)^2}}$$

परिपथ में महत्तम धारा के लिए समीकरण की भिन्न का हर मान न्यूनतम होना चाहिए, इसके लिए $X_L = X_C$

(परिपथ की अनुनाद स्थिति) अर्थात् $\varpi L = \frac{1}{\varpi C}$

या L = $L = \frac{1}{\varpi^2 C}$ ...(i)

यहाँ, $\omega = 1000$ सेकण्ड$^{-1}$

C = 10 माइक्रो फेरड

$= 10 \times 10^{-6}$ फेरड

अत: $L = \frac{1}{(1000)^2 \times 10 \times 10^{-6}}$

= 0.1 हेनरी

= 100 मिली हेनरी

6. (b) माना तीन निर्देशांक अक्ष *x, y, z* चित्रानुसार हैं। दिए गए निर्देशांकों के साथ आवेश अंकित करने पर स्थिति प्रदर्शित है। मूल बिन्दु O पर आवेश –2q स्थित है। निकाय दो द्विध्रुवों के समरूप है जो कि x-अक्ष तथा y-अक्ष के अनुदिश हैं। दोनों द्विध्रुवों के द्विध्रुव-आघूर्ण चित्रानुसार हैं।

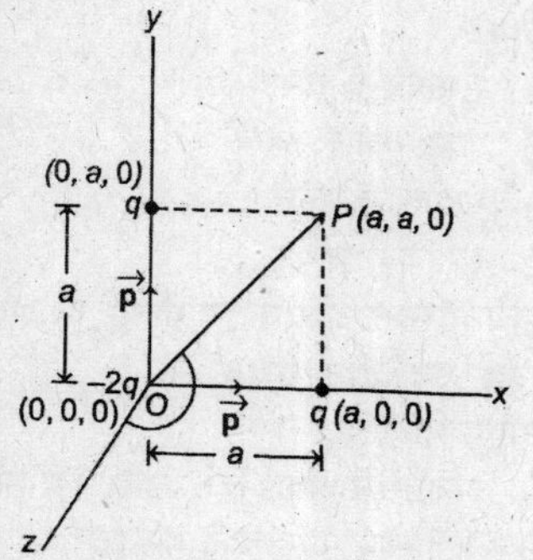

प्रभावी द्विध्रुव-आघूर्ण OP के अनुदिश होगा जहाँ

p = (a, a, 0)

प्रभावी द्विध्रुव-आघूर्ण का परिमाण

$P^1 = \sqrt{P^2 + P^2}$

$= \sqrt{(qa)^2 + (qa)^2} = \sqrt{2}\, qa$

7. (d) पर्दे पर सभी संभावित व्यतिकरण उच्चिष्ठों की स्थिति के लिए,

$d \sin\theta = n\lambda$ ...(i)

प्रश्नानुसार, *d* = स्लिटों की चौड़ाई = 2λ

$\therefore\ 2\lambda \sin\theta = n\lambda$

$\Rightarrow 2\sin\theta = n$

sin θ का महत्तम मान 1 होता है अत:

$n = 2 \times 1 = 2$

अत: समी (i), 5 (–2, –1, 0, 1, 2) पूर्णांक मानों से सन्तुष्ट होगी।

8. (a) मीटर सेतु के प्रयोग में,

$\frac{R}{S} = \frac{l_1}{l_2}$ ...(i)

जहाँ $l_2 = 100 - l_1$

प्रथम स्थिति में

$R = X, S = Y, l_1 + = 20$ सेमी,

$l_2 = 100 - 20 = 80$ सेमी

$\therefore\ \frac{X}{Y} = \frac{20}{80}$ ...(ii)

द्वितीय स्थिति में

माना विक्षेप की स्थिति समान सिरे से / दूरी पर प्राप्त होती है।

$R = 4X, S = Y, l_1 = l, l_2 = 100 - l$

$\therefore\ \frac{4X}{Y} = \frac{l}{100 - l}$

$\Rightarrow\ \frac{X}{Y} = \frac{l}{4(100 - 1)}$

समी (ii) व (iii) से,

$\Rightarrow\ \frac{l}{4(100 - l)} = \frac{20}{80}$

$\Rightarrow\ \frac{l}{4(100 - l)} = \frac{1}{4}$

$\Rightarrow l = (100 - l) \Rightarrow 2\,l = 100$

$\therefore\ l = 50$ सेमी

9. (c) माना कण का चलन पथ X– अक्ष के साथ कोण θ बनाता है।

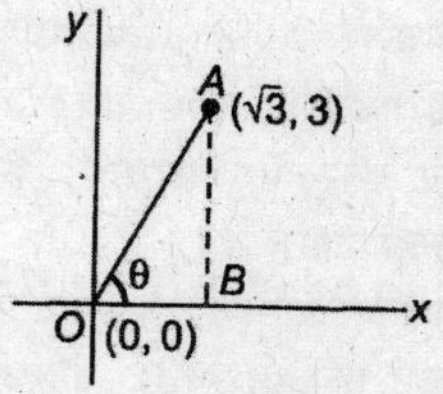

tan θ = रेखा *OA* की ढाल

$= \frac{AB}{OB} = \frac{3}{\sqrt{3}} = \sqrt{3}, \theta = 60°$

10. (b) माना अमीटर में प्रवाहित धारा i_a है तथा *i* मुख्य धारा है। अत: धारा $i - t_a$ शंट प्रतिरोध में प्रवाहित होगी।

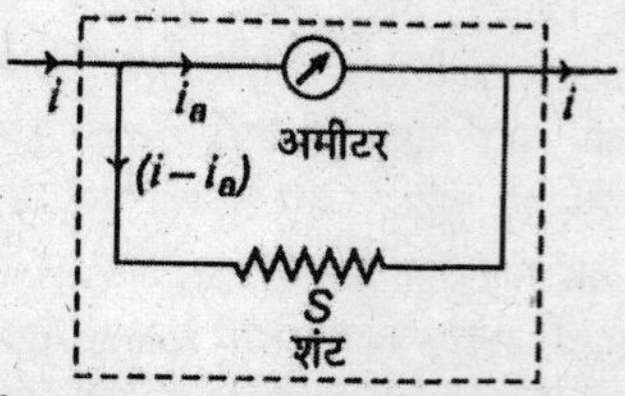

अमीटर तथा शंट प्रतिरोध के आर-पार विभवान्तर समान है,

अर्थात् $i_a \times R = (i - i_a) \times S$

या $S = \frac{i_a R}{i - i_a}$

यहाँ $i_a = 1000$ ऐम्पियर, $i = 750$ ऐम्पियर,

$R = 13$ ओम

अत: $S = \frac{100 \times 13}{750 - 100} = 2$ ओम

11. (c) जब चुम्बकीय क्षेत्र, आवेशित कण की गति के लम्बवत है, तब अभिकेन्द्र बल = चुम्बकीय बल

अर्थात् $\frac{mv^2}{R} = Bqv$

गति का समय अन्तराल

$T = \frac{2\pi R}{v} = \frac{2\pi\left(\frac{mv}{Bq}\right)}{v}$

या $T = \frac{2\pi m}{Bq}$

12. (b) प्राथमिक कुण्डली से सम्बंद्ध चुम्बकीय + फ्लक्स $\phi = \phi_0 + 4t$

प्राथमिक कुण्डली के आस-पास विभव

$Vp = \frac{d\phi}{dt} = \frac{d}{dt}(\phi_0 + 4t)$

= 4V (ϕ_0 = नियतांक)

तथा $N_p = 50, N_S = 1500$

सम्बन्ध द्वारा $\frac{V_S}{V_p} = \frac{N_S}{N_p}$

या $V_S = V_p\left(\frac{N_S}{N_p}\right)$

$= 4\left(\frac{1500}{50}\right) = 120$ वोल्ट

13. (c) परिपथ में दोनों संधारित्र समान्तर क्रम में हैं, अत:

$C' = C + \frac{C}{2} = \frac{3C}{2}$

दोनों संधारित्रों को पूर्ण आवेशित करने में किया गया कार्य तुल्य संधारित्र में स्थितिज ऊर्जा के रूप में संचित होगा।

अत: $W = U = \frac{1}{2} C^1 V^2$

$= \frac{1}{2} = \left(\frac{3C}{2}\right) V^2 = \frac{3}{4} C V^2$

14. (d) छड़ के गुरुत्व केन्द्र पर बल आघूर्ण ($\tau = l\alpha$)

अर्थात् $\tau = mg\,\frac{1}{2}$

या $l\alpha = mg\,\frac{1}{2}$

या $\frac{ml^2}{2}\alpha = mg\,\frac{1}{2}$

या $\alpha = \frac{3g}{2l}$

15. (c) माध्यम में प्रकाश तरंगों की चाल

$v = \nu\lambda$ ...(i)

माध्यम का अपवर्तनांक

$$\mu = \frac{c}{v} \quad ...(ii)$$

जहाँ, c निर्वात् अथवा वायु में प्रकाश की चाल है।

$$\text{या } \mu = \frac{c}{v\lambda} \quad ...(iii)$$

यहाँ $v = 2 \times 10^{14}$ हर्ट्ज

$\lambda = 5000$ Å $= 5000 \times 10^{-10}$ मी

$c = 3 \times 10^8$ मी/से

$$\therefore \mu = \frac{3 \times 10^8}{2 \times 10^{14} \times 5000 \times 10^{-10}}$$

$= 3.00$

16. (a) $\mu mg = ma$

या $\mu mg = m\left(\frac{v}{t}\right)$

या $t = \frac{v}{\mu g}$

17. (d) $N_1 = N_0 e^{-5\lambda t}$ ...(i)

तथा $N_2 = N_0 e^{-\lambda t}$ ...(ii)

$$\therefore \frac{N_1}{N_2} = e^{(-5\lambda+\lambda)t} = e^{-4\lambda t}$$

$$= \frac{1}{e^{4\lambda t}}$$

प्रश्नानुसार, $\frac{N_1}{N_2} = \left(\frac{1}{e}\right)^2 = \frac{1}{e^2}$

अत: $\frac{1}{e^2} = \frac{1}{e^{4\lambda t}}$

घातों की तुलना करने पर,

$2 = 4\lambda t$

या $t = \frac{2}{4\lambda} = \frac{1}{2\lambda}$

18. (c) ट्रांसफॉर्मर की दक्षता

$$\eta = \frac{V_S i_S}{V_p i_p}$$

यहाँ, $V_s i_s = 100$ वॉट, $V_p = 220$ वोल्ट

$i_p = 0.5$ ऐम्पियर

अत: $\eta = \frac{100}{220 \times 0.5} = 0.90 = 90\%$

19. (c) चूँकि दोनों उपग्रह S_1 और S_2 एक ही कक्षा में घूम रहे हैं, अत: उनकी कक्षीय चाल समान होगी।

20. (c) दिया है : $v_0 = \frac{v}{5}$

$$v_0 = \frac{320}{5} = 64 \text{ मी/से}$$

जब श्रोता, स्थिर स्रोत की ओर जाता है, तब

$$n' = \left(\frac{v + v_o}{v}\right)n$$

$$n' = \left(\frac{320 + 64}{320}\right)n$$

$$n' = \left(\frac{384}{320}\right)n$$

अत: प्रतिशत वृद्धि

$$\left(\frac{n' - n}{n}\right) \times 100 = \left(\frac{384 - 320}{320} \times 100\right)\%$$

$$= \left(\frac{64}{320} \times 100\right)\% = 20\%$$

21. (d) $D = (\mu - 1)A$

नीले प्रकाश के लिए अपवर्तनांक (μ), लाल प्रकाश की अपेक्षा अधिक है। अत: $D_1 < D_2$

22. (b) बन्धन ऊर्जा

$BE = (M_{\text{नाभिक}} - M_{\text{न्यूक्लिऑन}})c^2$

$= (M_o - 8M_p - 9M_n)c^2$

23. (d) प्रतिरोध = $\frac{\text{विभव}}{\text{धारा}}$

$$= \frac{V}{i} = \frac{W}{qt}$$

$$\therefore (R) = \left[\frac{W}{qi}\right]$$

$$= \frac{[ML^2 T^{-2}]}{[IT][I]}$$

$$= [ML^2 T^{-3} I^{-2}]$$

24. (b) स्थिति चित्रानुसार है। जब द्रव्यमान *m*, स्प्रिंग पर ऊर्ध्वाधर गिरता है, तब स्प्रिंग की *d* दूरी संकुचित होती है।

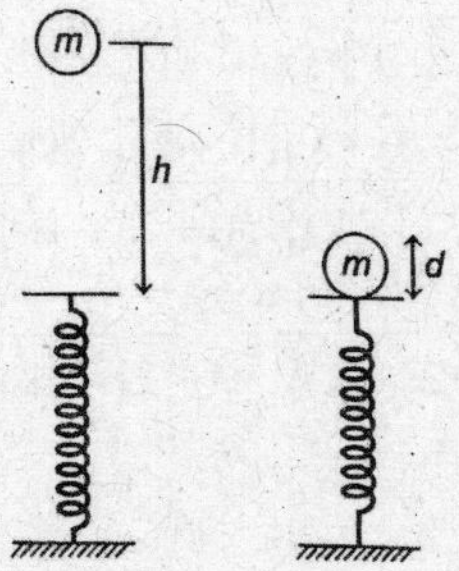

इस प्रक्रिया में नैट कार्य

W = स्प्रिंग में संचित ऊर्जा

+ द्रव्यमान की स्थितिज ऊर्जा में हानि

$$= mg(h + d) - \frac{1}{2}kd^2$$

25. (a) स्थायी अवस्था में,

बूँद पर विद्युत बल = बूँद का भार

अर्थात् $qE = mg$

$$\Rightarrow q = \frac{mg}{E}$$

$$= \frac{9.9 \times 10^{-15} \times 10}{3 \times 10^4}$$

$= 3.3 \times 10^{-18}$ कूलॉम

26. (d) नली की लम्बाई = 10 सेमी

और $f_o + f_e = 10$ सेमी

और आवर्धन क्षमता $m = \frac{f_o}{f_e} = 4$

$\therefore$ $f_o = 8$ सेमी और $f_e = 2$ सेमी

अत: L_4 व L_1 लेन्स प्रयुक्त होंगे।

27. (b) $\tau = r \times F$

$$= (\hat{i} - \hat{j}) \times (-F\hat{k})$$

$$= F\left[\left(-\hat{i} \times \hat{k}\right) + \left(\hat{j} \times \hat{k}\right)\right]$$

$$= F\left(\hat{j} + \hat{i}\right) = F\left(\hat{i} + \hat{j}\right)$$

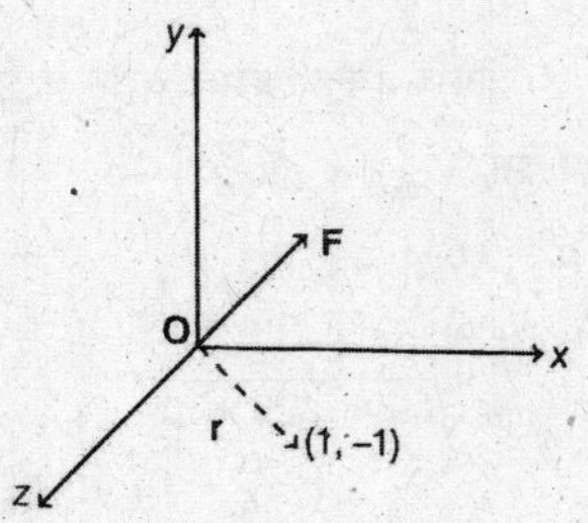

28. (b) यदि हम पारे के तल के ऊपर उच्च दाब पर नाइट्रोजन गैस भरें, तो पारे का क्वथनांक बढ़ जाता है तथा यह 500°C तक का ताप माप सकता है।

29. (a) किसी क्षण धारा

$$I = I_0 (1 - e^{-Rt/L})$$

$$\frac{I_0}{2} = I_0 (1 - e^{-Rt/L})$$

$$\frac{1}{2} = (1 - e^{-Rt/L})$$

$$e^{-Rt/L} = 1/2$$

$$Rt/L = \ln 2$$

$$\therefore t = \frac{L}{R} \ln 2$$

$$= \frac{300 \times 10^{-3}}{2} \times 0.693$$

$= 150 \times 0.693 \times 10^{-3}$

$= 0.10395 = 0.1$ सेकण्ड

30. (a) यहाँ द्वि-उत्तल लेन्स को मुख्य अक्ष के लम्बवत् तल से दो बराबर भागों में बाँटा गया है। अत: प्रत्येक एक समलत-उत्तल लेन्स बन जाएगा। द्वि-उत्तल लेन्स की फोकस दूरी के सूत्र से

$$\frac{1}{f}=(n-1)\left(\frac{1}{R_1}-\frac{1}{R_2}\right)$$

$\because R_1 = R,\ R_2 = R$

$$\frac{1}{f}=(n-1)\frac{2}{R}$$

$$\therefore f=\frac{R}{2(n-1)} \quad ...(i)$$

समतल – उत्तल लेन्स के लिए

$R_2 = \infty$

$$\therefore \frac{1}{f_1}=(n-1)\left(\frac{1}{R}-\frac{1}{\infty}\right)$$

$$\therefore f_1=\frac{R}{(n-1)} \quad ...(ii)$$

समी (i) से समी (ii) की तुलना करने पर हम यह देखते हैं कि फोकस दूरी दोगुनी हो जाती है।

लेन्स की क्षमता, $p \propto \frac{1}{\text{फोकस दूरी}}$

चूँकि फोकस दूरी दोगुनी हो गई है, अतः क्षमता आधी हो जाएगी।

$\therefore$ नयी क्षमता = $\frac{4}{2}$ = 2D

31. (b) $\because$ जीप के बिना फिसले चलने के लिए अधिकतम वेग, $V_{max} = \sqrt{\mu rg}$

दिया है, $\mu = 0.64$

r = 20 मी

$\therefore v_{max} = \sqrt{0.64 \times 20 \times 10}$ [$\because$ g = 10 मी/से^{2}]

$= \sqrt{64 \times 2} = 8\sqrt{2}$

= 8 × 1.414 = 11.3 मी/से

32. (c) दिया है,

विभवान्तर, V = 10 वोल्ट

चालकत्व, G = $\frac{1}{R}$ = 5 ओम –1

तब, धारा, $I = \frac{V}{R} = VG$

= 10 × 5

= 50 ऐम्पियर

33. (c) एक साधारण लोलक के लिए,

$$T = 2\pi\sqrt{\frac{l}{g}}$$

$$T^2 = 4\pi^2\frac{l}{g}$$

$\Rightarrow l \propto T^2$

अतः साधारण लोलक के लिए लम्बाई और समय अवधि के वर्ग के बीच का ग्राफ एक सीधी रेखा में होगा।

34. (b) दिया है,

CGS प्रणाली में, पारे का घनत्व,

d = 13.6 ग्राम सेमी$^{-3}$

तब, SI प्रणाली में मान, $d = 13.6 \times \frac{10^6}{10^3}$ किग्रा-मी$^{-3}$

= 13.6 × 10^3 किग्रा-मी$^{-3}$

35. (b) दिया है, $B_H = B_V \Rightarrow B_H = B_V$

तब, नति कोण, $\tan\delta = \frac{B_V}{B_H}$

$\tan\delta = 1$

$\delta = 45°$

36. (b) हम जानते हैं, कि

चुम्बकीय क्षेत्र, $B = \frac{\mu_0 I}{2\pi r_1}$

दिया है, $B_1 = 10^{-3}$ टेस्ला, r_1 = 4 सेमी

$$B_1 = \frac{\mu_0 I_1}{2\pi r_1}$$

$$\Rightarrow 10^{-3} = \frac{4\pi \times 10^{-7} \times I_1}{2\pi \times 4 \times 10^{-2}}$$

$I_1 = 2 \times 10^2$ ऐम्पियर

अब, $B_2 = \frac{\mu_0 I_2}{2\pi r_2}$ [$\because I_1 = I_2, r_2$ = 2 सेमी]

$$B_2 = \frac{4\pi \times 10^{-7} \times 2 \times 10^2}{2\pi \times 2 \times 10^{-2}}$$

= 2 × 10^{-3} टेस्ला

37. (c) दिया है, $A = -2\hat{i}+3\hat{j}+\hat{k}$,

$B = \hat{i}+2\hat{j}-4\hat{k}$

दो सदिशों के मध्य कोण,

$$\cos\theta = \frac{AB}{[A][B]}$$

$$= \frac{(-2\hat{i}+3\hat{j}+\hat{k}).(\hat{i}+2\hat{j}-4\hat{k})}{|(-2\hat{i}+3\hat{j}+\hat{k})|.|(\hat{i}+2\hat{j}-4\hat{k})|}$$

$$= \frac{-2+6-4}{|(-2\hat{i}+3\hat{j}+\hat{k})|.|(\hat{i}+2\hat{j}-4\hat{k})|}$$

$\cos\theta = 0$

$\therefore \quad \theta = 90°$

38. (b) दिया है, फोकस लम्बाई = वक्रता त्रिज्या

$f = R$

सम-उत्तल लेंस के लिए, $R_1 = R; R_2 = -R$

$\therefore$ लेंस सूत्र से,

$$\frac{1}{f} = (\mu-1)\left(\frac{1}{R_1}-\frac{1}{R_2}\right)$$

$$\frac{1}{R} = (\mu-1)\left(\frac{1}{R}+\frac{1}{R}\right)$$

$$\frac{1}{R} = (\mu-1)\left(\frac{2}{R}\right)$$

$$\Rightarrow \mu = 1+\frac{1}{2} \Rightarrow \mu = \frac{3}{2} = 1.5$$

39. (d) केप्लर के तृतीय नियम से,

$T^2 \propto R^3; T \propto R^{3/2}$

दिया है, T_1 = 5 घण्टे

T_2 = ?

$\frac{R_2}{R_1} = 4$

$$\therefore \frac{T_2}{T_1} = \left(\frac{R_2}{R_1}\right)^{3/2}$$

$$T_2 = T_1\left(\frac{R_2}{R_1}\right)^{3/2}$$

= 5 $(4)^{3/2}$ = 5 × 8 = 40 घण्टे

40. (c) सरल आवर्त दोलक में,

गतिज ऊर्जा, $K = \frac{1}{2}K(A^2 - x^2)$

स्थितिज ऊर्जा, $U = \frac{1}{2}kx^2$

$\therefore$ कुल ऊर्जा, $E = K + U$

$$= \frac{1}{2}k(A^2 - x^2) + \frac{1}{2}kx^2$$

$$= \frac{1}{2}kA^2$$

$E \propto A^2$

अर्थात् ऊर्जा $\propto$ आयाम के वर्ग के

41. (b) दिया है,

सैटेलाइट का द्रव्यमान = m

हम जानते हैं, कि सैटेलाइट की ऊर्जा

$$= \frac{-GMm}{2r}$$

$\therefore$ प्रारम्भिक ऊर्जा, $E_i = \frac{-GMm}{4R}$ $\left[\because \begin{array}{l} r_i = 2 \\ r_f = 3 \end{array}\right]$

अन्तिम ऊर्जा, $E_f = \frac{-GMm}{6R}$

तब, आवश्यक ऊर्जा = $E_f - E_i$

$$= \frac{-GMm}{6R} - \left(-\frac{GMm}{4R}\right)$$

$$\Rightarrow -\frac{GMm}{6R} + \frac{GMm}{4R} = \frac{GMm}{12R}$$

$$\therefore E = \frac{gR^2m}{12R} = \frac{gmR}{12} \quad \left[\because g = \frac{GM}{R^2}\right]$$

42. (b) एक ट्रांसफॉर्मर कोर को लैमिनेटेड करके भँवर धारा द्वारा उत्पन्न विद्युत क्षति को कम किया जाता है। ट्रांसफॉर्मर कोर में भँवर धाराएँ उत्पन्न हो जाती हैं, जोकि कोर को गर्म कर देती हैं, जिससे मुख्य धारा का मान कम हो जाता है। इस प्रभाव से बचने के लिए ट्रांसफॉर्मर कोर को लैमिनेटेड किया जाता है।

43. (a) विभेदन क्षमता $= \frac{2\mu\sin\theta}{1.22\lambda}$

विभेदन क्षमता $\propto \frac{1}{\lambda}$ $\quad (\because \lambda_R > \lambda_B)$

अतः लाल रंग के प्रकाश को नीले प्रकाश से प्रतिस्थापित करने पर विभेदन क्षमता बढ़ जाती है।

44. (c) जब किसी पिण्ड को θ_1°C से θ_2°C तक ठण्डा किया जाता है, तब

$$\frac{\theta_1-\theta_2}{t}=K\left[\frac{\theta_1+\theta_2}{2}-\theta_0\right]$$

जहाँ, θ_0 = कमरे का ताप है।

प्रश्नानुसार,

$$\frac{70-60}{5}=K\left(\frac{70+60}{2}-\theta_0\right)$$

$$2 = K(65-\theta_0) \quad ...(i)$$

तथा $\frac{60-50}{7}=\left(\frac{60+50}{2}-\theta\right)$

$$\frac{10}{7}=K(55-\theta_0) \quad ...(ii)$$

समी. (ii) को समी. (i) से विभाजित करने पर,

$$\frac{10/7}{2}=\frac{55-\theta_0}{65-\theta_0} \Rightarrow \frac{5}{7}=\frac{55-T}{65-T}$$

$$325-5T=385-7T$$

$$2T=60$$

$$\Rightarrow T = 30°C$$

45. (c) नाभिक $_nX^m$

जहाँ, n = परमाणु क्रमांक

m = द्रव्यमान संख्या

जब किसी नाभिक से एक α-कण निकलता है, तो परमाणु क्रमांक m में 2 की तथा द्रव्यमान संख्या में 4 की कमी होती है।

अतः, परमाणु क्रमांक = $n-2$

द्रव्यमान संख्या = $m-4$

तथा जब नाभिक से एक β-कण निकलता है तो परमाणु क्रमांक में 1 की बढ़ोतरी होती है, तथा द्रव्यमान संख्या अपरिवर्तित रहती है। तब दो β-कण के उत्सर्जन से, परमाणु क्रमांक = $n-2+2=n$

द्रव्यमान संख्या = $m-4$

अतः परिणामी नाभिक = $_nX^{m-4}$

46. (b) दिया है,

अधिकतम बल = 144 न्यूटन

गोली का द्रव्यमान = 40 ग्राम = 0.040 किग्रा

गोली का वेग = 1200 मी/से

यदि प्रति सेकण्ड दागी जाने वाली गोलियों की संख्या n है, तब संवेग में परिवर्तन की दर

= आदमी पर लगने वाला बल

$\Rightarrow n(0.040)(1200)=144 \Rightarrow n=3$

47. (c) किसी तरल पदार्थ के लिए स्पर्श कोण, तापमान के व्युत्क्रमानुपाती होता है।

$$\theta \propto \frac{1}{T}$$

अतः तापमान में वृद्धि के साथ, एक तरल का स्पर्श कोण घटता है।

48. (c) दिया है, बोर की त्रिज्या = a_0

$$\therefore \quad r=\frac{a_0n^2}{Z}$$

तब, Li^{++} आयन के लिए

$n=1$ (निम्नतम अवस्था में)

$Z=3$

तब, $r=\frac{a_0(1)^2}{3}=\frac{a_0}{3}$

49. (c) जब उबलता हुआ पानी भाप में बदलता है, तब उसका ताप नियत रहता है, क्योंकि ऊर्जा का उपयोग ताप को बढ़ाने में न होकर उबलते पानी की अवस्था परिवर्तन में होता है। अतः पानी की विशिष्ट ऊष्मा अनन्त होती है।

50. (b) नति कोण, $\tan\delta=\frac{B_V}{B_H}$

प्रश्नानुसार,

$$B_H=\frac{1}{\sqrt{3}}B_V$$

$$\therefore \tan\delta=\frac{B_V}{B_V/\sqrt{3}}=\sqrt{3}$$

$$\delta=60°$$

51. (a) किसी बल-विस्थापन ग्राफ के अन्तर्गत क्षेत्रफल कार्य को दर्शाता है।

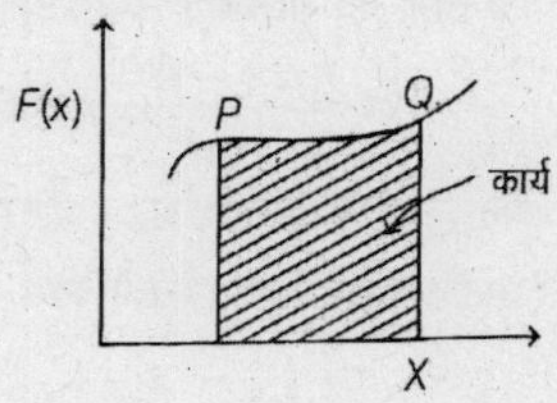

अतः कार्य = बल × विस्थापन

W = F × d

52. (a) हम जानते हैं, बल, $F=qvB\sin\theta$

प्रश्नानुसार,

स्थिर इलेक्ट्रॉन के लिए, V = 0

अतः बल, F = 0

अर्थात् स्थिर इलेक्ट्रॉन पर एक प्रबल चुम्बकीय क्षेत्र लागू करने पर इलेक्ट्रॉन स्थिर रहता है।

53. (d)

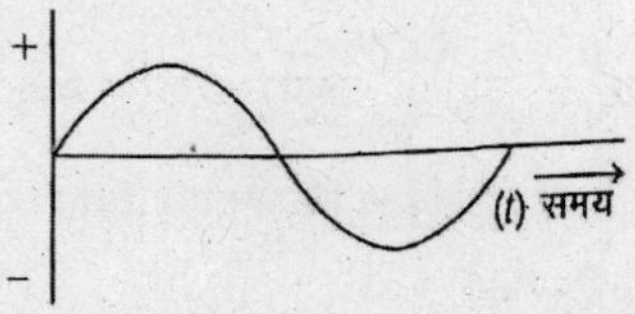

प्रत्येक चक्र में एक सेकण्ड में प्रत्यावर्ती धारा का मान दो बार शून्य होता है। अतः एक 50 हर्ट्ज की प्रत्यावर्ती धारा का मान एक सेकण्ड में 50 × 2 = 100 बार शून्य होगा।

54. (a) हम जानते हैं,

कमानी की स्थितिज ऊर्जा $U=\frac{1}{2}kx^2$

जहाँ, k = नियतांक

तथा x = खींची गई दूरी

दिया है, x = 2 सेमी

अतः स्थितिज ऊर्जा, $U=\frac{1}{2}kx^2$

$$\Rightarrow \frac{1}{2}k(2)^2=2k \quad ...(i)$$

पुनः x = 10 सेमी

$$\therefore U'=\frac{1}{2}k(10)^2=50k$$

$$\Rightarrow 25(2k)=25U$$

55. (a) हम जानते हैं, शक्ति, $P=V^2/R$

$$\Rightarrow P\propto\frac{1}{R} \quad ...(i)$$

पुनः $R=\frac{\rho l}{A} \Rightarrow R\propto\frac{1}{A}$

$$\Rightarrow R\propto\frac{1}{(\text{फिलामेंट की मोटाई})^2} \quad ...(ii)$$

समी (i) व समी. (ii) से,

शक्ति $\propto$ (फिलामेंट की मोटाई)^2

अतः 80 वॉट बल्ब की शक्ति अधिक होने के कारण इसका फिलामेंट अधिक मोटा है।

56. (c) विद्युत धारा एक मूल राशि है। वे भौतिक राशियाँ, जो अन्य राशियों से स्वतन्त्र होती हैं तथा जिन्हें व्यक्त करने के लिए अन्य भौतिक राशियों की आवश्यकता नहीं होती है, मूल राशियाँ कहलाती हैं। सामान्यतः सात मूल राशियाँ हैं। जैसे लम्बाई, द्रव्यमान, समय, विद्युत धारा, ताप, ज्योति तीव्रता एवं पदार्थ की मात्रा।

57. (a) प्रश्नानुसार, 5.5 वॉट विभव में से अवरोध विभव 0.4 वॉट है, जिससे बचा हुआ 5.1 वॉट दिए गए प्रतिरोध 5.1 किलोओम के अन्तर्गत धारा प्रवाह में प्रयुक्त होगा।

अतः धारा, $I=\frac{5.1\text{ वोल्ट}}{5.1\text{ किलोओम}}$

I = 1 मिली-ऐम्पियर

58. (b) लम्बवत् अक्षों की प्रमेय से,

$$I=I_C+MR^2$$

गोले के लिए, $I_C=\frac{2}{5}MR^2$

अतः $I=\frac{2}{5}MR^2+MR^2=\frac{7}{5}MR^2$

$$\left[\begin{array}{l}\because M=10\text{ किग्रा}\\ R=0.5\text{ मी}\end{array}\right]$$

$I=\frac{7}{5}\times10\times(0.5)^2=3.5$ किग्रा-मी^{2}

59. (a) गॉस प्रमेय से,

a भुजा वाले घन के लिए विद्युत प्रवाह,

$$\phi=\frac{q}{\varepsilon_0} \quad ...(i)$$

प्रश्नानुसार,

2a भुजा वाले घन के लिए आवेश, $q_1=\frac{q}{2}$

अतः विद्युत फ्लक्स,

$\phi_1=\frac{q_1}{\varepsilon_0}=\frac{q}{2\varepsilon_0}=\frac{\phi}{2}$ [समी (i) से]

60. (a) कालान्तर, $\Delta\phi=\frac{2\pi\Delta x}{\lambda}$

दिया है, Δx = 2.5 माइक्रॉन

$= 2.5 \times 10^{-6}$ मी

तरंगदैर्ध्य, λ = 6280 ऐंग्स्ट्रॉम

$= 6280 \times 10^{-10}$ मी

$$\therefore \Delta\phi = \frac{2\pi \times 2.5 \times 10^{-6}}{6280 \times 10^{-10}}$$

$$= \frac{2\pi \times 25}{628 \times 10^{-2}} \approx 8\pi$$

≈ 25 रेडियन

रसायन विज्ञान

61. (b) V A समूह के हाइड्राइडों का स्थायित्व, समूह में नीचे जाने पर घटता है क्योंकि समूह में नीचे जाने पर बन्ध-लम्बाई बढ़ती है। अत: स्थायित्व का क्रम

$NH_3 > PH_3 > AsH_3 > SbH_3 > BiH_3$

62. (a) यह कोल्बे वैद्युत अपघटन का उदाहरण है

$$2CH_3COOK \xrightarrow{\text{वैद्युत अपघटन}} 2CH_3COO^- + 2K^+$$

कैथोड पर :

$2K^+ + 2e^- \rightarrow 2K$

$2K + H_2O \rightarrow 2KOH + H_2 \uparrow$

ऐनोड पर :

$2CH_3COO^- \rightarrow 2CH_3CO\dot{O} + 2e^-$

$\underline{CO_2}$ $2\dot{C}H_3 \rightarrow C_2H_6$

63. (c) स्टार्च विलयन एक हाइड्रोसॉल है क्योंकि यह जल के साथ कोलाइडी विलयन बनाता है।

64. (d) $>C{=}O$ समूह को $>CH_2$ समूह में अपचयित करने के लिए क्लेमेन्सन अपचयन (सान्द्र HCl/Zn–Hg द्वारा) अथवा वुल्फ-किश्नर अपचयन (C_2H_5ONa / NH_2NH_2 द्वारा) का प्रयोग किया जा सकता है।

$$>C{=}O \xrightarrow{Zn-Hg} >CH_2$$

एल्डिहाइड अथवा कीटोन → हाइड्रोकार्बन

65. (c) $C + \frac{1}{2}O_2 \rightarrow CO,$

$\Delta H = -110$ किलो जूल मोल$^{-1}$ ...(i)

$C + O_2 \rightarrow CO_2,$

$\Delta H = -393$ किलो जूल मोल$^{-1}$ ...(ii)

समी (i) को समी (ii) में से घटाने पर,

$CO + \frac{1}{2}O_2 \rightarrow CO_2$

$\Delta H = -393 - (-110)$

$= -283$ किलो जूल मोल$^{-1}$

66. (c) दे-ब्रॉग्ली समीकरण के अनुसार

$$\lambda = \frac{h}{mv} = \frac{6.62 \times 10^{-34}}{6.62 \times 10^{-29} \times 10^{-3} \times 10^{3}}$$

$= 10^{-5}$ मी

67. (c)

$$\frac{1}{2}A(g) + \frac{1}{3}B(g) \xrightleftharpoons{T(K)} \frac{2}{3}C(g)$$

साम्य स्थिरांक,

$$K_C = \frac{\text{अग्र अभिक्रिया की दर}}{\text{पश्च अभिक्रिया की दर}}$$

$$= \frac{\text{उत्पादों की सान्द्रता}}{\text{अभिकारकों की सान्द्रता}}$$

$$K_C = \frac{[C]^{2/3}}{[A]^{1/2}\,[B]^{1/3}}$$

68. (b) C_2H_5Cl, शुष्क ईथर की उपस्थिति में Mg के साथ अभिक्रिया करके ग्रिगनार्ड अभिकर्मक बनाता है।

RX + Mg (शुष्क) → RMgX

$C_2H_5Cl + Mg \rightarrow C_2H_5MgCl$

एथिल मैग्नीशियम क्लोराइड

69. (c) ग्लूकोज विलयन की सान्द्रता (मोल / ली) = कार्बनिक यौगिक की सान्द्रता (मोल / ली)

($\because$ दोनों समपरासरी विलयन हैं तथा समपरासरी विलयनों की सान्द्रताएँ समान होती हैं)

$$\frac{0.5}{180} = \frac{2.5}{M} \Rightarrow M = \frac{2.5 \times 180}{0.5} = 900$$

70. (a) मुख्यत: तृतीयक हैलाइड S_N1 प्रतिस्थापन अभिक्रिया देते हैं क्योंकि इसमें स्थायी कार्बोनियम आयन बनता है।

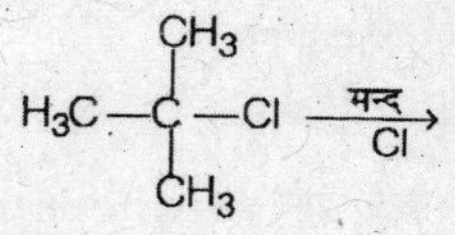

t ब्यूटिल क्लोराइड

$$(H_3C)_3C^+ \xrightarrow[\text{तीव्र}]{+OH^-}$$

कार्बोधनायन (स्थायी)

71. (b) अर्जेन्टाइट अयस्क का सूत्र है।

$Ag_2S + 4NaCN \rightarrow$

$2Na[Ag(CN)_2] + Na_2S$

$AgCl + 2NaCN \rightarrow$

$Na[Ag(CN)_2] + NaCl$

72. (c) रेडियोऐक्टिव विघटन एक प्रथम कोटि की अभिक्रिया है। अत:

$$k = \frac{2.303}{t}\log\frac{a}{a-x}$$

$$\therefore k = \frac{2.303}{15}\log\frac{100}{100-50}$$

तथा $k = \frac{2.303}{t}\log\frac{100}{100-99}$

$$\therefore \frac{2.303}{15}\log\frac{100}{50} = \frac{2.303}{t}\log\frac{100}{1}$$

$$\frac{1}{15}\log 2 = \frac{1}{t}\log 100$$

$$\frac{0.3010}{15} = \frac{2}{t}$$

$$t = \frac{2 \times 15}{0.3010} = 99 \text{ मिनट}$$

73. (b) क्लेजन संघनन : ऐरोमैटिक ऐल्डिहाइड, धात्विक Na तथा C_2H_5OH की उपस्थिति में, α-हाइड्रोजन परमाणु रखने वाले एस्टरों जैसे एथिल ऐसीटेट के साथ संघनित होकर α, β-असंतृप्त एस्टरों का निर्माण करते हैं। यह अभिक्रिया क्लेजन संघनन कहलाती है।

C_6H_5CHO (बेन्जेल्डिहाइड) $\overset{\alpha}{H}CH_2$ $COOC_2H_5$ (एथिल ऐसीटेट) $\xrightarrow[C_2H_5OH]{Na}$

C_6H_5CH $CHCOOC_2H_5$ (एथिल सिनेमेट)

74. (c) ऑर्थो तथा पैरा-नाइट्रोफीनॉल के मिश्रण को आसवन द्वारा पृथक् किया जाता है क्योंकि ρ-नाइट्रोफीनॉल में अन्तरआण्विक हाइड्रोजन बन्ध की उपस्थिति के कारण इसका क्वथनांक O-नाइट्रोफीनॉल की अपेक्षा अधिक होता है।

75. (a) गर्म करने पर, CHI_3 का C–I बन्ध टूट जाता है तथा $CHCl_3$ का C – Cl बन्ध नही टूटता। अत: $AgNO_3$, आयोडोफॉर्म के साथ AgI का अवक्षेप देता है।

76. (d) एथाइन का सूत्र C_2H_2 है तथा इसमें – CH_2 समूह जोड़ने पर C_3H_4 प्राप्त होता है अत: इसका समजात C_3H_4 है। (समजातों के अणुसूत्रों के मध्य-CH_2 का अन्तर होता है।)

77. (a) दुर्बल अम्ल के लिए

$[H^+] = C \times \alpha$

(α = आयनीकरण की प्रतिशतता)

$= 0.1 \times 0.02$

$= 2 \times 10^{-3}$ M

$K_w = [H^+][OH^-]$

$$[OH^-] = \frac{K_w}{[H^+]}$$

$$= \frac{1\times10^{-14}}{2\times10^{-3}} = 5\times10^{-12}\,M$$

78. (d) n - कोश में परमाण्विक कक्षकों की कुल संख्या = n^2

अत: पाँचवें कोश में कक्षकों की संख्या

$= 5^2 = 25$

79. (b) अधिकतम प्रायिकता वेग

$$= \sqrt{\frac{8RT}{\pi m}}$$

T = (27°C + 273) = 300 K

H_2 का अणुभार = 2 ग्राम मोल$^{-1}$

H_2 का अधिकतम प्रायिकता वेग

$$\sqrt{\frac{8 \times 8.314 \times 10^7 \times 300}{3.14 \times 2}}$$

$= 17.8 \times 10^4$ सेमी/से

80. (a) परमाणु क्रमांक 38 का इलेक्ट्रॉनिक विन्यास निम्न है-

$X (38) = 1s^2, 2s^2, 2p^6, 3s^2, 3p^6,$
$4s^2, 3d^{10}, 4p^6, 5s^2$

अथवा $1s^2, 2s^2\, 2p^6, 3s^2\, 3p^8, 3d^{10},$
$4s^2\, 4p^6, 5s^2$

इस प्रकार, यह तत्व आवर्त सारणी के II A समूह तथा पाँचवें आवर्त में उपस्थित है अत: यह तत्व स्ट्रान्शियम (Sr) है।

81. (d) $\Rightarrow \bar{v} = R\left(\frac{1}{n_1^2} - \frac{1}{n_2^2}\right)$

बामर श्रेणी के लिए, n_1 = 2 तथा बामर श्रेणी की चौथी रेखा के लिए, $n_2 = 6$

$\because \quad R = 109677$ सेमी$^{-1}$

$\bar{v} = 109677\left(\frac{1}{2^2} - \frac{1}{6^2}\right)$

$= 109677\left(\frac{1}{4} - \frac{1}{36}\right)$

= 24,372 सेमी$^{-1}$

82. (b) मक्खन में परिक्षेपण प्रावस्था तथा परिक्षेपण माध्यम क्रमश: द्रव तथा ठोस हैं।

83. (d)

	K	L	M	N
M(26)	$1s^2$	$2s^2\,2p^6$	$3s^2\,3p^6 3d^6$	$4s^2$
M^{3+}	$1s^2$	$2s^2\,2p^6,$	$3s^2\,3p^6\,3d^5$	

इस प्रकार M^{3+} अवस्था में M– कोश में 13 इलेक्ट्रॉन उपस्थित हैं।

84. (c)

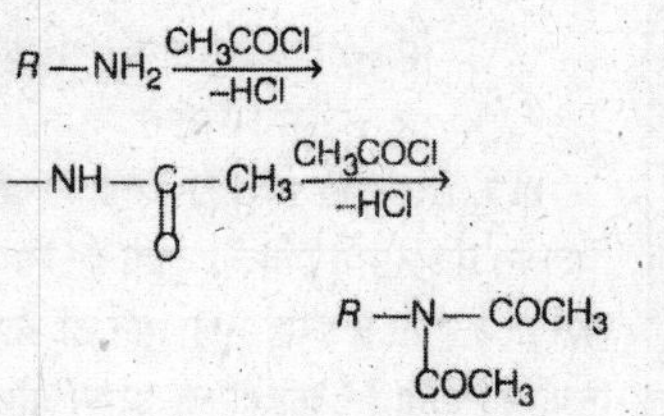

85. (b) एथेनॉल का प्रयोग ऐल्कोहॉली सुपेयों में किया जाता है।

86. (c) माना F_2O में, ऑक्सीजन की ऑक्सीकरण अवस्था x है।

F_2O
$2(-1) + x = 0$
($\because$ F अधिक विद्युत ऋणात्मक है)
$-2 + x = 0, x = +2$

87. (c)

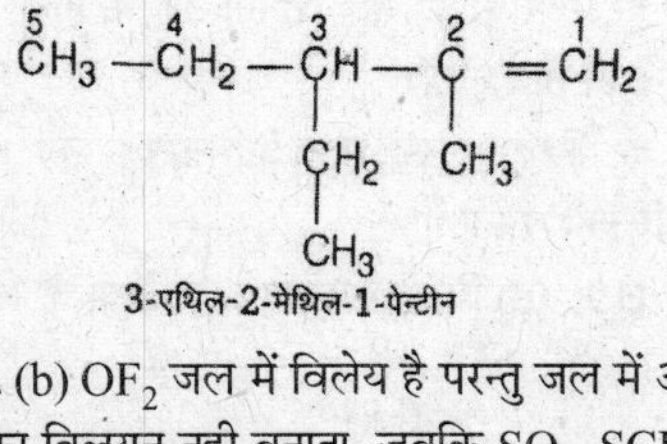

3-एथिल-2-मेथिल-1-पेन्टीन

88. (b) OF_2 जल में विलेय है परन्तु जल में ऑक्सी अम्ल का विलयन नही बनाता, जबकि SO_2, SCl_4 तथा SO_3 सभी जल में ऑक्सी अम्ल का विलयन बनाते हैं।

$SO_2 + H_2O \rightarrow \underset{\text{सल्फ्यूरस अम्ल}}{H_2SO_3}$

$SCl_4 + 3H_2O \rightarrow \underset{\text{सल्फ्यूरस अम्ल}}{H_2SO_3} + 4HCl$

$SO_3 + H_2O \rightarrow \underset{\text{सल्फ्यूरस अम्ल}}{H_2SO_4}$

89. (b) ऐमिलोज (amylose) तथा ऐमिलोपेक्टिन (amylopectin) का मिश्रण स्टार्च कहलाता है। ऐमिलोज जल में विलेय भाग है जबकि ऐमिलोपेक्टिन जल में अविलेय भाग है।

90. (a) SO_2 का विरंजक गुण अपचयन के कारण होता है, जबकि Cl_2 का विरजंक गुण ऑक्सीकरण के कारण होता है।

91. (b) डीएनए के पूर्ण जल अपघटन से β-D-2-डीऑक्सीराइबोस, फॉस्फोरिक अम्ल और ऐडेनिन उत्पन्न होता है। डीएनए के प्रत्येक न्यूक्लियोटाइड में पेंटोज शर्करा, डीऑक्सीराइबोस, फॉस्फेट समूह तथा नाइट्रोजनीकरण क्षारक जोकि प्यूरीन या पिरीमिडीन होते हैं। जब डीएनए का न्यूक्लियोटाइड जल अपघटित होता है, तो यह डीऑक्सीराइबोस शर्करा अणु, फॉस्फोरिक अम्ल तथा एक पिरीमिडीन क्षारक एवं प्यूरीन क्षारक (ऐडेनिन) उत्पन्न करता है।

92. (b) इलेक्ट्रॉन आकर्षी समूह; जैसे $-NO_2$ फीनॉल की अम्लीय सामर्थ्य को बढ़ाते हैं। ρ-नाइट्रोफीनॉल में, $-NO_2$ पैरा-स्थिति पर स्थित होता है, जोकि फीनॉक्साइड आयन पर ऋणावेश को विस्थानीकृत करके अम्लीय सामर्थ्य को बढ़ाता है।

–Cl समूह इलेक्ट्रॉन प्रतिकर्षी समूह है, जोकि इलेक्ट्रॉन को देकर फीनॉक्साइड आयन को अस्थायित्व प्रदान करता है।

93. (a) नायलॉन-2-नायलॉन-6 एक जैव निम्नकरणीय बहुलक है। यह ग्लाइसीन ($H_2N—CH_2—COOH$) तथा ऐमीनो क्यूप्रिक अम्ल ($H_2N—(CH_2)_5—COOH$) के संघनन बहुलीकरण द्वारा निर्मित होता है।

nH_2NCH_2COOH
$+ nH_2N(CH_2)_5COOH \rightarrow >C{=}O$ समूह को $>CH_2$, समूह में
ग्लाइसिन अमीनोकप्रोइक एसिड

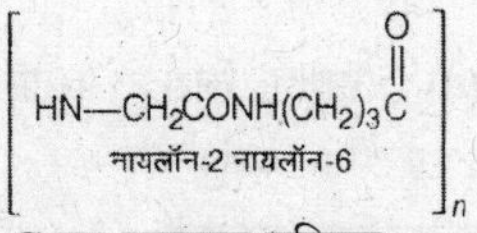

94. (b) C का द्रव्यमान प्रतिशत = 40.687%

H का द्रव्यमान प्रतिशत = 5.085%

O का द्रव्यमान प्रतिशत = 100 − (40.687 + 5.085) = 54.228

तत्त्व	द्रव्यमान	n	सरलतम अनुपात	पूर्ण अनुपात
C	40.687	$\frac{40.687}{12}$ = 3.3906	$= \frac{3.3906}{3.3892} = 1$	2
H	5.085	$\frac{5.085}{1}$ = 5.085	$= \frac{5.085}{3.3892}$ = 1.5	3
O	54.228	$\frac{54228}{16}$ = 3.3892	$= \frac{3.3892}{3.3892} = 1$	2

$\therefore$ अत: आण्विक या मूलानुपाती सूत्र $C_2H_3O_2$

95. (b) $\chi_2 = 0.20, p_i = 0.75$ atm

वाष्प दाब में अवनमन, $\Delta_p = P_i$

$\chi_2 = 0.75 \times 0.20 = 0.15$ atm

96. (c) $KMnO_4$ के साथ KI की अभिक्रिया को निम्न रूपों में प्रदर्शित किया जा सकता है।

$2KMnO_4 + H_2O + KI \rightarrow 2MnO_2 + 2KOH + KIO_3$

आयनिक समीकरण

$2MnO_4^- + H_2O + I^- \rightarrow 2MnO_2 + 2OH^- + IO_3^-$

$\therefore IO_3^-$ का निर्माण होगा।

97. (c) CH_3CHO तथा $C_6H_5CH_2CHO$ दोनों ही आयोडोफॉर्म परीक्षण दर्शाते हैं। यह परीक्षण

$CH_3\underset{\displaystyle \overset{||}{O}}{C}—$ समूह द्वारा प्रदर्शित होता है।

CH_3CHO में $CH_3\underset{\displaystyle \overset{||}{O}}{C}—$ समूह होते हैं तथा धनात्मक आयोडोफॉर्म परीक्षण देंगे।

NaOH तथा I_2 की अभिक्रिया के उपरान्त ये पीले रंग के अवक्षेपण का निर्माण करते हैं।

जबकि $C_6H_5CH_2CHO$ आयोडोफॉर्म परीक्षण देंगे।

98. (c) पोटैशियम डाइसायनो अर्जेंटेट (I) में, रोमन अंक संकुल पर आवेश का प्रतिनिधित्व करता है। रोमन अंक में (I) केन्द्रीय धातु आयन की ऑक्सीकरण अवस्था को बताता है।

99. (d) विटामिन B_{12} में धातु परमाणु होता है। इसकी केन्द्रीय धातु आयन कोबाल्ट (Co) हैं।

100. (a) चूँकि विलयन में मिश्रण $CaCl_2$ तथा $AlCl_3$ हैं। गुणात्मक परीक्षण करने पर, Al समूह ||| का सदस्य है। यह NH_4Cl तथा NH_4OH के साथ $Al(OH)_3$ का अवक्षेप देते हैं।

101. (c) फ्रैंडलिक अधिशोषण समतापी स्थिर ताप पर अधिशोषक के प्रति इकाई द्रव्यमान द्वारा अधिशोषित गैस की मात्रा तथा साम्य दाब के मध्य सम्बन्ध प्रस्तुत करता है। इसे निम्न प्रकार प्रदर्शित करते हैं।

$\frac{x}{m} = kp^{1/2}\ \frac{1}{n}$ का मान 0 तथा 1 के मध्य होता है।

102. (d) V_1 = 200 मिली = 0.2 ली

V_2 = 500 मिली = 0.5 ली

$P_{ext} = 2$

$W = -P_{ext}(V_2 - V_1)$

$W = -2 \times (0.5 - 0.2) = -0.6$

∵ 1 ली वायुमण्डल = 101.33 जूल

अत: गैस द्वारा किया गया कार्य

$= 101.33 \times - 0.6 = (-)\ 60.795$ J

103. (c) $\Delta S_{\text{प्रक्रम}} = \dfrac{\Delta Q_{\text{प्रक्रम}}}{T} = \dfrac{m.Lv}{T}$

$\Delta S_{\text{प्रक्रम}} = \dfrac{18 \times 540}{373} = 26$ कैलोरी/मोल

104. (b) ccp में, परमाणु कोष्ठिका में व्यवस्थित होते हैं।

घन के चतुष्फलकीय रिक्त में प्रत्येक विकर्ण में रिक्तियों की संख्या $(n) = 2$

∴ चतुष्फलकीय रिक्तियों की कुल संख्या

$= 2 \times 4$ अंत: विकर्ण

∴ प्रति एकक कोष्ठिका में परमाणुओं की कुल संख्या = 2 परमाणु

अत: चतुष्फलकीय रिक्तियाँ = 4

M परमाणुओं की संख्या = $\dfrac{2}{3}$ समचतुष्फलकीय रिक्तियाँ

M परमाणुओं की कुल संख्या = $\dfrac{2}{3} \times 2 \times 4 = \dfrac{16}{3}$

N परमाणुओं की संख्या = $\dfrac{1}{3} \times 4 = \dfrac{4}{3}$

अत: सूत्र $M_{\frac{16}{3}} N_{\frac{4}{3}} O_3$

सरलतम रूप में, M_4NO_3

105. (a) KCI को 10^{-4} मोल % $SrCl_2$ के साथ मिलाया जाता है।

अर्थात्, 100 मोल KCI से 10^{-4} मोल % $SrCl_2$ के साथ मिलाया करते हैं।

∴ 1 मोल KCI के साथ $10^{-4} / 100$

मिलाने पर = 10^{-6} मोल

Sr^{2+} आयन एवं धनायन रिक्तियाँ निर्मित करेगा।

$= 10^{-6}$ मोल × KCI मोल

$= 10^{-6} \times 6.022 \times 10^{12}$ KCI मोल

$= 6.022 \times 10^{17}$

$= 6.02 \times 10^{17}$ KCI मोल

106. (a) अर्द्धआयु काल

$$t_{1/2} = \frac{0.693}{k} = t_{50\%}$$

$$t_{75\%} = \frac{2.303}{k} \log \frac{100}{25}$$

$$k = \frac{2.303}{1} \times 0.602 = 1.3864$$

$$t_{1/2} = \frac{0.693}{k} = \frac{0.693}{1.3864}$$

$= 0.49 \sim 0.5$ घण्टा = $\dfrac{1}{2}$ घण्टा

107. (d) माना कि, इलेक्ट्रॉनों में ऋणावेशों की संख्या X है।

उपस्थित न्यूट्रॉनों की संख्या

$= X + 11.1\%\ X$ का

$= X + 0.111X = 1.11X$

उदासीन परमाणुओं में इलेक्ट्रॉनों की संख्या

$= (X - 1)$

उदासीन परमाणुओं में प्रोटॉनों की संख्या

$= X - 1$

अत:, $37 = 1.111X + X - 1$

या, $2.111X = 38$ या, $X = 18$

प्रोटॉनों की संख्या = परमाणु संख्या

$= X - 1 = 18 - 1 = 17$

अत: आयन का प्रतीक ${}_{17}X^{37-}$

108. (a) एन्ट्रॉपी किसी निकाय में अव्यवस्था का माप है। एक विलगित निकाय में जितनी अधिक अव्यवस्था होगी, उतनी ही अधिक उसकी एन्ट्रॉपी होगी। रबर बैण्ड को तनन करने पर एन्ट्रॉपी बढ़ेगी जबकि अण्डे को उबालने पर एन्ट्रॉपी घटेगी।

109. (a) N_2 सबसे अधिक स्थायी द्विपरमाणुक स्पीशीज है, क्योंकि इसमें उपस्थित त्रिबन्ध इसे स्थायित्व तथा द्विपरमाणुक अणु बनाता है।

110. (a) बेन्जेल्डिहाइड को 60% KOH के साथ गर्म करने पर एक ऐल्कोहॉल तथा कार्बोक्सिलक अम्ल का लवण प्रदान करेगा।

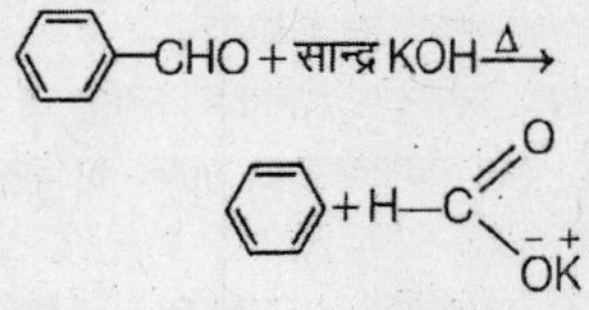

यह कैनिजारो अभिक्रिया का उदाहरण है।

111. (a) संक्रमण धातु; जैसे Pd (पैलेडियम) में अन्तिम कोश के s कक्ष में कोई इलेक्ट्रॉन नहीं होता है।

Pd (46) का इलेक्ट्रॉनिक विन्यास

= 2, 8, 18, 18

अर्थात्, $1s^2, 2s^2, 2p^6, 3s^2, 3p^8, 4s^2$
$3d^{10}, 4p^6, 5s, 4d^{10}$

अत: Pd के अन्तिम कोश के s कक्ष में इलेक्ट्रॉन नहीं है।

112. (d) Q तथा R जिसकी परमाणु संख्या (Z) क्रमश: 29 तथा 24 हैं।

इनके इलेक्ट्रॉनिक विन्यास

$Q[29] = [Ar]3d^{10}, 4s^1$

$R[24] = [Ar]3d^5, 4s^2$

इनमें इलेक्ट्रॉनों का सममित वितरण है। पूर्णत: भरे हुए या अर्द्धपूरित उपकोशों में इलेक्ट्रॉनों का वितरण सममित होता है। अत: ये अधिक स्थायी होते हैं। एक ही उपकोश में (यहाँ $3d$) इलेक्ट्रॉनों की ऊर्जा समान होती है, परन्तु उसके त्रिविम वितरण भिन्न होते हैं।

फलस्वरूप ये एक-दूसरे को आपेक्षिक रूप से कम परिरक्षित करते हैं तथा इलेक्ट्रॉन नाभिक द्वारा अधिक प्रबलता से आकर्षित हो जाते हैं।

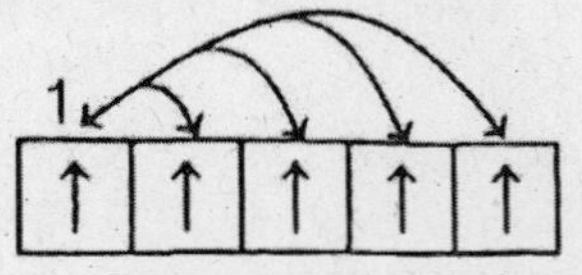

इलेक्ट्रॉन 1 द्वारा 4 विनिमय

113. (d) कार्बन मोनोऑक्साइड, में इलेक्ट्रॉनों के दो युग्म कार्बन तथा ऑक्सीजन के साथ साझित रहते हैं।

अत: बन्ध कोटि $CO^+ = \dfrac{8-1}{2} = 3.5$

इस प्रकार, विकल्प (d) सत्य नहीं है।

114. (a) CaF_2 तथा ZnS विषमदैशिकता प्रदर्शित करते हैं क्योंकि क्रिस्टलीय ठोस के कुछ भौतिक गुण जैसे विद्युतीय प्रतिरोधकता और अपवर्तनांक एक ही क्रिस्टल में भिन्न-भिन्न दिशाओं में मापने पर भिन्न-भिन्न मान प्रदर्शित करते हैं। यह अलग-अलग दिशाओं में कणों की भिन्न व्यवस्थाओं से उत्पन्न होता है।

115. (b) सोडियम ऐसीटेट में, सोडियम आयन हाइड्रॉक्सिल आयन से कम क्रिया करते हैं जबकि ऐसीटेट आयन हाइड्रोजन आयन के साथ तीव्रता से क्रिया कर उदासीन ऐसीटिक अम्ल उत्पन्न करता है तथा नेट परिणाम सापेक्षिक हाइड्रॉक्सिल आयन के कारण यह क्षारीय प्रकृति का होता है।

116. (a) परासरण दाब अण्डे की एल्ब्यूमिन के आण्विक द्रव्यमान को यथार्थता से निर्धारित करते हैं। परासरण दाब मोलरता के समानुपाती होता है।

$\pi = iCRT$

जहाँ, π = परासरण दाब

C = दिए गए ताप T पर विलयन

R = गैस स्थिरांक

117. (d) रक्त के pH बनाए रखने के लिए बफर विलयन का उपयोग किया जाता है। सामान्य रक्त का pH मान 7.4 होता है। यह pH मान दो बफर क्रियाओं द्वारा नियन्त्रित होता है: कार्बोनिक अम्ल का बफर

(H_2CO_3 तथा $NaHCO_3$)

फॉस्फोरिक अम्ल का बफर

($H_2PO_4^-$, HPO_4^{2-})

118. (a) दी गई अभिक्रिया के लिए,

$2NO + Cl_2 \rightarrow 2NOCl$

दर = $K[NO]^2\ [Cl_2]$ को ताप बढ़ाकर बढ़ाया जा सकता है। एक समान अभिक्रिया के लिए दर स्थिरांक का मान ताप के साथ परिवर्तित होता है।

दर स्थिरांक का मान जितना अधिक होगा, अभिक्रिया उतनी ही तीव्र होगी।

दर स्थिरांक का मान अभिकारक की सान्द्रता पर निर्भर नहीं करता है।

119. (d) किसी सामान्य अभिक्रिया के लिए,

$aA + bB \rightarrow cC + dD$

$$= -\frac{d[R]}{dt} = k[A]^{\alpha}\ [B]^{\beta}$$

जब सान्द्रता A, $\dfrac{1}{2}$ घट जाए

तो, $[A] = \frac{1}{2}a$, दर $= k\left(\frac{a}{2}\right)^2 = \frac{1}{4}ka^2$

अत: $-\frac{d[A]}{dt} = \frac{1}{4}\frac{d[B]}{dt}$

120. (d) किसी ऐल्फा कण में दो न्यूट्रॉन तथा दो प्रोटॉन होते हैं (एक हीलियम नाभिक)

अत: संयुक्त द्रव्यमान = 4

${}_{92}U^{238}$ तथा ${}_{82}Pb^{206}$ के लिए,

माना कि कणों में परिवर्तन लाने के लिए α तथा β कणों की संख्या x तथा y है

$206 = 238 - (4x)$

$238 - 4x - 238 = 206 - 238$

(दोनों ओर 238 घटाने पर)

$-4x = -32 \Rightarrow x = 8$

अत:, $\alpha = 8$

जब एक β-कण उत्सर्जित होता है, तो परमाणु संख्या 1 बढ़ती है।

परमाणु संख्या की तुलना करने पर,

$92 = 82 + 2x - y$

अत: $\alpha = 8$, $\beta = 6$

वनस्पति विज्ञान

121. (b) मक्का में जम्पिंग जीन (jumping genes) की खोज बारबरा मैक्लिन्टॉक ने की थी। जम्पिंग जीन को आर. डब्ल्यू. हेज तथा ए. ई. जैकब ने ट्रांसपोजोन कहा। ह्यूगो डी व्रीज ने उत्परिवर्तन (mutation) शब्द दिया, इनके वाद (theory) को उत्परिवर्तनवाद (mutation theory) कहा गया।

मॉर्गन ने सहलग्नता (linkage) की खोज की। मेण्डल को आनुवंशिकी का जनक (father of genetics) कहा जाता है। इन्होंने सर्वप्रथम आनुवंशिकी के लक्षणों को प्रतिपादित किया।

122. (c) कैरोलस लिनियस ने द्विनाम पद्धति (binomial nomenclature) सर्वप्रथम प्रस्तुत की थी। इन्होंने वर्गीकरण का कृत्रिम सिद्धान्त (artificial system of classification) प्रस्तुत किया।

बेन्थम तथा हुकर ने वर्गीकरण का प्राकृतिक सिद्धान्त (natural system of classification) दिया।

123. (a) टोनोप्लास्ट (tonoplast) एक कला (membrane) होती है जो रिक्तिका के चारों ओर पायी जाती है।

जैकेट स्तर (jacket layer) ब्रायोफाइटा में पुंधानी (antheridia) तथा स्त्रीधानी (archegonia) के चारों ओर पायी जाती है। टोनोप्लाज्म वह द्रव पदार्थ है जो रिक्तिका के अन्दर भरा रहता हैं।

कोशिका कला (cell membrane) वह अर्द्धपारगम्य झिल्ली है जो कोशिका को चारों ओर से घेरे रहती है। यह जन्तु कोशिका तथा पादप कोशिका दोनों में पायी जाती है।

124. (b) ट्रांसपोजोन (transposon) DNA का वह खण्ड है जो गुणसूत्र के अन्दर अपना स्थान बदलता रहता है। इसे जम्पिंग जीन (jumping gene) कहते हैं।

सिस्ट्रॉन (cistron) DNA अणु की क्रियात्मक इकाई है। रिकॉन (recon) DNA का वह खण्ड है जो, क्रॉसिंग ओवर (crossing over) में भाग लेता है।

इन्ट्रॉन (introns) जीन का वह खण्ड है जो *m*RNA का भाग नहीं बनाता और जीन प्रकटन के समय ही प्राथमिक *m*RNA से हटा दिया जाता है।

125. (a) वृक्षों में वर्षों वृद्धि के बाद तने का जाइलम ऊतक (xylem tissue) गहरे भूरे रंग का हो जाता है। यह द्वितीय काष्ठ के आन्तरिक क्षेत्र में होता है जिसे डयूरामैन (duramen) कहते हैं।

126. (d) पौधों में जल निरन्तरता आसंजन बल (adhesion force) के कारण होती है। जब दो विलयनों को अर्द्धपारगम्य झिल्ली द्वारा अलग किया जाता है तो विलयन के अणु अधिक सान्द्रता से कम सान्द्रता की तरफ गति करते हैं, यह क्रिया परासरण (osmosis) कहलाती है।

पौधों की पत्तियों से पानी का बूँदों के रूप में निकलना बिन्दुस्राव (guttation) कहलाता है।

127. (a) उपयोग तथा आर्थिक महत्व के आधार पर रेशों को निम्न रूप से वर्गीकृत किया गया है–

(a) **वस्त्रीय रेशे** - इन रेशों से सूती कपड़ा बनाया जाता है।

(b) **ब्रुश रेशे** - इन रेशों से ब्रुश का निर्माण होता है।

(c) **मोटी बुनाई वाले रेशे** - इन रेशों से टोकरी, कुर्सियाँ एवं चटाईयाँ बनायी जाती हैं।

(d) **भरण रेशे** - ये रेशे गद्दे, तकिये आदि के भरने के काम आते हैं।

(e) **प्राकृतिक रेशे** - इन रेशों को बिना बुने कपड़ों के रूप में प्रयोग किया जाता है।

(f) **कागज बनाने वाले रेशे** - इनसे कागज बनाया जाता है। आर्थिक रूप से महत्वपूर्ण, रेशे प्रदान करने वाले अधिकतर पौधे मालवेसी कुल के अन्तर्गत आते हैं। जैसे, कपास (Gossympium sp.), पटसन (Cannabis sativa), जूट (Corchorus capsularis) आदि।

128. (a) प्रकाश रासायनिक स्मॉग (photochemical smog) में ओजोन (O_3) हमेशा पाया जाता है। यह वाहनों के धुओं से निकलने वाले नाइट्रोजन ऑक्साइड तथा हाइड्रोकार्बन से बनता है।

129. (a) कोशिका की मध्यावस्था (metaphase) में गुणसूत्र मध्यवर्ती प्लेट पर व्यवस्थित हो जाते हैं।

पूर्वावस्था (prophase) में गुणसूत्रों का संघनन, केन्द्रिका का विघटन, विभाजन तुर्क (division spindle) का निर्माण तथा केन्द्रक कला का विघटन होता है।

पश्चावस्था (anaphase) में गुणसूत्र का केन्द्रमेल (centromere) दो अर्द्धभागों में विभाजित हो जाता है।

अन्त्यावस्था (telophase) में प्रत्येक ध्रुव पर उपस्थित गुणसूत्र समूह के चारों ओर नई केन्द्रक कला के बन जाने से एक सन्तति केन्द्रक (daughter nucleus) बनता है।

130. (a) सिलिया और फ्लैजेला का मुख्य प्रोटीन ट्युबुलिन (tubulin) होता है। इसी प्रोटीन का तर्कु तन्तु बना होता है।

मध्यफिलामेन्ट (intermediate filaments) कोशिका को यान्त्रिक स्थिरता प्रदान करते हैं।

131. (b) सीमाकारी कारकों का नियम ब्लैकमैन ने दिया था। कैल्विन ने प्रकाश संश्लेषण में कार्बन का मार्ग खोजा, लीबिग ने न्यूनता का सिद्धान्त (law of minimum) दिया जबकि आर्नन (arnon) ने चक्रीय तथा अचक्रीय फोटोफोस्फोरिलीकरण (photophosphorylation) प्रस्तुत किया।

132. (c) माइक्रोस्पोरेंजिया में पत्ती सदृश संरचना पाई जाती हैं जिन्हें माइक्रोस्पोरोफिल तथा मेगास्पोरोफिल कहते हैं।

ये माइक्रोस्पोरोफिल (microsporophylls) पाइनस के नर शंकु में बहुत अधिक संख्या में पायी जाती है।

परागकोश (anthers) आवृतबीजियों के नर जननांग होते हैं। जबकि लिग्यूल (ligules) एक जीभ सदृश (tongue like) संरचना होती है तथा टेरिडोफाइटा के पौधों में पायी जाती है।

133. (a) निम्न ताप समाधान द्वारा पुष्पन का उत्प्रेरण वसन्तीकरण (vernalization) कहलाता है।

क्रायोबायोलॉजी (cryobiology) जीव विज्ञान की वह शाखा है जिसमें जीवधारी को द्रव नाइट्रोजन में अत्यधिक कम ताप (– 196°C) पर रखकर अध्ययन किया जाता है।

दीप्तिकालिता (photoperiodism) में प्रकाश की अवधि का पौधों पर प्रभाव देखा जाता है।

134. (d) पौधों में कैरोटिनोइड (carotenoids) से मिलकर एक बहुलक बनता है जिसे स्पोरोपोलेनिन (sporopollenin) कहते हैं। यह पौधों का सबसे कठोर उत्पाद होता है।

लिग्निन द्वितीयक दीवारों (secondary walls) का मुख्य भाग होता है। क्यूटिन (cutin) पारदर्शी होता है जो सैल्युलोस से मिलकर पौधों की क्यूटिकल बनाता है।

सुबेरिन (suberin) एक मोमक-सदृश वसीय पदार्थ होता है जो कॉर्क कोशिका की दीवारों में पाया जाता है।

135. (a) केन्द्रक विभाजन (nuclear division) के समय एक विशेष संरचना बनती है जिसे क्लेम्प कनेक्शन (clamp connection) कहते हैं। यह क्लब मॉस (Basidiomycetes) में पाये जाते हैं।

जाइगोमाइसीट्स (Zygomycetes) में टॉरूला अवस्था पायी जाती है।

ऊमाइसीट्स (Oomycetes) में फ्लैजेला टिन्सेल (tinsel) तथा दूसरा व्हिपलैश (whiplash) प्रकार का होता है।

136. (a) एब्सिसिक एसिड (ABA) एक प्रकार का हारमोन है जो पत्तियों तथा फलों के विलगन के लिए उत्तरदायी होता है।

ऑक्सिन, जिबरेलिन तथा साइटोकाइनिन वृद्धि को नियन्त्रित करने वाले हॉरमोन हैं जो पत्तियों के विलगन को रोकते हैं।

137. (a) वन नष्टीकरण (deforestation) ऊष्णकटिबन्धीय वनों में कुछ जातियों के विलुप्त होने

का मुख्य कारण है। वनीकरण (afforestation) वनों को बचाने का एकमात्र उपाय है।

138. (d) वाष्पोत्सर्जन खिंचाव (transpiration pull) वह तनाव है जिसके द्वारा पानी का अवशोषण करके पत्तियाँ पानी को ऊपर चढ़ने में योगदान करती हैं। यही रसारोहण के लिए सर्वमान्य परिकल्पना है।

मूल दाब वाद (root pressure theory) के अनुसार जड़ें पानी को ऊपर धकेलती हैं। केशिका वाद (capillary theory) के अनुसार पौधों की कोशिकाएँ पानी को ऊपर खींचती हैं, ये दोनों ही परिकल्पनाएँ सर्वमान्य नहीं हैं।

139. (d) अनावृतबीजी (gymnosperms) पौधों में केवल जाइलम में ट्रेकीड्स पायी जाती है।

जाइलम पैरन्काइमा तथा वाहिनियाँ इनमें अनुपस्थित होती है। इन पौधों में समान्तर शिराविन्यास पाया जाता है। पौधे बहुवर्षीय होते हैं तथा शाखाएँ लम्बी एवं छोटी दोनों प्रकार की होती हैं। Ca^{2+} पेशीय संकुचन, तन्त्रिका पेशीय कार्यों (neuromuscular functions) तथा तन्त्रिका आवेग संवहन (nerve impulse transmission) के लिए उत्तरदायी होता है।

140. (b) दो भिन्न आवासों के राज्य क्षेत्रों के सन्धि स्थान पर जैव-विविधता (biodiversity) की उपस्थिति एज प्रभाव (edge effect) कहलाती है।

141. (a) साइकस में परागण (pollination) 3 – कोशिकीय अवस्था में होता है। परागकण (pollen grains) विभाजित होकर निम्न तीन प्रकार की कोशिका बनाते हैं–

(i) प्रोथेलियल कोशिका (Prothallial cell)

(ii) जनन कोशिका (Generative cell)

(iii) नलिका कोशिका (Tube cell)

142. (a) जई वक्रता परीक्षण (Avena curvature test) ऑक्सिन की जैविक क्रिया दर्शाता है।

143. (b) एक पोषक स्तर से दूसरे पोषक स्तर पर केवल 10% ऊर्जा ही स्थानान्तरित होती है। इसे ऊर्जा का 10% नियम (Ten percent law of energy) कहते हैं।

144. (a) DNA अणु में एडिनीन (A) थायमीन (T) के साथ दो हाइड्रोजन बन्धों से जुड़ता है जबकि साइटोसीन (c) ग्वानीन (G) से तीन बन्धों द्वारा जुड़ा रहता है।

145. (c) गुणसूत्र का आकार सेन्ट्रोमीयर (centromere) की स्थिति पर निर्भर करता है। सेन्ट्रोमीयर के आधार पर गुणसूत्र निम्न 5 प्रकार के होते हैं–

(i) **ऐसेन्ट्रिक** – सेन्ट्रोमीयर अनुपस्थित।

(ii) **टीलोसेन्ट्रिक** – सेन्ट्रोमीयर गुणसूत्र के एक छोर पर स्थित होती है।

(iii) **एक्रोसेन्ट्रिक** – सेन्ट्रोमीयर एक छोर से थोड़ा अन्दर की ओर स्थित होती है।

(iv) **मेटासेन्ट्रिक** – सेन्ट्रोमीयर गुणसूत्र के ठीक मध्य में स्थित होती है।

(v) **सबमेटासेन्ट्रिक** – सेन्ट्रोमीयर मध्य से थोड़ा एक तरफ खिसकी होती है।

146. (d) जैसा कि हम जानते हैं कि जीवाणु प्रत्येक 35 मिनट बाद विभाजित होता है तो 175 मिनट बाद विभाजन होंगे $\frac{175}{35} = 5$

चूँकि एक जीवाणु से प्रत्येक विभाजन पर दो कोशिकाएँ बनती हैं अत: 175 मिनट बाद कोशिका सान्द्रता होगी $= 10^5 \times (2)^5 = 32 \times 10^5$

147. (c) द्विनिषेचन (Double fertilization) आवृतबीजियों का विशिष्ट लक्षण है। शैवालों, ब्रायोफाइटा तथा अनावृतबीजियों में द्विनिषेचन नहीं पाया जाता।

148. (b) वर्ज्य जल अपशिष्ट समाधान (waste water treatment) के दौरान –

(i) प्राथमिक समाधान में वर्ज्य पदार्थों को भौतिक प्रक्रिया द्वारा अलग किया जाता है।

(ii) द्वितीयक समाधान (secondary treatment) में जैविक पदार्थों का प्रयोग किया जाता है।

(iii) तृतीयक समाधान में फॉस्फेट, नाइट्रेट तथा सल्फेट को अलग किया जाता है।

149. (b) पुष्पीय पौधों की जड़ कोशिका द्विगुणित (diploid, 2n = 24) होती है, जबकि युग्मक (gamete) अगुणित (haploid) होता है। इसलिए युग्मक में गुणसूत्रों की संख्या 12 होगी।

150. (b) भूमि में A_O क्षेत्र O_1 क्षेत्र के बिल्कुल नीचे पाया जाता है। इस क्षेत्र में कार्बनिक पदार्थ और सूक्ष्म जीव जैसे, जीवाणु, कवक आदि पाये जाते हैं। इस क्षेत्र में पाया जाने वाला अपघटित पदार्थ ह्यूमस (humus) कहलाता है। भूमि के C क्षेत्र में खनिज पाये जाते हैं।

भूमि के ऊपर बेकार जमा पदार्थ लिट्टर (litter) कहलाता है। यह भूमि के O क्षेत्र पर उपस्थित होता है।

जन्तु विज्ञान

151. (a) ट्राइसोमी किसी गुणसूत्र के समजात युग्म में 2 की जगह 3 गुणसूत्र के कारण होता है। मानव में ट्राइसोमी सिन्ड्रोम उत्पन्न करता है, जैसे डाउन सिन्ड्रोम (Down's syndrome), क्लाइनफेल्टर सिन्ड्रोम (Klinefelter's syndrome)। डाउन सिन्ड्रोम 21वें गुणसूत्र की ट्राइसोमी के कारण होता है।

मोनोसोमी जीवों के किसी एक गुणसूत्र के युग्म में से एक गुणसूत्र के कम हो जाने के कारण उत्पन्न होती है। जैसे- टर्नर सिन्ड्रोम ।

152. (a) केचुएँ का शरीर समान खण्डों में विभाजित होता है जिनकी संख्या 100 से 120 तक होती है। प्रत्येक दो खण्डों के बीच एक पट होता है। पहले चार खण्डों में पटों का अभाव होता है।

153. (d) केंचुएँ में विशिष्ट श्वसन अंग नहीं होते यद्यपि इसमें वायवीय श्वसन होता है। त्वचा केचुएँ में श्वसन के लिए धरातल बनाती है।

कीटों तथा अन्य आर्थ्रोपोड जन्तुओं में श्वसन श्वासनाल (trachea) द्वारा होता है।

जलीय प्राणियों (मेंढक का भेकशिशु व मछली) में श्वसन क्लोमों (gills) द्वारा होता है।

154. (c) काचाभ या प्रभासी उपास्थि (hyaline cartilage) का मैट्रिक्स पारदर्शक साफ एवं हल्के नीले रंग का होता है। यह उपास्थि लचीली होती है। तथा हाथ-पैरों की लम्बी हड्डियों के सन्धि तलों पर लचीली गद्दियों के रूप में पायी जाती है। श्वेत तन्तुकीय उपास्थि के मैट्रिक्स में रंगहीन श्वेत कोलैजन तन्तुओं के लहरदार गुच्छे पाये जाते हैं। जिससे यह उपास्थि दृढ़ और अनाम्य होती है। श्वेत तन्तुमय संयोजी ऊतक दृढ़ता प्रदान करता है तथा अस्थियों एवं पेशियों को जोड़ने वाली कण्डराओं (tendons) में पाया जाता है।

155. (d) लैण्डस्टीनर तथा वीनर (Landsteiner and Weiner; 1940) ने रीसस बन्दर में Rh कारक की खोज की। यूरोप में 85% व्यक्ति तथा भारत में 97% व्यक्तियों में Rh कारक पाया जाता है। Rh एन्टीजन का सम्बन्ध शिशुओं के जन्म के समय होने वाले रोग एरिथ्रोब्लास्टोसिस फीटेलिस (erythroblastosis foetalis) से होता है। इस रोग में Rh एन्टीजन से प्रभावित बच्चों की गर्भावस्था में ही या जन्म के तुरन्त बाद मृत्यु हो जाती है। ऐसे बच्चों का पिता Rh^+ तथा माता Rh^- होती है।

156. (d) आर्कियोसाइट्स (archaeocytes) का केन्द्रक बड़ा तथा कूटपाद गोल होते हैं। इनमें RNA की अधिकता होती है तथा ये स्वप्रतिकारी होती हैं। ये अन्य सभी प्रकार की अमीबी कोशिकाएँ बनाने में समर्थ होती हैं। इसीलिए इन्हें पूर्णशक्त (totipotent) भी कहा गया है।

थीसोसाइट्स (thesocytes) पोषक पदार्थ संचित करती हैं।

पिनैकोसाइट्स (pinacocytes) स्पंज की एक्टोडर्म में पायी जाने वाली पतली, चपटी, बहुभुजीय कोशिकाएँ हैं।

157. (c) ऐस्कैरिस में स्पर्शानुचलन (thigmotaxis) नहीं पाया जाता है।

एक ठोस वस्तु के समीप आने पर अमीबा विपरीत दिशा में गति कर जाता है।

हाइड्रा व पैरामीशियम भी ठोस वस्तु के सम्पर्क में आने पर अन्य दिशा में गति करते हैं।

158. (a) मधुमक्खियों के पालन को एपीकल्चर (apiculture) कहते हैं। मछलियों के पालन को पिसीकल्चर (pisiculture) कहते हैं।

जल संवर्धन या एक्वाकल्चर (aquaculture) में जलीय प्राणियों के साथ उपयोगी पौधों का भी संवर्धन शामिल है।

रेशम प्राप्ति के लिए रेशम कीटों के पालन को सेरीकल्चर कहते हैं।

159. (c) कायान्तरण (metamorphosis) वह प्रक्रिया है, जिसमें संरचनात्मक परिवर्तनों द्वारा लारवा वयस्क में परिवर्तित हो जाता है। मेटाजेनेसिस (metagenesis) एक ही जाति में लैंगिक तथा अलैंगिक जनन का एकान्तरण

है। प्रभावी अंग से अप्रभावी अंग में कैन्सर का फैलना मेटास्टेसिस (metastasis) कहलाता है।

160. (a) सिस्टोसोमा (Schistosoma) मनुष्य तथा अन्य जन्तुओं का रुधिर फ्लूक है। इसके जीवनवृत में केवल एक मध्यस्थ परपोषी स्नेल (घोंघा) होता है। सामान्यत: इसके अलावा इसका सर्केरिया लारवा ही अन्तिम परपोषी मनुष्य में संक्रमण कर देता है। भेड़ फेशियोला हिपेटिका (Fasciola hepatica) का प्रथम परपोषी है।

161. (d) विटामिन-K यकृत में प्रोथ्रॉम्बिन के निर्माण में सहायक है। इसके कारण रुधिर के थक्का जमने में मदद मिलती है। यह टमाटर, बथुआ, पालक, पनीर, अण्डे तथा हरी सब्जियों में पर्याप्त मात्रा में मिलता है।

विटामिन-A दृष्टि वर्णक (visual pigments) के संश्लेषण में सहायक होता है। इसकी कमी से जीरोफ्थैलमिया, रतौंधी, नपुसंकता आदि रोग हो जाते हैं।

विटामिन C कोशिकीय श्वसन में क्रैब्स चक्र के समय सहएन्जाइम का कार्य करता है। यह विटामिन उपापचय द्वारा लाल रुधिराणुओं के निर्माण में सहायक होता है। इसकी कमी से स्कर्वी नामक रोग हो जाता है।

162. (a) केंचुएँ के 13वें खण्ड में एक जोड़ी छोटे व सफेद अण्डाशय पाए जाते हैं। अण्डाशयों के नीचे 13वें खण्ड में ही एक जोड़ी बड़ी पक्ष्माभिकीय कीप के आकार की रचनाएँ अण्डवाहिनी कीप होती हैं। इनके पीछे की ओर चलने वाली एक जोड़ी छोटी अण्डवाहिनियाँ 13/14 अंतराखण्डीय पट को भेदकर 14वें खण्ड में पहुँचकर एक छोटी व चौड़ी अण्डवाहिनी बनाती है जो 14वें खण्ड के अधर तल पर एक अकेले मादा जनन छिद्र से बाहर खुलती है।

163. (a) मेंढक की हृदय भित्ति इपिकार्डियम, मायोकार्डियम तथा एन्डोकार्डियम की बनी हाती है। मायोकार्डियम, रेखित, अनैच्छिक तथा शाखित हृदय पेशियों का बना होता है। हृदय की स्वसंकुचित पेशियों में तीन प्रकार के तन्तु- नोडल तन्तु, ट्रान्जिसनल तन्तु तथा पुरकिन्जे तन्तु होते हैं।

पैपीलरी पेशियाँ (papillary muscles) या कॉलमनी कॉर्नी (columnae cornae) निलय की भित्ति में स्थित उभरी हुई पेशियों के कॉलम हैं।

164. (d) गोनेडोट्रॉपिक हॉरमोन (gonadotropic hormone) या गोनेडोट्रोपिन (gonadotropin) हॉरमोनों का ऐसा समूह है जो जनन ग्रन्थियों की क्रियाशीलता को प्रभावित करते हैं। ये हॉरमोन पुटिका प्रेरक हॉरमोन (FSH) तथा ल्यूटिनाइजिंग हॉरमोन (LH) हैं। सोमेटोट्रॉपिक हॉरमोन प्रोटीन संश्लेषण, शरीर में कोशिका विभाजन, पेशियों एवं अस्थियों के विकास, यकृत में ग्लाइकोजिनेसिस तथा ग्लूकोनियोजिनेसिस को प्रभावित करता है। ल्यूटिओट्रोपिन (luteotropin) स्त्रियों में गर्भावस्था के समय दुग्ध निर्माण को प्रेरित करता है।

पीयूष ग्रन्थि के पश्च पिण्ड से स्रावित ऑक्सिटॉसिन हॉरमोन गर्भावस्था के समय गर्भाशय की दीवार की अरेखित पेशियों को सिकुड़ने के लिए प्रेरित करता है। यह हॉरमोन दुग्ध ग्रन्थियों की कूपिकाओं को भी संकुचित करता है।

165. (a) वे जीव जो हजारों लाखों वर्ष पहले जीवित थे। परन्तु अब नहीं पाये जाते, ऐसे विलुप्त प्राणियों के अवशेष या चिन्ह पत्थरों तथा चट्टानों में दबे हुए मिलते हैं जिन्हें जीवाश्म (fossils) कहते हैं। जीवाश्म जैव विकास का सीधा एवं ठोस प्रमाण है। बहुत से जन्तुओं में ऐसे भी कुछ अंग मिलते हैं जो जन्तु शरीर के लिए अनावश्यक हो गये हैं, किन्तु पीढ़ी दर पीढ़ी चले आ रहे हैं जबकि इनके पूर्वजों में यही अंग आवश्यक एवं क्रियाशील थे। इन अंगों को अवशेषी अंग कहते हैं। मानव में कुछ प्रमुख अवशेषी अंग – कृमिरूप परिशेषिका, निमेषक पटल, अक्ल दाढ़, पुच्छ कशेरुका, कर्ण पल्लव की पेशियाँ आदि हैं।

166. (c) घोंघे (संघ – मोलस्का) के सिर पर एक जोड़ी छोटे व माँसल ठूंठ के समान वृन्त (stalk) या नेलकधर (ommatophores) होते हैं जो दूसरी जोड़ी प्रत्येक स्पर्शक के पीछे होते हैं। प्रत्येक नेत्रकधर के ऊपरी सिरे के कुछ नीचे बाहर की ओर एक छोटा, काला, और कुछ वृत्तीय नेत्र होता है। जलेक्षिका (osphradium) एक छोटी, लगभग 6-7 मिमी लम्बी आकार की अण्डाकार संरचना होती है। यह सम्भवत: एक घ्राण ज्ञानेन्द्री की भाँति कार्य करता है और जलधारा की रासायनिक प्रवृत्ति की जाँच का कार्य करता है ।

167. (a) समूह में रहने वाले और प्रवासी टिड्डों के लिए लोकस्ट (locust) शब्द का प्रयोग किया जाता है। टिड्डे अति लोलुप (voracious) शाकाहारी और विश्वव्यापी होते हैं।

168. (b) विश्व की सबसे बड़ी मछली **समुद्री व्हेल शॉर्क** है। यह अटलांटिक, प्रशान्त और हिन्द महासागरों के गर्म क्षेत्रों में पाई जाती है। इसकी लम्बाई 18.5 मीटर और वजन लगभग 43 टन है।

169. (d) अधिवृषण (epididymis) प्रत्येक वृषण पृष्ठ सतह पर जुड़ा होता है। खरगोश में अधिवृषण का शीर्ष जो वृषण के सिर पर उपस्थित होता है शीर्ष अधिवृषण कहलाता है। अधिवृषण के विभाजन के फलस्वरूप पश्च फैला हुआ भाग एवं पुच्छ अधिवृषण कहलाता है। गुबरनाकुलम वह संरचना होती है जिसके द्वारा खरगोश के वृषण, वृषण कोष से जुड़े रहते हैं। शुक्रवाहिका (vas deferens) शुक्राणुओं का वहन करती है तथा यह पुच्छ अधिवृषण से निकलती है।

170. (c) रक्त में CO_2 का परिवहन घुलित अवस्था में – 7% CO_2 रक्त प्लाज्मा में होता है और यह विलयन फेफड़ों तक चला जाता है।

बाइकार्बोनेट के रूप में लगभग 70% CO_2 जोकि रुधिर को ऊतकों से प्राप्त होती है। लाल रक्त कणिकाओं में प्रवेश करती है। यहाँ लाल रक्त कणिकाओं में प्रवेश करती है। यहाँ यह जल से क्रिया करती है और कार्बोनिक अम्ल (H_2CO_3) बनाती है।

कार्बोक्सिहीमोग्लोबिन के रूप में – 23% CO_2 हीमोग्लोबिन और प्लाज्मा प्रोटीन्स के साथ परिवहित होती है। CO_2 सीधे अमीन लवणों (NH_2) तथा हीमोग्लोबिन से क्रिया करती हैं और एक अस्थायी यौगिक कार्बोक्सिहीमोग्लोबिन बनाती है।

सोडियम बाइकार्बोनेट रक्त के लिए बफर (buffer) का कार्य करता है।

171. (a) कुफ्फर कोशिकाएँ यकृत में उपस्थित होती हैं। इनका कार्य रक्त कणिकाओं और जीवाणुओं को नष्ट करना है।

छोटी आँत में पैनथ कोशिकाएँ (paneth cells) और आर्जिनटैफिन कोशिकाएँ (Argentaffin cells) होती हैं जिनसे पाचक विकार स्रावित होते हैं।

अग्न्याशय में लैंगर हैन्स की द्वीपिकाएँ नामक कोशिकाओं का समूह होता है जिसमें 4 प्रकार की कोशिकाएँ होती हैं।

(i) एल्फा कोशिकाएँ (34% – 38%)

(ii) बीटा कोशिकाएँ (60–70%)

(ii) डेल्टा तथा

(iv) F कोशिकाएँ (28%)

थायरॉइड ग्रन्थि में गोल थैलीनुमा रचना होती है। जिसे थायरॉइड फॉलिकल कहते हैं। फॉलिकल की दीवार दो प्रकार की कोशिकाओं से बनी होती है।

(i) मुख्य कोशिकाएँ तथा

(ii) पैराफॉलिक्युलर कोशिकाएँ।

172. (a) भ्रूण की 16-कोशिकीय अवस्था मॉरूला कहलाती है। यह ब्लास्टुला (blastula) के बनने से पूर्व अण्डधानी (ovum) के विदलन की कोशिकाओं का समूह होता है।

विदलन के समय कोई भी एक कोशिका ब्लास्टोमीयर कहलाती है।

173. (c) हन्टिंगटन की बीमारी मनुष्य में होती है। इसमें मनुष्य के शरीर को अनियन्त्रित झटका लगता है जिसके फलस्वरूप उसका केन्द्रीय तन्त्रिका तन्त्र (central nervous system) प्रभावित होता है। अभी तक इस बीमारी की कोई प्रभावी चिकित्सा नहीं है।

174. (b) ऑर्निथीन चक्र या यूरिया चक्र (urea cycle) मनुष्य की यकृत कोशिकाओं (liver cells) में पाया जाता है। इस चक्र के मुख्य घटक आर्जिनीन, ऑर्निथीन तथा सिट्रुलीन हैं।

175. (a) जब गुणसूत्र संख्या (chromosome number) के परिवर्तन में पूरा सैट परिवर्तित नहीं होता अपितु केवल कुछ ही गुणसूत्र परिवर्तित होते हैं। अर्थात् घटते या बढ़ते हैं तो यह दशा एन्युप्लोइडी (aneuploidy) कहलाती है। एन्युप्लोइडी निम्न प्रकार की हो सकती हैं–

(i) मोनोसोमी $(2n - 1)$

(ii) ट्राइसोमी $(2n + 1)$

(iii) नलीसोमी $(2n - 2)$

(iv) टेट्रासोमी $(2n + 2)$

(v) दोहरी मोनोसोमी $(2n - 1 - 1)$

(vi) दोहरी ट्राइसोमी $(2n + 1 + 1)$

176. (b) सहभोजिता (commensalism) दो भिन्न जातियों के सदस्यों के मध्य एक ऐसा सम्बन्ध है जिसमें एक सदस्य को दूसरे से लाभ होता है। लेकिन किसी को भी हानि नहीं होती। परजीविता (parasitism) में परजीवी जन्तु पोषक को बिना मारे उससे भोजन और शरण (food and shelter) प्राप्त करता है। परभक्षण (predation) में परभक्षी जन्तु पोषक को मारकर उससे भोजन प्राप्त करता है।

177. (a) मछली में उत्सर्जी (excretory) तथा परासरण नियन्त्री (osmoregulatory) अंग गिल (gills) तथा गुर्दे (kidneys) होते हैं। अस्थिल मछलियाँ (bony fishes) उत्सर्जी पदार्थ के रूप में यूरिया निकालती हैं।

178. (b) श्वेत रक्त कणिकाएँ (WBCs) (जिन्हें ल्यूकोसाइट भी कहते हैं) के मुख्यत: दो समूह होते हैं-

(i) अकणिकामय (30%)

(ii) कणिकामय (70%)

कणिकामय कोशिकाएँ अस्थिमज्जा (bone marrow) में बनती हैं इनको निम्न वर्गों में बाँटा जाता है।

(i) न्यूट्रोफिल (neutrophylls)

(ii) इओसिनोफिल (eosinophylls)

(iii) बेसोफिल (basophylls)।

न्यूट्रोफिल कणिकामय श्वेत रुधिर कणिकाओं का लगभग 70% भाग बनाती है।

179. (d) पीनियल काय (pineal body) स्तनधारी के मस्तिष्क के केन्द्र के समीप पायी जाती है। इससे मिलैटोनिन नामक हॉरमोन स्रावित होता है। इसमें प्रकाश संवेदी कोशिकाएँ होती हैं। मिलैटोनिन प्रकाश के प्रभाव को नियन्त्रित करता है। यह लैंगिक व्यवहार एवं यौवनारम्भ काल को भी नियन्त्रित करता है।

180. (a) सन् 1953 में स्टैनले मिलर ने एक प्रयोग किया जिसमें उन्होंने एक पात्र में मीथेन, अमोनिया, हाइड्रोजन तथा जलवाष्प लेकर पात्र में वैद्युत प्रवाहित की, जिसमें अमीनो अम्लों (amino acids) का निर्माण हुआ। इस पात्र में मीथेन, अमोनिया तथा हाइड्रोजन का अनुपात 1 : 2 : 2 था।

General English

181. (b) Part (b) of the given sentence has an error in it. As the subject of the sentence 'Atmospheric rivers' is plural, a plural verb ' extend' should be used with it.

182. (a) 'Jockey' refers to a person who is a 'professional rider in horse race'.

183. (b) 'affect' (verb) should be used in place of 'effect' (noun) to improve the underlined part in the given sentence.

184. (c) "The mayor ordered the marshals not to conduct any drill the next day" is the correct indirect form of the given sentence.

185. (d) The word 'Verbose' means using more words than necessary and therefore long and boring.

186. (b) The word 'Adequate' means good enough or large enough for a particular purpose. So, 'wanting' from the given options is opposite in meaning to 'Adequate'.

187. (c) The idiom 'To meet one's Waterloo' means to be defeated by someone who is too strong for you or by a problem that is too difficult for you.

188. (c) The correct order to form a meaningful sentence is RPQS.

189. (c) Illiterate' refers to 'one who does not know reading or writing'.

190. (d) Option (d) contains the incorrectly spelt word. The correct spelling is 'Monster'.

सामान्य ज्ञान

191. (a) पहला अपाचे हेलीकॉप्टर AH-64E(I) औपचारिक रूप से अमेरिका क मेसा एरिज़ोना में भारतीय वायु सेना को सौंप दिया गया। अमेरिकी कंपनी बोइंग ने इसे डिजाइन किया है। यह दुश्मन की किलेबंदी को भेद कर उस पर सटीक हमला करने में सक्षम है। इसकी फ्लाइंग रेंज 550 किलोमीटर है।

192. (c) URL (यूआरएल) का पूर्ण रूप यूनिफोर्म रिसोर्स लोकेटर है। यह इन्टरनेट पर उपलब्ध किसी भी तरह के रिसोर्स या संसाधन का यूनिक पता होता है। अर्थात् यह इन्टरनेट पर उपलब्ध सूचनाओं का पता होता है।

193. (d) ओरॉयन तारामण्डल को शिकारी भी कहा जाता है। कालपुरुष या शिकारी या ओरॉयन तारामण्डल दुनिया भर में दिख सकने वाला एकमात्र तारामण्डल है, जिसे बहुत से लोग जानते तथा पहचानते भी हैं। इसे पुरानी खगोलशास्त्रीय पुस्तकों में अक्सर एक पुरुष या शिकारी के रूप में दर्शाया गया है।

194. (d) पवन एक बर्हिजनित बल है। पृथ्वी के बाहर पैदा होने वाले बल को बर्हिजनित बल कहते हैं। इस बल के कारण अपरदन और निक्षेपण होता है। पवन, बल और हिम के बहाव से चट्टानों का अपरदन होता है तथा इन्हीं कारकों द्वारा अपरदित पदार्थों का निक्षेपण होता है।

195. (a) तहसील स्तर पर सरकारी निकायों को पंचायत समिति कहा जाता है।

196. (d) माँग के नियम के अनुसार, किसी वस्तु के लिए उपभोक्ता की माँग वस्तु की कीमत से प्रतिलोमत: सम्बद्ध होनी चाहिए। वांछित मात्रा और कीमत के बीच की कड़ी माँग के नियम द्वारा व्यक्त की जाती है। माँग का नियम कहता है, कि यदि अन्य चीजें समान रहती हैं तो कीमत और माँग के बीच हमेशा व्युत्क्रम सम्बन्ध होता है।

197. (a) मादक लिकर भारतीय संविधान की सातवीं अनुसूची की संघ सूची के अन्तर्गत नहीं आता है। यह राज्य सूची के अन्तर्गत आता है। बैंकिंग, डाक और तार तथा राज्यों के लेखाओं की संपरीक्षा भारतीय संविधान की सातवीं अनुसूची की संघ सूची के अन्तर्गत आते हैं। भारतीय संविधान की सातवीं अनुसूची में तीन सूचियाँ संघ सूची, राज्य सूची एवं समवर्ती सूची दी गई हैं।

198. (a) अमृतसर एवं शिमला की ऊँचाई में भिन्नता के कारण उनकी जलवायु में भिन्नता पाई जाती है। उल्लेखनीय है कि 165 मीटर के ऊपर दूरी तय करने पर तापमान में 1^oC की गिरावट आ जाती है। अत: शिमला के तापमान में गिरावट दर्ज की जाती है।

199. (a) सुभाषचन्द्र बोस ने महात्मा गाँधी को राष्ट्रपिता के रूप में सर्वप्रथम सम्बोधित किया था।

200. (a) कहा जाता है कि कुतुब मस्जिद और कुतुब मीनार के अलावा, कुतुब-उद-दीन ऐबक ने अजमेर में अढ़ाई दिन का झोपड़ा मस्जिद का निर्माण किया। अढ़ाई दिन का झोपड़ा राजस्थान के अजमेर शहर में एक संरचना है। मस्जिद का निर्माण कुतुब-उद-दीन ऐबक ने, 1192 ईस्वी में मुहम्मद **गोरी** के आदेश पर किया था।

□□□

प्रैक्टिस सेट–4

भौतिक विज्ञान

1. एक कृष्णिका 227°C ताप पर 5 कैलोरी सेमी$^{-2}$ से$^{-1}$ की दर से ऊष्मा का विकिरण करती है। 727°C ताप पर कैलोरी सेमी$^{-2}$ से$^{-1}$ में ऊष्मा विकिरण की दर है-

(a) 400 (b) 80
(c) 40 (d) 15

2. तापवृद्धि से किसी अर्द्धचालक की प्रतिरोधकता–

(a) अपरिवर्तित रहती है
(b) बढ़ती है
(c) घटती है
(d) पहले बढ़ती है फिर घटती है

3. एक गोलीय गेंद जिसकी त्रिज्या a है एक श्यान द्रव में गिर रही है। इसका सीमांत वेग अनुक्रमानुपाती है-

(a) a (b) a^2
(c) a^3 (d) a^{-1}

4. भौतिक राशि जो ऊर्जा का मात्रक नहीं है, है-

(a) जूल
(b) कैलोरी
(c) वॉट
(d) अर्ग

5.

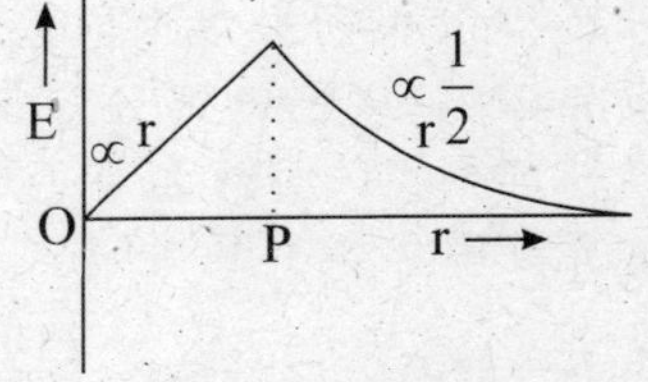

ऊपर दिया गया चित्र, मूल बिंदु O से किसी भी दिशा में *r* दूरी पर विद्युत क्षेत्र E दर्शाता है। विद्युत क्षेत्र E का कारण है-

(a) OP त्रिज्या का एक आवेशित खोखला धात्विक गोला, जिसका केंद्र O है।
(b) OP त्रिज्या का एक आवेशित ठोस धात्विक गोला, जिसका केंद्र O है।
(c) OP त्रिज्या का समान आवेशित कुचालित गोला, जिसका केंद्र O है।
(d) OP त्रिज्या का समान आवेशित कुचालित खोखला गोला, जिसका केंद्र O है।

6. "अच्छे उत्सर्जक अच्छे अवशोषक भी होते हैं" यह कथन निम्नलिखित पर आधारित है-

(a) न्यूटन का शीतलन का नियम
(b) स्टीफन का विकिरण का नियम
(c) प्रोवोस्ट का सिद्धांत
(d) किरचॉफ का नियम

7. एक प्रकाश वैद्युत प्रयोग के द्वारा ऋणात्मक तथा धनात्मक इलेक्ट्रॉडों के बीच विभवांतर V तथा प्रकाश वैद्युत धारा I के बीच संबंध के लिए निम्न आलेख प्राप्त हुआ। यदि प्लांक स्थिरांक $h = 6.6 \times 10^{-34}$ जूल-सेकण्ड हो तो आपतित विकिरण की आवृत्ति होगी लगभग– (से$^{-1}$ में)

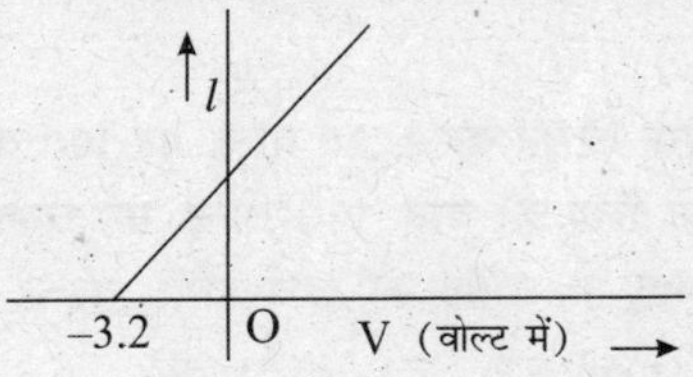

(a) 0.436×10^{18}
(b) 0.436×10^{17}
(c) 0.775×10^{15}
(d) 0.872×10^{16}

8. *n*वीं बोर कक्षा में हाइड्रोजन परमाणु के इलेक्ट्रॉन के लिए कक्ष की त्रिज्या तथा दे-ब्रोग्ली तरंगदैर्ध्य का अनुपात है-

(a) $\frac{n}{2\pi}$ (b) $\frac{n^2}{2\pi}$
(c) $\frac{1}{2\pi \cap}$ (d) $\frac{1}{2\pi \cap^2}$

9. लोहे के दो प्रतिदर्शों P और Q के B-H वक्र निम्न चित्र में दिखाए गए हैं। तब निम्न कथनों में से कौन-सा एक सही है?

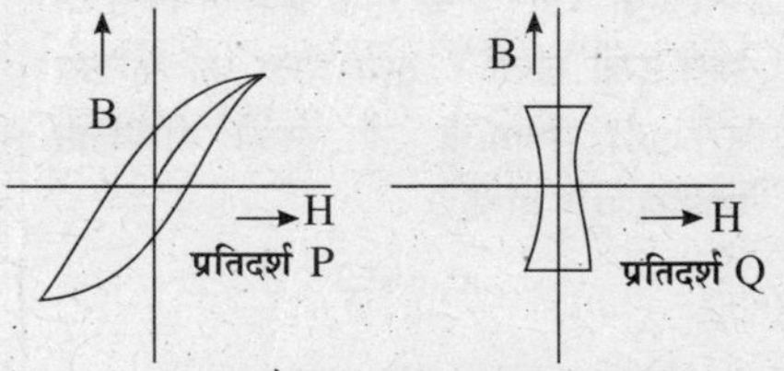

(a) P और Q दोनों स्थायी चुंबक से सुमेलन के योग्य हैं।
(b) P स्थायी चुंबक बनाने के योग्य है और Q वैद्युत चुंबक बनाने के।
(c) P वैद्युत चुंबक बनाने के योग्य है और Q स्थायी चुंबक बनाने के।
(d) P और Q दोनों चुंबक बनाने के योग्य हैं।

10. एक 2 मिली हेनरी स्वप्रेरकत्व वाली कुंडली से प्रवाहित धारा 20 मिली ऐम्पियर से$^{-1}$ की दर से परिवर्तित हो रही है। कुंडली में प्रेरित विद्युत वाहक बल है–

(a) 10 माइक्रोवोल्ट
(b) 40 माइक्रोवोल्ट
(c) 10 मिलीवोल्ट
(d) 40 मिलीवोल्ट

11. दो सरल आवर्त गति में A और B तरंगों को निम्न समीकरणों से दर्शाया गया है-

$$y_1 = \alpha \sin\left(\omega t + \frac{\pi}{6}\right)$$

$$y_2 = \alpha \sin\left(\omega t + \frac{3\pi}{6}\right)$$

इन तरंगों के बीच कलांतर होगा-

(a) $\frac{\pi}{2}$ (b) $\frac{\pi}{6}$
(c) $\frac{\pi}{3}$ (d) शून्य

12. एक *l* लम्बाई की डोरी जो दोनों सिरों पर बँधी है, में अप्रगामी तरंगों की तरंगदैर्ध्य λ होगी–

(a) $\lambda = \frac{n^2}{2l}$ (b) $\lambda = \frac{l^2}{2n}$
(c) $\lambda = \frac{2l}{n}$ (d) $\lambda = 2ln$

(यहाँ *n* एक पूर्णांक है)

13. एक दृष्टा, ध्वनि के स्थिर स्रोत की ओर ध्वनि के वेग के एक-दसवें वेग से चलता है। उसकी 'प्रत्यक्ष' आवृत्ति में परिवर्तन होगा-

(a) शून्य (b) 5%

(c) 10% (d) 0.1%

14. हवा में 7200 Å तरंगदैर्ध्य वाले प्रकाश तरंग का शीशा ($\mu = 1.5$) में तरंगदैर्ध्य होगी-

(a) 7200 Å (b) 4800 Å

(c) 10800 Å (d) 6000 Å

15. जब एक उत्तल लेन्स एक अवतल लेन्स के साथ रखा जाता है तथा दोनों की फोकस दूरी (f) समान है, तो उनकी सम्मिलित फोकस दूरी होगी-

(a) $\frac{f}{2}$ (b) $2f$

(c) शून्य (d) अनन्त

16. एक बेलनाकार लेन्स की आवश्यकता होती है, सही करने के लिए-

(a) मायोपिया को

(b) प्रेसबायोपिया को

(c) हाइपरमेट्रोपिया को

(d) एस्टिगमैटिज्म को

17. निम्न में से कौन-सी 'घटना' प्रकाश एवं ध्वनि तरंगों के लिए सामान्य नहीं है?

(a) व्यतिकरण (b) विवर्तन

(c) ध्रुवण (d) परावर्तन

18. एक 'हाइपरमेट्रोपिक' (दूर दृष्टि दोष) आँख की निकट दूरी 40 सेमी. है। इसे सही करने के लिए प्रयुक्त लेंस की शक्ति होगी-

(a) +1.5 D (b) –1.5 D

(c) +2.5 D (d) +0.5 D

19. सर सी.वी. रमन के जिस कार्य पर नोबेल पुरस्कार मिला, वह संबंधित है-

(a) नाभिकीय ऊर्जा से

(b) प्रकाश के छिटकने (स्कैटरिंग) से

(c) लेसर से

(d) ट्रांजिस्टर से

20. यंग का द्विक रेखा-छिद्र प्रयोग आधारित है-

(a) न्यूटन के कार्पस्कल सिद्धांत पर

(b) हाइगेंस के तरंग सिद्धांत पर

(c) क्वाण्टम सिद्धांत पर

(d) उपरोक्त सभी पर

21. एक किलोवॉट-घंटा बराबर है-

(a) 36×10^5 जूल

(b) 34×10^5 जूल

(c) 3×10^5 जूल

(d) 6×10^5 जूल

22. विद्युत चुंबकीय तरंग का निर्वात में वेग है-

(a) $\sqrt{\mu_0 \varepsilon_0}$ (b) $\sqrt{\frac{\mu_0}{\varepsilon_0}}$

(c) $\sqrt{\frac{\varepsilon_0}{\mu_0}}$ (d) $\frac{1}{\sqrt{\mu_0 \varepsilon_0}}$

23. दो गोले A और B जिनकी त्रिज्याएँ क्रमशः a और b हैं, एक ही विभव पर हैं, उनके सतही आवेश घनत्वों का अनुपात होगा-

(a) $\frac{a}{b}$ (b) $\frac{b}{a}$

(c) $\frac{a^2}{b^2}$ (d) $\frac{b^2}{a^2}$

24. एक खोखला गोला जिसकी त्रिज्या 5 सेमी. है इस प्रकार आवेशित है कि इसके सतह पर विभव 10 वोल्ट है, इस गोले के केंद्र से 2 सेमी. की दूरी पर विभव होगा-

(a) शून्य (b) 10 वोल्ट

(c) 4 वोल्ट (d) 5 वोल्ट

25. दिए गए चित्र में A और B बिंदुओं के बीच समतुल्य धारक क्षमता होगी-

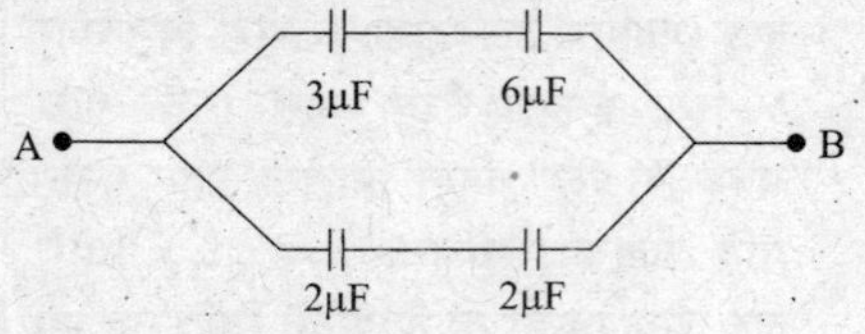

(a) $\frac{36}{13}\mu F$ (b) $2\mu F$

(c) $1\mu F$ (d) $3\mu F$

26. एक विद्युत बल्ब 220 वोल्ट पर 100 वॉट के लिए है। यदि 110 वोल्ट पर चलाया जाए तो शक्ति जो खर्च होगी, वह है-

(a) 50 वॉट (b) 75 वॉट

(c) 90 वॉट (d) 25 वॉट

27. एक तार का तापीय प्रतिरोध गुणांक 0.00125 प्रति °C है। 300 K के तापक्रम पर, इसका प्रतिरोध 1 ओम है। इसका प्रतिरोध 2 ओम होगा-

(a) 1154 K पर (b) 1100 K पर

(c) 1400 K पर (d) 1127 K पर

28. 1500 वॉट के एक हीटर से 7 मिनट में ऊष्मा उत्पन्न होगी-

(a) 1.5 किलोकैलोरी

(b) 15 किलोकैलोरी

(c) 150 किलोकैलोरी

(d) 1500 किलोकैलोरी

29. पाँच बराबर के प्रतिरोधक, जिसमें प्रत्येक का मान r है चित्र में दिखाए गए अनुसार जोड़े गए हैं, तब A और B बिंदुओं के बीच समतुल्य प्रतिरोध होगा-

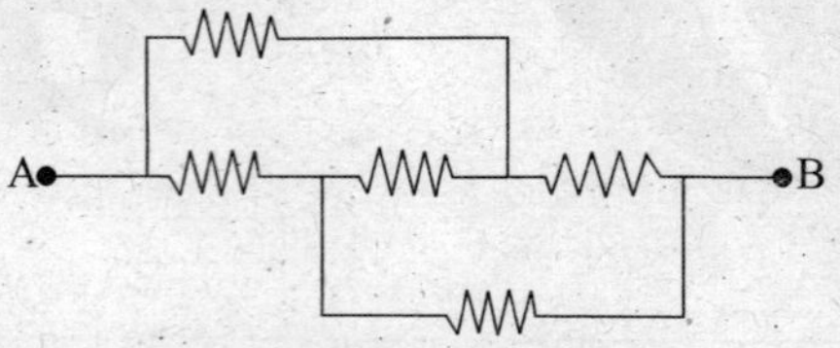

(a) r (b) 5r

(c) $\frac{r}{5}$ (d) $\frac{2r}{3}$

30. एक सोलेनॉएड (परिनालिका) की लम्बाई 1.5 मी. एवं व्यास 4 सेमी. है और इसमें 10 चक्कर (टर्न) प्रति सेमी. है। 5 ऐम्पियर की धारा इसमें बह रही है। सोलेनॉएड के अंदर अक्ष पर चुंबकीय प्रवाहन क्षेत्र होगा-

(a) $2\pi \times 10^{-3}$ टेस्ला

(b) $2\pi \times 10^{-5}$ टेस्ला

(c) $2\pi \times 10^{-3}$ गॉस

(d) $2\pi \times 10^{-5}$ गॉस

31. चुम्बकीकरण की तीव्रता (I) की इकाई है-

(a) ऐम्पियर/मीटर

(b) ऐम्पियर × मीटर^2

(c) ऐम्पियर × मीटर

(d) वेबर/मीटर

32. एक आदर्श वोल्टमीटर का प्रतिरोध होता है-

(a) निम्न (b) उच्च

(c) अनन्त (d) शून्य

33. एक विद्युत प्रेरकत्त्व से संबंधित समय नियतांक है-

(a) LR (b) $\frac{L}{R}$

(c) $\sqrt{\frac{L}{R}}$ (d) $\frac{R}{L}$

34. ट्रॉयड के नियतांकों में संबंध होता है-

(a) $\mu \times r_p \times g_m = 1$

(b) $\mu = \frac{r_p}{g_m}$

(c) $\mu = \frac{g_m}{r_p}$

(d) $\mu = r_p \times g_m$

35. एक *n*-प्रकार का अर्द्धचालक बनता है-

(a) जब जर्मेनियम क्रिस्टल में 3 संयोजक इलेक्ट्रॉन वाली अशुद्धि डाली जाती है।

(b) जब जर्मेनियम क्रिस्टल में 5 संयोजक इलेक्ट्रॉन वाली अशुद्धि डाली जाती है।

(c) शुद्ध जर्मेनियम से

(d) शुद्ध सिलिकॉन से

36. एक सामान्य आधार संरचना (ट्रांजिस्टर परिपथ) में $I_E = 1 \text{m A}, I_C = 0.95 \text{ mA}$ है। आधार धारा का मान है–

(a) 1.95 mA (b) 0.05 mA

(c) 1.05 mA (d) 0.95 mA

37. एल्युमीनियम सतह का कार्यफलन 4.2eV है, 'फोटोविद्युत' प्रभाव के लिए संस्तब्ध तरंगदैर्ध्य है–

(a) 2955 Å (b) 4200 Å

(c) 2000 Å (d) 1000 Å

38. एक नलिका में एक्स-किरणों को उत्पादित किया जा रहा है जो 10^5 वोल्ट पर कार्य कर रही है, उत्पन्न की गई एक्स किरणों का वेग है–

(a) 3×10^8 मी/से

(b) 2.8×10^8 मी/से

(c) 3.1×10^8 मी/से

(d) 3×10^{10} मी/से

39. यदि एक इलेक्ट्रॉन की स्थितिज ऊर्जा, हाइड्रोजन के परमाणु में $\frac{-Ke^2}{r}$ है, तो इसकी गतिज ऊर्जा होगी–

(a) $\frac{-Ke^2}{2r}$ (b) $\frac{-Ke^2}{r}$

(c) $\frac{Ke^2}{2r}$ (d) $\frac{Ke^2}{r}$

40. रेडियम का क्षरण नियतांक 428×10^{-4} प्रतिवर्ष है। इसकी अर्द्ध आयु होगी लगभग–

(a) 1250 वर्ष (b) 1620 वर्ष

(c) 200 वर्ष (d) 60 वर्ष

41. किस समूह में तीनों भौतिक नियतांकों की विमायें एक हैं?

(a) कार्य, ऊर्जा, बल

(b) वेग, संवेग, आवेग (इम्पल्स)

(c) स्थितिज ऊर्जा, गतिज ऊर्जा, संवेग

(d) दबाव, प्रतिबल (स्ट्रेस), प्रत्यास्थता गुणांक

42. एक नैनोमीटर बराबर है–

(a) 10^9 मिमी. (b) 10^{-6} सेमी.

(c) 10^{-7} सेमी. (d) 10^{-9} सेमी.

43. एक लिफ्ट ऊपर की ओर जा रही है। इसकी गति में परिवर्तन निम्न ग्राफ में दर्शाया गया है।

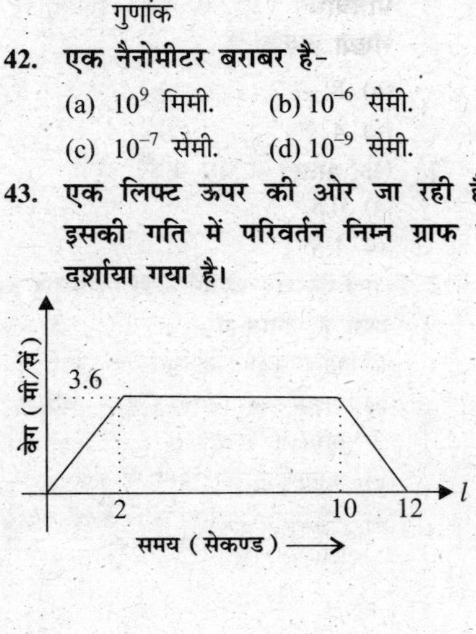

यह लिफ्ट यात्रियों को किस ऊँचाई तक ले जाती है?

(a) 3.6 मी. (b) 28.8 मी.

(c) 36.0 मी. (d) 40.0 मी.

44. एक उत्तल लेंस जो स्क्रीन पर वास्तविक प्रतिबिम्ब बनाता है, उसका आवर्धन 1.8 है। जब स्क्रीन को लेंस की ओर 5 सेमी खिसकाया गया तथा प्रतिबिम्ब पुनः फोकस किया गया तो आवर्धन 2.0 हो जाता है, लेंस की फोकस दूरी होनी चाहिए-

(a) 28 सेमी (b) 15 सेमी

(c) 12.5 सेमी (d) 25 सेमी

45. एक 2 कि.ग्रा. द्रव्यमान एक टेढ़े रास्ते पर, जो 1 मी. त्रिज्या के वृत्त का चौथाई भाग है, फिसलता है (चित्र में दर्शाया गया है)

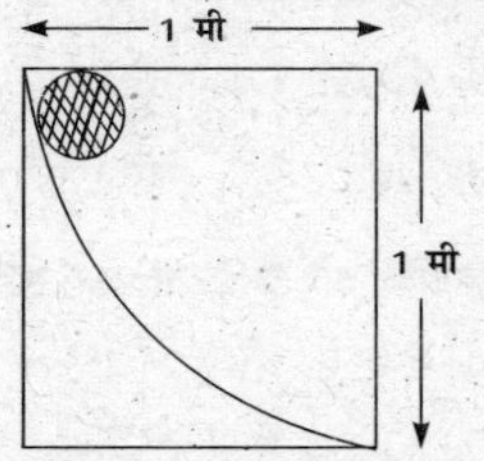

संपूर्ण सतह घर्षण रहित है। यदि द्रव्यमान विराम से प्रारंभ करें तो इसकी गति रास्ते के अंतिम छोर पर होगी–

(a) 4.43 मी/से (b) 2 मी/से

(c) 0.5 मी/से (d) 19.6 मी/से

46. एक लिफ्ट ऊपर जाते हुए ऋणात्मक त्वरण से विराम पर आ जाती है। इसमें स्थित मनुष्य का भार–

(a) बढ़ जाता है

(b) घट जाता है

(c) स्थिर रहता है

(d) या तो घट जाता है या बढ़ जाता है

47. एक कार जिसका द्रव्यमान m है, r त्रिज्या के वृत्तीय मोड़ पर जहाँ घर्षण सतह है, υ गति से मुड़ रही है। कार बिना फिसले चलती रहे, इसके लिए (μ = घर्षण गुणांक है)

(a) $\frac{mv^2}{r} \geq \mu mg$

(b) $\frac{mv^2}{r} \leq \mu mg$

(c) $\frac{mv^2}{r} = \mu mg$

(d) $\frac{v}{r} = \mu g$

48. एक l लंबाई की छड़ का जड़त्व आघूर्ण एक ऐसे अक्ष पर जो छड़ के एक सिरे से गुजर रही हो (द्रव्यमान M है)–

(a) $\frac{Ml^2}{12}$ (b) $\frac{Ml^2}{3}$

(c) $\frac{Ml^2}{2}$ (d) $\frac{Ml^2}{4}$

49. दो पिंड जिनके द्रव्यमान m_1 और m_2 हैं, उनका संवेग बराबर है। उनकी गतिज ऊर्जाओं E_1 और E_2 का अनुपात होगा–

(a) $\sqrt{m_1} : \sqrt{m_2}$ (b) $m_1 : m_2$

(c) $m_2 : m_1$ (d) $m_1^2 : m_2^2$

50. एक उपग्रह का अपने ग्रह के चारों ओर कक्षीय चाल का परिक्रमण काल T है और ग्रह की त्रिज्या R है। एक ऐसा उपग्रह जिसकी त्रिज्या 3R हो, उसका परिक्रमण काल होगा–

(a) T (b) 3T

(c) 9T (d) $3\sqrt{3T}$

51. एक पिंड जो सरल आवर्त गति कर रहा है, उसकी संपूर्ण ऊर्जा E है। जब उसका विस्थापन आयाम का आधा हो, तो उसकी गतिज ऊर्जा होगी–

(a) $\frac{E}{2}$ (b) $\frac{E}{4}$

(c) $\frac{3E}{4}$ (d) $\frac{\sqrt{3}E}{4}$

52. एक बर्फ का बड़ा पिंड समुद्र के पानी में तैर रहा है। इसका कितना प्रतिशत आयतन पानी की सतह के ऊपर होगा?(दिया गया है: समुद्र के पानी का आपेक्षित घनत्व 1.2 और बर्फ का आपेक्षिक घनत्व 0.9 है)

(a) 20% (b) 25%

(c) 33.3% (d) 50%

53. एक बेलनाकार पात्र घनत्व d वाले द्रव से h ऊँचाई तक भरा है। यदि यह पात्र स्थिर है, तो पात्र की निचली सतह पर दबाव होगा–

(a) शून्य (b) $\frac{1}{2}dg$

(c) ndg (d) 2hdg

54. एक मोटी ताँबे की रस्सी, जिसका घनत्व 1.5 कि.ग्रा./मी^3 है, का 'यंग' प्रत्यास्थता गुणांक 5×10^6 न्यूटन/मी^2 है। 8 मी. की इस रस्सी जो कमरे की छत से लटकाई गई है। इसकी लंबाई में स्वयं के भार से बढ़ोतरी होगी–

(a) 9.6×10^{-5} मी.

(b) 192×10^{-7} मी.

(c) 9.6×10^{-3} मी.

(d) उपरोक्त में से कोई नहीं

55. एक गोलाकार द्रव बूंद, जिसकी त्रिज्या R है, में सतही तनाव के कारण अतिरिक्त दबाव समानुपाती होगा–

(a) R (b) R^3

(c) R^{-2} (d) R^{-1}

56. एक परमाणु वाले (मोनोएटॉमिक) गैस $\left(\gamma=\frac{5}{3}\right)$ के एक मोल को द्विपरमाणु (डाइएटॉमिक) गैस $\left(\gamma=\frac{7}{3}\right)$ के एक मोल के साथ मिलाया जाता है, तो मिश्रण के लिए γ का मान होगा-

(a) 1.40 (b) 1.50

(c) 1.53 (d) इनमें से कोई नहीं

57. ऑक्सीजन –183°C पर उबलती है। यह तापमान फॉरेनहाइट में लगभग क्या होगा?

(a) –329°F (b) –261°F

(c) –215°F (d) –297°F

58. 420 जूल की ऊर्जा 10 ग्राम पानी को दी जाए तो पानी के तापक्रम में बढ़ोतरी होगी लगभग-

(a) 1°C (b) 42°C

(c) 10°C (d) 52°C

59. इनमें से किस उपकरण का उपयोग करके सूर्य के तापमान का निर्धारण किया जा सकता है?

(a) प्लेटिनम थर्मामीटर

(b) गैस थर्मामीटर

(c) पायरोमीटर

(d) वाष्प दबाव थर्मामीटर

60. एक आदर्श गैस में दबाव (p) के साथ आयतन (V) में रुद्धोष्म परिवर्तन होता है, तब–

(a) $p\gamma V$ स्थिरांक (b) pV^{γ} स्थिरांक

(c) $(pV)^{\gamma}$ स्थिरांक (d) pV स्थिरांक

रसायन विज्ञान

61. ऊष्मागतिकी में कोई प्रक्रम तब उत्क्रमणीय कहलाता है, जब–

(a) वातावरण और निकाय एक-दूसरे में परिवर्तित होते हैं।

(b) निकाय और वातावरण के मध्य कोई सीमा नहीं होती है।

(c) निकाय और वातावरण में साम्य बना रहता है।

(d) निकाय क्रमशः परिपार्श्व (वातावरण) में स्वतः परिवर्तित होता है।

62. हाइपो के पोटैशियम डाइक्रोमेट द्वारा प्रमाणिक विलयन बनाने में, आयोडोमीटरिक अनुमापन में $K_2Cr_2O_7$ का तुल्यांकी भार है–

(a) $\frac{\text{अणुभार}}{2}$ (b) $\frac{\text{अणुभार}}{6}$

(c) $\frac{\text{अणुभार}}{3}$ (d) अणुभार के बराबर

63. प्रथम आयनन विभव का सही क्रम है-

(a) K > Na > Li

(b) Be > Mg > Ca

(c) B > C > N

(d) Ge > Si > C

64. कॉपर के निष्कर्षण में प्राप्त धातुमल है-

(a) $CuFeS_2$ (b) $Cu_2O + FeS$

(c) $Cu_2S + FeO$ (d) $FeSiO_3$

65. स्थिर दाब पर, आदर्श गैस का वर्ग-माध्य-मूल वेग (RMS) घनत्व के साथ निम्न प्रकार बदलता है-

(a) d2 (b) d

(c) $\sqrt{d}$ (d) $\frac{1}{\sqrt{d}}$

66. अम्लीय की प्रबलता का सही क्रम है-

(a) $Cl_2O_7 > SO_2 > P_4O_{10}$

(b) $CO_2 > N_2O_5 > SO_3$

(c) $Na_2O > MgO > Al_2O_3$

(d) $K_2O > CaO > MgO$

67. लवण सेतु बनाने के लिए पोटैशियम नाइट्रेट का मानक विलयन उपयोग में लाते हैं, क्योंकि–

(a) K^+ आयन का वेग, NO_3^- से अधिक है।

(b) NO_3^- आयन का वेग, K^+ आयन से अधिक है।

(c) K^+ तथा NO_3^- के वेग समान हैं।

(d) KNO_3 जल में अत्यधिक घुलनशील है।

68. निर्जलीय फेरिक क्लोराइड को तैयार किया जाता है-

(a) फेरिक क्लोराइड को उच्च ताप पर वायु की धारा में गर्म करके

(b) लोहे को शुष्क क्लोरीन की धारा में गर्म करके

(c) फेरिक ऑक्साइड को हाइड्रोक्लोरिक अम्ल के साथ गर्म करके

(d) आयरन की हाइड्रोक्लोरिक अम्ल से अभिक्रिया करके

69. कौन बाएं से दाएं जाने पर sp^2–sp^2–sp–sp संकरण प्रदर्शित करता है?

(a) $H_2C{=}CH{-}C{\equiv}CH$

(b) $HC{\equiv}C{-}C{\equiv}CH$

(c) $H_2C{=}C{=}C{=}CH_2$

(d) H_2C 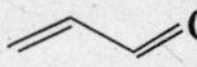 CHNa

70. सोडियम का सबसे स्थायी समस्थानिक Na^{23} है। अतः ${}_{11}Na^{24}$ निम्न में से किस रेडियोएक्टिव प्रक्रम द्वारा विघटित होगा?

(a) β–किरणें (b) α–किरणें

(c) β^+–किरणें (d) γ–किरणें

71. आवर्त सारणी में सबसे अधिक इलेक्ट्रोनेगेटिव (विद्युत ऋणात्मक) तत्त्व है-

(a) सीजियम (b) क्लोरीन

(c) फ्लुओरीन (d) बेरियम

72. जब कोई उदासीन परमाणु इलेक्ट्रॉन स्वीकार करता है तो वह ऋणायन बनाता है, यह प्रक्रम निम्न से संपन्न होता है-

(a) ऊर्जा के ह्रास से

(b) ऊर्जा की प्राप्ति से

(c) बिना ऊर्जा परिवर्तन के

(d) उपरोक्त में से कोई नहीं

73. सबसे अधिक विद्युत ऋणात्मक तत्त्व के बाह्य कोश का इलेक्ट्रॉनिक विन्यास होता है-

(a) $ns^2\,np^3$ (b) $ns^2\,np^4$

(c) $ns^2\,np^5$ (d) $ns^2\,np^6$

74. O_2 के बंध बनने में कुल इलेक्ट्रॉनों की संख्या जो भाग लेती है, वह है–

(a) 2 (b) 4

(c) 6 (d) 8

75. मेथेनॉल पानी में घुलनशील है, इसका कारण है-

(a) सहसंयोजक बंध

(b) हाइड्रोजन बंध

(c) आयनिक बंध

(d) मेथेनॉल का जहरीला गुण

76. CO अणु में बंधित (बॉन्डिंग) एवं प्रतिबंधित (एंटीबॉन्डिग) इलेक्ट्रॉनों की संख्या क्रमशः है-

(a) 8, 2 (b) 2, 8

(c) 4, 2 (d) 2, 4

77. He_2^+ आयन में बंध कोटि होगी-

(a) 0.5 (b) 1.0

(c) 1.5 (d) 2.0

78. खाद्य पदार्थ (भोजन) का विकिरण किया जाता है, निम्न में–

(a) भोजन बनाने के पूर्व

(b) माइक्रो-ऑर्गेनिज्म (सूक्ष्म जीवों) को मारने के लिए

(c) कीटाणुओं को मारने के लिए

(d) न्यूट्रीएंट (बलवर्द्धक) वैल्यू बढ़ाने के लिए

79. उत्प्रेरक नाम दिया गया, निम्न द्वारा–
(a) चैडविक (b) जे.जे. थॉमसन
(c) बर्जिलियस (d) रदरफोर्ड

80. विनेगर है-
(a) HCHO (b) HCOOH
(c) CH_3CHO (d) CH_3COOH

81. किस विलायक में एल्कीन अत्यंत घुलनशील है?
(a) पानी
(b) एथिल ऐल्कोहॉल
(c) कार्बन टेट्राक्लोराइड
(d) अमोनिया

82. निम्न यौगिकों में कौन-सा ज्यामितीय समावयवता दर्शाता है?
(a) प्रोपेन (b) 2-ब्यूटेन
(c) प्रोपाइन (d) 2-ब्यूटाइन

83. $CH_2=CH—CH=CH_2$ में कितने सिग्मा σ (sigma) बंध हैं?
(a) 3 (b) 6
(c) 9 (d) 12

84. जब ऐसीटिलीन को किसी लोहे की गर्म नली से 400°C पर गुजारते हैं, तो यह देती है-
(a) बेन्जीन (b) टालूईन
(c) O-जाइलीन (d) मेसीटिलीन

85. निम्न हाइड्रोकार्बनों में से कौन-सा अम्लीय हाइड्रोजन रखता है?
(a) 1-ब्यूटेन (b) 1-ब्यूटाइन
(c) 2-ब्यूटेन (d) 2-ब्यूटाइन

86. निम्न में से किसका क्वथनांक (Boiling point) सबसे अधिक है?
(a) डाइएथिल ईथर
(b) *n*-ब्यूटेरैल्डिहाइड
(c) *n*-ब्यूटिल एल्कोहॉल
(d) *n*-प्रोपिल क्लोराइड

87. रेक्टिफाइड स्पिरिट कहते हैं-
(a) 100% एथेनॉल को
(b) 90% एथेनॉल को
(c) 100% मेथेनॉल को
(d) 95% एथेनॉल को

88. निम्न में से कौन-सा अभिकर्मक ऐल्डिहाइड एवं कीटोन दोनों से तुरंत प्रतिक्रिया करेगा?
(a) ग्रिगनार्ड अभिकर्मक
(b) फेहलिंग अभिकर्मक
(c) टॉलेन अभिकर्मक
(d) शिफ अभिकर्मक

89. निम्न में से कौन-सा आयोडोफॉर्म परीक्षण देगा?
(a) बेन्जोइक अम्ल
(b) एथेनॉल
(c) बेन्जिल क्लोराइड
(d) मेथेनॉल

90. NaOH की उपस्थिति में ऐसीटोन, हाइड्रेजीन के साथ अपचयित हो जाता है तथा प्रोपेन बनाता है। इस अभिक्रिया को कहते हैं-
(a) क्लेमेंसन अपचयन
(b) वुल्फ-किश्नर अपचयन
(c) रोजेनमुंड अपचयन
(d) रीफॉर्मेटस्की अभिक्रिया

91. अम्ल जल-अपघटन (acid hydrolysis) के उपरांत निम्न में से कौन-सा ऐसीटिक अम्ल देगा?
(a) एथिल ऐसीटेट
(b) ऐसीटोन
(c) मेथिल प्रोपिओनेट
(d) लेक्टिक अम्ल

92. नाइट्रस अम्ल से मेथिल ऐमीन अभिक्रिया करके निम्न देगा-
(a) CH_3CH_3 (b) CH_3NO_2
(c) CH_3OH (d) CH_3CH_2OH

93. निम्न में से कौन-सा यौगिक ऐसीटिल क्लोराइड से अभिक्रिया नहीं करता?
(a) मेथिल ऐमीन
(b) डाइमेथिल ऐमीन
(c) ऐनीलिन
(d) ट्राइमेथिल ऐमीन

94. निम्न में कौन-सा यौगिक त्वरित नाइट्रीकरण (nitration) में सबसे जल्दी चला जाता है?
(a) बेन्जीन (b) टॉलूईन
(c) बेन्जोइक अम्ल (d) नाइट्रोबेन्जीन

95. निम्न में से कौन-सा तत्त्व रबर के वल्कनीकरण (vulcanisation) में प्रयुक्त किया जाता है?
(a) फॉस्फोरस (b) ब्रोमीन
(c) नाइट्रोजन (d) सल्फर

96. एप्सम लवण होता है-
(a) $MgSO_4 \cdot 7H_2O$
(b) $CaSO_4 \cdot H_2O$
(c) $MgSO_4 \cdot 2H_2O$
(d) $BaSO_4 \cdot 2H_2O$

97. ऑक्सीजन निम्न में स्पष्ट रूप से धनात्मक ऑक्सीकरण अवस्था प्रदर्शित करता है-
(a) CO (b) F_2O
(c) NO (d) N_2O

98. प्लेटिनम उत्प्रेरक के लिए निम्न जहर होता है-
(a) सल्फर (b) ऑर्सेनिक
(c) सेलेनियम (d) वैनेडियम

99. क्लोरीन गैस को निम्न पर शुष्क करते हैं-
(a) क्विक लाइम
(b) कास्टिक सोडा
(c) कास्टिक पोटाश स्टिक
(d) सान्द्र H_2SO_4

100. नोबेल गैस, जो रेडियोधर्मी है-
(a) ऑर्गन (b) हीलियम
(c) रेडॉन (d) जेनॉन

101. किसी क्रिस्टल में ब्रेवेस जालकों की कुल संख्या होती है-
(a) 7 (b) 32
(c) 230 (d) 14

102. यदि हाइड्रोजन परमाणु की चौथी बोर कक्षा की दे-ब्रॉग्ली तरंग की लंबाई 4Å है, तो उस कक्षा की परिधि होगी-
(a) 4Å (b) 4 nm
(c) 16Å (d) 16 nm

103. केंद्रीय परमाणु द्वारा बने बंध में s तथा p गुण बराबर होता है, निम्न में-
(a) CH_4 (b) $CH \equiv CH$
(c) CH_3^+ (d) CH_3^-

104. निम्न में अधिकतम बंध शक्ति होगी-
(a) O_2 (b) O_2^+
(c) O_2^- (d) O_2^{2-}

105. ${}^4_2He$ तथा ${}^1_1H$ की त्रिज्याओं में निम्न अनुपात होगा-
(a) 4 (b) 2
(c) 3 (d) 1.6

106. रेडियोकार्बन डेटिंग विकसित की गई थी, निम्न द्वारा–
(a) एम. क्यूरी
(b) एम. काल्विन
(c) डब्ल्यू.एफ. लिब्बी
(d) एच. बेकेरल

107. NH_4OH के 0.1 M जलीय विलयन का pH का मान होगा- ($K_b = 1.0 \times 10^{-5}$)
(a) 3 (b) 10.5
(c) 11 (d) 7.5

108. कार्य अवकलन dW होता है-
(a) अवस्था फलन
(b) अयथातथ अवकलन (inexact differential)
(c) यथातथ अवकलन (exact differential)
(d) उपरोक्त में से कोई नहीं

109. किसी वास्तविक गैस के लिए $\left(\frac{\partial U}{\partial V}\right)$ होता है-

(a) शून्य (b) धनात्मक
(c) ऋणात्मक (d) अनंत

110. आदर्श गैस के 10 मोल शून्य में प्रसारित होते हैं, कार्य प्राप्त होगा-

(a) अनंत (b) 10 जूल
(c) शून्य (d) 5 जूल

111. सक्रियण ऊर्जा के लिए आरहेनियस समीकरण $k = Ae^{-E_a/Rt}$ में A निम्न को प्रदर्शित करता है-

(A) पूर्व चरघातांकी गुणक (pre-exponential factor)
(B) आवृत्ति गुणक (frequency factor)
(C) आरहेनियस गुणक
(D) संघट्ट गुणक एवं आवृत्ति
इसका सही उत्तर होगा-

(a) A तथा C (b) A तथा B
(c) C तथा D (d) B तथा C

112. ऊष्माशोषी के लिए क्या सही है?

(a) ΔE ऋणात्मक है
(b) ΔH ऋणात्मक है
(c) ΔH धनात्मक है
(d) ΔH शून्य के बराबर है

113. लेड अम्ल बैटरी के आवेशन के समय कैथोड पर निम्न अभिक्रिया होती है-

(a) Pb^{2+} का Pb अपचयन में
(b) $PbSO_4$ बनता है
(c) ऐनोड पर Pb जमा होता है
(d) PbO_2 बनता है

114. किसी एडियाबेटिक (रुद्धोष्म) प्रक्रिया में-

(a) T = स्थिर नहीं है
(b) Q = 0
(c) Q = स्थिर
(d) W = 0

115. वास्तविक विलयन वह होता है, जोकि-

(a) राउल्ट के नियम का पालन करता है।
(b) हेनरी के नियम का पालन करता है।
(c) राउल्ट के नियम का पालन नहीं करता है।
(d) ओम के नियम का पालन करता है।

116. किसी कोलाइडी कण द्वारा परिक्षेपण माध्यम में की गई सतत् यादृच्छिक गति को कहा जाता है-

(a) टिन्डल प्रभाव
(b) ब्राउनियन गति
(c) वैद्युत कण-संचलन
(d) पेप्टीकरण

117. निम्न अभिक्रिया में एन्थैल्पी परिवर्तन को कहते हैं-

$$2CO + O_2 \rightarrow 2CO_2$$

(a) अभिक्रिया की एन्थैल्पी
(b) संगलन की एन्थैल्पी
(c) दहन एन्थैल्पी
(d) सम्भवन एन्थैल्पी

118. निम्न में कौन-सा किसी रासायनिक अभिक्रिया में साम्य स्थिरांक के मान को प्रभावित कर सकता है?

(a) क्रियाकारकों का सान्द्रण परिवर्तन
(b) उत्पाद बनते ही उसे हटा लेना
(c) विलायक का परिवर्तन
(d) उत्प्रेरक डालना

119. यदि ग्लूकोस के तनु विलयन (जलीय) का 373 K ताप पर वाष्पदाब 740 मिमी (पारद) है, तो विलेय का मोल प्रभाव होगा-

(a) 1/20 (b) 1/38
(c) 1/76 (d) 1/740

120. निकिल क्लोराइड विलयन में 4 फैराडे विद्युत प्रवाह से कितनी निकिल धातु जमा हो सकती है?

(a) 29.3 (b) 58.7
(c) 117.4 (d) 176.1

वनस्पति विज्ञान

121. मशरूम सम्बन्धित है-

(a) विषाणु से (b) जीवाणु से
(c) फफूँद से (d) शैवाल से

122. पौधों में पर्णहरित के संश्लेषण के लिए .... आवश्यक होता है।

(a) बोरॉन (b) आयोडीन
(c) मैग्नीशियम (d) सोडियम

123. गन्ने में लाल गूदा सड़न होता है-

(a) कोलेटोट्राइकम फाल्कैटम द्वारा
(b) फ्यूजेरियम उडम द्वारा
(c) फ्यूजेरियम ऑक्सीस्पोरम द्वारा
(d) मैक्रोफोमिन फैसियोलाई द्वारा

124. धान में 'हौपर बर्न' होता है-

(a) ब्राउन प्लाण्ट हौपर्स द्वारा
(b) ग्रीन लीफ हीपर्स द्वारा
(c) ग्रास हौपर्स द्वारा
(d) राइस गन्धी बग द्वारा

125. जड़ों की वृद्धि में कौन-सा पोषक तत्व सहायक है?

(a) नाइट्रोजन (b) पोटाश
(c) बोरॉन (d) फॉस्फोरस

126. एक हरे चारे को बिना इसके तत्वों एवं मूल हरे रंग के ह्रास के सुखाया गया है, इसको निम्न में से किस नाम से जाना जाता है?

(a) स्वायलेंज (b) हे
(c) साइलेज (d) सूखा चारा

127. पौधों में लचीलापन निम्नलिखित में से किस उत्तक कें कारण होता है?

(a) पैरेनकाइमा (b) स्कलेरेनकाइमा
(c) कोलेनकाइमा (d) एरेनकाइमा

128. क्षारीय ऊसर भूमि में धान के पौधों की रोपाई के लिये उचित उम्र होती है-

(a) 21-25 दिन (b) 25-30 दिन
(c) 35-40 दिन (d) 40-50 दिन

129. 'आधार बीज' तैयार किया जाता है-

(a) नाभिक बीज से
(b) प्रजनक बीज से
(c) क्वालिटी बीज से
(d) प्रमाणित बीज से

130. गन्ने का मूल-बेधक क्षति पहुँचाता है-

(a) जड़ को (b) तने को
(c) पत्ती को (d) बीज को

131. गेहूँ की बुवाई के लिये उचित तापक्रम है-

(a) 10°–15^oC (b) 15°–20^oC
(c) 20°–25^oC (d) 25°–30^oC

132. निम्नांकित में से कौन-सा बहुवर्षीय खरपतवार है?

(a) बथुवा (b) सत्यानाशी
(c) हिरनखुरी (d) पत्थरचट्टा

133. मृदा का गहरा रंग लक्षण है-

(a) अधिक उत्पादकता का
(b) कम उत्पादकता का
(c) उत्पादकता में कोई परिवर्तन नहीं
(d) खनिज का प्रचुर मात्रा में न होना

134. अधिकांश फसलों की बढ़ोत्तरी की गति तब कम हो जाती है और पूर्णरूप से बंद हो जाती है, जब मृदा में ऑक्सीजन की आपूर्ति कम होती है-

(a) 2% से (b) 5% से
(c) 6% से (d) 8% से

135. निम्न में से कौन-सा हरी शैवाल का उदाहरण है?

(a) लेमिनेरिया (b) सरगासम
(c) फ्यूकस (d) क्लैमाइडोमोनस

136. भारत के किन राज्यों में गन्ना सबसे ज्यादा पैदा होता है?

(a) महाराष्ट्र एवं उत्तर प्रदेश
(b) उत्तर प्रदेश एवं राजस्थान

(c) आन्ध्र प्रदेश एवं जम्मू-कश्मीर
(d) पंजाब एवं हिमालय प्रदेश

137. पौधों को सबसे अधिक पानी किस मिट्टी में मिलता है?
(a) चिकनी मिट्टी (Slayey soil)
(b) पांशु मिट्टी (Silty soil)
(c) बलुई मिट्टी (Sandy soil)
(d) लोम मिट्टी (Loamy soil)

138. किस मिट्टी में केशिका (Capillaries) सबसे अधिक प्रभावशाली होती है?
(a) चिकनी मिट्टी (b) पांशु मिट्टी
(c) बलुई मिट्टी (d) लोम मिट्टी

139. मैलस डोमेस्टिका किसका वैज्ञानिक नाम है?
(a) आम का पेड़
(b) अनानास का पेड़
(c) केले का पेड़
(d) सेब का पेड़

140. बेक्टीरियल लीफ ब्लाइट किस फसल की बीमारी है?
(a) मक्का (b) कपास
(c) धान (d) आलू

141. पौधों को फॉस्फोरस की प्राप्यता सबसे अधिक प्रभावित होती है-
(a) मिट्टी के पी.एच. से
(b) नमी की कमी से
(c) तापमान से
(d) इनमें से किसी से नहीं

142. मृदा नमी माप की इकाई है-
(a) पी.एच. (pH)
(b) पी.एफ. (PF)
(c) क्यू. से. (Quceck)
(d) ECC

143. फूलगोभी का 'व्हिपटेल' रोग निम्न में से किस एक की कमी के कारण होता है?
(a) लोहा (b) क्लोरीन
(c) सोडियम (d) मॉलीब्डेनम

144. निम्नलिखित फसलों में से कौन एक मानव रचित फसल है-
(a) जौ (b) ट्रिटिकेल
(c) गेहूँ (d) राई

145. 'गोल्डन एकर' एक प्रजाति है-
(a) फूलगोभी की (b) पत्तागोभी की
(c) गाजर की (d) प्याज की

146. क्लोरोफिल निर्माण में कौन-से दो तत्व आवश्यक होते हैं?
(a) कैल्शियम और पोटैशियम
(b) सोडियम और कॉपर
(c) आयरन और मैग्नीशियम
(d) सल्फर और फॉस्फोरस

147. मृदा द्वारा पौधों को उनके सभी आवश्यक पोषकों को प्राप्य अवस्था में उपलब्ध कराने की क्षमता को कहा जाता है-
(a) मृदा उत्पादकता
(b) मृदा उर्वरता
(c) उपर्युक्त दोनों
(d) कोई नहीं

148. आलू को खेत व भंडारण दोनों में हानि पहुँचाने वाला कीट है-
(a) आलू का शलभ (b) कटुवा कीट
(c) फुदका (d) इपीलेक्ना भृंग

149. बीज परीक्षण में 'ट्रेटाजोलियम क्लोराइड' का प्रयोग किसके निर्धारण के लिए किया जाता है?
(a) अंकुरण के लिए
(b) शुद्धता के लिए
(c) जीवन क्षमता के लिए
(d) उपरोक्त में से कोई नहीं

150. 'हिडेन हंगर' का सम्बन्ध है-
(a) पानी की कमी से
(b) तत्वों की कमी से
(c) प्रकाश की कमी से
(d) इनमें से कोई नहीं

जन्तु विज्ञान

151. निम्न में से डीएनए की इकाई है-
(a) क्रोमेटिन (b) यूक्रोमेटिन
(c) गुणसूत्र (d) क्रोमेटिड

152. निम्न में से पित्त रस का गुण है-
(a) इसमें कोई एन्जाइम नहीं होता
(b) इसमें ट्रिप्सिन होता है
(c) इसमें एंट्रोगैस्ट्रोन होता है
(d) इसमें ट्राइपोफ्नोमाइड होता है

153. मनुष्यों में प्रमस्तिष्क गोलार्द्ध का कौन-सा भाग दोस्तों और परिवार के लोगों का चेहरा पहचानता है?
(a) बायाँ प्रमस्तिष्क गोलार्द्ध
(b) दायाँ प्रमस्तिष्क गोलार्द्ध
(c) (a) व (b) दोनों
(d) उपरोक्त में से कोई नहीं

154. स्तनधारियों के भ्रूण की अतिरिक्त भ्रूणीय झिल्ली किससे उत्पन्न होती है?
(a) आंतरिक कोशिका द्रव्यमान से
(b) ट्रोफोब्लास्ट से
(c) फोरमेटिव कोशिका से
(d) फॉलिकिल कोशिका से

155. 'रेड टाइड' होता है-
(a) प्रोटोजोआ द्वारा
(b) प्रवालों द्वारा
(c) डाइनोफ्लैजिलेट्स द्वारा
(d) उपरोक्त में सभी के द्वारा

156. इनमें से कौन-सा अलग है?
(a) गिनीवर्म (b) हुकवर्म
(c) रिंगवर्म (d) फ्लैटवर्म

157. कशेरुकी हड्डी का मुख्य अवयव है-
(a) कैल्शियम फॉस्फेट
(b) कैल्शियम कार्बोनेट
(c) सोडियम क्लोराइड
(d) पोटैशियम हाइड्रोक्साइड

158. निम्न में से कौन-सा जंतु संघ मोलस्का का है?
(a) ग्लोब मछली (b) तारा मछली
(c) रजत मछली (d) कटल मछली

159. शहद, जिसमें शुगर की मात्रा अधिक होती है, विघटित नहीं होता है, क्योंकि-
(a) इसमें सामान्य प्रति-ऑक्सीकारक होते हैं, जोकि जीवाणुओं से इसकी रक्षा करते हैं।
(b) जीवाणु अपनी सक्रिय अवस्था में अधिक परासरणी बल वाले द्रव्य पर जीवित नहीं रह पाते हैं और शहद से पानी बाहर निकलता रहता है।
(c) शहद में जीवाणु ऑक्सीजन द्वारा वंचित किए जाते हैं।
(d) उपरोक्त में से कोई नहीं।

160. निम्नलिखित में से किस प्रोटीन में आयरन होता है?
(a) ऐल्फा ग्लोब्युलिन
(b) गामा ग्लोब्युलिन
(c) फेरिटिन
(d) एल्बुमिन्स

161. कॉपर्स स्ट्राइएटम पाया जाता है-
(a) पैरासील में
(b) डायोसील में
(c) मेटासील में
(d) प्रमस्तिष्क गोलार्द्ध में

162. एक खरगोश बहुत तेज दौड़ता है, और कुछ समय बाद थकान अनुभव करता है क्योंकि-
(a) पेशियों में लैक्टिक अम्ल बनता है
(b) पेशियों में सक्सिनिक अम्ल बनता है
(c) ऊर्जा की क्षति
(d) उपरोक्त में से कोई नहीं

163. विषाणु से संक्रमित शरीर की कोशिकाएँ एक प्रोटीन बनाती हैं, जिसे कहते हैं-

(a) इंटरफेरॉन (b) प्रोपरडीन
(c) गामा ग्लोब्युलिन (d) हाइब्रिडोमा

164. रेखित पेशियों के साइटोप्लाज्मिक तंतु खंड कहलाते हैं-
(a) मेटामेयर (b) न्यूरोमेयर
(c) सार्कोप्लाज्म (d) सार्कोमेयर

165. स्तनधारियों में शुक्राणु क्षमतायन में-
(a) शुक्राणु का आकार बदल जाता है
(b) एक्रोसोम अभिक्रिया होती है
(c) न्यूक्लियर क्रोमेटिन बदल जाता है
(d) माइटोकॉण्ड्रिया का अलाइनमेंट होता है

166. निम्न में से कौन-सा एक सर्वव्यापी रोग है?
(a) अमीबिय अतिसार
(b) हेपेटाइटिस
(c) फाइलेरिएसिस
(d) इंफ्लुएंजा

167. मनुष्यों द्वारा एडीनीन और ग्वानीन का उपापचयी उत्पाद है-
(a) अमोनिया (b) यूरिया
(c) यूरिक अम्ल (d) एलेन्टोइन

168. पेरीपेट्स संयोजक कड़ी है-
(a) सरीसृपों और स्तनधारियों की
(b) फीताकृमि और एनीलिडा की
(c) मोलस्का और ऑर्थोपोडा की
(d) एनीलिडा और ऑर्थोपोडा की

169. निम्न में से कौन-सा हार्मोनल रोग है?
(a) जुकाम (b) घेंघा
(c) ट्यूबरक्लोसिस (d) कुष्ठ रोग

170. 'एक जीन–एक एंजाइम' का विचार दिया था-
(a) वाटसन और क्रिक ने
(b) बीडल और टेटम ने
(c) सिंगर और निकोलसन ने
(d) श्लाइडेन और श्वान ने

171. मनुष्यों की त्वचा का रंग नियंत्रित होता है-
(a) बहुविकल्पी द्वारा
(b) घातक जीन द्वारा
(c) अनेकजीनी द्वारा
(d) इनमें से कोई नहीं

172. धमनी की दीवार की मोटाई को कहते हैं-
(a) एन्यूरीज्म
(b) आरटीरियोस्केलेरोसिस
(c) ऑर्थराइटिस
(d) (a) और (b) दोनों

173. किस रुधिर वर्ग में 'A' और 'B' दोनों प्रतिरक्षी होते हैं?
(a) O (b) AB
(c) A (d) B

174. अमीबा में भोजन के निष्क्रिय अंतर्ग्रहण को कहते हैं-
(a) इनवैजिनेशन (b) इम्पोर्ट
(c) सरकमफ्लूएंस (d) सरकमवैलेसन

175. पैलिओन्टोलॉजी में हम अध्ययन करते हैं-
(a) पक्षियों का (b) हड्डियों का
(c) प्राइमेट्स का (d) जीवाश्मों का

176. पूर्वावस्था के अंत में प्रत्येक सेंट्रोमेयर से विकरित धागेनुमा रचना को कहते हैं-
(a) काइनेटोकोर सूक्ष्मनलिकाएँ
(b) पोलर सूक्ष्मनलिकाएँ
(c) एस्टर सूक्ष्मनलिकाएँ
(d) तर्कु सूक्ष्मनलिकाएँ

177. किस विटामिन में कोबाल्ट धातु उपस्थित रहती है?
(a) B_1 (b) B_2
(c) B_6 (d) B_{12}

178. सबसे कम विषैला नाइट्रोजनी अपशिष्ट कौन-सा है?
(a) अमोनिया
(b) यूरिया
(c) यूरिक अम्ल
(d) (a) और (b) दोनों

179. 'क्लोराइड शिफ्ट' किसके परिवहन के लिए आवश्यक है?
(a) CO_2 (b) O_2
(c) CO_2 और O_2 (d) N_2

180. कशेरुकी के दृष्टिपटल के संवेदी तंत्र हैं-
(a) शंकु और शलाका
(b) गुच्छिका कोशिकाएँ
(c) अतंत्रिकाक्षी कोशिकाएँ
(d) द्विध्रुवी कोशिकाएँ

General English

Directions (Q. Nos. 181-185) Read the given passage carefully and answer the questions that follow by selecting the most appropriate option.

Helicopters are very different from airplanes. They can do three things that airplanes cannot do. First, when airplanes move upward, they must also move forward, but helicopters can move straight-up without moving ahead. Second, helicopters can fly backward, which airplanes can not do.

Third, helicopters can use their rotors to hovar in the air, which is impossible for airplanes. Helicopters can perform actions that airplanes can not, they are used for different tasks. Since, helicopters can take off without moving forward, they do not need a runway for take off.

They are used in congested areas where there is no room for airplanes or in isolated areas which do not have airports. Because they can hover, they are used for firefighting missions to drop water on fires.

They are used in logging operations to lift trees out of forests. Helicopters are used as air ambulances to airlift patients out of situations, which are difficult to reach by conventional ambulances. The police used helicopters to follow suspects on the ground or to search for cars on the ground. Of course, helicopters have military uses because of their design capabilities.

181. The word 'congested' in the passage means—
(a) the place is roomy
(b) the place has no place
(c) the place can be accessed by police vans
(d) the place has so much of smoke due to fire

182. A helicopter can hover while an airplane cannot, according to the passage, 'Hover' in the passage means—
(a) stay at one place in the air
(b) move straight-up in the air
(c) go backward in the air
(d) fly sideways

183. Point out the grammatical category of the word 'perform' in the passage.
(a) Noun (b) Verb
(c) adverb (d) Helping verb

184. Why is a helicopter used as an ambulance?
(a) Its movement can be manoeuvred easily
(b) It crosses all difficult places easily
(c) It reaches the inaccessible places easily
(d) It can fire-fight

185. Point out the grammatical category of the word 'very' in the passage.
(a) Adverb (b) Adjective
(c) Noun (d) Verb

Directions (Q. Nos. 186-187) Each of the following question consist of a word, followed by four words or group of words. Select the antonym of the words given below.

186. Expansion
(a) Depression (b) Negligent
(c) Precise (d) Enlargement

187. Thrift
(a) Parsimony (b) Dismantle
(c) Prodigality (d) Essential

Directions (Q. Nos. 188-190) Choose the correct option out of the four choices given below.

188. He will abide _________ his friend Suresh in all circumstances.
(a) with (b) by
(c) along (d) to

189. He should not be blind ________ the misdeeds of his son Rahul.
(a) at (b) to
(c) with (d) on

190. God had destined him ...... the post of the Prime Minister of India
(a) for (b) to
(c) with (d) on

सामान्य ज्ञान

191. निम्नलिखित शैलों में से कौन-सा अवसादी शैल का उदाहरण है?
(a) स्लेट (b) संगमरमर
(c) शैल (d) ग्रेनाइट

192. निम्नलिखित जलाशयों में से कौन-सा रिहंद परियोजना से संबंधित है?
(a) गाँधी सागर
(b) गोविंद बल्लभ पंत सागर
(c) जवाहर सागर
(d) गोविंद सागर

193. अंतर्राष्ट्रीय न्यायालय का मुख्यालय स्थित है-
(a) न्यूयॉर्क में (b) लंदन में
(c) हेग में (d) पेरिस में

194. जनसंख्या नियंत्रण और परिवार नियोजन विषय भारतीय संविधान के अंतर्गत किस सूची में शामिल है?
(a) राज्य सूची (b) संघ सूची
(c) समवर्ती सूची (d) अवशिष्ट विषय

195. भारत में उच्चतम न्यायालय ने भारतीय संविधान के बुनियादी ढाँचे का सिद्धांत दिया-
(a) शंकरी प्रसाद के मामले में
(b) सज्जन सिंह के मामले में
(c) गोलकनाथ के मामले में
(d) केशवानंद भारती के मामले में

196. प्रायद्वीपीय पठार की सबसे बड़ी नदी का उद्‌गम स्थल है-
(a) बैतूल (b) नासिक
(c) जबलपुर (d) कुडलुर

197. आनंद मठ की रचना किसने की?
(a) रवींद्रनाथ टैगोर
(b) मुंशी प्रेमचंद
(c) महात्मा गाँधी
(d) बंकिमचंद्र चट्टोपाध्याय

198. भारत में अंग्रेजी राज किस युद्ध के बाद स्थापित हुआ?
(a) सबराओं का युद्ध
(b) पानीपत का युद्ध
(c) प्लासी का युद्ध
(d) द्वितीय आंग्ल-मैसूर युद्ध

199. बंगाल विभाजन का वर्ष था-
(a) वर्ष 1903 (b) वर्ष 1905
(c) वर्ष 1907 (d) वर्ष 1909

200. रबी की फसल है-
(a) ज्वार (b) बाजरा
(c) मक्का (d) गेहूँ

व्याख्या सहित उत्तर

भौतिक विज्ञान

1. (b) स्टीफन के नियमानुसार

$$E \propto T^4$$

$$\Rightarrow \frac{E_1}{E_2} = \frac{T_1^4}{T_2^4}$$

$$\frac{5}{E_2} = \frac{(273+227)^4}{(273+727)^4}$$

$$E_2 = 5 \times \left[\frac{1000}{500}\right]^4$$

$= 5 \times 16 = 80$ कैलोरी सेमी$^{-2}$ से$^{-1}$

2. (c) अर्द्धचालक के लिए प्रतिरोध ताप-गुणांक ऋणात्मक होता है। इसलिए प्रतिरोधकता ताप बढ़ाने पर घटेगी।

3. (b) यदि त्रिज्या a की एक गोलीय वस्तु एक श्यान द्रव में डाली जाती है, तो यह पहले त्वरित होती है तथा उपरांत इसका त्वरण शून्य हो जाता है और यह सीमांत वेग (नियत वेग) प्राप्त कर लेती है।

सीमांत वेग
$$v = \frac{2}{9}\frac{a^2(\rho - \sigma)g}{\eta}$$

जहाँ η वस्तु का घनत्व है, σ द्रव्य का घनत्व तथा η श्यानता गुणांक है।

4. (c) वॉट शक्ति का मात्रक होता है न कि ऊर्जा का। 1 वॉट 1 जूल प्रति सेकण्ड के बराबर होता है।

5. (c) एकसमान आवेशित अचालक गोले के लिए वैद्युत क्षेत्र तथा केंद्र से दूरी के बीच ग्राफ निम्नांकित है-

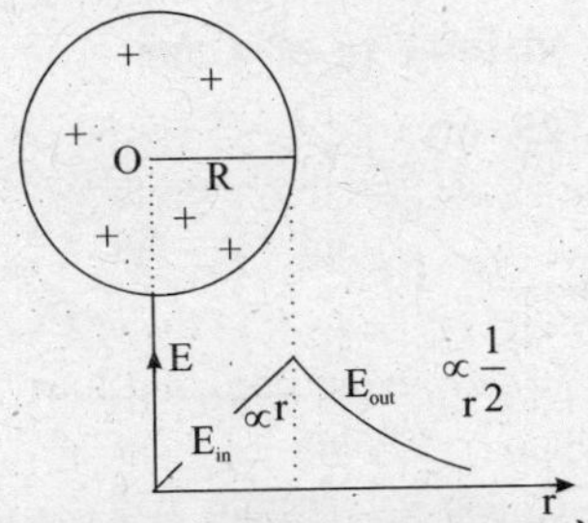

6. (d) किरचॉफ के नियमानुसार, ऊष्मा के अच्छे उत्सर्जक अच्छे अवशोषक भी होते हैं।

7. (c) $eV_0 = hv$

$$v = \frac{eV_0}{h} = \frac{1.6 \times 10^{-19} \times 32}{6.6 \times 10^{-34}}$$

$= 0.775 \times 10^{15}$ हर्टज

8. (a) बोर की nवीं कक्षा की त्रिज्या

$$r = \frac{\varepsilon_0 n^2 h^2}{\pi m Z e^2}$$

दे ब्रोग्ली तरंगदैर्ध्य

$$\lambda = \frac{h}{mv}$$

$$\therefore \frac{r}{\lambda} = \frac{\varepsilon_0 n^2 h^2}{\pi m Z e^2} \times \frac{mv}{h}$$

$$= \frac{\varepsilon_0 n^2 h v}{\pi Z e^2}$$

किंतु $v = \dfrac{Ze^2}{2h\varepsilon_0 n}$

$$\therefore \frac{r}{\lambda} = \frac{n}{2\pi}$$

9. (b) स्थायी चुंबक के लिए प्रयुक्त पदार्थ की धारणशीलता अधिक (प्रबल चुंबक बनाने के लिए) तथा निग्राहिकता अधिक (ताकि चुंबक शीघ्र समाप्त न होने पाए) होनी चाहिए। वैद्युत चुंबक के लिए, प्रयुक्त पदार्थ का चुंबकत्व संतृप्त होना चाहिए, इसके अतिरिक्त इसकी निग्राहिकता कम तथा शैथिल्य लूप का क्षेत्रफल न्यूनतम होना चाहिए ताकि वैद्युत चुंबक अधिक चुंबकन प्राप्त कर ले तथा सरलता से विचुंबकित होकर चुंबकन चक्र के दौरान कम ऊर्जा हानि उत्पन्न करे। अत: P स्थाई चुंबक बनाने के योग्य है तथा Q वैद्युत चुंबक बनाने के योग्य है।

10. (b) फैराडे के द्वितीय नियमानुसार, प्रेरित वि. वा. बल

$$e=-N\frac{d\phi}{dt}$$

$$e=-L\frac{dl}{dt}$$

$\therefore\ |e|=2\times10^{-3}\times20\times10^{-3}$ वोल्ट

= 40 माइक्रोवोल्ट

11. (c) कलान्तर, $\Delta\phi=\phi_1-\phi_2$

$$=\frac{3\pi}{6}-\frac{\pi}{6}$$

$$=\frac{2\pi}{6}=\frac{\pi}{3}$$

12. (c) डोरी में लपेटों की संख्या n है

तब $l=\frac{n\lambda}{2}$

या $\lambda=\frac{2l}{n}$

13. (c) जब प्रेक्षक स्थित स्रोत की ओर गति करता है, तब

आभासी आवृत्ति $v' = v\left[\frac{v+v_0}{v}\right]$

दिया है, $v_0=\frac{v}{10}$

$$v'=v\left[\frac{v+\frac{v}{10}}{v}\right]$$

$$v'=\frac{11}{10}v$$

आवृत्ति में परिवर्तन = $\frac{11}{10}v-v=\frac{1}{10}v$

आवृत्ति का प्रतिशत = 10%

14. (b) शीशे में तरंगदैर्ध्य होगी

$$=\frac{\lambda}{\mu}=\frac{7200}{1.5}$$

$$=4800\ \text{Å}$$

15. (d) सम्मिलित फोकस दूरी

$$F=\frac{f_1-f_2}{f_1+f_2}$$

$$\frac{f(-f)}{f+(-f)}=\infty$$

16. (d) एस्टिगमैटिज्म से पीड़ित व्यक्ति ऊर्ध्वाधर तथा क्षैतिज रेखाओं को स्पष्ट नहीं देख सकता। इसमें नेत्र की गोलीय प्रकृति खराब हो जाती है इसे सही करने के लिए बेलनाकार लेंस की आवश्यकता होती है।

17. (c) ध्रुवण प्रकाश तथा ध्वनि तरंगों के लिए सामान्य नहीं है।

18. (c) हाइपरमैट्रोपिक का उत्तल लेंस की सहायता से उपचार किया जाता है।

लेंस की फोकस दूरी

$f=+$ d $=+40$ रोगी

$\therefore$ लेंस की क्षमता

$$=\frac{100}{f(\text{सेमी})}=\frac{100}{40}=+2.5\text{D}$$

19. (b) सर सी.वी. रमन को प्रकाश के छिटकने से संबंधित कार्य करने के लिए नोबेल पुरस्कार मिला था।

20. (b) यंग का द्विक रेखा-छिद्र प्रयोग हाइगेंस के तरंग सिद्धांत पर आधारित है।

21. (a) 1 किलोवॉट घंटा = 10^3 वॉट घंटा

= 10^3 जूल/से.

और 1 घंटा = 60 × 60 सेकंड

1 किलोवॉट घंटा = (10^3 जूल/से.) × (60 × 60) सेकंड

या 1 किलोवॉट घंटा = 36 × 10^6 जूल

या 1 किलोवॉट घंटा = 36 × 10^5 जूल

22. (d) विद्युत चुंबकीय तरंगों का निर्वात में वेग

c = $\frac{1}{\sqrt{\mu_0\varepsilon_0}}=3\times10^8$ मी/से.

23. (b) दोनों गोलों पर विभव समान होगा

$$V_A=V_B$$

$$\frac{1}{4\pi\varepsilon_0}\cdot\frac{q_1}{a}=\frac{1}{4\pi\varepsilon_0}\cdot\frac{q_2}{b}$$

$$\frac{q_1}{q_2}=\frac{a}{b} \quad \ldots(i)$$

सतही आवेश घनत्व, $\sigma=\frac{q}{4\pi r^2}$

$$\therefore\frac{\sigma_1}{\sigma_2}=\frac{q_1}{q_2}\times\frac{b^2}{a^2}=\frac{a}{b}\times\frac{b^2}{a^2}=\frac{b}{a}$$

24. (b) आवेशित गोले के भीतर वैद्युत क्षेत्र शून्य होता है तथा विभव प्रत्येक बिंदु पर समान रहता है और स्थिर होता है अत: गोले के केन्द्र से 2 सेमी. दूरी पर विभव 10 वोल्ट होगा।

25. (d)

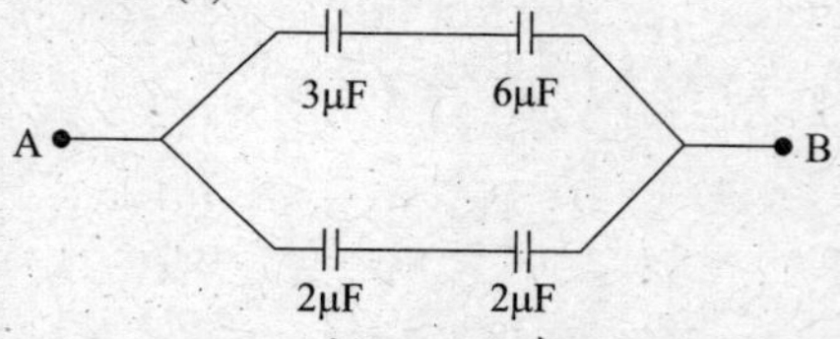

C_1 तथा C_2 श्रेणीक्रम में हैं

$$\frac{1}{C'}=\frac{1}{C_1}+\frac{1}{C_2}=\frac{1}{3}+\frac{1}{6}$$

$$C'=2\mu F$$

इसी प्रकार C_3 और C_4 श्रेणीक्रम में हैं

$$\frac{1}{C''}=\frac{1}{C_3}+\frac{1}{C_4}=\frac{1}{2}+\frac{1}{2}$$

$$C''=1\mu F$$

अब C' तथा C" सामान्तर क्रम में हैं

$C_{\text{तुल्य}}$ = C' + C"

$=2\mu F+1\mu F=3\mu F$

26. (d) विद्युत बल्ब 220 वोल्ट पर 100 वॉट के लिए है

$\therefore$ बल का प्रतिरोध

$$R=\frac{V^2}{P}=\frac{(220)^2}{100}=484\ \text{ओम}$$

जब बल्ब को 110 वोल्ट पर चलाया जाता है तब,

शक्ति $P=\frac{V^2}{R}=\frac{(110)^2}{484}=25$ वॉट

27. (d) $\frac{R_1}{R_2}=\frac{(1+at_1)}{(1+at_2)}$

$$\frac{1}{2}=\frac{(1+0.00125\times27)}{(1+0.00125\times t)}$$

$t=854°C$

$t=1127$ K

28. (c) उत्पन्न ऊष्मा H = $\frac{V^2t}{R\times J}$ कैलोरी

$$H=\frac{P\cdot t}{J}=\frac{1500\times7\times60}{42}$$

= 1.5 × 10^5 कैलोरी

= 150 किलो कैलोरी

29. (a) यह चित्र व्हीटस्टोन सेतू का है

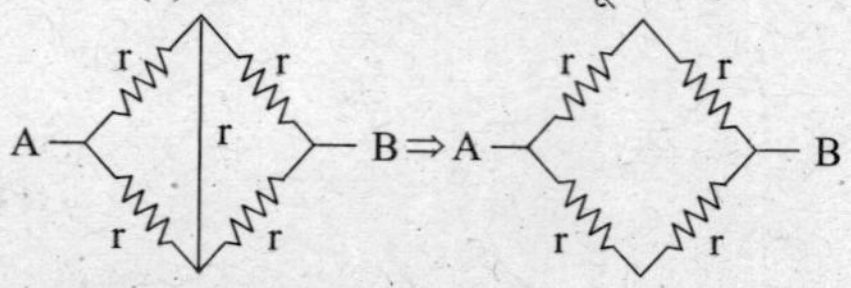

प्रभावी प्रतिरोध $=r$

30. (a) चुंबकीय क्षेत्र B = $\mu_0$ni

= 4π × 10^{-7} × 5 × 1000

= 2π × 10^{-3} टेस्ला

31. (a) चुम्बकीकरण तीव्रता, $I=\frac{m}{A}=\frac{M}{V}$

यह एक सदिश राशि है तथा इसका मात्रक ऐम्पियर/मीटर है।

32. (c) अधिक प्रतिरोध का वोल्टमीटर सही पाठ्यांक देता है एक वोल्टमीटर आदर्श वोल्टमीटर कहा जाता है तब इसका प्रतिरोध अनन्त होता है।

33. (b) $\frac{L}{R}$ से समय विमा प्राप्त होती है इसे प्रेरकीय समय नियतांक कहते हैं।

34. (d) ट्रॉयड के नियतांकों में संबंध

$$\mu=r_p\times g_m$$

35. (b) जब किसी जर्मेनियम क्रिस्टल में संयोजकता 5 वाला अपद्रव्य परमाणु (जैसे-आर्सेनिक, एन्टीमनी) मिश्रित किया जाता है तो वह जर्मेनियम के एक परमाणु को हटाकर उसका स्थान ले लेता है। अपद्रव्य परमाणु के पाँव संयोजक इलेक्ट्रॉनों में से चार इलेक्ट्रॉन अपने चारों ओर स्थित जर्मेनियम के चार परमाणुओं के एक-एक संयोजक इलेक्ट्रॉन के साथ सह संयोजक बंध बना लेते हैं तथा पाँचवां संयोजक इलेक्ट्रॉन क्रिस्टल के भीतर मुक्त रूप से चलने

लगता है। यही आवेश वाहक का कार्य करता है इस प्रकार बना अर्द्धचालक n प्रकार का अर्द्धचालक कहलाता है।

36. (b) आधार उभयनिष्ठ ट्रांजिस्टर के लिए

$$I_E = I_B + I_C$$

$$1mA = I_B + 0.95mA$$

$$I_B = 0.05mA$$

37. (a) यदि देहली तरंगदैर्ध्य λ_0 है, तो कार्यफलन

$$\phi_0 = \frac{hc}{\lambda_0}$$

या $\lambda_0 = \frac{hc}{\phi_0}$

$$= \frac{6.6\times10^{-34}\times3\times10^{8}}{42\times1.6\times10^{-19}} = 2955\ \text{Å}$$

38. (a) X किरणें सीधी रेखा में प्रकाश के वेग के साथ गति करती हैं अत: X-किरणों का वेग 3×10^8 मी/से है।

39. (c) इलेक्ट्रॉन की गतिज ऊर्जा =

$$\frac{Ke^2}{2r} = \frac{|U|}{2}$$

40. (b) अर्द्धआयु $T_{1/2} = \frac{0.693}{\lambda}$

$$= \frac{0.693}{428\times10^{-4}} = 1620 \text{ वर्ष}$$

41. (d) दाब

$$= \frac{\text{बल}}{\text{क्षेत्रफल}} = \frac{[MLT^{-2}]}{[L^2]} = [ML^{-1}T^{-2}]$$

प्रतिबल = $\frac{\text{बल}}{\text{क्षेत्रफल}}$

$$= \frac{[MLT^{-2}]}{[L^2]} = [ML^{-1}T^{-2}]$$

प्रत्यास्थता गुणांक = $\frac{\text{प्रतिबल}}{\text{विकृति}}$

$$= \frac{F/A}{L/L} = \frac{[MLT^{-2}][L^{-2}]}{[L]/[L]}$$

$$= [ML^{-1}T^{-2}]$$

42. (c) एक नैनोमीटर = 10^{-9} मी.

$= 10^{-7}$ सेमी.

43. (c) वेग तथा समय के बीच घिरा क्षेत्रफल

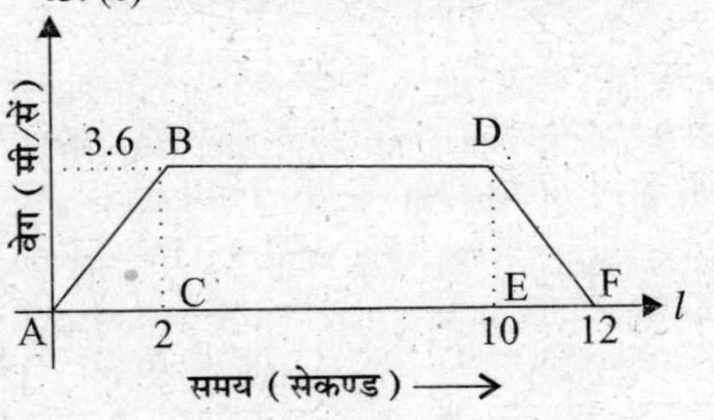

ΔABC का क्षेत्रफल = $\frac{1}{2}\times AC\times BC$

$= \frac{1}{2}\times2\times3.6 = 3.6$

$BCDE$ का क्षेत्रफल = $BD\times BC$

$= 8\times3.6 = 28.8$

ΔDEF का क्षेत्रफल = $\frac{1}{2}\times EF\times DE$

$= \frac{1}{2}\times2\times3.6 = 3.6$

कुल क्षेत्रफल = 3.6 + 28.8 + 3.6 = 36 मी.

44. (d) फोकस दूरी के सूत्र $\frac{1}{v} - \frac{1}{u} = \frac{1}{f}$ से

$$1 - \frac{v}{u} = \frac{v}{f}$$

परंतु, $1 - \frac{v}{f} = 1.8$ ...(i)

तथा $1 - \frac{v-5}{f} = 2$ ...(ii)

समीकरण (i) व (ii) को हल करने पर f = 25 सेमी

45. (a) ऊर्जा संरक्षण के नियम से

$$mgR = \frac{1}{2}mv^2$$

$$v = \sqrt{2Rg}$$

$$= \sqrt{2\times1\times10}$$

= 4.43 मी/से.

46. (b) यदि लिफ्ट त्वरण (a) की दर से नीचे की ओर गति कर रही है या ऊपर की ओर मंद हो रही है (v = चर) तथा $a < g$

तब, $mg - R = ma$

∴ $R = m(g - a)$

या आभासी भार < वास्तविक भार है।

47. (a) $\frac{mv^2}{r} \geq \mu mg$

48. (b) एक l लंबाई की छड़ जो एक ऐसे अक्ष पर जो छड़ के एक सिरे से गुजर रही हो तब,

छड़ का जड़त्व आघूर्ण = $\frac{Ml^2}{3}$

49. (c) गतिज ऊर्जा, $E = \frac{p^2}{2m}$

यदि पिंडों के रेखीय संवेग बराबर हों, तब

$$E \propto \frac{1}{m}$$

$$\therefore \quad \frac{E_1}{E_2} = \frac{m_2}{m_1}$$

50. (d) कैप्लर के तृतीय नियमानुसार

$$\frac{T_1}{T_2} = \left(\frac{R_1}{R_2}\right)^{3/2} = \left(\frac{R}{3R}\right)^{3/2}$$

$$T_2 = 3\sqrt{3}T_1$$

51. (c) सरल आवर्त गति में कुल ऊर्जा,

$$E = \frac{1}{2}m\omega^2a^2$$

गतिज ऊर्जा $K = \frac{1}{2}m\omega^2(a^2 - y^2)$

$$= \frac{1}{2}m\omega^2a^2 - \frac{1}{2}m\omega^2y^2$$

$$K = E - \frac{1}{2}m\omega^2y^2$$

जब $y = \frac{a}{2}$

$$K = E - \frac{1}{2}m\omega^2\left(\frac{a^2}{4}\right)$$

$$= E - \frac{E}{4}$$

$$K = \frac{3E}{4}$$

52. (b) माना बर्फ के टुकड़े का आयतन V तथा इसका घनत्व σ है यदि बर्फ का टुकड़ा (जब बर्फ का V_{in} आयतन जल के अंदर है) तैर रहा है तब

$$V_{in}\sigma g = V\rho g$$

$V_{in} = \left[\frac{1}{\sigma}\right]V$ [σ = जल का घनत्व]

$$V_{out} = V - V_{in}$$

$$= \left[\frac{\sigma - \rho}{\sigma}\right]V$$

$$\frac{V_{out}}{V} = \left[\frac{\sigma - \rho}{\sigma}\right]$$

$$= \frac{1200 - 900}{1200} = 025$$

[घनत्व = सापेक्षिक घनत्व × 100]

∴ V_{out} = V का 25%

53. (c) d का घनत्व के जल में h गहराई पर द्रव का दाब

$$\rho = ndg$$

54. (d) इसके भार के कारण लम्बाई में वृद्धि

$$I = \frac{L^2dg}{2Y} = \frac{(8)^2\times1.5\times10^3\times9.8}{2\times5\times10^6}$$

$= 9.6\times10^{-2}$ मी

कोई भी विकल्प सही नहीं है।

55. (d) गोलाकार द्रव की बूँद पर बाह्य दाब,

$$\Delta\rho = \frac{2T}{R}$$

$\therefore \quad \Delta\rho \propto \frac{1}{R}$

56. (d) γ मिश्रण $= \dfrac{\frac{\mu_1\gamma_1}{\gamma_1-1}+\frac{\mu_2\gamma_2}{\gamma_2-1}}{\frac{\mu_1}{\gamma_1-1}+\frac{\mu_2}{\gamma_2-1}}$

$$= \dfrac{\dfrac{1\times\frac{5}{3}}{\left(\frac{5}{3}-1\right)}+\dfrac{1\times\frac{7}{3}}{\left(\frac{7}{3}-1\right)}}{\dfrac{1}{\left(\frac{5}{3}-1\right)}+\dfrac{1}{\left(\frac{7}{5}-1\right)}}$$

$= 10.6$

अतः कोई भी विकल्प सही नहीं है।

57. (d) $\frac{C}{5}=\frac{F-32}{9}$

$\frac{-183}{5} = \frac{F-32}{9}$

$F = -297°$ F

58. (c) $Q = mc\Delta\theta$

$420 = 10 \times 10^{-3} \times (42\times1000)\Delta\theta$

(जल की विशिष्ट ऊष्मा

$= 4.2\times kJkg^{-1}C^{-1}$)

$\Delta\theta = \frac{420}{10\times10^{-3}\times4200}$

$= 10°C$

59. (c) पायरोमीटर से वस्तु से प्राप्त ऊष्मीय विकिरण की तीव्रता के द्वारा ताप का मापन करते हैं। ये स्टीफन के नियम पर कार्य करते हैं। जिसके अनुसार, किसी वस्तु की इकाई क्षेत्रफल से प्रति सेकंड उत्सर्जित ऊष्मा वस्तु के तापक्रम के चतुर्थ घात के समानुपाती होती है। इसके द्वारा 800°C से 6000°C तापक्रम मापा जा सकता है।

60. (b) रुद्धोष्म परिवर्तन में गैस बॉयल के नियम का पालन नहीं करती है लेकिन पॉयसन (Poisson) के नियम का पालन करती है।

इसके अनुसार

pV^{γ} = नियतांक

जहाँ $\gamma = \frac{C_p}{C_V}$

रसायन विज्ञान

61. (c) उच्चक्रमणीय प्रक्रम में निकाय तथा वातावरण के मध्य साम्य स्थापित हो जाता है। ऐसे प्रक्रम को पूर्ण होने में अनंत समय लगता है।

62. (b)

$Cr_2O_7^{2-}+14H^{+}+6e^{-}\rightarrow 2Cr^{3+}+7H_2O6I^{-}$

$\rightarrow 3I_2+6e^{-}$

$2Na_2S_2O_3+I_2\rightarrow Na_2S_4O_6+2NaI$

इस अभिक्रिया में

$K_2Cr_2O_7$ का तुल्यांकि भार $= \frac{\text{अणुभार}}{3\times2}$

$= \frac{\text{अणुभार}}{6}$

63. (b) प्रथम आयनन विभव किसी आवर्त में बायें से दायें पर सामान्यतः बढ़ता है तथा वर्ग में ऊपर से नीचे जाने पर घटता है। अतः

Be > Mg > Ca प्रथम आयनन विभव का सही क्रम है।

64. (d) कॉपर के निष्कर्षण में आयरन ऑक्साइड की अशुद्धियाँ सिलिका (गालक) के साथ क्रिया करके अविलेय धातुमल आयरन सिलिकेट बनाती हैं।

$FeO+SiO_2\rightarrow \underset{\text{धातुमल}}{FeSiO_3}$

65. (d) वर्ग माध्य मूल वेग

$\bar{u} = \sqrt{\frac{3RT}{M}}$

$= \sqrt{\frac{3pV}{M}} \quad [\because pV = RT]$

$= \sqrt{\frac{3p}{d}} \quad \left[\because \frac{M}{V}=d\right]$

स्थिर दाब पर,

$\bar{u} \propto \frac{1}{\sqrt{d}}$

66. (a) ऑक्साइडों की अम्लीयता आवर्त में बांये से दांये जाने पर बढ़ती है जबकि समूह में ऊपर से नीचे जाने पर घटती है। अतः अम्लीयता का सही क्रम है–

$Cl_2O_7 > SO_2 > P_4O_{10}$

67. (c) लवण सेतु बनाने हेतु केवल वे वैद्युत अपघटय ही प्रयोग किए जाते हैं जिनमें धनायन तथा ऋणायन की आयनी गतिशीलता समान हो। KNO_3 में K^+ तथा NO_3^- के वेग समान होने के कारण ही इसे लवण सेतु में प्रयोग करते हैं।

68. (b) निर्जलीय फेरिक क्लोराइड को तप्त आयरन पर शुष्क Cl_2 गैस प्रवाहित करके प्राप्त करते हैं।

$2Fe+\underset{\text{शुष्क}}{3Cl_2}\rightarrow 2FeCl_3$

69. (a) sp^2 संकरण प्रदर्शित करता है कि C द्विबंध से जुड़ा है जबकि sp संकरण प्रदर्शित करता है कि C त्रिबंध से जुड़ा है।

$\underset{sp^2}{H_2C}=\underset{sp^2}{CH}—\underset{sp}{C}\equiv\underset{sp}{CH}$

70. (a) $\underset{\text{कम स्थायी}}{{}_{11}Na^{24}} \rightarrow \underset{\text{स्थायी}}{{}_{11}Na^{23}} + \underset{\text{न्यूट्रॉन}}{{}_{0}n^{1}}$

उत्पन्न न्यूट्रॉन अपघटित होकर एक प्रोटॉन तथा एक बीटा कण देता है।

$\underset{\text{प्रोटॉन}}{{}_{0}n^{1}} \rightarrow {}_{1}H^{1} + \underset{\text{बीटा कण}}{{}_{-1}e^{n}}$

अतः ${}_{11}Na^{24}$ β-विकिरण द्वारा विघटित होता है।

71. (c) आवर्त सारणी में फ्लुओरीन सर्वाधिक विद्युत ऋणात्मक तत्व है। इसकी विद्युत ऋणात्मकता पॉलिंग पैमाने पर 4 होती है।

72. (a) जब कोई उदासीन परमाणु एक इलेक्ट्रॉन को स्वीकार करके ऋणायन में परिवर्तित होता है, तब ऊर्जा मुक्त होती है। यह मुक्त हुई ऊर्जा इलेक्ट्रॉन बन्धुता (अथवा इलेक्ट्रॉन ग्रहण एन्थैल्पी) कहलाती है।

$A(s)+e^{-}\rightarrow A^{-}(aq)+$ ऊर्जा

73. (c) फ्लुओरीन सर्वाधिक विद्युत ऋणात्मक तत्व है तथा इसका इलेक्ट्रॉनिक विन्यास निम्न है:

$F_9 = 1s^2, 2s^2, 2p^5$

अतः इसके बाह्य कोश का इलेक्ट्रॉनिक विन्यास ns^2np^5 है।

74. (b) ऑक्सीजन अणु (O_2) की लूइस बिंदु संरचना निम्न है:

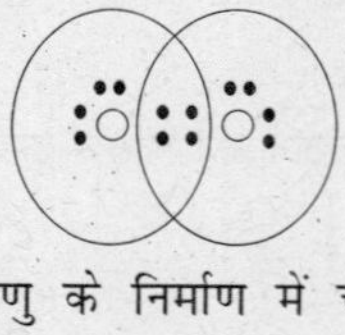

अतः O_2 अणु के निर्माण में चार इलेक्ट्रॉन भाग लेते हैं।

75. (b) मेथेनॉल (CH_3OH) में H परमाणु O से सीधे बँधा है अतः ये जल के साथ H-बंध बनाता है।

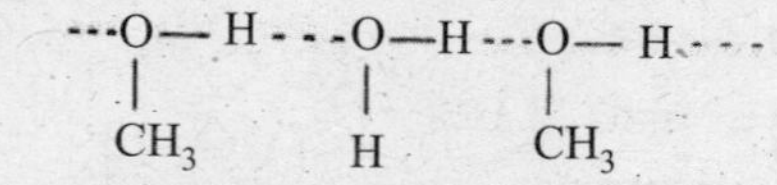

मेथेनॉल तथा जल के मध्य H-बन्धता

अतः यह जल में विलेय (घुलनशील) होता है।

76. (a) CO का आण्विक कक्षक विन्यास निम्न है:

CO (6 + 8 = 14)

$= KK\sigma2s^2, \sigma^*2s^2, \pi2p_x^2$

$= \pi2p^2, \sigma2p_z^2$

(* = प्रतिबंधित कक्षक)

अतः बंधित इलेक्ट्रॉनों की संख्या = 8

प्रतिबंधित इलेक्ट्रॉनों की संख्या = 2

77. (a) $He_2^{+}(2+2-1=3)=\sigma1s^2, \sigma^*1s^1$

बन्ध कोटि $= \frac{N_b - N_a}{2}$

(N_b = बंधित इलेक्ट्रॉन

N_a = प्रतिबंधित इलेक्ट्रॉन)

$= \frac{2-1}{2} = \frac{1}{2} = 0.5$

78. (b) खाद्य पदार्थ (भोजन) का विकिरण करने पर, भोज्य पदार्थों को सड़ाने वाले तथा बिमारी उत्पन्न करने वाले विषाणु, कवक (जिन्हें सूक्ष्म जीव (microorganism) भी कहा जाता है) मर जाते हैं। जिससे भोजन के कारण उत्पन्न होने वाली विषाक्तता कम हो जाती है।

79. (c) शब्द उत्प्रेरक का प्रयोग सर्वप्रथम बर्जिलियस ने किया था।

80. (d) ऐसीटिक अम्ल (CH_3COOH) का 7 से 8% विलयन सिरका (vinegar) कहलाता है।

81. (c) एल्कीन अध्रुवीय यौगिक होते हैं अतः ये अध्रुवीय विलायकों जैसे बेन्जीन (C_6H_6) कार्बन टेट्राक्लोराइड (CCl_4) आदि में अत्यंत विलेय होते हैं। (समान में समान विलेय होता है।)

82. (b) कम-से-कम एक द्विबंध की उपस्थिति तथा द्वि-बंधित कार्बन परमाणुओं पर भिन्न समूहों की उपस्थिति, ज्यामिति समावयवता दर्शाने के लिए दो आवश्यक शर्तें हैं। 2-ब्यूटेन इन दोनों शर्तों को संतुष्ट करता है अतः यह समपक्ष या सिस तथा विपक्ष या ट्रान्स रूपों में पाया जाता है।

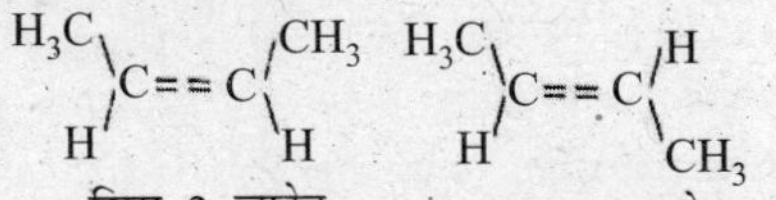

सिस-2-ब्यूटेन ट्रान्स-2-ब्यूटेन

83. (c) 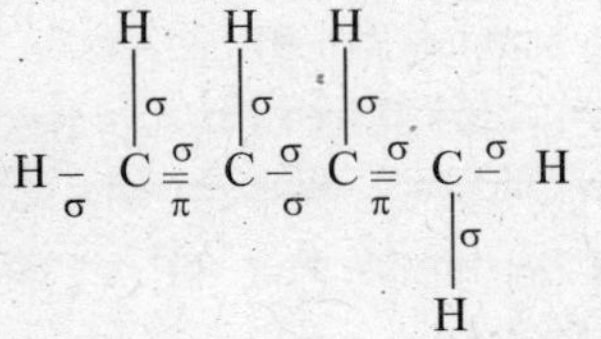

9σ तथा 2π बंध

एकल बंध में एक σ बंध होता है तथा

द्वि-बंध में एक σ तथा एक π बंध होता है।

84. (a) $3C_2H_2 \xrightarrow[400°C]{\text{गर्म Fe नली}}$ 

ऐसीटिलीन (बहुलकीकरण) बेन्जीन

85. (b) त्रि-बंधित कार्बन परमाणु से जुड़े H परमाणु अम्लीय प्रकृति के होते हैं। दिए गए यौगिकों के संरचना सूत्र निम्न हैं।

(a) $CH_2 = CH - CH_2 CH_3$
1-ब्यूटेन

(b) $CH \equiv C - CH_2 CH_3$
1- ब्यूटाइन

(c) $CH_3CH = CHCH_3$
2-ब्यूटेन

(d) $CH_3 C \equiv CCH_3$
2- ब्यूटाइन

अतः 1 ब्यूटाइन में अम्लीय हाइड्रोजन उपस्थित हैं।

86. (c) ऐल्कोहॉल H-बंध बनाते हैं अतः इनका क्वथनांक संगत ऐल्केनों, ईथरों, ऐल्डिहाइडो तथा ऐल्किल हैलाइडों की अपेक्षा अधिक होता है। इसलिए दिए गए यौगिकों में से *n*-ब्यूटिल ऐल्कोहॉल का क्वथनांक सबसे अधिक है।

87. (d) रेक्टिफाइड या परिशोधित स्पिरिट, 95% ऐथेनॉल तथा 5% जल का स्थिरक्वाथी मिश्रण (azeotropic mixture) है।

88. (a) ग्रिगनार्ड अभिकर्मक $>C=O$ (कार्ब्रोनिल समूह) युक्त यौगिकों के साथ योग उत्पाद बनाता है। ऐल्डिहाइडों तथा कीटानों दोनों में $>C=O$ समूह उपस्थित होता है अतः यह ग्रिगनार्ड अभिकर्मक से अभिक्रिया करते हैं। दिए गए अन्य अभिकर्मक केवल —CHO समूह युक्त यौगिकों अर्थात ऐल्डिहाइडों के साथ अभिक्रिया करते हैं।

89. (b) 1° ऐल्कोहॉलों में से केवल ऐथेनॉल ही I_2 तथा NaOH के साथ पीले रंग का आयोडोफॉर्म बनाता है।

$$CH_3CH_2OH + 4I_2 + 6NaOH \xrightarrow{\Delta}$$
एथिल ऐल्कोहॉल आयोडीन

$$CHI_3 + 5NaI + HCOONa + 5H_2O$$
आयोडोफॉर्म

यह परीक्षण आयोडोफॉर्म परीक्षण कहलाता है।

90. (b) NH_2NH_2 (हाइड्रेजीन) तथा NaOH के द्वारा $>C=O$ समूह का $>CH_2$ समूह में अपचयन वुल्फ-किश्नर अपचयन कहलाता है।

$$CH_3 - \overset{\overset{O}{\|}}{C} - CH_3 + NH_2 . NH_2 \xrightarrow{NaOH} CH_3CH_2CH_3 + N_2 + H_2O$$

91. (a) एस्टर, अम्ल जल अपघटन (acid hydrolysis) पर अम्ल तथा ऐल्कोहॉल बनाते हैं।

$$CH_3COOC_2H_5 + H_2O \xrightarrow[(H_3O^+)]{H^+}$$
एथिल ऐसीटेट

$$CH_3COOH + C_2H_5OH$$
ऐसीटिक अम्ल एथेनॉल

$$C_2H_5COOCH_3 + H_2O \xrightarrow[(H_3O^+)]{H^+}$$
मेथिल प्रोपिओनेट

$$C_2H_5COOH + CH_3OH$$
प्रोपिओनिक अम्ल मेथेनॉल

92. (c) नाइट्रस अम्ल, 1° ऐलिफैटिक ऐमीनों के —NH_2 समूह को —OH समूह में परिवर्तित कर देता है। अतः

$$CH_3NH_2 + HNO_2 \rightarrow CH_3OH + N_2 \uparrow + H_2O$$
मेथेनॉल

93. (d) ऐसीटिल क्लोराइड (CH_3COCl) की ऐमीन से अभिक्रिया कराने पर यह ऐमीन के N परमाणु से जुड़े H परमाणु को —$COCH_3$ समूह द्वारा विस्थापित कर देता है। 3° ऐमीनो (जैसे ट्राईमेथिल ऐमीन) में कोई भी H-परमाणु नाइट्रोजन के साथ बँधा नहीं होता। अतः 3° ऐमीन, ऐसीटिल क्लोराइड से अभिक्रिया नहीं करते हैं।

94. (b) नाइट्रीकरण एक इलेक्ट्रॉन स्नेही प्रतिस्थापन अभिक्रिया है। इलेक्ट्रॉन दानी समूह (जैसे CH_3—C_2H_5 आदि) की उपस्थिति बेन्जीन नाभिक को इलेक्ट्रॉन स्नेही प्रतिस्थापन के प्रति और अधिक सक्रिय बना देती है। अतः टॉलूईन ($C_6H_5CH_3$) तीव्रता से नाइट्रीकरण अभिक्रिया देता है।

95. (d) प्राकृतिक रबड़ को 3-5% सल्फर के साथ गर्म करने पर, सल्फर कार्बन के साथ तिर्यक बंध बना लेता है। यह प्रक्रम वल्कनीकरण कहलाता है। अतः रबड़ के वल्कनीकरण में सल्फर का प्रयोग किया जाता है।

96. (a) मैग्नीशियम सल्फेट हेप्टाहाइड्रेट ($MgSO_4 7H_2O$) को एप्सम लवण कहते हैं।

97. (b) ऑक्सीजन अपने से अधिक विद्युत ऋणात्मक तत्व के साथ बने यौगिक में धनात्मक ऑक्सीकरण अवस्था दर्शाता है। चूँकि F, ऑक्सीजन की अपेक्षा अधिक विद्युत ऋणात्मक है अतः F_2O में इसकी ऑक्सीकरण अवस्था +2 है।

98. (b) आर्सेनिक, प्लेटिनम उत्प्रेरक की सक्रियता को कम कर देता है अतः यह प्लेटिनम उत्प्रेरक के लिए जहर का कार्य करता है।

99. (d) सांद्र H_2SO_4 का प्रयोग क्लोरीन गैस को शुष्क करने के लिए किया जाता है क्योंकि यह Cl_2 गैस से अभिक्रिया नहीं करता है। (जबकि दिए गए अन्य अभिकर्मक क्लोरीन से अभिक्रिया करते हैं।)

100. (c) रेडॉन एक रेडियोधर्मी उत्कृष्ट गैस (noble gas) है।

101. (d) किसी क्रिस्टल में ब्रेवेस जालकों की कुल संख्या 14 होती है।

102. (c) दे-ब्रॉग्ली तरंगदैर्ध्य, $\lambda = \frac{2\pi r_n}{n}$

$\therefore$ कक्ष की परिधि, $2\pi r_n = \lambda n$

$= 4 \times 4 = 16$ Å

103. (b) sp-संकरित कक्षों में, s तथा p लक्षण समान (प्रत्येक 50%) होता है।

(a) $CH_4 \Rightarrow 4bp \Rightarrow sp^3$ संकरण

अतः इसमें s तथा p गुण 75% है।

(b) $CH \equiv CH \Rightarrow 2bp \Rightarrow sp$ संकरण

अतः इसमें s तथा p गुण समान है।

(c) $CH_3^+ \Rightarrow 3bp \Rightarrow sp^2$ संकरण

अतः इसमें s गुण 33.33 तथा p गुण 66. 66% है।

(d) $CH_3^- \Rightarrow 4bp \Rightarrow sp^3$ संकरण

अतः इसमें s गुण 25% तथा p गुण 75% है।

104. (b) बंध शक्ति, बंध कोटि के समानुपाती होती है।

(a) $O_2(16)$

$= \sigma 1s^2, \sigma^* 1s^2, \sigma 2s^2, \sigma^* 2s^2, \sigma 2p_z^2, \pi 2p_x^2$
$= \pi 2p_y^2, \pi^* 2p_x^1 = \pi^* 2p_y^1$

बंध कोटि $= \frac{N_b - N_a}{2} = \frac{10-6}{2} = 2$

(b) $O_2(8 + 8 - 1 = 15)$

अतः बंध कोटि $= \frac{10-5}{2} = 2.5$

(c) $O_2^-\,(8+8+1=17)$

अत: बंध कोटि $=\dfrac{10-7}{2}=1.5$

(d) $O_2^{2-}\,(8+8+2=18)$

बंध कोटि $=\dfrac{10-8}{2}=1$

अत: O_2^+ की बंध शक्ति अधिकतम है।

105. (d) नाभिक की त्रिज्या, $r=R(A)^{1/3}$

$$\frac{r_{He}}{r_H}=\left(\frac{A_{He}}{A_H}\right)^{1/3}$$

जहाँ A = परमाणु भार

$$\frac{r_{He}}{r_H}=\left(\frac{4}{1}\right)^{1/3}=(4)^{1/3}=1.6$$

106. (c) रेडियोकार्बन डेटिंग का विकास डब्ल्यू. एफ. लिब्बी तथा उनके सहयोगियों ने किया था।

107. (c) $\left[OH^-\right]=\sqrt{K_b\cdot C}$

$$=\sqrt{1.0\times10^{-5}\times0.1}$$

$$=10^{-3}$$

$$pOH=-\log\left[OH^-\right]$$

$$=-\log10^{-3}=3$$

$$\text{pH}=14-\text{pOH}=14-3=11$$

108. (b) कार्य एक पथ फलन है तथा अयथातथ अवकलन (inexact differential) पथ फलन के लिए ही प्रयुक्त किया जाता है। अत: कार्य अवकलन एक अयथातथ अवकलन है।

109. (b) वास्तविक गैस के लिए,

$$\left(\frac{\partial U}{\partial V}\right)\neq0$$

इसका मान धनात्मक होता है।

$$\left[\because\left(\frac{\partial U}{\partial V}\right)_T=-\rho+T\left(\frac{\partial p}{\partial T}\right)_v\right]$$

110. (c) निर्वात में $p_{\text{बाह्य}}=0$

$$W=-P_{\text{बाह्य}}\cdot\Delta V$$

$$=0\cdot\Delta V=0$$

111. (b) आरहेनियस समीकरण में, A पूर्व चरघातांकी नियतांक (preexponential factor) है। इसकी इकाई, दर स्थिरांक की इकाई के समान होती है। प्रथम कोटि की अभिक्रिया के लिए इसकी इकाई से$^{-1}$ होती है। इस कारण इसे आवृति गुणक भी कहते हैं। A को कभी-कभी आरहेनियस गुणक भी कहा जाता है।

112. (c) ऊष्माशोषी अभिक्रियाओं में, ऊष्मा अवशोषित होती है अत: एन्थैल्पी परिवर्तन (ΔH) का चिन्ह धनात्मक होता है।

113. (a) लेड अम्ल बैटरी के आवेशन के समय ऐनोड तथा कैथोड पर निम्न अभिक्रियाएँ होती हैं-

ऐनोड पर

$$PbSO_4+2H_2O\rightarrow PbO_2+3H^++HSO_4^-+2e^-$$

कैथोड पर

$$Pb^{2+}+H^++2e^-\rightarrow Pb+HSO_4^-$$

अत: कैथोड पर Pb^{2+} pb में अपचयित होता है।

114. (a) रुद्धोष्म प्रक्रम वह प्रक्रम है जिसमें तंत्र वातावरण के साथ ऊष्मा का आदान-प्रदान नहीं करता।

अत: इस प्रक्रम के लिए Q = 0

$$\Delta E = W\neq0$$

तथा T स्थिर नहीं है।

115. (c) वास्तविक विलयन, ताप तथा दाब की सभी परिस्थितियों में राउल्ट के नियम का पालन नहीं करते हैं। ऐसीटोन + जल; वास्तविक विलयन का एक उदाहरण है।

116. (b) परिक्षेपण माध्यम में, कोलाइडी कणों की सतत् यादृच्छिक गति का पता सर्वप्रथम रॉबर्ट ब्राउन ने लगाया था। अत: इसे ब्राउनियन गति कहा जाता है।

117. (a) चूँकि दी गई अभिक्रिया एक संतुलित रासायनिक अभिक्रिया है। अत: होने वाला एंथैल्पी परिवर्तन, अभिक्रिया की एंथैल्पी (Δ_rH) कहलाता है। (याद रखें यहाँ होने वाले एंथैल्पी परिवर्तन को दहन एंथैल्पी नहीं कहा जा सकता क्योंकि अभिक्रिया में CO के दो अणु भाग ले रहे हैं।)

118. (c) उत्पादों, अभिकारकों तथा उत्प्रेरक का योग/निराकरण (removal) साम्य स्थिरांक के मान को प्रभावित नहीं करता। यद्यपि विलायक को परिवर्तित करने पर साम्य स्थिरांक परिवर्तित हो जाता है।

119. (b) सा.ता.दा. (273K) पर, ग्लूकोस के जलीय विलयन का वाष्प दाब = 760 मिमी Hg

373K पर-

वाष्प दाब = 740 मिमी Hg

हम जानते हैं,

वाष्प दाब में आपेक्षिक अवनमन ∝ विलेय का मोल प्रभाज

$$\frac{p^0-p}{p^0}=\chi_A$$

$$\frac{760-740}{760}=\chi_A$$

$$\frac{20}{76}=\chi_A$$

$$\chi_A=\frac{1}{38}$$

120. (c)

$$NiCl_2\xrightarrow{\text{वैद्युत अपघटन}}Ni^{2+}+2Cl^-$$

ऐनोड पर

$$2Cl^-\rightarrow Cl_2+2e^-$$

कैथोड पर

$$Ni^{2+}+2e^-\rightarrow Ni$$

1मोल 2F 1मोल

58.6ग्राम 2F 58.6ग्राम

$\because 2F$ विद्युत द्वारा निक्षेपित हुई Ni की मात्रा = 58.6 ग्राम

$\therefore$ 4F विद्युत द्वारा निक्षेपित होने वाली Ni की मात्रा

$$=\frac{58.6}{2F}\times4F=1172\text{ ग्राम}$$

$$=117.4\text{ ग्राम}$$

वनस्पति विज्ञान

121. (c) 'मशरूम' एक फफूँद है (Fungi) है, जो स्वादिष्ट एवं पौष्टिक भोज्य होने के कारण इसे सब्जी रूप में प्रयोग किया जाता है।

122. (c) मैग्नीशियम पौधों में पर्णहरित के संश्लेषण के लिए आवश्यक होता है।

123. (a) गन्ने में लाल गूदा सड़न (Red rot) का कारण कोलेटोट्राइकम फाल्कैटम नामक फफूंद है।

124. (a) धान में 'हौपर बर्न' का कारण ब्राउन प्लाण्ट हौपर्स है।

125. (d) फास्फोरस पौधों की पार्श्व तथा रेशेदार जड़ों के निर्माण में सहायक होता है।

126. (b) हे (Hay) 'हे' उस सूखी घास को कहते हैं, जिसमें की हरी, घास उसमें उपस्थित आवश्यक तत्वों के ह्रास के बिना ही पशुओं को खिलाने के लिये संरक्षित करके भण्डारित की जाती है।

127. (c) कोलेनकाइमा एक विशेष सरल स्थायी ऊतक है, जो पौधों को स्थायित्व और लचीलापन प्रदान करता है।

128. (c) ऊसर भूमि में धान की रोपाई हेतु कम से कम 35 दिन की उम्र की पौध रोपाई के लिये प्रयोग करें।

129. (b) आधार बीज (Foundation seed) यह बीज प्रजनक बीज (Breeder seed) से उत्पन्न किया जाता है और इसका उत्पादन इस प्रकार किया जाता है कि विशेष मानकों के अनुसार इसमें आनुवंशिक गुण और शुद्धता बनी रहे।

130. (b) गन्ने का मूल बेधक (root borer) की सूँडियाँ तने (stems) से छेद करके गन्ने के नीचे की ओर सुरंग बनाती हैं तथा मुलायम भाग को खाती चली जाती हैं जिसके कारण गोफ तथा अन्य पत्तियाँ भी सूख जाती हैं और पौधा नष्ट हो जाता है। तने पर जमीन के नीचे केवल एक छेद का होना, सूखी हुई गोफ का आसानी से न खिंचना बल्कि टूट जाना आदि इस कीट की पहचान है।

131. (b) गेहूँ की बुवाई का समय विशेष रूप से मृदा ताप पर निर्भर करता है। गेहूँ के अंकुरण के

लिये 20^oC तापक्रम उचित होता है। मृदा ताप 12^oC से कम व 25^oC से अधिक नहीं होनी चाहिये।

132. (c) बथुवा - रबी (शरद) में एक वर्षीय

सत्यनाशी - रबी, एकवर्षीय

पत्थरचट्टा - खरीफ एक वर्षी

हिरनखुरी - बहुवर्षीय

133. (a) मृदा रंग तथा मृदा उत्पादकता में सीधा सम्बन्ध स्थापित करना कठिन है, किन्तु साधारणत: गहरे रंग की मृदायें अधिक उपजाऊ होती हैं क्योंकि इनमें कार्बनिक पदार्थ की मात्रा अधिक होती है।

134. (b) जब मृदा में ऑक्सीजन की सप्लाई 10% से कम होती है तो जड़ों का विकास कम हो जाता है तथा 5% पर पूर्णत: रुक जाता है।

135. (d) सही उत्तर क्लैमाइडोमोनस है। क्लैमाइडोमोनस रूके हुए पानी में गीली मिट्टी में, समुद्र के पानी में और यहाँ तक कि बर्फ में भी पाया जाता है।

136. (a) गन्ना उष्ण कटिबंधीय जलवायु का पौधा है, जिसके लिए उच्च तापमान (20°–26^oC) एवं आठ माह तक लगभग 150 सेमी. वर्षा की आवश्यकता पड़ती है। भारत के तीन प्रमुख गन्ना उत्पादक राज्य इस प्रकार हैं-1. उत्तर प्रदेश 2. महाराष्ट्र 3. तमिलनाडु।

137. (d) लोम अथवा दोमट मिट्टी कृषि के लिए उत्तम मानी जाती है क्योंकि इसमें बालू एवं चिकनी मिट्टी दोनों का समान अंश मिला होता है। इसकी नमी धारण की क्षमता काफी अच्छी होती है, जिससे पौधों के लिए पर्याप्त जल उपलब्ध रहता है।

138. (a) चिकनी मिट्टी में 50% तक चिकनी मृदा तथा 50% से कम गाद व कुछ बालू पाए जाते हैं। इसमें जल धारण की क्षमता सबसे अधिक होती है। वायु का आवागमन कम होता है जिससे जल क्रान्ति हो जाती है। केशिका के कारण यह प्रक्रिया सुलभता से सम्पन्न होती है।

139. (d) मैलस डोमेस्टिला सेब का वैज्ञानिक नाम है।

140. (c) बैक्टीरियल लीफ ब्लाइट रोग (Bacterial leaf blight) धान की फसल में लगता है। इसमें पत्तियाँ नोंक अथवा किनारे से एकदम सूखने लगती है। सूखे हुए किनारे अनियमित एवं टेढ़े-मेढ़े होते हैं।

141. (a) पौधों को फास्फोरस प्राप्यता निम्न कारणों से निर्धारित होती है-(i) मृदा पी-एच (ii) विलेय आयरन, एल्युमिनियम तथा मैंगनीज (iii) आयरन, एल्युमिनियम तथा मैंगनीज युक्त खनिजों की उपस्थिति, (iv) प्राप्य कैल्शियम और कैल्शियम युक्त खनिज, (v) कार्बनिक पदार्थ की मात्रा तथा (vi) सूक्ष्म जीवों की सक्रियता। कारकों में प्रथम चार कारक परस्पर सम्बन्धित हैं, क्योंकि इनके प्रभाव अधिकतर मृदा pH पर निर्भर होते हैं। अत: मृदा विलयन में विभिन्न फॉस्फेट आयन्स की सान्द्रता pH से सम्बन्धित होती है।

142. (b) pF $\rightarrow$ pF value मृदा नमी माप की इकाई है। P $\rightarrow$ Poten2 जिसका अर्थ होता है 10 पर घात (Power at 10)|F का मतलब Force से है। इसके द्वारा हम मानते हैं कि मृदा या कोशिका में जल कितने बल से बँधा है। pF value सर्वप्रथम Schofield द्वारा प्रयुक्त तथा परिभाषित की गयी। यह मुक्त ऊर्जा के अंतर का घातांक (Exponential) है। pF मृत नमी का ऋणात्मक दाब का आंकिक मान अर्थात् जल-कॉलम का सेमी. से ऊँचाई का आधार 10 पर Logrithum है।

143. (d) फूलगोभी का 'व्हिपटेल रोग' मॉलीब्डेनम की कमी के कारण उत्पन्न होता है। इसमें पत्ती पर्ण (Leaf biade) पूरी तरह विकसित नहीं हो पाता तथा सँकरी पत्ती की संरचना (strap like) बन जाती है।

144. (b) **'ट्रिटिकेल'** मानव रचित (Mano made) प्रथम फसल है। इसका विकास गेहूँ (ट्रिटीकम स्पेशीज) तथा राई (सिकेल सिरियल) के क्रॉस से किया गया है।

145. (b) 'गोल्डन एकर' पत्तागोभी की गोल सिर वाली एक किस्म है।

146. (c) क्लोरोफिल के निर्माण में आयरन एवं मैग्नीशियम दो तत्व आवश्यक हैं। मैग्नीशियम क्लोरोफिल का एक अवयव है, अत: इसके बिना कोई पौधा हरा नहीं हो सकता। आयरन भी क्लोरोफिल निर्माण के लिये आवश्यक तत्व है। यद्यपि आयरन क्लोरोफिल का अंग नहीं है।

147. (b) **मृदा उर्वरता (Soil fertility)** मृदा द्वारा पौधों को उनके सभी आवश्यक पोषक तत्वों को प्राप्य अवस्था में उपलब्ध कराने की क्षमता को मृदा उर्वरता कहते हैं।

मृदा उत्पादकता (Soil productivity) - विशेष प्रबन्धन कार्यक्रम के अन्तर्गत मृदा की पौधा उत्पादन क्षमता को मृदा उत्पादकता कहते हैं।

148. (a) आलू का शलभ (Potato Tuber moth) यह कीड़ा आलू को खेत से भण्डारगृह तक हानि पहुँचाता है। इसकी सूड़ियाँ कन्द के भीतर घुस कर उसे खाती हैं। फलस्वरूप आलू खोखला होकर सड़ने लगता है।

149. (c) बीज का 'ट्रेटाजोलियम क्लोराइड' परीक्षण बीज की जीवन क्षमता निर्धारण के लिये किया जाता है।

150. (b) Hidden Hunger (प्रच्छन्न भूख) मृदा विज्ञान में पौधे की वैसी स्थिति को व्यक्त करने के लिये होता है जब पौधों में किसी आवश्यक तत्व की कमी रहने के बावजूद पौधे के बाह्य रूप को देखकर इसकी कमी को आसानी से पता नहीं लगाया जा सकता है। Hidden Hunger की स्थिति में संबंधित पोषक तत्व की आपूर्ति करने पर उत्पादन में बढ़ोतरी होती है।

जन्तु विज्ञान

151. (a) केंद्रक में डीएनए प्रोटीन से बँधा होता है तथा सम्मिश्र बनाता है, जिसे क्रोमेटिन कहते हैं। किसी कोशिका में (जिसमें विभाजन नहीं होता है) क्रोमेटिन सूक्ष्मतंतुओं की तरह लटके हुए दिखाई देते हैं। परंतु जब कोशिका में विभाजन होता है तब डीएनए प्रोटीन पर कसकर लिपट जाते हैं तथा संघनित होकर एक छोटी, गाढ़ी या घनी संरचना बनाते हैं, जिसे गुणसूत्र (chromosome) कहते हैं।

152. (a) भोजन जब छोटी आंत में पहुँचता है तब विभिन्न खाद्य पदार्थों का पाचन शुरू हो जाता है। वसा के पाचन के लिए पित्त रस लवण वसा को इमल्सीकृत (emulsify) कर देते हैं, अर्थात ये बड़े वसा बिंदुकों (droplets) को छोटे बिंदुकों में तोड़ देते हैं। वसा अणुओं के मध्य आकर्षण बल को कम करके पित्त लवण वसा के पृष्ठ तनाव को घटा देते हैं। जिससे वसा अणु छोटे वसा बिंदुकों में टूटकर जल में निलंबित हो जाते हैं तथा पायस (emulsion) का निर्माण करते हैं। पित्त में कोई एंजाइम (जैसे लाइपेस) नहीं होता है, जिससे वसा अणुओं में कोई रासायनिक पाचन क्रियां नहीं होती है। पायसीकरण या इमल्सीकरण (emulsification) द्वारा वसा का सतह क्षेत्र आयतन अनुपात तक बढ़ जाता है, जिससे लाइपेस एंजाइम वसा अणुओं का कार्य अधिक दक्षता से करता है। इस प्रकार हम कह सकते हैं कि वस्तुत: पित्त पाचन क्रिया को बढ़ाने में सहायक होता है।

153. (b) मनुष्य के बाएँ प्रमस्तिष्क गोलार्द्ध (cerebral hemisphere) के कार्य:

- भाषा
- गणित
- तर्कशक्ति

दाएँ प्रमस्तिष्क गोलार्द्ध के कार्य:

- स्थान संबंधी योग्यताएँ
- चेहरों की पहचान करना
- संगीत

154. (b) स्तनधारियों के भ्रूण की अतिरिक्त भ्रूणीय झिल्ली ट्रोफोब्लास्ट से उत्पन्न होती है। युग्मनज की दरार के बाद ब्लास्टोसिस्ट (blastocyst) का निर्माण होता है। तब ट्रोफोब्लास्ट, ब्लास्टोसिस्ट के आसपास की उपकला परत का निर्माण होता है। ये ट्रोफोब्लास्ट कोशिकाएँ स्तनधारियों में अधिकांश अतिरिक्त भ्रूणीय झिल्लियों का निर्माण करती हैं।

155. (c) घूर्णीकशाभी (dinoflagellates) कशाभी प्रजीवों का एक बड़ा समूह है। ये समुद्री प्लवक

है परंतु सामान्यत: स्वच्छ जल में भी पाए जाते हैं। शैवाल प्रस्फुटन (algal bloom) से डाइनोफ्लैजिलेट्स में पानी का दृश्य रंजन हो जाता है। जिसे बोलचाल या बातचीत की भाषा में लाल ज्वार (red tide) कहते हैं।

156. (c) किसी कवक द्वारा होने वाला त्वचा संक्रमण दाद कहलाता है। जबकि गिनी कृमि, हुक कृमि और फीताकृमि परजीवी कृमि हैं।

157. (a) अस्थि (bone) का निर्माण मुख्य कोलेजन रेशों और क्रिस्टलीय लवणों सहित विभिन्न पदार्थों की आधात्री (matrix) (बहु रेशों तथा रसायनों का आबंधन) से होता है। अस्थि की आधात्री में संगृहीत क्रिस्टलीय लवण मुख्य रूप से कैल्शियम और फॉस्फेट के बने होते हैं, जो संयुक्त होकर हाइड्रोऐपाटाइट क्रिस्टल (hydroapatite Crystals) बनाते हैं।

158. (d) कटलफिश सीपिडा गण के समुद्री जीव हैं। ये वर्ग सेफैलोपोडा के अंतर्गत आते हैं। अपने नाम के बावजूद कटलफिश मछली नहीं बल्कि मोलस्क प्राणी हैं।

159. (a) मधु या शहद का क्षय नहीं होता है क्योकि इसमें प्रति-ऑक्सीकारक (antioxidant), प्रतिसूक्ष्मजीवी (hygroscopic) जैसे अद्वितीय गुण विद्यमान होते हैं।

160. (c) फेरिटिन (ferritin) एक गोलाकार प्रोटीन सम्मिश्र है जिसमें 24 प्रोटीन उपइकाईयाँ होती हैं। यह प्रोकैरियोट्स तथा यूकैरियोट्स दोनों में पाया जाने वाला अंत:कोशिकीय प्राथमिक लौह भंडारण प्रोटीन (iron-storage protein) है। यह लौह को निराविषी (non-toxic) व घुलनशील अवस्था में रखता है।

161. (d) कॉपर्स स्ट्राइएटम (Corpus striatum) या रेखित पिंड प्रत्येक प्रमस्तिष्क गोलार्द्ध (cerebral hemisphere) में थैलेसम के सामने स्थित, श्वेत व धूसर द्रव्य का एक धारीदार समूह है।

162. (a) कम दूरी की तेज गति की दौड़ (sprinting) जैसे कठोर शक्ति अभ्यासों के दौरान अधिक ऊर्जा दर की आवश्यकता होती है। लैक्टेट का निर्माण ऊतकों की इसे खत्म करने की क्षमता से अधिक तेज गति से होता है, जिससे लैक्टेट की सान्द्रता बढ़ने लगती है।

163. (a) इंटरफेरॉन (IFNs) विषाणुओं, जीवाणु या परजीवी या अर्बुद कोशिकाओं (tumour cells) जैसे रोगाणुओं की उपस्थिति की अनुक्रिया में लसिकाणु (lymphocytes) द्वारा विमोचित प्रोटीन होते हैं।

164. (c) सार्कोप्लाज्म (sarcoplasm) रैखित पेशियों के कोशिकाद्रव्यी तंतु खंड कहलाते हैं।

165. (b) शुक्राणु द्वारा किसी अंडाणु को भेदने की शक्ति अर्जित करने को शुक्राणु क्षमतायन (sperm capacitation) कहते हैं। यह शुक्राणु के निकास के समय नहीं होता है। इसके लिए मादा क्षेत्र में ऊष्मायन काल की आवश्यकता होती है। यह क्रिया उपापचयी क्रिया और गतिशीलता के बढ़ाने तथा शुक्राणु से रासायनिक विक्षमतायन कारक (chemical decapacitation factor) को हटाने में सहायक होती है। क्षमतायन की क्रिया अग्रपिंडक अभिक्रिया (acrosome reaction) घटित होने के लिए आवश्यक होती है।

166. (d) एक स्थानिक संक्रामक रोग जो मानव जनसंख्या के द्वारा एक बड़े भू-भाग, उदाहरणत: एक महाद्वीप, या पूरे विश्व में फैल जाता है, सर्वव्यापी रोग (pandemic) कहा जाता है। पहला सर्वव्यापी इंफ्लुएंजा 1580 ई. में रिकॉर्ड किया गया था, तब से यह 10 से 30 वर्षों के अंतराल में घटित हो रहा है।

167. (c) मनुष्य में एडीनीन और ग्वानीन के उपापचयी उत्पाद यूरिक अम्ल के रूप में उत्सर्जित होते हैं।

168. (d) पेरीपेटस ओनिकोफोरा का एक वंश है। यह अकशेरुकी होता है, जो अंडे देने की अपेक्षा जीवित शिशु को जन्म देता है। इसे जीवित जीवाश्म कहते हैं क्योंकि यह लगभग 570 मिलियन वर्षों से अपरिवर्तित हैं अर्थात इसमें कोई परिवर्तन नहीं हुए हैं। यह अनूठा प्राणी अपनी कई जोड़ी पाद (legs) के कारण इल्ली (caterpillar) जैसा प्रतीत होता है। जबकि इसकी संरचना कई संधिपादों (arthropods) के सदृश होती है। इसमें कुछ एनिलिड्स जैसी समानताएँ भी होती हैं। इसके इन्हीं गुणों के कारण इसे एनीलिडा और आर्थोपोडा की सहसंयोजनक कड़ी कहा जाता है।

169. (b) थाइरॉइड ग्रंथि के वृद्धि करने से घेंघा (goitre) रोग हो जाता है। इस रोग से ग्रसित व्यक्ति का हॉर्मोन स्तर कई प्रकार का हो सकता है। यह सामान्य स्तर (euthyroidism), उच्च स्तर (hyperthyroidims) प्रकार का हो सकता है।

170. (b) 'एक जीन-एक एंजाइम परिकल्पना' बीडल एवं टेटम द्वारा दी गई परिकल्पना है, जिसमें बताया गया है कि एक जीन एक एंजाइम के उत्पादन को नियंत्रित करता है। बाद में इस धारणा में सुधार किया गया और इसे ऐसे कहा गया कि एक सिस्ट्रॉन एक पॉलिपेप्टाइड के उत्पादन को नियंत्रित करता है।

171. (c) अनेकजीनी वंशागति (polygenic inheritance) में एक विशिष्ट गुण दो या अधिक जीनों के भिन्न गुणसूत्रों के भिन्न बिंदुपथों पर नियंत्रित किया जाता है। इन जीनों को अनेक जीन (polygenes) कहा गया है। मानव का कद, त्वचा का रंग तथा भार (weight) अनेकजीनी वंशागति के उदाहरण है।

172. (b) आरीटीरियोस्केलेरोसिस वह अवस्था है, जिसमें धमनियों की दीवारों पर वसा की एक झिल्ली बन जाती है जिससे ये मोटी, अवरोधित और कठोर हो जाती है। आरीटीरियोस्केलेरोसिस रुधिर में शर्करा, कोलेस्टेरॉल, निकोटिन की मात्रा के बढ़ने से भी हो सकती है।

173. (a) रुधिर वर्ग O के व्यक्तियों की लाल रुधिर कोशिकाओं (RBCs) में A और B प्रतिजन नहीं पाए जाते हैं। इनके स्थान पर रुधिर सीरम में IgM एंटी A और एंटी B प्रतिरक्षी होते हैं। इस कारण से रुधिर वर्ग O वाला व्यक्ति केवल इसी वर्ग के व्यक्ति का रुधिर ग्रहण कर सकता है परंतु यह अपना रुधिर किसी भी वर्ग (A, B, O या AB) के व्यक्ति को दे सकता है। अत्यंत भयंकर संकट में यदि किसी व्यक्ति को रुधिर की आवश्यकता होती है और रुधिर मिलने में देरी होती है तब उस व्यक्ति को O (–ve) रुधिर दिया जाता है।

174. (b) अमीबा में पादाभों (pseudopodia) द्वारा भोजन का अन्तर्ग्रहण उस बिंदु पर होता है जिस पर भोजन कोशिका की सतह से टकराता है। पादाभ भोजन को कोशिकाद्रव्य में पहुँचा देते हैं। यह अंतर्ग्रहण की प्रक्रिया दो मिनट तक चलती है।

अमीबा में अंतर्ग्रहण के कुछ प्रकार निम्न हैं-

परिभित्तिकायन (Ircumvallation)- जब शिकार सक्रिय होता है, तब पादाभ की सहायता से कपनुमा आकृति बनती है।

सरकमफ्लूएंस- जब शिकार निष्क्रिय हो जाता है तो अमीबा उसे घेर लेता है।

इम्पोर्ट- भोजन बिना किसी प्रतिरोध के अमीबा के अंदर उसे घेर लेता है।

अंतर्वलन (Invagination)- पादाभ से एक लसलसा, अविषालु द्रव निकलता है, जिससे शिकार की मृत्यु हो जाती है।

पिनोसाइटोसिस- इसे कोशिका पान (cell drinking) भी कहते हैं। इसमें कई कोशिकापायन प्रणाल होते हैं, जिनकी सहायता से कोशिका भोजन का अंतर्ग्रहण करती है।

175. (d) प्रागैतिहासिक काल के जीवन के प्रकारों का अध्ययन जीवाश्म विज्ञान (palaeontology) कहलाता है। इसमें पौधे, प्राणियों व अन्य जीवों के जीवाश्मों का अध्ययन किया जाता है।

176. (a) प्रोमेटाफेज सूत्रीविभाजन की पूर्वावस्था के बाद तथा मध्यावस्था से पहले की अवस्था है। इसमें तुर्क (spindle) केन्द्रक क्षेत्र में प्रवेश करता है। गुणसूत्रों के सूत्रकेंद्रों (centromeres) पर विशिष्ट संरचनाएँ बनती हैं जिन्हें गतिबिंदु (kinetochore) कहते हैं। तुर्क सूक्ष्मनलिकाएँ काइनेटोकोर से जुड़ जाती है।

177. (d) विटामिन B_{12} को कोबालमीन भी कहा जाता है। यह जल विलय विटामिन है। इसका मुख्य कार्य मस्तिष्क व तंत्रिका तंत्र के सामान्य कार्यों में सहायता करना है। यह रुधिर निर्माण में भी सहायक होता है। इसमें अनूठा जैव-रासायनिक तत्व कोबाल्ट पाया जाता है।

178. (c) नाइट्रोजनी अपशिष्ट तीन अमोनिया, यूरिया व यूरिक अम्ल प्रकार के होते हैं। अमोनिया अत्यंत विषालु होता है। उत्सर्जित अमोनिया स्तर को देह स्तर से कम करने के लिए जल की अधिक मात्रा में आवश्यकता होती है। यूरिक अम्ल कम विषालु (toxic) होता है तथा इसे यूरिया के मुकाबले उत्सर्जन के लिए कम पानी की आवश्यकता होती है।

179. (a) क्लोराइड आयनों की प्रद्रव्य (plasma) से लाल रुधिर कोशिकाओं में प्रवेश करने की क्रिया को क्लोराइड शिफ्ट कहा जाता है। यह क्रिया ऊत्तकों में उपस्थित कार्बन डाईऑक्साइड के प्लाज्मा में अंतरण के फलस्वरूप होती है। यह क्रिया रुधिर pH को नियंत्रित करती है।

180. (a) कशेरुकी दृष्टिपटल में दो प्रकार के प्रकाशग्राही (photoreceptor) होते हैं, जिन्हें शंकु (cones) और शलाका (rods) कहते हैं। शलाका कम रोशनी में काले तथा सफेद की पहचान करने में मदद करते हैं जबकि शंकु उच्च दृष्टि तीव्रता (sharpness) व रंगों को पहचानने में सहायता करते हैं। मानव की प्रत्येक रेटिना में लगभग 100 मिलियन शलाकाएँ तथा 3 मिलियन शंकु होते हैं। शलाका के प्रकाशवर्णक (photopigment) को रोडोप्सिन (rhodopsin) तथा शंकुओं के प्रकाशवर्णक को फोटोप्सिन (photopsin) कहते हैं।

General English

181. (b) 'Congested' means crowded, so option (b) 'the place has no place' will be the correct answer.

182. (a) 'Hover' means to remain in one place in the air.

183. (b) 'Perform' is used as a verb in the passage.

184. (c) A helicopter is used as an ambulance because it reaches the inaccessible places easily.

185. (a) 'Very' is used as an adverb in the passage.

186. (c) Expansion means increment, lengthen or enlargement. 'Precise' means example, miniature or to summary.

187. (c) Thrift means economical, providence, 'prodigality' means extravagance or lavishness.

188. (a) 'Abide' is followed by 'with' when it is used for a person.

189. (b) 'Blind to' (deeds, action).

190. (a) 'Destined for' (created for).

सामान्य ज्ञान

191. (c) शैल, बलुआ पत्थर, चूना पत्थर आदि अवसादी शैल के उदाहरण हैं।

192. (b) गोविंद बल्लभ पंत सागर (जलाशय) रिहंद परियोजना से सम्बन्धित है। रिहंद बाँध से बनने वाले जलाशय को गोविंद बल्लभ पंत सागर कहा जाता है।

193. (c) अन्तर्राष्ट्रीय न्यायालय का मुख्यालय नीदरलैंड के हेग में स्थित है।

194. (c) जनसंख्या नियंत्रण एवं परिवार नियोजन भारतीय संविधान की समवर्ती सूची में सम्मिलित हैं।

195. (d) सर्वोच्च न्यायालय ने केशवानंद भारती मामले में भारतीय संविधान के आधारभूत ढाँचे के सिद्धांत का प्रतिपादन किया, जिसमें न्यायालय ने यह निर्णय दिया कि संसद संविधान में कोई ऐसा संशोधन नहीं कर सकती, जिससे कि उसका आधारभूत ढाँचा (Basic Structure) नष्ट हो जाए। विभिन्न मामलों में सर्वोच्च न्यायालय ने संविधान का आधारभूत ढाँचा घोषित किया है, जिनमें कुछ प्रमुख हैं-

- संविधान की सर्वोच्चता
- शक्तियों का पृथक्करण
- गणतंत्रात्मक तथा लोकतंत्रात्मक शासन प्रणाली
- कल्याणकारी राज्य की स्थापना इत्यादि।

196. (b) प्रायद्वीपीय पठार की सबसे बड़ी नदी गोदावरी है, जिसका उद्गम स्थल नासिक (महाराष्ट्र) जिले में त्र्यंबक पहाड़ी है। गोदावरी नदी को दक्षिण भारत की गंगा भी कहा जाता है। इसकी सहायक नदियों में पेनगंगा, इंद्रावती, प्राणहिता, वेनगंगा, मंजीरा आदि प्रमुख हैं। यह बंगाल की खाड़ी में गिरती है।

197. (d) आनंद मठ की रचना बंकिमचंद्र चट्टोपाध्याय द्वारा की गई है।

198. (c) प्लासी के युद्ध के पश्चात भारत में अंग्रेजी राज की स्थापना हुई थी।

199. (b) बंगाल का विभाजन लॉर्ड कर्जन द्वारा वर्ष 1905 में हुआ था।

200. (d) गेहूँ रबी की फसल है। ज्वार, बाजरा, मक्का, मूँगफली, चावल आदि खरीफ की फसलें हैं।

❑❑❑

प्रैक्टिस सेट-5

भौतिक विज्ञान

1. चुंबकीय बल रेखाओं का गणितीय समीकरण है-

(a) $\vec{\Delta}.\vec{B}=0$ (b) $\vec{\Delta}.\vec{B}\neq 0$

(c) $\vec{\Delta}.\vec{B}>0$ (d) $\vec{\Delta}.\vec{B}<0$

2. R त्रिज्या की वृत्ताकार कुण्डली में धारा प्रवाह के कारण चुम्बकीय क्षेत्र का मान 1/8 केन्द्र पर चुम्बकीय क्षेत्र का तुलना में किस दूरी पर होगा?

(a) R (b) $\sqrt{2}$R

(c) 2R (d) $\sqrt{3}$R

3. चित्र में विभिन्न पदार्थों से बने तीन तारों का विकृति-तनाव वक्र दिखाया गया है। यदि P, Q तथा R तारों की प्रत्यास्थता सीमाएँ हैं, तब चित्रानुसार,

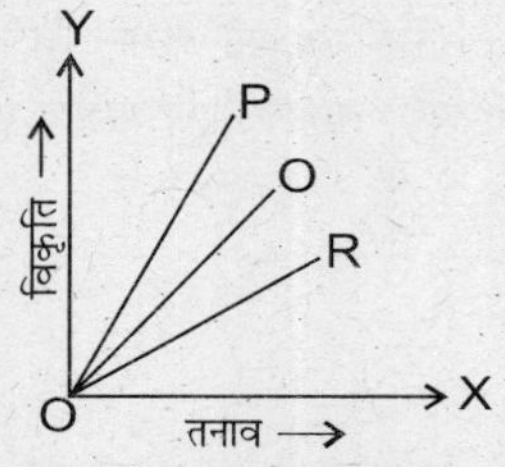

(a) P तार की प्रत्यास्थता अधिक होगी

(b) Q तार की प्रत्यास्थता अधिक होगी

(c) R तार की तनन शक्ति अधिक होगी

(d) उपरोक्त में से कोई नहीं

4. गुरुत्वीय गॉस का नियम है-

(a) $\oint \vec{g}.\vec{ds}=m$

(b) $\oint \vec{g}.\vec{ds}=Gm$

(c) $\oint \vec{g}.\vec{ds}=-4\pi\, Gm$

(d) प्रयुक्त सभी

5. किसी फ्लास्क में निश्चित बिन्दु तक द्रव भरा गया है। जब फ्लास्क को गर्म किया गया है, तो द्रव का स्तर-

(a) तुरन्त बढ़ेगा

(b) पहले घटेगा और फिर बढ़ेगा

(c) अचानक बढ़ेगा

(d) अचानक घटेगा

6. *p-n* संधि में चालन का संचालन कौन करता है?

(a) बहुसंख्यक वाहक

(b) अल्पसंख्यक वाहक

(c) होल

(d) इलेक्ट्रॉन

7. रेडियोऐक्टिव तत्व के परमाणुओं का 6 दिन में 7/8 भाग क्षय होता है, तो 10 दिनों में कितना भाग क्षय होगा?

(a) $\frac{77}{80}$ (b) $\frac{71}{80}$

(c) $\frac{31}{32}$ (d) $\frac{15}{16}$

8. 1 amu बराबर होता है-

(a) 1.6×10^{-27} kg

(b) 931 Mev

(c) 1.6×10^{-27} g

(d) प्रयुक्त सभी

9. धनात्मक किरणें समरूप होती हैं-

(a) α-किरणें (b) β-किरणें

(c) γ-किरणें (d) इनमें से कोई नहीं

10. कौन-सा बल प्रकृति मे सार्वभौमिक है?

(a) नाभिकीय बल

(b) विद्युत चुम्बकीय बल

(c) दुर्बल बल

(d) गुरुत्वीय बल

11. एक घन में 220 वोल्ट, 40 वॉट के 5 बल्ब लगे हैं। बल्ब 30 दिन तक 5 घंटे प्रतिदिन जलते हैं। यदि विद्युत ऊर्जा का मूल्य ₹ 2 प्रति यूनिट हो तो बल्बों का तुल्य प्रतिरोध, विद्युत की यूनिटों की संख्या तथा विद्युत ऊर्जा का मूल्य क्रमशः है-

(a) 242 ओम, 30 यूनिट, ₹ 60

(b) 260 ओम, 20 यूनिट, ₹ 30

(c) 304 ओम, 40 यूनिट, ₹ 40

(d) 175 ओम, 60 यूनिट, ₹ 75

12. द्रव्यमान संख्या A वाला एक नाभिक विरामावस्था में है। जब यह v वेग से α-कण उत्सर्जित करता है, तब संतती (daughter) नाभिक के घटने की गति होगी-

(a) $\frac{2v}{(A+4)}$ (b) $\frac{4v}{(A+4)}$

(c) $\frac{4v}{(A-4)}$ (d) $\frac{2v}{(A-4)}$

13. एक भू-अभिनति (Geostationary) उपग्रह का परिक्रमण काल होता है-

(a) 12 घंटे

(b) 24 घंटे

(c) 4 घंटे

(d) 48 घंटे

14. न्यूटन का तीसरा नियम क्रिया-प्रतिक्रिया के बराबर व विपरीत होता है, सिध्द करता है-

(a) संवेग संरक्षण का नियम

(b) द्रव्यमान संरक्षण

(c) आवेश का संरक्षण

(d) ऊर्जा का संरक्षण

15. एक गेंद को गुरुत्वीय त्वरण में $g=10m/s^2$ ऊपर फेंकने पर 1.0 सेकण्ड पश्चात 10 मी ऊँचाई पर वेग है-

(a) 5 m/s2 (b) 5 m/s

(c) 10 m/ (d) 15 m/s

16. एक रेडियोधर्मी पदार्थ 40 दिनों में अपनी प्रारम्भिक अवस्था का 1/6 भाग रह जाता है। इस पदार्थ की अर्द्ध-आयु होगी-

(a) 2.5 (b) 5

(c) 10 (d) 20

17. किसी रूद्धोष्म रूपान्तरण में जो राशि अचर होती है, वह है-

(a) ताप

(b) दाब

(c) तंत्र की कुल ऊष्मीय ऊर्जा

(d) आयतन

18. एक वस्तु का त्वरण-समय ग्राफ नीचे दर्शाया गया है-

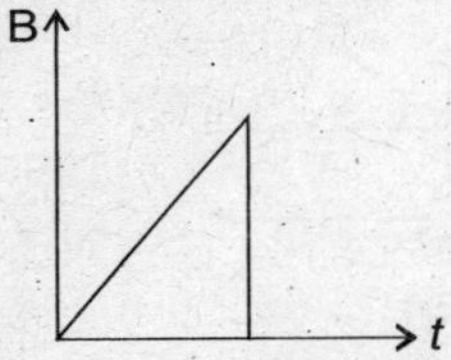

वस्तु का सबसे सम्भावित वेग-समय ग्राफ होगा-

(a) 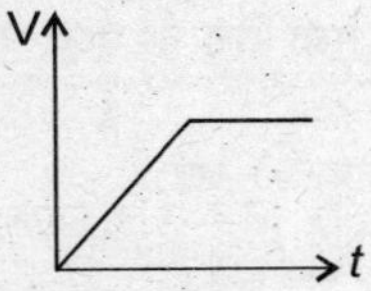

(b) 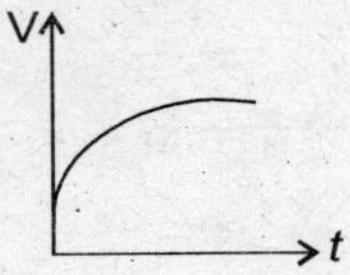

(c) 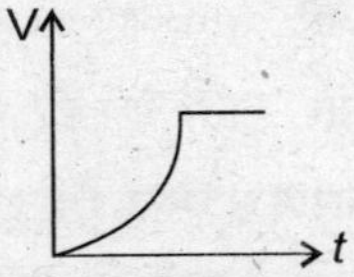

(d) 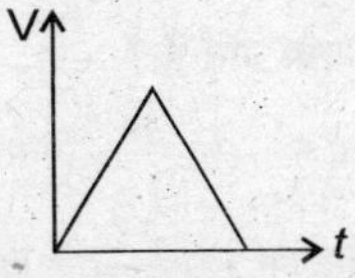

19. किसी पिण्ड का वायु में भार 320 ग्राम भार तथा जल में 280 ग्राम भार है। 1.65 आ. घ. वाले द्रव में पूर्णतया डुबाने पर उसके भार में कितनी कमी आएगी?

(a) 66 ग्राम भार
(b) 6.6 ग्राम भार
(c) 86 ग्राम भार
(d) 33 ग्राम भार

20. निम्नलिखित में से कौन अवस्था फलन नहीं है?

(a) नियम दाब पर किया गया कार्य
(b) एन्थैल्पी
(c) संरक्षित बल द्वारा किया गया कार्य
(d) असंरक्षित बल द्वारा किया गया कार्य

21. वायु का एक बुलबुला पानी के अन्दर है। वह व्यवहार करता है-

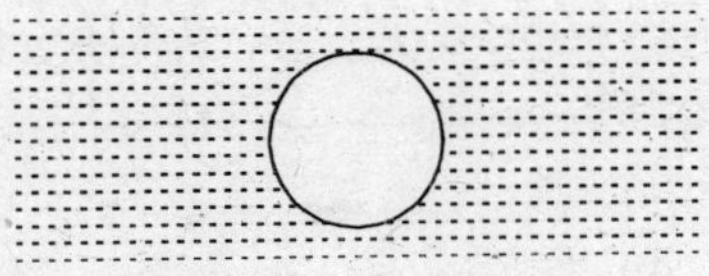

(a) अवतल लेन्स के समान
(b) उत्तल लेन्स के समान
(c) न उत्तल लेन्स के समान, न ही अवतल लेन्स के समान
(d) कुछ नहीं कहा जा सकता

22. किसी कुण्डली में प्रेरित विद्युत वाहक बल 0.1 सेकण्ड में 1 वेबर से 0.1 वेबर तक परिवर्तित होती है-

(a) 1/9 वोल्ट (b) 0.09 वोल्ट
(c) 1 वोल्ट (d) 9 वोल्ट

23. एक धारावाही सीधे तार से 0.02 मी पर उत्पन्न चुम्बकीय क्षेत्र का मान 10^{-6} w/m^2 है, चालक से प्रवाहित धारा का मान है-

(a) 0.1 A (b) 1 A
(c) शून्य (d) 10 A

24. एल्युमिनियम और कॉपर की छड़ों की लम्बाई और प्रतिरोध समान है। कॉपर की छड़ का विशिष्ट प्रतिरोध, एल्युमिनियम की छड़ के विशिष्ट प्रतिरोध का आधा है परन्तु इसका घनत्व, एल्युमिनियम के घनत्व का तीन गुना है। एल्युमिनियम और कॉपर की छड़ों की द्रव्यमानों का अनुपात है-

(a) $\frac{1}{6}$ (b) $\frac{2}{3}$
(c) $\frac{1}{3}$ (d) 6

25. किसी रेडियोधर्मी की अर्ध-आयु 2 सेकण्ड तथा 4 परमाणु है तब एक अर्ध-आयु के बाद बचे हुए परमाणुओं की संख्या हो सकती है-

(a) 1 (b) 2
(c) 3 (d) 4

26. यदि पृथ्वी (त्रिज्या 6400 किमी) की सतह पर गुरुत्वीय त्वरण, *g* का मान 10 मी/से^{2} हो तो, 1600 किमी की ऊँचाई पर *g* का मान (मी/से^{2}) में होगा-

(a) 6.4 (b) 5
(c) 7.5 (d) 2.5

27. संधारित्र में एकत्र ऊर्जा तथा आवेशित करते समय व्यय ऊर्जा का अनुपात है-

(a) 1 : 1 (b) 1 : 2
(c) 1 : 1/2 (d) 2 : 1

28. विद्युत ऊर्जा की टंकी किसे कहते हैं ?

(a) प्रतिरोध (b) प्रेरकत्व
(c) संधारित्र (d) मोटर

29. धारिता का क्या मान होगा यदि एक पहली धातु की पट्टिका को दो समानान्तर प्लेट के संधारित्र के मध्य में रख दी जाती है, A = प्लेटों का क्षेत्रफल, *d* = प्लेटों के मध्य दूरी

(a) $\frac{\varepsilon_0 A}{d}$ (b) $\frac{2\varepsilon_0 A}{d}$
(c) $\frac{4\varepsilon_0 A}{d}$ (d) $\frac{\varepsilon_0 A}{2d}$

30. एक लोलक का गोलक पारा (Hg) से भरा है। जब उसकी तली में एक छिद्र किया जाता है, तब सम्पूर्ण पारा (Hg) बहने लगता है। लोलक का आवर्तकाल

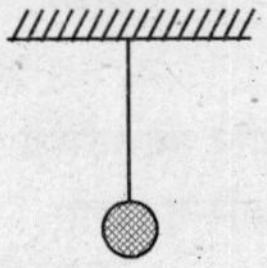

(a) असमान रहेगा
(b) घटेगा
(c) बढ़ेगा
(d) पहले बढ़ेगा फिर घटेगा

31. 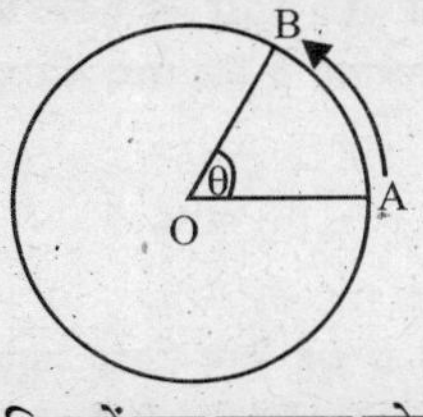

चित्र में चार समान्तर प्लेटों के मध्य समान दूरी *d* तथा क्षेत्रफल A है तब बिन्दु *a* व *b* के मध्य परिणामी धारिता का मान है-

(a) $\frac{\varepsilon_0 A}{d}$ (b) $\frac{2\varepsilon_0 A}{d}$
(c) $\frac{3\varepsilon_0 A}{d}$ (d) $\frac{4\varepsilon_0 A}{d}$

32. विस्पन्द के सम्बन्ध में निम्नलिखित में से कौन-सा सत्य है?

(a) आवृत्ति असमान, आयाम समान
(b) आवृत्ति समान, आयाम समान
(c) आवृत्ति समान, आयाम असमान
(d) उपरोक्त में से कोई नहीं

33. स्मृति पर आधारित

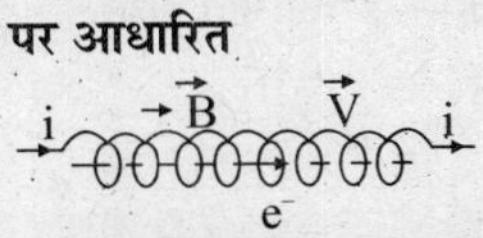

चित्र में परिनालिका के अक्षीय दिशा में इलेक्ट्रॉन की गति के कारण उस पर किया गया कार्य होगा-

(a) शून्य (b) –evB
(c) *ilB* (d) इनमें से कोई नहीं

34. R त्रिज्या की वृत्ताकार कुण्डली में धारा प्रवाह के कारण इसकी अक्ष पर चुम्बकीय क्षेत्र का मान, केन्द्र पर चुम्बकीय क्षेत्र की तुलना में $\frac{1}{8}$ किस दूरी पर होगा ?

(a) R (b) $\sqrt{2}$R
(c) 2R (d) $\sqrt{3}$R

35. यदि पृथ्वी की सतह का क्षेत्रफल *A* तथा आयतन *V* है तब पृथ्वी की धारिता होगी-

(a) $4\pi\varepsilon_0 \frac{A}{V}$ (b) $4\pi\varepsilon_0 \frac{V}{A}$
(c) $12\pi\varepsilon_0 \frac{V}{A}$ (d) $12\pi\varepsilon_0 \frac{A}{V}$

36. संधारित्रों का उपयोग इलैक्ट्रिक परिपथों में किया जाता है जहाँ उपकरणों में अधिक आवश्यक होती है–

(a) धारा (b) विभव
(c) शक्ति (d) प्रतिरोध

37. यदि किसी गोले की परिधि 2 मी है तब पानी में गोले की धारिता होगी–

(a) 2700 ρF (b) 2760 ρF
(c) 2780 ρF (d) 2800 ρF

38. भूमि से 10 मी ऊँचाई पर रखे 9 मी^{3} क्षमता के एक टैंक को एक विद्युत पम्प से भरा जाता है। यदि पम्प टैंक को भरने में 10 किलोवॉट शक्ति लेकर 5 मिनट लगाता है तब पम्प की क्षमता होगी–

(a) 60% (b) 40%
(c) 20% (d) 30%

39. यदि सौरमण्डल में यह मान लिया जाए कि पृथ्वी और सूर्य दोनों ऊष्मागतिकी निकाय का निर्माण करते हैं जिसमें सूर्य स्त्रोत का कार्य 6000 K पर व पृथ्वी सिंक (sink) 300 K पर कार्य करती है तब दोनों के मध्य विकिरणों के क्रयविनिमय के आधार पर दक्षता होगी–

(a) 30% (b) 65%
(c) 75% (d) 95%

40. कौन-सा पदार्थ अत्यधिक प्रत्यास्थ है ?

(a) लोहा (b) ताँबा
(c) काँच (d) लकड़ी

41. $Y = \frac{mgl}{\pi r^2 L}$ समीकरण में भार mg को दोगुना कर देने पर Y का मान होगा–

(a) 2Y (b) $\frac{Y}{2}$
(c) Y (d) शून्य

42. प्रक्षेप्य गति में अधिकतम परास व उड़ान समय के वर्ग का अनुपात है–

(a) 10 : 49 (b) 49 : 10
(c) 98 : 10 (d) 10 : 98

43. एक मोटर साइकिल सवार 20 मी/से$^{-1}$ की गति से R = 40 मी वक्रता त्रिज्या के मोड़ पर किस कोण से झुकेगा ? (g = 10 मी/से$^{-2}$)

(a) 20° (b) 30°
(c) 45° (d) 60°

44. कोई बच्चा किसी शक्तिशाली पटाखे के फटने के 4 सेकण्ड बाद किसी खड़ी चट्टान के कारण प्रतिध्वनि सुनता है। बच्चे से चट्टान की दूरी होगी–

(a) 688 मीटर (b) 788 मीटर
(c) 988 मीटर (d) 588 मीटर

45. निम्न में से कौन-सा प्रकाश वैद्युत प्रभाव का उदाहरण है ?

(a) प्रत्यास्थ टक्कर
(b) अप्रत्यास्थ टक्कर
(c) द्विविमीय टक्कर
(d) तिर्यक टक्कर

46. एक द्विपरमाणु गैस को Q ऊष्मा देने पर यह $\frac{Q}{4}$ कार्य करती है, इस गैस की मोलर ऊष्मा धारिता है–

(a) $\frac{2R}{5}$ (b) $\frac{5R}{2}$
(c) $\frac{10R}{3}$ (d) $\frac{6R}{5}$

47. चित्र में चार समाग स्प्रिंगों वाले दौलित्र का आवर्तकाल है–

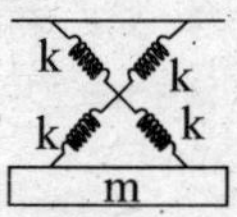

(a) $T = 2\pi\sqrt{\frac{m}{4k}}$
(b) $T = 2\pi\sqrt{\frac{m}{2k}}$
(c) $T = 2\pi\sqrt{\frac{m}{k}}$
(d) $T = 2\pi\sqrt{\frac{2m}{k}}$

48.

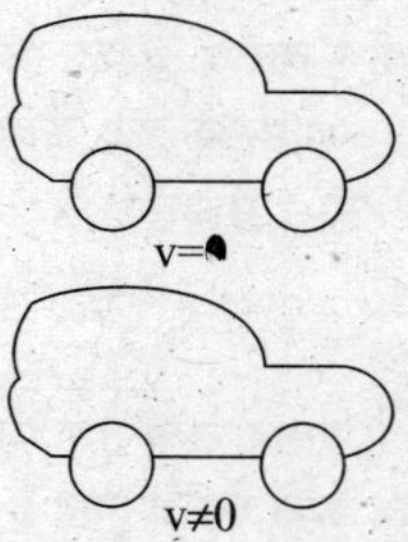

चित्र में एक कार विरामावस्था में है तथा प्रकाश हेड लाइट से वेग c से गति करता है। यदि कार v वेग से गति करती है तब प्रकाश हेड लाइट से क्या गति करेगा ?

(a) c + v (b) c – v
(c) $c \times v$ (d) c

49. कौन-सा ग्राफ कण की विरामावस्था दर्शाता है ?

(a)
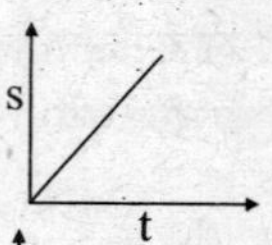

(b)
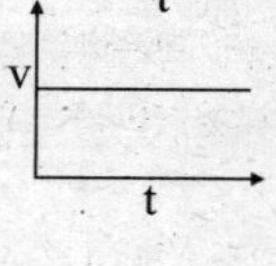

(c)
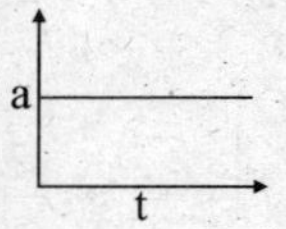

(d)
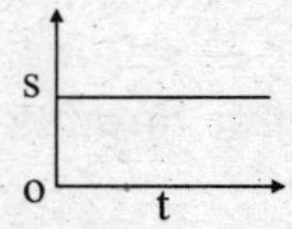

50. कार के पहिये तथा रोड के मध्य घर्षण बल की दिशा है–

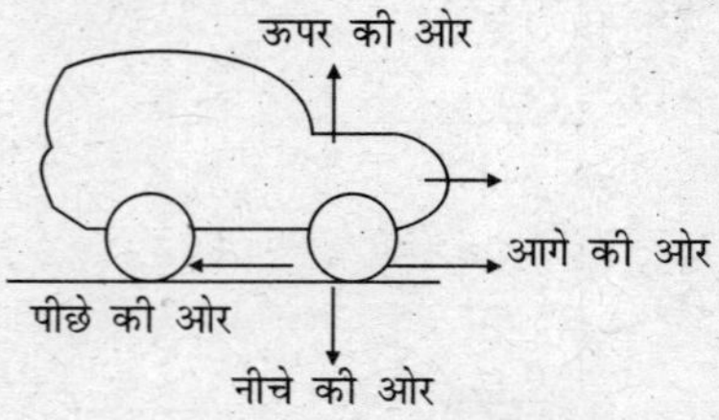

(a) ऊपर की ओर (b) आगे की ओर
(c) पीछे की ओर (d) नीचे की ओर

51. पृष्ठ तनाव के कारण से भिन्न-भिन्न त्रिज्याओं r वाली केशनलियों में पानी की ऊँचाई (h) व त्रिज्या के बीच क्या शर्त है ?

(a) rh = नियतांक (b) $\frac{h}{r}$ = नियताक
(c) $h + r$ = नियतांक (d) $h - r$ = नियतांक

52. किस परिपथ में धारामापी धारा नहीं बतलाएगा ?

(a)
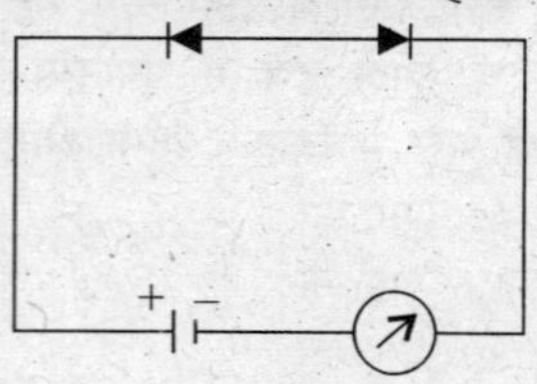

(b)
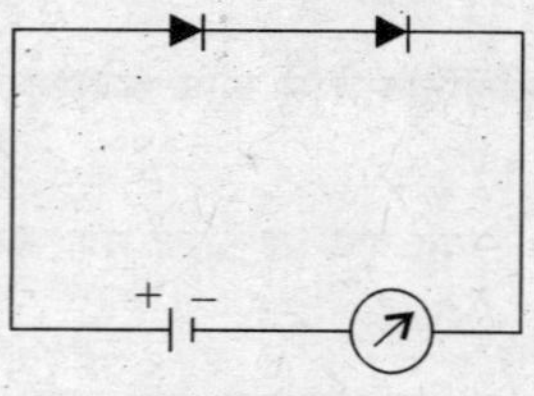

(c)
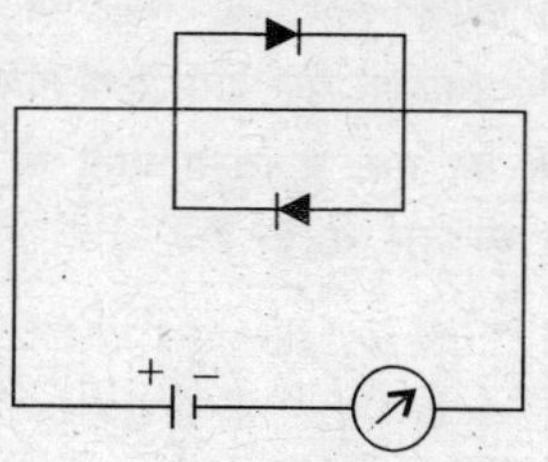

(d)
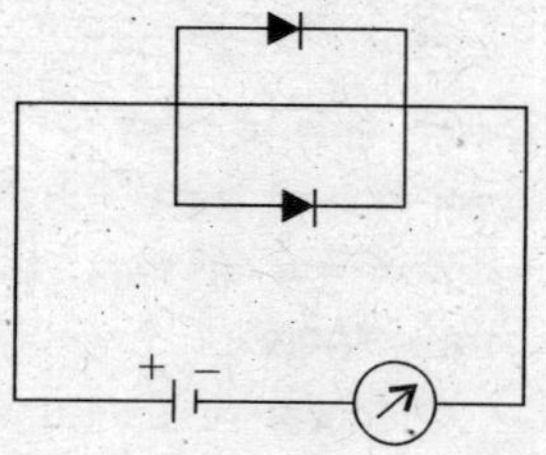

53. बोहर त्रिज्याओं के मध्य अनुपात है-
(a) 1 : 2 : 3 (b) 2 : 4 : 6
(c) 1 : 4 : 9 (d) 1 : 3 : 5

54. किसी रेडियो समस्थानिक की अर्द्ध-आयु 2 सेकण्ड तथा इसमें 4 परमाणु हैं तब एक अर्द्ध-आयु के बाद बचे हुए (क्षय के बिना) परमाणु की संख्या हो सकती है-
(a) 1 (b) 2
(c) 3 (d) इनमें से कोई नहीं

55. $\frac{h}{2\pi}$ विमा किस राशि की है ?
(a) वेग (b) संवेग
(c) ऊर्जा (d) कोणीय संवेग

56. किसकी ध्वनि का तारत्व अधिक होता है-
(a) शेर (b) मच्छर
(c) पुरुष (d) स्त्री

57. भू-स्थिर उपग्रह-
(a) g से पृथ्वी की ओर गिरता है
(b) का आवर्तकाल 24 घण्टे होता है
(c) भूमध्य कक्ष में होता है
(d) उपरोक्त सभी सही हैं

58. एक मीटर त्रिज्या के एक आवेशित खोखले गोलीय चालक के पृष्ठ पर 1000 वोल्ट का विभव है तब केन्द्र से $\frac{1}{4}$ मीटर दूरी पर विद्युत विभव का मान है-
(a) 1000 वोल्ट (b) 500 वोल्ट
(c) 250 वोल्ट (d) शून्य

59. विद्युत क्षेत्र (*E*) व धारा घनत्व (*J*) के मध्य संबंध है-
(a) $E \propto J - 1$ (b) $E \propto J$
(c) $E \propto \frac{1}{J^2}$ (d) $E^2 \propto \frac{1}{J}$

60. *LC* परिपथ का समय स्थिरांक होता है-
(a) $\frac{1}{2\pi LC}$ (b) $\frac{1}{2\pi L^2C^2}$
(c) $\frac{LC}{2\pi}$ (d) $2\pi\sqrt{LC}$

रसायन विज्ञान

61. निम्न में से कौन-सा फोटॉन की तरंग गति और कण धारा दोनों से संबंधित है ?
(a) व्यतिकरण (b) $E = mc^2$
(c) विवर्तन (d) $E = h\nu$

62. कोबाल्ट-60 समस्थानिक का प्रयोग किसके उपचार में होता है ?
(a) हृदय रोग (b) चर्म रोग
(c) मधुमेह (d) कैंसर

63. एक परमाणवीय है-
(a) सल्फर (b) हीलियम
(c) फॉस्फोरस (d) क्लोरीन

64. निम्न में से कौन-सी अभिक्रिया सम्भव नहीं है ?
(a) $Cu + 2AgNO_3 \rightarrow Cu(NO_3)_2 + 2Ag$
(b) $CaO + H_2 \rightarrow Ca + H_2O$
(c) $CuO + H_2 \rightarrow Cu + H_2O$
(d) $Fe + H_2SO_4 \rightarrow FeSO_4 + H_2$

65. यदि *p*, *V*, *M*, T तथा *R* दाब, आयतन, अणुभार, ताप तथा गैस नियतांक को प्रदर्शित करते हैं तो आदर्श गैस का घनत्व है-
(a) $\frac{RT}{pM}$ (b) $\frac{p}{RT}$
(c) $\frac{M}{V}$ (d) $\frac{pM}{RT}$

66. H_2O_2 की संरचना क्या है ?
(a) 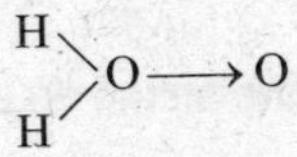
(b) H—O—O—H
(c) 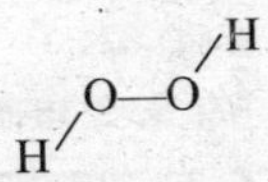
(d) 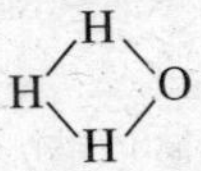

67. किसी परमाणु में प्रोटॉन होते हैं-
(a) नाभिक के बाहर
(b) नाभिक के अन्दर
(c) नाभिक के बाहर एवं अन्दर दोनों स्थान में
(d) उपरोक्त में से कोई नहीं

68. क्रोमियम (Z = 24) का इलेक्ट्रॉनिक विन्यास है-
(a) 2, 8, 14 (b) 2, 8, 8, 6
(c) 2, 8, 12, 2 (d) 2, 8, 13, 1

69. इनमें से किसमें विद्युत संयोजक बन्ध है ?
(a) $CaCl_2$ (b) $AlCl_3$
(c) $SiCl_4$ (d) PCl_3

70. जिंक सल्फाइड का रंग होता है-
(a) सफेद (b) काला
(c) भूरा (d) लाल

71. मरक्यूरस आयन का सूत्र है-
(a) Hg^+ (b) Hg^+_2
(c) Hg_2^{2+} (d) इनमें से कोई नहीं

72. एक यौगिक का ऊष्मीय विघटन प्रथम कोटि का है यदि यौगिक के एक नमूने का 120 मिनट में 50% विघटन होता है तो उसके 90% विघटन में कितना समय लगेगा ?
(a) 300 मिनट (b) 360 मिनट
(c) 398.8 मिनट (d) 400 मिनट

73. NH_4Cl का जलीय विलयन है-
(a) अम्लीय (b) क्षारीय
(c) उदासीन (d) रंगीन

74. M/100 NaOH विलयन की pH होगी-
(a) 2 (b) 10
(c) 6 (d) 12

75. प्रथम कोटि की अभिक्रिया के लिए वेग स्थिरांक तथा अर्द्ध-आयु काल में निम्न संबंध है-
(a) $t_{1/2} = \frac{0.693}{k_1}$
(b) $k_1 = \frac{t_{1/2}}{0.693}$
(c) $t_{1/2} = 0.693 + k_1$
(d) $t_{1/2} = \frac{k_1}{0.693}$

76. टिण्डल प्रभाव प्रकट होता है-
(a) विलयन में (b) अवक्षेप में
(c) सॉल में (d) वाष्प में

77. आयोडोफॉर्म परीक्षण देने वाला यौगिक है-
(a) CH_3CHO (b) $CH_3CH_2CH_2OH$
(c) $C_6H_5CH_2CH_3$ (d) $C_6H_5CH_2OH$

78. फॉसजीन का सूत्र है-
(a) PH_3 (b) $POCl_3$
(c) CS_3Cl (d) $CoCl_4$

79. अभिक्रिया
$CH_3NH_2 + X + KOH \rightarrow CH_3NC$ में *X* है-
(a) CH_2Cl_2 (b) $CHCl_3$
(c) CH_3Cl (d) CCl_4

80. निम्न में नियॉन का इलेक्ट्रॉनिक विन्यास है-
(a) $1s^22s^12p^7$ (b) $1s^22s^22p^4$
(c) $1s^22s^22p^6$ (d) $1s^22s^22p^8$

81. ऑक्सीजन-18 में न्यूट्रॉनों की संख्या है-
(a) 2 (b) 18
(c) 10 (d) 12

82. रेडियोधर्मी विघटन है-
(a) भौतिक परिवर्तन
(b) रासायनिक परिवर्तन
(c) नाभिकीय परिवर्तन
(d) उपरोक्त में से कोई नहीं

83. निम्नलिखित में से किसमें क्लोरीन की ऑक्सीकरण संख्या +1 है ?
(a) HCl (b) $HClO_4$
(c) ICl (d) Cl_2O

84. ऑक्सीकरण प्रक्रिया में-
(a) ऑक्सीकरण संख्या घटती है
(b) इलेक्ट्रॉनों की संख्या घटती है
(c) ऑक्सीजन की संख्या घटती है
(d) आयनों की संख्या घटती है

85. लोहे में जब जंग लगता है तो वह क्या होता है ?
(a) अपचयित होना
(b) अणुओं में टूट जाना
(c) संक्षारण
(d) सूक्ष्म पाउडर में बदल जाना

86. निम्न में से कौन-सा सबसे तीव्र ऑक्सीकारक है ?
(a) F_2 (b) O_2
(c) Br_2 (d) I_2

87. एक रूद्धोष्म प्रक्रम के लिए सत्य है-
(a) $Q = +W$ (b) $\Delta Q = 0$
(c) $\Delta E = Q$ (d) $p + \Delta V = 0$

88. अभिक्रिया $C_6H_5COOCH_3 \xrightarrow{LiAlH_4}$ .... से क्या बनता है ?
(a) $C_6H_5COOH + CH_3OH$
(b) $C_6H_5CH_2OH + CH_3OH$
(c) $C_6H_5CHO + CH_3COOH$
(d) उपरोक्त सभी

89. फ्रीडेल-क्राफ्ट अभिक्रिया का उदाहरण है-
(a) $C_6H_6 + C_2H_5Cl \xrightarrow{AlCl_3} C_6H_5C_2H_5 + HCl$
(b) $C_2H_5OH + HCl \xrightarrow{ZnCl_2} C_2H_5Cl + H_2O$
(c) $C_6H_5Cl + CH_3COCl \xrightarrow{AlCl_3} C_6H_5COCH_3 + Cl_2$
(d) $C_6H_5Br + Mg \xrightarrow{Ether} C_2H_5MgBr$

90. निम्न में से कौन-सा लैन्थेनाइड आयन प्रतिचुम्बकीय है? (परमाणु क्रमांक Ce = 58, Sm = 62, Eu = 63, Yb = 70)
(a) Ce^{2+} (b) Sm^{2+}
(c) Eu^{2+} (d) Yb^{2+}

91. निम्न अभिक्रिया,
$2SO_2(g) + O_2(g) \rightleftharpoons 2SO_3(g)$;
$\Delta H = -188.3$ किलोजूल
में SO_3 के मोलों की संख्या बढ़ेगी जब-
(a) स्थिर आयतन पर ताप बढ़ाते हैं
(b) मिश्रण में निष्क्रिय गैस मिलाते हैं
(c) मिश्रण से ऑक्सीजन को हटाते हैं
(d) अभिक्रिया पात्र का आयतन घटाते हैं

92. एक प्रथम कोटि की क्रिया,
A → उत्पाद, की अर्द्धआयु 100 से है। इस क्रिया का गति स्थिरांक होगा-
(a) 6.9×10^{-2} से$^{-1}$
(b) 6.93×10^{-4} से$^{-1}$
(c) 6.93×10^{-3} से$^{-1}$
(d) 6.93×10^{-1} से$^{-1}$

93. किसी गैसीय अभिक्रिया की दर तीन गुनी हो जाती है जब तापमान 25°C से 10°C अधिक तक बढ़ाया जाता है। इस अभिक्रिया की सक्रियण ऊर्जा (किलोजूल मोल$^{-1}$ में) होगी-
(a) 40 (b) 70
(c) 83.8 (d) 200

94. निम्न पदार्थों में से किसका गलनांक स्पष्ट नहीं है ?
(a) KCl (b) काँच
(c) बर्फ (d) हीरा

95. किसी क्रिस्टल में ब्रेवे जालकों की कुल संख्या होती है-
(a) 7 (b) 14
(c) 230 (d) 32

96. यदि किसी आदर्श गैस के 2 मोल निर्वात में स्वत: प्रसारित होते हैं, तो सम्पादित कार्य का मान होगा-
(a) 2 जूल (b) 4 जूल
(c) शून्य (d) अनन्त

97. स्थिर आयतन पर, ऊष्मा परिवर्तन (q_v) निम्न के बराबर होता है-
(a) ΔE (b) ΔH
(c) RT (d) ΔG

98. 300 K पर, किसी गैसीय क्रिया के लिए, $\Delta H - \Delta E = -498$ किलोजूल है तथा दिया गया है, R = 8.3 जूल/किलो-मोल।
$\Delta n_{(g)}$ का मान होगा-
(a) 1 (b) 2
(c) –2 (d) 0

99. यदि विलयन के pH का मान 4 है, तो इसमें $[H^+]$ का मान होगा-
(a) 4 M (b) 10^4 M
(c) 10^{-4} M (d) 10^{-1} M

100. N_2O_5 में मौजूद बन्ध निम्न किस्म के हैं-
(a) केवल सहसंयोजक
(b) केवल आयनिक
(c) सहसंयोजक तथा उपसहसंयोजक बन्ध
(d) सहसंयोजक एवं आयनिक बन्ध

101. समपरासरी विलयनों के होते हैं-
(a) समान हिमांक (b) समान क्वथनांक
(c) समान पृष्ठ तनाव (d) समान परासरण दाब

102. रेडियोधर्मी श्रृंखला जिसका अन्तिम उत्पाद $^{209}_{83}Bi$ है, कहलाती है-
(a) थोरियम श्रृंखला
(b) फोरियर श्रृंखला
(c) ऐक्टिनियम श्रृंखला
(d) नेप्टूनियम श्रृंखला

103. $^{13}_{6}C$ तथा $^{14}_{7}N$ कहलाते हैं-
(a) समस्थानिक (b) आइसोटोन
(c) आइसोबार (d) आइसोस्टर

104. इलेक्ट्रॉन बन्धुता का मान धनात्मक होता है, जब-
(a) O से, O^- बनता है
(b) O^{-1} से, O^{2-} बनता है
(c) O से, O^+ बनता है
(d) O^- से, O^{3-} बनता है

105. निम्न में से कौन-से समूह के सभी आयन रंगीन हैं ?
(a) Cu^+, Cu^{2+}, Ni^{2+}
(b) $Cu^{2+}, Co^{2+}, SO^{3+}$
(c) $Cu^{2+}, Fe^{2+}, Co^{2+}$
(d) Na^+, Mg^{2+}, Al^{3+}

106. निम्न आयनों में से किसकी त्रिज्या न्यूनतम है ?
(a) Ti^{2+} (b) Ni^{2+}
(c) Pt^{2+} (d) Zr^{2+}

107. निम्न में से कौन-सा तत्व अधिकतम ऑक्सीकरण संख्या दर्शाता है ?
(a) Os (b) Mn
(c) Co (d) Cr

108. अधिकतम चुम्बकीय आघूर्ण निम्न के द्वारा दर्शाया जाता है-
(a) d^5 (b) d^6
(c) d^7 (d) d^8

109. ब्लास्ट (वात्या) भट्टी से प्राप्त लोहे को कहा जाता है-
(a) पिटवा लोहा (b) ढलवाँ लोहा
(c) कच्चा लोहा (d) इस्पात

110. निम्न में से किसमें मैग्नीशियम नहीं होता ?
(a) मैग्नेटाइट में (b) ऐस्बेस्टॉस में
(c) मैग्नेसाइट में (d) कार्नेलाइट में

111. कार्बोरेंडम होता है-
(a) CaC_2 (b) $CaCO_3$
(c) Fe_3C (d) SiC

112. निम्न को अकार्बनिक बेन्जीन कहते हैं-
(a) B_2H_6 (b) $B_3N_3H_6$
(c) $B_3O_3H_6$ (d) $(BH_3)_3$

113. 32 ग्राम ऑक्सीजन की मोलर सान्द्रता 10 लीटर में होगी-
(a) 3.2 मोल प्रति लीटर
(b) 3.2 ग्राम प्रति लीटर
(c) 1.00 मोल प्रति लीटर
(d) 0.10 मोल प्रति लीटर

114. हँसाने वाली गैस निम्न को कहते हैं-
(a) नाइट्रस ऑक्साइड
(b) नाइट्रोजन ट्राइऑक्साइड
(c) नाइट्रिक ऑक्साइड
(d) नाइट्रोजन पेन्टा ऑक्साइड

115. निम्न यौगिकों में किसका क्वथनांक सर्वोच्च है ?
(a) *n*-हेक्सेन (b) *n*-पेन्टेन
(c) 2-मेथिल ब्यूटेन (d) 2, 2-डाइमेथिल प्रोपेन

116. निम्न अभिक्रिया,
$$CH_3CH_2Cl \xrightarrow[\text{(ii) CuI}]{\text{(i) Li}} \xrightarrow{CH_3CH_2Cl}$$
n-ब्यूटेन को कहते हैं-
(a) वुर्ट्ज अभिक्रिया
(b) कोरे-हाउस संश्लेषण
(c) कोल्वे संश्लेषण
(d) फ्रीडेल-क्राफ्ट अभिक्रिया

117. यौगिक $C_4H_{10}O$ के समावयवियों की संख्या है-
(a) 4 (b) 5
(c) 6 (d) 7

118. 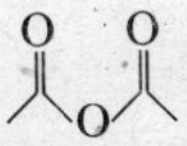 का आई.यू.पी.ए.सी.
(a) 2, 4-ब्यूटेन-डाइ ऑन
(b) एथेनोइक ऐनहाइड्राइड
(c) एथॉक्सी एथेनॉन
(d) ऐसिटिक ऐनहाइड्राइड

119. रंग (रंजक) प्रायः निम्न से प्राप्त उत्पादों से से प्राप्त होते हैं-
(a) पेट्रोलियम उत्पाद (b) कोल-तार
(c) गैसोलीन (d) जल-गैस

120. निम्न अभिक्रिया
$$2C_6H_5CHO \xrightarrow{NaOH} C_6H_5CH_2OH + C_6H_5COONa$$
निम्नलिखित में से किसे ऐल्डिहाइड के द्वारा भी दर्शाया जाता है ?
(a) CH_3CHO
(b) CH_3CH_2CHO
(c) $(CH_3)_3C.CHO$
(d) $(CH_3)_2CH.CHO$

वनस्पति विज्ञान

121. नींबू में कैंकर रोग किसके द्वारा होता है ?
(a) माइक्रोकॉकस (b) जैन्थोमोनास
(c) डिप्लोकॉकस (d) स्ट्रैप्टोकॉकस

122. वायु प्रदूषक गैसें, जिनसे अम्लीय वर्षा होती है, वे हैं-
(a) CO_2, और Cl_2 (b) CO_2 और O_3
(c) SO_2 और NO_2 (d) CFC और CO_2

123. पौधे के किस भाग से अफीम प्राप्त की जाती है ?
(a) नई पत्तियों से
(b) जड़ों से
(c) अपरिपक्व सम्पुट से
(d) बीजों से

124. प्रकाश संश्लेषण क्रिया सबसे सक्रिय होती है ?
(a) नीले प्रकाश में (b) हरे प्रकाश में
(c) लाल प्रकाश में (d) श्वेत प्रकाश में

125. वाष्पोत्सर्जन मापने के लिए जिस उपकरण का उपयोग किया जाता है, उसे कहते हैं-
(a) पोरोमीटर (b) पैरोमीटर
(c) लक्समीटर (d) एल्टीमीटर

126. निम्नलिखित बीजाण्डों में से किसमें भ्रूणकोष घोड़े की नाल के आकार का होता है ?
(a) अर्द्धप्रतिलोम बीजाण्ड
(b) ऋजु बीजाण्ड
(c) अनुप्रस्थ बीजाण्ड
(d) कुण्डलित बीजाण्ड

127. आवृत्तबीजी पौधों में मादा युग्मकोद्भिद् होता है-
(a) अण्डप (b) बीजाण्ड
(c) भ्रूणकोष (d) अण्डा

128. तारपीन का तेल प्राप्त होता है-
(a) पाइनस से (b) साइकस से
(c) सीड्स से (d) एबीस से

129. निम्न में से कौन ब्रायोफाइट नहीं है ?
(a) टेरिस (b) फ्यूनेरिया
(c) पोरेला (d) पेलिया

130. जीवन की उत्पत्ति का महाकल्प कौन-सा है ?
(a) प्रीकैम्ब्रियन (b) प्रोटेरोजोइक
(c) मीसोजोइक (d) सीनोजोइक

131. परिचर्म के अन्तर्गत आता है-
(a) काग (b) कागजन
(c) काग अस्तर (d) से सभी

132. समरूपी पीढ़ियों का एकान्तरण पाया जाता है-
(a) ओइडोगोनियम (b) कारा
(c) वाउचीरिया (d) एक्टोकॉर्पस

133. सामान्यतया ब्रेडमोल्ड नाम से जानी जाने वाली कवक है-
(a) आल्टरनेरिया (b) राइजोपस
(c) पेनिसिलियम (d) एस्परजिलस

134. ताला-कुञ्जी का सिद्धान्त संबंधित है-
(a) रासायनिक क्रिया से
(b) हार्मोनी क्रिया से
(c) एन्जाइम क्रिया से
(d) अप्रकाशिक अभिक्रिया से

135. दो निम्न समुदायों के बीच का संक्रातिक क्षेत्र कहलाता है-
(a) इकोस्फीयर (b) इकोटोन
(c) इकोक्लाइन (d) राइजोस्फीयर

136. जीन शब्द किसने प्रस्तावित किया था ?
(a) जोहनसन ने (b) वाटसन ने
(c) मॉर्गन ने (d) विलियमसन ने

137. विषाणु में न्यूक्लिक अम्ल को ढंकने वाला प्रोटीन आवरण क्या कहलाता है ?
(a) प्लाज्मिड (b) कैप्सिड
(c) वेक्टर (d) जीनोम

138. सर्वाधिक प्रतिजैविक किससे प्राप्त किये जाते हैं ?
(a) बैसिलस द्वारा
(b) पेनिसिलियम द्वारा
(c) स्ट्रेप्टोमाइसिस द्वारा
(d) सिफैलोस्पोरयम द्वारा

139. निम्नलिखित में से किसे कामीन द्वारा रंगा जाता है ?
(a) बैक्टीरिया को (b) डायटम को
(c) गुणसूत्र को (d) विषाणु को

140. पाइनस के परिपक्व परागकण में होती है-
(a) दो कोशिकाएँ (b) तीन कोशिकाएँ
(c) चार कोशिकाएँ (d) पाँच कोशिकाएँ

141. बहुगुणिता प्रेरित की जा सकती है-
(a) ऑक्सिन के प्रयोग से
(b) काइनेटिन के प्रयोग से
(c) कोल्चिसिन के प्रयोग
(d) एथिलीन के प्रयोग से

142. क्वाण्टोसोम पाये जाते हैं-
(a) हरितलवक में (b) माइटोकॉण्ड्रिया में
(c) गॉल्जीकाय में (d) लाइसोसोम में

143. माइट्रोकॉण्ड्रिया में एन्जाइम साइटोक्रोम ऑक्सिडेस पाया जाता है-
(a) बाह्य झिल्ली में
(b) पेरीमाइटोकॉण्ड्रियल क्षेत्र में
(c) अन्त:झिल्ली में
(d) मैट्रिक्स में

144. निम्न में से कौन-सा जैव अभियंत्रित जीवाणु समुद्री तेल रिसाव को साफ करने में प्रयोग होता है-
(a) एश्चिरिचिया कोलाई
(b) स्यूडोमोनास सिरिंगी
(c) स्यूडोमोनास प्यूटिडा
(d) राइजोक्टोनिया सोलेनाई

145. हरा आलू किसके कारण जहरीला होता है ?
(a) फाइटोएलेक्सिन्स (b) सोलेनिन
(c) ट्राइजिन (d) हॉर्मोन्स

146. कैंसर के अर्बुद से प्राप्त कोशिकाएँ कहलाती हैं-
(a) हाइब्रिडोमा
(b) माइलोमास
(c) लिम्फोसाइट्स
(d) मोनोक्लोनल कोशिकाएँ

147. ट्रिटिकम एस्टाइवम पादप है-
(a) अगुणित (b) द्विगुणित
(c) चतुर्गुणित (d) षट्गुणित

148. निम्न में से कौन पूर्ण मूल परजीवी है ?
(a) कुस्कुटा (b) रैफ्लेसिया
(c) सैन्टेलम (d) मोनोट्रापा

149. निम्नलिखित में से किन ऊतकों में जीवित कोशिकाएँ होती हैं ?
(a) वाहिकाओं में
(b) वाहिनिकाओं में
(c) सहायक कोशिकाओं में
(d) दृढ़ोतक में

150. बाह्यत्वचा से कौन-सी उपयोगी वस्तु प्राप्त होती है ?
(a) केसर (b) कपास के रेशे
(c) लोंग (d) जूट

जन्तु विज्ञान

151. हृदय कब आराम करता है?
(a) कभी नहीं
(b) सोते समय
(c) दो धड़कनों के बीच
(d) यौगिक आसन करते समय

152. मध्यपीतकी अण्डे में विदलन होता है-
(a) अंशभंजी
(b) असमान पूर्णभंजी
(c) समान पूर्णभंजी
(d) 'b' तथा 'c' दोनों

153. कौन-से प्रोटोजोआ से काला अजार होता है ?
(a) जियार्डिया (b) ट्रिपैनोसोमा
(c) लेशमानिया (d) मोनोसिस्टिस

154. ऊतकों के अध्ययन को कहते हैं-
(a) कार्यिकी (b) शारीरिकी
(c) पारिस्थितिकी (d) औतिकी

155. वर्गिकी में "फाइलम" शब्द दिया था-
(a) जॉन रे ने
(b) जी. एल. कूवियर ने
(c) सी. लीनियस ने
(d) हीकल ने

156. "सेन्ट्रल वाइल्ड लाइफ बोर्ड" की स्थापना हुई थी-
(a) 1951 में (b) 1955 में
(c) 1968 में (d) 1970 में

157. पेबरीन रोग संबंधित है-
(a) मधुमक्खी से (b) रेशम कीट से
(c) लक्ष कीट से (d) माहू से

158. कुंदुकन के समय निर्मित गुहा है-
(a) आधांत्र
(b) जठर गुहा
(c) आदि आहार नली
(d) ये सभी

159. भारत में "प्रोजेक्ट टाइगर" प्रारम्भ हुआ था-
(a) 1989 में (b) 1975 में
(c) 1973 में (d) 1968 में

160. ऊतक संवर्धन द्वारा कृत्रिम त्वचा सर्वप्रथम किसने उगाई ?
(a) हैरिसन ने (b) कारेल ने
(c) मैक्सीमोव ने (d) यूजिन बेल ने

161. "ओरिजिन ऑफ स्पीसीज' के लेखक थे-
(a) लैमार्क (b) इरासमस डार्विन
(c) चार्ल्स डार्विन (d) मेन्डल

162. स्तनियों में प्लीहा (spleen) का कार्य होता है-
(a) रक्त दाब को नियन्त्रित करना
(b) यकृत की सहायता करना
(c) हीमोपॉयटिक ऊतक के रूप में कार्य करना
(d) वृक्कों की सहायता करना

163. जठर रस का पी-एच (pH) होता है लगभग-
(a) 1 (b) 2
(c) 6 (d) 10

164. मैलेथियॉन कीटनाशक है-
(a) ऑर्गेनोक्लोरीन (b) ऑर्गेनोफॉस्फेट
(c) कार्बामेट (d) पाइरेथरॉइड

165. मधुमक्खीपालन को कहते हैं-
(a) पर्लकल्चर (b) पीसीकल्चर
(c) सेरीकल्चर (d) एपीकल्चर

166. कौन बहुरूपता दर्शाता है ?
(a) फाइसेलिया (b) ट्रिपैनोसोमा
(c) दीमक (d) इनमें से कोई नहीं

167. द्वितीयक अरीय सममिति किसमें पायी जाती है ?
(a) निडेरिया में (b) जेलीफिश में
(c) इकाइनोडर्मेटा में (d) हेमीकॉर्डेटा में

168. वर्गीकरण की आधारभूत इकाई है-
(a) वंश (b) जाति
(c) गण (d) वर्ग

169. एनीलिडा तथा मोलस्का के बीच संयोजी कड़ी है-
(a) पेरीपैटस (b) लेपिडोसाइरन
(c) नियापिलाइना (d) प्रोटाप्टेरस

170. कौन सुमेलित नहीं है-
(a) पोरीफेरा - कीप कोशिकायें
(b) सीलेन्ट्रेटा - निमैटोसिस्ट
(c) एनीलिडा - विखण्डावस्था
(d) मोनेरा - यूकैरियोट

171. द्विपार्श्व सममिति, विखण्डन, प्रगुहा एवं खुला परिसंचरण तंत्र, लक्षण हैं-
(a) एनीलिडा के (b) आर्थ्रोपोडा के
(c) मोलस्का के (d) इकाइनोडर्मेटा के

172. मनुष्य का पूर्वज जो पहली बार सीधा खड़ा हुआ था-
(a) ऑस्ट्रेलोपिथेकस
(b) क्रो-मैग्नन
(c) जावा कपि मानव
(d) पेकिंग मानव

173. कोर जोन, बफर जोन तथा मैनीपुलेशन जोन किसमें पाया जाता है ?
(a) राष्ट्रीय उद्यान
(b) अभ्यारण्य
(c) बाघ आरक्षित क्षेत्र
(d) जैवमण्डल निचय

174. कौन-सा कीटनाशक मानव स्वास्थ्य के लिए अधिक हानिकारक है ?
(a) रोटीनोन (b) पाइरेथ्रम
(c) डी.डी.टी. (d) ह्यूमुलिन

175. सर्वदाता है-
(a) O Rh^+ (b) O Rh^-
(c) AB Rh^+ (d) AB Rh^-

176. निम्नलिखित में से कौन वन्य जीवन संरक्षण से संबंधित नहीं है ?
(a) IVF (b) IUCN
(c) WWF (d) IBWL

177. मकड़ी का नाइट्रोजनी वर्ज्य उत्पाद होता है-
(a) यूरिक अम्ल (b) अमोनिया
(c) गुआनीन (d) इनमें से कोई नहीं

178. ह्यूमन इम्यूनोडेफीशिएन्सी वायरस (एच.आई.वी.) में आनुवंशिक पदार्थ होता है-
(a) द्विरज्जुकी आर.एन.ए.
(b) एकरज्जुकी आर.एन.ए.
(c) द्विरज्जुकी डी.एन.ए.
(d) एकरज्जुकी डी.एन.ए.

179. महाकायता तथा अग्रातिकायता नामक रोग किस कारण होते हैं ?
(a) अवटु–अल्पक्रियता
(b) अवटु–अतिक्रियता
(c) अधोपीयूषता
(d) अतिपीयूषता

180. अगर एक बच्चा O रुधिर वर्ग का है तथा उसका पिता B रुधिर वर्ग का है, तो पिता की जीनी संरचना है-
(a) I^OI^O (b) I^AI^B
(c) I^OI^B (d) I^BI^B

General English

Directions (Q. Nos. 181-185) Read the following passage carefully and answer the questions given below.

Passage

If we look back on the great political revolutions and the great technological revolutions (both of which are clues to the range of mankind's capacities and possibilities), we see a striking contrast. Political revolutions, generally speaking, have revealed man's organised purposefulness, his social conscience, his sense of justice, the aggressive assertive side of his nature. Technological change, invention and innovation have tended, rather, to reveal his play instinct, his desire and his ability to go where he has never gone, to do what he has never done. The one shows his willingness to sacrifice in order to fulfil his plans the other his willingness to sacrifice in order to pursue his quest.

Many of the peculiar successes and special problems of our time come from our efforts to assimilate these two kinds of activities. We have tried to make government more experimental and to make technological change more purposive, more focussed, more planned than ever before.

181. According to the author our peculiar successes and special problems are a result of
(a) our ability to experiment
(b) man's organised purposefulness
(c) our efforts to assimilate political and technological activities
(d) desire to fulfil our plans

182. Man's assertive and aggressive side of his nature is expressed in
(a) technological revolutions
(b) political revolutions
(c) his social conscience
(d) his play instinct

183. Technological revolutions reveal man's
(a) aggressive side of his nature
(b) assertive side of his nature
(c) his play instinct
(d) psychological maturity

184. Man's willingness to sacrifice to fulfil his plans are attributed to
(a) his organised purposefulness
(b) his kind nature
(c) his sense of responsibility
(d) his ability to go where he has never gone

185. A striking contrast is established in the passage between
(a) mankind's capacities and possibilities
(b) man's maturity and irresponsibility
(c) political and technological revolutions achieved by man
(d) peculiar successes and special problems of our time

Directions (Q. Nos. 186-187): Each of the following question consist of a word, followed by four words or group of words. Select the antonym of the words given below.

186. Revoke
(a) Negate (b) Annul
(c) Invalidate (d) Implement

187. Calculative
(a) Naive (b) Gentle
(c) Docile (d) Careful

Directions (Q. Nos. 188-190): Choose the correct option out of the four choices given below.

188. Books are a great source .... happiness.
(a) of (b) for
(c) into (d) with

189. He spoke .... his travels.
(a) of (b) on
(c) about (d) along

190. When he saw the fish swimming .... the river, he was extremely happy.
(a) on (b) besides
(c) in (d) at

सामान्य ज्ञान

191. प्रतिवर्ष .... के आसपास पृथ्वी सूरज के सबसे करीब होती है।
(a) 3 जनवरी (b) 3 मई
(c) 3 मार्च (d) 3 जुलाई

192. निम्नलिखित में से कौन-सी नदी पश्चिम में बहने वाली नदी नहीं है ?
(a) वैतरणी (b) साबरमती
(c) कालीनदी (d) धांधर

193. निम्नलिखित में से किस प्रकार की मिट्टी को 'रेगुर मिट्टी' के नाम से भी जाना जाता है ?
(a) लाल मिट्टी (b) लैटराइट मिट्टी
(c) जलोढ़ मिट्टी (d) काली मिट्टी

194. सम्राट अशोक निम्नलिखित में से किस मौर्य शासक के पुत्र थे ?
(a) समुद्रगुप्त (b) कनिष्क
(c) चन्द्रगुप्त (d) बिन्दुसार

195. 1857 की क्रान्ति में, बेगम हज़रत महल ने निम्न में से किस स्थान से क्रान्ति का नेतृत्व किया ?
(a) लखनऊ (b) दिल्ली
(c) बनारस (d) झाँसी

196. भारतीय संविधान का कौन-सा अनुच्छेद भारतीय नागरिकों को संवैधानिक उपचारों का अधिकार प्रदान करता है ?
(a) अनुच्छेद–32 (b) अनुच्छेद–45
(c) अनुच्छेद–19 (d) अनुच्छेद–54

197. .... के 42वें संविधान संशोधन अधिनियम के द्वारा भारत के संविधान की प्रस्तावना में 'धर्मनिरपेक्ष' शब्द जोड़ा गया।
(a) 1978 (b) 1972
(c) 1976 (d) 1973

198. निम्नलिखित राष्ट्रपतियों में से कौन भारत की राज्यसभा के उपसभापति थे ?
(a) शंकर दयाल शर्मा
(b) जाकिर हुसैन
(c) प्रतिभा देवी सिंह पाटिल
(d) प्रणब मुखर्जी

199. मनरेगा (MGNREGA) के संक्षिप्त रूप में, दूसरे अक्षर (बाएँ से) G का अर्थ क्या है ?
(a) Guarantee (गारण्टी)
(b) Gross (ग्रॉस)
(c) Gramin (ग्रामीण)
(d) Gramsewa (ग्रामसेवा)

200. वर्ष 2013 को भारत की किस पंचवर्षीय योजना की अवधि का हिस्सा माना जाएगा ?
(a) 12वीं (b) 13वीं
(c) 10वीं (d) 11वीं

व्याख्या सहित उत्तर

भौतिक विज्ञान

1. (c) चुंबकीय बल रेखाओं का गणितीय समीकरण $\vec{\Delta}.\vec{B} > 0$ है।

2. (d) यदि R त्रिज्या की कुण्डली I धारा प्रवाहित करती है, तब इसकी अक्ष पर इसके केन्द्र से x दूरी पर चुम्बकीय बल,

$$B_{\text{अक्ष}} = \frac{\mu_0\, 2\pi\, IR^2}{4\pi\,(x^2+R^2)^{3/2}}$$

केन्द्र पर, $x = 0$

$$B_{\text{केन्द्र}} = \frac{\mu_0\, NI}{2R}$$

दिया गया है $\frac{B_{\text{अक्ष}}}{B_{\text{केन्द्र}}} = \frac{1}{8}$

$$\frac{\mu_0}{4\pi}\frac{2\pi\, NIR^3}{(x^2+R^2)^{3/2}} = \frac{1}{8}\mu_0\frac{NI}{2R}$$

या $8R^3 = (x^2+R^2)^{3/2}$

या $3R^2 = x^2$

या $x = \sqrt{3}R$

3. (c) प्रश्नानुसार ग्राफ में X-अक्ष तनाव को और Y-अक्ष विकृति को प्रदर्शित करते हैं, तो ग्राफ से

$$y = \cot\theta = \frac{1}{\tan\theta} \propto \frac{1}{\theta}$$

यहाँ θ तनाव अक्ष का कोण है।

$\therefore \quad y_P < y_Q < y_R\ [\because \theta_P > \theta_Q > \theta_R]$

तो हम कह सकते हैं, कि P तार की प्रत्यास्थता सबसे कम तथा R की अधिकतम होगी।

4. (c) गुरुत्व के लिए न्यूटनीय गुरुत्व का आकर्षित प्रतिपादन गॉस का नियम है। इसके अनुसार द्रव्यमान m के कारण गुरुत्वीय त्वरण g (बिन्दु द्रव्यमान के लिए आवश्यक नहीं) निम्न प्रकार दिया जाता है।

$$\oint g.nds = -4\pi\, Gm$$

5. (b) चूँकि फ्लास्क एवं द्रव दोनों के आयतन में वृद्धि होती है परन्तु फ्लास्क का आयतन पहले बढ़ता है, जिसके कारण द्रव का स्तर पहले गिरता है तथा बाद में बढ़ता है।

6. (a) P^{-n} सन्धि में, उष्मीय विक्षोम के कारण सन्धि के आर-पार बहुसंख्यक, आवेश वाहको का विसरण प्रारम्भ हो जाता है। n क्षेत्र से कुछ इलेक्ट्रॉन P क्षेत्र में तथा P क्षेत्र से कोटर n क्षेत्र में विसरित हो जाते हैं। विसरण के पश्चात ये आवेश बाह्य वाहक अपने-अपने पूरकों से मिलकर परस्पर उदासीन हो जाते हैं इस प्रकार P^{-n} सन्धि में चालन का संचालन बहुसंख्यक वाहक होते हैं।

7. (c) सूत्र $N = N_0\left(\frac{1}{2}\right)^{t/T_{1/2}}$ द्वारा

$$t = \frac{T_{1/2}\log_e\left(\frac{N_0}{N}\right)}{\log_e(2)}$$

$$\Rightarrow \quad t \propto \log_e\frac{N_0}{N}$$

$$\Rightarrow \quad \frac{t_1}{t_2} = \frac{\left(\log_e\frac{N_0}{N}\right)_1}{\left(\log_e\frac{N_0}{N}\right)_2}$$

$$\frac{6}{10} = \frac{\log_e\left(\frac{8}{1}\right)}{\log_e\left(\frac{N_0}{N}\right)}$$

$$\Rightarrow \quad \log_e\frac{N_0}{N} = \frac{10}{6}\log_e(8) = \log_e 32$$

$$\Rightarrow \quad \frac{N_0}{N} = 32$$

क्षय अंश $= 1 - \frac{1}{32} = \frac{31}{32}$

8. (d) 1 amu (or 1u)

$= 1.6605402 \times 10^{-27}$ kg

$= 1.6605402 \times 10^{-24}$ g

यदि $m = 1$amu, $C = 3 \times 10^8$ m/s

तब E = 931 MeV

9. (a) धनात्मक किरणों तथा अल्फा किरणों पर आवेश समान होता है, जबकि He का द्रव्यमान = 2 × प्रोटॉन का द्रव्यमान अतः धनामक d-किरणों के अधिक समरूप होती है।

10. (b) विद्युत चुम्बकीय बल प्रकृति में सार्वभौमिक है।

11. (a) एक बल्ब का प्रतिरोध $= \frac{V^2}{P}$

$= \frac{220 \times 220}{40} = 1210$ ओम

घन में बल्ब समान्तर क्रम में लगते हैं, अतः पांचों बल्बों का तुल्य प्रतिरोध

$$\frac{1}{R_T} = \frac{1}{R} + \frac{1}{R} + \frac{1}{R} + \frac{1}{R} + \frac{1}{R} = \frac{5}{R}$$

= 242 ओम

व्यय यूनिटों की संख्या $= \frac{\text{वॉट} \times \text{घंटे}}{1000}$

$\frac{5 \times 40 \times 5 \times 30}{1000} = 30$ यूनिट

विद्युत ऊर्जा का मूल्य = ₹ (30 × 2) = ₹ 60

12. (c) (A) → ←v′ (A-4) m′ + (A-4) m + (A) v→

विराम

संवेग संरक्षण के नियमानुसार

$4v = (A-4)v'$

$\Rightarrow v' = \frac{4v}{A-4}$

13. (b) भू-अभिनति उपग्रह का परिक्रमण काल पृथ्वी के अपने अक्ष के परितः घूमने के काल T = 24. घण्टे के बराबर होना चाहिए।

14. (a) न्यूटन का तीसरा नियम (क्रिया-प्रतिक्रिया का नियम) संवेग संरक्षण का नियम सिद्ध करता है।

संवेग संरक्षण के नियम द्वारा दो कणों के निकाय के लिए बाह्य बल की उपस्थिति में

$\vec{P}_1 + \vec{P}_2 =$ नियतांक

$m_1\vec{v}_1 + m_2\vec{v}_2 =$ नियतांक

अवकलन करने पर

$$m_1\frac{dv_1}{dt} + m_2\frac{dv_2}{dt} = 0$$

$m_1a_1 + m_2a_2 = 0$

$\vec{F}_1 + \vec{F}_2 = 0$

$\vec{F}_2 = \vec{F}_1$

प्रत्येक क्रिया, प्रतिक्रिया के बराबर होती है जो कि न्यूटन का तीसरा नियम है।

15. (b) गति के द्वितीय समीकरण से,

$S = ut + \frac{1}{2}at^2$

$10 = u(1) + \frac{1}{2}(10)(1)^2$

$u = 15$

पुनः $v^2 = u^2 + 2as$

$v^2 = (15)^2 - 2 \times 10 \times 0$

$v = \pm 5$ m/s

– 5 असंभव है अतः वेग h मी की ऊँचाई पर 5 मी/से है।

16. (c) $N = N_0e^{-\lambda t}$

$\frac{N_0}{2} = N_0e^{-\lambda T1/2}$ या $\frac{1}{2} = e^{-\lambda T1/2}$

$2 = e^{\lambda T1/2}$ या $\log_e 2 = \lambda T_{1/2}$

द्वितीय स्थिति में,

$\frac{1}{16}N_0 = N_0e^{-\lambda t}$ या $16 = e^{\lambda t}$

$\lambda t = \log_e 16$

$$\therefore \frac{t}{T_{1/2}} = \frac{\log_e 16}{\log_2 2} = \frac{\log_e(2)^4}{\log_2(2)}$$

$$\frac{40}{T_{1/2}} = 4\frac{\log_e 2}{\log_2 2} = 4$$

या $T_{1/2} = 10$ दिन

17. (a) किसी रूद्धोष्म रूपान्तर में ताप का रूपान्तरण नहीं होता हैं अत: ताप अचर राशि है। बोहर के अनुसार इलेक्ट्रॉनों का घूर्णीय संवेग का परिणाम क्वांटीकृत है।

18. (c) $a-t$ ग्राफ से त्वरण में नियत दर से वृद्धि होती है

$$\therefore \quad \frac{da}{dt} = k \text{ (स्थिरांक)}$$

$$\Rightarrow \quad a = kt \text{ (समाकलन द्वारा)}$$

$$\Rightarrow \quad \frac{dv}{dt} = kt$$

$$\Rightarrow \quad dv = kt\,dt$$

$$\Rightarrow \quad \int dv = k\int t\,dt$$

$$\Rightarrow \quad v = k\left[\frac{kt^2}{2}\right]$$

$$\Rightarrow \quad v = \frac{kt^2}{2}$$

चूँकि v परवलय रूप से समय पर निर्भर करता है तथा परवलय v-अक्ष के समरूप है।

चूँकि वेग नियत है अत: त्वरण अचानक शून्य हो जाता है।

19. (a) पिण्ड को जल में डुबाने पर भार में कमी $= (320 - 280)$ ग्राम

$= 40$ ग्राम भार

द्रव में डुबोने पर पिण्ड के भार में कमी

$=$ द्रव का आयतन घनत्व $\times$ जल में पिण्ड के भार में कमी

$= 1.65 \times 40 = 66$ ग्राम भार

20. (d) असंरक्षित बल द्वारा किया गया कार्य अवस्था फलन नहीं है।

21. (a) वायु का बुलबुला पानी के अन्दर अवतल लेन्स के समान व्यवहार करता है।

22. (d)

$$E = \frac{-d\phi}{dt} \qquad \text{जहाँ } \phi_1 = 1 \text{ वेबर}$$

$$\phi_2 = 0.1 \text{ वेबर}$$

$$E = \frac{\phi_2 - \phi_1}{\Delta t} \qquad \Delta t = 0.1 \text{ sec}$$

$$E = \frac{\phi_1 - \phi_2}{\Delta t} = \frac{1 - 0.1}{0.1} = \frac{0.9}{0.1} \text{ वोल्ट}$$

$$E = 9 \text{ वोल्ट}$$

23. (a) दिया गया है

$d = 2$ cm $= 0.02$ मी

$B = 10^{-6}$

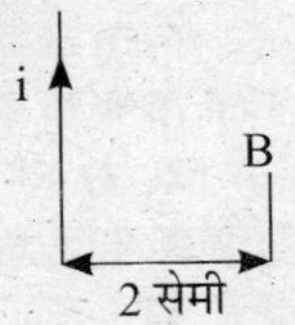

चूँकि $B = \dfrac{\mu_0}{4\pi}\dfrac{2I}{d}$

$$B = \frac{\mu_0 I}{2\pi d}$$

$$10^{-6} = \frac{2\times10^{-7}\times I}{2\times10^{-2}}$$

$$2\times10^{-7}\,I = 2\times10^{-8}$$

$$I = \frac{2\times10^{-8}}{2\times10^{-7}}$$

$$I = 10^{-1}$$

$$I = 0.1A$$

24. (b) प्रतिरोध,

$$R = \rho\frac{l}{A}$$

$$\text{या} \quad R = \rho\frac{l^2}{Al} = \frac{\rho l^2}{V}$$

$$\text{या} \quad R = \rho\frac{l^2 d}{m}$$

माना कॉपर का प्रतिरोध R_1 तथा एल्यूमीनियम का प्रतिरोध R_2 है।

प्रश्नानुसार, $R_1 = R_2$

$$\frac{\rho_1 l^2 d_1}{m_1} = \frac{\rho_2 l^2 d_2}{m_2}$$

$$\frac{\frac{\rho_2}{2}\times 3d_2}{m_1} = \frac{\rho_2\times d_2}{m_2}$$

$$\frac{3m_2}{2m_1} = 1 \quad \Rightarrow \quad m_2 : m_1 = 2 : 3$$

25. (b) समयान्तराल जिसमें रेडियोधर्मी पदार्थ का द्रव्यमान या अर्ध आयु के बाद बचे हुए परमाणुओं की संख्या

$$N = \frac{N_0}{2}$$

इसलिए यहाँ $N = \dfrac{4}{2} = 2$

26. (a) भूतल से h ऊँचाई पर, गुरुत्वीय त्वरण

$$g = \frac{g_0}{\left[1+\frac{h}{R}\right]^2}$$

जहाँ, $g_0 =$ भूतल पर गुरुत्वीय त्वरण

दिया है, $R = 6400$ km

तथा $h = 1600$ km

$$\therefore \quad g = \frac{10}{\left(1+\frac{1600}{6400}\right)^2}$$

$$= \frac{10}{\left(1+\frac{1}{4}\right)^2} = 10\times\frac{16}{25}$$

$$= \frac{160}{25} \text{ मी/से}^2$$

$$\therefore \quad g = 6.4 \text{ मी/से}^2$$

27. (d) संधारित्र की आधी ऊर्जा = आवेशित करते समय क्षय ऊर्जा

$$\text{अत:} \quad \frac{\text{संधारित्र में एकत्रित ऊर्जा}}{\text{आवेशित करते समय क्षय ऊर्जा}} = \frac{2}{1}$$

28. (c) संधारित्र विद्युत ऊर्जा को एकत्रित करता है जबकि प्रेरक चुम्बकीय ऊर्जा को एकत्रित करता है। अत: संधारित्र विद्युत ऊर्जा की टंकी कहलाता है।

29. (a) जब धातु की पट्टी संधारित्र के मध्य रख दी जाती है तो प्लेटों के बीच धारिता,

$$C = \frac{\varepsilon_0 A}{(d-t)}$$

यहाँ प्लेट बहुत पतली है इसीलिए

$$C = \frac{\varepsilon_0 A}{d} \qquad (\because t \to 0)$$

30. (d) जब गोलक की तली में छिद्र किया जाता है तो उसमें से पारा बाहर धीरे-धीरे बहने लगता है, जिससे उसका द्रव्यमान केन्द्र पहले नीचे आता है और फिर ऊपर जाता है। इस कारण लोलक की प्रभावी लम्बाई पहले बढ़ती है फिर घटती है पुन: चूँकि लोलक का आवर्तकाल

$$T = 2\pi\sqrt{\frac{L}{g}}$$

अर्थात् $T \propto \sqrt{L}$ है अत: यह पहले बढ़ता है और फिर घटता है।

31. (c) दी गई चार समान्तर प्लेटों के मध्य समान दूरी d तथा क्षेत्रफल A है तब बिन्दु a व b के मध्य परिणामी धारिता का मान $\dfrac{3\varepsilon_0 A}{d}$ होगा।

32. (a) जब कभी दो लगभग समान आवृत्ति वाली ध्वनि की तरंगें एक साथ उत्पन्न की जाती हैं तो उनके अध्यारोपण से जो परिणामी ध्वनि उत्पन्न होती है उसकी तीव्रता बारी-बारी से बढ़ती और घटती है। ध्वनि की तीव्रता में होने वाले इस चढ़ाव व उतराव को विस्पन्द करते हैं। विस्पन्द के उत्पन्न होने के लिए दो ध्वनि तरंगों की आवृत्ति असमान और आयाम समान होने चाहिये।

33. (a)

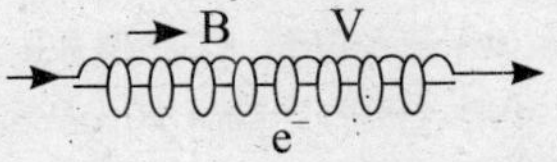

परिनालिका के अन्दर तथा बारह चारों ओर एक चुम्बकीय क्षेत्र उत्पन्न होता है। यह (परिनालिका के भीतर) चुम्बकीय क्षेत्र एक समान तथा परिनालिका की अक्ष के समान्तर है।

$$F_m = q(\vec{V}\times\vec{B}) \; Bqv\sin\theta$$

जहाँ $\vec{V}$ व $\vec{B}$ के बीच कोण $0°$ है।

इसलिए $F_m = 0$

तो $W = \vec{F}\times\vec{d}\cos\theta$

अत: $F = 0 \Rightarrow W = 0$ (शून्य)

34. (d) यदि R त्रिज्या की एक कुण्डली में धारा I है तब कुण्डली के केन्द्र से x दूरी पर इसकी अक्ष पर चुंबकीय क्षेत्र

$$B_{\text{अक्ष}} = \frac{\mu o 2\pi NIR^2}{4\pi(x^2+R^2)^{3/2}}$$

केन्द्र पर, $x = 0$

$$\Rightarrow B_{\text{केन्द्र}} = \frac{\mu o NI}{2R}$$

दिया है, $\frac{B \text{ अक्ष}}{B \text{ केन्द्र}} = \frac{1}{8}$

$$\Rightarrow \frac{\mu o}{4\pi} = \frac{2\pi NIR^2}{(x^2+R^2)^{3/2}} = \frac{1}{8}\frac{\mu o NI}{2R}$$

या $8R^3 = (x^2+R^2)^{3/2}$

या $3R^2 = x^2$

या $x = \sqrt{3}R$

35. (c) गोले या पृथ्वी का आयतन $= \frac{4}{3}\pi R^3$

जहाँ R गोले की त्रिज्या है।

गोले का क्षेत्रफल $= 4\pi R^2$

अब $\frac{V}{A} = \frac{R}{3}$ ....(i)

गोले की धारिता $C = 4\pi\varepsilon_0 R$ ....(ii)

समी. (i) व (ii) से

$$C = 4\pi\varepsilon_0\left(\frac{3V}{A}\right) = \frac{12\pi\varepsilon_0 V}{A}$$

36. (a) संधारित्र वह युक्ति है जिसमें आवेश संचित होता है। अत: इसका उपयोग विद्युत उपकरणों में होता है जहाँ अधिक धारा की आवश्यकता होती है।

37. (d) दिया गया है, परिधि $2\pi r = 2$

अब गोले की धारिता $= 2\pi\varepsilon_0 r$

$\therefore c = 4\varepsilon_0$

गोले की जल में धारिता $= kc$

$= k(4\varepsilon_0) = 80 \times 4 \times 8.85 \times 10^{-12}$

(चूँकि $k_{\text{जल}} = 80$)

$\therefore$ 2800 पिको फैरड

38. (d) पानी चढ़ाने में कृत कार्य $= mgh$

$\therefore$ w = (आयतन × घनत्व)gh

$= (9 \times 1000) \times 10 \times 10 = 9 \times 10^5$ जूल

आवश्यक शक्ति

$= \frac{\text{कार्य}}{\text{समय}} = \frac{9 \times 10^5}{5 \times 60}$

= 3 किलो वॉट

$\therefore$ दक्षता $= \frac{3}{10} \times 100 = 30\%$

39. (d) स्रोत का ताप $= T_1 = 6000$ k

सिंक का ताप $= T_2 = 300$ k

$\therefore$ दक्षता $n = 1 - \frac{T_2}{T_1}$

$$= 1 - \frac{300}{6000} = \frac{19}{20}$$

प्रतिशत दक्षता $= \frac{19}{20} \times 100 = 95\%$

40. (a) प्रत्यास्थता (Elasticity) किसी पदार्थ का वह गुण है, जिसके कारण वस्तु उस पर लगाए गए बाहरी बल से उत्पन्न किसी भी प्रकार के परिवर्तन का विरोध करती है तथा जैसे ही बल हटा दिया जाता है वह अपनी पूर्व अवस्था में वापस आ जाती है। हुक के नियम के अनुसार प्रत्यास्थता की सीमा में किसी बिंदु में उत्पन्न विकृति उस पर लगाए गए प्रतिबल के अनुक्रमानुपाती होती है। अत: दिए गए तथ्यों के अनुसार लोहा होगा। जबकि सबसे अधिक प्रत्यास्थता रबर में होती है।

41. (c) किसी पदार्थ के लिए y का मान नियत होता है।

42. (b) प्रक्षेप्य कोण $\theta = 45°$ के लिए प्रक्षेप्य की परास अधिकतम होती है प्रक्षेप्य की अधिकतम परास–

$$R_{max} = \frac{u^2}{g}$$

जब प्रक्षेप्य की परास अधिकतम है,

उड्डयन काल $T = \frac{\sqrt{2}u}{g}$

इसलिए R को T^2 से भाग देने पर

$$\frac{u^2}{g} \div \frac{2u^2}{g^2} = \frac{g}{2} = \frac{9.8}{2} = \frac{49}{10}$$

43. (c) एक मोटर साइकिल सवार मोड़ पर अंदर की ओर झुककर स्वयं को आवश्यक अभिकेन्द्र बल प्रदान करता है। सुरक्षित रूप से मुड़ने के लिए मोटर साइकिल सवार का क्षैतिज से झुकाव कोण

$$\theta = \tan^{-1}\left[\frac{v^2}{rg}\right] = \tan^{-1}\left[\frac{(20)^2}{40 \times 10}\right]$$

$= \tan^{-1}(1) = 45°$

44. (a) ध्वनि द्वारा चली गयी दूरी = (344 × 4) मी = 1376 मीटर

$\therefore$ बालक से चट्टान की दूरी

$= \frac{1376}{2} = 688$ मीटर

45. (b) प्रकाश वैद्युत प्रभाव, अप्रत्यास्थ टक्कर का एक उदाहरण है, चूँकि टक्कर के पश्चात गतिज ऊर्जा, टक्कर से पूर्व गतिज ऊर्जा के समान नहीं है।

46. (c) $du = C_v dT = \left[\frac{5}{2}R\right] dT$

$$dT = \frac{2du}{5R}$$

ऊष्मागतिकी के प्रथम नियम से

$$du = dQ - dW = Q - \frac{Q}{4} = \frac{3Q}{4}$$

अब मोलर ऊष्मा धारिता

$$C = \frac{dQ}{dT} = \frac{Q}{\frac{2(du)}{5R}} = \frac{5RQ}{2\left[\frac{3Q}{4}\right]} = \frac{10}{3}R$$

47. (c) K_1 व K_2 समांतर क्रम में हैं तथा k_3 व k_4 समांतर क्रम में हैं। दोनों संयोजन एक दूसरे के साथ श्रेणी क्रम में हैं।

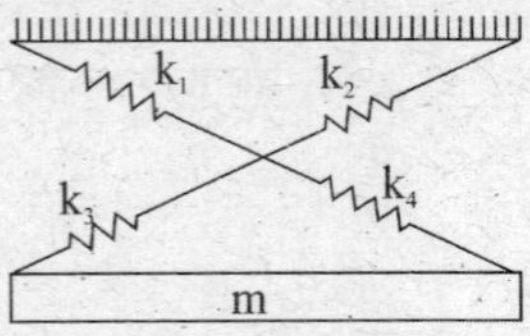

$k_1 + k_2 = k + k = 2k$

$k_3 + k_4 = k + k = 2k$

$$\frac{1}{K_{eq}} = \frac{1}{2k} + \frac{1}{2k}$$

$K_{eq} = k$

$$T = 2\pi\sqrt{\frac{m}{k}}$$

48. (d) प्रकाश हेडलाइट से C गति करेगा।

49. (d) वेग = $\tan\theta$ = ढाल

यहाँ, $\theta = 0° \therefore v = 0$

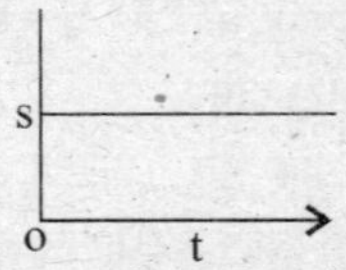

अर्थात् समय अक्ष के समान्तर रेखा दर्शाती है कि कण विरामावस्था में है।

50. (b) गति करते समय एक वाहन भूमि को पीछे की ओर दबाता है (क्रिया) तथा भूमि का रूक्ष तल प्रतिक्रिया देता है तथा घर्षण के कारण आगे की ओर आरोपित करता है जो गति में सहायक होता है

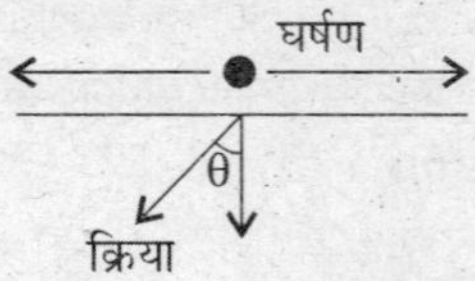

51. (a) कोशिका उन्नयन $h = \frac{2T\cos\theta}{Prg}$

किसी ठोस व द्रव्य के लिए किसी दिए गए स्थान पर चूँकि P, T, Q व g नियत हैं

$\therefore$ hr = नियतांक

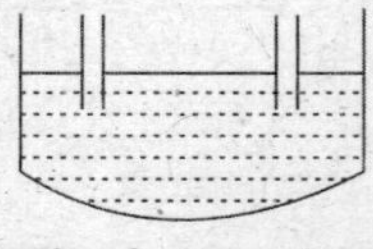

अर्थात्, केशनली की त्रिज्या जितनी कम होगी उतनी मात्रा में पानी की ऊँचाई में वृद्धि होगी।

52. (a) अग्र अभिनत में धारा प्रवाह की कम प्रतिरोध प्राप्त होता है जबकि उत्क्रम अभिनत में धारा प्रवाह को बहुत उच्च प्रतिरोध प्राप्त होता है। अत: परिपथ (A) में धारामापी धारा नहीं बतलाएगा।

53. (c) nवीं बोहर कक्षा की त्रिज्या (हाइड्रोजन तथा हाइड्रोजन जैसे परमाणु के लिए)

$r_n = 0.53\frac{n^2}{2}A$

$\therefore$ त्रिज्याओं का अनुपात

$= (1)^2 : (2)^2 : (3)^2$

$= 1 : 4 : 9$

54. (b) समयान्तराल जिसमें रेडियोधर्मी पदार्थ का द्रव्यमान या अर्ध आयु के बाद बचे हुए परमाणुओं की संख्या

$N = \frac{N_0}{2}$

इसलिए, जहाँ $N = \frac{4}{2} = 2$

55. (d) $L = mv_n r_n = n\left(\frac{h}{2\pi}\right)$

जहाँ $n = 1, 2, 3, ...$

$\therefore \frac{h}{2\pi}$ की विमा संवेग के बराबर होगी।

56. (b) ध्वनि का तारत्व (Pitch) उसकी आवृति पर निर्भर करता है। अधिक आवृत की ध्वनि का तारत्व अधिक होता है। मच्छर की भिन्न-भिनाहट का तारत्व दिए गए अन्य विकल्पों की तुलना में अधिक होता है। तारत्व जितना अधिक होगा ध्वनि उतनी ही पतली होती है। पुरुषों की आवाज का तारत्व कम होने के कारण मोटी होती है तथा महिलाओं की आवाज का तारत्व अधिक होने के कारण महिला की आवाज तीक्ष्ण होती हैं।

57. (d) भूस्थिर उपग्रह ऐसा उपग्रह है जिसका आवर्तकाल पृथ्वी के घूर्णन काल के समान अर्थात 24 घंटे होता है। यह पृथ्वी के सापेक्ष स्थिर प्रतीत होता है। ऐसे उपग्रह को भूस्थिर या भूकालिक उपग्रह कहते हैं। पृथ्वी सतह पर स्थित एक प्रेक्षक को यह उपग्रह एक स्थान पर स्थिर प्रतित होता है। इनका उपयोग रेडियों नेटवर्क, भूगर्भीय जानकारी, तूफानों, चक्रवातों की जानकारी और आँकड़ों के प्रेषण के लिए भी किया जाता है।

58. (a) चालक आवेशित गोले के भीतर विद्युत क्षेत्र शून्य होता है और उसके सभी बिंदुओं पर विभव समान रहता है तो सतह के विभव के बराबर होता है अतः केन्द्र से $\frac{1}{4}$ मी. की दूरी पर विभव का मान 1000 वोल्ट होगा।

59. (b) विद्युत धारा व धारा घनत्व के मध्य संबंध $\vec{j} = \sigma\vec{E} = \frac{\vec{E}}{p}$; जहाँ σ = चालकता तथा p = प्रतिरोधकता या पदार्थ का विशिष्ट प्रतिरोध है।

60. (d) LC परिपथ की अनुनादी आवृति $\frac{1}{2\pi\sqrt{LC}}$ होती है। इसलिए LC परिपथ का समय स्थिरांक $2\pi\sqrt{LC}$ है।

रसायन विज्ञान

61. (d) फोटॉन की तरंग गति और कण धारा दोनों $E = hv$ से संबंधित है।

62. (d) कोबाल्ट-60 कोबाल्ट का रेडियोधर्मी समस्थानिक है। इसका उपयोग कैंसर के इलाज में काम आने वाली मशीनों और अन्य चिकित्सीय उपकरणों में किया जाता है।

63. (b) हीलियम एक परमाण्वीय है जो प्रायः गैसीय अवस्था में रहता है। यह एक निष्क्रिय गैस या नोबेल गैस है। इसका परमाणु क्रमांक 2 है।

64. (b) $CaO + H_2 \rightarrow Ca + H_2O$

अभिक्रिया संभव नहीं है।

65. (d) P, V, T, R, M d = ?

$PV = NRT$

$PV = \frac{W}{M}RT$

$\frac{P \times M}{RT} = \frac{W}{V}$ $\left(\begin{array}{l} W = v \times d \\ d = \frac{W}{V}\end{array}\right)$

$d = \frac{PM}{RT}$

66. (c) H_2O_2 की संरचना है

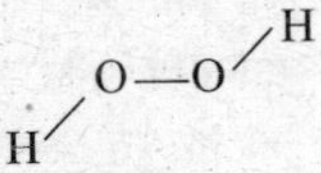

67. (b) एक परमाणु में प्रोटॉनों की संख्या परमाणु संख्या कहलाती है। प्रोटॉन की खोज अर्नेस्ट रदरफोर्ड के द्वारा वर्ष 1919 में की गई थी। प्रोटॉन परमाणु के सबसे भीतरी भाग अर्थात नाभिक के अंदर होते हैं।

68. (d) क्रोमियम का इलेक्ट्रॉनिक विन्यास

$Cr = 24$

$\frac{1s^2}{2}, \frac{2s^2 2p^6}{8}, \frac{3s^2 3p^6}{13}, \frac{4s^1}{1}, 3d^5$

69. (a) विद्युत संयोजक बंध में संयोजी इलेक्ट्रॉन एक परमाणु से अन्य में स्थानांतरित होते हैं अर्थात एक परमाणु इसके इलेक्ट्रॉन अधिक्य को अन्य परमाणु को दान कर देता है।

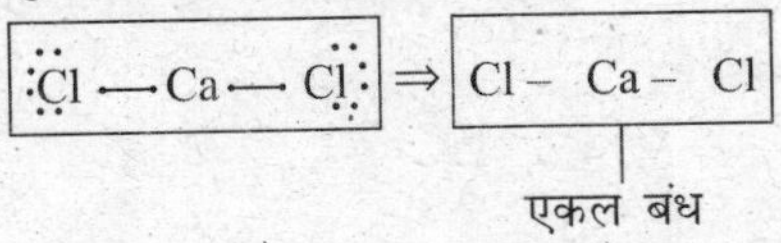

70. (a) जिंक सल्फाइड एक अकार्बनिक यौगिक है। इसका रासायनिक सूत्र Zns होता है। यह सफेद रंग का होता है। इसका उपयोग नाइट विजन डिवाइस, टेलीविजन स्क्रीन, रडार स्क्रीन और फ्लोरोसेंट कोटिंग्स में किया जाता है।

71. (c) मरक्यूरस आयन का सूत्र-

$Hg^+ + Hg^+ \rightarrow HG_2^{2+}$

72. (c) 90% विघटन में 398.8 मिनट का समय लगेगा।

73. (a) अमोनिया नीरेय (नौसादर) एक अकार्बनिक यौगिक है जिसका अणुसूत्र NH_4Cl है। यह श्वेत रंग का क्रिस्टलीय पदार्थ है जो जल में अत्यधिक विलेय है। इसका जलीय विलयन हल्का अम्लीय होता है।

74. (d) $(OH^-) = \frac{1}{100}$ मोल/ली.

$P^{OH} = -\log_{10}(OH^-)$

$= -\log_{10}(10^{-2})$

$P^{OH} = 2 \times 1 = 2$

$P^H + P^{OH} = 14$

$P^H + 2 = 14$

$P^H = 12$

75. (a) प्रथम कोटि की अभिक्रिया के लिए

$k = (2.303/t) \log[R]_0/[R]$

यदि $t = t_{1/2}$ है तो $[R] = [R]_{0/2}$ होगा।

$t_{1/2} = (2.303/k) \log([R]_0)/([R]_{0/2})$

$t_{1/2} = (2.303/k) \log_2$

चूँकि $\log 2 = 0.3010$

log 2 का मान रखने पर

$t_{1/2} = (2.303/k) \times 0.3010$

$t_{1/2} = \frac{0.693}{k}$

76. (c) जब किसी कोलाइड विलयन में से किसी प्रकाश किरण पुंज को प्रवाहित करने पर इसे प्रकाश की दिशा में लम्बवत् देखने पर कोलाइडी विलयन में प्रकाश पुंज का मार्ग चमकता हुआ दिखाई देता है। इस परिघटना को टिंडल प्रभाव कहते हैं। सॉल में टिंडल प्रभाव प्रकट होता है।

77. (a) आयोडोफार्म परीक्षण देने वाला यौगिक CH_3CHO है।

78. (d) फॉस्जीन एक रंगहीन ज्वलनशील गैस है। इसका रासायनिक सूत्र $CoCl_4$ है। इसका उपयोग कीटनाशकों और फार्मास्यूटिकल्स के निर्माण में किया जाता है।

79. (b) $CH_3NH_2 + X + KOH \rightarrow$

CH_3NC में X है

$CH_3NH_2 + CHCl_3 + 3KOH \xrightarrow{\Delta}$

$CH_3NC + 3KCl + 3H_2O$

80. (c) नियॉन का इलेक्ट्रॉनिक विन्यास

$Ne_{10} - 1s^2, 2s^2, 2p^6$

81. (c) ऑक्सीजन $_8O^{18}$

परमाणु भार = प्रोटॉन न्यूट्रॉन

$18 = 8 + n$ जहाँ परमाणु भार-18

$n = 18 - 8$ परमाणु क्रमांक- 8

$n = 10$ परमाणु क्रमांक = प्रोटॉन की संख्या

82. (c) किसी रेडियोएक्टिव पदार्थ के परमाणुओं से अल्फा (α), बीटा तथा गामा किरणें निकलती है। इससे रेडियोएक्टिव पदार्थ के परमाणु का भार और क्रमांक बदल जाते हैं। इस प्रकार प्रारंभिक

रेडियोएक्टिव व परमाणु का क्षय हो जाता है तथा किसी नए तत्व के परमाणु का निर्माण होता है। इस घटना को रेडियोधर्मी क्षय कहा जाता है।

83. (d) माना Cl_2O में Cl की ऑक्सीकरण संख्या x है।

तब 2 × Cl की ऑ. सं. + O की ऑ. सं. = 0

$2 \times x + (-2) = 0$

$= 2x - 2 = 0$

$2x = +2$

$x = \frac{+2}{2} = +1, x = +1$

84. (b) ऑक्सीकरण किसी विद्युत ऋणात्मक परमाणु या मूलकों के अनुपात में वृद्धि धनात्मक अवयव की संयोजकता में वृद्धि या इलेक्ट्रॉन त्याग की प्रक्रिया ऑक्सीकरण कहलाती है।

85. (c) जब लोहे से बने सामान नमी वाली हवा में ऑक्सीजन से प्रतिक्रिया करते हैं तो लोहे पर भूरे रंग की परत यानी आयरन ऑक्साइड की परत जम जाती है। जिसे धातु का संक्षारण कहते हैं।

86. (a) अधिक प्रबल ऑक्सीकारक के रेडॉक्स युग्म का (E) मानक अपचयन विभव अधिक धनात्मक होता है।

$F_2 \Rightarrow +2.87, Cl \Rightarrow +1.36, Br_2 \Rightarrow +1.06,$

$I_2 \Rightarrow +0.54$

अत: F_2 अधिक प्रबल ऑक्सीकारक है।

87. (b) निकाय की उष्मा का मान नियत रहता है। $\Delta Q = 0$

88. (b) अभिक्रिया $C_6H_5COOCH_3 \xrightarrow{LiAlH_4}$ से $C_6H_5CH_2OH + CH_3OH$ बनता है।

89. (a) निर्जल $AlCl_3$ की उपस्थिति में बेंजीन रिंग में विभिन्न यौगिकों का प्रवेश फ्रीडल क्राफ्ट अभिक्रिया कहलाता है। उदाहरण–

$$C_6H_6 + C_2H_5Cl \xrightarrow{AlCl_3} C_6H_5\,C_2H_5 + HCl$$

90. (d) वह लैन्थेनाइड आयन जिसमें अयुग्मित इलेक्ट्रॉन अनुपस्थित होते हैं, प्रतिचुम्बकीय होता है।

$Ce_{58} = [Xe]4f^2\,5d^0 6s^2$

$Ce^{2+} = [Xe]4f^2$ (दो अयुग्मित इलेक्ट्रॉन)

$Sm_{62} = [Xe]4f^6\,5d^0\,6s^2$

$Sm^{2+} = [Xe]4f^6$ (छः अयुग्मित इलेक्ट्रॉन)

$Eu_{63} = [Xe]4f^7\,5d^0\,6s^2$

$Eu^{2+} = [Xe]4f^7$ (सात अयुग्मित इलेक्ट्रॉन)

$Yb_{70} = [Xe]4f^{14}\,5d^0\,6s^2$

$Yb^{2+} = [Xe]4f^{14}$ (कोई अयुग्मित इलेक्ट्रॉन)

अयुग्मित इलेक्ट्रॉनों की अनुपस्थिति के कारण Yb^{2+} प्रतिचुम्बकीय है।

91. (d) $2SO_2(g) + O_2(g) \rightleftharpoons 2SO_3(g)$ में SO_3 के मोलों की संख्या बढ़ेगी जब अभिक्रिया पात्र का आयतन घटाते है। यह एक ऊष्माक्षेपी अभिक्रिया है जिसमें आगे की दिशा में गैसीय घटकों के मोलों की संख्या कम हो जाती है।

92. (c) $t_{1/2} = \frac{0.693}{k}$

$k = 6.93 \times 10^{-3} s^{-1}$

93. (c) किसी गैसीय अभिक्रिया की दर तीन गुनी हो जाती है। जब तापमान 25°C से 10°C अधिक तक बढ़ाया जाता है इस अभिक्रिया की सक्रियण ऊर्जा 83.8 किलोजूल मोल$^{-1}$ होगी।

94. (c) क्रिस्टलीय ठोस पदार्थों के गलनांक निश्चित होते हैं जबकि अक्रिस्टलीय ठोस पदार्थों के गलनांक निश्चित नहीं होते हैं। बर्फ एक अक्रिस्टलीय ठोस पदार्थ है अत: इसका स्पष्ट गलनांक नहीं होता है।

95. (b) ब्रेवे फ्रांस के गणितज्ञ थे जिन्होंने क्रिस्टल की संरचना पर अध्ययन किया और इसके आधार पर वर्ष 1848 में कई बातें बताई। जिसमें एक कोष्ठिका में अवयवी कण जैसे परमाणु का आयन की स्थिति के आधार पर 7 क्रिस्टल समुदायों को 14 प्रकार के त्रिवम जालकों में विभाजित किया जा सकता है और इन्हीं 14 प्रकार के त्रिविम जालकों को ही ब्रेवे जालक कहते है।

96. (c) यदि किसी आदर्श गैस के 2 मोल निर्वात में स्वत: प्रसारित होते हैं, तो सम्पादित कार्य का मान शून्य होगा।

97. (a) स्थिर आयतन पर, ऊष्मा परिवर्तन (q_v) ΔE के बराबर होता है।

98. (c) R = 8.3 जूल/किलो-मोल $\Delta n_{(g)}$ का मान –2 होगा।

99. (c) $PH = -\log_{10}[H^+]$

$4 = -\log_{10}[H^+]$

$\log_{10}[H^+] = -4$

$H^+ = 10^{-4}$ मोल (M)

100. (c) चूंकि नाइट्रोजन और ऑक्सीजन अधातु हैं, इसलिए उनके बीच के बंधन आयनिक नहीं हैं:

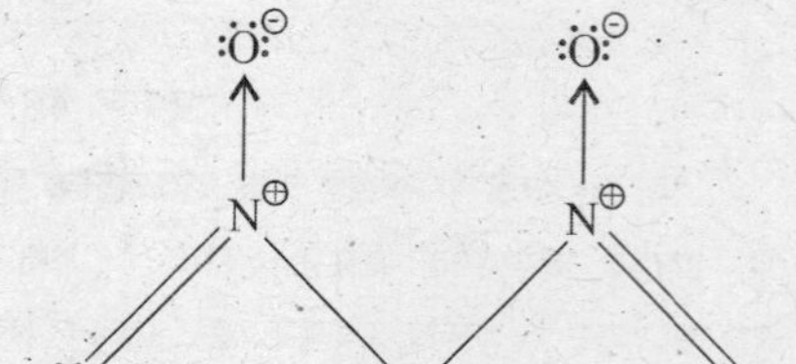

N_2O_5 में सहसंयोजक और समन्वय सहसंयोजक बंधन दोनों हैं।

101. (d) ऐसे विलयन, जिनके परासरण दाब समान ताप पर समान हों, समपरासरी विलयन कहलाते है।

वान्ट हॉफ के नियमानुसार,

PV = P.V

यहाँ P = P तो V = V होगा।

अत: इन विलयनों के वे आयतन समान होते हैं जिनमें इनकी ग्राम अणु मात्राएँ घुली हुई होती है अर्थात समपरासरी विलयनों की आण्विक सान्द्रता समान होती है।

102. (d) दिए गए अंतिम उत्पाद के परमाणु द्रव्यमान को 4 से भाग देने पर शेष 1 बचता है। अत: यह (4n + 1) अर्थात नेप्टूनियम श्रृंखला का तत्व है। दूसरे शब्दों में, यह नेप्टूनियम श्रृंखला का अंतिम उत्पाद है।

103. (b) कार्बन के लिए न्यूट्रॉनों की संख्या:

13 – 6 = 7

नाइट्रोजन के लिए न्यूट्रॉनों की संख्या:

14 – 7 = 7

दोनों नाभिकों में समान संख्या में न्यूट्रॉन होते हैं। इसलिए वे आइसोटोन हैं।

104. (b) जब O^{-1} से O^{2-} बनता है तब इलेक्ट्रॉन बंधुता का मान धनात्मक होता है। क्योंकि O^- समान आवेश के कारण आने वाले इलेक्ट्रॉन को पीछे हटा देता है इसलिए इलेक्ट्रॉन का स्वीकार करने के लिए उसे ऊर्जा की आवश्यकता होती है। ऑक्सीजन की दूसरी इलेक्ट्रॉन बंधुता विशेष रूप से अधिक होती हैं क्योंकि इलेक्ट्रॉन को एक बहुत घने इलेक्ट्रॉन स्थान में रहने के लिए मजबूर किया जाता हैं अत: इलेक्ट्रॉन बंधुता धनात्मक होती है।

105. (c) Cu^{2+}, Fe^{2+}, Co^{2+} समूह के सभी आयनों में अयुग्मित d इलेक्ट्रॉन हैं, इसलिए सभी आयन रंगीन होते हैं।

$Cu^{2+} \rightarrow [Ar]3d^9 4s^0$

$Fe^{2+} \rightarrow [Ar]3d^6 4s^0$

$Co^{2+} \rightarrow [Ar]3d^7 4s^0$

106. (b) सभी सम इलेक्ट्रॉनिक प्रजाति है किन्तु Ni^{2+} उच्च धनात्मक आवेश होता है इसलिए इसकी त्रिज्या कम होती है।

107. (b) $Fe(26) = 3d^6 \Rightarrow +2, +3$

$Mn(25) = 3d^5 \Rightarrow +2, +3, +4, +6, +7$

$V(23) = 3d^3 \Rightarrow +2, +3, +4, +5$

$Cr(24) = 3d^4 \Rightarrow +2, +3, +6$

Mn (मैग्निशियम) तत्व अधिकतम ऑक्सीकरण संख्या दर्शाता है।

108. (a) अधिकतम चुंबकीय आघूर्ण को d^5 के द्वारा दर्शाया जाता है। किसी चुम्बक का चुंबकीय आघूर्ण वह राशि है जो बताती है कि उस चुंबक को किसी बाह्य चुंबकीय क्षेत्र में रखने पर वह कितना बलाघूर्ण अनुभव करेगा।

109. (c) ब्लास्ट (वात्या) भट्ठी से प्राप्त लोहे को कच्चा लोहा (Pig Iron) कहते हैं। जबकि ढलवाँ लोहा का उत्पादन क्यूपोला फर्नेस में किया जाता है। इसमें 2.5 – 4% कार्बन उपस्थित होता है।

110. (a) मैग्नेटाइट (Fe_3O_4) को छोड़कर सभी में मैग्नीशियम उपस्थित रहता है क्योंकि यह आयरन का अयस्क है।

111. (d) सिलिकॉन कार्बाइड जिसे कार्बोरेंडम भी कहा जाता है। यह सिलिकॉन और कार्बन का एक यौगिक है, जिसका रासायनिक सूत्र Sic है। यह प्रकृति में अत्यंत दुर्लभ खनिज मोइस्सनाइट के रूप में होता है।

112. (b) बोरॉन का चक्रीय बोरेजीन अकार्बनिक बेन्जीन कहलाता है।

$$3(B_2H_6 . 2NH_3) \xrightarrow{450k} 3B_3N_3H_6 + 12H_2$$

(बेन्जीन)

113. (d) मोलर सान्द्रता (मोलरता)

$$= \frac{\text{विलेय के मेलों की संख्या}}{\text{विलयन का आयतन}}$$

$$= \frac{32}{32 \times 10} \text{ मोल/ली} = 0.10 \text{ मोल/ली}^{-1}$$

114. (a) लॉफिंग गैस या हँसाने वाली गैस का वैज्ञानिक नाम नाइट्रस ऑक्साइड है। यह एक रंगहीन और गंधहीन गैस है जिसकी खोज अंग्रेज वैज्ञानिक जोजफ प्रीस्टली ने वर्ष 1793 में की थी।

115. (a) n हेक्सेन एक हाइड्रोकार्बन है जिसका क्वथनांक दिए गए n-पेन्टेन, 2-मेथिल ब्यूटेन और 2-डाइमेथिल प्रोपेन अधिक है। nहेक्सेन का क्वथनांक 69°C है। यह एक अल्केन है।

116. (b) $CH_3CH_2Cl \xrightarrow[\text{CuI}]{\text{(i)Li}} \xrightarrow{CH_3CH_2Cl}$

$CH_3CH_2CH_2CH_3$ (n-ब्यूटेन)

को कोरे-हाउस संश्लेषण कहते है।

117. (d) रासायनिक सूत्र

$= CH_4H_{10}O$

इसकी समावयवियों की संख्या 7 है।

118. (b) आई.यू.पी.ए.सी. का नामकरण, रसायनों का नाम रखने की प्रणाली है जिससे साथ ही साथ रसायनशास्त्र की व्याख्या करने में भी मदद मिलती है

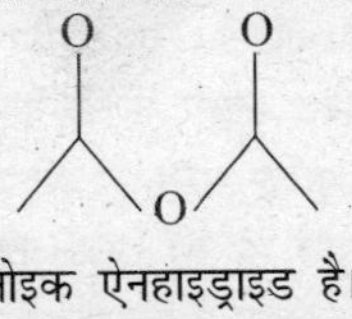

यह एक एथेनोइक ऐनहाइड्राइड है।

119. (a) रंग प्रायः पेट्रोलियम उत्पाद से प्राप्त होते हैं।

पेट्रोलियम उत्पाद

पेट्रोल डीजल कैरोसीन गैसोलीन

120. (c) $2C_6H_5CHO \xrightarrow{NaOH} C_6H_5CH_2OH + C_6H_5COONa$

यह एल्डीहाइड ($(CH_3)_3C.CHO$) में होने वाली कैनिजारों की प्रतिक्रिया है जिसमें कोई α-हाइड्रोजन मौजूद नहीं रहता।

वनस्पति विज्ञान

121. (b) जैन्थोमोनास रोग नींबू की फसलों को ग्रसित करता है। यह बारिश के मौसम में होने वाला रोग है जो जैन्थोमोनास कॉम्पेस्ट्रिस पैथोवार सिट्राई नामक जीवाणु द्वारा होता है। इस रोग के लक्षण पत्तियों, शाखाओं, फलों एवं डंठलों पर दिखाई देते हैं। कैंकर रोग के लक्षण शुरू में पीले धब्बों के रूप में दिखाई देते हैं जो बाद में बढ़कर भूरे रंग के उभरे हुए छालों में बदल जाते हैं।

122. (c) वर्षा जल में अम्लों की बड़ी मात्रा को या उपस्थिति को अम्लीय वर्षा कहा जाता है। इसका प्रमुख कारण वायुमंडल में मानवीय क्रियाकलापों के कारण सल्फर ऑक्साइड व नाइट्रोजन ऑक्साइड का अत्यधिक उत्सर्जन है। यही गैसें वायुमंडल में पहुंचकर पानी से रासायनिक क्रिया करके सल्फेट तथा सल्फ्यूरिक अम्ल का निर्माण करती हैं। जब यह अम्ल वर्षा के साथ धरती पर गिरता है तो उसे अम्लीय वर्षा कहा जाता है। इसलिए SO_2 और NO_2 वायु प्रदूषक गैसें है, जिनसे अम्लीय वर्षा होती है।

123. (c) अफीम पैपेवर सोमनिफेरम के दूध को सुखाकर बनाया गया पदार्थ है। जिसके सेवन से मादकता आती है। अफीम में 12 प्रतिशत तक मार्फीन पाई जाती है। जिसको प्रसंस्कृत (प्रॉसेस) करके हैरोइन नामक मादक द्रव्य (ड्रग) तैयार किया जाता है। अफीम का दूध निकालने के लिए उसके कच्चे या अपरिपक्व संपुट में एक चीरा लगाकर दूध निकाला जाता है। जिसे सूखाया जाता है। जो गाढ़ा होने पर अफीम कहलाता है।

124. (c) प्रकाश संश्लेषण क्रिया लाल प्रकाश में सबसे अधिक सक्रिय होती है। पौधों के प्रकाश संश्लेषक वर्णक, क्लोरोफिल द्वारा प्रकाश ऊर्जा का अवशोषण किया जाता है। जबकि कार्बन डाईऑक्साइड से युक्त हवा पत्तियों के स्टोमेटा के माध्यम से होकर पौधे में प्रवेश करती है। प्रकाश संश्लेषण का एक अत्यंत ही महत्वपूर्ण उप-उत्पाद ऑक्सीजन है।

125. (b) वाष्पोत्सर्जन मापने के लिए पैरोमीटर का उपयोग किया जाता है। पौधों द्वारा अनावश्यक जल को वाष्प के रूप में अपने शरीर से बाहर निकालने की प्रक्रिया को वाष्पोत्सर्जन कहा जाता है। पेड़-पौधे मिट्टी से जिस जल का अवशोषण करते हैं, उसके केवल थोड़े से अंश का ही पादप शरीर में उपयोग होता है। बाकी बचा हुआ जल पौधों द्वारा वाष्प के रूप में बाहर निकाल दिया जाता है।

126. (c) अनुप्रस्थ बीजांड: इस प्रकार के बीजांड में वक्रता अधिक पाई जाती है। इस बीजांड में वक्रता के कारण बीजांडकाय और भ्रूणकोष मुड़कर घोड़े की नाल के आकार के हो जाते हैं। उदाहरण- एलिस्मेंटसी, ब्यूटोमेसी और लेगिनिएसी कुलों के सदस्य।

127. (c) आवृतबीजी पौधों में फल नहीं बनते हैं, ये पौधे काष्ठीय तथा बहुवर्षीय होते हैं, पुष्पक्रम के स्थान पर शंकु (Cones) होते हैं। जिनमें विशेष पत्तिया (बीजाणुपर्ण) समूह में लगी होती है, नर और मादा अलग-अलग होते हैं। इनमें परागण सदैव वायु द्वारा होता है। बीज नग्न अवस्था में बीजाणुपर्ण पर लगे होते है। आवृतबीजी पौधों में मादा युग्मकोद्भिद भ्रूणकोष होता है।

128. (a) पाइनस (चीड़) के पेड़ से तारपीन का तेल प्राप्त किया जाता है। इस पेड़ की लकड़ी बहुत महत्वपूर्ण मानी जाती है। संपूर्ण विश्व में पाइनस (चीड़) की 115 प्रजातियां पाई जाती है।

129. (a) टेरिस ब्रायोफाइट नहीं है।

130. (a) आर्कियोजोइक तथा प्रोटेरियोजोइक महाकल्पों को संयुक्त रूप से प्रीकैम्ब्रियन महाकल्प की संज्ञा दी जाती है। इसकी कल्प अवधि लगभग 3.41 अरब वर्ष थी। इस महाकल्प में पृथ्वी की भूपर्पटी शिथिलीकरण प्रक्रिया से गुजर रही थी।

131. (d) कागजन कॉर्क तथा काग मिलकर परिचर्म बनाते हैं जैसे-जैसे तने की परिधि में वृद्धि होती है वैसे ही बाहरी कॉर्टेक्स तथा बाह्य त्वचा की सतहें टूटती जाती हैं तब उन्हें संरक्षी कोशिकीय सतह की आवश्यकता पड़ती है। इसी कारण एक दूसरा प्रविभाजी ऊतक विकसित होता है जिसे कॉर्क कैम्बिराम या कागजन कहते हैं।

132. (d) दो प्रकार के सूकाय आकारिकी में एक समान होते हैं। यह एक दूसरे से स्वतंत्र और बाह्य संरचना में एक समान होते हैं। उदाहरण- अल्वा, क्लेडोफोरा, एक्टोकॉर्पस, डिक्टिओटा आदि।

133. (b) राइजोपस मृतोपजीवी कवक है जो सड़े गले कार्बनिक पदार्थों जैसे फल, सब्जी, अचार, मुरब्बा, कागज, चमड़ा, गोबर आदि पर पाई जाती है। यदि डबल रोटी के टुकड़े को जल में भिगोकर किसी बेलजार के नीचे रख दें तो दो या तीन तीन में राइजोपस की वृद्धि होने से डबल रोटी पर काले रंग के धब्बे बन जाते है। वैसे प्रारंभ में कवक जाल का रंग सफेद होता है, किंतु बाद में बीजाणुओं के बन जाने से कवक जाल काले रंग का हो जाता है। ब्रेड पर बने हुए काले धब्बों के कारण ही राइजोपस को डबल रोटी की कवक व ब्लैक ब्रेड मोल्ड कहते हैं।

134. (c) एंजाइम के अणुओं में अनेक कोटरे होती है, ये कोटरे विशेष आकृति की होती है। इन कोटरों में सक्रिय समूह जैसे NH_2, CooH, OH, SH स्थित रहते हैं। जहाँ ये समूह होते हैं उसे सक्रिय केन्द्र कहते है। एंजाइम के सक्रिय केंद्र से प्ररिपूर्वक आकृति के क्रियाकलाप के अणु उसी प्रकार से फिट हो जाते हैं जिस प्रकार से एक ताले में विशेष चाबी फिट होती है, इसलिए इसे ताला-चाबी सिद्धांत कहा जाता है।

135. (b) दो निम्न समुदायों के बीच का संक्रातिक क्षेत्र इकोटोन कहलाता है।

136. (a) जोहानसन ने जीन शब्द का प्रयोग 1909 में किया था। इस शब्द की उत्पत्ति पैंगैनेसिस में हुई है। हाथियों में कैंसर से सुरक्षा करने वाला जीन पाया जाता है। जिसे जोंबी जीन कहा जाता है। जोहानसन का जन्म 3 फरबरी, 1857 को हुआ था। वह डेनिस वनस्पति शास्त्री, प्लांट फिजियोलॉजिस्ट और आनुवंशिकीविद् थे।

137. (b) विषाणु में न्यूक्लिक अम्ल को ढकने वाला प्रोटीन आवरण कैप्सिड कहलाता है। कैप्सिक एक वायरस का प्रोटीन खोल है, जो इसकी आनुवंशिक सामग्री को घेरता है। कैप्सिड बनाने वाले प्रोटीन को कैप्सिड प्रोटीन या वायरल कोट प्रोटीन (वीसीपी) भी कहा जाता है। कैप्सिड को उनकी संरचना के अनुसार वर्गीकृत किया जाता है। अधिकांश विषाणुओं में पेचदार या इकोसाहेड्रल संरचना वाले कैप्सिड होते हैं।

138. (c) स्ट्रेप्टोमाइसिस के द्वारा सर्वाधिक प्रतिजैविक प्राप्त किए जा सकते हैं। स्ट्रेप्टोमाइसिस औषधशास्त्र और चिकित्सा के क्षेत्र में बहुत महत्वपूर्ण है। इसका उपयोग उपचार में प्रयोग होने वाली दवाइयों में भी किया जाता है।

139. (c) गुणसूत्र एक क्रोमोसोम संबद्ध प्रोटीन के चारों ओर लिपटे डीएनए का एक तार है जो जुड़े हुए न्यूक्लिक एसिड आधारों को एक संरचना देता है। कोशिका चक्र के इंटरफेज के दौरान, क्रोमोसोम एक ढीली संरचना में मौजूद होता है। इसलिए डीएनए से प्रोटीन का अनुवाद किया जा सकता है और डीएनए को दोहराया जा सकता है। कार्मीन द्वारा गुणसूत्र को रंगा जाता है।

140. (c) पाइनस के परिपक्व परागकण में चार कोशिकाएं होती है। यह एक अनावृत्तबीजी पौधा है जो धरती पर एकदम सीधा खड़ा रहता है। इनकी अधिकांश प्रजातियां ठंडे इलाकों (पहाड़ों) पर फैली हुई है। पाइनस के छोटे पौधों में निचली शाखाओं के अधिक दूर तक फैलने तथा उपरी शाखाओं के कम दूर तक फैलने के कारण इनका आकार पिरामिड जैसा हो जाता है।

141. (c) कोल्विसिन के प्रयोग से बहुगुणिता प्रेरित की जा सकती है।

142. (a) हरितलवक या क्लारोप्लास्ट एक प्रकार का कोशिकांग है जो सकेंद्रिक पादप कोशिकाओं में और शैवालीय कोशिकाओं में पाया जाता है। हरितलवक प्रकाश संश्लेषण द्वारा प्रकाशीय ऊर्जा को रासायनिक ऊर्जा में परिवर्तित करते हैं। क्वाण्टोसोम हरितलवक में पाए जाते हैं।

143. (c) माइटोकॉण्ड्रिया में एंजाइम साइटोक्रोम ऑक्सिडेस अंत: झिल्ली में पाया जाता है। अंत: झिल्ली लंबी नलिका अथवा गोल या आयताकार थैलों की तरह दिखाई देती है। इसकी रचना प्लाज्मा झिल्ली के समान होती है।

144. (c) समुद्री तेल रिसाव को साफ करने के लिए जैव अभियंत्रित जीवाणु स्यूडोमोनास प्यूटिडा का प्रयोग किया जाता है। सूक्ष्मजीवों की स्यूडोमोनास प्यूटिडा, आर्थोबैक्टर विस्कोसस एवं साइट्रोबेक्टर की विभिन्न प्रजातियों में औद्योगिक अपशिष्ट से विभिन्न प्रकार की भारी धातुओं को हटाने की क्षमता होती है।

145. (b) हरे आलू में सोलेनिन पाया जाता है। जो बहुत छोटी-सी मात्रा में भी बहुत जहरीला होता है। सोलेनिन एक प्राकृतिक कीटनाशक है। इसका काम पौधों को कीड़ों से बचाना होता है। इसे खाने से मनुष्य बीमार पड़ सकता है या मनुष्य की मृत्यु तक हो जाती है।

146. (b) मल्टीपल माइलोमास नाम की एक बीमारी होती है। जो एक तरह का ब्लड कैंसर होता है। यह एक दुर्लभ बीमारी होती है। जो शरीर में प्लाज्मा कोशिकाओं को प्रभावित करती है। जो प्रतिरक्षा प्रणाली के कामकाज का एक महत्वपूर्ण हिस्सा है। इसलिए कैंसर के अर्बुद से प्राप्त कोशिकाएं माइलोमास कहलाती हैं।

147. (d) ट्रिटिकम एस्टाइवम षट्गुणित पादप है। गेहूं षट्गुणित होता है।

148. (b) रैफ्लेसिया एक आश्चर्यजनक पौधा है जो मलेशिया और इंडोनेशिया में पाया जाता है। इसके फूल से सड़े हुए मांस की तरह बदबु आती है। इसकों छूने से भी यह मांस की तरह लचीला प्रतीत होता है। रैफ्लेसिया का फूल ही जमीन के ऊपर होता है जबकि शेष भाग जमीन के अंदर पाया जाता है।

149. (c) फाइब्रोब्लास्ट सहायक कोशिकाएं होती है जो एक प्रकार से संयोजी ऊतक में पाई जाती है। जिसे स्ट्रोमा भी कहा जाता है। रंध्रीरा छिद्र, द्वारकोशिका तथा सहायक कोशिकाएं मिलकर रंध्री तंत्र का भी निर्माण करती है।

150. (b) बाह्यत्वचा पौधों के भागों की बाहरी त्वचा है। इसकी कोशिकाएं लंबी तथा दूसरे से सटी हुई होती है। यह खनिज तत्वों से अवशोषण में सहायक होती है। बाह्यत्वचा से कपास के रेशे जैसी उपयोगी वस्तु प्राप्त होती है।

जन्तु विज्ञान

151. (c) दो संकुचनों के बीच का काल विश्राम अथवा शिथिलन काल कहलाता है। इसमें संकुचन के दौरान आगे बढ़ा हुआ रक्त जब धमनियों के रिक्त स्थान में प्रवेश पाता है तब धमनी की दीवार और रक्त में संघर्ष होता है और रक्त का दबाव बढ़ जाता है।

152. (d) मध्यपीतकी अण्डे में विदलन असमान पूर्णभंजी तथा समान पूर्णभंजी दोनों रूपों में होता है।

153. (c) काला अजार एक संक्रमण बीमारी है जो लेशमानिया डोनोवानी के कारण होती है। यह बीमारी परजीवी मक्खी के द्वारा फैलती है। बालू मक्खी कम रोशनी वाली और नम जगहों-जैसे कि मिट्टी की दीवारों की दरारों, चूहे के बिलों तथा नम मिट्टी में रहती है। इस बीमारी का उपचार न कराया जाए तो यह जानलेवा बन सकती है।

154. (d) ऊतक विज्ञान वह विज्ञान है, जिसके अंतर्गत ऊतकों की सूक्ष्म संरचना तथा उनकी व्यवस्था अथवा विन्यास का अध्ययन किया जाता है। उसे ऊतक विज्ञान कहा जाता है। समस्त सजीव प्राणियों की संरचनात्मक तथा क्रियात्मक (Functional) इकाई कोशिका (Cell) होती है। इसी कोशिका के अध्ययन को कोशिका विज्ञान (Cytology) कहा जाता है। कोशिकाओं के पुंजों (Groups) से ऊतकों और ऊतकों से अंगों की रचना होती है। ऊतकों की संरचना का अध्ययन करने वाले विज्ञान को औतिकी कहते हैं।

155. (d) 1866 ई. में हीकल द्वारा फाइलम शब्द दिया गया था, जो फाइल (जनजाति, कबीले) से संबंधित है। हीकल द्वारा उल्लेख किया गया कि प्रजातियाँ लगातार नई प्रजातियों में विकसित होती हैं जो कि आपस में सुसंगत विशेषताओं को बनाए रखती हैं और इसलिए कुछ विशेषताएं उन्हें एक समूह (एक आत्म-निहित एकता) के रूप में प्रतिष्ठित करती है।

156. (b) सेंट्रल वाइल्ड लाइफ बोर्ड की स्थापना वर्ष 1955 में हुई थी।

157. (b) पेबरीन रोग रेशम कीट से संबंधित है। यह बीमारी पूरे साल भर में कभी भी हो सकती है। यह एक गैर-मौसमी बीमारी है। रेशम कीट अंडे (ट्रांसोवेरियम / ट्रॉसोवम ट्रांसमिशन) के माध्यम से या दूषित शहतूत की पत्ती खाने से संक्रमित हो जाता है।

158. (a) कुंदुकन के समय निर्मित गुहा आघांत्र है।

159. (c) भारत में प्रोजेक्ट टाइगर (बाघ बचाओ परियोजना) 7 अप्रैल, 1973 में शुरू हुई थी। पर्यावरण मंत्रालय ने 2005 में नेशनल टाइगर कन्जर्वेशन अथॉरिटी (एनटीसीए) का गठन किया, जिसको प्रोजेक्ट टाइगर के क्रियान्वयन की जिम्मेदारी सौंपी गई। भारत सरकार की इस परियोजना का उद्देश्य विलुप्त हो रहे बाघों को बचाना तथा बाघों के संरक्षण के बारे में जागरूकता पैदा करना था।

160. (a) उत्तक संवर्धन द्वारा कृत्रिम त्वचा सर्वप्रथम हैरिसन ने उगाई।

161. (c) चार्ल्स डार्विन ''ओरिजिन ऑफ स्पीसीज'' के लेखक थे।

162. (c) स्तनियों में प्लीहा (spleen) एक हीमोपॉयटिक ऊतक के रूप में कार्य करती है, क्योंकि प्लीहा, लिम्फनोड्स इत्यादि में श्वेत रक्त कणिकाओं (WBCs) का संश्लेषण होता है।

163. (b) जठर रस का pH 2 होता है।

164. (b) मैलेथियॉन कीटनाशक ऑर्गेनोफॉस्फेट है।

165. (d) आधुनिक वैज्ञानिक विधि द्वारा मधुमक्खियों का कृत्रिम पालन करना एवं इनके द्वारा निर्मित उत्पादों अर्थात शहद व मोम प्राप्त करना मधुमक्खी पालन या एपीकल्चर कहलाता है। सन् 1789 में स्विटजरलैंड के फ्रांसिस ह्यूबर नामक व्यक्ति ने पहले-पहल लकड़ी की पेटी (मौनगृह) में मधुमक्खी पालने का प्रयास किया। इसके अंदर उसने लकड़ी के फ्रेम बनाए जो किताब के पन्नों की तरह एक-दूसरे से जुड़े थे।

166. (a) फाइसेलिया का आकार लगभग 5-20 सेमी. लंबा होता है, इसका आकार नन्हें व उल्टे जंगी जहाजों जैसा दिखाई देता है। इसलिए इसे ''पुर्तगाली युद्धपोत'' भी कहा जाता है। इनके शरीर के मध्य में मुख्य गुहा पाई जाती है। जिसे सिलेन्ट्रोन या जठर वाहिनी गुहा कहते है। जो शीर्ष पर मुख में होता है, जो मुख व गुदा दोनों प्रकार का कार्य करता है। इनमें द्विरूपता (Jimonphism) या बहुरूपता (Polymophism) होती है। इनके दो रूप पॉलिप (Polyp) तथा मेड्यूसा (Medusa) पाए जाते है, पॉलिप बेलनाकार, स्थानबद्ध तथा अलैंगिक जनन करके मेड्यूसार उत्पन्न करते हैं। जबकि मेड्यूसार छत्र आकार, स्वतंत्र तथा लैंगिक जनन करके पॉलिप उत्पन्न करते हैं।

167. (c) द्वितीयक अरीय सममिति इकाइनोडर्मेटा में पाई जाती है।

168. (b) जीव जंतुओं एवं पेड़ पौधों की उनकी समानता व असमानता के आधार पर विभिन्न समुदायों एवं वर्गों में रखने की विधि को वर्गीकरण कहते हैं। जाति वर्गीकरण की मूल इकाई है। जीवों का वर्ग जिसमें मौलिक समानता पाई जाती है। उसे जाति कहा जाता है।

169. (c) जीव-जंतुओं की वे जातियां जो अपने से कम विकसित जातियों तथा अपने से अधिक विकसित उच्च कोटी की जातियों की सीमा रेखा अर्थात निम्न एवं उच्च जातियों के लक्षण का सम्मिश्रण हैं, संयोजक जातियां कहलाती है।

उदाहरण- यूग्लीना, प्रोटीरोस्पंजिया, नियोपिलाइना, पैरीपेटस आर्कियोप्टेक्सि, प्रोटोथीरिया आदि।

170. (d) मोनेरा-यूकैरियोट सुमेलित नहीं है।

171. (b) आर्थ्रोपोडा जंतु जगत का सबसे बड़ा संघ है। इस संघ में लगभग 10 लाख जंतु है, जो पर्वत की ऊंचाइयों से लेकर समुद्र की गहराईयों में पाए जाते हैं। इनका बाह्य कंकाल काइटिन (Chitin) नामक कार्बोहाइड्रेट का बना होता है। इनमें द्विपार्शव सममिति (Bilateral Symmethy) वास्तविक देहगुहा (coelomet), त्रिकोरिक (Triploblastic) तथा अंग तंत्र स्तर का शारीरिक संगठन (Obyan System Body Organisation पाया जाता है। इनमें गमन हेतु संधियुक्त पाद (Jointed appendages) पाए जाते हैं। कुछ सदस्यों में एक जोड़ी पंख भी पाए जाते हैं।

172. (a) ऑस्ट्रेलोपिथेकस दक्षिण अफ्रीका में पाया जाने वाला एक वानर मानव था। यह अफ्रीका में विलुप्त हो चुकी होमिनिड की प्रजाति है। 1924 ई. में रेमंड डार्ट ने अपनी युवा अवस्था में बिपेडल के चेहरे और जबड़े के टुकड़ों की पहचान की। ऑस्ट्रेलोपिथेकस की दो सबसे महत्वपूर्ण प्रजातियों में एक एफरेंसिस थी, जिसका नाम इथियोपिया के अफार क्षेत्र के नाम रखा गया, और एक एफ्रीकैनस, जिसे दक्षिण अफ्रीका में खोजा गया था। ऑस्ट्रेलोपिथेकस मनुष्य का पूर्वज है जो पहली बार सीधा खड़ा हुआ था।

173. (d) कोर जोन, बफर जोन तथा मैनीपुलेशन जोन जैवमंडल निचय में पाया जाता है।

174. (c) डाइक्लोरो डिफेनिल ट्रिक्लोरोइथेन, जिसे आमतौर पर डी.डी.टी. के रूप में जाना जाता है, यह एक रंगहीन, स्वादहीन और गंधहीन क्रिस्टलीय रासायनिक यौगिक है। 1939 में इसके कीटनाशक गुणों की खोज स्विस रसायनज्ञ पॉल हरमन मुलर ने की थी। इसका उपयोग मच्छरों को मारने तथा कृषि में भी इस कीटनाशक का उपयोग किया जाता है। डी.डी.टी. के संपर्क में आने पर मनुष्य को मतली, चक्कर आना, भ्रम, सिरदर्द, सुस्ती, अस्वस्थता, उल्टी, झटके आना आदि समस्या होती है। जो मानव स्वास्थ्य के लिए हानिकारक है। इसका रसायनिक सूत्र $C_{14}H_9Cl_5$ है।

175. (b) सर्वदाता रक्त समूह है- ORh^-

176. (d) आई.वी.एफ. (IVF) एक प्रजनन उपचार यानि फर्टिलिटी ट्रीटमेंट है जो कि उन लोगों के लिए बना है जो बच्चा पैदा करने में असमर्थ होते हैं, आई.वी.एफ. के द्वारा नि:संतान दंपतियों को अपनी संतान होने का सुख मिलता है। आई.वी.एफ. प्रक्रिया द्वारा स्त्री के अंडे और पुरुष के शुक्राणुओं को शरीर के बाहर फर्टीलाइज किया जाता है। फर्टीलाइजेशन प्रक्रिया लैब के अंदर एक ग्लास पेट्री डिश में की जाती है। इस भ्रूण को महिला के गर्भाशय में प्रत्यारोपित किया जाता है ताकि वह बड़ा हो और शिशु का आकार लें।

177. (c) मकड़ियों द्वारा उत्सर्जित नाइट्रोजनी वर्ज्य पदार्थ गुआनीन होता है। अत: इन्हें गुआनोटीलिक (guanotelic) जन्तु भी कहा जाता है। गुआनीन न्यूक्लियोटाइड उपापचय का एक वर्ज्य उत्पाद (waste product) होता है।

178. (b) एचआईवी एक प्रकार का वायरस होता है। जो इम्यून सिस्टम को कमजोर कर देता है। इससे एड्स नामक बिमारी होती है। एचआईवी का पूरा नाम ह्यूमन इम्यूनोडेफिशियेन्सी वायरस है। एचआईवी शरीर में मौजूद CD_4 कोशिकाओं को नष्ट करने का कार्य करता है। CD_4 कोशिकाओं को T सेल या T कोशिका भी कहा जाता है। यह एक प्रकार की प्रतिरक्षा कोशिकाएं होती हैं। एचआईवी में एकरज्जुकी आर.एन.ए. आनुवंशिकी पदार्थ होता है।

179. (d) महाकायता तथा अग्रातिकायता नामक रोग अतिपीयूषता के कारण होते हैं। महाकायता एक असाधारण परंतु गंभीर अवस्था है जो खून में अत्यधिक ग्रोथ हार्मोन (जीएच) होने के कारण उत्पन्न होती है। आमतौर पर पीयूष ग्रंथि में स्थित पिटियूटरी ऐडीनोमा नामक एक कैंसर मुक्त ट्यूमर के कारण महाकायता होती है। यह ट्यूमर अत्यधिक ग्रोथ हार्मोन पैदा करता है और खून में ग्रोथ हार्मोन के स्तर को बढ़ाता है। अत्यधिक ग्रोथ हार्मोन इंसुलिन लाइक ग्रोथ फैक्टर-I (आइजीएफ-1) के स्तर को बढ़ा सकता है। कभी-कभी शरीर के अन्य अंशों में हार्मोन स्रावित करने वाले ट्यूमर महाकायता के होने का कारण बनते है।

180. (c) अगर एक बच्चा O रुधिर वर्ग का है तथा उसका पिता B रुधिर वर्ग का है, तो पिता की जीनी संरचना I^OI^B है।

General English

181. (c) The passage clearly states that the peculiar successes and problems of our time come from the efforts to assimilate (combine) political and technological activities. The author highlights the challenges that arise from trying to merge both these types of revolutions.

182. (b) According to the passage, political revolutions reveal man's "aggressive assertive side," which reflects his readiness to fight for his ideas and beliefs. Political revolutions are the expressions of the human drive for justice and purposefulness.

183. (c) The passage states that technological change and innovation tend to reveal man's "play instinct"—his ability to explore new frontiers, to create, and to push beyond the limits of the known. Unlike political revolutions, which show a more aggressive, assertive side, technological revolutions show the curiosity and creativity of mankind.

184. (a) The passage connects the willingness to sacrifice in order to fulfill one's plans to man's "organised purposefulness." Political revolutions are linked to a purposeful, planned action that may require personal sacrifice for a greater cause.

185. (c) The central theme of the passage is the contrast between political and technological revolutions. The passage explores how political revolutions reveal man's sense of justice and aggression, while technological revolutions reveal his playfulness and desire to innovate.

186. (d) To "revoke" means to cancel or annul something, while "implement" means to put something into effect or carry it out. These are opposite actions, making (d) the correct antonym.

187. (a) The word "calculative" refers to someone who thinks carefully or makes decisions based on careful consideration. The opposite would be "naive," which means someone who is inexperienced or innocent, and does not think critically or calculate their actions. Therefore, (a) is the correct answer.

188. (a) The correct preposition is "of" because we use "a source of" to indicate the origin or cause of something. The correct phrase is "a source of happiness," indicating that books provide or lead to happiness.

189. (a) When referring to a subject or topic, the correct preposition to use is "about." Thus, the correct sentence is "He spoke about his travels," where he is sharing details or narrating his experiences regarding his travels.

190. (c) The correct preposition is "in" because fish swim in the river, indicating that they are inside or within the body of water. The other options ("on," "besides," and "at") do not fit the context of fish swimming within the river.

सामान्य ज्ञान

191. (a) सूर्य अथवा सूरज सौरमंडल के केंद्र में स्थित एक तारा है जिसके चारों तरफ पृथ्वी के साथ-साथ सौरमंडल के सारे अवयव घूमते हैं। सूर्य ऊर्जा का शक्तिशाली भंडार मुख्य रूप से हाइड्रोजन और हीलियम गैसों का एक विशाल गोला है। प्रतिवर्ष 3 जनवरी के आसपास पृथ्वी सूर्य के सबसे करीब होती है।

192. (a) वैतरणी नदी पुराणों में वर्णित नरकलोक की नदी है। गरूड़ पुराण के अनुसार मरने के बाद वैतरणी नाम की नदी पार करनी होती है। वैतरणी नदी पश्चिम दिशा में नहीं बहती है।

193. (d) काली मिट्टी रेगुर मिट्टी के नाम से भी जानी जाती है। काली मिट्टी महाराष्ट्र, कर्नाटक, गुजरात और मध्य प्रदेश में मुख्यत: पाई जाती है। भारत में काली मिट्टी सबसे अलग दिखाई देती है। इस मिट्टी का काला रंग टिटेनीफेरस मैग्नेटाइड एवं जीवांश की उपस्थिति के कारण होता है। इस मिट्टी में कपास की खेती ज्यादा होती है।

194. (d) सम्राट अशोक मौर्य शासक बिंदुसार के पुत्र थे। बिंदुसार को अमित्रघात के नाम से भी जाना जाता है। सम्राट अशोक की माता का नाम धर्मा व शुभ्रद्रांगी था। बिंदुसार को एक महान पिता का पुत्र और एक महान पुत्र का पिता भी कहा जाता है। क्योंकि वह एक महान पिता चंद्रगुप्त मौर्य के पुत्र और महान पुत्र सम्राट अशोक के पिता थे।

195. (a) बेगम हजरत महल ने 1857 की क्रांति का लखनऊ से नेतृत्व किया। अपने नाबालिग पुत्र बिरजिस कादिर को गद्दी पर बैठाकर उन्होंने अंग्रेजी सेना का स्वयं मुकाबला किया। लखनऊ में बेगम हजरत महल की महिला सैनिक दल का नेतृत्व रहीमी के हाथों में था, जिसने फौजी वेष अपनाकर तमाम् महिलाओं को तोप और बंदूक चलाना सिखाया।

196. (a) संवैधानिक उपचारों के अधिकार को मौलिक अधिकारों की आत्मा भी कहा जाता है। यदि किसी व्यक्ति के मौलिक अधिकार का हनन होता है तो अनुच्छेद-32 संबंधित व्यक्ति को सर्वोच्च न्यायालय से न्याय प्राप्त करने का अधिकार प्रदान करता है। अत: अनुच्छेद 32 भारतीय नागरिकों को संवैधानिक उपचारों का अधिकार प्रदान करता है।

197. (c) 1976 के 42वें संशोधन ने प्रस्तावना में भी संशोधन किया और भारत के विवरण को ''संप्रभु लोकतांत्रिक गणराज्य'' से ''संप्रभु, समाजवादी, धर्मनिरपेक्ष लोकतांत्रिक गणराज्य'' में बदल दिया, और ''राष्ट्र की एकता'' शब्दों को ''राष्ट्र की एकता और अखंडता'' में भी बदल दिया गया।

198. (c) प्रतिभा देवी सिंह पाटिल वर्ष 2007 से वर्ष 2012 तक भारत के राष्ट्रपति पद पर रहीं। यह भारत की अब तक की पहली महिला राष्ट्रपति भी है। इन्हें मेक्सिको के सर्वोच्च नागरिक पुरस्कार 'ऑर्डेन मेक्सिकाना डेल एग्वेला एज्टेका' से भी सम्मानित किया जा चुका है। इनका जन्म 19 दिसंबर, 1934 को हुआ था। यह भारत की राज्यसभा की उपसभापति भी थी।

199. (a) मनरेगा भारत में लागू रोजगार गारंटी योजना है। इसे 7 सितंबर, 2005 को विधान सभा द्वारा अधिनियमित किया गया। इस योजना को ग्रामीण लोगों की क्रय शक्ति बढ़ाने के उद्देश्य से शुरू किया गया था। इस अधिनियम के अंतर्गत भारत के गरीब परिवारों को रोजगार दिया जाता है।

200. (a) योजना आयोग ने वर्ष 2012 से वर्ष 2017 तक चलने वाली 12वीं पंचवर्षीय योजना में सलाना 10 फीसदी की आर्थिक विकास दर हासिल करने का लक्ष्य निर्धारित किया था। 12वीं पंचवर्षीय योजना के दौरान अल्पसंख्यकों की सामाजिक-आर्थिक दशाओं में सुधार और लोगों के जीवन को उन्नत बनाने के लिए उन्हें सुविधाएं मुहैया कराना था। वर्ष 2013 को भारत की 12वीं पंचवर्षीय योजना की अवधि का हिस्सा माना जाएगा।

❑❑❑

प्रैक्टिस सेट–6

भौतिक विज्ञान

1. एक माइक्रॉन बराबर है–
   (a) 1/10 मिमी.
   (b) 1/100 मिमी.
   (c) 1/1000 मिमी.
   (d) 1/10000 मिमी.

2. यदि किसी ऐनक के लेन्सों की शक्ति + 2 डायोप्टर हो, तो इसकी फोकस दूरी होगी–
   (a) 200 सेमी. (b) 100 सेमी.
   (c) 50 सेमी. (d) 2 सेमी.

3. 100 वॉट का बिजली का बल्ब, यदि 10 घण्टे जले तो बिजली का खर्च होगा–
   (a) 0–1 इकाई (b) 1 इकाई
   (c) 10 इकाई (d) 100 इकाई

4. सेल्सियस स्केल पर मानव शरीर का सामान्य तापमान होगा–
   (a) 31°C (b) 98.4°C
   (c) 36.9°C (d) 31.5°C

5. प्रकाश विकिरणों की प्रकृति होती है–
   (a) तरंग के समान
   (b) कण के समान
   (c) तरंग एवं कण दोनों के समान
   (d) तरंग एवं कण, किसी के समान नहीं

6. पानी का घनत्व अधिकतम होता है–
   (a) 100°C पर (b) 4°C पर
   (c) 0°C पर (d) –4°C पर

7. प्रकाश का शून्याकाश में वेग अनुमानतः है–
   (a) 3×10^{10} मीटर/से.
   (b) 3×10^{8} मीटर/से.
   (c) 3 × 108 किमी/सें.
   (d) 3 × 108 प्रकाश वर्ष

8. त्वरण ज्ञात करने का सही सूत्र कौन-सा है?
   (a) $a = \frac{v-u}{t}$ (b) $a = u + vt$
   (c) $a = \frac{v+u}{t}$ (d) $a = \frac{v+u}{2}$

9. लोलक की कालावधि (Time-period)–
   (a) द्रव्यमान के ऊपर निर्भर करती है
   (b) लम्बाई के ऊपर निर्भर करती है
   (c) समय के ऊपर निर्भर करती है
   (d) तापक्रम के ऊपर निर्भर करती है

10. दृश्य स्पेक्ट्रम के तरंगदैर्ध्य की सीमा है–
    (a) 1300Å–3900Å
    (b) 3900Å–7600Å
    (c) 7800Å–8200Å
    (d) 8500Å–9800Å

11. लोहे की कील पारे पर क्यों तैरती है, जबकि वह पानी में डूब जाती है?
    (a) लोहे की पारे से रासायनिक क्रिया की प्रवृत्ति पानी की तुलना में कम होने के कारण।
    (b) लोहे का भार पानी से अधिक है तथा पारे से कम।
    (c) लोहे का घनत्व पानी से अधिक है तथा पारे से कम।
    (d) पारा पानी से भारी है।

12. दृष्टिपटल (रेटिना) पर जो चित्र बनता है-
    (a) वह वस्तु के बराबर होता है परन्तु उल्टा होता है।
    (b) वह वस्तु से छोटा होता है व सीधा होता है।
    (c) वह वस्तु से छोटा होता है व उल्टा होता है।
    (d) वह वस्तु के बराबर होता है व सीधा होता है।

13. मनुष्य आर्द्रता व गर्मी से परेशानी अनुभव करता है। इसका कारण है-
    (a) अधिक पसीना आना।
    (b) कम पसीना आना।
    (c) पसीना आर्द्रता के कारण वाष्पित नहीं होता।
    (d) आर्द्रता के कारण पसीना नहीं आता।

14. पारसेक (PARSEC) इकाई है-
    (a) खगोलीय दूरी की
    (b) समय की
    (c) प्रकाश की
    (d) चुम्बकीय बल की

15. सूची-I को सूची-II से सुमेलित करें तथा नीचे दिए गए कूट से सही उत्तर चुनिए-

सूची-I (भौतिक राशियां)	सूची-II (इकाई)
A. त्वरण	1. जूल
B. बल	2. न्यूटन-सेकण्ड
C. कृत कार्य	3. न्यूटन
D. आवेग	4. मीटर/सेकण्ड^2

कूटः

	A	B	C	D
(a)	1	2	3	4
(b)	2	3	4	1
(c)	3	4	1	2
(d)	4	3	1	2

16. सूची-I को सूची-II से सुमेलित करें तथा नीचे दिए गए कूट से सही उत्तर चुनिए-

सूची-I (उपकरण/यंत्र)	सूची-II (मापन की गई राशि)
A. अमीटर	1. दाब
B. हाइग्रोमीटर	2. भार
C. बैरोमीटर	3. धारा
D. स्प्रिंग-तुला	4. सापेक्ष-आर्द्रता

कूटः

	A	B	C	D
(a)	2	1	4	1
(b)	3	4	1	2
(c)	4	1	2	3
(d)	3	2	3	4

17. ट्रान्सफॉर्मर प्रयुक्त होते हैं-
    (a) AC को DC में बदलने के लिए
    (b) DC को AC में बदलने के लिए
    (c) DC को वोल्टेज का उपचयन करने के लिए
    (d) AC वोल्टेज का उपचयन या अपचयन करने के लिए

18. प्रत्यावर्ती धारा को दिष्ट धारा में परिवर्तित करने वाली युक्ति को कहते हैं-
    (a) इनवर्टर (b) रेक्टीफायर
    (c) ट्रान्सफॉर्मर (d) ट्रान्समीटर

19. सूची-I को सूची-II के साथ सुमेलित कीजिए और सूचियों के नीचे दिए गए कूट की सहायता से सही उत्तर दीजिए-

सूची-I	सूची-II
A. उच्च वेग	1. मैक
B. तरंग दैर्ध्य	2. एंग्सट्रॉम
C. दबाव	3. पास्कल
D. ऊर्जा	4. जूल

कूट:

	A	B	C	D
(a)	2	1	3	4
(b)	1	2	4	3
(c)	1	2	3	4
(d)	2	1	4	3

20. रक्त दाब नापने के यंत्र का नाम है–

(a) टैकोमीटर (b) स्फिग्नोमेनोमीटर
(c) ऐक्टीमीटर (d) बैरोमीटर

21. जब एक प्रक्षेपी को 15° का कोण बनाकर प्रक्षेपित किया जाता है, तो वह क्षैतिज के साथ 1.5 किमी तक जाता है। यदि प्रक्षेपी को 45° कोण बनाकर प्रक्षेपित किया जाए, तो यह कितनी दूरी तय करेगा?

(a) 1.5 किमी (b) 3.0 किमी
(c) 6.6 किमी (d) 0.75 किमी

22. बल आघूर्ण (torque) का विमीय सूत्र है–

(a) $[ML^oT^{-2}]$ (b) $[MLT^{-1}]$
(c) $[MLT^{-2}]$ (d) $[ML^2T^{-2}]$

23. एक गुटका खुरदरे तल पर रखा है। गुटके तथा तल के बीच घर्षण नियतांक μ है। गुटके को *mg* बल द्वारा खींचा जाता है। यह बल θ कोण के साथ घन की भुजा के लम्बवत् कार्य करता है। टुकड़े का द्रव्यमान *m* है। गुटके को तल के सापेक्ष खींचा जा सकता है यदि $\cot\frac{\theta}{2}$ –

(a) $>\mu$ (b) $=\mu$
(c) $<\mu$ (d) $\frac{\mu}{6}$

24. द्रव्यमान m_1 की एक गतिशील वस्तु m_2 द्रव्यमान की किसी दूसरी स्थिर वस्तु से टकराती है। जब द्रव्यमान m_1 और m_2 को $\frac{m_1}{m_2}$ के अनुपात में रखते हैं, तो प्रथम (गतिशील) वस्तु को वेग 1.5 बार घटता है, तब अनुपात $\frac{m_1}{m_2}$ का मान है–

(a) 5 (b) $\frac{1}{5}$
(c) $\frac{1}{25}$ (d) 25

25. परमशून्य ताप पर अर्द्धचालक व्यवहार करता है–

(a) अचालक की भांति
(b) अति उत्तम चालक की भांति
(c) उत्तम चालक की भांति
(d) परिवर्ती प्रतिरोधक की भांति

26. द्रव्यमान 2 किग्रा, 3 किग्रा तथा 5 किग्रा के तीन गुटकों, जो एक-दूसरे से एक हल्की रस्सी द्वारा जुड़े हैं, को एक घर्षण रहित तल पर रखा गया है। यदि इस निकाय को 10 न्यूटन के बल द्वारा खींचा जाता है, तो तनाव T_1 का मान होगा-

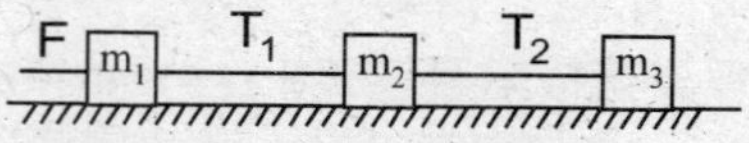

(a) 1 न्यूटन (b) 5 न्यूटन
(c) 8 न्यूटन (d) 10 न्यूटन

27. एक वस्तु A जिसका द्रव्यमान 1 किग्रा है, चिकने फर्श पर रखी है। एक दूसरी वस्तु B जिसका द्रव्यमान 0.2 किग्रा है, वस्तु A के ऊपर रखी है। A और B के बीच स्थैतिज गुणांक 0.15 है। वस्तु B के फिसलने के लिए वस्तु A को किस अधिकतम बल से खींचा जाना चाहिए?

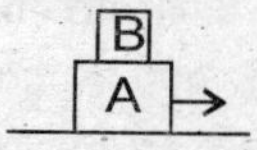

(a) 1.764 न्यूटन
(b) 0.1764 न्यूटन
(c) 0.3 न्यूटन
(d) किसी बल से नहीं गिरेगी

28. R त्रिज्या के वृत्त पर घूमते किसी कण गतिज ऊर्जा *k*, कण द्वारा चली गई दूरी पर निर्भर करती है। यदि कण की गतिज ऊर्जा KE = as^2 हो, जहाँ *a* एक नियतांक है, तब कण पर कार्य करने वाला बल है–

(a) $2a\frac{s^2}{R}$
(b) $2as\left(1+\frac{s^2}{R^2}\right)^{1/2}$
(c) 2as
(d) $2a\frac{R^2}{s}$

29. एक लिफ्ट पम्प 200 वोल्ट तथा 10 ऐम्पियर पर कार्य करता है। यह पम्प 4°C पर औसतन ऊँचाई 15 मी पर स्थिर 3 मी × 2 मी × 1 मी आयतन वाले टैंक का भरता है।
यदि $g = 10$ मी से$^{-2}$ और पम्प की क्षमता 75% हो, तो टैंक को भरने में कितना समय लगेगा?

(a) 10 मिनट (b) 20 मिनट
(c) 24 मिनट (d) 28 मिनट

30. चित्र में दिये गए टुकड़े B का त्वरण होगा-

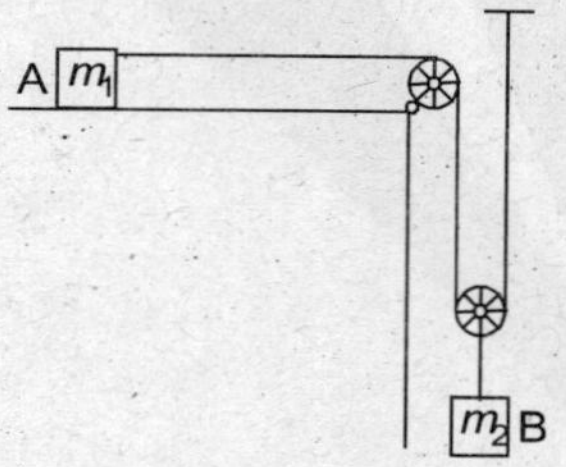

(a) $\frac{m_2g}{(4m_1+m_2)}$ (b) $\frac{2m_2g}{(4m_1+m_2)}$
(c) $\frac{2m_1g}{(m_1+4m_2)}$ (d) $\frac{2m_1g}{(m_1+m_2)}$

31. r त्रिज्या की द्रव की कुछ बूँदे मिलकर एक R त्रिज्या की बूँद बनाती है। यदि पृष्ठ तनाव T एवं आयतन V माना जाए, तो निष्कासित ऊर्जा होगी–

(a) $3VT\left(\frac{1}{r}+\frac{1}{R}\right)$ (b) $3VT\left(\frac{1}{r}-\frac{1}{R}\right)$
(c) $VT\left(\frac{1}{r}-\frac{1}{R}\right)$ (d) $VT\left(\frac{1}{r^2}+\frac{1}{R^2}\right)$

32. घनत्वों ρ_1 व ρ_2 के दो पदार्थों को समान आयतन में मिलाया जाता है और मिश्रण का आपेक्षिक घनत्व 4 है। जब उन्हें समान द्रव्यमान में मिलाया जाता है, तो मिश्रण का आपेक्षिक घनत्व 3 होता है। ρ_1 व ρ_2 का मान होगा-

(a) $\rho_1 = 6$ तथा $\rho_2 = 2$
(b) $\rho_1 = 3$ तथा $\rho_2 = 5$
(c) $\rho_1 = 12$ तथा $\rho_2 = 4$
(d) उपरोक्त में से कोई नहीं

33. यदि दाब *p*, आयतन V तथा ताप T वाली एक गैस जार A में तथा दाब 2*p*, आयतन $\frac{V}{4}$ तथा ताप 2T वाली एक अन्य गैस जार B में रखी है, तो जार *A* तथा जार *B* में रखी गैसों के अणुओं की संख्या का अनुपात होगा-

(a) 1 : 1 (b) 1 : 2
(c) 2 : 1 (d) 4 : 1

34. एक पहिया 20 रेडियन/से की कोणीय गति से घूम रहा है। यह 4 सेकण्ड तक एक नियत बलाघूर्ण लगाने पर विरामावस्था में आ जाता है। यदि पहिए का जड़त्व आघूर्ण इसकी अक्ष के परितः 0.20 किग्रा-मी^{2} हो, तो 2 सेकण्ड में बलाघूर्ण द्वारा कृत कार्य होगा-

(a) 10 जूल (b) 20 जूल
(c) 30 जूल (d) 40 जूल

35. एक 200 ओम प्रतिरोध के चालक के सिरों पर 400 वोल्ट का विद्युत वाहक बल रखा जाता है। एक सेकण्ड में इस चालक से प्रवाहित इलेक्ट्रॉनों की संख्या होगी–

($e = 1.6 \times 10^{-19}$ कूलॉम)

(a) 4.0×10^{19} (b) 3.0×10^{19}
(c) 2.0×10^{19} (d) 1.25×10^{19}

36. V_0 आयतन के दो आदर्श पात्र एक छोटे पाइप से जोड़े हैं। पात्रों में ताप T_0 तथा दाब p_0 पर आदर्श गैसें भरी हैं। एक पात्र को $2T_0$ ताप तक गर्म करते हैं और दूसरे को उसी ताप पर बनाए रखते हैं। यदि $2T_0$ ताप पर पात्र में गैस के मोलों की संख्या n और उभयनिष्ठ दाब p हो, तब-

(a) $p = 2p_0$ (b) $p = \frac{4}{3} p_0$
(c) $n = \frac{2}{3} \frac{p_0 V_0}{RT_0}$ (d) $n = \frac{3}{2} \frac{p_0 V_0}{RT_0}$

37. चित्र में दिखाई गई व्यवस्था में धारा में A से B की ओर वृद्धि हो रही है। लूप में प्रेरित धारा की दिशा होगी–

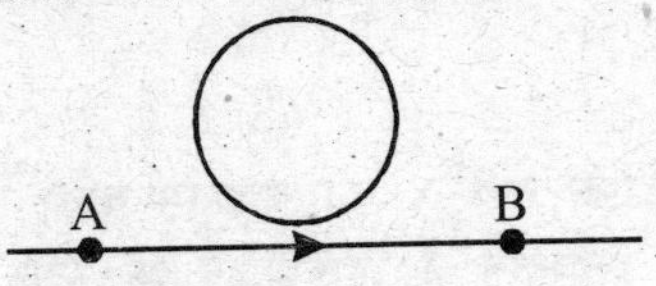

(a) दक्षिणावर्त
(b) वामावर्त
(c) शून्य
(d) दक्षिणवर्त व वामावर्त में क्रमशः परिवर्तित

38. एक प्लेट संधारित्र की प्लेटों के मध्य वोल्टेज 5 वोल्ट से 10 वोल्ट बढ़ाने पर कृत कार्य W है। वोल्टेज को 10 वोल्ट से 15 वोल्ट बढ़ाने पर कृत कार्य होगा-

(a) 0.6 W (b) 20 W
(c) 1.25 W (d) 1.67 W

39. मानव नेत्र द्वारा देखे जा सकने वाले प्रकाश की न्यूनतम तीव्रता 10^{-10} वेबर/मी^{2} है। यदि पुतली का क्षेत्रफल 10^{-6} मी^{2} हो, तो न्यूनतम दृष्टि के लिए नेत्र में प्रवेश करने वाले 5.6 $\times 10^{-6}$ मी तरंगदैर्ध्य के फोटॉनों की संख्या प्रति सेकण्ड होगी-

(a) 100 (b) 200
(c) 300 (d) 400

40. नीचे प्रदर्शित विद्युत परिपथ में वोल्टमीटर V का पाठ्यांक है-

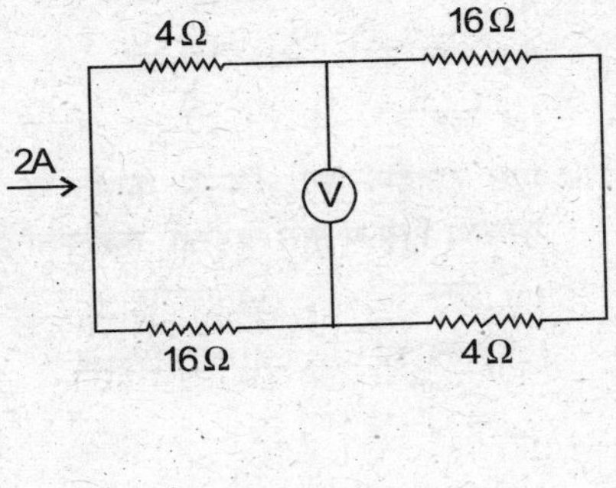

(a) 12 वोल्ट (b) 8 वोल्ट
(c) 20 वोल्ट (d) 16 वोल्ट

41. दो कण समान विपुलता (amplitiude) तथा आवृत्ति के साथ सीधी रेखा में साधारण आवर्त गति कर रहे हैं। विपरीत दिशा में गति करने पर वे एक-दूसरे को पार करते है। प्रत्येक समय में उनका विस्थापन, उनकी विपुलता (amplitude) का आधा रह जाता है, तब उनकी स्थिति के बीच अन्तर होगा-

(a) 30° (b) 60°
(c) 90° (d) 120°

42. एक न्यूट्रॉन की 27°C पर द-ब्रोगली तरंगदैर्ध्य λ है। 927°C पर इसकी तरंगदैर्ध्य क्या होगी?

(a) $\frac{\lambda}{2}$ (b) $\frac{\lambda}{3}$
(c) $\frac{\lambda}{4}$ (d) $\frac{\lambda}{9}$

43. जब $_{90}Th^{228}$, $_{83}Bi^{212}$ में परिवर्तित होता है, तो उत्सर्जित α तथा β–कणों की संख्या क्रमशः होगी-

(a) 8α, 7β (b) 4α, 7β
(c) 4α, 4β (d) 4α, 1β

44. एक छोटी छड़ चुम्बक को दक्षिण ध्रुव से भौगोलिक उत्तर दिशा में रखा गया। चुम्बक के केन्द्र से 20 सेमी की दूरी पर उदासीन बिन्दु स्थित है, यदि $B_H = 0.3 \times 10^{-4}$ वेबर/मी^{2} हो, तब चुम्बक का चुम्बकीय आघूर्ण होगा-

(a) 9.0 amp × cm^2 (b) 0.9 amp × cm^2
(c) 1.2 amp × cm^2 (d) 2.25 amp × cm^2

45. फव्वारे की नॉजल से पानी 180 सेमी नीचे फर्श पर गिरता है। बूंदे समय के नियमित अंतराल पर गिरती हैं। प्रथम बूंद उस समय फर्श पर टकराती है जब चौथी बूंद फव्वारे से गिरनी प्रारंभ होती है। जब पहली बूंद फर्श पर टकराती है। तब फर्श से दूसरी बूंद की दूरी होती है-

(a) 100 सेमी (b) 120 सेमी
(c) 80 सेमी (d) 60 सेमी

46. 4×10^{-3} किग्रा/मी के 20 सेमी तार में 10 ऐम्पियर की धारा बह रही है। ऊपर की ओर तार को रोके रखने के लिए आवश्यक चुंबकीय क्षेत्र वेबर/मी^{2} में होगा– (g = 10 मी/से^{2})

(a) 4.5×10^{-2} (b) 4×10^{-3}
(c) 5×10^{-3} (d) 6.5×10^{-3}

47. एक चुम्बक की तीव्रता 0.1×10^{-5} वेबर/मी^{2} वाले चुम्बकीय क्षेत्र में रखने पर यह प्रति मिनट 40 दोलन करती है। एक अन्य स्थान पर यह 2.5 सेकण्ड में एक कम्पन्न पूरा करती है। इस स्थान पर पृथ्वी के क्षैतिज चुम्बकीय क्षेत्र का मान क्या होगा?

(a) 0.25×10^{-6} टेस्ला
(b) 0.36×10^{-6} टेस्ला
(c) 0.66×10^{-8} टेस्ला
(d) 1.2×10^{-6} टेस्ला

48. एक रेडियोधर्मी पदार्थ 40 दिनों में अपनी प्रारम्भिक अवस्था का 1/6 भाग रह जाता है। इस पदार्थ की अर्द्ध-आयु होगी-

(a) 2.5 (b) 5
(c) 10 (d) 20

49. एक वस्तु का त्वरण-समय ग्राफ नीचे दर्शाया गया है-

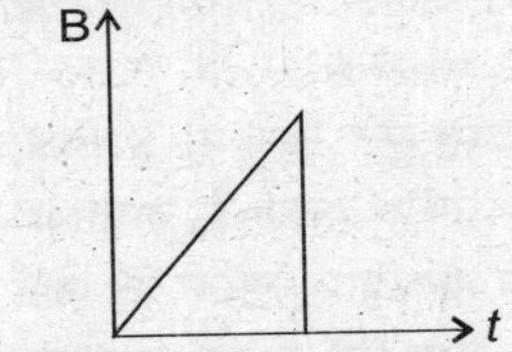

वस्तु का सबसे सम्भावित वेग-समय ग्राफ होगा-

(a)
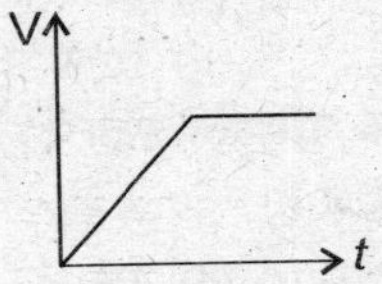

(b)
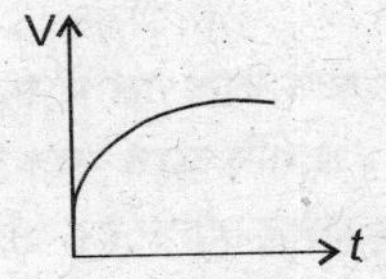

(c)
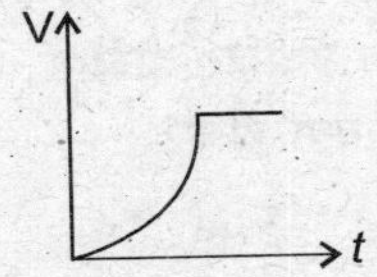

(d)
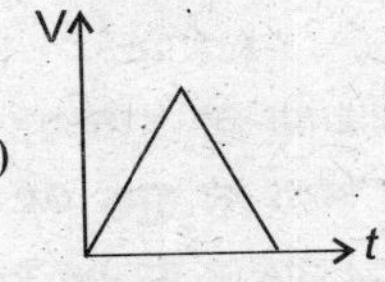

50. एक कंपित वस्तु 1 सेकण्ड में 240 कंपन करती है। वायु में ध्वनि की चाल 320 मी/से है। कंपित वस्तु के द्वारा किए गए 15 कंपनों में वायु में ध्वनि कितनी दूर जाएगी?

(a) 320 मीट (b) 10 मीटर
(c) 40 मीटर (d) 20 मीटर

51. एक छोटे छड़ चुम्बक की निग्राहिता (coercivity) 4×10^3 ऐम्पियर/मिनट है। इसे अचुम्बकित करने के लिए 1 मी लम्बाई

तथा 500 चक्कर वाली परिनालिका में प्रवेश कराया जाता है। परिनालिका से गुजरने वाली धारा का मान होगा–

(a) 2.5 ऐम्पियर (b) 5 ऐम्पियर
(c) 8 ऐम्पियर (d) 10 ऐम्पियर

52. समीकरण $\left(p+\frac{a}{V^2}\right)(V-b)=$ स्थिरांक में a की इकाई होगी–

(a) डाइन × सेमी^{5} (b) डाइन × सेमी^{4}
(c) डाइन × सेमी^{3} (d) डाइन/सेमी^{2}

53. एक 250 वॉट का हीटर पानी को 100°C तक गर्म करने के लिए 6 घंटे के लिए प्रयोग किया जाता है। पानी का प्रारंभिक ताप 0°C है। पानी का द्रव्यमान होना चाहिए–

(a) 4.2 किग्रा (b) 35.7 किग्रा
(c) 12.86 किग्रा (d) 0.357 किग्रा

54. एक वस्तु मूल बिन्दु से X-अक्ष के परितः घूमना आरम्भ करती है, तथा $(4t^3-2t)$ मी/से का वेग प्राप्त करती है। जहाँ t सेकण्ड में है। कण का त्वरण क्या होगा, जबकि कण मूल बिन्दु से 2 मी दूर है?

(a) 28 मी/से^{2} (b) 22 मी/से^{2}
(c) 12 मी/से^{2} (d) 10 मी/से^{2}

55. जब संचायक परिवर्तन होता है, तो विद्युत धारा के वाहक हैं–

(a) H^+ तथा SO_4^{2-} (b) छिद्र
(c) इलेक्ट्रॉन (d) प्रोटॉन

56. एक अनुप्रस्थ काट वाले तार में धारा, माध्य विचलन वेग v से गति करते मुक्त इलक्ट्रानों के कारण प्रवाहित होती है। यदि समान पदार्थ से बने परन्तु दुगनी त्रिज्या के तार में समान धारा प्रवाहित होती है, तब माध्य विचलन वेग क्या होगा?

(a) $\frac{v}{4}$ (b) $\frac{v}{2}$
(c) v (d) 2v

57. एक प्रक्षेपी प्रक्षेपण के 2 सेकण्ड पश्चात् क्षैतिज से 30° कोण पर झुके पथ पर गति करता है। यदि 1 सेकण्ड पश्चात् यह क्षैतिज पर गति करे, तो इसके वेग का परिणाम व दिशा होगी–

(a) $2\sqrt{20}$ मी/से, 60°
(b) $20\sqrt{3}$ मी/से, 60°
(c) $6\sqrt{40}$ मी/से, 30°
(d) $40\sqrt{6}$ मी/से, 30°

58. द्रव्यमान (M), लम्बाई (L), समय (T) और धारा (A) को मूल राशियाँ मानते हुए, पारगम्यता की विमाएँ हैं–

(a) $[M^{-1}LT^{-2}A]$ (b) $[ML^{-2}T^{-2}A^{-1}]$
(c) $[MLT^{-2}A^{-2}]$ (d) $[MLT^{-1}A^{-1}]$

59. 4 मी^{3} जल, 20 मी ऊंचाई पर एक टंकी में 2×10^5 न्यूटन/मी^{2} दाब पर पम्प किया जाता है। मोटर द्वारा किया गया कार्य है (बाह्य दाब = 10^5 न्यूटन/मी^{2})–

(a) 8×10^5 जूल (b) 16×10^5 जूल
(c) 12×10^5 जूल (d) 32×10^5 जूल

60. यदि $B_H=\frac{1}{\sqrt{3}}B_V$, नमन कोण ज्ञात कीजिए। जहाँ संकेतों के समान्य अर्थ हैं–

(a) 60° (b) 30°
(c) 45° (d) 90°

रसायन विज्ञान

61. स्टैनलेस स्टील मिश्रधातु है–

(a) लोहे और तांबे की
(b) लोहे और जस्ते की
(c) लोहे और क्रोमियम की
(d) लोहे और ग्रेफाइट की

62. किस खनिज से रेडियम प्राप्त किया गया था?

(a) चूना-पत्थर (b) पिचब्लेण्ड
(c) रूटाइल (d) हेमेटाइट

63. प्लास्टर ऑफ पेरिस का सूत्र है–

(a) $CaSO_4$
(b) $CaSO_4.2H_2O$
(c) $2CaSO_4H_2O$
(d) $(CaSO_4)_2.H_2O$

64. परमाणु नाभिक के अवयव हैं–

(a) इलेक्ट्रॉन और प्रोटॉन
(b) इलेक्ट्रॉन और न्यूट्रॉन
(c) प्रोटॉन और न्यूट्रॉन
(d) प्रोटॉन, न्यूट्रॉन और इलेक्ट्रॉन

65. क्रोमेटोग्राफी की तकनीक का प्रयोग होता है–

(a) रंगीन पदार्थों की पहचान करने में
(b) पदार्थों की संरचना निर्धारण में
(c) रंगीन पदार्थों के प्रभाजी आसवन में
(d) एक मिश्रण से पदार्थों को अलग करने में

66. एक पीकोग्राम बराबर होता है–

(a) 10^{-6} ग्राम के (b) 10^{-9} ग्राम के
(c) 10^{-12} ग्राम के (d) 10^{-15} ग्राम के

67. धोने वाले सोडा का रासायनिक सूत्र है–

(a) NaOH (b) Na_2CO_3
(c) $NaHCO_3$ (d) $Ca(OH)_2$

68. निम्न गैस अश्रु गैस की तरह काम में लेते हैं–

(a) H_2 (b) SO_2
(c) N_2 (d) Cl_2

69. रसायन उद्योग में कौन-सा तेजाब मूल रासायनिक माना जाता है?

(a) H_2CO (b) HNO_3
(c) H_2SO_4 (d) HCL

70. टरबाइन व डायनेमो से बिजली प्राप्त करने में किस ऊर्जा को विद्युत ऊर्जा में परिवर्तित करते हैं?

(a) रासायनिक ऊर्जा
(b) सौर ऊर्जा
(c) मैकेनिकल ऊर्जा
(d) मैग्नेटिक ऊर्जा

71. निम्नलिखित में कौन-सी इलेक्ट्रॉनिक संरूपण (Electronic Configuration) धातु तत्वों के लिए होती है?

(a) 2, 8 (b) 2, 8, 7
(c) 2, 8, 8 (d) 2, 8, 8, 2

72. एक तत्व X की बाह्यतम कक्षा में चार इलेक्ट्रॉन हैं। हाइड्रोजन के साथ इसके यौगिक का कौन-सा सूत्र होगा?

(a) X_4H (b) X_4H_4
(c) XH_3 (d) XH_4

73. जस्ता के एक आयतन भाग (घनत्व 7100 किग्रा/मीटर^3) को दो आयतन भाग तांबा (घनत्व 8900 किग्रा/मीटर^3) से मिलाने पर पीतल बनता है। पीतल का घनत्व (Density) है–

(a) 8000 किग्रा/मीटर^3
(b) 8300 किग्रा/मीटर^3
(c) 9500 किग्रा/मीटर^3
(d) 9800 किग्रा/मीटर^3

74. टूटी हुई हड्डियों की रक्षा के लिए प्लास्टर ऑफ पेरिस का प्रयोग होता है। यह है–

(a) बुझा चूना
(b) कैल्शियम कार्बोनेट
(c) कैल्शियम ऑक्साइड
(d) जिप्सम

75. गैल्वेनाइज्ड लोहे के पाइप पर परत होती है–

(a) जस्ते की (b) पारे की
(c) लेड की (d) क्रोमियम की

76. एक हाइड्रोकार्बन, जिसमें कार्बन के दो परमाणु द्विबन्ध द्वारा जुड़े हों, कहलाता है–

(a) एल्केन (b) एल्कीन
(c) एल्काइन (d) आयनिक बन्ध

77. प्राकृतिक रबर का बहुलक (Polymer) है-
(a) एथलीन (b) आइसोप्रिन
(c) एसीटिलीन (d) हैक्सेन

78. धातुओं के टुकड़ों को टांका लगाने वाला मिश्रण होता है-
(a) टिन और जस्ते का
(b) टिन और सीसे का
(c) जस्ता और सीसे का
(d) जस्ता और तांबे का

79. धब्बारहित स्टील बनाने में लोहे के साथ प्रयुक्त होने वाली महत्वपूर्ण धातु है-
(a) एल्यूमीनियम (b) क्रोमियम
(c) टिन (d) कॉर्बन

80. निम्नांकित में से किससे टेप रिकॉर्डर की टेप लेपित रहती है?
(a) नीला थोथा
(b) फेरोमैग्नेटिक चूर्ण
(c) जिंक ऑक्साइड
(d) पारा

81. PCl_5 का अस्तित्व है, किन्तु NCl_5 का नहीं क्योंकि :
(a) नाइट्रोजन में रिक्त *d*-कक्षक नहीं होते
(b) N की आयनन ऊर्जा बहुत अधिक होती है
(c) Cl के समान नहीं होता है
(d) उपर्युक्त में से कोई नहीं

82. प्राकृतिक रबर बहुलक होता है-
(a) स्टीयरीन का
(b) क्लोरोप्रीन का
(c) $CH_2 = \underset{\underset{CH_3}{|}}{C} - CH = CH_2$ (आइसोप्रीन का)
(d) 1, 3-ब्यूटा-डाइन का

83. क्रोमियम (परमाणु क्रमांक 24) का मूल अवस्था में सही इलेक्ट्रॉनिक विन्यास है-
(a) 2, 8, 13, 1
(b) 2, 8, 12, 2
(c) 2, 8, 8, 6
(d) 2, 8, 8, 5, 1

84. लिथोफोन है-
(a) $ZnSO_4 + PbS$
(b) $BaSO_4 + ZnS$
(c) PbO_2
(d) $ZnSO_4$

85. नाइट्रोजन तथा कार्बन मोनोऑक्साइड के समान द्रव्यमानों को एक पात्र में मिलाया गया। गैसीय मिश्रण का कुल दाब 1 वायुमण्डलीय है। मिश्रण में नाइट्रोजन का आंशिक दाब ज्ञात कीजिए-
(a) 1 वायुमण्डलीय
(b) 0.5 वायुमण्डलीय
(c) 2 वायुमण्डलीय
(d) 3 वायुमण्डलीय

86. एक परखनली जिसमें अमोनियामय Cu_2Cl_2 है, में CH_4, C_2H_2 तथा C_2H_4 गैसें प्रवाहित की जाती हैं, ज्ञात कीजिए निम्न में से कौन-सी गैस परखनली से बाहर निकलेगी?
(a) C_2H_2 और CH_4
(b) C_2H_2 और C_2H_4
(c) C_2H_4 और CH_4
(d) C_2H_2

87. प्रकाशीय समावयवता प्रदर्शित करता है-
(a) प्रोपेनॉल-2 (b) ब्यूटेनॉल-2
(c) एथेनॉल (d) मेथेनॉल

88. टर्शरी ब्यूटाईल एल्कोहॉल है-
(a) 2-मेथिल प्रोप-2-ऑल
(b) 2-मेथिल प्रोप-1-ऑल
(c) 3-मेथिल ब्यूट-1-ऑल
(d) 3-मेथिल ब्यूट-2-ऑल

89. लोहे को जंग लगने से बचाने के लिए, निम्न में से किस पेन्ट का प्रयोग किया जाता है?
(a) PbO (b) PbO_2
(c) Pb_3O_4 (d) $PbSO_4$

90. Ga की त्रिज्या Al से कम होती है क्योंकि-
(a) लैन्थेनॉइड संकुचन
(b) अधिकतम परिरक्षण प्रभाव
(c) अक्रिय युग्म प्रभाव
(d) उपर्युक्त में से कोई नहीं

91. कार्बनिक यौगिक में सल्फर के लैसेग्ने परीक्षण में बैंगनी रंग किसका बनता है?
(a) $Na_4[Fe(CN)_5NOS]$
(b) $Na_3[Fe(CN)_5NOS]$
(c) $Na_2[Fe(CN)_5NOS]$
(d) $Na_2[Fe(CN)_5NOS]$

92. निम्न में से किस यौगिक का शोधन भाप-आसवन विधि द्वारा किया जाता है?
(a) एनिलीन
(b) बेन्जोइक अम्ल
(c) पेट्रोलियम
(d) नैफ्थलीन

93. ग्लूकोस, फेनिल हाइड्राजीन की अधिक मात्रा से क्रिया करके बनाता है-
(a) ग्लूकोसाजोन
(b) ग्लूकोस फेनिल हाइड्राजीन
(c) ग्लूकोस ऑक्जाइम
(d) सॉरबिटॉल

94. निम्न में से कौन-सी अक्रिय गैस द्रव्यकरण का असामान्य व्यवहार प्रदर्शित करती है?
(a) Xe (b) He
(c) Ar (d) Kr

95. निम्न में से किसकी स्वर्ण संख्या सबसे कम होती है?
(a) जिलैटिन (b) स्टार्च
(c) एल्बूमिन (d) रक्त

96. एल्डिहाइड $NH_2.NH_2$ के साथ बनाता है-
(a) हाइड्राजोन (b) एनिलीन
(c) नाइट्रोबेन्जीन (d) इनमें से कोई नहीं

97. एसिटोन, सान्द्र H_2SO_4 के साथ आसवित करने पर बनाता है-
(a) फोरॉन
(b) एक्रोलिन
(c) मैसिटिलीन
(d) मैसीटिल ऑक्साइड

98. निम्नलिखित अभिक्रिया

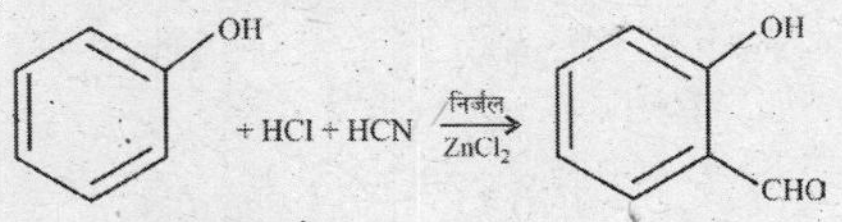

कहलाती है-
(a) पर्किन अभिक्रिया
(b) गाटर-मैन अभिक्रिया
(c) कोल्बे अभिक्रिया
(d) गाटर-मैन एल्डिहाइड अभिक्रिया

99. एक एल्किल हैलाइड, जिसे उसके ग्रिग्नार्ड अभिकर्मक से बनाया गया है, जल के साथ गरम करने पर प्रोपेन देता है। मौलिक एल्किल हैलाइड होगा-
(a) मेथिल आयोडाइड
(b) एथिल आयोडाइड
(c) एथिल ब्रोमाइड
(d) प्रोपाइल ब्रोमाइड

100. अरहीनियस प्लॉट में, अन्तः खण्ड बराबर होता है-
(a) $\frac{-Ea}{R}$ (b) InA
(c) lnK (d) $\log_{10} a$

101. ट्राइमेथिल बेन्जीन के कुल सम्भव समावयवी है-
(a) 2 (b) 3
(c) 4 (d) 6

102. निम्न में से कौन-सा अम्ल मार्जक की तरह कार्य करता है?
(a) HNO_3 (b) HCl
(c) H_2SO_4 (d) HNO_2

103. $CaOCl_2$ की विरंजन क्षमता का कारण है-
(a) नवजात ऑक्सीजन
(b) क्लोरीन
(c) HClO
(d) HCl

104. एल्किल आइसोसायनाइड में σ तथा π बन्ध होते हैं–

(a) 9σ, 3π (b) 9σ, 9π
(c) 3σ, 4π (d) 5σ, 7π

105. निम्न में से कौन-सी गैस युद्ध में प्रयोग की जाती है?

(a) N_2O (b) $CCl_3 \cdot NO_2$
(c) CO_2 (d) O_2

106. निम्न में से कौन-सा नाइट्रोजन का ऑक्साइड सबसे अधिक ऊष्मीय स्थिर होता है?

(a) N_2O_5 (b) N_2O
(c) NO (d) N_2O_3

107. 3A → 2B अभिक्रिया की दर $\frac{+d[B]}{dt}$ समान होगी–

(a) $-\frac{3}{2}\frac{d[A]}{dt}$ (b) $-\frac{2}{3}\frac{d[A]}{dt}$
(c) $-\frac{1}{3}\frac{d[A]}{dt}$ (d) $+2\frac{d[A]}{dt}$

108. निम्न में से कौन-सी गैस कृत्रिम श्वसन में प्रयोग की जाती है ?

(a) O_2 (b) CO_2
(c) हीलियम (d) इनमें से सभी

109. 0.5 NH_2SO_4 के 100 cm^3 को डेसीनॉर्मल सान्द्रता वाला विलयन बनाने के लिए कितना जल डालना होगा?

(a) 400 cm^3 (b) 450 cm^3
(c) 500 cm^3 (d) 100 cm^3

110. निम्नलिखित में से कौन-सा कथन सत्य नहीं है?

(a) NCl_3 जल-अपघटन पर NH_3 तथा HOCl देता है
(b) NH_3, PH_3 की अपेक्षा कम स्थायी है
(c) NH_3, PH_3 की अपेक्षा दुर्बल अपचायक है
(d) नाइट्रिक ऑक्साइड, ठोस अवस्था में, प्रतिचुम्बकीय गुण प्रदर्शित करता है

111. एक ऑक्सीकरण-अपचयन अभिक्रिया में, MnO_4^- आयन, Mn^{2+} में परिवर्तित हो जाते हैं। 0.04 M $KMnO_4$ वियलन के 250 मिली में उपस्थित, $KMnO_4$ (अणुभार = 158) के तुल्यांकों की संख्या होगी–

(a) 0.02 (b) 0.05
(c) 0.04 (d) 0.07

112. निम्न में से कौन-सा कथन सत्य है?

(a) उत्प्रेरक में स्थायी रासायनिक परिवर्तन हो जाता है
(b) वास्तविक विलयन में, विलेय के कणों का आकार 10^{-3} मी होता है
(c) स्टार्च का विलयन एक हाइड्रोसॉल है
(d) खनिज अम्ल की उपस्थिति में, द्रव एस्टर का जल-अपघटन, विषमांगी उत्प्रेरण अभिक्रिया का उदाहरण है

113. निम्नलिखित में से सत्य कथन छाँटिए–

(a) 0.49 ग्राम H_2SO_4 के एक लीटर विलयन का pH मान 2 होगा
(b) H_2S का संयुग्मी क्षार S^{2-} है
(c) BF_3, लूइस क्षार है
(d) फीनॉलफ्थेलिन, क्षारीय माध्यम में रंगहीन होती है

114. SiO_2 की सोडियम कार्बोनेट के साथ अभिक्रिया करने पर कौन-सी गैस उत्पन्न होती है ?

(a) CO (b) O_2
(c) CO_2 (d) O_3

115. निम्नलिखित अभिक्रिया के लिए, साम्य स्थिरांक (K_c) के लिए समीकरण है–

$$\frac{1}{2}A(g)+\frac{1}{3}B(g) \xrightleftharpoons{T(K)} \frac{2}{3}C(g)$$

(a) $K_c = \frac{[A]^{1/2}[B]^{1/3}}{[C]^{3/2}}$

(b) $K_c = \frac{[C]^{3/2}}{[A]^2[B]^3}$

(c) $K_c = \frac{[C]^{2/3}}{[A]^{1/2}[B]^{1/3}}$

(d) $K_c = \frac{[C]^{2/3}}{[A]^{1/2}+[B]^{1/3}}$

116. निम्न में से कौन-सा यौगिक, शुष्क ईथर की उपस्थिति में, मैग्नीशियम के साथ अभिक्रिया करके ग्रिग्नार्ड अभिकर्मक बनाता है?

(a) C_2H_6 (b) C_2H_5Cl
(c) C_2H_5OH (d) C_2H_5CN

117. H_2O में, H—O—H बन्ध कोण 109°28' के बजाय 104.5° होता है जिसका कारण है–

(a) एकाकी युग्म-एकाकी युग्म प्रतिकर्षण
(b) एकाकी युग्म-आबन्ध युग्म प्रतिकर्षण
(c) आबन्ध युग्म-आबन्ध युग्म प्रतिकर्षण
(d) ऑक्सीजन की अत्यधिक विद्युतऋणात्मकता

118. अर्जेन्टाइड अयस्क को घोलने के लिए निम्न में से किसका प्रयोग किया जाता है?

(a) $Na[Ag(CN)_2]$
(b) NaCN
(c) NaCl
(d) HCl

119. यदि एक रेडियोऐक्टिव पदार्थ का 5%, 15 मिनट में वियोजित होता है, तब इसके 99% के वियोजन में समय लगेगा–

(a) 50 मिनट (b) 100 मिनट
(c) 99 मिनट (d) 150 मिनट

120. ऐडिपिक अम्ल गर्म करने पर देता है–

(a)
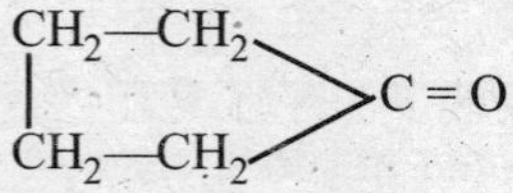

(b)
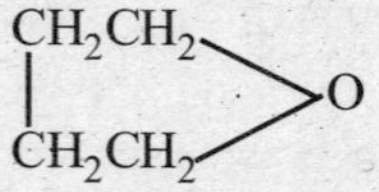

(c)
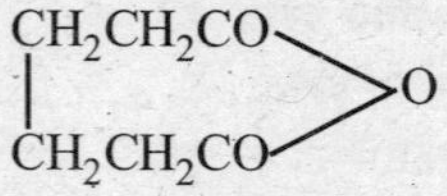

(d)
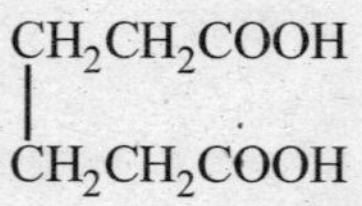

वनस्पति विज्ञान

121. माँ पौधे की भांति पौधा मिलता है-

(a) बीजों से
(b) तना काट से
(c) इन दोनों से
(d) उपरोक्त में से किसी से भी नहीं

122. संसार का सबसे बड़ा पुष्प है-

(a) कमल
(b) रैफ्लेशिया
(c) बहुत बड़ा कैक्टस
(d) उपरोक्त में से कोई नहीं

123. मटर पौधा है-

(a) शाक
(b) पुष्प
(c) झाड़ी
(d) उपरोक्त में से कोई भी नहीं

124. जीवन चक्र की दृष्टि से पौधे का सबसे महत्वपूर्ण अंग है-

(a) पुष्प (b) पत्ती
(c) तना (d) जड़

125. किस वनस्पति खाद्य में अधिकतम प्रोटीन होता है?

(a) चना (b) मटर
(c) सोयाबीन (d) अरहर

126. सबसे लम्बा जीवित वृक्ष है-

(a) यूकेलिप्टस (b) सिकुआ
(c) देवदार (d) पर्णांग

127. पौधे, जो नमकयुक्त मिट्टी में उगते हैं, को क्या कहते हैं?
(a) जीरोफाइट (b) हाइड्रोफाइट
(c) हैलोफाइट (d) सक्यूलेन्ट

128. संवहनी (Vascular) पौधों में पानी ऊपर किससे जाता है?
(a) फ्लोएम टिशू
(b) पैरेनकाइमा टिशू
(c) मेरिस्टेम
(d) जाइलम टिशू

129. पौधों का कौन-सा भाग फूल बनने का उद्दीपन ग्रहण करता है?
(a) तना (Stem)
(b) शाखा (Branches)
(c) पर्ण (Leaves)
(d) जड़ (Roots)

130. भ्रूण (Embryo) किसमें मिलता है?
(a) फूल (Flowers)
(b) पर्ण (Leaves)
(c) बीज (Seeds)
(d) कली (Buds)

131. प्रकाश-संश्लेषण (Photosynthesis) होता है-
(a) न्यूक्लिअस में
(b) माइटोकॉन्ड्रिया में
(c) क्लोरोप्लास्ट में
(d) परऑक्सीसोम में

132. दलहनी फसलें फसल प्रणाली के लिये उपयुक्त होती हैं, वे हैं-
(a) कम समय वाली फसलें
(b) रोगरोधी फसलें
(c) लम्बे समय वाली फसलें
(d) नमी दबावरोधी फसलें

133. निम्न में से कौन-सी मृदा लहसुन की खेती के लिये बहुत अच्छी होती है?
(a) काली (b) बलुई दोमट
(c) दोमट (d) मटियार

134. सबसे बाह्य चक्र को .... कहा जाता है, और इसमें बाह्य दल होते हैं।
(a) केलिक्स (बाह्यदल पुंज)
(b) कोरोला (दल पुंज)
(c) पुमंग
(d) जायांग

135. निम्न में से किस पौधे में फूल नहीं होते?
(a) कटहल (b) गूलर
(c) ऑर्किड (d) फर्न

136. पादप कोशिका जन्तु कोशिका से किस प्रकार भिन्न होती है?
(a) माइटोकॉण्ड्रिया
(b) कोशिका भित्ति
(c) जीव द्रव्य की उपस्थिति
(d) कोशिका केन्द्रक

137. हाइड्रोफाइट कहते हैं-
(a) एक सामुद्रिक जानवर को
(b) एक जलीय पौधे को
(c) एक पौधीय रोग को
(d) एक जड़रहित पौधे को

138. निम्नांकित ऊर्जा रूपान्तरणों में से किसके द्वारा प्रकाश संश्लेषण की क्रिया सम्पादित होती है?
(a) प्रकाश से रासायनिक ऊर्जा
(b) प्रकाश से ताप ऊर्जा
(c) ताप से जैव रासायनिक ऊर्जा
(d) ऊष्मा से गतिज ऊर्जा

139. 2, 4- D क्या है?
(a) एक कीटनाशक
(b) एक विस्फोटक
(c) एक कवकनाशी
(d) एक खरपतवारनाशी

140. एक जीवधारी के रूप में पृथ्वी का वैज्ञानिक नाम है-
(a) गाय (b) सीता
(c) ग्रीन प्लैनेट (d) हरमीश

141. निम्नलिखित में से किसमें भिन्नताएँ उत्पन्न नहीं होती है?
(a) अर्धसूत्री विभाजन
(b) क्लोनिंग
(c) पुनर्योजन
(d) उत्परिवर्तन

142. निम्नलिखित में से कौन एक सूक्ष्म पोषक तत्व है?
(a) Mg (b) Ca
(c) S (d) Cu

143. पारितन्त्र में नई जाति को प्रविष्ट कराने का परिणाम है-
(a) सहजीवन
(b) उन्नत विकास
(c) संसाधनों हेतु प्रतिस्पर्धा
(d) इनमें से कोई नहीं

144. गाँठ गोभी के लिये किस प्रकार की मृदा अच्छी होती है?
(a) दोमट
(b) मटियार दोमट
(c) चिकनी मटियार दोमट
(d) मटियार

145. ड्यूरामेन पाया जाता है-
(a) द्वितीयक काष्ठ के भीतरी भाग में
(b) रसकाष्ठ में
(c) द्वितीयक काष्ठ के बाह्य भाग में
(d) परिरम्भ में

146. वायु द्वारा स्थानान्तरित मृदा कहलाती है-
(a) मिश्रोढ़ मृदा (b) वायोढ़ मृदा
(c) जलोढ़ मृदा (d) हिमनदीय मृदा

147. पाइनस में नर शंकु धारण करता है-
(a) लिग्यूल (b) परागकोश
(c) लघु-बीजाणुपर्ण (d) गुरू-बीजाणुपर्ण

148. निम्नलिखित में से कौन-सा पादप उत्पाद कठोरतम होता है?
(a) लिग्निन (b) क्यूटिन
(c) सुबेरिन (d) स्पोरोपोलेनिन

149. रसारोहण हेतु सर्वाधिक मान्य वाद है-
(a) केशिकत्व वाद
(b) मूलदाब वाद
(c) स्पन्दन वाद
(d) वाष्पोत्सर्जन-खिंचाव वाद

150. निम्नलिखित में से कौन अनावृतबीजियों का लक्षण नहीं है?
(a) समानान्तर शिरा विन्यास
(b) बहुवर्षीय पादप
(c) स्पष्ट शाखाएँ (लम्बी एवं छोटी शाखाएँ)
(d) वाहिकाओं युक्त जाइलम

जन्तु विज्ञान

151. 80% से अधिक सेल में पाया जाने वाला पदार्थ है-
(a) प्रोटीन (b) चर्बी
(c) खनिज (d) जल

152. इन्सुलिन प्राप्त होता है-
(a) अदरक के प्रकन्द से
(b) डहेलिया की जड़ों से
(c) बालसम पुष्प से
(d) आलू के कन्द से

153. मनुष्य के शरीर में पैर की हड्डी-
(a) खोखली होती है
(b) सरन्ध्री होती है
(c) ठोस होती है
(d) कीलक होती है

154. मनुष्य की खोपड़ी में कितनी अस्थियां होती हैं?
(a) 8 (b) 29
(c) 32 (d) 34

155. प्रतिवर्ष 5 लाख भारतीय एक रोग से मरते हैं, इसकी पहचान करें-

(a) एन्सेफिलाइटिस (b) एड्स
(c) कैन्सर (d) क्षय रोग

156. आर्कियोप्टेरिक्स है–
(a) जुरेसिक युग का सर्वपुरातन पक्षी
(b) जुरेसिक काल का सरीसृप
(c) ट्राइएसिक काल का सरीसृप
(d) ट्राइएसिक तथा जुरेसिक दोनों कालों का सरीसृप

157. एस्प्रिन है–
(a) प्रतिजैविकी
(b) एण्टीपाइरेटिक
(c) शामक
(d) उपरोक्त में से कोई नहीं

158. सर्वदाता वर्ग के रक्तदाता का रक्त ग्रुप होता है–
(a) A (b) AB
(c) O (d) B

159. स्त्रियों की तुलना में अधिक पुरुष वर्णान्धता से पीड़ित हो सकते हैं, क्योंकि–
(a) वे अधिक मानसिक तनाव से गुजरते हैं
(b) वे अधिक देर घर से बाहर रहते हैं
(c) उनमें केवल एक X क्रोमोसोम होता है
(d) उनमें साधारणतया: कम चर्बी होती है

160. दूध उदाहरण है, एक–
(a) विलयन का
(b) कोलायड विलयन का
(c) इमल्सन का
(d) वायुविलय का

161. विटामिन C का रासायनिक नाम है–
(a) ऐस्कार्बिक अम्ल
(b) थायमीन
(c) साइट्रिक अम्ल
(d) टार्टरिक अम्ल

162. पुरुष जीन संघटन होता है–
(a) XX (b) XY
(c) X (d) Y

163. पानी का घनत्व अधिकतम होता है–
(a) 4°C पर (b) 4°K पर
(c) 4°F पर (d) –4°C पर

164. प्रकाश-संश्लेषण के लिए कौन-सी गैस (gas) आवश्यक है–
(a) O_2 (b) CO
(c) N_2 (d) CO_2

165. जीव विकास (Evolution) को सर्वप्रथम किसने समझाया?
(a) न्यूटन (b) आइन्स्टाइन
(c) चार्ल्स डार्विन (d) लैमार्क

166. जैविक सिस्टम (Living System) में रासायनिक क्रिया की प्रक्रिया को तेज (Catalyse) करने में उत्तरदायी पदार्थ है–
(a) बैक्टीरिया (b) डी.एन.ए.
(c) एन्जाइम (d) प्रोटीन्स

167. पौधे व पेड़ का खाना तैयार करने की प्रक्रिया कहलाती है–
(a) कार्बोहाइड्रोलिसिस
(b) मेटाबोलिक सिन्थेसिस
(c) फ़ोटोसेन्सिटाइजेशन
(d) फोटोसिन्थेसिस

168. निम्न में से किसकी कमी से मनुष्य में मधुमेह होता है?
(a) ग्लाइसीन (b) हीमोग्लोबिन
(c) हिस्टेमीन (d) इन्सुलिन

169. मनुष्य शरीर में खून की शुद्धिकरण की प्रक्रिया को कहते हैं–
(a) डायलिसिस (b) हीमोलिसिस
(c) ओसमोसिस (d) पैरालिसिस

170. विटामिन जो खट्टे फलों (साइट्रस) में पाया जाता है तथा चर्म को स्वस्थ रखने में जरूरी होता है–
(a) विटामिन A (b) विटामिन B
(c) विटामिन C (d) विटामिन D

171. आम में खाने योग्य भाग है–
(a) बाह्य फल भित्ति (b) अंत: फल भित्ति
(c) मध्य फल भित्ति (d) इनमें से कोई नहीं

172. निम्नलिखित में से कौन 'कोशिका का ऊर्जा गृह' कहलाता है?
(a) प्रोटीन (b) माइटोकॉण्ड्रिया
(c) लाइसोसोम (d) केन्द्रकद्रव्य

173. अंत:प्रद्रव्यी जालिका (endoplasmic reticulum) की खोज की थी–
(a) के.आर. पोर्टर ने (b) रॉबिन्सन ने
(c) ब्राउन ने (d) मूर ने

174. पुदीना के निम्नलिखित भागों में से किस एक में तेल का अधिकतम प्रतिशत पाया जाता है?
(a) जड़ (b) तना
(c) पत्ती (d) फूल

175. निम्नलिखित में से कौन-सा पिरामिड सदैव सीधा होता है तथा कभी भी उल्टा नहीं पाया जाता है?
(a) जैव भार का पिरामिड
(b) संख्या का पिरामिड
(c) ऊर्जा का पिरामिड
(d) (a) तथा (c) दोनों

176. चक्रीय प्रकाश फॉस्फोरिलीकरण (cyclic photophosphorylation) होता है–
(a) प्रकाशतन्त्र-I में
(b) प्रकाशतन्त्र-II में
(c) (a) तथा (b) दोनों में
(d) केल्विन चक्र में

177. 'चिलगोजा', निम्न में से किस एक प्रजाति के बीज से प्राप्त होता है?
(a) पाइन (b) पाम
(c) साइकस (d) देवदार

178. कुनैन के अतिरिक्त, निम्नलिखित में से कौन एक शाकीय औषधि मलेरिया के उपचार के लिए प्रयोग की जाती है?
(a) आर्टीथर (b) ग्लेस
(c) ल्यूटीविट (d) सिनेरेरिया

179. फाइकोकोलाइड्स (phycocolloids) प्राप्त होते हैं–
(a) भूरे शैवालों से
(b) हरे शैवालों से
(c) नीले-हरे शैवालों से
(d) डायटम्स से

180. कीप कोशिकाएँ (choanocytes) पाई जाती हैं–
(a) सीलेण्ट्रेटा में
(b) पोरीफेरा में
(c) इकाइनोडर्मेटा में
(d) मोलस्का में

General English

Directions (181–185): Read the given passage carefully and choose the best answer to each question out of the four alternatives.

Two bike-borne youths snatched a gold chain worth ₹ 60,000 from a 35 years old home maker in Salt Lake on Thursday morning. Around 7.30 a.m. at B.G. Block, Keshtopur resident Sujatha Dey was walking home after dropping her son in school when the youths, wearing full mask helmets that covered their faces, snatched the chain from behind and speed away. She ran for a distance chasing them, but soon they took a sharp turn and she lost them. She dialled 100, the police helpline, from her cell phone.

181. 'Homemaker' is a synonym of
(a) Housewife
(b) Servant
(c) Construction worker
(d) None of these

182. The Homemaker stayed in
(a) Bangalore
(b) Salt Lake

(c) Keshtopur
(d) None of these

183. The thieves were chased by
(a) The residents
(b) Police
(c) Sujatha's son
(d) Sujatha Dey alone

184. Why could Sujatha Dey not identify the thieves?
(a) Because they sped away fast
(b) Because they wore full mask helmets
(c) Because they were on a bike
(d) Because she was not interested

185. Why did Sujatha Dey dial 100?
(a) She wanted to know the time of the incident
(b) She got a call from that number
(c) To lodge a complaint with the police
(d) She was afraid of police

Directions (186): In these questions, out of the four alternatives choose the one which best expresses the meaning of the given word.

186. ERADICATE
(a) Eliminate (b) Dedicate
(c) Indicate (d) Complicate

Directions (187–190): Fill in the blank with the appropriate word chosen from the alternatives.

187. Why don't you sit _____ me?
(a) next (b) along
(c) beside (d) close

188. Two buses collided _____ each other near the stadium.
(a) with (b) into
(c) over (d) at

189. "Sagar performed the Yajna and handed over the kingdom to Anshuman."
The above sentence is a
(a) Simple sentence
(b) Complex sentence
(c) Exclamatory sentence
(d) Compound sentence

190. Plural of "mouse" is
(a) Mouses (b) Mice
(c) Mouse (d) None of these

सामान्य ज्ञान

191. बिम्बिसार और अजातशत्रु संरक्षक थे–
(a) शैव धर्म
(b) वैष्णव धर्म
(c) जैन धर्म
(d) इनमें से कोई नहीं

192. कनिष्क महान जो _____ राजवंश के सम्राट थे, उन्होंने गांधार स्कूल की यूनानी-बौद्ध कला को प्रोत्साहन दिया।
(a) कोशल
(b) कुषाण
(c) मौर्य
(d) इनमें से कोई नहीं

193. ब्रिटिश चालक _____ ने 1770 में विद्यमान स्थानीय निवासियों के साथ बिना कोई बातचीत किए ऑस्ट्रेलिया के पूर्वी तट पर ब्रिटिश आधिपत्य का दावा किया।
(a) डेविड कुक (b) थॉमस कुक
(c) जॉर्ज कुक (d) जेम्स कुक

194. उत्तरी अमेरिका और दक्षिणी अमेरिका को मिलाकर विश्व में कुल ____ महाद्वीप हैं–
(a) 7 (b) 6
(c) 5 (d) 8

195. संयुक्त राष्ट्र संगठन की स्थापना हुई थी–
(a) 24 दिसम्बर, 1945
(b) 26 जनवरी, 1950
(c) 24 अक्टूबर, 1945
(d) 15 अगस्त, 1947

196. ज्ञानपीठ पुरस्कार निम्नलिखित में से किस क्षेत्र में उत्कृष्टता के लिए दिया जाता है?
(a) दवा
(b) सामाजिक कार्य
(c) साहित्य
(d) सिनेमा

197. अकबर द्वारा स्थापित धर्म का नाम क्या था?
(a) बिन-इलाही (b) दीन-विलाही
(c) दीन-बिलाही (d) दीन-ए-इलाही

198. कौन-सा देश 'नील का उपहार' (Gift of the Nile) के रूप में जाना जाता है?
(a) सूडान (b) कांगो
(c) मिस्र (d) दक्षिण अफ्रीका

199. कथकली मुख्य रूप से किस राज्य की नृत्य शैली है?
(a) कर्नाटक (b) तमिलनाडु
(c) केरल (d) आन्ध्र प्रदेश

200. 1983 में विश्व कप क्रिकेट का खिताब जीतने वाली भारतीय क्रिकेट टीम के कप्तान कौन थे?
(a) कपिल देव (b) अज़हरुद्दीन
(c) अभिनव बिन्द्रा (d) सचिन तेन्दुलकर

व्याख्या सहित उत्तर

भौतिक विज्ञान

1. (c) एक माइक्रॉन मीटर = 10^{-6} मीटर तथा एक मीटर = 1000 मिली मीटर। अत: एक माइक्रॉन मीटर = $10^{-6} \times 1000$ मिली मीटर या, 1 माइक्रॉन मीटर = $10^{-6} \times 10^{3}$ मिली मीटर = 10^{-3} मिली मीटर = 1/1000 मिली मीटर।

2. (c) लेंस की फोकस दूरी का मात्रक 'डायोप्टर' होता है। उत्तल लेंस की क्षमता धनात्मक व अवतल लेंस की क्षमता ऋणात्मक होती है। यदि दो लेंसों को परस्पर सटा के रखा जाये तो उनकी क्षमताएं जुड़ जाती हैं तथा संयुक्त लेंस की क्षमता दोनों लेंसों की क्षमताओं के योग के बराबर होती है। समतल कांच की प्लेट की क्षमता शून्य होती है तथा फोकस दूरी अनन्त होती है। अत: फोकस दूरी = $\frac{1}{\text{लेंस की क्षमता}}$

$$D = \frac{1}{\text{लेंस की क्षमता}} \text{ or } F = \frac{1}{2}$$

$$D = \frac{1}{F} \text{ or } F = \frac{1}{D}$$

लेंस की क्षमता +2 डायोप्टर दी गयी है

$$\text{अत: फोकस दूरी} = \frac{1}{+2} = 50 \text{ सेमी}$$

3. (b) जब किसी तार में विद्युत धारा प्रवाहित की जाती है तो मुक्त इलेक्ट्रॉन तार के एक सिरे से दूसरे सिरे तक गति करना प्रारम्भ कर देते हैं। अपनी गति के दौरान इलेक्ट्रॉन चालक के परमाणुओं से लगातार टकराते रहते हैं, जिसके कारण उनकी गति में एक गतिरोध उत्पन्न हो जाता है। इलेक्ट्रॉनों द्वारा इस गतिरोध के विरुद्ध अपनी गति को बनाये रखने के लिए कुछ कार्य करना पड़ता है। एकांक आवेश द्वारा चालक के एक सिरे से दूसरे सिरे तक प्रवाहित होने में किए गए कार्य को ही दोनों सिरों के बीच विभवान्तर कहते हैं। अत:

$$\text{बिजली का खर्च} = \frac{\text{वॉट} \times \text{घंटा}}{1000}$$

$$= 100 \times \frac{10}{1000} = 1 \text{ इकाई}$$

4. (c) ताप मापने के लिए जो उपकरण प्रयोग में लाया जाता है, उसे तापमापी कहते हैं। तापमापी कई प्रकार के होते हैं। तापमापी में पदार्थ के उस गुण

का उपयोग करते हैं, जो ताप परिवर्तन के अनुपात में बदलता रहे, इसे तापमापक गुण कहते हैं। सेल्सियस पैमाना–इस पैमाने का आविष्कार स्वीडन के वैज्ञानिक सेल्सियस ने किया था। सेल्सियस स्केल पर मानव शरीर का सामान्य तापक्रम 36.9°C होता है, जबकि फारेनहाइट स्केल पर मानव शरीर का सामान्य तापक्रम 98.4°C तापमान होता है।

5. (c) प्रकाश एक प्रकार की ऊर्जा है जो विद्युत चुम्बकीय तरंगों के रूप में संचरित होती है। तरंगों की भाँति इनका परावर्तन, अपवर्तन, विवर्तन, व्यतिकरण तथा ध्रुवण होता है और ये सीधी रेखा में चलते हैं। दूसरी ओर ये ऊर्जा के छोटे-छोटे बण्डलों के रूप में चलते हैं और क्राम्पटन प्रभाव तथा प्रकाश विद्युत-प्रभाव की व्याख्या करते हैं, जो प्रकाश की कण प्रकृति को प्रकट करते हैं। इस प्रकार प्रकाश तरंग तथा कण दोनों की विशेषताओं को प्रकट करता है।

6. (b) पानी का आयतन 4°C पर न्यूनतम तथा घनत्व अधिकतम होता है।

$$\frac{F-32}{9}=\frac{c}{5}$$

$$\frac{F-32}{9}=\frac{4}{5}=5F-160=36$$

$$5F=196$$

$$F=\frac{196}{5}= 39.2°F \text{ या } 4°C$$

7. (b) वायु तथा शून्याकाश या निर्वात में प्रकाश की चाल सबसे अधिक होती है। भिन्न-भिन्न माध्यमों में प्रकाश की चाल भिन्न होती है, तथा यह माध्यम के अपवर्तनांक पर निर्भर करती है। प्रकाश की चाल विभिन्न माध्यमों में इस प्रकार है–

माध्यम	प्रकाश की चाल (मी./से.)
निर्वात (शून्याकाश)	3×10^8
पानी	2.25×10^8
कांच	2×10^8
तारपीन का तेल	2.04×10^8
नायलोन	1.98×10^8

8. (a) $a=u+vt$ $\quad \therefore a=\frac{v-u}{t}$

9. (b) सरल लोलक की कालावधि लम्बाई के ऊपर निर्भर करती है। सरल लोलक का आवर्तकाल, प्रभावी लम्बाई के वर्गमूल के अनुक्रमानुपाती होता है अर्थात् प्रभावी लम्बाई बढ़ाने पर आवर्तकाल बढ़ता है तथा घटाने पर घटता है। यदि डोरी की प्रभावी लम्बाई l व गुरुत्वीय त्वरण g हो तो लोलक का आवर्तकाल $T=2\pi\frac{\sqrt{l}}{g}$

10. (b) दृश्य स्पेक्ट्रम के तरंगदैर्ध्य की सीमा 3900Å–7600Å के मध्य होती है। इससे अधिक तरंगदैर्ध्य की तरंगें इन्फ्रारेड तथा कम तरंगदैर्ध्य की तरंगें पराबैंगनी तरंगें कहलाती हैं।

11. (c) यदि किसी वस्तु का **घनत्व द्रव्य के घनत्व से अधिक** हो तो वस्तु डूब जाएगी, क्योंकि वस्तु का घनत्व उसके द्रव्यमान के समानुपाती होता है। उदाहरणार्थ लोहे का जहाज जल पर तैरता है जबकि लोहे की छोटी कील पानी में डूब जाती है।

12. (c) **दृष्टि पटल (रेटिना)** पर जो चित्र बनता है वह वस्तु से छोटा व उल्टा होता है, किन्तु मस्तिष्क हमें वस्तु का ठीक वैसा ही ज्ञान कराता है जैसा कि उसका स्वरूप होता है।

13. (c) **अत्यधिक आर्द्र व गर्मी** के मौसम में मनुष्य को परेशानी इसलिए होती है क्योंकि **अत्यधिक गर्मी** के कारण शरीर से निकला हुआ पसीना आर्द्र हवा के कारण वाष्पित नहीं हो पाता। शरीर से पसीना वाष्पित होने के क्रम में ही हमें ठंडक का अनुभव होता है।

14. (a) पारसेक खगोलीय दूरियां नापने का मात्रक है।

एक पारसेक = 3.08×10^{16} मी.

समय की इकाई - सेकण्ड, मिनट, घण्टा

चुम्बकीय बल की इकाई - वेबर

दूरी की अन्य इकाई-नॉटिकल मील (1852 मी.)

प्रकाश वर्ष (3.26×10^{16} मी.)

15. (d)

राशियां	मात्रक
वेग परिवर्तन की दर = त्वरण	मीटर/सेकण्ड^2
बल = द्रव्यमान × त्वरण	कि.ग्रा. मी./से.^{2} = न्यूटन
कार्य = बल × विस्थापन	न्यूटन × मी. या जूल
आवेग = बल × समय	न्यूटन × सेकण्ड

16. (b) **अमीटर** दर्शाता है कि विद्युत सर्किट में विद्युत की कितनी ऐम्पियर धारा प्रवाहित हो रही है। बैरोमीटर वायुमण्डलीय दाब मापता है जबकि हाइग्रोमीटर सापेक्षिक आर्दता और स्प्रिंग तुला भार मापती है।

17. (d) **ट्रांसफॉर्मर** एक ऐसी युक्ति है, जिसके द्वारा कम वोल्ट की प्रत्यावर्ती **धारा (AC)** का अधिक वोल्ट में तथा अधिक वोल्ट की प्रत्यावर्ती **धारा (DC)** को कम वोल्ट में परिवर्तित किया जाता है।

18. (b)

युक्ति	कार्य
इनवर्टर	रासायनिक ऊर्जा को विद्युत ऊर्जा
रेक्टीफायर	प्रत्यावर्ती धारा को दिष्ट धारा
ट्रांसमीटर	प्रत्यावर्ती धारा को कम या ज्यादा करना
ट्रान्समीटर	सम्प्रेषण

19. (c) भौतिक राशियों एवं उनके मात्रकों का समायोजन इस प्रकार है–

भौतिक राशियां	मात्रक
(a) उच्च वेग	मैक
(b) तरंग दैर्ध्य	एंग्सट्रॉम
(c) दबाव	पास्कल
(d) ऊर्जा	जूल

20. (b) **रक्त दाब** मापने वाले यंत्र का नाम स्फिग्नोमेनोमीटर (Sphygnomanometer) है। सामान्य मनुष्य का रक्तदाब 120/80 होता है। **टैकोमीटर** वायुयानों तथा मोटर नाव की गति को नापने वाला उपकरण है। ऐक्टीमीटर सूर्य किरणों की तीव्रता का निर्धारण करने वाला यंत्र है। **बैरोमीटर** वायु दाब मापने वाला उपकरण है।

21. (b) प्रक्षेप्य की परास $(R)=\frac{u^2\sin2\theta}{g}$

$\because \quad R \propto \sin 2\theta$

$\therefore \quad \frac{R'}{R}=\frac{\sin 90^o}{\sin 30^o}=2$

R' = 2R = 2 × 1.5 किमी = 3 किमी

22. (d) बल आघूर्ण (τ) = बल × विस्थापन

$= [MLT^{-2}][L] = [ML^2T^{-2}]$

23. (a) $\quad R - mg\cos\theta = mg$

Or $R = mg - mg\cos\theta$

Or $R = mg(1-\cos\theta)$

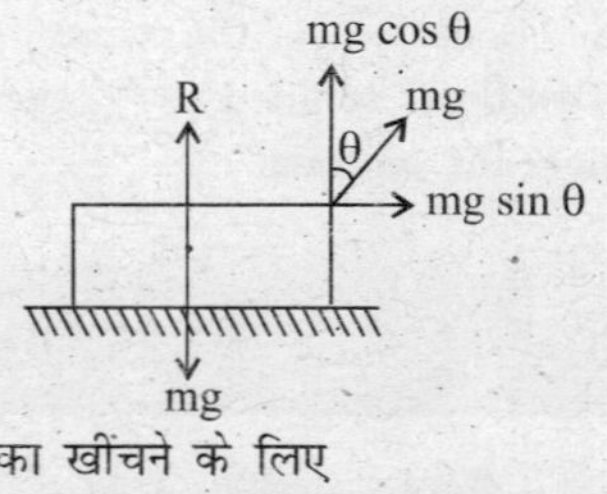

गुटका खींचने के लिए

$$mg\sin\theta > \mu R$$

या $\quad mg\sin\theta > \mu\, mg(1-\cos\theta)$

या $\sin\theta > \mu(1-\cos\theta)$

या $2\sin\frac{\theta}{2}\cos\frac{\theta}{2} > \mu\left(1-1+2\sin^2\frac{\theta}{2}\right)$

या $\cos\frac{\theta}{2} > \mu\sin\frac{\theta}{2}$ या $\cot\frac{\theta}{2} > \mu$

24. (a) प्रश्नानुसार, $v'=\frac{u}{1.5}=\frac{2}{3}u$

संवेग संरक्षण के नियम से,

$$m_1u = m_2v' + m_2v$$

$$m_1u = m_1\frac{2u}{3} + m_2v$$

या $\frac{1}{3}m_1u = m_2v$ ...(i)

न्यूटन के समघात के नियम से,

$$v - \frac{2u}{3} = u \text{ या } v = \frac{5}{3}u$$

$$m_1u = m_1 + m_2v$$

समी. (i) से

$$\frac{1}{3}m_1u = \frac{5}{3}m_2u$$

या $\frac{m_1}{m_2} = 5$

25. (a) परमशून्य ताप पर अर्द्धचालक पूर्णतया कुचालक की भांति व्यवहार करता है।

26. (c) रस्सी का तनाव,

$$T_1 = \frac{(m_2 + m_3)F}{m_1 + m_2 + m_3}$$

$$\frac{(3+5)10}{2+3+5} = 8 \text{ न्यूटन}$$

27. (a) B, A की दिशा में गिरेगा, यदि छद्म बल निश्चित घर्षण से अधिक होगा

$$F > F_1 = m\left(\frac{F}{m+M}\right) > \mu_s R$$

$$= m\left(\frac{F}{m+M}\right) > 0.15\, mg$$

$[\because R = mg]$

$\therefore F > 1.764$ न्यूटन$[\therefore M = 1\text{kg}, m = 0.2 \text{ kg}]$

28. (b) यदि एक कण जिस पर दो असामान्य, गतिशील बल f_c एवं f_t कार्य करते हैं, तो

कुल बल $f_{कुल} = \sqrt{f_c^2 + f_t^2}$ ...(i)

अभिकेन्द्रीय बल,

$$f_c = \frac{mv^2}{R} = \frac{2as^2}{R} \quad ...(ii)$$

(गतिज ऊर्जा $= \frac{1}{2}mv^2 = as^2$ दिया है)

$$\frac{1}{2}mv^2 = as^2$$

$$v^2 = \frac{2as^2}{m} \Rightarrow v = s\sqrt{\frac{2a}{m}}$$

स्पर्श रेखीय त्वरण,

$$a_1 = \frac{dv}{dt} = \frac{dv}{ds}\cdot\frac{ds}{dt} = \frac{d}{ds}\left[s\sqrt{\frac{2a}{m}}\right] \times v$$

$$= v\sqrt{\frac{2a}{m}} = s\sqrt{\frac{2a}{m}}\sqrt{\frac{2a}{m}} = \frac{2as}{m}$$

$f_t = ma_t = 2as$ ...(iii)

समी (i) से f_c तथा f_t के मान रखने पर

$$f_{कुल} = \sqrt{(2as)^2 + \left(\frac{2as^2}{R}\right)^2}$$

$$= \sqrt{4a^2s^2\left[1 + \frac{s^2}{R^2}\right]}$$

$$\Rightarrow = 2as\left[1 + \frac{s^2}{R^2}\right]^{1/2}$$

29. (a) $v = 6$ मी^{3}, $m = 6000$ किग्रा

तथा $P = 2000$ वॉट

$$P = Vi$$

$$= 200 \times 10 = 2000 \text{ वॉट}$$

प्रश्नानुसार,

$$p \times \frac{75}{100} = \frac{mgh}{t \times 60 \text{ मिनट}}$$

अतः $\frac{75}{100} \times 2000 = \frac{6000 \times 10 \times 15}{t \times 60}$

$$\frac{3}{4} = \frac{3 \times 10}{t \times 4}$$

या $t = 10$ मिनट

30. (a) जब m_2 टुकड़ा त्वरण a के साथ नीचे की ओर जाता है। तब द्रव्यमान m_1 का त्वरण a से $2a$ हो जायेगा क्योंकि यह उसी समय m_2 की तुलना में दुगनी दूरी तय करेगा।

माना, रस्सी में तनाव T है

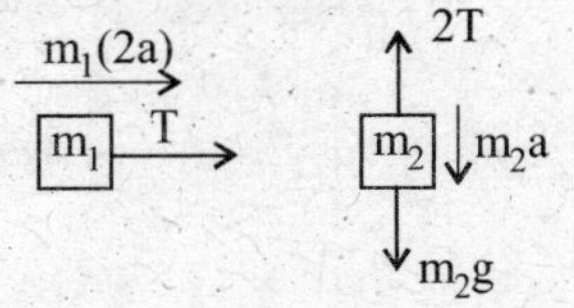

चित्रानुसार,

$T = m_1 2a$ ...(i)

$m_2 g - 2T = m_2 a$ ...(ii)

समी (i) व (ii) को हल करने पर

$$a = \frac{m_2 g}{(4m_1 + m_2)}$$

31. (b) मुक्त ऊर्जा,

$$E = 4pTR^3\left[\frac{1}{r} - \frac{1}{R}\right]$$

$$= 3\left(\frac{4}{3}\pi R^3\right)T\left[\frac{1}{r} - \frac{1}{R}\right] = 3VT\left[\frac{1}{r} - \frac{1}{R}\right]$$

32. (a) जब पदार्थ समान आयतन में मिश्रित किये जाते हैं, तो घनत्व

$$= \frac{\rho_1 + \rho_2}{2} = 4$$

$\Rightarrow \rho_1 + \rho_2 = 8$ ...(i)

जब पदार्थ समान द्रव्यमानों में मिश्रित किये जाते हैं, तब

घनत्व $= \frac{2\rho_1\rho_2}{\rho_1 + \rho_2} = 3$

$2\rho_1\rho_2 = 3(\rho_1 + \rho_2)$ ...(ii)

समी (i) व (ii) को हल करने पर

$\rho_1 = 6$ और $\rho_2 = 2$

33. (d) आदर्श गैस समीकरण,

$$pV = \mu RT = \left(\frac{N}{N_A}\right)RT$$

जहाँ, N = अणुओं की संख्या

N_A = आवोगाद्रो संख्या

$$\therefore \frac{N_1}{N_2} = \left(\frac{p_1}{p_2}\right)\left(\frac{V_1}{V_2}\right)\left(\frac{T_2}{T_1}\right)$$

$$= \left(\frac{p}{2p}\right)\left(\frac{V}{V/4}\right)\left(\frac{2T}{T}\right) = \frac{4}{1}$$

34. (c) $\omega_1 = 20$ रेडियन/से

$\omega_2 = 0$

तथा $t = 4$ सेकण्ड

तो कोणीय मंदन

$$\alpha = \frac{\omega_1 - \omega_2}{t} = \frac{20}{4} \text{ रेडियन/से}^2$$

2 सेकण्ड बाद कोणीय गति

$$\omega_2 = \omega_1 - \alpha t$$

$$= 20 - 5 \times 2 = 10 \text{ रेडियन/से}$$

2 सेकण्ड में बल आघूर्ण द्वारा किया गया कार्य

= गतिज ऊर्जा में कमी

$$= \frac{1}{2}I(\omega_1^2 - \omega_2^2)$$

$$= \frac{1}{2} \times (0.20)(20)^2 - (10)^2$$

= 30 जूल

35. (d) V = 400 वोल्ट, R = 200 ओम

$e = 1.6 \times 10^{-19}$ कूलॉम

$$I = \frac{V}{R} = \frac{400}{200} = 2 \text{ ऐम्पियर}$$

प्रति सेकण्ड प्रवाहित/आवेश,

$$q = I \times t = 2 \times I = 2 \text{ कूलॉम}$$

अतः एक सेकण्ड में प्रवाहित इलेक्ट्रॉनों की संख्या,

$$m = \frac{q}{e} = \frac{2}{1.6 \times 10^{-19}} = 1.25 \times 10^{19}$$

36. (b) पात्र A के लिए,

$p_0V_0 = n_0RT_0$

पात्र B के लिए,

$$p_0V_0 = n_0RT_0$$

$$n_0 = \frac{p_0V_0}{RT_0}$$

कुल मोलों की संख्या $= n_0 + n_0 = 2n_0$

अतः गर्म करने पर संरक्षित कुल अणुओं की संख्या

$n_1 + n_2 = 2n_0$ ...(i)

यदि p उभयनिष्ठ दाब है, तो

पात्र A के लिए,

$$pV_0 = n_1R2T_0$$

$$n_1 = \frac{pV_0}{2RT_0}$$

पात्र B के लिए,

$$pV_0 = n_2RT_0$$

$$n_2 = \frac{pV_0}{RT_0}$$

n_0, n_1 और n_2 का मान समी (i) में रखने पर

$$\frac{pV_0}{2RT_0} + \frac{pV}{RT_0} = \frac{2pV_0}{RT_0}$$

$$\Rightarrow \qquad p = \frac{4}{3}p_0$$

पात्र A में अणुओं की संख्या ($2T_0$ ताप पर)

$$= n_1 = \frac{pV_0}{2RT_0}$$

$$= \left(\frac{4}{3}p_0\right)\frac{V_0}{2RT_0}$$

$$= \frac{2}{3}\frac{p_0V_0}{RT_0} \left[\because p = \frac{4}{3}p_0\right]$$

37. (a) जब धारा का परिमाण A से B की ओर बढ़ाया जाता है, तो उत्पन्न चुम्बकीय क्षेत्र का मान बढ़ जाता है अर्थात् लूप से सम्बन्धित चुम्बकीय फ्लक्स परिवर्तित होता है। अत: लूप में दक्षिणावर्त दिशा में प्रेरित धारा प्रवाहित होती है।

38. (d) हम जानते हैं, कि किया गया कार्य

$$U_{\text{अन्तिम}} - U_{\text{प्रारम्भिक}} = \frac{1}{2}C(V_2^2 - V_1^2)$$

जब विभवान्तर को 5 वोल्ट से बढ़ाकर 10 वोल्ट कर दिया जाता है,

$$\text{तो} \quad W = \frac{1}{2}C(10^2 - 5^2) \qquad \text{...(i)}$$

जब विभवान्तर को 10 वोल्ट से बढ़ाकर 15 वोल्ट कर दिया जाता है,

$$\text{तो} \quad W' = \frac{1}{2}C(15^2 - 10^2) \qquad \text{...(ii)}$$

समी (i) व (ii) को हल करने पर

$$W' = 1.67W$$

39. (c) प्रयोग द्वारा $l = \frac{P}{A}$ जहाँ P = विकिरण शक्ति

$$\Rightarrow \quad p = l \times A = \frac{nhc}{t\lambda} = lA \Rightarrow \frac{n}{t} = \frac{lA}{hc}$$

अत: नेत्र में प्रति सेकण्ड प्रवेश करने वालों फोटॉनों की संख्या

$$\frac{n}{t} = \frac{10^{-10} \times 10^{-6} \times 5.6 \times 10^{-7}}{6.6 \times 10^{-34} \times 3 \times 10^8} \approx 300$$

40. (a) X और Y के बीच विभवान्तर

$$V_{XY} = V_X - V_Y = 1 \times 4 = 4 \text{ वोल्ट} \qquad \text{...(i)}$$

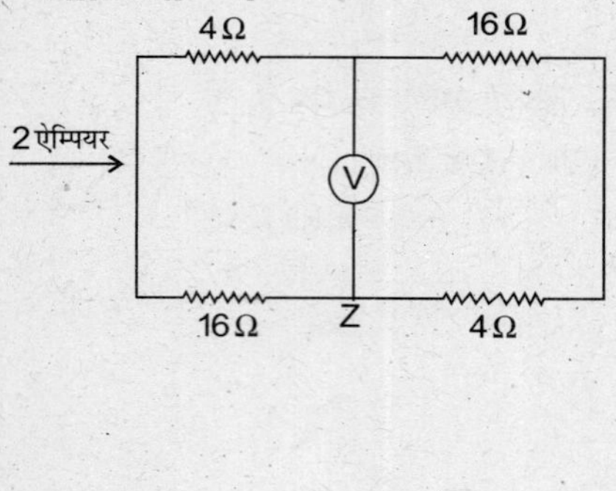

X और Z के बीच विभवान्तर

$$V_{XZ} = V_X - V_Z = 1 \times 16 = 16 \text{ वोल्ट} \qquad \text{...(ii)}$$

सभी (i) व (ii) को हल करने पर Y और Z के बीच विभवान्तर प्राप्त होता है।

अत: वोल्टमीटर का पाठयांक

$$V_Y - V_Z = 12 \text{ वोल्ट}$$

41. (d) माना दो सरल आवर्त गतियों की समीकरण निम्न है।

$$y = a\sin\omega t$$

$$y = a\sin(\omega t + \phi)$$

प्रथम शर्तानुसार,

$$\frac{a}{2} = a\sin\omega t$$

$$\Rightarrow \quad \sin\omega t = \frac{1}{2}$$

$$\cos\omega t = \frac{\sqrt{3}}{2}$$

द्वितीय शर्तानुसार

$$\Rightarrow \quad \frac{a}{2} = a\sin(\omega t + \phi)$$

$$\Rightarrow \quad \frac{1}{2} = [\sin\omega t\cos\phi + \cos\omega t\sin\phi]$$

$$\Rightarrow \quad \frac{1}{2} = \left[\frac{1}{2}\cos\phi + \frac{\sqrt{3}}{2}\sin\phi\right]$$

$$\Rightarrow \quad 1 - \cos\phi = \sqrt{3}\sin\phi$$

$$\Rightarrow \quad (1 - \cos\phi)^2 = 3\sin^2\phi$$

$$\Rightarrow \quad (1 - \cos\phi)^2 = 3(1 - \cos^2\phi)$$

हल करने पर

$$\cos\phi = \pm 1$$

$$\cos\phi = -\frac{1}{2}$$

$$\phi = 0 \text{ Or } \phi = 120^\circ$$

42. (a) 1 न्यूट्रॉन $\propto \frac{1}{\sqrt{T}}$

$$\Rightarrow \quad \frac{\lambda_1}{\lambda_2} = \sqrt{\frac{T_2}{T_1}}$$

$$\Rightarrow \quad \frac{\lambda_1}{\lambda_2} = \sqrt{\frac{(273 + 927)}{(273 + 27)}}$$

$$= \sqrt{\frac{1200}{300}} = 2$$

$$\Rightarrow \quad \lambda_2 = \frac{\lambda}{2}$$

43. (d) ${}_{z-90}Th^{A-228} \rightarrow {}_{z'-83}Bi^{A'-212}$

उत्सर्जित α-कणों की संख्या

$$n_\alpha = \frac{A - A'}{4} = \frac{228 - 212}{4} = 4$$

उत्सर्जित β-कणों की संख्या

$$n_\beta = 2n_\alpha - z + z' = 2 \times 4 - 90 + 83 = 1$$

44. (c) उदासीन बिन्दु पर, चुम्बक के कारण चुम्बकीय क्षेत्र = पृथ्वी के चुम्बकीय क्षेत्र का क्षैतिज घटक

$$\Rightarrow \quad \frac{m_0}{4\pi}\frac{2M}{r^3} = B_H$$

$$\Rightarrow \quad \frac{10^{-7} \times 2 \times M \times 1}{(0.2)^3} = 0.3 \times 10^{-4}$$

$$\Rightarrow \quad M = 1.2 \text{ ऐम्पियर} \times \text{मी}^2$$

45. (a) प्रथम बूंद का फर्श पर टकराने में लगा समय

$$t = \sqrt{\frac{2h}{g}}$$

$$\Rightarrow t = \sqrt{\frac{2 \times 1.8}{10}} = 0.6 \text{ सेकण्ड}$$

चूंकि पानी की बूंदे समान अंतराल पर गिर रही हैं, अत: दोनों बूंदों के बीच समयान्तराल = 0.2 सेकण्ड इस समय में दूसरी बूंद की नॉजल से दूरी

$$= \frac{1}{2}10(0.4)^2 = 0.8 \text{ मी}$$

∴ फर्श से दूरी = (1.8–0.8) मी = 100 सेमी

46. (b) तार के संतुलन के लिए

$$F = mg$$

$$\Rightarrow \quad BIL = mg$$

$$B = \frac{mg}{IL}$$

$$= \frac{4 \times 10^{-3} \times 20 \times 10^{-2} \times 10}{10 \times 20 \times 10^{-2}}$$

$$= 4 \times 10^{-3} \text{ वेबर/मी}^2$$

47. (b) सूत्र $T = 2\pi\sqrt{\frac{1}{MB_H}}$ के प्रयोग द्वारा

$$\Rightarrow \frac{T_1}{T_2} = \sqrt{\frac{(B_H)_2}{(B_H)_1}}$$

$$\Rightarrow \frac{60/40}{2.5} = \sqrt{\frac{(B_H)_2}{0.1 \times 10^{-5}}}$$

$$\Rightarrow (B_H)_2 = 0.36 \times 10^{-6} \text{ टेस्ला}$$

48. (c) $N = N_0e^{-\lambda t}$

$$\frac{N_0}{2} = N_0e^{-\lambda T1/2} \text{ या } \frac{1}{2} = e^{-\lambda T1/2}$$

$$2 = e^{\lambda T1/2} \text{ या } \log_e 2 = \lambda T_{1/2}$$

द्वितीय स्थिति में,

$$\frac{1}{16}N_0 = N_0e^{-\lambda t} \text{ या } 16 = e^{\lambda t}$$

$$\lambda t = \log_e 16$$

$$\therefore \frac{t}{T_{1/2}} = \frac{\log_e 16}{\log_2 2} = \frac{\log_e(2)^4}{\log_2(2)}$$

$$\frac{40}{T_{1/2}} = 4\frac{\log_e 2}{\log_2 2} = 4$$

या $T_{1/2} = 10$ दिन

49. (c) $a - t$ ग्राफ से त्वरण में नियत दर से वृद्धि होती है

$\therefore \quad \frac{da}{dt} = k$ (स्थिरांक)

$\Rightarrow \quad a = kt$ (समाकलन द्वारा)

$\Rightarrow \quad \frac{dv}{dt} = kt$

$\Rightarrow \quad dv = kt\, dt$

$\Rightarrow \quad \int dv = k \int t\, dt$

$\Rightarrow \quad v = k\left[\frac{kt^2}{2}\right]$

$\Rightarrow \quad v = \frac{kt^2}{2}$

चूँकि v परवलय रूप से समय पर निर्भर करता है तथा परवलय v-अक्ष के समरूप है।

चूँकि वेग नियत है अत: त्वरण अचानक शून्य हो जाता है।

50. (d) 240 कम्पनों में लिया गया समय = 1 सेकण्ड

1 कम्पन में लिया गया समय $= \frac{1}{240}$ सेकण्ड

15 कम्पनों में लिया गया समय

$= 15 \times \frac{1}{240} = \frac{1}{16}$ सेकण्ड

ध्वनि द्वारा इस समय में तय की गई दूरी

= ध्वनि की चाल × समय

$= 320 \times \frac{1}{16} = 20$ मीटर

51. (c) छोटे छड़ चुम्बक की निग्राहिता

$H = ni \Rightarrow i = \frac{H}{n}$

$= \frac{4 \times 10^3}{500} = 8$ ऐम्पियर

52. (b) विमीय समरूपता के सिद्धान्त के अनुसार

$\Rightarrow \quad [a] = [p]\,[V^2]$

$= [ML^{-1}T^{-2}]\,[L^6]$

$= [ML^5T^{-2}]$

a का मात्रक = ग्राम × सेमी^{5} × से$^{-2}$ = डाइन × सेमी^{4}

53. (c) $\quad H = Pt = 250 \times 6 \times 60 \times 60$

$= 5.4 \times 10^6$ जूल

$= \frac{5.4 \times 10^6}{4.2 \times 10^3} = 1.286 \times 10^3$ किलो कैलोरी

परंतु $H = ms\Delta t$

$\therefore m = \frac{1.286 \times 10^3}{1 \times 100}$

= 12.86 किग्रा

54. (b) दिया है, $v = 4t^3 - 2t$

$x = \int v\, dt$

$x = t^4 - t^2 + c$

जहाँ $t = 0, x = 0$

$\Rightarrow \quad c = 0$

जब कण मूल बिन्दु से 2 मी दूर है, तो

$2 = t^4 - t^2$

$\Rightarrow \quad t^4 - t^2 - 2 = 0$

$\Rightarrow \quad (t^2 - 2)(t^2 + 1) = 0$

$\Rightarrow \quad t = \sqrt{2}$ सेकण्ड

$$a = \frac{dv}{dt} = \frac{d}{dt}(4t^3 - 2t)$$

$= 12t^2 - 2$

$\Rightarrow \quad a = 12t^2 - 2$

$t = \sqrt{2}$ सेकण्ड के लिए

$\Rightarrow \quad a = 12 \times \left(\sqrt{2}\right)^2 - 2$

$\Rightarrow \quad a = 22$ मी/से^{2}

55. (a) संचायक में आवेश वाहक H^+ तथा SO_4^{2-} हैं।

56. (a) मुक्त इलेक्ट्रॉनों का माध्य विचलन वेग v, धारा i से निम्न प्रकार सम्बन्धित है।

$i = nA_e \overline{v}$

गोलीय अनुप्रस्थ काट के लिए, $A = \pi r^2$

जहाँ r = तार की त्रिज्या

अत: $\quad i = n\pi r^2 \overline{v}$

समान धारा प्रवाह परन्तु दुगनी त्रिज्या के लिए समान पदार्थ के तार में नया विचलन वेग v' होगा।

(n समान रहता है)

अत: $\quad i = n\pi r^2 v = n\pi(2r)^2 v'$

या $\quad v' = \frac{v}{4}$

57. (b) माना दो सेकण्ड में वस्तु बिन्दु A पर पहुँचती है तथा 1 सेकण्ड बाद बिन्दु B पर पहुँचती है।

वस्तु द्वारा चढ़ाई में लिया गया कुल समय = 3 सेकण्ड

$t = \frac{u \sin\theta}{g} = 3$

$u \sin\theta = 10 \times 3 = 30 \quad$ ...(i)

वेग का क्षैतिज घटक सदैव नियत रहता है।

अत: $u \cos\theta = v \cos 30^\circ \quad$ ...(ii)

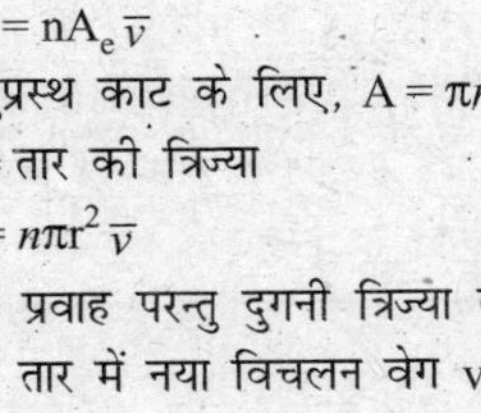

बिन्दु O और A के बीच लम्बवत् ऊपर की ओर गति

$v \sin 30^\circ = u \sin\theta - g \times 2$ [$v = u - gt$ से]

$v \sin 30^\circ = 30 - 20$[जैसा कि $u \sin\theta = 30$]

$v = 20$ मी/से

यह मान समी (ii) में रखने पर

$u \cos\theta = 20 \cos 30^\circ$

$= 10\sqrt{3}$

समी (i) तथा (ii) से,

$u = 20\sqrt{3}$ तथा $\theta = 60^\circ$

58. (c) लम्बी परिनालिका के कारण चुम्बकीय क्षेत्र

$B = \mu_0 ni$

$\therefore \quad \mu_0 = \frac{B}{ni} = \frac{[MLT^{-2}]/[AL]}{[L^{-1}A]}$

$= [MLT^{-2}A^{-2}]$

59. (c) कार्य $W = mgh + \Delta PV$

$= V\rho gh + \Delta PV$

$= 4 \times 10^3 \times 10 \times 20 + (2 \times 10^5 - 1 \times 10^5) \times 4$

$= 12 \times 10^5$ जूल

60. (a) चुम्बकीय नति कोण

$\tan\delta = \frac{B_V}{B_H}$

दिया है, $B_H = \frac{1}{\sqrt{3}} B_V$

$\therefore \quad \frac{B_V}{B_H} = \sqrt{3}$

अत: $\quad \tan\delta = \sqrt{3} \therefore \delta = 60^\circ$

रसायन विज्ञान

61. (c) स्टैनलेस स्टील, लोहे एवं क्रोमियम के मिश्रण से तैयार किया जाता है।

62. (b) रेडियम, पिचब्लेण्ड से प्राप्त किया जाता है। हेमेटाइट से लोहा प्राप्त किया जाता है जबकि अवसादी शैलों में चूना पत्थर पाया जाता है। रेडियम का आविष्कार 1898 ई. में पियरे क्यूरी तथा मैडम क्यूरी ने किया था।

63. (d) प्लास्टर ऑफ पेरिस को निम्न सूत्र से व्यक्त किया जाता है–$(CaSO_4)_2\, H_2O$ इसका उपयोग हड्डी की टूट-फूट में पट्टी बांधने में, मूर्ति बनाने में तथा दीवारों व छतों को चिकना बनाने में किया जाता है।

64. (c) किसी परमाणु के नाभिक में न्यूट्रॉन और प्रोटॉन होते हैं। इलेक्ट्रॉन नामक मूलकण की खोज 1897 में थॉमसन ने की थी। इलेक्ट्रॉन ऋणावेशित कण होते हैं, जो परमाणु में नाभिक के चारों ओर चक्कर लगाते हैं। इन पर 1.6×10^{-19} कूलॉम का आवेश होता है। इसका द्रव्यमान 9.1×10^{-30} किग्रा. होता है। यह एक स्थायी मूल कण है। प्रोटॉन एक धनात्मक मूल कण है, जिसकी खोज 1919 ई. में रदरफोर्ड ने की

थी। इस पर इलेक्ट्रॉन के आवेश 1.6×10^{-19} कूलॉम के बराबर धनात्मक आवेश होता है, ये परमाणु के नाभिक में स्थित होते हैं। इनका द्रव्यमान 1.67×10^{-27} किग्रा. होता है। यह एक स्थायी मूलकण होता है। न्यूट्रॉन आवेश रहित मूलकण है। इसकी खोज 1932 ई. में चैडविक ने की थी। ये प्रोटॉन के साथ परमाणु के नाभिक में स्थित होते हैं। इनका द्रव्यमान प्रोटॉन के द्रव्यमान के लगभग बराबर होता है।

65. (c) क्रोमेटोग्राफी का प्रयोग रंगीन पदार्थों के प्रभाजी आसवन में किया जाता है। प्रभाजी आसवन के द्वारा उन मिश्रित द्रवों को पृथक् करते हैं, जिनके क्वथनांकों में अन्तर बहुत कम होता है। भूगर्भ से निकाले गये कच्चे तेल में से शुद्ध पेट्रोल, डीजल, मिट्टी का तेल आदि इसी विधि द्वारा पृथक् किए जाते हैं।

66. (c) एक पीकोग्राम 10^{-12} ग्राम के बराबर होता है और एक पीको सेकेंड 10^{-12} सेकेंड, 1 पीको मीटर = मीटर के बराबर

चूँकि ग्राम, सेकेंड, मीटर मूल मात्रक है अतः इनके मान समान होंगे। 10^{-6} ग्राम को माइक्रोग्राम एवं 10^{-9} ग्राम को नैनोग्राम कहा जाता है।

67. (b) धोने के सोडे का रासायनिक सूत्र Na_2CO_3 है। इसे सोडियम कार्बोनेट कहते हैं। यह जल में थोड़ी मात्रा में विलेय है तथा इसका जलीय विलयन क्षारीय होता है। इसका मुख्य उपयोग कपड़े धोने के रूप में किया जाता है, इसके अतिरिक्त यह कांच, कागज, कास्टिक सोडा आदि के निर्माण में काम आता है। NaOH कास्टिक सोडा का सूत्र है, जबकि $NaHCO_3$ सोडियम बाइकार्बोनेट का रासायनिक सूत्र है।

68. (b) आंसू गैस के रूप में SO_2 का प्रयोग किया जाता है। SO_2 सल्फर डाइऑक्साइड का सूत्र है। यह एक तीक्ष्ण गन्ध वाली गैस है, जो वायु से हल्की होती है, इसका उपयोग अवकारक के रूप में, ऑक्सीकारक के रूप में और विरंजक के रूप में किया जाता है।

69. (c) रसायन उद्योग में H_2SO_4 मूल रासायनिक माना जाता है। यह सल्फ्यूरिक अम्ल है। इसका उपयोग पेट्रोलियम के शोधन में, कई प्रकार के विस्फोटक बनाने में, रंग व औषधियां बनाने में, संचायक बैटरियों में किया जाता है। HNO_3 नाइट्रिक अम्ल है, औषधियाँ, उर्वरक, फोटोग्राफी आदि में इसका प्रयोग होता है। HCL हाइड्रोक्लोरिक अम्ल है, इसका उपयोग क्लोरीन बनाने, अम्लराज बनाने आदि में किया जाता है, जबकि H_2CO_3 साइट्रिक अम्ल है, यह धातुओं को साफ करने आदि में प्रयुक्त होता है।

70. (c) विद्युत जनित्र के द्वारा यांत्रिक ऊर्जा को विद्युत ऊर्जा में बदला जाता है। विद्युत जनित्र का सिद्धान्त विद्युत चुम्बकीय प्रेरण पर आधारित है। टरबाइन को जल की धारा से चलाकर विद्युत का उत्पादन किया जाता है।

71. (d) इलेक्ट्रॉनिक संरूपण धातुओं के लिए 2, 8, 8, 2 एवं 2, 8, 8 अक्रिय गैसों के लिए तथा 2, 8, 7 क्लोरीन के लिए होती है।

72. (d) $H-\overset{\displaystyle H}{\underset{\displaystyle H}{X}}-H$ — **XH_4**

73. (b) एक आयतन भाग जस्ते का भार = 7100 किग्रा/मीटर^3 × 1 = 7100 किग्रा.

दो आयतन भाग तांबे का भार = 8900 किग्रा/मीटर^3 × 2 = 17800 किग्रा.

दोनों को मिलाने पर, (7100 + 17800) किग्रा. = 24900 किग्रा.

पीतल का घनत्व = 24900/3 किग्रा/मीटर^3 = 8300 किग्रा/मीटर^3

74. (d) टूटी हुई हड्डियों को जोड़ने के लिए प्लास्टर ऑफ पेरिस का प्रयोग किया जाता है। यह जिप्सम ($CaSO_4.2H_2O$) को 373k पर गर्म करके प्राप्त किया जाता है।

$$\underset{\text{(जिप्सम)}}{CaSO_4.2H_2O} \xrightarrow{373K} \underset{\text{(प्लास्टर ऑफ पेरिस)}}{CaSO_4.\frac{1}{2}H_2O} + \frac{3}{2}H_2O$$

75. (a) गैल्वेनाइज्ड लोहे के पाइप पर जस्ते की परत होती है, क्योंकि जस्ता लोहे से अधिक सक्रिय धातु है तथा स्वयं संक्षरित होकर लोहे को सुरक्षित कर देता है।

76. (b) द्वि-आबन्धों से आबन्धित दो कार्बन परमाणुओं का हाइड्रोकार्बन एल्कीन कहलाता है। इसका सूत्र $CH_2 = CH_2$ होगा।

77. (b) बहुलक (Polymer) वह अभिक्रिया होती है, जिसमें एक ही प्रकार के एक से अधिक अणु आपस में मिलकर अधिक अणुभार वाला बड़ा अणु बनाते हैं। इस क्रिया में भाग लेने वाले अणुओं को एकलक व उत्पाद को बहुलक (Polymer) कहते हैं। कुछ असंतृप्त हाइड्रोकार्बन के मुख्य बहुलक इस प्रकार हैं-

एकलक (Monomers)	बहुलक (Polymer)
एथलीन (C_2H_4)	पॉलीथीन (PTFE)
टेट्राफ्लूरोएथलॉन (C_2F_4) (टेफ्लॉन)	पॉलीटेट्राफ्लूरो एथलीन (PTFE)
विनाइल क्लोराइड (C_2H_3Cl) (एसीटिलीन से बनता है)	पॉलीविनाइल क्लोराइड (PVC)
प्रोपीलीन (CH_3CHCH_2)	पॉलीप्रोपीलीन
स्टाइरीन ($C_6H_6CHCH_2$)	पॉलीस्टाइरीन (स्टाइरान)
ब्यूटाडाइन (75%)	कृत्रिम रबड़ (ब्यूना (S रबर या S.B.R)
स्टाइरीन (25%)	
क्लोरोप्रीन ($CH_2CCICHCH_2$)	नीओप्रिन (पॉलीक्लोरोप्रीन)

78. (b) **टांका (Solder)** में प्रयोग होने वाली धातुएं टिन (Sn) - 67% और सीसा (Pb) 33% के मिश्रण से बनाया जाता है। तांबा और जस्ते के मिश्रण से पीतल (ब्रास) बनाया जाता है जो बर्तन एवं सजावट के सामान बनाने के कार्य में आता है। तांबा और टिन (Cu – 80% + Sn – 20%) के मिश्रण से कांसा बनता है जो मूर्तियों, जहाजों के निर्माण में काम आता है। बेल धातु जो कि तांबा 80% + टिन 20% से बनती है। टाइप मेटल का निर्माण Sn + Pb + Sb (82% + 15% + 3%) के मिश्रण से होता है। **कॉपर (Cu)** + **एल्युमिनियम (Al)** के मिश्रण से रोल्ड गोल्ड बनाया जाता है जिससे सस्ते आभूषण तैयार किये जाते हैं।

79. (b) धब्बा रहित इस्पात में = 12.15% क्रोमियम, 8-10% निकिल।

80. (b) फेरोमैग्नेटिक चूर्ण का प्रयोग, टेप रिकॉर्डर के कैसेट में ध्वनि अभिलेखन के लिए किया जाता है। प्लास्टिक के टेप पर इसे लेप दिया जाता है। नीला थोथा-जिसे कॉपर सल्फेट ($CuSO_4.2H_2O$) कहते हैं। जिंक ऑक्साइड एक सफेद पाउडर है, जिसे लिंक व्हाइट या चीनीज व्हाइट कहते हैं। इसका प्रयोग जिंक मरहम के रूप में औषधियों में होता है। रबर उद्योग में यह पूरक के रूप में प्रयुक्त किया जाता है। पारा-सफेद रंग का चमकने वाला भारी द्रव है। इसका उपयोग थर्मामीटर बनाने में होता है।

81. (a) नाइट्रोजन, पेन्टाहैलाइड नहीं बनाता, क्योंकि इनमें रिक्त *d*-कक्षक नहीं होते हैं।

82. (c) व्यवसायिक प्राकृतिक रबर हीविया ब्राजिलियेन्सिस नामक वृक्ष के लेटेक्स से प्राप्त होता है। प्राकृतिक रबर सिस आइसोप्रीन $CH_2 = \underset{\displaystyle CH_3}{\underset{|}{C}} - CH = CH_2$ का बहुलक होता है। इसलिए, इसे सिस-पॉलीआइसोप्रीन कहते हैं।

83. (d) क्रोमियम का मूल अवस्था में इलेक्ट्रॉनिक विन्यास

= K L M N

2 8 8 5 1

$= 1s^2, 2s^2, 2p^6, 3s^2, 3p^6, 3d^5, 4s^1$

अर्द्ध पूर्ण कक्षक

ऐसा अर्द्ध- पूर्ण कक्षकों के अधिक स्थायित्व के कारण होता है।

84. (b) लिथोफोन $BaSO_4$ और ZnS का मिश्रण है। यह दीवारों के पेन्ट तथा एनेमल पेन्ट बनाने के काम आता है। यह बहुत सस्ता तथा इसमें फैलने की क्षमता बहुत अच्छी होती है।

85. (b) गैस का आंशिक दाब

$$= \frac{\text{गैस (मोलों की संख्या)}}{\text{कुल मोलों की संख्या}} \times \text{कुल दाब}$$

$$= \frac{1}{2} \times 1 = \frac{1}{2} = 0.5 \text{ वायुमण्डलीय}$$

86. (c) ऐल्काइन अमोनियम क्यूप्रस क्लोराइड या अमोनियम सिल्वर नाइट्रेट के साथ क्रिया करके कॉपर एल्केलाइड या सिल्वर एल्केलाइड बनाते हैं। यह अभिक्रिया ऐसिटिलीनिक हाइड्रोजन परमाणु की उपस्थिति की जाँच करने के लिए प्रयोग की जाती है।

$$HC \equiv CH + \underbrace{Cu_2Cl_2 + 2NH_4OH}_{\text{अमोनियामय क्यूप्रस क्लोराइड}} \longrightarrow$$

एसिटिलीन

$$CuC \equiv C.Cu \downarrow + 2NH_4Cl + 2H_2O$$

क्यूप्रस एसिटिलाइड (लाल रंग)

इस प्रकार ऐल्केन तथा एल्कीन अप्रभावित रहते हैं।

87. (b) प्रकाशीय समावयवता, असममित कार्बन परमाणु प्रदर्शित करते हैं जिसमें, कार्बन परमाणु चार भिन्न समूहों या परमाणुओं से जुड़ा रहता है।

इसलिए ब्यूटेनॉल-2 प्रकाश सक्रिय होता है।

$$H_3C—CH_2—\overset{\displaystyle H}{\underset{\displaystyle OH}{C}}—CH_3$$

ब्यूटेनॉल-2

88. (a) 2-मेथिल प्रोप-2-ऑल एक टर्शरी ब्यूटाईल ऐल्कोहॉल है।

$$H_3C—\overset{\displaystyle CH_3}{\underset{\displaystyle OH}{C}}—CH_3$$

89. (c) Pb_3O_4 या लाल लैड को लिनसीड तेल के साथ मिलाकर लोहे, स्टील और सिल्वर के दर्पण के लिए सुरक्षात्मक पेन्ट की तरह प्रयोग किया जाता है।

90. (b) Ga की त्रिज्या, Al (इसके अन्तिम से अन्दर वाले कोश में 8 इलेक्ट्रॉन होते हैं।) से अधिकतम परिरक्षण प्रभाव के कारण कम होती है।

91. (a) जब Na_2S को ताजे बने सोडियम नाइट्रोप्रोसाइड में मिलाया जाता है तो गहरा बैंगनी रंग, सल्फर की उपस्थिति को दर्शाता है।

$$Na_2S + Na_2[Fe(NO)(CN)_5] \rightarrow Na_4[(Fe(CN)_5NOS]$$

सोडियम नाइट्रोप्रोसाइड — सोडियम थायोनाइट्रोप्रोसाइड (बैंगनी रंग का यौगिक)

92. (a) एनिलीन (क्वथनांक – 184°C) भाप की उपस्थिति में 98.5°C पर उबलने लगता है। इसलिए एनिलीन का शोधन भाप आसवन विधि द्वारा किया जाता है।

93. (a) ग्लूकोस फेनिल हाइड्राजीन के तीन अणुओं से क्रिया करके ग्लूकोसाजोन बनाता है।

$$\begin{matrix} CHO \\ | \\ CHOH \\ | \\ (CHOH)_3 \\ | \\ CH_2OH \end{matrix} + 3C_6H_5NHNH_2 \rightarrow \begin{matrix} CH{=}N.NHC_6H_5 \\ | \\ C{=}N.NHC_6H_5 \\ | \\ (CHOH)_3 \\ | \\ CH_2OH \end{matrix} + 2H_2O + NH_2$$

ग्लूकोस — फेनिल हाइड्राजीन — ग्लूकोसाजोन

94. (b) द्रवीकरण पर, हीलियम गैस असामान्य व्यवहार दिखाती है, क्योंकि यह गैस के गुणों वाले द्रव के समान कार्य करती है अर्थात् विघटित गैस के समान व्यवहार करती है। हीलियम के अन्तर अणुक बल बहुत दुर्बल होते हैं। अत: यह जमती नहीं है।

95. (a) दिए गए यौगिकों की स्वर्ण संख्या

जिलैटिन	— 0.005 से 0.1
स्टार्च	— 15 से 25
एल्बूमिन	— 0.1 से 0.2
हीमोग्लोबिन या रक्त	— 0.03 से 0.07

अर्थात् जिलैटिन की स्वर्ण संख्या सबसे कम होती है।

96. (a) एल्डिहाइड तथा कीटोन $NH_2 . NH_2$ के साथ हाइड्राजोन बनाते हैं।

$$R—CHO + H_2N.H_2 \rightarrow RCH = N.NH_2 + H_2O$$

एल्डिहाइड हाइड्राजोन

$$R_2CO + H_2N.NH_2 \rightarrow R_2C = N.NH_2 + H_2O$$

97. (c)

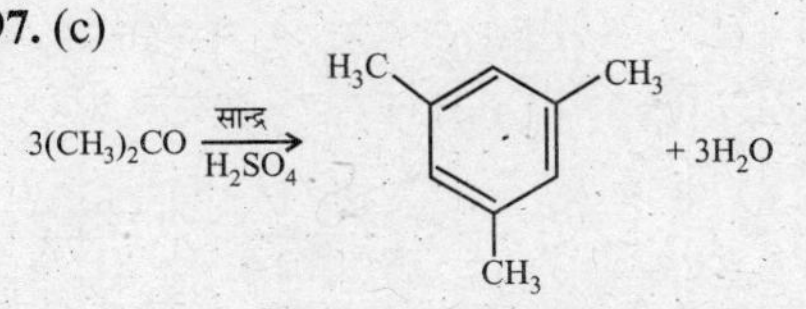

मैसिटिलीन

98. (d) निर्जल $ZnCl_2$ की उपस्थिति में फिनोल, सैलिसैल्डिहाइड बनाता है। यह क्रिया गाट्रमैन एल्डिहाइड अभिक्रिया कहलाती है।

99. (d) ग्रिग्नार्ड अभिकर्मक से बनने वाले एल्केन में ऐल्किल समूह सदैव ग्रिग्नार्ड अभिकर्मक से आता है। इस प्रकार, ग्रिग्नार्ड अभिकर्मक में कार्बन परमाणुओं की संख्या तथा ग्रिग्नार्ड अभिकर्मक से बने ऐल्केन में कार्बन परमाणुओं की संख्या समान होती है। इस प्रकार मौलिक ऐल्किन हैलाइड, प्रोपाइल ब्रोमाइड होगा।

100. (b) अरहीनियस समीकरण

$$K = Ae^{-Ea/RT}$$

$$\ln K = \frac{-E_a}{RT} + \ln A$$

इस प्रकार अन्त: खण्ड = ln A

101. (b)

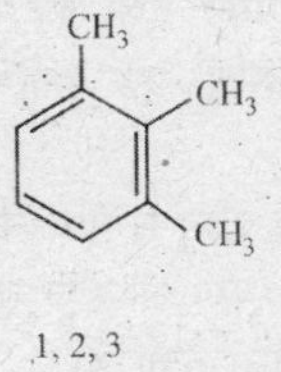

1, 2, 3

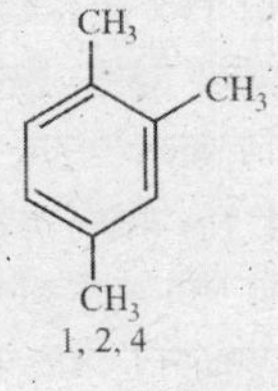

1, 2, 4

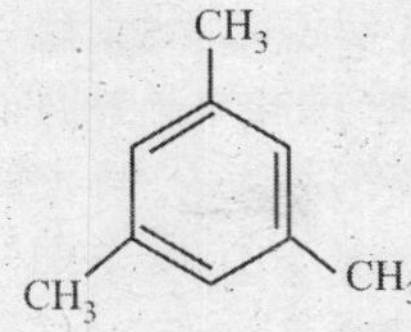

1, 3, 5

इस प्रकार तीन समावयवी सम्भव है।

102. (c) H_2SO_4 अम्ल-मार्जक की तरह कार्य करता है, अम्ल-मार्जक वह क्रिया है जिसमें क्षारीय ऑक्साइडों की परतों को विद्युत लेपन इनैमल चढ़ाने, गैल्वनीकरण तथा टाँका लगाने से पहले H_2SO_4 द्वारा दूर किया जाता है।

103. (a) $2CaOCl_2 + H_2SO_4 \rightarrow CaCl_2 + CaSO_4 + 2HClO$

(सीमा में)

$$HClO \rightarrow HCl + [O]$$

नवजात ऑक्सीजन उत्सर्जित होने के कारण यह ब्लीचिंग कारक तथा ऑक्सीकारक की तरह कार्य करता है।

104. (a)

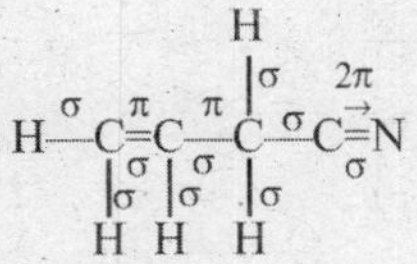

9σ, 3π बन्ध

105. (b) N_2O नाइट्रोजन डाइऑक्साइड है, यह हास्य गैस कहलाती है। $CCl_3.NO_2$ आँसू गैस है और यह युद्ध में प्रयोग की जाती है। फॉस्जीन गैस ($COCl_2$) मस्टर्ड गैस ($ClC_2H_4 - S - C_2H_4Cl$) और ल्यूसाइट ($CHCl = CHAsCl_2$) गैसें युद्ध में प्रयोग की जाती है।

106. (c) नाइट्रिक ऑक्साइड (NO) 900°C पर अपघटित होती है। अत: यह नाइट्रोजन का ऑक्साइड सबसे अधिक ऊष्मीय स्थिर होता है।

107. (b) $3A \rightleftharpoons 2B$

$$\text{दर} = -\frac{1}{3}\frac{d[A]}{dt} = \frac{1}{2}\frac{d[B]}{dt}$$

दोनों दरों को 2 से गुणा करने पर

$$\text{दर} = 2\left[-\frac{1}{3}\frac{d[A]}{dt}\right] = \frac{d[B]}{dt}$$

$$= -\frac{2}{3}\frac{d[A]}{dt} = \frac{d[B]}{dt}$$

108. (d) ऑक्सीजन CO_2 के साथ मिश्रित करके या हीलियम गैस के साथ मिश्रित करके कृत्रिम श्वसन में प्रयोग की जाती है।

109. (a)

$$N_1V_1 = N_2V_2$$
$$0.5 \times 100 = 0.1 \times V_2$$
$$V_2 = 500cm^3$$

∴ $100\ cm^3$ विलयन में जल की मात्रा डालनी होगी

$$= 500 - 100 = 400\ cm^3$$

110. (b) VA समूह के हाइड्राइडों का स्थायित्व, समूह में नीचे जाने पर घटता है क्योंकि समूह में नीचे जाने पर बन्ध-लम्बाई बढ़ती है। अतः स्थायित्व का क्रम

$$NH_3 > PH_3 > AsH_3 > SbH_3 > BiH_3$$

111. (b) $MnO_4^- \rightarrow Mn^{2+}$

ऑक्सीकरण संख्या में परिवर्तन

$= (+7) - (+2) = +5$

$\therefore$ विलयन की नॉर्मलता $= 5 \times 0.04$

$= 0.20$ N

आयतन = 250 मिली

$\therefore$ $KMnO_4$ के तुल्यांको की संख्या

$$= 0.20 \times \frac{250}{1000} = 0.05$$

112. (c) स्टार्च विलयन एक हाइड्रोसॉल है क्योंकि यह जल के साथ कोलॉइडी विलयन बनाता है।

113. (a) w = 0.49 ग्राम

E = 49

V = 1000 mL

$$\Rightarrow \quad N = \frac{w \times 1000}{E.V}$$

$$= \frac{0.49 \times 1000}{49 \times 1000} = 0.01\ N$$

$$\therefore \quad [H^+] = 0.01$$

$$\Rightarrow \quad pH = -\log [H^+]$$

$$= -\log 0.01 = 2$$

114. (c) सिलिका (SiO_2) को धात्विक कार्बोनेटों के साथ गर्म करने पर सिलिकेट बनते हैं तथा CO_2 गैस मुक्त होती है।

$$SiO_2 + Na_2CO_3 \xrightarrow{\Delta} NaSiO_3 + CO_2 \uparrow$$

115. (c)

$$\frac{1}{2}A(g) + \frac{1}{3}B(g) \underset{}{\overset{T(K)}{\rightleftharpoons}} \frac{2}{3}C(g)$$

साम्य स्थिरांक,

$$K_c = \frac{\text{अग्र अभिक्रिया की दर}}{\text{पश्च अभिक्रिया की दर}}$$

$$= \frac{\text{उत्पादों की सान्द्रता}}{\text{अभिकारकों की सान्द्रता}}$$

$$K_c = \frac{[C]^{2/3}}{[A]^{1/2}[B]^{1/3}}$$

116. (b) C_2H_5Cl, शुष्क ईथर की उपस्थिति में Mg के साथ अभिक्रिया करके ग्रिग्नार्ड अभिकर्मक बनाता है।

$$RX + Mg\ (\text{शुष्क}) \rightarrow RMg\ X$$

$$C_2H_5Cl + Mg \rightarrow C_2H_5MgCl$$

एथिल मैग्नीशियम क्लोराइड

117. (a) जल के अणु में ऑक्सीजन की संकरण अवस्था sp^3 है। अतः जल का अणु चतुष्फलकीय होना चाहिए तथा इसमें बन्ध कोण 109°28' होना चाहिए परन्तु ऑक्सीजन परमाणु पर दो एकाकी युग्मों की उपस्थिति के कारण (एकाकी युग्म-एकाकीयुग्म प्रतिकर्षण के कारण) बन्ध कोण घटकर 104.5° रह जाता है तथा ज्यामिती कोणीय या V के आकार की हो जाती है।

118. (b) अर्जेन्टाइट अयस्क का सूत्र Ag_2S है।

$$Ag_2S + 4NaCN \rightarrow 2Na[Ag(CN)_2] + Na_2g$$

$$AgCl + 2NaCN \rightarrow Na[Ag(CN)_2] + NaCl$$

119. (c) रेडियोएक्टिव विघटन एक प्रथम कोटि की अभिक्रिया है।

अतः

$$k = \frac{2.303}{t} \log \frac{a}{a-x}$$

$$\therefore \quad k = \frac{2.303}{15} \log \frac{100}{100-50}$$

तथा

$$k = \frac{2.303}{t} \log \frac{100}{100-99}$$

$$\therefore \quad \frac{2.303}{15} \log \frac{100}{50} = \frac{2.303}{t} \log \frac{100}{1}$$

$$\frac{1}{15} \log 2 = \frac{1}{t} \log 100$$

$$\frac{0.3010}{15} = \frac{2}{t}$$

$$t = \frac{2 \times 15}{0.3010} = 99 \text{ मिनट}$$

120. (a) $HOOC - (CH_2)_4 - COOH \xrightarrow{\Delta}$

ऐडिपिक अम्ल

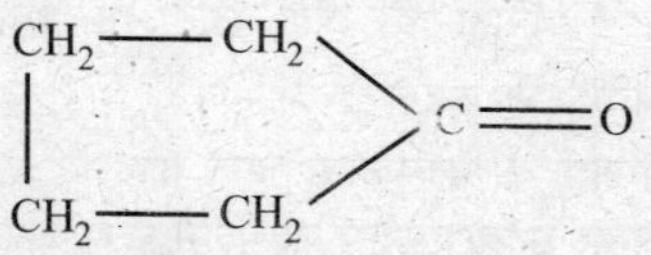

साइक्लोपेन्टेनोन

वनस्पति विज्ञान

121. (c) बीजों एवं तना काट दोनों से

122. (b) विश्व का सबसे बड़ा पुष्प रैफ्लेशिया है। इसका व्यास 1 मीटर तथा भार लगभग 8 किग्रा. होता है।

123. (a) मटर का पौधा शाक है। आनुवंशिकी संबंधी प्रयोग के लिए मेंडल ने मटर के पौधे का चुनाव किया था। मेंडल ने पहले एक जोड़ी विपरीत गुणों को, फिर दो जोड़े विपरीत गुणों की वंशागति का अध्ययन किया, जिन्हें क्रमशः एक संकरीय तथा द्विसंकरीय क्रास कहते हैं।

124. (a) जीवन चक्र की दृष्टि से पौधे का सबसे महत्वपूर्ण अंग पुष्प होता है, पुष्प से बीज बनता है, जिससे पुनः नये पौधे का जन्म होता है।

125. (c) सोयाबीन दलहनी एवं तिलहनी दोनों प्रकार की फसल है। सोयाबीन में 40 से 45 प्रतिशत प्रोटीन तथा 20 से 22 प्रतिशत तक तेल पाया जाता है। सोयाबीन की खली में भी 50 प्रतिशत तक प्रोटीन पाया जाता है, जो कि उच्चकोटि का पशु-आहार होती है। सोयाबीन से निर्मित होने वाला दूध, गाय के दूध की भांति पौष्टिक होता है।

126. (b) 'यूकेलिप्टस' या सफेदा एक लम्बा आवृत बीजी वृक्ष है। भूगर्भ जल की अधिक मात्रा अवशोषित करने के कारण पर्यावरण की दृष्टि से इस वृक्ष को 'आतंकवादी वृक्ष' कहा जाता है। संसार का सबसे लम्बा वृक्ष 'सिकुआ' है, यह नग्नबीजी पौधा है। देवदार पहाड़ी क्षेत्रों में पाए जाने वाले लम्बे वृक्ष हैं।

127. (c) ऐसे पौधे जो सीमित पानी में लवणता की अधिकता वाली जगहों में उगते हैं, लवणोमृदोद्भिद् (Halophytes) कहलाते हैं। मरुस्थल में उगने वाले पौधों को जीरोफाइट्स कहते हैं। जल में उगने या तैरने वाले पौधों को जलोद्भिद (Hydrophytes) कहते हैं।

128. (d) जाइलम को प्रायः काष्ठ भी कहते हैं। यह संवहनीय ऊतक है। इसके दो मुख्य कार्य हैं-(1) जल एवं खनिज लवणों का संवहन एवं (2) यांत्रिक दृढ़ता प्रदान करना। पौधे की आयु की गणना जाइलम ऊतक के वार्षिक वलय को गिनकर ही की जाती है। पौधों के आयु के निर्धारण की यह विधि डेण्ड्रोक्रोनोलॉजी कहलाती है।

129. (c) पौधों का पर्ण भाग फूल बनने के उद्दीपन का कार्य करता है। तना पौधे का वह भाग है, जो प्रकाश की ओर वृद्धि करता है। जड़ पौधों का अवरोही भाग है, जो मूलांकुर से विकसित होता है। पौधों में शाखा का कार्य फ्लोएम की मदद करना है।

130. (c) भ्रूण बीज में मिलता है। इस समूह के पौधे में बीज फल के अंदर होते हैं। इनके पौधों में जड़, पत्ती, फूल, फल एवं बीज सभी पूर्ण विकसित होते हैं। बीज के आधार पर विभाजन दो प्रकार से होता है–एकबीजपत्री पौधे व दूसरा द्विबीजपत्री पौधे।

131. (c) प्रकाश संश्लेषण की क्रिया में हरे पौधे सूर्य के प्रकाश को विकिरण ऊर्जा के रूप में प्राप्त करते हैं तथा पर्णहरिम (chlorophyl)) की उपस्थिति में कार्बन डाइऑक्साइड (CO_2) एवं H_2O द्वारा भोजन (कार्बोहाइड्रेट) का निर्माण करते हैं। यह क्लोरोप्लास्ट में सम्पन्न होता है।

132. (a) फसल प्रणाली के लिए कम अवधि वाली दलहनी प्रजाति उपयुक्त होती है। जबकि दलहनी फसलों के सफल उत्पादन के लिए रोगरोधी किस्मों को उगाया जाता है।

133. (b) लहसुन की खेती के लिए बलुई दोमट मिट्टी सर्वाधिक उपयुक्त होती है। मटियार

मिट्टी में इसकी खेती करने से इसकी पैदावार घट जाती है।

134. (a) एक विशिष्ट फूल के चार मुख्य भाग या चक्र होते हैं, जिसे केलिक्स, कोरोला, पुमंग और जायांग के रूप में जाना जाता है। फूल के सबसे बाह्य चक्र में हरे, पत्तेदार संरचनाएं होती हैं जिन्हें बाह्यदल कहा जाता है।

135. (d) फिलिसिनी वर्ग का **फर्न पौधा बीजाणुद्भिद** होता है। यह जड़, स्तम्भ व पत्तियों में विभाजित है अर्थात् फूल नहीं होते हैं। इसका स्तम्भ भूमिगत राइजोम होता है, जो भूमि में तिरछा उगता है तथा इसका केवल अग्रभाग भूमि से बाहर निकला रहता है। **राइजोम** का पुराना भाग अनेक पर्णधारों द्वारा ढका रहता है तथा इसमें नीचे की ओर अपस्थानिक जड़ें निकली रहती हैं। फर्न की विशेषता है कि पत्तियां तरुण अवस्था में कुण्डलित होती हैं, और घड़ी की एक कमानी के समान मुड़ी रहती है। कटहल, गूलर व आर्किड में फूल लगते हैं।

136. (b) जन्तु कोशिका और पादप कोशिका में निम्नलिखित भिन्नताएं पाई जाती हैं–

1. पादप कोशिका में सेल्युलोज की बनी कोशिका भित्ति होती है जबकि जन्तु कोशिका में ऐसी कोई भित्ति या सेल्युलोज नहीं पाया जाता है।

2. पादप कोशिका में क्लोरोप्लास्ट एवं बड़ी-बड़ी रस धमनियां होती हैं जबकि जन्तु कोशिका में इनका अभाव होता है।

137. (b) **हाइड्रोफाइट (Hydrophytes)** अथवा **'जलोद्भिद्'** जलीय पौधे होते हैं, जो जल में अथवा ऐसी मिट्टी में पाए जाते हैं, जो जल से संतृप्त हों। समुद्र में पाई जाने वाली ह्वेल मछली पृथ्वी का सबसे बड़ा जानवर है जबकि अमरबेल एक जड़रहित परपोषी वनस्पति है।

138. (a) **प्रकाश संश्लेषण** की क्रिया में हरे पौधे प्रकाश की ऊर्जा को रासायनिक ऊर्जा में रूपांतरित कर देते हैं।

139. (d) 2, 4-D एक **खरपतवारनाशी** दवा है। गेहूं तथा गन्ना आदि फसलों में खरपतवार का नाश करने के लिए इसका प्रयोग किया जाता है। यह 2, 4-Di-chloro Phenoxy acetic acid का संक्षिप्त रूप है। यह एक खरपतवारनाशी दवा है।

140. (c) **ग्रीन प्लैनेट** पृथ्वी का जीवधारी के रूप में वैज्ञानिक नाम है।

141. (b) क्लोन किसी जीव की अलैंगिक **'सन्तान'** (asexual progeny) होती हैं, जिन्हें ऊतक संवर्धन की विधियों द्वारा उत्पन्न किया जाता है। ये जनक जीव के बिल्कुल समान होते हैं।

142. (d) पादप भस्म के विश्लेषण द्वारा यह ज्ञात होता है, कि विभिन्न पादपों में लगभग 92 खनिज तत्त्व उपस्थित होते हैं। इनमें से 16 तत्त्व पौधों के लिए अत्यन्त आवश्यक होते हैं। अतः इन्हें अनिवार्य तत्त्व (essential elements) कहा जाता है। इन्हें दो मुख्य समूहों में विभाजित किया जा सकता है।

(i) दीर्घमात्रिक तत्त्व C, H, O, N, S, P, K, Ca, Mg.

(ii) सूक्ष्ममात्रिक तत्त्व Fe, Cu, B, Zn, Mn, Mo, Cl.

143. (c) जब कोई नई जाति किसी पारितन्त्र में प्रवेश करती है, तो संसाधनों की सीमितता के कारण विभिन्न जीवों एवं जातियों के मध्य प्रतिस्पर्धा होने लगती है। एक ही जाति के जीवों के मध्य होने वाली प्रतिस्पर्धा अधिक हानिकारक होती है।

144. (a) गाँठ गोभी के लिए दोमट मिट्टी सर्वाधिक उपयुक्त होती है।

145. (a) अनेक वृक्षों में कुछ वर्षों के पश्चात् तने के जाइलम तत्त्वों में गहरा भूरा रंग उत्पन्न हो जाता है। यह रंग विशेषकर केन्द्रीय अथवा भीतरी परतों में उत्पन्न होता है। यह भाग अत्यधिक लिग्नीकृत भित्तियों वाले मृत तत्त्वों का बना होता है, जिसे अंतःकाष्ठ (heart wood) या कठोर दारु कहा जाता है। यह द्वितीयक काष्ठ (secondary wood) के भीतरी भाग में स्थित होती है।

146. (b) वायु द्वारा मृदा का स्थानान्तरण शुष्क क्षेत्रों में अत्यन्त सामान्य होता है, जहाँ मृदा रेतीली और वनस्पति बहुत कम होती है। मृदा का स्थानान्तरण करने वाले कारकों की प्रकृति के आधार पर मृदा निम्नलिखित प्रकार की होती है–

(i) हिमनदी (Glacial) ग्लेशियर्स द्वारा स्थानान्तरित मृदा।

(ii) वायोढ़ (Eolian) वायु द्वारा स्थानान्तरित मृदा।

(iii) जलोढ़ (Alluvail) बहते जल द्वारा स्थानान्तरित मृदा।

(iv) मिश्रोढ़ (Colluvaial) गुरुत्व द्वारा स्थानान्तरित मृदा।

147. (c) पाइनस के प्रत्येक नर शंकु में एक लम्बा अक्ष होता है, जिस पर बड़ी संख्या में लघु बीजाणुपर्ण (microsporophylls) सर्पिल रूप से व्यवस्थित होते हैं। इनमें से प्रत्येक के निचली ओर दो बीजाणुधानी विकसित होती हैं, जो लघुबीजाणुओं अथवा पराग कणों से भरी रहती हैं।

148. (d) स्पोरोपोलेनिन एक बहुलक है, जो लिग्निन की अपेक्षा कठोर किंतु समान गुणों वाला होता है तथा मुख्यतया कैरोटिनॉएड्स द्वारा बना होता है। यह बीजाणुओं तथा परागकणों को जैव अपघटन का प्रतिरोधी बना देता है क्योंकि यह स्वयं जैव अपघटन, विभिन्न प्रकार एन्जाइमों तथा कुछ अम्लों का प्रतिरोधी होता है।

149. (d) वाष्पोत्सर्जन खिंचाव (transpiration pull) वाष्पोत्सर्जन की क्रिया द्वारा उत्पन्न एक प्रकार का तनाव है। वैज्ञानिकों द्वारा ऐसा वर्णित एवं सिद्ध किया गया है कि जल के अवशोषण और रसारोहण की दर, वाष्पोत्सर्जन की दर से सम्बन्धित होती है डिक्सन तथा जॉली (1894) द्वारा प्रतिपादित ससंजन एवं वाष्पोत्सर्जन-खिंचाव वाद (cohesion and transpiration pull theory) रसारोहण की क्रिया के स्पष्टीकरण हेतु सर्वाधिक मान्य वाद है।

150. (d) अनावृतबीजी या जिम्नोस्पर्म (Gymno = नग्न या अनावृत्त, sperma= बीज) नग्नबीजी पादप है, जिनमें बीजाण्ड अण्डाशय द्वारा घिरा हुआ नहीं होता है। अनावृतबीजी पादपों के जाइलम में केवल ट्रैकिड्स तथा जाइलम मृदूतक पाया जाता है किंतु वाहिकाएं (vessels) अनुपस्थित होती है, किंतु नीटेल्स (gnetales) में अपवादस्वरूप वाहिकाएँ पायी जाती हैं।

जन्तु विज्ञान

151. (d) मानव शरीर की सबसे छोटी इकाई कोशिका होती है। जिस प्रकर एक-एक रज कण से पृथ्वी, एक-एक बूंद जल से सागर एवं एक-एक ईंट से मकान का निर्माण होता है, ठीक उसी प्रकार शरीर की रचना भी एक-एक कोशिका के द्वारा होती है। जीव द्रव्य का 99% भाग निम्न चार तत्वों से मिलकर बनता है–(i) ऑक्सीजन (76%), (ii) कार्बन (10.5%), (iii) हाइड्रोजन (10%), (iv) नाइट्रोजन (2.5%), जीवद्रव्य का लगभग 80% भाग जल होता है।

152. (b) इन्सुलिन मुख्यतः कोशिकाओं द्वारा स्रावित होता है। यह भी मुख्यतः प्रोटीन होता है। यह कार्बोहाइड्रेट के उपापचय में महत्वपूर्ण भूमिका निभाता है। यह ग्लूकोज के ग्लाइकोजन में परिवर्तन की दर को पेशियों एवं यकृत में काफी बढ़ा देता है। यह शर्करा एवं वसा निर्माण में भी सहायक होता है एवं प्रोटीन संश्लेषण को प्रेरित करता है। यह ग्लूकोज़ के ऑक्सीकरण से शरीर की कोशिकाओं में ऊर्जा की वियुक्ति को प्रभावित करता है। डहेलिया की जड़ों से इन्सुलिन प्राप्त होता है।

153. (a) मानव में केवल दो अग्रपाद सामान्य भाषा में हाथ तथा दो पश्चपाद अर्थात् पैर होते हैं, दोनों अग्रपादों की अस्थियां एवं दोनों पश्चपादों की अस्थियां परस्पर एक समान होती है। प्रत्येक अग्रपाद के ऊपरी भाग में एक लम्बी अस्थि ह्यूमरस तथा नीचे के भाग में दो लम्बी अस्थियां रेडियम्स तथा अलना होती है, हाथ तथा पंजे के बीच प्रत्येक कलाई में छोटी-छोटी 8 हड्डियां होती हैं, जिसे कारपल्स कहते हैं। मनुष्य के पैर की हड्डियां खोखली होती हैं, इस प्रकार दोनों पश्चपादों में कुल 60 अस्थियां होती हैं।

154. (b) मुनष्य की खोपड़ी में कुल 29 अस्थियां पायी जाती है। जिनका विवेचन इस प्रकार है–खोपड़ी–यह गर्दन के ऊपर स्थित सिर का कंकाल है। इसका ऊपरी भाग दृढ़तापूर्वक स्थायी रूप

से जुड़ी हुई आठ अस्थियों का बना हुआ एक बॉक्स होता है, जिसे कपाल कहते हैं। मानव मस्तिष्क इसी के भीतर सुरक्षित रहता है। खोपड़ी के शेष भाग में ऊपरी एवं नीचे के जबड़े तथा कण्ठिका अस्थि सहित 15 अस्थियां होती हैं, इसके अतिरिक्त प्रत्येक कान के भीतरी भाग में कान के परदे के पीछे एक के बाद एक तीन बहुत छोटी अस्थियां होती है, जो कान के परदों के कम्पनों को भीतरी कान तक ले जाती है। इस प्रकार खोपड़ी में कुल अस्थियों की संख्या 8 + 14 + 1 + 6 = 29 होती हैं।

155. (d) क्षय रोग से मनुष्य का फेफड़ा प्रभावित होता है। यह माइक्रोबैक्टीरियम ट्यूबरक्लोसिस जीवाणु से फैलता है। उक्त रोग से प्रतिवर्ष लगभग 5 लाख भारतीयों की मौत होती है।

156. (a) 'आर्कियोप्टेरिक्स' जुरेसिक युग का सबसे पुराना पक्षी है। इसी युग में सरीसृप वर्ग के विशालकाय प्राणी 'डायनासोर' पाये जाते थे। लगभग 6 करोड़ वर्ष पूर्व किसी खगोलीय दुर्घटना के परिणामस्वरूप डायनासोरों का सर्वनाश हो गया, जिससे ये प्राणी सदा के लिए विलुप्त हो गए।

157. (b) 'एस्प्रिन' एण्टीपाइरेटिक या ज्वरनाशक कृत्रिम औषधि है, जिसका प्रयोग बुखार, सिरदर्द, बदन दर्द एवं गठिया के इलाज के लिए किया जाता है। एस्प्रिन, क्रोसीन, सल्फाड्रग, हिप्नोटिक्स आदि औषधियाँ कृत्रिम या संश्लेषित ढंग से प्राप्त की जाती है। जीवाणुओं को निष्प्रभावी करने वाली दवाएँ एण्टीबायोटिक या प्रतिजैविक कहलाती है। एलेक्जेण्डर फ्लेमिंग द्वारा आविष्कृत 'पेनिसिलीन' प्रथम प्रतिजैविक औषधि है।

158. (c) A, B, AB और O चार रक्त समूह होते हैं। सैद्धान्तिक रूप से O समूह का रक्त किसी भी मनुष्य को दिया जा सकता है और AB समूह वाला मनुष्य किसी भी समूह का रक्त ले सकता है। O रक्त समूह को 'सर्वदाता (Universal Donor) तथा AB रक्त वर्ग को सर्वग्राही (Universal Recepter) कहते हैं।

159. (c) वर्णान्धता रोग के जीन पुरुषों में X लिंग गुणसूत्रों में होते हैं। अधिकांश रोगों के जीन सुप्त होते हैं तथा इनके प्रभावी डोमिनेट (एलील) सामान्य रोगहीन दशा स्थापित करते हैं, चूंकि पुरुषों में X गुणसूत्र केवल एक तथा स्त्रियों में दो होते हैं। इसलिए जब तक दोनों X गुणसूत्र रोगग्रस्त नहीं हो जाते, तब तक स्त्रियां केवल वाहक होती हैं। जबकि पुरुष माता या पिता किसी के भी रोगग्रस्त X गुणसूत्र से प्रभावित होकर वर्णान्ध हो जाता है।

160. (c) दूध एक पायस (इमल्सन) का उदाहरण हैं। इसमें विटामिन-सी के अलावा सभी पोषक तत्व प्राप्त होते हैं।

161. (a) विटामिन 'सी' ऐस्कार्बिक अम्ल है यह जल में घुलनशील तथा स्कर्वी रोग निरोधी विटामिन है। इसकी कमी के कारण स्कर्वी रोग हो जाता है। इस रोग में खून निकलने लगता है। दाँत ढीले होकर गिरने लगते हैं। रक्त वाहिकाओं की दीवार कमजोर हो जाती हैं। थायमीन B_1 विटामिन होता है।

162. (b) जीन आनुवंशिकता की मूल इकाई है। मनुष्य की कायिक कोशाओं में 46 गुणसूत्र होते हैं। पुरुष वर्ग में 22 जोड़े अलिंग सूची और एक जोड़ा लिंग सूची (XY) होता है। और स्त्री वर्ग में 22 जोड़े समजातीय गुणसूत्र और एक जोड़ा XX गुण सूत्र रहते हैं। अण्डाणु X गुणसूत्र वाले शुक्राणु से निषेचित होने पर युग्मनज में XX गुणसूत्र रहता है और यह स्त्री सन्तान के लिए है। इसके विपरीत अण्डाणु Y गुणसूत्र से निषेचित होने पर युग्मनज में XY लिंग गुणसूत्र होता है और इसका विकास पुरुष सन्तान के रूप में होता है।

163. (a) अधिकतर द्रवों को गर्म करने पर उसका आयतन बढ़ता है और घनत्व घटता है, लेकिन पानी का व्यवहार 0°C से 4°C के बीच ठीक उल्टा होता है। यदि किसी पात्र में 0°C पर पानी को लेकर गर्म किया जाये तो 0°C से 4°C तक इसका आयतन घटता है व घनत्व बढ़ता है। 4°C पर पानी का आयतन न्यूनतम और घनत्व अधिकतम होता है। 4°C के आगे गर्म करने पर इसका व्यवहार सामान्य द्रवों की भांति होता है अर्थात् 4°C के आगे गर्म करने पर इसका आयतन बढ़ता है व घनत्व घटता जाता है।

164. (d) प्रकाश संश्लेषण के लिए कार्बन डाइऑक्साइड की आवश्यकता होती है, लेकिन यह क्रिया पूर्ण होने पर ऑक्सीजन और हाइड्रोजन की भी उत्पत्ति होती है। कार्बन हाइऑक्साइड पौधे वायुमण्डल से ग्रहण करते हैं और सूर्य के प्रकाश की उपस्थिति में ऑक्सीजन मुक्त करते हैं। निम्न समीकरण द्वारा प्रकाश संश्लेषण की क्रिया की अभिव्यक्ति की जा सकती है-

$6CO_2 + 12\ H_2O$ प्रकाश $\rightarrow$ क्लोरोफिल $C_6H_{12}O_6 + 6H_2O + 6O_2$

165. (d) जीव विकास को सर्वप्रथम लैमार्क ने समझाने का प्रयास किया। इनका सिद्धान्त लैमार्कवाद के नाम से जाना जाता है। वह फ्रांसीसी जीव वैज्ञानिक थे, इनके अनुसार 'जीवों के आंतरिक बल में जीवों के आकार को बढ़ाने की प्रवृत्ति होती है-जैसे उनके अनुसार जिराफ की गर्दन लम्बी इसलिए हुई क्योंकि वह ऊँचे पेड़ों की पत्तियां खाता था। डार्विन ने भी विकासवाद को परिभाषित किया है जबकि न्यूटन और आइन्स्टाइन मूलत: भौतिक विज्ञान से जुड़े रहे।

166. (c) जैविक प्रक्रिया में रासायनिक क्रिया की प्रक्रिया को तेज करने के लिए एन्जाइम पदार्थ जिम्मेदार है। कार्बनिक पदार्थों जैसे प्रोटीन, कार्बोहाइड्रेट तथा वसा को सरल अम्ल में परिवर्तित करने की क्रिया एन्जाइम द्वारा ही सम्पन्न होती है। इस प्रक्रिया में जल का अपघटन होता है।

167. (d) पौधे, पर्णहरित (Chlorophil) और सूर्य के प्रकाश की उपस्थिति में पत्तियों के माध्यम से कार्बन डाइआक्साइड ग्रहण करते हैं और कार्बन डाइआक्साइड को कार्बन और आक्सीजन के रूप में विच्छेदित करते हैं। कार्बन का उपयोग भोजन-निर्माण में करते हैं तथा ऑक्सीजन को मुक्त कर देते हैं। पौधे इसी क्रिया द्वारा अपने भोज्य पदार्थ तैयार करते हैं। इसे प्रकाश संश्लेषण (फोटोसिन्थेसिस) कहा जाता है। पौधों में प्रकाश संश्लेषण, श्वसन और वाष्पोत्सर्जन की क्रियाएं पत्तों द्वारा ही होती है।

168. (d) इन्सुलिन अग्नाशय के एक भाग **'लैंगर हैंस की द्वीपिका'** के द्वारा स्रावित एक प्रकार का हार्मोन है, जो रक्त शर्करा की मात्रा को नियंत्रित करता है। इसके अल्पस्रावण से मधुमेह या डाइबिटीज नामक रोग हो जाता है। इसके अतिस्रावण से हाइपोग्लाइसीमिया नामक रोग हो जाता है। इस रोग से जनन क्षमता तथा दृष्टिज्ञान कम होने लगता है। इसे ही इन्सुलिन आघात कहते हैं। इन्सुलिन ग्लूकोज के उपापचय का नियमन करता है। यह RNA संश्लेषण को प्रभावित करता है।

169. (a) रक्त में पोषक तत्व व अपशिष्ट दोनों पदार्थ होते हैं। इन्हें विशेष विधि से छानकर अलग किया जाता है। इस क्रिया में वृक्क का महत्वपूर्ण कार्य है, जो उपयोगी पदार्थों को शरीर में रोककर अपशिष्ट पदार्थों को उत्सर्जित करता है। महाधमनी की शाखाओं से रक्त वृक्कों में पहुँचता है। कोशिका की भित्ति से रक्त छनता है। अभिवाही धमनी रक्त में विषैले उत्सर्जी पदार्थ जैसे-यूरिया, यूरिक अम्ल आदि होते हैं। छने हुए रक्त में ग्लूकोज, लवण तथा नाइट्रोजन के यौगिक मिलते हैं। इस क्रिया को अपोहन अथवा (डायलिसिस) कहते हैं। पोलियो रोग, पोलियो माइलाइटिस विषाणु द्वारा होता है। इससे तंत्रिका तंत्र प्रभावित होकर लकवे (पैरालिसिस) के लक्षण पैदा करता है।

170. (c) विटामिन सी जल में विलेय विटामिन हैं इसका रासायनिक नाम एस्कार्बिक एसिड है। इसकी कमी से 'स्कर्वी' नामक रोग हो जाता है। यह खट्टे रसदार फलों जैसे नींबू, संतरा, चीकू, आंवला तथा टमाटर आदि में पाया जाता है। विटामिन-डी का रासायनिक नाम कैल्सिफेरॉल है। यह वसा में विलेय है। इसकी कमी से सूखा रोग हो जाता है। यह मक्खन, घी, अण्डे, मछली के तेल में पाया जाता है। यह सूर्य के प्रकाश में भी पाया जाता है। विटामिन-ए का रासायनिक नाम रेटिनॉल है। यह वसा में विलेय है। यह शरीर की वृद्धि में सहायता करता है। इसकी कमी से रतौंधी तथा ट्रेकोमा रोग होता है। यह दूध, मछली के तेल, अण्डे की जर्दी, गाजर, पालक आदि

में पाया जाता है। विटामिन-B घुलनशील तथा ग्यारह प्रकार के विटामिनों का समूह है। इसमें नाइट्रोजन पाया जाता है।

171. (c) आम का फल अष्ठिफल होता है। इन फलों में फलभित्ति बाह्य, मध्य तथा अंत: फलभित्ति में विभाजित होती है। इनकी अंत:फलभित्ति सदा काष्ठीय होती है। आम का खाने योग्य भाग गूदेदार मध्यफलभित्ति (fleshy mesocarp) है।

172. (b) श्वसन में ऑक्सीकारक फॉस्फोरिलीकरण (Oxidative phosphorylation) के दौरान **माइटोकॉण्ड्रिया में** ए.टी.पी. का संश्लेषण होता है। अत: माइटोकॉण्ड्रिया को कोशिका का ऊर्जा गृह (power house) या शक्ति संयंत्र (power plant) या ऊर्जा परिवर्तक कोशिकांग (energy converting organelle) या कोशिकीय भट्टियाँ (cellular furnaces) या ऊर्जा भण्डार गृह (energy store house) कहा जाता है।

173. (a) सर्वप्रथम **के. आर. पोर्टर** ने 1948 में सूक्ष्मदर्शी द्वारा अंत:प्रद्रव्यी जालिका की खोज की। अंत:प्रद्रव्यी जालिका प्रोकेरियोटिक कोशिकाओं, अण्डों तथा भ्रूणीय कोशिकाओं में अनुपस्थित होती है, जबकि युवा विभज्योतक कोशिकाओं में यह अत्यन्त विकसित होती है।

174. (c) पुदीना अर्क **या** मेन्थॉल तेल मुख्यत: पुदीने की पत्तियों के भाप आसवन द्वारा प्राप्त किया जाता है। इसका वैज्ञानिक नाम Mentha Arvensis है।

175. (c) **ऊर्जा का पिरामिड** सदैव सीधा होता है। यह पिरामिड कभी भी उल्टा नहीं पाया जाता है, क्योंकि जब ऊर्जा एक पोषी स्तर से दूसरे पोषी स्तर में स्थानान्तरित होती है, तो सदैव ही प्रत्येक पोषी स्तर पर ऊष्मा के रूप में कुछ ऊर्जा का ह्रास होता जाता है। ऊर्जा के पिरामिड में प्रत्येक खण्ड निश्चित पोषी स्तर पर दिए गए समय में अथवा इकाई क्षेत्र प्रति वर्ष के रूप में ऊर्जा की मात्रा को प्रदर्शित करता है।

176. (a) चक्रीय प्रकाश फॉस्फोरिलीकरण (cyclic photophosphorylation) में केवल प्रकाशतन्त्र-I सम्मिलित होता है, जबकि अचक्रीय प्रकाश फॉस्फोरिलीकरण में प्रकाशतन्त्र-I तथा प्रकाशतन्त्र-II दोनों सम्मिलित होते हैं।

177. (a) चिलगोजा, पाइन के बीज से प्राप्त किया जाता है इसमें प्रोटीन एवं कार्बोहाइड्रेट अधिक पाया जाता है।

178. (a) कुनैन के अतिरिक्त मलेरिया के लिए शाकीय औषधि आर्टीथर प्रयोग की जाती है।

179. (a) एल्जिनेट्स, लैमीनेरिन, एगार तथा कैराजीनन औद्योगिक उपयोग हेतु प्रयुक्त चार प्रमुख फाइकोकोलॉइड्स (phycocolloids) हैं।

एल्जिनेट्स तथा लैमीनेरिन मुख्यत: फियोफाइटा (भूरे शैवाल) से प्राप्त होते हैं। जबकि एगार तथा कैराजीनन मुख्यत: रोडोफाइटा (लाल शैवाल) से प्राप्त होते हैं।

180. (b) कीपाणुओं या कीप कोशिकाओं (choanocytes) को कॉलर कोशिकाएँ भी कहते हैं। ये एस्कॉनाभ (asconoid), साइकॉनाभ (syconoid) तथा ल्यूकॉनाभ (asconoid) देह प्रकार के स्पंजों (पोरीफेरा) की आन्तरिक सतह पर स्थित होते हैं। इनमें एक केन्द्रीय कशाभ (जो सुक्ष्मांकुरों से घिरा होता है) होता है, जो एक पतली झिल्ली से जुड़ा होता है। यह मुक्त जीवित पूर्वज कीपकशाभी (choanoflagellate) कुल का सबसे करीबी सदस्य है। कशाभी लगातार फड़कते रहते हैं तथा सुक्ष्मांकुरों के आर-पार जल प्रवाह में सहायक होते हैं। यह स्पंज के कॉलर के जल में उपस्थित पोषकों तथा अन्य खाद्य पदार्थों को छानने में सहायता करते हैं तथा कोशिका भोजन का भक्षण कर लेती हैं।

General English

181. (a) Home maker is a person who take care of the need and requirement of a home. He/ She is responsible for the management of home. In this passage Sujatha Dey was a home maker, or we can say she is a house wife.

182. (c) Sujatha Dey lives in Keshtopur.

183. (d) According to the passage thieves were chased by Sujatha Dey herself.

184. (b) The thieves were wearing full mask helmets.

185. (c) Sujatha Dey called police to lodge a complaint.

186. (a) Eradicate means to destroy something completely, or to eliminate. For ex. India has eliminated polio infection.

187. (c) Why don't you sit beside me.

188. (a) The two buses collided with each other near the stadium.

189. (d) The word 'and' used in the sentence is making it a compound sentence. This means this sentence has two sub-sentences and both of them are joined by 'and'.

190. (b) The plural of mouse is mice.

सामान्य ज्ञान

191. (d) बिम्बिसार मगध का शासक था। इसने हर्यक वंश की स्थापना की थी। वे गौतम बुद्ध के समकालीन थे और उनसे प्रभावित होकर उन्होंने बौद्ध धर्म को अपना लिया था। उन्होंने उपहार स्वरूप संघ को वेणुवन प्रदान किया था। इनके उत्तराधिकारी अजातशत्रु ने भी बौद्ध धर्म को संरक्षण प्रदान किया था। अजातशत्रु के काल में ही बौद्ध धर्म की प्रथम संगीति हुई थी।

192. (b) कनिष्क के काल में गांधार कला का अत्यधिक विकास हुआ।

193. (d) ब्रिटिश चालक जेम्स कुक ने 1770 ई. में आस्ट्रेलिया के पूर्वी तट पर ब्रिटिश आधिपत्य का दावा किया। वह बॉटनी बे (सिडनी) व न्यू साउथ वेल्स में उपनिवेश बनाने का समर्थन करने वाले विवरणों के साथ ब्रिटेन वापस लौटा।

194. (a) पृथ्वी पर महाद्वीपों की संख्या सात है जो निम्न हैं– उत्तरी अमेरिका, अंटार्कटिका, एशिया, यूरोप, दक्षिणी अमेरिका, अफ्रीका व ऑस्ट्रेलिया।

195. (c) संयुक्त राष्ट्र संगठन की स्थापना 24 अक्टूबर, 1945 को संयुक्त राष्ट्र अधिकार पत्र पर 50 देशों के हस्ताक्षर होने के साथ हुई। इसको गठित करने का उद्देश्य अंतर्राष्ट्रीय कानून को सुविधाजनक बनाने के सहयोग, अंतर्राष्ट्रीय सुरक्षा, आर्थिक विकास, सामाजिक प्रगति, मानव अधिकार और विश्व शांति है। इसका मुख्यालय न्यूयॉर्क, अमेरिका में है।

196. (c) ज्ञानपीठ पुरस्कार भारतीय ज्ञानपीठ न्यास परिषद् द्वारा भारतीय साहित्य के लिए दिया जाने वाला सर्वोच्च पुरस्कार है। भारत का कोई भी नागरिक जो आठवीं अनुसूची में बताई गई 22 भाषाओं में से किसी भाषा में लिखता हो, इस पुरस्कार के योग्य है तथा पुरस्कार (prize) के तौर पर ग्यारह लाख रुपये की धनराशि, प्रशस्तिपत्र और वाग्देवी की कांस्य प्रतिमा दी जाती है।

197. (d) अकबर ने 1582 ई. में दीन-ए-इलाही नामक धर्म की स्थापना की थी। इस धर्म में हिंदू, इस्लाम, पारसी, जैन, इसाई आदि धर्मों के सभी मूल तत्वों को शामिल किया गया था। इसमें भोग, घमंड, निंदा करना या दोष लगाना वर्जित थे और इन्हें पाप कहा गया। दया, विचारशीलता व संयम इसके मूल तत्व थे।

198. (c) ईसा पूर्व पांचवीं शताब्दी में, ग्रीक इतिहासकार हिरोडोटस ने मिस्र को 'नील नदी का उपहार' के रुप में वर्णित किया था। सम्पोषण के अविरत स्रोत के रूप में इस नदी ने मिस्र सभ्यता के विकास में महत्वपूर्ण भूमिका निभाई थी। नील नदी द्वारा बहाकर लाई गई गाद के जमा हो जाने से उसके आसपास की भूमि उपजाऊ हो गई, इससे मिस्रवासियों को गेहूँ, तीसी, पपीरम और अन्य फसलों की खेती करने और व्यापार करने की सुविधा मिली।

199. (c) कथकली केरल राज्य की शास्त्रीय नृत्य शैली है। यह 17वीं शताब्दी में कोट्टराक्करा तंपुरान द्वारा आविष्कार की गई रामनाट्टम शैली का विकसित रूप है। भरतनाट्यम तमिलनाडु, कत्थक उत्तर प्रदेश, ओडिसी ओडिशा, मणिपुरी मणिपुर, मोहिनीअट्टम केरल व कुचिपुड़ी आंध्र प्रदेश का शास्त्रीय नृत्य है।

200. (a) कपिल देव की कप्तानी में भारत ने वर्ष 1983 का क्रिकेट विश्व कप जीता था। वेस्टइंडीज के बाद भारत इस प्रतियोगिता को जीतने वाला पहला देश था। इसके अतिरिक्त यह भारत द्वारा जीता गया पहला विश्व स्तरीय खिताब था।

❑❑❑

प्रैक्टिस सेट–7

भौतिक विज्ञान

1. प्लास्टिक की एक बड़ी प्लेट पर आवेश Q समान रूप से वितरित है। प्लेट के केन्द्र के निकटस्थ बिन्दु P पर विद्युत क्षेत्र 10 वोल्ट/मी है। यदि प्लास्टिक के स्थान पर समान ज्यामितीय विमाओं की एक ताँबे की प्लेट ली जाए जिस पर आवेश Q ही हो, तो बिन्दु P पर वैद्युत क्षेत्र का मान हो जाएगा–

(a) शून्य (b) 5 वोल्ट/मी

(c) 10 वोल्ट/मी (d) 20 वोल्ट/मी

2. 1 ग्राम U^{235} के विघटन में कितनी ऊर्जा मुक्त होगी?

(a) 2.5×10^4 किलोवॉट घण्टा

(b) 1.2×10^4 किलोवॉट घण्टा

(c) 4.5×10^2 किलोवॉट घण्टा

(d) 2.5×10^2 किलोवॉट घण्टा

3. यदि बैंगनी तथा लाल प्रकाश के लिए किसी अभिसारी लेंस की फोकस दूरियाँ क्रमश: f_v तथा f_r हैं, तो निम्न में से क्या सही हैं?

(a) $f_v < f_r$

(b) $f_v = f_r$

(c) $f_v > f_r$

(d) यह औसत रिफ्रेक्टिव इन्डेक्स पर निर्भर करता है

4. एक आदर्श एक परमाणुक गैस को p-V चित्र के अनुसार $PQRS$ पथ में ले जाया जाता है। पथ के दौरान किया गया कार्य है

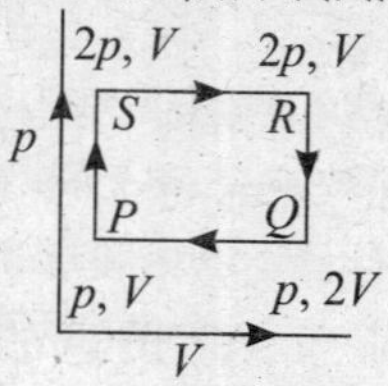

(a) pV (b) $2pV$

(c) p (d) 0

5. एक घन जिसकी प्रत्येक भुजा 0°C पर 1 मी है, का तापमान बढ़ाकर 100°C कर दिया गया है। यदि गर्म करने के बाद घन की प्रत्येक भुजा 1.005 मी हो जाती है, तब घन के पदार्थ का रेखीय प्रसार गुणांक कितना होगा?

(a) 5×10^{-6}

(b) 15×10^{-5}

(c) 18×10^{-5}

(d) इनमें से कोई नहीं

6. एक 1.5 किलोवॉट का जलतापक, 600 वॉट का एक वायुतापक तथा 5 ऐम्पियर धारा प्रयुक्त करने वाली एक वैद्युत-प्रेस 220 वोल्ट की लाइन पर एक साथ संचालित किए जाते हैं। यदि ऊर्जा लागत ₹4.00/किलोवॉट-घण्टा हो, तो उपरोक्त तीनों उपकरणों को 5 घंटे चलाने पर कितना खर्च आएगा?

(a) ₹ 55.20

(b) ₹ 63

(c) ₹ 65.20

(d) इनमें से कोई नहीं

7. किसी बैटरी का वैद्युत् वाहक बल क्या होगा, यदि 1 ऐम्पियर धारा प्रवाहित करने पर टर्मिनल विभवान्तर 28.5 वोल्ट हो तथा 2 ऐम्पियर धारा प्रवाहित करने पर टर्मिनल विभवान्तर 27 वोल्ट हो?

(a) 30 वोल्ट

(b) 10 वोल्ट

(c) 28.5 वोल्ट

(d) इनमें से कोई नहीं

8. एक 6 मी. लम्बी धरण ABCDE के टेक A तथा D पर हैं। AB, BC, CD तथा DE क्रमश: 1 मी., 2 मी., 2 मी., तथा 1 मी. लम्बी हैं। धरण पर 900 किग्रा, 700 किग्रा तथा W किग्रा के भार नीचे की ओर धरण के बिन्दु B, C तथा E पर कार्यरत हैं। यदि D पर प्रतिक्रिया से 1.5 गुनी है, तो W का मान होगा–

(a) 400 किग्रा-भार

(b) 600 किग्रा-भार

(c) 800 किग्रा-भार

(d) इनमें से कोई नहीं

9. क्षैतिज दिशा में गतिमान एक गोली लक्ष्य से टकराकर विरामावस्था में आ जाती है। यदि गोली का गलनांक 275°C, प्रारम्भिक ताप 25°C, विशिष्ट ऊष्मा 0.05 तथा इसके द्रवण की गुप्त ऊष्मा 29.5 कैलोरी प्रति ग्राम है, तो वह न्यूनतम वेग, जिस पर गोली लक्ष्य से टकराकर गल जाती है, होगा (दिया है: ऊष्मा का यांत्रिक तुल्यांक J = 4.2 जूल/कैलोरी)–

(a) $420\sqrt{2}$ मी/से.

(b) 410 मी/से.

(c) 420 मी/से.

(d) इनमें से कोई नहीं

10. एक वस्तु एक द्रव में डुबोयी जाती है। वस्तु दिखाई नहीं देगी यदि–

(a) वह पूर्ण परावर्तक सतह की तरह कार्य करती हो

(b) वह सम्पूर्ण प्रकाश को अवशोषित करती हो

(c) वह अपवर्तनांक एक रखती हो

(d) उसका अपवर्तनांक उस द्रव के अपवर्तनांक से पूर्ण मेल खाता हो

11. हाइड्रोजन परमाणु का प्रथम उत्तेजित अवस्था में उत्तेजन विभव क्या होगा?

(a) 13.6 वोल्ट

(b) –136. वोल्ट

(c) 10.2 वोल्ट

(d) –10 वोल्ट

12. समान क्षेत्रफल वाली दो प्लेटें सम्पर्क में रखी गई हैं उनकी मोटाई एवं ताप चालकताओं में 2 : 3 का अनुपात है। एक प्लेट की बाह्य सतह 10°C पर तथा दूसरी प्लेट की बाह्य सतह का ताप नियत (0°C) रखा गया है। उभयनिष्ठ सतह का ताप होगा–

(a) 0°C (b) 2.5°C

(c) 5°C (d) 6.5°C

13. एक कैलोरीमीटर में जिसकी ऊष्माधारिता 40 कैलोरी/°C है, 15°C ताप पर 160 ग्राम जल है। इस जल में 4.3 ग्राम का बर्फ का टुकड़ा डाला गया है। बर्फ के पिघलने पर जल का ताप 13°C तक गिर जाता है। बर्फ की गुप्त ऊष्मा होगी–

(a) 80 कैलारी/ग्राम
(b) 80 किलो कैलोरी/ग्राम
(c) 80 कैलोरी/किग्रा
(d) इनमें से कोई नहीं

14. 8 मी. लम्बे हल्के तार के सिरों से 7 किग्रा तथा 9 किग्रा के पिण्ड लटके हैं। 7 किग्रा द्रव्यमान वाले पिण्ड से द्रव्यमान केन्द्र की दूरी ज्ञात कीजिए–

(a) 4.5 मी. (b) 3.5 मी.
(c) 1.5 मी. (d) 8.0 मी.

15. एक इंजन एक सुरंग, जो कि चट्टान से आच्छादित है, की ओर पहुंचते हुए एक सूक्ष्म सीटी बजाता है। जब इंजन सुरंग से 800 मी दूर होता है, सीटी की प्रतिध्वनि 4.8 सेकण्ड बाद इंजन पर पहुंचती है। यदि ध्वनि का वेग 320 मी/से. है, तो इंजन की गति क्या होगी?

(a) 128 किमी/घण्टा
(b) 68 किमी/घण्टा
(c) 1200 किमी/घण्टा
(d) इनमें से कोई नहीं

16. एक वृत्तीय लोहे की हाल की आन्तरिक परिधि 25.0°C ताप पर 200.00 सेमी है। हाल को 200.48 सेमी/परिधि के एक लकड़ी के पहिए पर चढ़ाने के लिए कम से कम कितना गर्म करना होगा? (लोहे तथा लकड़ी के रेखीय प्रसार गुणांक क्रमशः 1.20×10^{-5} प्रति°C तथा शून्य हैं।)

(a) 22.50°C (b) 2250°C
(c) 2.250°C (d) 225.0°C

17. यदि मानव के आँख का एपरचर 0.2 सेमी हो, तो ऐसे टेलिस्कोप, जिसका आब्जेक्टिव 100 सेमी हो, की न्यूनतम आवर्धन क्षमता होगी–

(a) 200 (b) 0.002
(c) 0.02 (d) 100

18. एक किलोवॉट शक्ति की मोटर को 10 मीटर गहरे कुएं से पानी उठाने के लिए प्रयोग किया जाता है। प्रति मिनट पानी उठाने की मात्रा होगी–($g = 9.8$ मी/से^{2})

(a) 306 किग्रा (b) 10.20 किग्रा
(c) 918. किग्रा (d) 612.24 किग्रा

19. एक गेंद को भवन की छत से गिराने पर गेंद को जमीन पर पहुंचने में 3 सेकण्ड लगते हैं। गेंद का पृथ्वी की ओर त्वरण 10 मी/से^{2} है, तो भवन की ऊंचाई है–

(a) 40 मीटर
(b) 20 मीटर
(c) 45 मीटर
(d) इनमें से कोई नहीं

20. एक दिष्टधारा अमीटर का प्रतिरोध 0.1 ओम एवं उसकी धारा परास 0-100 ऐम्पियर है। यदि धारा की परास को 0-500 ऐम्पियर बढ़ाना है तो निम्न शंट प्रतिरोध लगाना होगा–

(a) 0.010 ओम (b) 0.011 ओम
(c) 0.025 ओम (d) 0.25 ओम

21. एक वस्तु एकसमान त्वरण से गतिमान है, कौन-सा ग्राफ सही है?

(a)
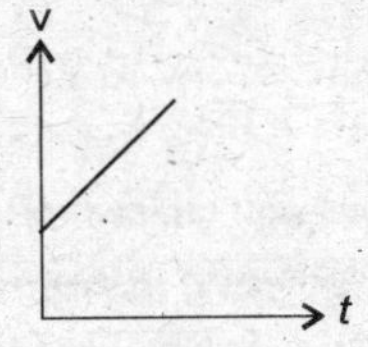

(b)
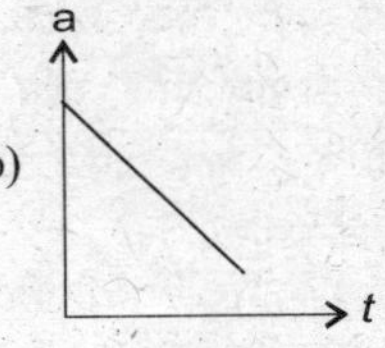

(c)
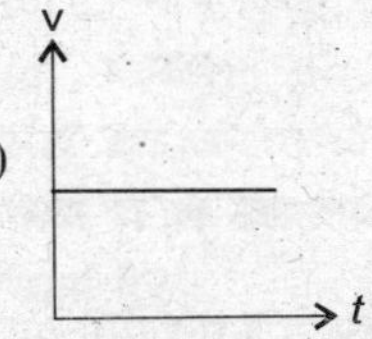

(d)
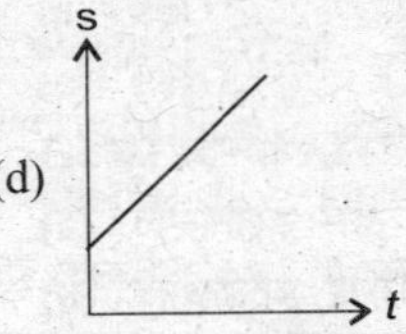

22. एक परमाणु जिसका व्यास 100 pm है, के भीतर देखने के लिए हमें 10 pm की चौड़ाई (विभेदित) करनी होगी। यदि एक इलेक्ट्रॉन सूक्ष्मदर्शी प्रयुक्त करें, तब आवश्यक न्यूनतम इलेक्ट्रॉन ऊर्जा होगी–

(a) 1.5 keV (b) 15 keV
(c) 150 keV (d) 1.05 keV

23. एक प्रोटॉन एकसमान चुम्बकीय क्षेत्र में z–अक्ष के लम्बवत् दिशा में जिसके अनुदिश क्षेत्र B विद्यमान है, a त्रिज्या के वृत्ताकार पथ पर गति करता है। यदि त्रिज्या a तथा प्रोटॉन पर आवेश e है, तब कोणीय संवेग ज्ञात कीजिए–

(a) $\frac{Be}{a^2}$ (b) eB^2a
(c) a^2eB (d) aeB

24. दो वस्तुएँ A और B जिनके द्रव्यमान 3 : 1 के अनुपात मे हैं, समान गतिज ऊर्जा रखते हैं। B और A के रेखीय संवेग का अनुपात है–

(a) 1 : 3 (b) 3 : 1
(c) $1:\sqrt{3}$ (d) $\sqrt{3}:1$

25. 500 हर्ट्स आवृत्ति का एक 100 वोल्ट AC स्रोत एक LCR परिपथ में जुड़ा है जिसमें श्रेणी घटक L = 8.1 मिली हेनरी, C = 12.5 माइक्रोफैरड और R = 10 Ω हैं। परिपथ का गुणता कारक क्या है?

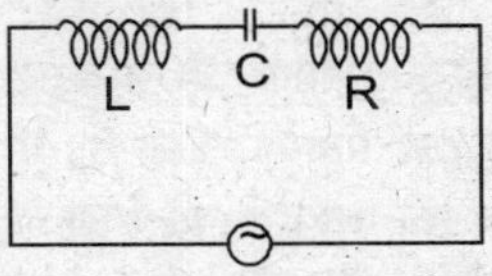

(a) 2.02 (b) 2.5434
(c) 20.54 (d) 200.54

26. V विभव की एक बैटरी के आर-पार जुड़े एक प्रतिरोध में व्यय शक्ति P है। यदि प्रतिरोध दोगुना हो जाए तब शक्ति व्यय होगी–

(a) $\frac{1}{2}$ (b) 2
(c) $\frac{1}{4}$ (d) 4

27. दो वेक्टर लम्बवत् हैं, यदि–

(a) $\vec{A}.\vec{B}=1$ (b) $\vec{A}\times\vec{B}=0$
(c) $\vec{A}.\vec{B}=0$ (d) $\vec{A}\times\vec{B}=AB$

28. एक वस्तु को h ऊँचाई से गिराया जाता है। यदि प्रत्यावस्थान गुणांक e है, तब पहली उछाल के पश्चात् ऊँचाई ज्ञात कीजिए–

(a) $h_1 = e^2h$ (b) $h_1 = e^4h$
(c) $h_1 = eh$ (d) $h_1 = \frac{h}{e}$

29. निम्नलिखित चार मूल बलों में से किसकी परास कम है?

(a) नाभिकीय बल
(b) गुरुत्वीय बल
(c) विद्युतचुम्बकीय बल
(d) क्षीण बल

30. एक कुण्डली का प्रेरकत्व L = 10 हेनरी और प्रतिरोध R = 5Ω है। यदि बैटरी को आरोपित वोल्टता 10 वोल्ट है तथा यह 1 मिली सेकण्ड में बन्द हो जाता है, तब प्रेरकत्व में प्रेरित वि. वा. बल ज्ञात कीजिए–

(a) 2×10^4 वोल्ट (b) 1.2×10^4 वोल्ट
(c) 2×10^{-4} वोल्ट (d) इनमें से कोई नहीं

31. बन्धन ऊर्जा प्रति न्यूक्लिऑन सम्बन्ध, द्रव्यमान संख्या के सापेक्ष–

(a) पहले घटता है, फिर बढ़ता है
(b) पहले बढ़ता है फिर घटता है
(c) बढ़ता है
(d) घटता है

32. गहराई d और ऊँचाई h पर गुरुत्वीय त्वरणों का अनुपात है जहाँ $d = 2h$

(a) 1 : 1 (b) 1 : 2
(c) 2 : 1 (d) 1: 4

33. यदि $_{92}U^{235}$ नाभिक के विखण्डन में 200 MeV ऊर्जा मुक्त होती है, तब 1 किलोवॉट की शक्ति उत्पन्न करने के लिए प्रति सेकण्ड विखण्डनों की संख्या क्या होगी?
(a) 3.12×10^{13} (b) 3.12×10^{3}
(c) 3.1×10^{17} (d) 3.12×10^{19}

34. हाइड्रोजन परमाणु के स्पेक्ट्रम में जब कक्षा 2 से 1 से संक्रमण होता है, तब 2.7×10^{15} हर्ट्ज की आवृत्ति की विद्युतचुम्बकीय तरंग उत्सर्जित होती है। यदि संक्रमण 3 से 1 में होता है, तब उत्सर्जित आवृत्ति होगी-
(a) 3.2×10^{15} हर्ट्ज (b) 32×10^{15} हर्ट्ज
(c) 1.6×10^{15} हर्ट्ज (d) 16×10^{15} हर्ट्ज

35. पूर्ण आंतरिक परावर्तन होता है, जब-
(a) प्रकाश तरंग सघन से विरल माध्यम में जाती है और आपतन कोण, क्रांतिक कोण से बड़ा होता है
(b) प्रकाश तरंग विरल से सघन माध्यम में जाती है और आपतन कोण क्रांतिक कोण से छोटा होता है
(c) प्रकाश तरंग विरल से सघन माध्यम मे जाती है और आपतन कोण, क्रांतिक कोण के बराबर होता है
(d) उपरोक्त में से कोई नहीं

36. विद्युतचुम्बकीय तरंगें उत्पन्न होती हैं-
(a) त्वरित आवेशित कण द्वारा
(b) मन्दित आवेशित कण द्वारा
(c) आवेशित कण द्वारा जो एक समान गति में है
(d) उपरोक्त में से कोई नहीं

37. प्रक्षेप्य गति के दौरान, क्षैतिज वेग-
(a) पहले बढ़ता है, फिर घटता है
(b) पहले घटता है, फिर बढ़ता है
(c) सदैव बढ़ता है
(d) सदैव नियत रहता है

38. एक विद्युत क्षेत्र से सम्बद्ध समविभव पृष्ठ, जो x-दिशा के अनुदिश परिमाण में बढ़ते हैं, है-
(a) yz–तल के समान्तर तल
(b) xy–तल के समान्तर तल
(c) xz–तल के समान्तर तल
(d) x–अक्ष के परित: बढ़ती त्रिज्या के समअक्षीय बेलन

39. जब प्रकाश एक माध्यम से दूसरे माध्यम में जाता है, तब क्या अपरिवर्तित रहता है?
(a) आवृत्ति (b) तरंगदैर्ध्य
(c) आयाम (d) वेग

40. एक प्रोटॉन पुंज 4×10^5 मी/से वेग के साथ 0.3 टेस्ला के एकसमान चुम्बकीय क्षेत्र में, 60° कोण पर प्रवेश करता है। प्रोटॉन पुंज द्वारा लिये गये कुण्डलिनी पथ की त्रिज्या है-
(a) 0.2 सेमी (b) 1.2 सेमी
(c) 2.2 सेमी (d) 0.122 सेमी

41. पाइसन अनुपात σ के सैद्धान्तिक मान की परास होती है-
(a) $0 < \sigma < 1$ (b) $-1 < \sigma < 0.5$
(c) $02 < \sigma < 0.4$ (d) $-1 < \sigma < 1$

42. किस ताप पर गैस के अणुओं का वर्ग माध्य मूल वेग, NTP पर इसके मान का दुगना हो जाएगा यदि दाब स्थिर रहे?
(a) 899°C (b) 819 K
(c) 546 K (d) 546°C

43. 15 ग्राम ईंधन को जलाने पर जो ऊष्मा उत्पन्न होती है वह 6 किलोग्राम जल का ताप 15°C से 45°C तक बढ़ा देती है। इस ईंधन का ऊष्मीय मान, यदि जल की विशिष्ट ऊष्मा 4.2 जूल/ग्राम°C है, होगा–
(a) 25.2 किलोजूल/ग्राम
(b) 126 किलोजूल/ग्राम
(c) 53 किलोजूल/ग्राम
(d) 50.4 किलोजूल/ग्राम

44. जब एनटीपी पर एक लीटर गैस $\left(\gamma = \frac{5}{3}\right)$ का रुद्धोष्म रूप से 1 घन सेमी तक संपीडित किया जाता है, तो परिणामी दाब है-
(a) 10 वायुमण्डल (b) 10^3 वायुमण्डल
(c) 10^5 वायुमण्डल (d) 100 वायुमण्डल

45. समतापी प्रक्रम में एक आदर्श गैस की विशिष्ट ऊष्मा होती है-
(a) शून्य (b) $\frac{3}{2}R$
(c) $\frac{5}{2}R$ (d) अनन्त

46. एक कमरे में, जहाँ ताप 30°C है, एक वस्तु 61°C से 59°C तक 4 मिनट में ठण्डी होती है। वस्तु को 51°C से 49°C तक ठण्डे होने में लगा समय है-
(a) 4 मिनट (b) 5 मिनट
(c) 6 मिनट (d) 8 मिनट

47. एक माध्यम में एक तरंग की तरंगदैर्ध्य 0.5 मीटर है। इस तरंग के कारण माध्यम में दो बिन्दुओं पर दोलनों के मध्य कलान्तर $\frac{\pi}{5}$ है। इन दोनों बिन्दुओं के मध्य न्यूनतम दूरी है-
(a) 0.05 मी (b) 0.1 मी
(c) 0.25 मी (d) 0.15 मी

48. प्रत्येक 'a_0' आयाम प्रत्येक की दो तरंगें अध्यारोपित होकर 'a_0' आयाम की परिमाणी तरंग उत्पन्न करती हैं। दोनों तरंगों के मध्य कलान्तर है-
(a) $\frac{\pi}{3}$ (b) $\frac{2\pi}{3}$
(c) $\frac{\pi}{2}$ (d) $\frac{\pi}{4}$

49. दो ध्वनि तरंगों की आवृत्ति क्रमश: 334 हर्ट्ज एवं 326 हर्ट्ज है। यदि ध्वनि का वेग 330 मीटर/से है, तो दोनों तरंगों के अध्यारोपण होने पर विस्पंद काल होगा-
(a) 8 सेकण्ड (b) 1 सेकण्ड
(c) 0.125 सेकण्ड (d) 0.25 सेकण्ड

50. एक स्थिर स्रोत 200 हर्ट्ज आवृत्ति की एक सीटी उत्सर्जित करता है यदि ध्वनि संचरण का वेग 34 मीटर/से है तो प्रेक्षित आवृत्ति, जबकि प्रेक्षक स्रोत से 25 मीटर/से की गति से दूर जा रहा है, होगी-
(a) 158 हर्ट्ज (b) 215 हर्ट्ज
(c) 175 हर्ट्ज (d) 225 हर्ट्ज

51. दो दर्पण 50° कोण पर आनत हैं। यदि दोनों दर्पणों के मध्य बिम्ब रखा जाए तो बने हुए प्रतिबम्बों की संख्या है-
(a) 5 (b) 6
(c) 7 (d) 8

52. 1 अश्वशक्ति की मोटर से एक विडोलक द्वारा 3.73 लीटर जल का विडोलन किया जाता है। यदि सम्पूर्ण शक्ति ऊष्मा उत्पन्न करने में प्रयुक्त होती है, तो जल का तापमान 20°C बढ़ाने के लिए आवश्यक समय कितना होगा?
(माना 1 अश्वशक्ति = 746 वॉट तथा J = 4.2 जूल/कैलोरी)
(a) 14 मिनट
(b) 7 मिनट
(c) 10 मिनट
(d) इनमें से कोई नहीं

53. एक तीर को हवा में चलाया जाता है। इसका उड्डयन काल 5 सेकण्ड तथा क्षैतिज परास 200 मीटर है। तीर का क्षैतिज में प्रक्षेपण कोण है-
(a) $\tan^{-1}(5/4)$ (b) $\tan^{-1}(4/5)$
(c) $\tan^{-1}(5/8)$ (d) $\tan^{-1}(8/5)$

54. R त्रिज्या की एक चकती का इसके व्यास के सापेक्ष जड़त्व आघूर्ण 25 किग्रा-मी² है। चकती के केन्द्र से R/2 दूरी का व्यास के समान्तर अक्ष के सापेक्ष चकती का जड़त्व आघूर्ण होगा-
(a) 31.25 किग्रा–मी² (b) 37.5 किग्रा–मी²
(c) 50 किग्रा–मी² (d) 62.5 किग्रा–मी²

55. L लम्बाई एवं M द्रव्यमान की एक पतली छड़ जिसका एक सिरा जमीन पर है, को ऊर्ध्वाधर रखकर गिरने दिया जाता है। यह

मानते हुए कि जमीन वाला सिरा फिसलता नहीं है, दूसरे सिरे का वेग जब वह जमीन से टकराता है, होगा-

(a) $\sqrt{gL}$ (b) $\sqrt{3gL}$

(c) $\sqrt{\frac{gL}{3}}$ (d) $\frac{1}{3}\sqrt{3gL}$

56. एक कण $x = A \sin \omega t$ के अनुसार सरल आवर्त गति कर रहा है। यदि कण को $x = 0$ से $x = \sqrt{3}\frac{A}{2}$ तक पहुँचने में t_1 समय और $x = \frac{\sqrt{3}}{2}A$ से $x = A$ तक पहुँचने में t_2 समय लगता है, तो t_1/t_2 का मान है–

(a) 2 (b) $\frac{1}{2}$

(c) 3

(d) कोई भी विकल्प सही नहीं है

57. किसी वस्तु का भार पृथ्वी की सतह पर 90 किग्रा है। यदि इसे पृथ्वी की त्रिज्या की आधी के बराबर ऊँचाई पर ले जाया जाए तो इसका भार हो जाएगा

(a) 135 किग्रा (b) 45 किग्रा

(c) 60 किग्रा (d) 40 किग्रा

58. पृथ्वी पर पलायन वेग 11.2 किग्रा/से है। यदि एक वस्तु को इससे दुगने वेग से प्रक्षेपित किया जाता है तो पृथ्वी से बहुत दूर इस वस्तु को वेग, ब्रह्मांड में अन्य वस्तुओं की उपस्थिति को उपेक्षित करते हुए होगा–

(a) 11.2 किग्रा/से (b) 22.4 किग्रा/से

(c) 19.4 किग्रा/से (d) 15.2 किग्रा/से

59. साबुन के एक बुलबुले के अन्दर दाब आधिक्य दूसरे बुलबुले के अन्दर दाब आधिक्य की तुलना में तीन गुना ज्यादा है पहले बुलबुले एवं दूसरे बुलबुले के आयतन का अनुपात है–

(a) 1 : 27 (b) 27 : 1

(c) 1 : 9 (d) 9 : 1

60. किसी वस्तु विस्थापन समीकरण $3s = a + 4bt^3$ है, जहाँ, a और b स्थिरांक हैं। 1 सेकण्ड पश्चात् वस्तु का वेग क्या होगा?

(a) $4b$ (b) $a + 4b$

(c) $a - 4b$ (d) $a + \frac{4b}{3}$

रसायन विज्ञान

**61. समीकरण $C + O_2 \rightarrow CO_2 + 384$ kJ की सहायता से कार्बन का कैलोरी मान होगा–
(जबकि C = 12, O = 16)**

(a) 64 kJ (b) 32 kJ

(c) 24 kJ (d) 12 kJ

62. 0.2 M ऐसीटिक अम्ल तथा 0.02 M सोडियम ऐसीटेट के बफर विलयन का pH मान होगा (दिया है, ऐसीटिक अम्ल का $pK_a = 4.73$)-

(a) 4.73 (b) 3.73

(c) 5.73 (d) 7.00

63. जब आवर्त सारणी में हम किसी वर्ग में नीचे की ओर जाते हैं, तो आयतन विभव में कमी का कारण है–

(a) नाभिकीय आवेश का घटना

(b) विद्युत ऋणात्मकता का घटना

(c) परमाणवीय आकार का बढ़ना

(d) उपरोक्त में से कोई नहीं

64. यदि Zn^{2+} के जलीय वियलन में NaOH मिलाया जाये तो सफेद अवक्षेप प्राप्त होता है, जोकि NaOH की अधिकता में विलेय है। विलयन में Zn उपस्थित रहता है–

(a) धन आयनिक भाग में

(b) ऋण आयनिक भाग में

(c) दोनों धन आयनिक एवं ऋण आयनिक भाग में

(d) वियलन में Zn शेष नहीं रहता है

65. एक निर्जल पदार्थ का अणुभार 64 है तथा क्रिस्टलीय अवस्था में अणुभार 100 है। क्रिस्टलीय पदार्थ के एक अणु में जल के अणुओं की संख्या होगी–

(a) 4

(b) 5

(c) 2

(d) इनमें से कोई नहीं

66. जल की स्थायी कठोरता दूर करने के लिए प्रयोग किया जाने वाला यौगिक सोडियम जियोलाइड (Na_2Z) अधिक समय तक प्रयुक्त करने के बाद अप्रभावी हो जाता है। इस यौगिक को पुनर्युवनित किया जाता है–

(a) इसे सान्द्र H_2SO_4 में से गुजारकर

(b) इसमें NaCl का 10% विलयन गुजारकर

(c) इसमें से वाष्प प्रवाहित करके

(d) इसमें से कास्टिक सोडा प्रवाहित करके

67. एक महिला के द्वारा बना केक कठोर एवं छोटे आकार का बनता है। महिला ने कौन-सा संघटक केक में नहीं डाला है?

(a) NaOH

(b) Na_2CO_3

(c) $NaHCO_3$

(d) इनमें से कोई नहीं

68. न्यूक्लियर रिएक्टर कौन-सा कार्य करता है?

(a) अनियंत्रित ढंग से न्यूक्लियर ऊर्जा का उत्पादन

(b) नियंत्रित ढंग से न्यूक्लियर ऊर्जा का उत्पादन

(c) परमाणु बम विस्फोट में सहायता

(d) उपरोक्त में से कोई नहीं

69. जल गैस प्राप्त की जा सकती है–

(a) श्वेत तप्त कोक पर वाष्प प्रवाहित करने पर

(b) लगभग 600°C पर कोक पर ठण्डा जल प्रवाहित करने पर

(c) 150°C पर कोक पर ठण्डा जल प्रवाहित करने पर

(d) H_2 की CO_2 पर अभिक्रिया करने पर

70. 224 घन सेमी गैस का भार सामान्य ताप एवं दाब पर 0.24 ग्राम पाया गया है, इसका अणुभार कितना होगा?

(a) 24

(b) 36

(c) 60

(d) इनमें से कोई नहीं

71. वायु की सीमित मात्रा की उपस्थिति में 350° सेल्सियस से 500° सेल्सियस तक के तापमान पर किसके अपूर्ण दहन से ऐसीटेल्डिहाइड बनता है?

(a) ऐथेन से (b) एथिलीन से

(c) एसिटिलीन से (d) मेथेन से

72. ब्लू प्रिन्ट पेपर पर लेपन होता है-

(a) प्रसियन ब्लू का

(b) सोडियम नाइट्रोप्रुसाइड का

(c) कॉपर सल्फेट व NH_2Cl के मिश्रण का

(d) पोटैशियम फेरीसायनाइड और अमोनियम फेरिक सिट्रेट के मिश्रण का लेपन होता है।

73. निम्नलिखित में से कौन सहबहुलक है?

(a) नायलॉन-6, 6

(b) पॉलीएथिलीन

(c) पॉलीवाइनिल क्लोराइड

(d) प्राकृतिक रबर

74. मेथिल आयोडाइड को सोडियम धातु के साथ गर्म करने पर जो गैस प्राप्त होती है, वह है–

(a) मेथेन (b) एथेन

(c) एसीटिलीन (d) एथीलीन

75. क्लोरोफॉर्म का अणुभार होता है-

(a) 118

(b) 128

(c) 118 हो सकता है जो बढ़कर 119.5 हो जाएगा

(d) 128 हो सकता है जो घटकर 119.5 हो जाएगा।

76. C_4H_6 आणविक सूत्र वाले यौगिक में है–

(a) सभी एक बन्ध

(b) एक त्रिबन्ध तथा एक द्विबन्ध

(c) एक द्विबन्ध
(d) एक त्रिबन्ध या दो द्विबन्ध

77. नाभिकीय अभिक्रिया $_{90}Th^{228} \rightarrow {}_{83}Bi^{212}$ में उत्सर्जित α तथा β कणों की संख्याएं हैं–
(a) $3\alpha, 7\beta$ (b) $4\alpha, 1\beta$
(c) $8\alpha, 1\beta$ (d) $4\alpha, 7\beta$

78. निम्न में डिटर्जेण्ट है–
(a) टेफलॉन
(b) बैकेलाइट
(c) ट्राइनाइट्रो
(d) सोडियम लॉरिल सल्फेट

79. NCl, NCl^+ और NCl^- अणुओं पर विचार करें। उनके चुम्बकीय आघूर्ण पर गलत वक्तव्य क्या है?
(a) सभी अनुचुम्बकीय है
(b) NCl^+, NCl^- का समान चुम्बकीय आघूर्ण है
(c) NCl का निम्नतम चुम्बकीय आघूर्ण है
(d) NCl^+ और NCl में युग्मित इलेक्ट्रॉनों की संख्या समान है

80. NH_3 गैस में HCl की छड़ ले जाने पर निकलता है–
(a) भूरा धुआं (b) सफेद धुआं
(c) पीला धुआं (d) काला धुआं

81. किसी कार्बनिक यौगिक में नाइट्रोजन का मात्रात्मक आकलन निम्न विधि से किया जाता है?
(a) बर्थेलॉट विधि (b) बेल्स्टीन विधि
(c) लैसग्ने परीक्षण (d) जेल्डाल विधि

82. क्लोरोफॉर्म को खुला रखने पर यह निम्न में आक्सीकृत हो जाता है?
(a) CO_2
(b) $COCl_2$
(c) CO_2Cl_2
(d) इनमें से कोई नहीं

83. निम्नलिखित में से कौन सा NaOH के साथ अभिक्रिया नहीं करेगा?
(a) पिक्रिक अम्ल
(b) C_2H_5OH
(c) CH_3CONH_2
(d) $CH(CN)_3$

84. 298K पर Sb_2S_3 की जल में विलेयता 1.0×10^{-5} मोल/लीटर है। इसका विलेयता गुणनफल क्या होगा?
(a) 108×10^{-25} (b) 1.0×10^{-25}
(c) 144×10^{-25} (d) 126×10^{-24}

85. $CH_3CH_2C(Br) = CH - Cl$ का IUPAC नाम है–
(a) 2-ब्रोमो-1-क्लोरो ब्यूटीन
(b) 1-क्लोरो-2-ब्रोमो ब्यूटीन
(c) 3-क्लोरो-2-ब्रामो ब्यूटीन
(d) इनमें से कोई नहीं

86. आग बुझाने के तौर पर प्रयोग किया जाने वाला रासायनिक तत्व है–
(a) Na_2CO_3 (b) HCl
(c) NaCl (d) $CaCl_2$

87. जल गैस है?
(a) $CO + N_2$
(b) $CO + CO_2 + CH_4$
(c) $CO_2 + N_2$
(d) $CO + H_2$

88. $H_2S_2O_7$ के लिए औद्योगिक नाम है–
(a) पायरोसल्फ्यूरिक अम्ल
(b) मार्शल अम्ल
(c) ओलीयम
(d) उपरोक्त सभी

89. निम्नलिखित में से कौन-सा मैग्नीशियम का अयस्क नहीं है?
(a) मैग्नेसाइट (b) डोलोमाइट
(c) जिप्सम (d) कार्नेलाइट

90. निम्न में से कौन-से लुईस क्षार है?
(a) NaOH
(b) NH_3
(c) BCl_3
(d) उपरोक्त सभी

91. अभिक्रिया $H_2 + I_2 \rightleftharpoons 2HI$ में 2 लीटर में H_2 और I_2 के 0.4 मोल लिए जाते हैं। साम्यावस्था पर HI के 0.5 मोल बनते हैं। साम्य स्थिरांक K_c का मान क्या होगा?
(a) 20.2 (b) 25.4
(c) 0.284 (d) 11.11

92. निम्नलिखित ऑक्साइड में से कौन-सा अम्लीय जलीय विलयन नहीं बनाता है?
(a) N_2O_3 (b) NO_2
(c) N_2O_5 (d) NO

93. प्रोपेनल और प्रोपेनोन किस प्रकार की समावयवता दर्शाते हैं?
(a) क्रियात्मक समावयवता
(b) मध्यावयवता
(c) चलावयवता
(d) शृंखला समावयवता

94. किस प्रकार का विदलन धूप में होता है?
(a) हेट्रोलिटिक विदलन (विषमांग)
(b) होमोलिटिक विदलन (समांग)
(c) (a) और (b) दोनों
(d) इनमें से कोई नहीं

95. NO_3^- परीक्षण में भूरा छल्ला किसके निर्माण के कारण बनता है?
(a) $FeSO_4NO$
(b) $[Fe(SO_4)_2NO]H_2O$
(c) $Fe_2(SO_4)_3NO$
(d) इनमें से कोई नहीं

96. KI और $CuSO_4$ को जब मिलाया जाता है तब ये देते हैं–
(a) $CuI_2 + KHSO_4$
(b) $Cu_2I_2 + K_2SO_4$
(c) $K_2SO_4 + Cu_2I_2 + I_2$
(d) $K_2SO_4 + CuI_2 + I_2$

97. निम्न में से कौन-सा एक फिटकरी का प्रयोग है?
(a) विस्फोटक बनाने में
(b) कपड़ों के विरंजन में
(c) जल मृदूकरण में
(d) उपरोक्त सभी में

98. बायोगैस का (कैलोरिफिक मान) ऊष्मीय मान 35 किलो जूल/ग्राम है। 0.5 किग्रा बायोगैस जलाने पर कितनी ऊर्जा उत्पन्न होगी?
(a) 17.5×10^6 जूल
(b) 17×10^6 जूल
(c) 1.75×10^6 जूल
(d) 18.5×10^6 जूल

99. बेनेडिक्ट विलयन किसके द्वारा अपचयित नहीं होता है?
(a) फार्मेल्डिहाइड
(b) एसिटेल्डिहाइड
(c) ग्लूकोस
(d) ऐसेटिक एनहाइड्राइड

100. निम्न में से कौन सा गर्म सान्द्र NaOH विलयन में घुलनशील है?
(a) Fe (b) Zn
(c) Cu (d) Ag

101. SO_2 के विरंजक क्रिया का कारण है–
(a) ऑक्सीकारक गुण
(b) अम्लीय गुण
(c) क्षारीय गुण
(d) अपचायक गुण

102. लकड़ी होती है–
(a) हाइड्रोकार्बन
(b) हाइड्रोकार्बन का मिश्रण
(c) कार्बोहाइड्रेट का मिश्रण
(d) अकार्बनिक तत्वों का मिश्रण

103. शुद्ध जल का पी.एच. मान है–
(a) 7.4 (b) 7
(c) 6.2 (d) 14

104. निम्नलिखित क्रियाओं में कौन-सी ऑक्सीकरण व अपचयन दिखाती है?
(a) $NaBr + HCl \rightarrow NaCl + HBr$
(b) $HBr + AgNO_3 \rightarrow AgBr + HNO_3$
(c) $H_2 + Br_2 \rightarrow 2HBr$
(d) $Na_2O + H_2O \rightarrow Na_2SO_4 + H_2O$

105. ब्लू-ब्लैक स्याही बनाने में प्रयुक्त पदार्थ होता है–
(a) ऑक्सैलिक अम्ल
(b) सिट्रिक अम्ल
(c) हाइड्रोक्लोरिक अम्ल
(d) गैलिक अम्ल

106. जब Cu, $AgNO_3$ विलयन के साथ क्रिया करता है, तब अभिक्रिया में होता है–
(a) Cu का ऑक्सीकरण
(b) Cu का अपचयन
(c) Ag का ऑक्सीकरण
(d) NO_3^- का अपचयन

107. नाभिकीय रिऐक्टर में नियन्त्रक छड़ बनी होती है–
(a) यूरेनियम की
(b) ग्रेफाइट की
(c) कैडमियम की
(d) प्लूटोनियम की

108. हाइड्रोजन सल्फाइड गैस की गन्ध होती है–
(a) मछली की
(b) जले हुए सल्फर की
(c) सड़े हुए अण्डे की
(d) इनमें से कोई नहीं

109. फ्लोरीन एक बहुत अच्छा ऑक्सीकारक है क्योंकि इसकी–
(a) उच्चतम इलेक्ट्रॉन बन्धुता विभव है
(b) उच्चतम E^o_{red} हैं
(c) उच्चतम E_{oxid} हैं
(d) न्यूनतम इलेक्ट्रॉन बन्धुता विभव है

110. इलेक्ट्रॉन स्नेही जो बेन्जीन के नाइट्रीकरण में सम्मिलित है वह है–
(a) NO_2 (b) NO_2^+
(c) NO (d) NO_2^-

111. निम्नलिखित में से कौन-सा एल्कोहल पेय के रूप में प्रयोग किया जाता है?
(a) प्रोपेनल (b) 2-ब्यूटेनल
(c) मेथेनल (d) ऐथेनॉल

112. सीटेन एक बहुत अच्छा ज्वलन गुण युक्त यौगिक है। रासायनिक रूप से यह है?
(a) $CH_3(CH_2)_4CH_3$
(b) $(CH_3)_3C(CH_2)CH_3$
(c) $C_{17}H_{34}$
(d) इनमें से कोई नहीं

113. सबसे अधिक विद्युत ऋणात्मक तत्व के बाह्य कोश का इलेक्ट्रॉनिक विन्यास होता है?
(a) ns^2np^3 (b) ns^2np^4
(c) ns^2np^5 (d) ns^2np^6

114. O_2 में बन्ध बनने में कुल इलेक्ट्रॉनों की संख्या जो भाग लेती है, वह है?
(a) 2 (b) 4
(c) 6 (d) 8

115. कोई उदासीन परमाणु जब इलेक्ट्रॉन स्वीकार करता है तो वह ऐनायन (ऋणायन) बनाता है, यह प्रक्रम सम्पन्न होता है, निम्न से–
(a) ऊर्जा के ह्रास से
(b) ऊर्जा की प्राप्ति से
(c) बिना ऊर्जा परिवर्तन के
(d) उपरोक्त में से कोई नहीं

116. आवर्त सारिणी में सबसे अधिक इलेक्ट्रोनेगेटिव (विद्युत ऋणात्मक) तत्व है?
(a) कैल्सियम (b) क्लोरीन
(c) फ्लुओरीन (d) बेरियम

117. मेथेनॉल पानी में घुलनशील है, इसका कारण है
(a) सहसंयोजक बन्ध
(b) हाइड्रोजन बन्ध
(c) आयनिक बन्ध
(d) मेथेनॉल का जहरीला गुण

118. $CH_2 = CH - CH = CH_2$ में कितने सिग्मा σ (sigma) बन्ध हैं?
(a) 3 (b) 6
(c) 9 (d) 12

119. निम्न हाइड्रोकार्बनों में से कौन-सा अम्लीय हाइड्रोजन रखता है?
(a) 1-ब्यूटीन (b) 1-ब्यूटाइन
(c) 2-ब्यूटीन (d) 2-ब्यूटाइन

120. जब ऐसीटिलीन को किसी लोहे की गर्म नली से 400°C पर गुजारते हैं तो यह देती है?
(a) बेन्जीन (b) टालूईन
(c) o-जाइलीन (d) मेसिटिलीन

वनस्पति विज्ञान

121. शुद्ध घी में 'वेजीटेविल आयल' की मिलावट का पता किससे लगाया जाता है?
(a) वैलेन्टा परीक्षण से
(b) हाफेन परीक्षण से
(c) अम्ल परीक्षण से
(d) निकिल परीक्षण से

122. आवृतबीजी पौधों के बारे में कौन-सा जोड़ा ठीक नहीं है?
(a) परागकण का एक्जाइन– स्पोरोपोलेनिन
(b) टेपेटम – यूबिश बॉडीज
(c) आवृतबीजी पौधों के नर युगमकोदभिद् में – कोई प्रोथेलियल कोशिका नहीं
(d) सबसे सामान्य प्रकार का ओव्यूल – ऑर्थ्रोट्रॉपस

123. प्रकाश-संश्लेषण में क्वाण्टम की प्राप्ति होती है-
(a) 33% (b) 9%
(c) 12% (d) 78%

124. दालों के किस भाग में प्रोटीन संग्रहित होता है?
(a) भ्रूणकोष
(b) बीज दल (cotyledon)
(c) पेरीकार्प
(d) बीजावरण

125. पौधों में निषेचन की खोज की थी–
(a) स्ट्रॉस बर्जर ने (b) नावाश्चिन ने
(c) हॉफमाइस्टर ने (d) ल्यूवेनहॉक ने

126. फ्यूनेरिया का मुख्य पौधा होता है–
(a) स्पोरोफिटिक (b) ग्रैमिटोफिटिक
(c) वर्धी (d) कार्पोस्पोरोफिटिक

127. म्यूकर जायगोस्पोर किसके निर्माण के माध्य से अंकुरित होता है?
(a) मियोस्पोर्स (b) माइटोस्पोर्स
(c) जूस्पोर्स (d) प्लेनोस्पोर्स

128. बोल्टिंग का अर्थ है-
(a) रोजेट पौधे में तने की लंबाई में वृद्धि करना
(b) तनों को बौना करना
(c) पुष्पन क्रिया को बढ़ाना
(d) पुष्पों को प्रगट होना

129. पुष्पन प्रक्रिया के लिए उत्तरदायी फाइटोक्रोम होता है-
(a) पुष्प कलियों में पाया जाने वाला वर्णक
(b) पत्तियों में पाया जाने वाला हार्मोन
(c) पत्तियों में पाया जाने वाला वर्णक
(d) पुष्प कलियों में पाए जाने वाले विकार

130. विषमजालिकता पाई जाती है-
(a) *म्यूकर* में (b) *साइकस* में
(c) *सिलेजिनेला* में (d) *वॉल्वॉक्स* में

131. *फ्यूनेरिया* के संबंध में क्या ठीक नहीं है?
(a) बीजाणुजनक युगमकोदभिद् पर अर्द्धपरजीवी होता है
(b) बाह्य एन्डोथीसियल की कोशिकाओं के द्वारा बीजाणु बनते हैं

(c) बीजाणु अंकुरित होकर प्राइमरी प्रोटोनेमा बनाता है
(d) स्त्रीधानी में छह या आठ नेल केनाल कोशिकाएँ होती हैं

132. क्लोरोफिल में कौन-सा तत्व होता है?
(a) मैंगनीज (b) पौटेशियम
(c) आयरन (d) मैग्नीशियम

133. निम्न में से कौन-सा पादप हॉर्मोन रन्ध्रों को बन्द कर वाष्पोत्सर्जन को कम करता है?
(a) एथिलीन (b) जिबरेलिन
(c) ABA (d) साइटोकाइनिन

134. निम्नलिखित में से कौन प्रोटीन का प्रचुर स्रोत है?
(a) चावल (b) गेहूँ
(c) मूँगफली (d) बाजरा

135. निम्नलिखित में से कौन सतही रेशा है?
(a) कोयर (b) कपास
(c) सनई (d) मनीला हेम्प

136. निम्नलिखित में से कौन पादप रेशा नहीं है?
(a) कपास (b) कोयर
(c) सनई (d) सिल्क

137. ट्रिटिकम एस्टिवम है–
(a) अगुणित (b) द्विगुणित
(c) चतुर्गुणित (d) षट्गुणित

138. निम्नलिखित में से कौन तैलबीजीय शस्य है?
(a) कोरिऑप्सिस (b) धान
(c) सूरजमुखी (d) क्राइसेंथिमम

139. जिन पौधों से दालें प्राप्त होती हैं, उनका कुल है–
(a) पैपिलिओनेसी (b) रोजेसी
(c) मालवेसी (d) कम्पोजिटी

140. कपास के रेशे, पौधे के किस भाग से प्राप्त होते हैं?
(a) मूलरोम (b) स्तम्भ रोम
(c) पर्ण (d) बीज रोम

141. मूँगफली का तेल पौधे के किस भाग में भंडारित होता है?
(a) पर्ण (b) कंद
(c) बीजपत्र (d) मूल

142. खाद्य पदार्थों को प्रायः निम्न तापक्रम पर सुरक्षित रखा जा सकता है क्योंकि निम्न तापक्रम से
(a) खाद्य पदार्थ आसानी से पचाया जा सकता है
(b) खाद्य पदार्थ आसानी से पकाया जा सकता है
(c) खाद्य पदार्थ पर जीवाणु प्रकोप कम हो जाता है
(d) उपर्युक्त सभी

143. पुष्प कलिकाओं से परागकोशों के हटाने को कहते हैं–
(a) विपुंसन (b) संकरण
(c) पुंस्त्वहरण (d) संकर ओज

144. एक एन्जाइमी अभिक्रिया के दौरान बनी पदार्थ की परिवर्ती अवस्था रचना है–
(a) क्षणिक परन्तु स्थिर
(b) स्थायी परन्तु अस्थिर
(c) क्षणिक और अस्थिर
(d) स्थायी और स्थिर

145. कपास की कृषि के लिए उपर्युक्त मिट्टी है–
(a) दोमट मिट्टी
(b) जलोढ़ मिट्टी
(c) रेतीली मिट्टी
(d) काली मिट्टी

146. गुरुबीजाणुधानी किसके समतुल्य है?
(a) भ्रूणकोष के (b) फल के
(c) बीजाण्डकाय के (d) बीजाण्ड के

147. समयुग्मक अवस्था के साथ अकशाभी युग्मक किसमें पाए जाते हैं?
(a) क्लैमाइडोमोनास में
(b) स्पाइरोगाइरा में
(c) वॉल्वॉक्स में
(d) फ्यूकस में

148. सामान्यतः लैंगिक जनन उत्पाद उत्पन्न करता है?
(a) बीज की दीर्घ क्षमता
(b) प्रवर्धित प्रसुप्ति
(c) नए आनुवंशिक संयोग, जो विभिन्नता की ओर अग्रसर होते हैं।
(d) विशाल जीव संहति

149. सबसे प्रचुर अन्तराकोशिकीय धनायन कौन-सा है?
(a) Na^+ (b) Ca^{2+}
(c) H^+ (d) K^+

150. साइनोबैक्टीरिया में कुछ झिल्लीदार प्रसार वाले वर्णक हैं?
(a) हेटेरोसिस्ट (b) आधारकाय
(c) श्वसन मूल (d) वर्णकी लवक

जन्तु विज्ञान

151. RNA पॉलीमरेज-II विकर से किस RNA का निर्माण करता है?
(a) *r*RNA (b) *m*RNA
(c) *t*RNA (d) ये सभी

152. पनीर निर्माण में निम्न में से किसे उपयोग में लाया जाता है?
(a) जीवाणु एवं कवक
(b) जीवाणु एवं कुछ शैवाल
(c) जीवाणु एवं माइकोप्लाज्मा
(d) जीवाणु एवं सायनोबैक्टीरिया

153. एण्टीबायोटिक शब्द प्रयुक्त किया
(a) फंक ने (b) मैलनबी ने
(c) वॉक्समेन ने (d) पाश्चर ने

154. जैल इलेक्ट्रोफोरेसिस का उपयोग किया जाता है–
(a) DNA को काटने में
(b) DNA को अलग करने के लिए
(c) रिकाम्बिनेन्ट DNA बनाने में
(d) DNA के छोटे टुकड़ों को उनके आकार के अनुसार अलग करने में

155. एण्डोमेम्ब्रेन तंत्र किससे बनता है?
(a) गॉल्जीकाय, अन्तःप्रदव्यी जालिका, राइबोसोम एवं लाइसोसोम
(b) गॉल्जीकाय, अन्तःप्रदव्यी जालिका एवं लाइसोसोम
(c) गॉल्जीकाय, अन्तःप्रदव्यी जालिका एवं राइबोसोम
(d) गॉल्जीकाय, राइबोसोम एवं लाइसोसोम

156. केन्द्रक से साइटोप्लाज्म में RNA एवं प्रोटनी का परिवहन किसके द्वारा होता है?
(a) प्लाज्मोडेस्माटा
(b) ग्राह्य प्रोटीन
(c) चेपेरॉन
(d) न्यूक्लियर पोर काम्प्लेक्स

157. मेमेलियन के RBCs में नहीं होता
(a) न्यूक्लियस
(b) न्यूक्लियस झिल्ली सहित
(c) न्यूक्लियस झिल्ली रहित
(d) इनमें से कोई नहीं

158. इन्टरन्यूरॉन में होता है–
(a) लम्बी द्रुमिकाएँ एवं छोटी तन्त्रिकाक्ष
(b) छोटी द्रुमिकाएँ एवं लम्बी या छोटी तन्त्रिकाक्ष
(c) छोटी द्रुमिकाएँ एवं लम्बी तन्त्रिकाक्ष
(d) लम्बी द्रुमिकाएँ एवं लम्बी तन्त्रिकाक्ष

159. रुधिर अल्पता, बढ़े हुए यकृत और प्लीहा, बुखार, फेगोसाइट के विलोपन के कारण कमजोर प्रतिरक्षा तथा वजन घटना यह सब लक्षण हैं–
(a) अमीबियासिस के (b) जियार्डियासिस के
(c) लेशमानियासिस के (d) मलेरिया के

160. इनमें से कौन-सा एन्सिओटेसिनोजीन के उत्पादन एवं स्त्रावण के लिए जिम्मेदार है?
(a) मज्जा अस्थि कोशिकाएँ
(b) जक्स्टा ग्लोमेरूल कोशिकाएँ
(c) हद कोशिकाएँ
(d) यकृत कोशिकाएँ

161. एक जलीय पारितन्त्र में किसका खाद्य स्तर, घास-स्थल पारितन्त्र में उपस्थित गाय के समानान्तर होता है?

(a) पादप प्लवक
(b) जन्तु प्लवक
(c) नेकटॉन
(d) बेन्थोस (तलहटी में उपस्थित जीव)

162. केन्द्रिका में किसका संश्लेषण होता है?
(a) स्पिंडल तन्तु या तर्कु तन्तु
(b) गुणसूत्र
(c) राइबोसोम
(d) पैराक्सीसोम

163. निम्नलिखित में किसमें ऊतक विभेदन पाया जाता है?
(a) ब्रायोफाइटा में (b) कवक में
(c) सभी शैवाल में (d) विषाणु में

164. घुमक्कड़ फर्न किसे कहा जाता है?
(a) इक्वीसीटम को (b) एडिएन्टम को
(c) सिलैजिनेला को (d) साइलोटम को

165. जब पुष्प नियमित एवं सममिति अरीय होती हैं, तब पुष्प की यह स्थिति कहलाती है-
(a) एकव्यास सममिति
(b) असममिति
(c) एकलिंगी
(d) त्रिज्या सममिति

166. तापानुवर्ती/तापानुकुंचनी गति सम्बन्धित है-
(a) अधिक ताप (b) स्पर्श
(c) कम ताप (d) प्रकाश

167. निम्नलिखित में किस पादप हॉर्मोन द्वारा, फल, पुष्प एवं पत्तियों के विलगन का नियन्त्रण तथा फलों का पक्कवन प्रेरित किया जाता है?
(a) जिबरेलिन (b) इथाइलीन
(c) ऑक्सिन (d) साइटोकाइनिन

168. अल्पप्रदीप्तिकाली पादपों में पुष्पन नहीं होगा, यदि अन्धकार अवधि को निम्नलिखित में से एक के द्वारा अल्प अवधि के लिए भी बाधित कर दिया जाए-
(a) पीला प्रकाश (b) नीला प्रकाश
(c) हरा प्रकाश (d) लाल प्रकाश

169. निम्नलिखित में से कौन पौधों में एक मुख्य प्रकाश-संश्लेषणी पथ है?
(a) C_3 (b) C_4
(c) CAM (d) इनमें से कोई नहीं

170. निम्नलिखित में किस जीवाणु द्वारा भूमि में अमोनिया का नाइट्राइट में ऑक्सीकरण किया जाता है?
(a) नाइट्रोबैक्टर (b) क्लॉस्ट्रीडियम
(c) नॉकार्डिया (d) नाइट्रोसोमोनास

171. बिन्दु स्रावण प्रेरित होता है-
(a) अधिक आर्द्रता
(b) कम आर्द्रता
(c) अधिक वाष्पोत्सर्जन द्वारा
(d) तेज प्रकाश

172. निम्नलिखित में किस लवक में तेल संरक्षित खाद्य पदार्थ होता है?
(a) मण्डलवक (b) रोडोप्लास्ट्स
(c) हरितलवक (d) इलायोप्लास्ट

173. निम्नलिखित में कौन अहरित, विशाल कोशिकाओं का समूह इडियोब्लास्ट कहलाता है?
(a) दृढ़ोतक कोशिकाएँ
(b) मृदूतक कोशिकाएँ
(c) स्थूलकोण ऊतक कोशिकाएँ
(d) वायु ऊतक कोशिकाएँ

174. युक्ताण्डपी अण्डाशय पाया जाता है-
(a) सरसों (b) गेहूँ
(c) मक्का (d) बटर कप

175. रेगिस्तान एवं रेतीली भूमि पर उगने वाले पौधों के कौन-से संमूह के अंतर्गत आते हैं?
(a) लीथोफाइट्स (शैलोद्भिद्)
(b) सेमोफाइट्स
(c) जलोद्भिद्
(d) मरूद्भिद्

176. मानव जातियों के वर्गीकरण के लिए निम्न में से किस कसौटी का प्रयोग नहीं किया जाता?
(a) आंखें (b) कान
(c) नाक (d) बाल

177. अकशेरुकी में नहीं होता-
(a) रक्तगुहा
(b) क्लोम
(c) पृष्ठरज्जु (नोटोकॉर्ड)
(d) देह गुहा

178. पृथ्वी पर विशालतम जीवित पक्षी कौन-सा है?
(a) ईमू (b) शुतुरमुर्ग
(c) एल्बैट्रॉस (d) साइबेरियाई सारस

179. सबसे छोटा पक्षी निम्न में से कौन-सा है?
(a) कबूतर (b) तोता
(c) गुंजन पक्षी (d) घरेलू गौरैया

180. खरगोश द्वारा पिछले अंगों से जमीन पर प्रहार करना किससे संबद्ध व्यवहार है?
(a) युगलबंदी के लिए तैयार करना।
(b) सदस्यों को चैतावनी संकेत।
(c) शक्तिशाली विरोधी के समक्ष समर्पण।
(d) प्रणय-याचना।

General English

181. Which among these is the primary responsibility of the language teacher?
(a) Grouping learners into different classes
(b) Selecting suitable content for teaching
(c) Instructing the learners
(d) Identifying the learner's communicative needs

182. A young child picks up a book, holds it right side up, and turns the pages. These activities demonstrate:
(a) emergent properties
(b) emergent curriculum
(c) emergent solution skills
(d) emergent literacy skills

183. Read the following statements and choose the correct option:
Assertion (A) : Learners acquire languages since they are genetically predisposed to do so and the environment does not play any role in it.
Reason (R): The learner-centered classroom environment has a great impact on language acquisition.
(a) (A) is true, but (R) is false.
(b) Both (A) and (R) are true, but (R) is not the correct explanation of (A).
(c) (A) is false, but (R) is true.
(d) Both (A) and (R) are true and (R) is the correct explanation of (A).

184. A way to teach reading that emphasises understanding the meaning of words from the context in which they appear is:
(a) Whole language approach
(b) Bottom-up approach
(c) Structural approach
(d) Communicative approach

185. The ability to think and talk about language is:
(a) Emergent literacy
(b) Proficiency
(c) Metalinguistic ability
(d) Phonological awareness

Directions (Q. Nos. 186 to 190): Read the passage given below and answer the questions that follow by selecting the correct/most appropriate option.

Father would dress himself for court in a brightly coloured dhoti, a matching white shirt with an equally black bright white turban and a neat black coat. The paraphernalia to court would include a cloth bundle containing court papers and a basket containing hot coffee with tumblers and plates for tiffin given by my mother or sisters-in-law.

The younger advocates of the time were great admirers of my father and used to listen to him with rapt attention whenever he rose to address the court. His arguments were forceful, coherent, cogent, compulsive and conclusive. The arguments would go on till about lunch time and even the English judge used to take down notes of his points.

One client was particular that my father alone should argue his case. On the day my mother died, this case happened to be on the cause list. My mother was alive when my father left for 10 a.m. that morning and he had told my brother that he would return as soon as the case was over. Unfortunately, she died within an hour of his departure.

With some difficulty, the news was conveyed through an advocate in court. My father, however, continued his arguments without showing any emotions. Only after concluding the case did he get back home to the room where my mother's body lay and stood in stoic silence.

186. Father was very particular about dressing:
(a) as he was rich enough to buy good clothes.
(b) to impress his family.
(c) as he wanted to follow the proper dress code.
(d) to impress the judges.

187. Which of the following statements are true/false?
A. Father avoided eating in the court canteen.
B. He liked to drink hot tea during the day.
C. He carried case files wrapped in a cloth.
Choose the correct option:
(a) C and A are true, but B is false.
(b) B and C are true, but A is false.
(c) A and B are false, but C is true.
(d) A and B are true, but C is false.

188. Which of the following statements is wrong?
(a) He argued his cases logically and persuasively.
(b) Only a few were jealous of his popularity.
(c) He was the preferred lawyer of some clients,
(d) Young advocates wanted to learn from him.

189. Which of the following statements are true/false?
A. Even the judges recognised his legal acumen.
B. He preferred his legal obligations to family obligations.
Choose the correct option:
(a) Both A and B are true.
(b) B is true and A is false.
(c) Both A and B are false.
(d) A is true and B is false.

190. 'His arguments were forceful, <u>coherent</u>, ...'
Choose the word similar in meaning to the underlined one.
(a) witless (b) crazy
(c) calculating (d) reasonable

सामान्य ज्ञान

191. प्रसिद्ध 'विरूपाक्ष मंदिर' कहां अवस्थित है?
(a) श्रीकालहस्ती (b) तिरुपति
(c) हम्पी (d) भद्राचलम

192. राज्यसभा का सभापति चुना जाता है-
(a) राज्यसभा के निर्वाचित सदस्यों द्वारा
(b) राज्यसभा के सभी सदस्यों द्वारा
(c) संसद के निर्वाचित सदस्यों द्वारा
(d) संसद के सभी सदस्यों द्वारा

193. भारत में ऐनीमल वेलफेयर बोर्ड ऑफ इंडिया का मुख्यालय कहाँ स्थित है?
(a) अहमदाबाद
(b) चेन्नई
(c) हैदराबाद
(d) इनमें से कोई नहीं

194. जब 1833 ई. में राजा राममोहन राय का निधन हुआ, तब ब्रह्म समाज का नेतृत्व किसने संभाला?
(a) देवेन्द्रनाथ टैगोर
(b) ईश्वरचन्द्र विद्यासागर
(c) केशवचन्द्र सेन
(d) इनमें से कोई नहीं

195. प्रसिद्ध हजारा राम मन्दिर किसके शासनकाल में बना था?
(a) हरिहर प्रथम
(b) देवराय प्रथम
(c) कृष्णदेव राय
(d) नरसिंह सालुव

196. निम्न में से किसने सन् 1936 में 'इंडिपेंडेंट लेबर पार्टी' की स्थापना की?
(a) एम.सी. राजा
(b) डॉ. बी.आर. अम्बेडकर
(c) गाँधीजी
(d) इनमें से कोई नहीं

197. 'त्रिपिटक' ग्रन्थ किस धर्म से सम्बन्धित है?
(a) वैदिक धर्म (b) बौद्ध धर्म
(c) जैन धर्म (d) शैव धर्म

198. विश्व में सबसे अधिक उगाई जाने वाली अन्न की फसल कौन-सी है?
(a) गेहूँ (b) चावल
(c) जौ (d) मक्का

199. APSARA किसका नाम है?
(a) न्यूक्लियर रिएक्टर का
(b) ट्रेन का
(c) हवाई जहाज का
(d) इनमें से कोई नहीं

200. 'मालगुडी डेज' किसने लिखी है?
(a) सरोजिनी नायडू
(b) आर. के. नारायण
(c) मदर टेरेसा
(d) इनमें से कोई नहीं

व्याख्या सहित उत्तर

भौतिक विज्ञान

1. (c) यदि प्लास्टिक के स्थान पर समान ज्यामितीय विमाओं की एक ताँबे की प्लेट ली जाए जिस पर आवेश Q ही हो, तो बिन्दु P पर वैद्युत क्षेत्र का मान भी 10 वोल्ट/मी ही होगा। क्योंकि प्लास्टिक की प्लेट के केन्द्र पर चुम्बकीय क्षेत्र, ताँबे की प्लेट के केन्द्र पर चुम्बकीय क्षेत्र के समान ही होता है।

2. (a) 1 ग्राम U^{235} के विघटन से 2.5×10^4 किलोवॉट घण्टा ऊर्जा मुक्त होगी।

3. (a) यदि लाल प्रकाश की तरंगदैर्ध्य λ_r तथा बैंगनी प्रकाश की तरंगदैर्ध्य λ_v है तो,

$$\lambda_r > \lambda_v \Rightarrow = \mu_v > \mu_r \quad \left[\because \mu \propto \frac{1}{\lambda}\right]$$

$\Rightarrow\ f_r > f_v \quad \left[\because f \propto \frac{1}{\mu}\right]$

4. (a) पथ के दौरान किया गया कार्य है–

ΔW क्षेत्र $(PQRS) = (2v - v)(2p - p)$

$= pV$

5. (d) धातु का रेखीय प्रसार गुणांक

$$\alpha = \frac{L}{L \times t}$$

यहां $L = 1.005 - 1 = 0.005$ मी.

$L = 1$ मी

$L = (100 - 0)^{\circ}C = 100^{\circ}C$

$\therefore \quad \alpha = \frac{0.005}{1 \times 100} = 5 \times 10^{-5}$ प्रति°C

6. (c) 1.5 किलोवॉट के जलतापक को 5 घण्टे तक चलाने में व्यय हुई ऊष्मा

$E_1 = 1.5 \times 5$

$= 7.5$ किलोवॉट घण्टा

660 वॉट या 0.66 किलोवॉट के वायुतापक को 5 घण्टे तक चलाने में व्यय हुई ऊष्मा

$E_2 = 0.66 \times 5$

$= 3.3$ किलोवॉट घण्टा

एक विद्युत प्रेस को 5 घण्टे तक चलाने में व्यय हुई ऊष्मा

$E_3 = VIt$

$= 220 \times 5 \times 5$ वॉट घण्टा

$= 5.5$ किलोवॉट घण्टा

अत: व्यय हुई कुल विद्युत ऊर्जा

$E = E_1 + E_2 + E_3$

$\Rightarrow \quad = 7.5 + 3.3 + 5.5$

$= 16.3$ किलोवॉट घण्टा

चूंकि विद्युत ऊर्जा की दर

= ₹ 4 प्रति किलोवॉट घण्टा

अत: कुल खर्च = (16.3 × 4) = ₹ 65.20

7. (a) सूत्र, $V = E - Ir$ से

प्रथम स्थिति में $V = 28.5$ वोल्ट

$I = 1$ ऐम्पियर

$\therefore\ 28.5 = E - I \times r$

या $28.5 = E - r$ .....(i)

द्वितीय स्थिति में,

$V = 27$ वोल्ट $I = 2$ ऐम्पियर

$\therefore\ 27 = E - 2 \times r$

$\Rightarrow\ 27 = E - 2r$ .....(ii)

समीकरण (i) व समीकरण (ii) को हल करने पर

$\Rightarrow\ r = 1.5$ ओम

r का मान समीकरण (i) में रखने पर,

$28.5 = E - 1.5$

$E = 28.5 + 1.5 = 30$ वोल्ट

अत: सेल का विद्युत वाहक बल 30 वोल्ट होगा।

8. (a) बिन्दु A पर प्रतिक्रिया बिन्दु B तथा बिन्दु C पर कार्यरत भारों के औसत भार के कारण होगी।

अत: 900 किग्रा तथा 700 किग्रा का औसत भार

$$W = \frac{900 + 700}{2} = 800 \text{ किग्रा भार}$$

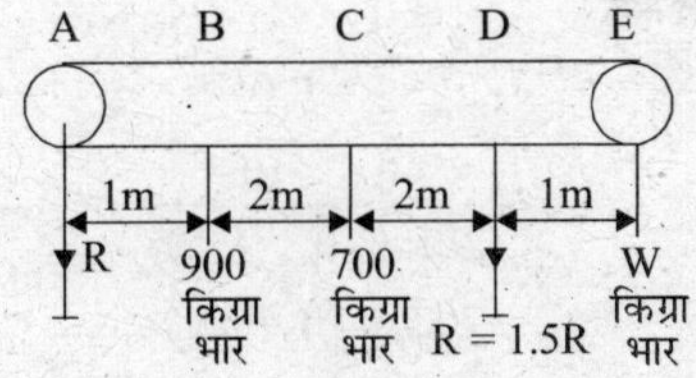

अब बिन्दु A पर प्रतिक्रिया

$R = 800\ g$

अब बिन्दु D पर प्रतिक्रिया 800 किग्रा भार तथा W किग्रा भार के कारण होगी,

अर्थात् $1.5 R = 800g + Wg$

$1.5 \times 800g = 800g + Wg$

$W = 1200 - 800$

$= 400$ किग्रा भार

9. (a) $W = JQ$ ....(i)

$$W = \frac{1}{2}mv^2$$

$\Rightarrow \frac{1}{2}mv^2 = JQ = J(ms\,\theta + mL)$

$\Rightarrow \quad v^2 = 2J\,(s\,\theta + L)$

यहां $\theta = (275 - 25)^{\circ}C = 250^{\circ}C$

$\therefore \quad v^2 = 2 \times 4200\,(0.05 \times 250 + 29.5)$

$= 2 \times 4200 \times (12.5 + 29.5)$

$= 2 \times 4200 \times 42$

$\Rightarrow \quad v = \sqrt{2 \times 4200 \times 42}$

$\Rightarrow \quad v = 420\sqrt{2}$ मी/से.

10. (d) एक वस्तु एक द्रव में डुबायी जाती है। वस्तु दिखाई नहीं देगी यदि उसका अपवर्तनांक उस द्रव के अपवर्तनांक से पूर्ण मेल खाता हो। एक वस्तु तभी अदृश्य हो सकती है जब प्रकाश मुड़े नहीं बल्कि वस्तु के आर-पार हो जाये। और यह तभी संभव है जब तरल का अपवर्तनांक वस्तु के अपवर्तनांक के बराबर हो।

11. (c) हाइड्रोजन परमाणु का प्रथम उत्तेजित अवस्था में उत्तेजन विभव 10.2 वोल्ट होगा।

$E_1 = -13.6\ V \quad \left[\because E_x \frac{-13.6}{x^2} eV\right]$

$E_2 = \frac{-13.6}{2^2} = -3.4eV$

$E = E_2 - E_1$

$= -3.4 - (-13.6) = 10.2$ eV

12. (c) माना कि दो एक समान क्षेत्रफल की प्लेटों के अन्तरापृष्ठ का तापमान T, हो तो,

$$\frac{dQ}{dt} = \frac{K_1 A(10 - T)}{\Delta X_1} = \frac{K_2 A(T - 0)}{\Delta X_2}$$

या $\frac{K_1 A(10 - T)}{\Delta X_1} = \frac{\frac{3}{2}K_1 A(T - 0)}{\frac{3}{2}\Delta X_1}$

$\left[\because \frac{K_1}{K_2} = \frac{2}{3} \text{ तथा } \frac{\Delta X_1}{\Delta X_2} = \frac{2}{3}\right]$

या $10 - T = T - 0$

या $T + T = 10$ या $2T = 10$

$\therefore\ T = 5^{\circ}C$

13. (a) कैलोरी मीटर द्वारा 15°C से 13°C तक आने में दी गई ऊष्मा

$= ms \times t$

$= 40 \times (15 - 13)$

$= 80$ कैलोरी

कैलोरीमीटर के जल द्वारा 15°C से 13°C तक आने में दी गई ऊष्मा

$= ms \times t$

$= 160 \times 1 \times (15 - 13)$

$= 320$ कैलोरी

$\therefore$ कुल दी गई ऊष्मा

$= (80 + 320)$ कैलारी

$= 400$ कैलोरी

बर्फ द्वारा 0°C पर लगने में ली गई ऊष्मा

$= mL = 4.3 \times L$ कैलोरी

बर्फ से बने जल द्वारा 0°C से 13°C तक जाने में ली गई ऊष्मा

$= m \times s \times t$

$= 4.3 \times 1 \times 13 = 55.9$ कैलोरी

$\therefore$ कुल ली गई ऊष्मा

$= (4.3L = 55.9)$ कैलोरी,

परन्तु

ली गई ऊष्मा = दी गई ऊष्मा

$\therefore \quad L = \frac{400 - 55.9}{4.3} = 80$ कैलोरी/ग्राम

14. (a) माना कि द्रव्यमान-केन्द्र 7 किग्रा-भार से d मीटर दूरी पर है। आघूर्णों के नियम से,

$7 \times d = 9 \times (8 - d)$

$\Rightarrow 16d = 9 \times 8$

$\Rightarrow \quad d = \frac{9 \times 8}{16} = 4.5$ मीटर

15. (c) जब इंजन, सुरंग से 800 मीटर दूर रह जाता है, तब सीटी की प्रतिध्वनि इंजन तक 4.8 सेकण्ड में पहुंचती है।

अत: ध्वनि को 1600 मीटर की दूरी तय करनी पड़ती है।

अत: इंजन की गति $= \frac{1600}{4.8} = 333.3$ मी/से.

$= \left(333.3 \times \frac{18}{5}\right)$ किमी/घण्टा

$= 1200$ किमी/घण्टा

16. (d) लोहे की हाल को लकड़ी के पहिए पर चढ़ाने के लिए हाल की परिधि में आवश्यक वृद्धि (200.48 – 200.00) सेमी = 0.48 सेमी।

माना कि इसके लिए हाल के ताप में t वृद्धि करनी पड़ती है। तब लोहे का रेखीय-प्रसार-गुणांक

$$\alpha = \frac{\text{परिधि में वृद्धि}}{\text{प्रारम्भिक परिधि} \times \text{तापवृद्धि}}$$

$$\Rightarrow 1.20 \times 10^{-5} = \frac{0.48}{200.00 \times t}$$

$$\Rightarrow \quad t = \frac{0.48}{1.20 \times 10^{-5} \times 200.00}$$

$$= 200^\circ C$$

हाल के ताप में 200°C की वृद्धि करनी होगी।

∴ हाल का अन्तिम ताप = (200 + 25.0)°C = 225.0°C

17. (a) न्यूनतम आवर्धन क्षमता 200 होगी।

18. (d) $\text{शक्ति} = \frac{\text{किया गया कार्य}}{\text{समय}}$

यहां किया गया कार्य स्थितिज ऊर्जा के रूप में संचित हो जाएगा। अत: शक्ति,

$$P = \frac{mgh}{t} \Rightarrow 1 \times 10^3$$

$$= \frac{m \times 9.8 \times 10}{60}$$

$$m = \frac{60 \times 10^3}{9.8 \times 10} = 612.24 \text{ किग्रा}$$

19. (c) भवन की ऊंचाई = गेंद द्वारा तय की गई ऊर्ध्वाधर दूरी

$$h = ut + \frac{1}{2}gt^2$$

$$h = 0 + \frac{1}{2} + 10 \times (3)^2 \quad [\because u = 0]$$

$$h = 45 \text{ मी}$$

20. (c) शंट प्रतिरोध है,

$$S = \left(\frac{l_{dc}}{1 - l_{dc}}\right) R_{dc}$$

$$= \left(\frac{100}{500 - 100}\right) \times 0.1 = \frac{100}{400} \times 0.1$$

$$\therefore 5 = 0.025\ \Omega$$

यदि शंट प्रतिरोध को समान्तर क्रम में DC अमीटर के साथ जोड़ते हैं तो शंट प्रतिरोध की परिसीमा 0-500 A तक होगी।

21. (a) एक समान रूप से त्वरित गति का वेग-समय ग्राफ समय अक्ष की ओर झुकी सरल रेखा होगा।

22. (b) डी-ब्रोगली तरंगदैर्ध्य

$$\lambda = \frac{h}{p} = \frac{h}{mv}$$

या $v = \frac{h}{m\lambda}$

$$= \frac{6.6 \times 10^{-34}}{9.1 \times 10^{-31} \times 10^{-11}}$$

$$= 7.25 \times 10^7 \text{ मी/से}$$

इलेक्ट्रॉन की ऊर्जा $= \frac{1}{2}mv^2$

$$= \frac{1}{2} \times \frac{9.1 \times 10^{-31} \times (7.25 \times 10^7)^2}{1.6 \times 10^{-19}}$$

$$= 15\ keV$$

23. (c) एकसमान चुम्बकीय क्षेत्र में, चुम्बकीय बल आवश्यक अभिकेन्द्र बल प्रदान करता है, अर्थात्

$$\frac{mv^2}{a} = evB$$

या $v = \frac{aeB}{m}$

कोणीय संवेग,

$$J = ap$$

$$= a \times mv$$

$$= a \times m\left(\frac{aeB}{m}\right)$$

$$= a^2 eB$$

24. (c) गतिज ऊर्जा,

$$E = \frac{p^2}{2m}$$

$$\Rightarrow \frac{p_1^2}{2m_1} = \frac{p_2^2}{2m_2}$$

$$\Rightarrow \frac{p_1}{p_2} = \sqrt{\frac{m_1}{m_2}} = \sqrt{\frac{3}{1}} \Rightarrow \frac{p_2}{p_1} = \frac{1}{\sqrt{3}}$$

25. (b) गुणता कारक,

$$Q = \frac{\omega_r L}{R} = \frac{2\pi f L}{R}$$

$$= \frac{2 \times 3.14 \times 500 \times 8.1 \times 10^{-3}}{10}$$

$$= 2.5434$$

26. (a) विद्युत शक्ति

$$P = \frac{V^2}{R}$$

या $P \propto \frac{1}{R}$

या $\frac{P_2}{P_1} = \frac{R_1}{R_2} = \frac{R}{2R}$

या $P_2 = \frac{1}{2}$

27. (c) $\vec{A} \cdot \vec{B} = AB\cos\theta$

चूँकि $\vec{A}$ व $\vec{B}$ लम्बवत् हैं, अत: θ = 90°

$\therefore \vec{A} \cdot \vec{B} = 0 \quad (\because \cos 90^\circ = 0)$

28. (a) जब एक वस्तु h ऊँचाई से गिरती है, यह $u = \sqrt{2gh}$ वेग से भूमि से टकराती है। माना यह v वेग से उछलती है और h_1 ऊँचाई तक जाती है।

अत: $v = \sqrt{2gh_1}$

$$\therefore \quad e = \frac{v}{u} = \sqrt{\frac{h_1}{h}}$$

$$\Rightarrow \quad h_1 = e^2 h$$

29. (a) नाभिकीय बलों की परास सबसे कम है। ये केवल नाभिक के अन्दर कार्यरत होते हैं। इनकी परास की कोटी 10^{-14} मी है।

30. (a) विद्युत वाहक बल

$$e = L\frac{di}{dt}$$

जहाँ, $di = \frac{10}{5} = 2A$, L = 10H,

$dt = 1 \times 10^{-3}$ सेकण्ड

$$\therefore e = 10 \times \frac{2}{1 \times 10^{-3}} = 2 \times 10^4 \text{ वोल्ट}$$

31. (b) बन्धन ऊर्जा प्रति न्यूक्लिऑन सम्बन्ध, द्रव्यमान संख्या के सापेक्ष पहले बढ़ता है फिर घटता है।

32. (a) d गहराई पर,

$$g_d = g\left(1 - \frac{d}{R}\right)$$

h ऊँचाई पर,

$$g_h = g\left(1 - \frac{2h}{R}\right)$$

परन्तु $d = 2h$

$$\therefore \quad g_d = g\left(1 - \frac{2h}{R}\right)$$

$$\Rightarrow \quad gd = gh$$

$$\Rightarrow \quad \frac{g_d}{g_h} = 1 : 1$$

33. (a) प्रति सेकण्ड कुल ऊर्जा = 1000 जूल

प्रति विखण्डन मुक्त ऊर्जा = 200 MeV

$= 200 \times 1.6 \times 10^{-13}$ जूल

$= 3.2 \times 10^{-11}$ जूल

∴ प्रति सेकण्ड विखण्डनों की संख्या

$$= \frac{1000}{3.2 \times 10^{-11}} = 3.12 \times 10^{13}$$

34. (a) जब इलेक्ट्रॉन कक्षा n_2 से n_1 में जाता है, तब उत्सर्जित विद्युतचुम्बकीय तरंग की आवृत्ति

$$v = RcZ^2\left(\frac{1}{n_1^2} - \frac{1}{n_2^2}\right)$$

पहली स्थिति–

$n_1 = 1, n_2 = 2$

$$\therefore 2.7 \times 10^{15} = RcZ^2\left(\frac{1}{1^2} - \frac{1}{2^2}\right) \quad ...(i)$$

द्वितीय स्थिति–

$n_1 = 1, n_2 = 3$

$$\therefore \quad v = RcZ^2\left(\frac{1}{1^2} - \frac{1}{3^2}\right) \quad ...(ii)$$

समीकरणों (i) व (ii) द्वारा

$$v = \frac{32 \times 2.7 \times 10^{15}}{27}$$

$= 3.2 \times 10^{15}$ हर्ट्ज

35. (a) पूर्ण आंतरिक परावर्तन के लिए प्रकाश को सघन माध्यम से विरल माध्यम में जाना चाहिये। इस स्थिति में आपतन कोण क्रांतिक कोण से बड़ा होता है।

36. (a) एक त्वरित आवेशित कण विद्युतचुम्बकीय तरंगे उत्पन्न करता है।

37. (d) प्रक्षेप्य गति के दौरान क्षैतिज वेग नियत रहता है।

38. (a) विद्युत क्षेत्र से समबद्ध समविभव पृष्ठ जो x-दिशा के अनुदिश परिमाण में बढ़ते है, $y-z$ तल के समान्तर तल है

39. (a) प्रकाश के एक माध्यम से दूसरे माध्यम में जाने पर आवृत्ति अपरिवर्तित रहती है।

40. (b) कुण्डलिनी पथ की त्रिज्या

$$r = \frac{mv \sin\theta}{q^{B}}$$

$$\therefore \quad r = \frac{1.67 \times 10^{-27} \times 4 \times 10^{5} \times (\sqrt{3}/2)}{1.6 \times 10^{-19} \times 0.3}$$

$= 0.012$ मीटर

$= 1.2$ सेमी.

41. (b) पाइसन अनुपात की परास (σ), –1 तथा 0.5 के मध्य होती है

अर्थात् $-1 < \sigma < 0.5$

42. (b) गैस समीकरण से

$$C = \sqrt{\frac{3RT}{m}}$$

दी गई स्थिति के अनुसार

$$\frac{C_T}{C_0} = \sqrt{\frac{T}{T_0}} \Rightarrow \frac{2C_0}{C_0} = \sqrt{\frac{T}{T_0}}$$

$$\Rightarrow \quad 2 = \sqrt{\frac{T}{T_0}} \; 4 = \frac{T}{T_0}$$

$$\Rightarrow \quad T = 4T_0 = 4 \times 273 = 1092$$

$K = 819K$

43. (d) ईंधन का ऊष्मीय मान

$Q = ms\ \theta$

यहां $m = 6$ किग्रा,

$\theta = (45 - 15)^{o}C = 30^{o}C$

$s = 4.2$ जूल/ग्राम^{o}C

$= 4.2 \times 10^{3}$ जूल/किग्रा^{o}C

$\therefore \quad Q = 6 \times 4.2 \times 10^{3} \times 30$ जूल

$= 756$ किलो जूल

15 ग्राम ईंधन का उष्मीय मान $= 756$ किलो जूल

अत: 1 ग्राम ईंधन का ऊष्मीय मान

$= \frac{756}{15}$ किलो जूल/ग्राम

$= 50.4$ किलो जूल/ग्राम

44. (c) हम जानते हैं कि रुद्धोष्म प्रक्रम में गैस की समीकरण

$\rho V^{\gamma} =$ नियतांक

या $\quad \rho \propto = \frac{1}{V^{\gamma}}$

दी गई स्थिति में

$$\frac{\rho_1}{\rho_2} = \left(\frac{V_2}{V_1}\right)^{y} \Rightarrow \frac{1}{\rho_2} = \left(\frac{1}{10^3}\right)^{5/3}$$

या $\quad \rho_2 = 10^{5}$ वायुमण्डल

45. (c) $C_V = \frac{E}{T} = \frac{3}{2}R$

तथा $C_p = \frac{3}{2}R + R = \frac{5}{2}R$

46. (b) न्यूटन के शीतलन नियम से,

$$\log\left(\frac{\theta_1 - \theta_2}{\theta_2 - \theta_0}\right) = -kt$$

दिये गये मान रखने पर

$t = 5$ मिनट

47. (a) कलान्तर

$$\delta = \frac{2\pi \Delta x}{\lambda} \Rightarrow \Delta x = \frac{\delta\lambda}{2\pi}$$

$$= \frac{\pi}{2} \times \frac{0.5}{2} = 0.05$$

48. (b) दो तरंगों के मध्य कलान्तर

$$= \pi - \frac{\pi}{3} = \frac{2\pi}{3}$$

49. (c) दिया है,

$f_1 = 334$ हर्ट्ज

$f_2 = 336$ हर्ट्ज

$v = 330$ मी/से

संयुक्त आवृत्ति $f = f_1 + f_2 = 334 - 326$

$= 8$ हर्ट्ज

समय अन्तराल $T = \frac{1}{f} = \frac{1}{8} = 0.125$ सेकण्ड

50. (b) डॉप्लर के नियम से

दिया है, $\quad f_s = 200$ हर्ट्ज

$v = 340$ मी/से

$v_s = 25$ मी/से

अब $\quad f_d = 200\left(\frac{340}{240 - 25}\right)$

$= \frac{200 \times 340}{315} = 215.87$ हर्ट्ज

अत: $\quad f_d \approx 215$ हर्ट्ज

51. (b) दर्पण के मध्य वस्तु रखने पर बने प्रतिबिम्बों की संख्या

$$n = \frac{360}{\theta} - 1 = \frac{360}{20} - 1$$

$= 7.2 - 1$

$= 62 \approx 6$ प्रतिबिम्ब

52. (b) P = 1 अश्वशक्ति = 746 वॉट

चूंकि कुल शक्ति ऊष्मा उत्पन्न करने में खर्च हो रही है, अत:

$W = JQ$

$\Rightarrow \quad Pt = J\,ms\,\Delta\theta$

$\Rightarrow \quad Pt = J\,(vd)s\,\Delta\theta$

$\therefore 746 \times t = 4.2 \times (3.73 \times 10^{-3} \times 10^{3}) \times 10^{3} \times (20 - 0)$

$$\therefore \quad t = \frac{42 \times 373 \times 20}{746}$$

$t = 420$ सेकण्ड

$t = \frac{420}{60} = 7$ मिनट

53. (c) उड्डयन काल T = 5 से

क्षैतिज परास R = 200 मी

हम जानते हैं कि प्रक्षेप्य का उड्डयन काल

$$T = \frac{2v\sin\theta}{g} = v = \frac{Tg}{2\sin\theta}$$

तथा परास $\quad R = \frac{v^2 \sin 2\theta}{g}$

$$200 = \frac{T^2 g^2}{4\sin^2\theta} \times \frac{\sin 2\theta}{g}$$

$$= \frac{T^2 g}{4\sin^2\theta} \times 2\sin\theta \cdot \cos\theta$$

$200 = 125 \cot\theta$

$\tan\theta = \frac{5}{8} \Rightarrow \theta \tan^{-1}(5/8)$

54. (b) समान्तर अक्ष के सापेक्ष चकती का जड़त्व आघूर्ण

$I = I_G + md^2$

$= \frac{ma^2}{2} + md^2 = 75$

$(\because a = R, d = R)$

$\therefore \quad MI = \frac{75}{2} = 37.5$ किग्रा-मी^{2}

55. (b) यदि छड़ का निचला सिरा नहीं फिसलता है तो घर्षण बल कार्य नहीं करता है। अत: ऊर्जा संरक्षित रहती है। द्रव्यमान केन्द्र $= \frac{1}{2}$ (पृथ्वी के परित:)

ऊर्ध्वाधर स्थिति के लिए, $u = \frac{1}{2}MgL$

$k = 0$

क्षैतिज स्थिति के लिए $u = 0$

$k = \frac{1}{2}I\omega^2$

$$\frac{1}{2}MgL = \frac{1}{2}\left(\frac{ML^2}{3}\right)\omega^2$$

$$\omega^2 = \frac{3g}{L} \Rightarrow \omega = \sqrt{\frac{3g}{L}}$$

$$v = \omega L = \sqrt{3gL}$$

56. (d) दिया है, $x = a \sin \omega t$

यदि $x = 0, t = 0$ तथा

यदि $x = \frac{\sqrt{3}}{2}$ A, $\omega t_2 = \pi/3$

यदि $x = \frac{\sqrt{3}}{2}$ A, $\omega t_2 = \frac{\pi}{3}$ तथा

यदि $x = A, \omega t_2 = \pi/2$

$$\therefore \quad \frac{\omega t_1}{\omega t_2} = \frac{\pi/3}{\pi/2} = 2/3$$

57. (b) पृथ्वी की सतह पर किसी वस्तु का भार, अपने भार का आधा होता है।

अतः $w = \frac{w}{2} = \frac{90}{2} = 45$ किग्रा।

58. (b) पलायन वेग $v_{es} = \sqrt{\frac{2GM_e}{R_e}}$

मान रखने पर, $v_{es} = 112$ किमी/से

परन्तु यदि प्रक्षेप का वेग दोगुना कर दिया जाये तो वस्तु की चाल भी दो गुना होगी। अतः वस्तु का पलायन वेग $v_{es} = 11.2 \times 2 = 22.4$ किग्रा/से।

59. (a) हम जानते हैं कि साबुन के बुलबुले के लिए आधिक्य दाब

$$\rho = \frac{4T}{t}$$

परन्तु दिया है, $\rho_1 = 3\rho_2$

$$\therefore \quad \left(\frac{4T}{r_1}\right) = 3\left(\frac{4T}{r_2}\right) \Rightarrow \frac{4T}{r_1} = 3\left(\frac{4T}{3r_1}\right)$$

$\therefore \; V_1 = \frac{4}{3}\pi r_1^3$ तथा $V_2 = \frac{4}{3}\pi r_2^3$

$$\frac{4}{3}\pi(3r_1)^3 = \frac{4}{3}\pi(27r_1^3)$$

$$\frac{V_1}{V_2} = \frac{4/3\pi r_1^3}{4/3\pi(27r_1^3)} = \frac{1}{27}$$

60. (a) वस्तु का विस्थापन

$$3s = a + 4bt^3$$

या $s = \frac{a}{3} + \frac{4bt^3}{3}$

वस्तु का वेग,

$$v = \frac{d}{dt}(s) = \frac{d}{dt}\left[\frac{a}{3} + \frac{4bt^3}{3}\right]$$

$$= \frac{4b}{3} \times 3t^3 = 4bt^2$$

$(v)_{t = 1 \text{सेकण्ड}} = 4b$

रसायन विज्ञान

61. (b) ∵ 12 ग्राम कार्बन से प्राप्त ऊष्मीय ऊर्जा = 384 kJ

∴ 12 ग्राम कार्बन से प्राप्त ऊष्मीय ऊर्जा = $\frac{384}{12} = 32$ kJ

62. (b) pKa का मान हैं = 4.73

ऐसीटिक अम्ल की सान्द्रता होगी = 0.2 m

सोडियम की सान्द्रता होगी = 0.02 m

pH = ?

$$pH = pKa + \log \frac{[\text{क्षार}]}{[\text{अम्ल}]}$$

$$\Rightarrow pH = 4.73 + \log \frac{0.02\,m}{0.2\,m}$$

$$\Rightarrow pH = 4.73 + \log 10^{-1}$$

$$\Rightarrow pH = 4.73 - 1$$

$$\Rightarrow pH = 3.73$$

63. (c) आवर्त सारणी में नीचे जाने पर परमाणु का आकार बढ़ता है जिससे आयनन विभव में कमी आती है।

64. (a) यदि हम Zn^{2+} के जलीय विलयन में मिलाते हैं तो हमें सफेद अवक्षेप प्राप्त होता है, जोकि $(Zn(OH)_2$ होता है इसलिए यह NaOH की अधिकता में विलेय होगा।

$$ZnSO_4 + 2NaOH \rightarrow Zn(OH)_2\downarrow + Na_2SO_4$$

$$\xrightarrow[\text{NaOH}]{\text{(अधिक)}} Na_2ZnO_2 + 2H_2O$$

संपूर्ण प्रक्रिया में Zn धन आयनिक भाग में उपस्थित रहता है।

65. (c) क्रिस्टलीय पदार्थ में जल का भार = (100 – 64) = 36

अतः क्रिस्टलीय पदार्थ के एक अणु में जल के अणुओं की संख्या = $\frac{36}{18} = 2$

66. (b) जल की स्थायी कठोरता दूर करने के लिए प्रयोग किया जाने वाला यौगिक सोडियम जियोलाइड (Na_2Z) अधिक समय तक प्रयुक्त करने के बाद अप्रभावी हो जाता है। इस यौगिक का पुनरुत्पादन, इसमें 10% NaCl विलयन गुजारकर किया जाता है।

67. (c) महिला के द्वारा बने केक में $NaHCO_3$ नहीं मिला है, इसलिए वह कठोर तथा छोटे आकार का है। $NaHCO_3$ खाद्य पदार्थों को मुलायम कर देता है।

68. (b) न्यूक्लियर रिएक्टर नियंत्रित शृंखला अभिक्रिया के द्वारा नाभिकीय ऊर्जा उत्पन्न करता है।

69. (a) श्वेत तप्त कोक पर वाष्प प्रवाहित करने पर जल गैस प्राप्त की जा सकती है।

70. (a) किसी गैस के (1 मोल) का S.T.P. पर आयतन 22.4 लीटर होता है।

S.T.P. पर 22.4 लीटर गैस का भार उसके अणुभार के बराबर होता है।

22.4 लीटर = 22.4×10^3 सेमी^{3}

∵ 22.4×10^3 सेमी^{3} का भार = अणुभार

224 सेमी^{3} का भार = 0.24 ग्राम,

∴ 1 सेमी^{3} का भार = $\frac{0.24}{224}$ ग्राम

∴ 22.4×10^3 सेमी^{3} का भार

$$= \frac{22.4 \times 10^3 \times 0.24}{224} = 24$$

अतः गैस का अणुभार 24 ग्राम होगा।

71. (b) वायु की सीमित मात्रा में 350°C से 500°C तक के ताप पर एथिलीन (C_2H_4) के अपूर्ण दहन से ऐसीटेल्डिहाइड (CH_3CHO) बनता है।

$$C_2H_4 + H_2O + PdCl_2 \xrightarrow{\text{हवा}} CH_3CHO + Pd + 2HCl$$

72. (d) पोटैशियम फेरीसायनाइड व अमोनियम फेरिक सिट्रेट के मिश्रण का प्रयोग ब्लू प्रिन्ट पेपर पर लेपन के लिए किया जाता है।

73. (a) नायलॉन-6,6 सहबहुलक का उदाहरण है। पॉलीएथिलीन और पॉलीविनाइल क्लोराइड योगज समबहुलक के उदाहरण हैं, जबकि प्राकृतिक रबर, प्राकृतिक समबहुलक का उदाहरण है।

74. (b) मेथिल आयोडाइड को सोडियम धातु के साथ गर्म करने पर एथेन गैस प्राप्त होती है।

$$2CH_3I + 2Na \rightarrow \underset{\text{एथेन}}{C_2H_6} + 2NaI$$

75. (c) क्लोरोफॉर्म का अणुभार 118 हो सकता है जो बढ़कर 119.5 हो जाएगा।

76. (d) C_4H_6 में एक त्रिबन्ध या दो द्विबन्ध होते हैं

$$H-\overset{H}{\underset{H}{C}}-C\equiv C-\overset{H}{\underset{H}{C}}-H \text{ या } CH_2=CH=CH_2$$

77. (d) द्रव्यमान में कमी = 228 – 212 = 16 और चूंकि एक a कण के उत्सर्जन से भार में 4 की कमी हो जाती है। अतः $\frac{16}{4} = 4\alpha$ कण उत्सर्जित हुए हैं। 4a कणों के उत्सर्जन से परमाणु क्रमांक संख्या 4 × 2 = 8 कम होनी चाहिए, जबकि द्रव्यमान संख्या 90 – 83 = 7 कम हुई है। अतः स्पष्ट है कि एक β कण उत्सर्जित हुआ है। एक β कण के उत्सर्जन से परमाणु क्रमांक संख्या एक बढ़ जाती है जबकि भार अपरिवर्तित रहता है।

78. (d) सोडियम लॉरिल सल्फेट $(C_{12}H_{25}OSO_3Na)$ डिटर्जेण्ट है।

79. (b) विद्युत आवेश बढ़ने पर इलेक्ट्रॉन की अयुग्मित होने की संभावना भी बढ़ जाती है। इसलिए चुम्बकीय संवेग में भी बढ़ोत्तरी होगी। कथन में NCl^- या तो बराबर या NCl^+ के चुम्बकीय संवेग से बड़ा होता है, जबकि NCl के चुम्बकीय संवेग का मान कम नहीं होता है।

80. (b) NH_3 में HCl की छड़ ले जाने पर NH_4Cl का सफेद धुआं निकलता है।

$NH_3 + HCl \rightarrow NH_4Cl$ का सफेद धुआं

81. (d) जेल्डाल और ड्यूमा विधि का प्रयोग कार्बनिक यौगिक में नाइट्रोजन के मात्रात्मक विश्लेषण में किया जाता है। जेल्डाल विधि में कार्बनिक यौगिक का नाइट्रोजन तत्व अमोनिया में परिवर्तित हो जाता है।

82. (b) क्लोरोफॉर्म वायुमण्डलीय गैस द्वारा एक जहरीली गैस जल गैस फास्जीन में ($COCl_2$) में आक्सीकृत हो जाती है।

83. (b) C_2H_5OH (ऐथेनल) एक बहुत दुर्बल अम्ल है इसलिए यह NaOH के साथ क्रिया नहीं करता जबकि यह धात्विक सोडियम से क्रिया करता है।

84. (a) $Sb_2S_3 \rightleftharpoons 2Sb^{3+} + 3S^{2-}$

$S_{\text{मोल/ली.}}$ 2S + 3S

विलेयता गुणनफल $(K_{sp}) = [Sb^{3+}]^2[S^{2-}]^3$
$= (2S)^2\ (3S)^3$
$= 108 \times S^5 = 108 \times (1.0 \times 10^{-5})^5$
$= 108 \times 10^{-25}$

85. (a) $\overset{4}{CH_3}\ \overset{3}{CH_2}\ \overset{2}{\underset{|}{C}}(Br)=\overset{1}{CH}-Cl$

2-ब्रोमो-1-क्लोरोब्यूटीन-1

86. (a) सोडियम कार्बोनेट, तनु अम्लों से क्रिया करके कार्बन डाइ ऑक्साइड गैस नियुक्त (release) करता है। यह गैस, आग को घेरकर, आग की ऑक्सीजन आपूर्ति को बाधित कर देती है। जिस कारण आग बुझ जाती है। अत: सोडियम कार्बोनेट (Na_2CO_3) का प्रयोग आग को बुझाने के लिए किया जाता है।

87. (d) जल गैस, कार्बन मोनोआक्साइड और हाइड्रोजन का मिश्रण है। यह रक्त तप्त कोक से भाप प्रवाहित करके प्राप्त होती हैं यह एक अच्छी ईंधन गैस है

$$C + H_2O \rightarrow \underset{\text{जल गैस}}{CO + H_2}$$

88. (c) $H_2S_2O_7$ (पाइरोसल्फ्यूरक अम्ल) औद्योगिक रूप से ओलीयम है।

89. (c) जिप्सम ($CaSO_4.2H_2O$) कैल्शियम का अयस्क है। डोलोमाइट ($CaCO_3\ MgCO_3$) मैग्नेसाइट ($MgCO_3$) और कार्नेलाइट ($KCl.\ MgCl_2\ 6H_2O$) मैग्नीशियम के अयस्क हैं।

90. (b) जो तत्व या मूलक इलेक्ट्रॉन का एकाकी युग्म दान करते हैं, ल्यूइस क्षार कहलाते हैं उदाहरण।

NH_3, H_2O, Cl^- आदि

91. (d) $H_2 \quad + \quad I_2 \quad \rightleftharpoons \quad 2HI$

0.4   0.4   0

0.4 – 0.25   0.4 – 0.25   0.50

साम्यवस्था पर = 0.15 = 0.15

$$K_c = \frac{[HI]^2}{[H_2][I_2]}$$

$$= \frac{\left(\frac{0.50}{2}\right)^2}{(0.15)\times(0.15)} = \frac{0.5\times0.5}{0.15\times0.15} = 11.11$$

92. (d) N_2O और NO को छोड़कर नाइट्रोजन के सभी ऑक्साइड अम्लीय प्रकृति के हैं।

93. (a) यदि दो यौगिक का आण्विक सूत्र समान है परन्तु क्रियात्मक समूह भिन्न है। यह समावयवता क्रियात्मक समूह समावयवता कहलाती है, उदाहरण:

CH_3CH_2CHO और $CH_3\overset{\overset{O}{||}}{C}CH_3$

94. (b) होमोलिटिक विदलन धूप में होता है। इसमें प्रत्येक परिबद्ध परमाणु अपना युग्मित इलेक्ट्रॉन ग्रहण करते हैं। इस प्रकार मुक्त मूलक बनते हैं।

95. (a) NO_3^- के वलय परीक्षण में भूरा छल्ला $[Fe(SO_4).NO]$ के निर्माण के कारण दो द्रवों के संगम पर बनता है।

96. (c) $2KI + CuSO_4 \rightarrow \underset{\text{अस्थायी}}{CuI_2} + K_2SO_4$

$$2CuI_2 \rightarrow Cu_2I_2 + I_2$$

विलयन में Cu_2I_2, I_2 और K_2SO_4 उपस्थित है।

97. (c) फिटकरी जल-मृदुलीकरण के रूप में प्रयोग की जाती है। चर्मसंस्करण के रूप में रंजन में रंग बंधक के रूप में और रक्त को बहने से रोकने में भी इसका उपयोग किया जाता है।

98. (a) बायो गैस का ऊष्मीय मान = 35 किलो जूल/ग्राम

∵ 1 ग्राम बायोगैस द्वारा उत्पन्न ऊष्मा = 35 किलो जूल

∴ 0.5×10^3 ग्राम बायोगैस द्वारा ऊष्मा उत्पन्न होगी

$= \dfrac{35 \times 0.5 \times 10^3}{1}$ किलो जूल

$= 1.75 \times 10^4$ किलो जूल

$= 17.5 \times 10^6$ जूल

99. (d) बेनेडिक्ट विलयन एल्डिहाइड द्वारा पूर्ण रूप से अपचयित हो जाता है। यह ऐनहाइड्राइड का ऑक्सीकरण नहीं करता है।

100. (b) सोडियम जिकेंट के निर्माण के कारण Zn सान्द्र NaOH में विलीन हो जाता है।

$$Zn + 2NaOH \rightarrow Na_2ZnO_2 + H_2$$

101. (d) अपने अपचायक गुण के कारण SO_2 विरंजक का काम करता है।

102. (b) लकड़ी विभिन्न हाइड्रोकार्बनों जैसे सेलुलोस, हेमीसेलुलोस आदि का मिश्रण होती है।

103. (b) शुद्ध जल उदासीन होता है, अत: इसका pH मान 7 है।

104. (c) ऑक्सीकरण

$$\overset{0}{H_2} + \overset{0}{Br_2} \longrightarrow 2H\overset{+1\,-1}{Br}$$

अपचयन

केवल यह अभिक्रिया ऑक्सीकरण, अपचयन दर्शाती है।

105. (d) गैलिक अम्ल की उपस्थिति को नीला-काला रंग देती है।

106. (a) विद्युत-रासायनिक श्रेणी में Cu, Ag से ऊपर स्थित है, इसलिए यह Ag को इसके लवण के विलयन से प्रतिस्थापित कर सकता है। जिस कारण अभिक्रिया निम्न रूप से होती है।

'ऑक्सीकरण'

$$\overset{0}{Cu} + AgNO_3 \longrightarrow \overset{+1}{Cu}NO_3 + Ag$$

107. (c) नाभिकीय रिएक्टर में कैडमियम की छड़ों का प्रयोग रिएक्टर को नियन्त्रित करने के लिए किया जाता है। क्योंकि इनमें न्यूट्रॉनों को अवशोषित करने की क्षमता होती है।

108. (c) हाइड्रोजन सल्फाइड गैस की गंध सड़े हुए अण्डों के समान होती है।

109. (b) फ्लोरीन उच्चतम E^0_{red} रखता है (+ 2.9 V के बराबर) जिसके कारण यह आसानी से एक इलेक्ट्रॉन ग्रहण कर लेता है। इसलिए यह उत्तम ऑक्सीकारक है।

110. (b) बेन्जीन के नाइट्रीकरण में (NO_2^+) आयन इलेक्ट्रॉन स्नेही के रूप में कार्य करता है।

111. (d) ऐथेनॉल पेय के रूप में प्रयोग किया जाता है।

112. (a) सीटेन रसायनिक रूप से हेक्साडेकेन है।

$$[CH_3(CH_2)_4CH_3]$$

113. (c) फ्लुओरीन सर्वाधिक विद्युत ऋणात्मक तत्व है तथा इसका इलेक्ट्रॉनिक विन्यास निम्न है।

$$F_9 = 1s^2, 2s^2, 2p^5$$

अत: इसके बाह्य कोश का इलेक्ट्रॉनिक विन्यास ns^2, np^5 है।

114. (b) ऑक्सीजन अणु (O_2) की लूइस बिन्दु संरचना निम्न है।

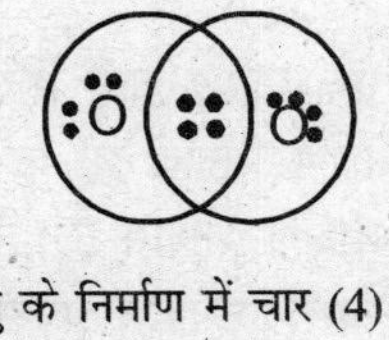

अत: O_2 अणु के निर्माण में चार (4) इलेक्ट्रॉन भाग लेते है।

115. (a) जब कोई उदासीन परमाणु पर इलेक्ट्रॉन को स्वीकार करके ऋणायन में परिवर्तित होता है, तब ऊर्जा मुक्त होती है। यह मुक्त हुई ऊर्जा इलेक्ट्रॉन बन्धुता (अथवा इलेक्ट्रॉन ग्रहण एन्थैल्पी) कहलाती है।

$$A(s) + e^- \longrightarrow A^-(aq) + \text{ऊर्जा}$$

116. (c) आवर्त सारणी में फ्लुओरीन सर्वाधिक विद्युत ऋणात्मक तत्व है। इसकी विद्युत ऋणात्मकता पॉलिग पैमाने पर 4 होती है।

117. (b) मेथेनॉल (CH_3OH) में, H परमाणु, O से सीधे बँधा है अत: ये जल के साथ H-बन्ध बनता है।

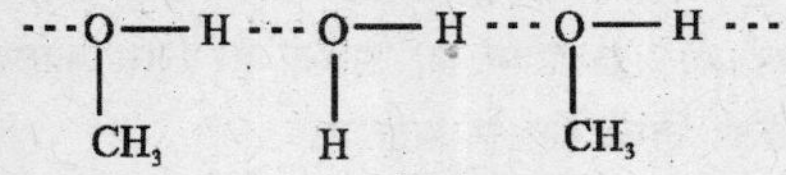

मेथेनॉल तथा जल के मध्य H-बन्धुता

अत: यह जल में विलेय (घुलनशील) होता है।

118. (c)

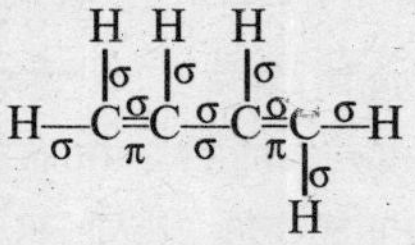

9σ तथा 3π बन्ध

एकल बन्ध में एक σ बन्ध होता है तथा द्वि-बन्ध में एक σ तथा 1π बन्ध होता है।

119. (b) त्रि-बन्धित कार्बन परमाणु से जुड़े H-परमाणु अम्लीय प्रकृति के होते हैं। दिए गए यौगिकों के संरचना सूत्र निम्न है।

(a) $CH_2{=}CH{-}CH_2CH_3$
1-ब्यूटीन

(b) $CH{\equiv}C{-}CH_2CH_3$
1-ब्यूटाइन

(c) $CH_3CH{=}CHCH_3$
2-ब्यूटीन

(d) $CH_3C{\equiv}CCH_3$
2-ब्यूटाइन

अत: 1-ब्यूटाइन में अम्लीय हाइड्रोजन उपस्थित है।

120. (a)

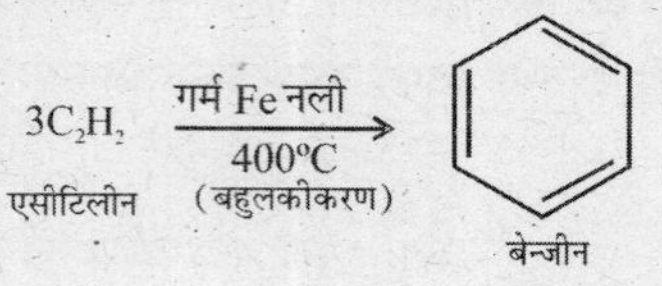

वनस्पति विज्ञान

121. (b) शुद्ध घी में मिलावट (adultration) की पहचान

वेलेन्टा परीक्षण-पशु चर्बी मिलावट का

हाफेन परीक्षण-बिनौले घी का परीक्षण

बोडाइन परीक्षण-शीशम तेल का परीक्षण

नाइट्रिक अम्ल परीक्षण-वनस्पति घी, पशु चर्बी, मोम का परीक्षण

नाइट्रिक अम्ल परीक्षण-वनस्पति घी, पशु चर्बी, मोम का परीक्षण

122. (d) आवृतबीजी पौधों का ओव्यूल एनाट्रपोस होता है, जो माइक्रोपाइल के शीर्ष पर होता है। ऑर्थोट्रॉपस कुछ ही कुलों में पाया जाने वाला ओव्यूल है।

123. (c) प्रकाश-संश्लेषण प्रक्रिया में 12% क्वाण्टम की प्राप्ति होती है।

124. (b) दालों के बीजदल भाग में प्रोटीन संग्रहित होता है। दालें, द्विबीजपत्री पौधे होते हैं। इसके बीज में दो पत्रक पाए जाते हैं।

125. (b) पौधों में निषेचन की खोज नावाश्चिन ने 1898 में की थी। नावाश्चिन ने द्वितीयक निषेचन फाइटिलेरिया और लिलियम में खोजा था।

126. (b) फ्यूनेरिया का मुख्य पौधा ग्रैमिटोफिटिक होता है। फ्यूनेरिया एक मॉस पादप है। यह ब्रायोफाइटा कुल का सदस्य है। नर तथा मादा दोनों में युग्मनज बनने के बाद अंगों का निर्माण होता है।

127. (a) म्यूकर जायगोस्पोर मियोस्पोर्स के निर्माण के माध्यम से अंकुरित होता है।

128. (a) छोटे-छोटे पर्वो वाले पौधे बोल्टिंग कहलाते हैं। इन पौधों की पत्तियाँ बहुत पास-पास स्थित होती है। जिबरेलिन के द्वारा इनके पर्वों को बढ़ाया जा सकता है। इसी प्रभाव को बोल्टिंग कहते हैं।

129. (c) पुष्पन प्रक्रिया के लिए उत्तरदायी फाइटोक्रोम पत्तियों में पाया जाने वाला वर्णक होता है।

130. (a) म्यूकर में विषमजालिकता पाई जाती है। यह एक लैंगिक जनन प्रक्रिया है। राइजोपस में भी विषमजालिकता पाई जाती है।

131. (d) फ्यूनेरिया के स्त्रीधानी में छह या आठ नेक केनाल कोशिकाएँ होती है।

132. (d) क्लोरोफिल में मैग्नीशियम तत्व होता है। क्लोरोफिल पौधों में प्रकाश-संश्लेषण की क्रिया करने में सहायक होता है।

133. (c) ABA पादप हार्मोन रन्ध्रों को बंद कर वाष्पोत्सर्जन को कम कर देता है। ABA का पूरा नाम एब्सिलीक अम्ल है।

134. (c) मूँगफली (Arachis hypogea) पेपिलियोनेसी कुल का पौधा है इसमें 20-25% प्रोटीन होती है। इसमें मूँगफली का तेल भी प्राप्त होता है।

135. (b) कपास (Gossypium) का रेशा बीजों का बीज चोल से प्राप्त होता है। इसे सतही रेशा ही कहते है। कपास का रेशा मुख्यत: सेल्युलोस का बना होता है। इनके लम्बे रेशों को लिन्ट (lint) तथा छोटे रेशों को फुज (fuzz) कहते हैं।

136. (d) रेशम (silk) रेशम कीट (Bombyx mori) से प्राप्त होता है। अण्डे से निकला लारवा कैटरपिलर (caterpillar) होता है। परिपक्व कैटरपिलर खाना बन्द कर देता है। इसमें एक जोड़ी लार ग्रन्थियों का विकास हो जाता है, जो रेशम का स्रावण करती है। रेशम का तीन चौथाई भाग एक दृढ़, प्रत्यास्थ एवं जल में घुलनशील प्रोटीन से बनता है, जबकि एक चौथाई भाग जिलेटिनी प्रोटीन से बनता है।

137. (d) गेहूँ-ट्रिटिकम एस्टिवम (Triticum aestivum) ग्रेमिनी कुल का धान्य है। यह पुराने संसार का नये संसार को वरदान है। यह षटगुणित (hexploid) होता है।

138. (c) सूरजमुखी-हेलिऐन्थस एनस (Helianthus annuus) कम्पोजिटी कुल का पौधा है। यह एक तैलबीजीय शस्य है।

139. (a) अनेक प्रकार की दालें पैपिलिओनेसी उपकुल के पौधों की देन है। जैसे-मटर (Pisum sativum), चना (Cicer arietinum), लोबिया (Vigna sinensis), अरहर (Cajanus cajan) आदि। दालें प्रोटीन का अच्छा स्रोत हैं।

140. (d) कपास का रेशा गॉसिपियम (Gossypium) के बीजों की बीज रोम से प्राप्त किया जाते है। कपास के रेशे सेल्यूलोस के बने होते हैं। इनके लम्बे रेशों को लिन्ट तथा छोटे रेशों को फुज कहते हैं।

141. (c) मूँगफली (Arachis hypogea) कुल-पेपिलियोनेसी का पौधा है। 40-55% तेल होता है जो बीजपत्र में भण्डारित रहता है। प्रोटीन 20-25% होती है इसे भूनकर या वनस्पति तेल के रूप में प्रयोग करते है।

142. (c) सूक्ष्मजीवियों को निम्न ताप के उपचार से सीमित किया जा सकता है। निम्न ताप उपचार से जीवाणु मृत नहीं होते परन्तु इनकी उपापचयी क्रियाएँ वृद्धि अवरुद्ध हो जाती है। इसीलिए खाद्य पदार्थों को प्राय: निम्न तापक्रम पर सुरक्षित रखा जा सकता है।

143. (a) चिमटी की सहायता से एक द्विलिंगी (bisexual) पुष्प से पुष्प के अन्य भागों को बिना हानि पहुँचाए परागकोशों (anthers) का हटाना विपुंसन (emasculation) कहलाता है। इस प्रक्रिया का प्रयोग पादप प्रजनन में द्विलिंगी पुष्पों में स्वपरागण की प्रक्रिया को रोकने के लिए किया जाता है।

144. (c) क्रियाधार एन्जाइम की सक्रिय सतह से जुड़कर एन्जाइम क्रियाधार कॉम्पलैक्स का निर्माण करता है। यह कॉम्पलैक्स निर्माण क्षणिक और अस्थिर प्रक्रिया है। जल्द ही सक्रिय सतह से उत्पाद उत्पन्न होते हैं तथा सभी अन्य संरचनात्मक सतह अस्थिर होती हैं। स्थिरता अणुओं की ऊर्जा स्तर और संरचना से सम्बन्धित होती है।

145. (d) कपास की कृषि के लिए काली मिट्टी उपर्युक्त मानी जाती है।

146. (d) बीजाण्ड में (गुरुबीजाणुधानी) के द्वारा सामान्यत: एक भ्रूणकोष होता है, जो अर्द्धसूत्री विभाजन के द्वारा गुरुबीजाणु से बना होता है। यह एक छोटी संरचना है, जो अपरा से जुड़ी रहती है। प्रत्येक बीजाण्ड एक या दो सुरक्षित आवरण रखता है, जो अध्यावरण कहलाता है। बीजाण्ड गुरुबीजाणु मातृ कोशिका गुरुबीजाणु बीजाण्डकाय, कोशिकाओं का एक द्रव्यमान है, जो अध्यावरण के साथ बन्द होता है। फल, पुष्पों के अण्डाशय से उत्पन्न होते हैं और अन्य पुष्पीय भाग विलगित होकर गिर जाते हैं।

147. (b) समयुग्मक, *स्पाइरोगाइरा* में पाए जाते हैं, जिसमें दोनों युग्मक अगतिशील होते हैं। *क्लैमाइडोमोनास* में, समयुग्मक, विषमयुग्मक और अंडयुग्मक तीनों पाए जाते हैं। इसमें गतिशील और अगतिशील युग्मक पाए जाते हैं। *वॉल्वॉक्स* और *फ्यूकस* में अंडयुग्मक पाए जाते हैं। अगतिशील अण्डाणु, गतिशील शुक्राणु के साथ मिलता है।

148. (c) लैंगिक जनन नए आनुवंशिक संयोग, जो विभिन्नता की ओर अग्रसर होते हैं, उत्पन्न करते हैं। बीज की दीर्घ क्षमता, प्रभाविता को बढ़ाती हैं और विशाल जीव संहति, लैंगिक प्रजनन से सम्बन्धित नहीं होती है।

149. (d) मुख्य अन्तराकोशिकीय धनायन K^+ है। मुख्य बाह्य कोशिकीय धनायन Na^+ है।

Ca^{2+} संकेतक पारक्रमण पथ में मुख्य भूमिका निभाता है।

H^+ सभी अम्लों के तरल में पाए जाते हैं।

150. (d) साइनोबैक्टीरिया में क्लोरोफिल होता है, परन्तु क्लोरोफिल क्लोरोप्लास्ट में नहीं पाए जाते हैं। यह क्रोमेटोफोर और प्लाज्मा झिल्ली की वलन में पाए जाते हैं, जहाँ प्रकाश-संश्लेषण की क्रिया होती है। हेटेरोसिस्ट विशिष्ट नाइट्रोजनीकरण कोशिकाएँ होती हैं, जो कुछ तन्तुमय साइनोबैक्टीरिया; जैसे–*नॉस्टॉक* आदि के बने होते हैं। आधारकाय एक कोशिकांग है, जो सेन्ट्रिऑल या तारक केन्द्र से बने होते हैं और छोटी, बेलनाकार, सूक्ष्मनलिका के द्वारा बने होते हैं। श्वसन मूल तिरछी जड़े होती है, जो प्राथमिक जड़ों के लिए ऑक्सीजन के स्तर को ऊपर भेजने का कार्य करते हैं।

जन्तु विज्ञान

151. (b) RNA पॉलीमरेज-II विकर से mRNA का निर्माण करता है। RNA पॉलीमरेज एन्जाइम यूकैरियोटिक कोशिका में पाये जाते हैं।

152. (a) पनीर निर्माण में जीवाणु एवं कवक का उपयोग किया जाता है। पनीर शाकाहारियों के लिए एक उत्तम खाद्य पदार्थ है। लैक्टोबैसीलस और फंजाई जैसे जीवाणु तथा राइजोपस और सैकरोमाइसीज जैसे कवकों का उपयोग पनीर बनाने में किया जाता है।

153. (c) एण्टीबायोटिक शब्द का सर्वप्रथम प्रयोग वॉक्समेन ने किया। बॉक्समेन ने 1860 में एण्टीबायोटिक स्ट्रैप्टोमाइसिन का आविष्कार किया था।

154. (d) जैल इलेक्ट्रोफोरेसिस का उपयोग DNA के छोटे टुकड़ों को उनके आकार के अनुसार अलग करने में किया जाता है।

155. (a) गॉल्जीकाय, अन्त: प्रद्रव्यी जालिका, राइबोसोम एवं लाइसोसोम मिलकर एण्डोमेम्ब्रेन तंत्र बनाते हैं। यह तंत्र यौगिकों के संवहन में सहायक होता है।

156. (d) केन्द्रक से साइटोप्लाज्म में RNA एवं प्रोटीन का परिवहन न्यूक्लियर पोर कॉम्प्लेक्स द्वारा होता है।

157. (a) मैमेलियन के RBCs में न्यूक्लियस नहीं होता है।

158. (d) इन्टरन्यूरॉन में लंबी द्रुमिकाएँ एवं लम्बी तंत्रिकाएं होती है।

159. (c) रूधिर अल्पता, बढ़े हुए यकृत और प्लीहा, बुखार, कमजोर प्रतिरक्षा तथा वजन घटना लेशमानियासिस के लक्षण है।

160. (d) यकृत कोशिकाएँ एन्सिओटेसिनोजीन के उत्पादन एवं स्रावण के लिए जिम्मेदार हैं।

161. (b) जन्तु प्लवक सूक्ष्म जीव होते हैं, जो पादप प्लवकों पर पोषण हेतु आश्रित होते हैं। ये जीव घास-स्थल पारितन्त्र के द्वितीयक खाद्य स्तर के शाकाहारी जीव जैसे गाय, बकरी के समानान्तर होते हैं।

162. (c) केन्द्रिका rRNA को राइबोसोमल प्रोटीन के साथ लपेटकर राइबोसोमल उपइकाई का निर्माण करती है। यह उपइकाई बाद में केन्द्रक छिद्र से होते हुए न्यूक्लियस को छोड़ देती है।

163. (a) कवक और विषाणु में ऊतक विभेदन अनुपस्थित होता है। ब्रायोफाइटा में ऊतक विभेदन शैवालों की अपेक्षा सुविकसित होता है। उच्चवर्गीय शैवालों में हालांकि ऊतक विभेदन पाया जाता है।

164. (b) *एडिएन्टम* को घुमक्कड़ फर्न कहा जाता है, *इक्वीसीटम* को पाइप या हॉर्सटेल तथा *सिलैजिनैला* को क्लब मॉस कहा जाता है।

165. (d) जब पुष्प को केन्द्र से होकर किसी भी उदग्र तल से काटने पर दो समान अर्ध भागों में बाँटा जा सके अर्थात् सममिति अरीय व पुष्प नियमित हो तब यह स्थिति त्रिज्या सममिति पुष्प कहलाती है जैसे–क्रूसीफेरी एवं लिलिएसी। जब पुष्प को केवल एक उदग्र तल से ही दो समान भागों में विभक्त किया जा सके तब पुष्प एक व्यास सममित कहलाता है। इस प्रकार के पुष्प भी नियमित होते हैं, लेकिन उन में सममिति दिपार्श्व पायी जाती है; जैसे-पेपिलियोनेसी कुल में से पुष्प जिनको किसी भी उदग्र तल से विभाजित नहीं किया जा सके असममित पुष्प कहलाते हैं। अर्थात् पुष्प सममित और असममित होते हैं।

166. (a) तापानुकुंचन गति, अधिक ताप से पुष्पन होने वाले पौधों में पाई जाती है। यह गति पौधों में पुष्पन का नियमन करती है। कम ताप पर पुष्पन नहीं होता। जैसे क्रोकस और ट्यूलिप में अधिक ताप पाने पर पुष्प खुल जाते हैं तथा कम ताप पर बन्द हो जाते हैं।

167. (b) इथाइलीन (एथीलीन) एक वाष्पशील गैस है। यह पके फलों की कोशिकाओं के अंतराकोशिकीय अवकाशों में अधिक मात्रा में पाई जाती है। इसकी कुछ मात्रा पौधों के मूल, प्ररोह, शीर्षस्थ विभज्योतक, पत्ती और पुष्पों में भी पायी जाती है।

168. (d) अल्पप्रदीप्तिकाल पादपों में यदि अन्धकार अवधि को लाल प्रकाश से अल्प समय के लिए भी बाधित कर दिया तो इस प्रकार के पौधों में पुष्पन नहीं होगा। इस बाधक अवधि की भरपाई सुदूर लाल प्रकाश से की जा सकती है; जैसे- *जैन्थियम*, गन्ना, सोयाबीन और तम्बाकू।

169. (a) C_3- चक्र की खोज (केल्विन एवं बेन्सन) की। C_3- चक्र का प्रथम उत्पाद फॉस्फोग्लिसरिक अम्ल होता है, जो एक 3°C कार्बन यौगिक है। कार्बन संश्लेषण का यह पथ अधिकांश पौधों में पाया जाता है।

170. (d) *नाइट्रोसोमोनास* भूमि में अमोनिया के नाइट्राइट में ऑक्सीकरण हेतु एक मुख्य एजेन्ट है। नाइट्राइट को नाइट्रेट में *नाइट्रोबैक्टर* जीवाणु द्वारा परिवर्तित किया जाता है।

171. (a) बिन्दु स्रावण कुछ शाकीय पौधे के अघातित भागों से जैसे पत्तियों के किनारे पर शिरिकाओं के छोर से द्रव की बूदों का निकलना है। ऐसा तब होता है, जब पौधों की जड़ों द्वारा जल का सक्रिय अवशोषण हो रहा हो, परंतु वायुमण्डल की अधिक (उच्च) आर्द्रता के कारण वाष्पोत्सर्जन की दर बहुत कम या वाष्पोत्सर्जन बिल्कुल न हो। यह स्थिति गर्म दिन तथा ठण्डी रातों के दिनों में उत्पन्न होती है।

172. (d) इलायोप्लास्ट में वसा एवं तेल का संग्रहण होता है तथा बीजों में पाए जाते हैं जैसे *पॉलीएन्थीज टुबरोसा* एमाइलोप्लास्ट अवर्णी लवक स्टार्च का संग्रह करते हैं।

रोडोप्लास्ट में लाल वर्णक पाए जाते हैं तथा क्लोरोप्लास्ट में हरा वर्णक क्लोरोफिल पाया जाता है।

173. (b) इडियोब्लास्ट मृदूतक कोशिकाओं का अहरित, विशाल कोशिकाओं का विशिष्ट समूह होते हैं। इनमें टेनिन, तेल एवं क्रिस्टल कण उपस्थित होते हैं।

174. (a) युक्ताण्डपी अण्डाशय में एक से अधिक अण्डप (2 या अधिक) होते हैं। युक्ताण्डपी जायांग में अण्डपों के तट मिलकर एक कोष्ठ बनाते हैं। अनेक पुष्पों में अण्डपों (carpels) के तट मिल जाने से उसकी अधर सेवनी अण्डपों के केन्द्र में किसी बिन्दु पर आकर मिल जाती है। इसके कारण अण्डाशय में एक से अधिक कोष्ठ बन जाते हैं। प्राय: कोष्ठों की संख्या अण्डपों की संख्या के बराबर होती है। परंतु कुछ पुष्पों में कोष्ठों की संख्या अण्डपों की संख्या के अनुकूल नहीं होती प्रत्येक कोष्ठ में एक कूट पट बन जाता है यह कूट पट बीजाण्डासन से उभार के रूप में निकलता है; जैसे-बैंगन तथा धतूरा।

इसी प्रकार सरसों की अण्डाशय प्रारम्भ में एककोष्ठीय होता है परंतु कूटपट बन जाने के कारण या पश्चात् यह द्विकोष्ठीय दिखाई देता है।

175. (b) सेमोफाइट्स या बालुकोद्भिद रेगिस्तान तथा रेतीली भूमि पर उगने वाले पौधे हैं। चट्टानों पर उगने वाले पौधों को शैलोद्भिद कहते हैं। जल में उगने वाले पौधों को जलोद्भिद कहा जाता है। मरुद्भिद पौधे मरुस्थल में बहुतायत में पाए।

176. (b) मानव जातियों के वर्गीकरण के लिए कानों का प्रयोग नहीं किया जाता।

177. (c) अकेशरुकी में नोटोकॉर्ड (पृष्ठरज्जु) अनुपस्थित होता है, जबकि कशेरुकियों में जीवन की किसी–न–किसी अवस्था में नोटोकॉर्ड (पृष्ठरज्जु) उपस्थित होता है।

178. (b) पृथ्वी पर विशालतम जीवित पक्षी शुतुरमुर्ग है। यह अफ्रीका में पाया जाता है। यह उड़ने में असमर्थ तथा तेज दौड़ने वाला पक्षी है।

179. (c) सबसे छोटा पक्षी गुंजन पक्षी (Humming Bird) है। वर्तमान में 5 सेमी. आकार की बी–हमिंग बर्ड (Bee Humming Bird) संसार की सबसे छोटी चिड़िया या पक्षी है, जो कि क्यूबा में पाई जाती है। यह एकमात्र ऐसा पक्षी है, जो आगे-पीछे उड़ सकता है।

180. (b) जब खरगोश अपने आस-पास संकट या खतरा महसूस करता है, तब वह पिछले अंगों अर्थात् पिछले पैरों से जमीन पर प्रहार करता है। यह व्यवहार उसके द्वारा अन्य सदस्यों को चेतावनी का संकेत देने के लिए किया जाता है।

General English

181. (d)The language teachers primary responsibility is to identify the learners communicative needs.

182. (b)Emergent curriculum indicates that the books are written as per the interest of the students or learners.

183. (c)Assertion (A) is false as we know that environment plays a very crucial role in learning any language. Reason (R) is true that learn-centered classroom environment has a great impact on language acquisition.

184. (a) In this approach, learning is seen as a whole entity and meaning are drawn from the context in which they appear.

185. (c)Metalinguistic ability is to reframe the language structure. The learners may think or modify the language as received by the situation.

186. (c)Father wanted to follow the proper dresscode.

187. (a) Father liked to drink hot coffee rather than tea.

188. (b) No where has been mentioned in the given passage that a few people were jealous of his popularity.

189. (a)According to author, the English judge used to take down notes of his father's points. From authors mothers death incident we learn that his father preferred his legal obligation to family obligation.

190. (d)Reasonable is the similar to forceful and coherent.

सामान्य ज्ञान

191. (c) प्रसिद्ध 'विरूपाक्ष मंदिर' कर्नाटक के हम्पी में अवस्थित है। यह मंदिर भगवान शिव को समर्पित है। यह मंदिर तुंगभद्रा नदी के दक्षिणी किनारे पर स्थित है। हम्पी विजयनगर राज्य की राजधानी थी।

192. (d) संविधान के अनुच्छेद 63 के अनुसार, भारत का एक उपराष्ट्रपति होगा। संसद के उच्च सदन को राज्यसभा कहते हैं। भारत का उपराष्ट्रपति राज्यसभा का पदेन सभापति होता है। उपराष्ट्रपति को जनता के द्वारा सीधे नहीं चुना जाता है। वह संसद के दोनों सदनों के सदस्यों के निर्वाचक मण्डल द्वारा चुना जाता है।

193. (b) भारत में ऐनीमल वेलफेयर बोर्ड ऑफ इंडिया का मुख्यालय चेन्नई में स्थित है। इसकी स्थापना वर्ष 1962 में हुई। यह देश में जानवरों के संरक्षण हेतु कानूनों का अनुपालन सुनिश्चित करता है।

194. (a) 1833 ई. में ब्रह्म समाज के संस्थापक राजा राम मोहन राय के निधन के पश्चात् इसका नेतृत्व रवीन्द्रनाथ टैगोर के पिता महर्षि देवेन्द्रनाथ टैगोर (1817-1905) ने संभाला।

195. (c) प्रसिद्ध हजारा राम मन्दिर का निर्माण विजयनगर साम्राज्य के प्रसिद्ध शासक कृष्णदेव राय द्वारा कराया गया। यह कर्नाटक के हम्पी में अवस्थित है।

196. (b) 'इंडिपेंडेंट लेबर पार्टी' की स्थापना वर्ष 1936 में डॉ. भीमराव अम्बेडकर द्वारा की गई। यह एक राजनीतिक संगठन था जो ब्राह्मणवादी वर्चस्व के विरुद्ध मजदूरों को एकजुट करने के लिए निर्मित किया गया था।

197. (b) पिटकों का बौद्ध साहित्य में अत्यन्त महत्व है। इसकी संख्या तीन है, ये हैं-विनयपिटक, सुत्तपिटक तथा अभिधम्मपिटक। इनकी रचना महात्मा बुद्ध के निर्वाण प्राप्त करने के बाद उनके शिष्यों द्वारा की गई। विनयपिटक में बौद्ध भिक्षुओं के आचरण सम्बन्धी विचार मिलते हैं। सुत्तपिटक में महात्मा बुद्ध के उपदेशों का संग्रह है जबकि अभिधम्मपिटक बौद्ध दर्शन का विवेचन करता है। इन पिटकों को 'त्रिपिटक' भी कहा जाता है। त्रिपिटक की भाषा 'पालि' है।

198. (b) विश्व में सबसे अधिक उगाई जाने वाली अन्न की फसल चावल है। गेहूँ का स्थान इसके पश्चात् आता है।

199. (a) 'अप्सरा' (APSARA) भारत द्वारा निर्मित पहला न्यूक्लियर रिएक्टर है। इसका निर्माण बार्क द्वारा वर्ष 1956 में किया गया।

200. (b) 'मालगुडी डेज' महान साहित्यकार आर. के. नारायण द्वारा रचित लघु कहानियों का संग्रह है। अंग्रेजी में रचित इस पुस्तक पर दूरदर्शन द्वारा इसी नाम से अत्यंत चर्चित धारावाहिक का निर्माण भी किया गया है।

❑❑❑

प्रैक्टिस सेट-8

भौतिक विज्ञान

1. साइक्लोट्रॉन की आवृत्ति निर्भर नहीं करती है?

(a) आवेश पर (b) द्रव्यमान पर

(c) वेग पर (d) q/m पर

2. समतापीय परिवर्तन में प्रति मोल पर कार्यरत् कार्य है-

(a) $RT\log_{10}\frac{V_2}{V_1}$ (b) $RT\log_{10}\frac{V_1}{V_2}$

(c) $RT\log_e\frac{V_2}{V_1}$ (d) $RT\log_e\frac{V_1}{V_2}$

3. एक वस्तु को 70°C से 50°C तक 5 मिनट में शीतलित किया जाता है। यदि वातावरण का तापमान 20°C है, तो अगले 10 मिनट के पश्चात् इसका तापमान होगा-

(a) 25°C (b) 30°C

(c) 35°C (d) 45°C

4. पृथ्वी व चन्द्रमा के द्रव्यमान व त्रिज्या क्रमशः M_1, R_1 व M_2, R_2 है। उनके केन्द्रों के बीच की दूरी *d* है। उनके बीच मध्य बिन्दु से *m* द्रव्यमान के कण को किस न्यूनतम वेग से प्रक्षेपित करना चाहिए जिससे वह अनन्त पर पहुँच जाएगा-

(a) $2\sqrt{\frac{G}{d}(M_1+M_2)}$

(b) $2\sqrt{\frac{2G}{d}(M_1+M_2)}$

(c) $2\sqrt{\frac{GM}{d}(M_1+M_2)}$

(d) $2\sqrt{\frac{GM}{d}\frac{(M_1+M_2)}{(R_1+R_2)}}$

5. सेल्सियस तथा फॉरेनहाइट थर्मामीटर एक समान पाठ्यांक दर्शाएंगे-

(a) –40° पर (b) 40° पर

(c) 100° पर (d) 212° पर

6. एक पिण्ड को 62°C से 61°C तक ठण्डा होने में T मिनट लगते हैं, जब परिपार्श्व का तापमान 30°C है। इसी परिपार्श्व के तापमान में 46°C से 45.5°C तक ठण्डा होने में पिण्ड को लगने वाला समय होगा-

(a) T मिनट से अधिक

(b) T मिनट के बराबर

(c) T मिनट से कम

(d) T/2 मिनट के बराबर

7. निर्वात् की विद्युतशीलता तथा चुम्बकशीलता क्रमशः ε_0 तथा μ_0 है। किसी माध्यम की संगत राशियाँ ε तथा μ हैं, माध्यम का अपवर्तनांक है-

(a) $\sqrt{\frac{\mu\varepsilon}{\mu_0\varepsilon_0}}$ (b) $\sqrt{\frac{\mu_0\varepsilon_0}{\mu\varepsilon}}$

(c) $\sqrt{\frac{\mu_0\varepsilon_0}{\mu\varepsilon}}$ (d) $\sqrt{\frac{\mu_0\varepsilon_0}{\mu\varepsilon}}$

8. जब एक 2Ω के प्रतिरोध को बैटरी के एक्रॉस जोड़ा जाता है, तो उसमें 2 ऐम्पियर की धारा प्रवाहित होती है। यदि उसी बैटरी को 9Ω के प्रतिरोध के एक्रॉस जोड़ा जाता है, तो 0.5 ऐम्पियर की धारा प्रवाहित होती है, तब तो बैटरी का आंतरिक प्रतिरोध है-

(a) $\frac{1}{3}\Omega$ (b) $\frac{1}{4}\Omega$

(c) 1 Ω (d) 0.5 Ω

9. एक मीटर त्रिज्या के खोखले गोले पर विद्युत विभव 1000 V है, तो गोले के केंद्र से $\frac{1}{4}$ मीटर दूरी पर विभव है-

(a) 1000 V (b) 500 V

(c) 250 V (d) शून्य

10. एक वायु स्तम्भ में ध्वनि तरंगें संपीडन तथा विरलन के रूप में संचारित हो रही हैं, तो क्रमागत संपीडन व विरलनों में होता है-

(a) घनत्व नियत रहता है

(b) बॉयल के नियम का पालन होता है

(c) हवा आयतनात्मक प्रत्यास्थता गुणंक दोलन करता है

(d) उनमें ऊष्मा का कोई स्थानांतरण नहीं होता है

11. कमरे के ताप पर निकिल लौह चुम्बकीय गुण प्रदर्शित करता है। यदि ताप का मान, क्रांतिक ताप से अधिक बढ़ाया जाता है, तो यह प्रदर्शित करेगा-

(a) अनुचुम्बकत्व

(b) प्रति-लौहचुम्बकत्व

(c) कोई चुम्बकीय गुण नहीं

(d) प्रतिचुम्बकत्व

12. तनी हुई डोरी में उत्पन्न तरंगों का प्रतिरूप कहलाता है-

(a) स्थिर तरंगें (b) अप्रगामी तरंगें

(c) प्रगामी तरंगें (d) (a) और (b) दोनों

13. जब एक किरण एक माध्यम से दूसरे माध्यम में अपवर्तित होती है, तो आवृत्ति 6000 Å से 4000 Å परिवर्तित हो जाती है, तब पृथक्कारी पृष्ठ का क्रांतिक कोण होगा-

(a) $\cos^{-1}\left(\frac{2}{3}\right)$ (b) $\sin^{-1}\left(\frac{2}{\sqrt{3}}\right)$

(c) $\sin^{-1}\left(\frac{2}{3}\right)$ (d) $\cos^{-1}\left(\frac{2}{\sqrt{3}}\right)$

14. एक प्रकाश किरण μ अपवर्तनांक के पारदर्शी माध्यम में गति कर रही है। यदि माध्यमों को पृथक् करने वाली सतह पर, वायु से आने वाली किरण 45° कोण पर आपतित होती है, तो μ के किस मान के लिए प्रकाश किरण का पूर्ण आंतरिक परावर्तन होगा?

(a) $\mu = 1.33$ (b) $\mu = 1.4$

(c) $\mu = 1.50$ (d) $\mu = 1.25$

15. किसी अप्रगामी तरंग में वह बिंदु जहाँ तरंग का आयाम शून्य होता है, कहलाता है-

(a) प्रस्पंद

(b) निस्पंद

(c) फोकस बिंदु

(d) अप्रगामी तरंगें में आयाम कभी शून्य नहीं होता

16. जब ध्वनि तरंग वायु से जल में जाती है,तो निम्न में से नियत रहता है

(a) आवर्तकाल (b) आवृत्ति
(c) वेग (d) तरंगदैर्ध्य

17. एक कण जिस पर इलेक्ट्रॉन से 100 गुना आवेश है, 0.8 मीटर त्रिज्या के एक वृत्तीय पथ में घूर्णन कर रहा है। केन्द्र पर उत्पन्न चुम्बकीय क्षेत्र होगा (μ_0 = निर्वात् की चुम्बकशीलता है)

(a) $10^{-17}\mu_0$ (b) $\frac{10^{-7}}{\mu_0}$
(c) $10^{-6}\mu_0$ (d) $10^{-7}\mu_0$

18. मानव नेत्र में केंद्रण या फोकसन किया जाता है?

(a) नेत्र लेन्स के आगे और पीछे गति द्वारा
(b) रेटिना के आगे और पीछे गति द्वारा
(c) लेंस की सतह की उत्तलता (convexity) में परिवर्तन द्वारा
(d) नेत्र द्रव के अपवर्तनांक में परिवर्तन द्वारा

19. जब नेत्र लेंस की क्षमता बढ़ती है, तो एक दोष उत्पन्न हो जाता है जिसे कहते हैं-

(a) निकट दृष्टि दोष
(b) दूर दृष्टि दोष
(c) अबिंदुकता
(d) उपरोक्त में से कोई नहीं

20. निम्न में से कौन-सा कथन किसी माध्यम के आयतनात्मक प्रत्यास्थता गुणांक के लिए सत्य है?

(a) आयतनात्मक प्रत्यास्थता गुणांक के सम्बंध में $\Delta\rho$ दाब परिवर्तन व्यक्ति करता है
(b) आयतनात्मक प्रत्यास्थता गुणांक के सम्बंध में $\frac{\Delta V}{V}$ आयतन विकृति व्यक्त करता है
(c) आयतनात्मक प्रत्यास्थता गुणांक की विमाएँ दाब की विमाओं के समान होती हैं
(d) उपरोक्त सभी

21. एक व्यक्ति 100 मीटर की ऊँचाई पर है। वह एक कार देखता है जो व्यक्ति की स्थिति से $\frac{\pi}{6}$ का कोण बनाती है। कुछ दूरी चलने पर कोण $\frac{\pi}{3}$ हो जाता है। कार द्वारा चली गई दूरी है-

(a) $\left(\frac{100}{\sqrt{3}}\right)$ मीटर (b) $\left(200\sqrt{3}\right)$ मीटर
(c) $\left(\frac{200}{\sqrt{3}}\right)$ मीटर (d) $\left(\frac{150}{\sqrt{3}}\right)$ मीटर

22. एक गेंद ऊँचाई h व दूसरी $2h$ ऊँचाई से फेंकी जाती है। दोनों गेंदों द्वारा पृथ्वी तक पहुँचने में लिए गये समय का अनुपात है-

(a) $1:\sqrt{2}$ (b) $\sqrt{2}:1$
(c) 2 : 1 (d) 1 : 2

23. एक 0.1 किग्रा की वस्तु 0.1 सेकण्ड में 10 मीटर/सेकण्ड वेग प्राप्त करती है। वस्तु पर कार्य करने वाला बल है-

(a) 10 N (b) 0.01 N
(c) 0.1 N (d) 100 N

24. एक गेंद ऊपर की ओर फेंकी जाती है। यह पृथ्वी तक वापस आने में 4 सेकण्ड का समय लेती है। इसकी प्रारम्भिक चाल है-

(a) 30 ms^{-1} (b) 10 ms^{-1}
(c) 40 ms^{-1} (d) 20 ms^{-1}

25. एक बल $\vec{F}=5\hat{i}+3\hat{j}+4\hat{k}$ का विस्थापन $\vec{s}=6\hat{i}-5\hat{k}$ है, तब बल द्वारा कृत कार्य है-

(a) 10 इकाई (b) $122\sqrt{5}$ इकाई
(c) $5\sqrt{122}$ इकाई (d) 20 इकाई

26. एक वस्तु त्वरण *a* से क्षैतिज तल में वृत्तीय गति पकर रही है। यदि इसका वेग दोगुना हो जाता है। वेग परिवर्तन के पहले तथा बाद के त्वरण का अनुपात होगा-

(a) 1 : 4 (b) $\frac{1}{4}$:1
(c) 2 : 1 (d) 4 : 1

27. घड़ी की बड़ी सुई का कोणीय वेग है-

(a) $\left(\frac{\pi}{6}\right)$ रेडियन सेकण्ड$^{-1}$
(b) $\left(\frac{\pi}{60}\right)$ रेडियन सेकण्ड$^{-1}$
(c) $\left(\frac{\pi}{30}\right)$ रेडियन सेकण्ड$^{-1}$
(d) $\left(\frac{\pi}{15}\right)$ रेडियन सेकण्ड$^{-1}$

28. पृथ्वी की सतह के पास, एक उपग्रह का आवर्तकाल 4 घण्टे है। पृथ्वी के केन्द्र से 4R की ऊँचाई पर आवर्तकाल होगा-

(a) 32 घण्टे (b) $\left(\frac{1}{8\sqrt{2}}\right)$ घण्टे
(c) $83\sqrt{2}$ घण्टे (d) 16 घण्टे

29. पृथ्वी के तल पर गुरुत्वीय त्वरण '*g*' मीटर/सेकण्ड^2 है। समुद्री तल से 32 किमी की ऊँचाई पर '*g*' का प्रभावी मान क्या है?

(a) 0.5 g मीटर/सेकण्ड$^{-2}$
(b) 0.99 g मीटर/सेकण्ड$^{-2}$
(c) 1.01 g मीटर/सेकण्ड$^{-2}$
(d) 0.90 g मीटर/सेकण्ड$^{-2}$

30. एक लोलक का आयाम 60 मिमी और कोणीय वेग 2 रेडियन/सेकण्ड है। इसका वेग क्या होगा, जबकि इसका विस्थापन 20 मिमी है-

(a) 120 मिमी सेकण्ड$^{-1}$
(b) 113 मिमी सेकण्ड$^{-1}$
(c) 115 मिमी सेकण्ड$^{-1}$
(d) 125 मिमी सेकण्ड$^{-1}$

31. यदि हम किसी लोलक को खोखला करके उसमें रेत भर दें, तब लोलक के द्रव्यमान केन्द्र पर इस परिवर्तन का क्या प्रभाव होगा?

(a) यह विकृत हो जायेगा
(b) इसका मान घट जायेगा
(c) इसका मान बढ़ जायेगा
(d) इसका मान पहले घटेगा फिर बढ़ेगा

32. एक तन्तु एक केतली को गर्म करने में 10 मिनट व दूसरा तन्तु 15 मिनट लेता है। यदि दोनों तन्तु समान्तर क्रम में जोड़ दिये जायें, तो उनका युग्म उसी केतली को गर्म करने में समय लेगा-

(a) 6 मिनट (b) 12.5 मिनट
(c) 25 मिनट (d) 7.5 मिनट

33. निर्वात में ऊर्जा स्थानान्तरण का मतलब है-

(a) किरणन (b) संवहन
(c) विकिरण (d) चालन

34. यदि विभव V की '*n*' बूँदें मिलायी जायें, तो बड़ी बूँद का नया विभव होगा-

(a) $n^{2/3}V$ (b) $n^{1/3}V$
(c) nV (d) $V^{n/3}$

35. यदि पर्दे व स्रोत के बीच की दूरी 2% बढ़ा दी जाये, तो प्रकाश की तीव्रता पर क्या प्रभाव पड़ेगा-

(a) 4% बढ़ जायेगी (b) 2% बढ़ जायेगी
(c) 2% घट जायेगी (d) 4% घट जायेगी

36. एक 50 keV गतिज ऊर्जा का ड्यूट्रॉन चुम्बकीय क्षेत्र B के तल के लम्बवत् 0.5 मीटर त्रिज्या की वृत्तीय कक्षा निर्मित करता है, तो उस प्रोटॉन की गतिज ऊर्जा जो इस तल B में 0.5 मीटर त्रिज्या की वृत्तीय कक्षा निर्मित करता है, हैं-

(a) 25 keV (b) 50 keV
(c) 200 keV (d) 100 keV

37. एक 5D क्षमता वाले उत्तल लेन्स के सामने 60 सेमी की दूरी पर एक वस्तु रखी है। प्रतिबिम्ब कहाँ बनेगा?

(a) –20 सेमी (b) 30 सेमी
(c) 20 सेमी (d) – 30 सेमी

38. यदि दो प्रकाश स्रोतों की तीव्रताएँ क्रमशः 4I व I हों, तब उनकी उच्चिष्ठ व निम्निष्ठ तीव्रताएँ क्रमशः होंगी-

(a) 5I, – 3I (b) 9I, I
(c) 9I, – I (d) 5I, 3I

39. एक दूरदर्शी के लिये आवर्धन जिसके अभिदृश्यक व नेत्र लेन्स की फोकस दूरियाँ क्रमशः f_0 व f_e हैं, होती हैं–

(a) $\frac{f_0}{f_0}$ (b) $\frac{f_0}{f_e}$

(c) $\frac{1-f_0}{f_e}$ (d) $\frac{f_0}{f_e-1}$

40. दो स्लिटों के मध्य की दूरी आधी व स्लिट तथा पर्दे के बीच की दूरी दोगुनी कर दी जाती है। फ्रिन्जों के बीच की चौड़ाई जबकि पहले फ्रिन्ज चौड़ाई β है, होगी–

(a) β (b) 9β
(c) 4β (d) 2β

41. एक स्रोत व एक श्रोता 50 मीटर सेकण्ड$^{-1}$ की चाल से एक-दूसरे की ओर आ रहे हैं। यदि श्रोता को 400 चक्र/सेकण्ड की आवृत्ति सुनाई देती है, तो ध्वनि की वास्तविक आवृत्ति होगी–

(a) 300 चक्र/सेकण्ड (b) 320 चक्र/सेकण्ड
(c) 340 चक्र/सेकण्ड (d) 330 चक्र/सेकण्ड

42. एक स्रोत स्थिर श्रोता की ओर ध्वनि के वेग का $\frac{1}{10}$ के वेग से जा रहा है। उसकी प्रेक्षित तथा वास्तविक आवृत्ति का अनुपात होगा–

(a) $\frac{9}{10}$ (b) $\frac{11}{10}$

(c) $\frac{10}{11}$ (d) $\frac{10}{9}$

43. यदि विद्युत फ्लक्स $\phi = 3t^2 + 4t + 2$ है। तो समय $t = 2$ सेकण्ड पर इसका वि. वा. ब. होगा–

(a) 22 वोल्ट (b) 18 वोल्ट
(c) 20 वोल्ट (d) 16 वोल्ट

44. दो चालकों में धारा विपरीत दिशाओं में बह रही है। तब–

(a) वे एक-दूसरे को आकर्षित करेंगे
(b) वे एक-दूसरे को प्रतिकर्षित करेंगे
(c) वे एक दूसरे को प्रभावित नहीं करेंगे
(d) कुल प्रभाव दोनों तारों की प्रकृति पर निर्भर करेगा

45. दो लगातार संपीडन व विरलन के बीच की दूरी 1 मीटर तथा ध्वनि की चाल 360 मीटर सेकण्ड है। ध्वनि की आवृत्ति है–

(a) 180 हर्ट्ज (b) 45 हर्ट्ज
(c) 120 हर्ट्ज (d) 90 हर्ट्ज

46. R ओम के 5 प्रतिरोधों में से 3 प्रतिरोधों को समान्तर क्रम में जोड़कर उसे बाकी 2 प्रतिरोधों के साथ श्रेणी क्रम में जोड़ा गया है। नैट प्रतिरोध है–

(a) $\left(\frac{3}{7}\right)R\Omega$ (b) $\left(\frac{7}{3}\right)R\Omega$

(c) $\left(\frac{7}{8}\right)R\Omega$ (d) $\left(\frac{8}{7}\right)R\Omega$

47. यदि प्रतिबाधा, प्रतिरोध की $\sqrt{3}$ गुनी हो, तो कलान्तर होगा–

(a) शून्य (b) 30°
(c) 60° (d) कहना मुश्किल है

48. यदि फ्रिज के दरवाजे को खोल दिया जाये जबकि वह विद्युत से जुड़ा हुआ है, कमरा होगा–

(a) ठण्डा (b) गर्म
(c) कोई प्रभाव नहीं (d) ताप नहीं दिया है

49. एक तार का 50°C पर प्रतिरोध 5RΩ तथा 100°C पर 6RΩ है तार का प्रतिरोध 0°C पर है–

(a) 0R Ω (b) 2R Ω
(c) 3R Ω (d) 4R Ω

50. यदि एक रेडियोएक्टिव तत्व का 169, 120 दिन में क्षय होकर 19 रह जाता है, तब तत्व की अर्द्ध आयु है–

(a) 15 दिन (b) 7.5 दिन
(c) 30 दिन (d) 60 दिन

51. यदि किसी आवेशित कण की चाल दोगुनी तथा चुम्बकीय क्षेत्र की तीव्रता आधी कर दी जाये, तब कण के पथ की त्रिज्या होगी–

(a) 8 गुनी (b) 2 गुनी
(c) 4 गुनी (d) इनमें से कोई नहीं

52. एक धन के प्रत्येक शीर्षों पर $-q$ बिन्दु आवेश है। धन के केन्द्र पर वैद्युत क्षेत्र है–

(a) $\frac{1}{4\pi\varepsilon_0}\frac{6q}{3a^2}$ (b) $\frac{1}{4\pi\varepsilon_0}\frac{8q}{a^2}$

(c) शून्य (d) $\frac{1}{4\pi\varepsilon_0}\frac{8q}{a^2}$

53. एक 10μF धारिता के संधारित्र के सिरों का विभवान्तर 100 वोल्ट है। इसमें संचित ऊर्जा है–

(a) 0.05 J (b) 1 J
(c) .005 J (d) 0.1 J

54. एक दण्ड चुम्बक धारावाही कुण्डली के बीच गिरायी गयी है। इसका त्वरण क्या होगा?

(a) 'g' नीचे की ओर
(b) 'g' से अधिक नीचे की ओर
(c) 'g' से कम ऊपर की ओर
(d) 'g' से अधिक ऊपर की ओर

55. यदि किसी अर्द्धचालक में फॉस्फोरस व आर्सेनिक की अशुद्धि मिलाते हैं, तो वह अर्द्धचालक कहलाता है–

(a) ट्रॉजिस्टर
(b) p–प्रारूपी अर्द्धचालक
(c) प्रवर्धक
(d) n–प्रारूपी अर्द्धचालक

56. एक प्रक्षेप्य के द्वारा प्राप्त अधिकतम ऊँचाई तथा परास समान है। प्रक्षेपण कोण है–

(a) 30° (b) 76°
(c) 50° (d) 90°

57. यदि तरंगदैर्ध्य $\lambda = 10^{-10}$ मीटर से $\lambda' = 0.5 \times 10^{-10}$ मीटर तक परिवर्तित होती है, तब कण का ऊर्जा परिवर्तन (ΔE) होगा–

(a) $\Delta E = \frac{1}{4}$ प्रारम्भिक ऊर्जा

(b) $\Delta E = \frac{1}{2}$ प्रारम्भिक ऊर्जा

(c) ΔE = 2 प्रारम्भिक ऊर्जा

(d) ΔE = प्रारम्भिक ऊर्जा

58. यदि वृत्ताकार गति करते हुए किसी कण का द्रव्यमान, चाल व वृत्ताकार पथ की त्रिज्या सभी में 50% की वृद्धि कर दी जाए तो, कण को वृत्ताकार पथ में रखने के लिये आवश्यक बल में कितने प्रतिशत की वृद्धि करनी होगी?

(a) 225 % (b) 125 %
(c) 150 % (d) 100 %

59. यदि गतिज ऊर्जा दोगुनी हो जाये, तब संवेग में भिन्नात्मक परिवर्तन है–

(a) $\sqrt{2}$ (b) $2\sqrt{2}$

(c) $\frac{1}{\sqrt{2}}$ (d) $\frac{1}{2\sqrt{2}}$

60. किसी धातु के लिये देहली तरंगदैर्ध्य λ = 5400A° है इसका कार्य फलन होगा–

(a) 2.3 eV (b) 0.025 eV
(c) 10 eV (d) 0.23 eV

रसायन विज्ञान

61. तीन धातुओं A, B एवं C का मानक इलेक्ट्रोड विभव क्रमशः + 0.5 V, – 3.0 V तथा – 1.2 V है।
इन धातुओं की अपचायक सामर्थ्य है–

(a) B > C > A (b) A > B > C
(c) C > B > A (d) A > C > B

62. निम्न अम्लों में से किसका निम्नतम् pK_a मान होता है?

(a) CH_3CH_2COOH
(b) $(CH_3)_2CH-COOH$
(c) HCOOH
(d) CH_3COOH

63. Na^+, Al^{+3} तथा Ba^{2+} आयनों युक्त विद्युत अपघटयों की आर्सेनिक सल्फाइड सॉल के लिए अवक्षेपण सामर्थ्य का बढ़ता क्रम है–

(a) $Al^{3+} < Ba^{2+} < Na^+$
(b) $Na^+ < Ba^{2+} < Al^{3+}$

(c) $Ba^{2+} < Na^{2+} < Al^{3+}$

(d) $Al^{3+} < Na^{+} < Ba^{2+}$

64. जहाज की तली में बहुत से मैग्नेशियम ब्लॉक को रख देते हैं-

(a) शार्क को दूर रखने के लिए

(b) जहाज को हल्का बनाने के लिए

(c) जल एवं लवण की क्रिया को रोकने के लिए

(d) समुद्री चट्टानों से क्षति को रोकने के लिए

65. निम्न में से किस आयन की आयनिक त्रिज्या का मान अधिकतम है?

(a) Li^{+} (b) B^{3+}

(c) O^{2-} (d) F^{-}

66. $CuSO_4 + Zn \rightarrow ZnSO_4 + Cu$ यह अभिक्रिया है–

(a) अपघटन (b) वियोजन

(c) उभय-अपघटन (d) प्रतिस्थापन

67. बोर सिद्धांत के अनुसार, 5वें कक्षक में किसी इलेक्ट्रॉन का कोणीय संवेग है-

(a) $25\frac{h}{\pi}$ (b) $1.0\frac{h}{\pi}$

(c) $10\frac{h}{\pi}$ (d) $2.5\frac{h}{\pi}$

68. अमोनिया गैस सोडियम के साथ क्रिया करके बनाती है–

(a) सोडियम हाइड्राइड

(b) सोडियम नाइट्राइड

(c) सोडामाइड

(d) उपरोक्त में से कोई नहीं

69. हाइड्रोजन सल्फाइड गैस अम्लीय पोटैशियम डाइक्रोमेट के विलयन के साथ अभिक्रिया करके विलयन के रंग को–

(a) उड़ा देती है

(b) लाल कर देती है

(c) हरा कर देती है

(d) कोई अभिक्रिया नहीं होती है

70. एक पदार्थ रेडियोएक्टिवता तभी दर्शाता है जबकि उसके परमाणु में होता है–

(a) अस्थायी इलेक्ट्रॉनिक विन्यास

(b) स्थायी इलेक्ट्रॉनिक विन्यास

(c) स्थायी नाभिक

(d) अस्थायी नाभिक

71. निम्नलिखित में से कौन-सा योगात्मक बहुलक नहीं है?

(a) बैकेलाइट (b) टेफ्लॉन

(c) पॉलीथीन (d) स्टॉयरीन

72. एन्थैल्पी परिवर्तन के उपयोग हैं-

(a) स्थिर ताप पर औद्योगिक रासायनिक अभिक्रिया को संतुलित बनाए रखने के लिए एन्थैल्पी परिवर्तन की आवश्यकता होती है। इसके लिए गर्म या ठंडा करने की व्यवस्था आवश्यक होती है

(b) साम्यावस्था स्थिरांक की ताप निर्भरता की गणना करना भी आवश्यक होता है

(c) (a) एवं (b) दोनों

(d) उपरोक्त में से कोई नहीं

73. हाइड्रोजन-ऑक्सीजन ईंधन सेल में हाइड्रोजन के दहन से होता है-

(a) ऊष्मा उत्पत्ति

(b) दो इलेक्ट्रोडों के बीच विभवांतर का बनना

(c) अतिशुद्ध जल की उत्पत्ति

(d) इलेक्ट्रोड सतह से अधिशोषित ऑक्सीजन का पृथक्करण

74. किसी अम्ल के प्रथम तथा द्वितीय वियोजन स्थिरांक क्रमशः 1.0×10^{-5} तथा 5.0×10^{-10} हैं। अम्ल का पूर्ण वियोजन स्थिरांक होगा-

(a) 5.0×10^{-5} (b) 5.0×10^{15}

(c) 5.0×10^{-15} (d) 0.2×10^{5}

75. $2KMnO_4 + 5H_2C_2O_4 + 3H_2SO_4\ 2MnSO_4 + 10CO_2 + 8H_2O + K_2SO_4$ में Mn किस प्रकार की अभिक्रिया दर्शाता है?

(a) योगात्मक (b) विस्थापन

(c) ऑक्सीकारक (d) अपचायक

76. ला शातेलिए सिद्धांत के आधार पर निम्न में से कौन-सी जानकारियाँ प्राप्त की जा सकती है?

(a) दुर्बल अम्ल का वियोजन स्थिरांक

(b) अभिक्रिया में एन्ट्रॉपी परिवर्तन

(c) रासायनिक अभिक्रिया का साम्यावस्था स्थिरांक

(d) उपरोक्त सभी

77. निम्न में डिटरजेन्ट है–

(a) टेफलॉन

(b) बैकेलाइट

(c) ट्राइ नाइट्रो बेन्जीन

(d) सोडियम लॉरिल सल्फेट

78. ऐल्युमिनियम का निष्कर्षण किसके विद्युत अपघटन द्वारा किया जाता है?

(a) ऐलुमिना

(b) बॉक्साइट

(c) पिघला हुआ क्रायोलाइट

(d) पिघले हुए क्रायोलाइट में मिला एलुमिना

79. C_4H_6 आण्विक सूत्र वाले यौगिक में है–

(a) सभी एक बंध

(b) एक त्रिबंध तथा एक द्विबंध

(c) एक द्विबंध

(d) एक त्रिबंध या दो द्विबंध

80. एक गैस का दिया गया द्रव्यमान 400 सेमी3 स्थान घेरता है जब गैस पर दाब 1 वायुमण्डल तथा तापमान 7°C है। 77°C तथा 1.25 वायुमण्डल दाब पर गैस का आयतन होगा–

(a) 3520 सेमी^{3}

(b) 5500 सेमी^{3}

(c) 400 सेमी^{3}

(d) इनमें से कोई नहीं

81. निम्न में कौन-सा यौगिक ऐसीटिल क्लोराइड से अभिक्रिया नहीं करता है?

(a) मेथिल ऐमीन (b) डाइमेथिल ऐमीन

(c) ऐनीलिन (d) ट्राइमेथिल ऐमीन

82. NaOH की उपस्थिति में ऐसीटोन, हाइड्रेजीन के साथ अपचयित हो जाता है तथा प्रोपेन बनाता है । इस अभिक्रिया को कहते हैं?

(a) क्लेमेन्सन अपचयन

(b) वुल्फ-किश्नर अपचयन

(c) रोजेनमुन्ड अपचयन

(d) रीफॉर्मेटस्की अभिक्रिया

83. निम्न में से कौन-सा अभिकर्मक ऐल्डिहाइड एवं कीटोन दोनों से तुरन्त प्रतिक्रिया करेगा?

(a) ग्रिगनार्ड अभिकर्मक

(b) फेहलिंग अभिकर्मक

(c) टॉलेन अभिकर्मक

(d) शिफ अभिकर्मक

84. खाद्य पदार्थ (भोजन) का विकिरण किया जाता है, निम्न में-

(a) भोजन बनाने के पूर्व

(b) माइक्रो-ऑर्गेनिज्म (सूक्ष्म जीवों) को मारने के लिए

(c) कीटाणुओं को मारने के लिए

(d) न्यूट्रीएण्ट (बलवर्द्धक) वैल्यू बढ़ाने के लिए

85. निम्न यौगिकों में कौन-सा ज्यामितिय समावयवता दर्शाता है?

(a) प्रोपीन (b) 2-ब्यूटीन

(c) प्रोपाइन (d) 2-ब्यूटाइन

86. निम्न में से किसका क्वथनांक (b.p) सबसे अधिक है?

(a) डाइएथिल ईथर

(b) *n*- ब्यूटरैल्डिहाइड

(c) *n*-ब्यूटिल ऐल्कोहॉल

(d) *n*-प्रोपिल क्लोराइड

87. एप्सम लवण होता है?

(a) $MgSO_4.7H_2O$

(b) $CaSO_4.H_2O$

(c) $MgSO_4.2H_2O$

(d) $BaSO_4.2H_2O$

88. नाइट्रस अम्ल से मेथिल ऐमीन अभिक्रिया करके निम्न देगा–

(a) CH_3CH_3 (b) CH_3NO_2

(c) CH_3OH (d) CH_3CH_2OH

89. निम्न में कौन-सा यौगिक त्वरित नाइट्रीकरण (nitration) में सबसे जल्दी चला जाता है?

(a) बेन्जीन (b) टॉलूईन

(c) बेन्जोइक अम्ल (d) नाइट्रोबेन्जीन

90. रेक्टिफाइड स्पिरिट कहते हैं निम्न को–

(a) 100% एथेनॉल

(b) 90% एथेनॉल

(c) 100% मेथेनॉल

(d) 95% एथेनॉल

91. किसी वास्तविक गैस के लिए $\left(\frac{\partial U}{\partial V}\right)$ होता है?

(a) शून्य (b) धनात्मक

(c) ऋणात्मक (d) अनन्त

92. निम्न में कौन-सा किसी रासायनिक अभिक्रिया में साम्य स्थिरांक के मान को प्रभावित कर सकता है?

(a) क्रियाकारकों का सान्द्रण परिवर्तन

(b) उत्पाद बनते ही उसे हटा लेना

(c) विलायक का परिवर्तन

(d) उत्प्रेरक डालना

93. कार्य अवकलन *dw* होता है–

(a) अवस्था फलन

(b) अयथातथ अवकलन (exact differential)

(c) अथातथ अवकलन (inexact differential)

(d) इनमें से कोई नहीं

94. निम्न अभिक्रिया में एन्थैल्पी परिवर्तन को कहते हैं?

$$2CO + O_2 \rightarrow 2CO_2$$

(a) अभिक्रिया की एन्थैल्पी

(b) संगलन की एन्थैल्पी

(c) दहन एन्थैल्पी

(d) सम्भवन एन्थैल्पी

95. 16 मिली हाइड्रोजन का विसरण 100 सेकण्ड में होता है उसी समय में SO_2 के विसरण का आयतन होगा–
(S = 32, 0 = 16, H = 1)

(a) 90.46 मिली

(b) 0.25 मिली

(c) 2.828 मिली

(d) इनमें से कोई नहीं

96. NH_4OH के 0.1M जलीय विलयन का pH का मान होगा–
($K_b = 1.0 \times 10^{-5}$)

(a) 3 (b) 10.5

(c) 11 (d) 7.5

97. केन्द्रीय परमाणु द्वारा बने बन्ध में *s* तथा *p* गुण बराबर होता है, निम्न में

(a) CH_4 (b) $CH \equiv CH$

(c) CH_3^+ (d) CH_3^-

98. लेड-अम्ल बैटरी के आवेशन के समय कैथोड पर निम्न अभिक्रिया होती है?

(a) pb^{2+}का pb अपचयन में

(b) $PbSO_4$ बनता है

(c) ऐनोड पर pb जमा होता है

(d) PbO_2 बनता है

99. ऊष्माशोषी के लिए क्या सही है?

(a) ΔE ऋणात्मक है

(b) ΔH ऋणात्मक है

(c) ΔH धनात्मक है

(d) ΔH शून्य के बराबर है

100. यदि हाइड्रोजन परमाणु की चौथी बोर कक्षा की दे-ब्रॉग्ली तरंग की लम्बाई 4Å है तो उस कक्षा की परिधि होगी

(a) 4Å (b) 4 nm

(c) 16Å (d) 16nm

101. पानी में स्थायी कठोरता का कारण होता है–

(a) Ca तथा Mg के बाइकार्बोनेट

(b) NaCl

(c) Ca तथा Mg के क्लोराइड तथा सल्फेट

(d) किसी भी प्रकार के लवण अथवा अशुद्धियां

102. निकेल क्लोराइड विलयन में 4 फैराडे विद्युत प्रवाह से कितनी निकैल धातु जमा हो सकती है?

(a) 29.3 (b) 58.7

(c) 117.4 (d) 176.1

103. किसके निर्माण के कारण I_2, KI विलयन में घुलनशील है?

(a) KI_2 और I^- (b) K^+, I^- और I_2

(c) I_3^- (d) कोई नहीं

104. निम्नलिखित में से कौन-सा परक्लोरिक अम्ल का एनहाइड्राइड है?

(a) Cl_2O_7 (b) Cl_2O_5

(c) Cl_2O_3 (d) HCIO

105. 0.05 M $Ba(OH)_2$ विलयन का pH मान क्या होगा?

(a) 12 (b) 13

(c) 1 (d) 12.69

106. प्रथम आयनन विभव किसके लिए अधिकतम है?

(a) B (b) N

(c) O (d) Be

107. निम्न में से कौन सा सल्फाइड पीले रंग का होता है?

(a) CuS (b) CdS

(c) ZnS (d) CoS

108. निम्नलिखित में से कौन सा लवण जल अपघटित नहीं होता है?

(a) $KClO_4$ (b) NH_4Cl

(c) CH_3COONa (d) इनमें से कोई नहीं

109. इलेक्ट्रॉन की तरंग प्रकृति का निरूपण किया है?

(a) श्रोडिंगर ने

(b) डी-ब्रोग्ली ने

(c) डेविसन और जर्मर ने

(d) हाइजेनबर्ग ने

110. ऑक्सीजन निम्न में स्पष्ट रूप से धनात्मक ऑक्सीकरण अवस्था प्रदर्शित करता है?

(a) CO (b) F_2O

(c) NO (d) N_2O

111. निम्न में से कौन-सा तत्व रबर के वल्कनीकरण में (valcanisation) प्रयुक्त किया जाता है?

(a) फॉस्फोरस (b) ब्रोमीन

(c) नाइट्रोजन (d) सल्फर

112. अम्ल जल-अपघटन (acid hydrolysis) के उपरान्त निम्न में से कौन-सा ऐसीटिक अम्ल देगा?

(a) एथिल ऐसीटेट

(b) ऐसीटोन

(c) मेथिल प्रोपिओनेट

(d) लेक्टिक अम्ल

113. He_2^+ आयन में बन्ध कोटि होगी?

(a) 0.5 (b) 1.0

(c) 1.5 (d) 2.0

114. CO अणु में बन्धित (बॉन्डिग) एवं प्रतिबन्धित (एन्टीबॉन्डिंग) इलेक्ट्रॉनों की संख्या क्रमशः है?

(a) 8, 2 (b) 2, 8

(c) 4, 2 (d) 2, 4

115. निम्न में से कौन-सा आयोडोफोर्म परीक्षण देगा?

(a) बेन्जोइक अम्ल

(b) एथेनॉल

(c) बेन्जिल क्लोराइड

(d) मेथेनॉल

116. किसी कोलाइडी कण द्वारा परिक्षेपण माध्यम में की गयी सतत यादृच्छिक गति को कहा जाता है–

(a) टिन्डल प्रभाव
(b) ब्राउनियन गति
(c) वैद्युत कण-संचलन
(d) पेप्टीकरण

117. $^{4}_{2}He$ तथा $^{1}_{1}H$ की त्रिज्याओं में निम्न अनुपात होगा?
(a) 4 (b) 2
(c) 3 (d) 1.6

118. क्लोरीन गैस को निम्न पर शुष्क करते हैं।
(a) क्विक लाइम
(b) कॉस्टिक सोडा
(c) कॉस्टिक पोटाश स्टिक
(d) सान्द्र H_2SO_4

119. प्लेटिनम उत्प्रेरक के लिए निम्न जहर होता है?
(a) सल्फर (b) आर्सेनिक
(c) सेलेनियम (d) वैनेडियम

120. यदि ग्लूकोस के तनु विलयन (जलीय) का 373 K ताप पर वाष्पदाब 740 मिमी (पारद) है, तो विलेय का मोल प्रभाज होगा :
(a) 1/20 (b) 1/38
(c) 1/76 (d) 1/740

वनस्पति विज्ञान

121. नाइट्रोजन को पादपों द्वारा किस रूप में अवशोषित किया जाता है?
(a) NO_3^-
(b) NH_4^+
(c) दोनों (a) व (b)
(d) इनमें से कोई नहीं

122. अवायवीय ग्लाइकोलाइसिस के समय उत्पन्न 2 NADH (H^+) से प्राप्त होते हैं–
(a) 6 ATP अणु (b) 4 ATP अणु
(c) 8 ATP अणु (d) इनमें से कोई नहीं

123. अधिक मात्रा में इथाइलिन का संश्लेषण होता है-
(a) विकासशील मूल (जड़) और फल में
(b) विकासशील प्ररोह और फूल में
(c) जीर्ण ऊतकों व पके हुए फल में
(d) नवीन ऊतक और कच्चे फल में

124. काइटिन है-
(a) पॉलीसैकेराइड
(b) नाइट्रीकृत पॉलीसैकेराइड
(c) लिपो प्रोटीन
(d) प्रोटीन

125. कोशिका चक्र में, तारककाय का विभाजन किस अवस्था में होता है?
(a) अंतरावस्था (b) पूर्वावस्था
(c) पश्च पूर्वावस्था (d) कोल्चिसीन

126. खुरदरी व चिकनी अंतप्रद्रव्यी जालिका में अंतर होता है-
(a) खुरदरी ER पर राइबोसोम उपस्थित होते हैं
(b) चिकनी ER पर राइबोसोम उपस्थित होते हैं
(c) चिकनी ER प्रोटीन संश्लेषण में भाग लेती है
(d) दोनों पर F_1 कण पाए जाते हैं

127. निम्न में से एकल झिल्ली कोशिकांग है-
(a) अंतप्रद्रव्यी जालिका
(b) माइटोकॉन्ड्रिया
(c) लाइसोसोम
(d) क्लोरोप्लास्ट (हरितलवक)

128. कैम्बियम (एधा) रहित संवहनी फूल कहलाता है-
(a) बंद संवहनी फूल
(b) खुला संवहनी फूल
(c) अरीय संवहनी फूल
(d) संयुक्त संवहनी फूल

129. निम्न में से किस बीजाण्ड में निभाग, बीजाण्डवृत्त व बीजाण्डद्वार एक सीधी रेखा में होते हैं?
(a) वक्र / कैम्पाइलोट्रोपस
(b) अनुप्रस्थ
(c) ऋजु / ऑर्थोट्रोपस
(d) प्रतीप / एनाट्रोपस

130. सजातपुष्पी परागज (Geitonogamy) में
(a) पुष्प का निषेचन, उसी पौधे के दूसरे पुष्प के परागण द्वारा होता है
(b) पुष्प का निषेचन, उसी पुष्प के परागकण द्वारा होता है
(c) पुष्प का निषेचन, उसी जाति के किसी अन्य पौधे के पुष्प के परागकण द्वारा होता है
(d) पुष्प का निषेचन, किसी अन्य जाति के पौधे के पुष्प के परागकण द्वारा होता है

131. खनिज, विटामिन व प्रोटीन की उच्च मात्रा वाली फसलों के बीच प्रजनन कराने की क्रिया कहलाती है–
(a) कायिक संकरण (b) जैवप्रबलीकरण
(c) जैव आवर्धन (d) सूक्ष्म प्रवर्धन

132. परिदलपुंज (perianth) उस स्थिति को कहते हैं, जिसमें-
(a) बाह्य दलपुंज (calyx) व दलपुंज (corolla) संयुक्त होते हैं
(b) बाह्यदलपुंज उपस्थित किंतु बाह्यदलपुंज अनुपस्थित होता है
(c) दलपुंज उपस्थित किंतु बाह्यदलपुंज अनुपस्थित होता है
(d) बाह्यदल पुंज व दलपुंज भिन्न नहीं होते हैं

133. ससीमाक्षी पुष्पक्रम में–
(a) मुख्य अक्ष पुष्प में समाप्त नहीं होता है
(b) मुख्य अक्ष पुष्प में समाप्त हो जाता है
(c) मुख्य अक्ष उपस्थित नहीं होता है
(d) मुख अक्ष पुष्प में रूपांतरित हो जाता है

134. वर्ग रोडोफायरसी (लाल शैवाल) में उपस्थित प्रकाश-संश्लेषी वर्णक हैं-
(a) क्लोरोफिल-a, b
(b) क्लोरोफिल-a, c
(c) क्लोरोफिल-a, d
(d) क्लोरोफिल-a, c व d

135. फ्लोरीडियन स्टार्च संगृहीत भोजन है–
(a) फियोफॉयसी का
(b) क्लोरोफॉयसी का
(c) रोडोफॉयसी का
(d) साइनोफॉयसी का

136. कवक की कोशिका भित्ति बनी होती है-
(a) सेल्युलोस की (b) हेमीसेल्युलोस की
(c) काइटिन की (d) दोनों (a) व (c)

137. निम्न में से कौन लाल डायनोफ्लैजिलेट है?
(a) युग्लीना (b) डायएटम
(c) गोनीयूलेक्स (d) प्लाज्मोडियम

138. उत्परिवर्तन प्रेरित किया जा सकता है-
(a) IAA द्वारा
(b) इथाइलिन द्वारा
(c) गामा विकिरण द्वारा
(d) अवरक्त विकिरण द्वारा

139. निम्न में से कौन पारिस्थितिकी तंत्र में गैसीय जैव-भू-रासायनिक चक्र नहीं है?
(a) सल्फर चक्र
(b) फॉस्फोरस चक्र
(c) नाइट्रोजन चक्र
(d) कार्बन चक्र

140. निम्न में से कौन DNA की अनुलेखन इकाई का भाग नहीं है?
(a) प्रेरक (b) समापक
(c) प्रवर्तक (d) संरचनात्मक जीन

141. एस्टेरेसी कुल का पुष्पक्रम होता है-
(a) अम्बल (b) स्पैडिक्स
(c) कैटकिन (d) केपिटुलम

142. निम्नलिखित में से किसकी पत्तियों में अनुपर्ण सम्पूर्ण जीवनकाल में चिरलग्न रहते हैं?
(a) माइकैलिया (b) केसिया
(c) हिबिस्कस (d) धान

143. फल पेपो होता है-
(a) क्रूसीफेरी कुल का
(b) लेग्यूमिनोसी कूल का
(c) कुकुरबिटेसी कुल का
(d) लिलिएसी कुल का

144. फसल चक्रण किसान द्वारा किसकी बढ़ोत्तरी हेतु अपनाना चाहिए?
(a) भूमि उर्वरता हेतु
(b) सामुदायिक क्षेत्र हेतु
(c) भूमि का कार्बनिक संघटक हेतु
(d) भूमि में नाइट्रोजन संघटक के लिए

145. हाइड्रोपोनिक्स द्वारा पौधे उगाने की प्रणाली होती है-
(a) मृदाविहीन संवर्धन
(b) अम्लीय भूमि
(c) मृदाविहीन संवर्धन (क्षारीय माध्यम में)
(d) मृदाविहीन संवर्धन (अम्लीय माध्यम में)

146. उच्च वर्ग के पौधों में हरितलवक की आकृति एवं संरचना होती है-
(a) डिस्कॉइड
(b) कप के आकार की
(c) गुहिकार
(d) जालिकावत

147. नारियल के किस भाग से जटा प्राप्त होती है?
(a) फलभित्ति से
(b) मध्य फलभित्ति से
(c) बाह्य फलभित्ति से
(d) अन्त: फलभित्ति से

148. पादपों में नष्टीभवन की प्रक्रियाएँ (deteriorative processes) जो पादपों के क्रियात्मक जीवन को प्राकृतिक रूप से समाप्त कर देती है, सामूहिक रूप से कहलाती हैं-
(a) म्लानि (b) विलगन
(c) जीवद्रव्य कुंचन (d) जीर्णता

149. आलू है एक रूपान्तरित-
(a) तना (b) प्रकन्द
(c) जड़ (d) पत्ती

150. आवृतबीजियों का नर युग्मकोद्भिद होता है-
(a) एककोशिकीय (b) द्विकोशिकीय
(c) त्रिकोशिकीय (d) चतुकोशिकीय

जन्तु विज्ञान

151. गर्भावस्था का चिकित्सकीय समापन (MTP) गर्भावस्था के कितने हफ्तों तक सुरक्षित माना जाता है?
(a) छः हफ्ते (b) आठ हफ्ते
(c) बारह हफ्ते (d) अट्ठारह हफ्ते

152. टर्नर सिंड्रोम से पीड़ित महिला में-
(a) XO समेत 45 क्रोमोसोम होते हैं
(b) एक अतिरिक्त X-क्रोमोसोम होता है
(c) नर लक्षण दर्शाती है
(d) सामान्य पति के संग बच्चे पैदा कर सकती है

153. सिक्रिटिन हॉर्मोन स्रावित होता है–
(a) अमाशय में तथा यह जठरीय ग्रंथियों को उद्दीपित करता है
(b) ग्रहणी में तथा यह यकृत को उद्दीपित करता है
(c) थायरॉइड में तथा यह थायराइड ग्रंथि को उद्दीपित करता है
(d) ग्रहणी में तथा यह अग्न्याशय को उद्दीपित करता है

154. वसा का अवशोषण किस विधि द्वारा होता है?
(a) सक्रिय परिवहन (b) निष्क्रिय परिवहन
(c) परासरण (d) सरल विसरण

155. साँस छोड़ते समय, डायफ्राम का आकार होता है–
(a) सामान्य (b) समतलन
(c) गुम्बद के आकार (d) तिर्यक

156. हिचकी को उत्तम प्रकार से परिभाषित कर सकते हैं-
(a) आकस्मिक बलपूर्वक बर्हिश्वसन
(b) झटके से अपूर्ण अंत:श्वसन
(c) श्वासोच्छवास के समय कोमल तालु में कंपन
(d) अपच के संकेत

157. रुधिरकणिका व फाइब्रिनोजन रहित रुधिर कहलाता है–
(a) लसीका (b) सीरम
(c) प्लाज्मा (d) प्लेटलेट

158. पेशीय तंतुक में गहरे हल्के पट्ट किस कारण दिखाई देते हैं?
(a) एक्टिन प्रोटीन
(b) मायोसिन प्रोटीन
(c) दोनों (a) व (b)
(d) इनमें से कोई नहीं

159. अण्डवाहिनी नलिका का वह भाग, जो अण्डाशय के सबसे निकट स्थित हैं, कहलाता है–
(a) संकीर्ण पथ (b) वायुकोष्ठिका
(c) ग्रीवा (d) तुम्बिका

160. शुक्रजनन नलिकाओं से शुक्राणुओं का स्रावण होना कहलाता है-
(a) शुक्राणुजनन (b) वीर्यसेचन
(c) प्राक्शुक्राणुजनन (d) प्राक्शुक्राणु

161. मायोफिलामेंट या मायोफाइब्रिल्स (पेशी तंतुक)-
(a) पेशी तंतु में तिरछे व्यवस्थित होते हैं
(b) पेशी तंतु में समानांतर व्यवस्थित होते हैं
(c) पेशी तंतु में क्षैतिज रूप से व्यवस्थित होते हैं
(d) पेशी तंतु में अरीय रूप से व्यवस्थित होते हैं

162. शरीर की चालक तथा नियंत्रण रहित क्रियाएँ द्वारा नियंत्रित होती हैं-
(a) स्वायत तंत्रिका तंत्र
(b) कायिक तंत्रिका तंत्र
(c) दोनों (a) व (b)
(d) इनमें से कोई नहीं

163. निम्न में से कौन, वर्तमान में भारत में सबसे अधिक प्रचलित गर्भ निरोधक उपाय है?
(a) ट्यूबेक्टोमी (b) डायाफ्राम
(c) सरविक्स कैप (d) IUDs

164. मानव रुधिर में कोलेस्ट्रोल का सामान्य स्तर है-
(a) 80-120 mg% (b) 120-140 mg%
(c) 140-180 mg% (d) 180-200 mg%

165. मनुष्य में सामान्य निरन्न रुधिर शर्करा स्तर प्रति 100ml रुधिर होता है-
(a) 30-50 mg (b) 50-70 mg
(c) 80-100 mg (d) 120-140 mg

166. वयस्कों में खाली पेट रुधिर ग्लूकोज स्तर mg/100 ml में होता है-
(a) 200 (b) 160
(c) 100 (d) 60

167. मानव रुधिर का pH मान है-
(a) 7.2 (b) 7.8
(c) 6.6 (d) 7.4

168. सामान्य वयस्क व्यक्ति के हृदय का वजन लगभग कितना होता है?
(a) 200 ग्राम (b) 300 ग्राम
(c) 400 ग्राम (d) 500 ग्राम

169. हृदय वंचित है-
(a) हृद् पेशी से (b) अनैच्छिक पेशी से
(c) ऐच्छिक पेशी से (d) चिकनी पेशी से

170. रुमैटिक हृदय रोग इलाज किसकी मदद से किया जाता है?

(a) एस्पिरिन (b) स्ट्रेप्टोमाइसिन
(c) मेथिल डोपा (d) पेनिसिलिन

171. स्वस्थ हृदय के लिए व्यक्ति को लेना होता है संतुलित आहार, पर्याप्त निद्रा और-
(a) उत्साही मानसिक क्रियाकलापों में लीन होना होता है
(b) कैरम, शतरंज और ताश जैसे खेल खेलने होते हैं
(c) सही मात्रा में शारीरिक व्यायाम करना होता है
(d) बैठे रहने वाला काम करना होता है।

172. वयस्क व्यक्ति की हृदय धड़कन दर क्या होती है?
(a) प्रति मिनट 50–60 बार
(b) प्रति घंटा 70–80 बार
(c) प्रति सेकंड 70–80 बार
(d) प्रति मिनट 70–80 बार

173. उच्च रक्तचाप को नियंत्रित करने वाली दवा प्राप्त की जाती है-
(a) राउवोल्फिया सरपेन्टाइना (Rauwalfia surpentina) से
(b) ऐट्रोपा बेलाडोना (Atropa belladonna) से
(c) केल्चीकम ल्यूटियम (Colchicum luteum) से
(d) डिजीटेलिस प्यूरप्यूरिया (Digitalis purpurea) से

174. विषाणुओं का आनुवंशिक पदार्थ होता है-
(a) कुछ विषाणुओं में डीएनए व आरएनए दोनों ही
(b) केवल आरएनए
(c) केवल डीएनए
(d) कुछ विषाणुओं में केवल डीएनए एवं कुछ में केवल आरएनए

175. खाद्य विषाक्तता किसके संक्रमण के कारण होती है?
(a) बैसिलस मेगांटेरियम
(b) साल्मोनेला टाइफी
(c) ई. कोलाई
(d) क्लॉस्ट्रीडियम बॉटुलिनम

176. सायनोबैक्टीरिया को निम्न में से किस जगत में सम्मिलित किया गया है?
(a) मोनेरा (b) प्रोटिस्टा
(c) शैवाल (d) ब्रायोफाइट

177. कोशिका सिद्धांत प्रस्तावित किया था-
(a) श्लाइडेन एवं श्वॉन ने
(b) वॉटसन एवं क्रिक ने
(c) डार्विन एवं वैलेस ने
(d) मेण्डल एवं मोर्गन ने

178. तम्बाकू मोजेक वाइरस का सर्वप्रथम क्रिस्टलीकरण किया था-
(a) डब्ल्यू. आर. स्टेन्ले ने
(b) लुई पाश्चर ने
(c) एडवर्ड जेनर ने
(d) ऐन्ड्रे ल्वोफ ने

179. मनुष्य के अंगों में से कौन एक हानिकारक विकिरणों से सर्वाधिक सुप्रभाव्य है?
(a) आंख (b) हृदय
(c) मस्तिष्क (d) फेफड़े

180. निम्नलिखित में से कौन मानव गुर्दे का सामान्य कार्य नहीं है?
(a) रक्त में जल की मात्रा का नियंत्रण
(b) रक्त में शर्करा की मात्रा का नियंत्रण
(c) यूरिया को छान कर बाहर करना।
(d) कई हार्मोनों का स्रावण करना।

General English

Directions (181-190): Answer the following questions by selecting the correct/most appropriate option.

181. A mother asked the teacher of Class II how it was possible for her child to sometimes say thing that she had never heard any adults or siblings say. How is it possible?
Which one of the following is the appropriate answer to this question?
(a) A child learns language when we reinforce the development of the child's language.
(b) The human brain is innately wired to learn language.
(c) As per the constructivist approach, children can invent new languages.
(d) Children learn language only by imitating adults.

182. A technique used to facilitate early literacy, which involves an adult and a child looking at a book together while the adult asks questions and encourages a dialogue, followed by switching roles so that the child asks questions to the adult, is called:
(a) Dialogic reading
(b) Shared reading
(c) Story telling
(d) Model reading

183. A teacher can develop the listening skills of language learners by:
(a) creating opportunities for learners to listen to a variety of language sources and people and engaging in other listening activities.
(b) focusing only on listening skills without associating them with other language skills.
(c) making the learners listen to everything they hear passively,
(d) speaking continuously to learners both within the classroom and outside.

184. Read the following statements and choose the correct option:
Assertion (A): Accuracy in language is most important at the primary level.
Reason (R): Grammar is an integral part of the primary curriculum.
(a) (A) is true, but (R) is false.
(b) Both (A) and (R) are true, but (R) is not the correct explanation of (A).
(c) (A) is false, but (R) is true.
(d) Both (A) and (R) are true and (R) is the correct explanation of (A).

185. Theoretical positions and beliefs about the nature of language, the nature of language learning, and the applicability of both to pedagogical settings is:
(a) Approach (b) Content
(c) Technique (d) Syllabus

186. Formative evaluation is:
(a) carried out at a pre-specified or particular stage in the course.
(b) related to ongoing development and improvement.
(c) not subjected to change.
(d) what is happening in the teaching-learning process.

187. While planning lessons for young learners, the teacher decided to focus on the Total Physical Response (TPR) method. Which one of the following should be used to include TPR in the lesson?
(a) Must add some listening activity in class.
(b) Choose activities that help them stay in their seats and work in pairs or groups.
(c) Must keep activities aside and instead ask questions and motivate them to respond.
(d) Must ensure to add some bodily activities in class.

188. Which approach to grammar encourages the belief that learning a language is a matter of learning rules?
(a) Communicative
(b) Inductive
(c) Grammar Translation
(d) Deductive

189. A teacher is planning to give a free writing task to learners in Class V. Which one of the following should be focused on most by the teacher?
(a) Both fluency and accuracy of the content
(b) Fluency of the content
(c) The handwriting of the learner
(d) Accuracy of the content

190. Top-down means "attend to the overall meaning'. What does 'bottom-up' mean?
(a) Focus on the words and phrases of the text
(b) Focus on pre-reading
(c) Focus on asking short answer type questions
(d) Focus on the gist of the text and abstract ideas

सामान्य ज्ञान

191. उच्च न्यायालय के जज के सेवानिवृत्त होने की आयु क्या है?
(a) 62 वर्ष (b) 60 वर्ष
(c) 65 वर्ष (d) 58 वर्ष

192. प्रसिद्ध कवि कालिदास किसके दरबार में रहते थे?
(a) चंद्रगुप्त I (b) चंद्रगुप्त II
(c) समुद्रगुप्त (d) कुमार गुप्त

193. भारतीय संविधान के संघ का प्रारूप किस देश की संविधान से लिया गया है–
(a) संयुक्त राज्य अमेरिका
(b) ऑस्ट्रेलिया
(c) स्विट्जरलैण्ड
(d) कनाडा

194. कौन-सा स्मारक सबसे पुराना है?
(a) कुतुब मीनार (b) खजुराहो
(c) अजंता की गुफा (d) ताजमहल

195. इनमें से कौन प्राकृतिक आपदा नहीं है?
(a) परमाणु विस्फोट (b) ज्वालामुखी विस्फोट
(c) बाढ़ (d) भूकम्प

196. वह कौन सुल्तान था जो स्वयं को नायब-ए-खुदा बोलता था?
(a) बलबन
(b) इल्तुतमिश
(c) अलाउद्दीन खिलजी
(d) इब्राहिम लोदी

197. 2025 की चैम्पियंस ट्रॉफी पाकिस्तान में आयोजित की जा रही है, इनमें से कौन-सी टीम है जो अपने मैच पाकिस्तान की बजाय UAE में खेलेगी?
(a) इंग्लैण्ड (b) ऑस्ट्रेलिया
(c) अफगानिस्तान (d) भारत

198. किस शहर को Big Apple के नाम से जाना जाता है?
(a) कैलिफोर्निया (b) न्यूयॉर्क सिटी
(c) शिकागो (d) वाशिंगटन डी.सी.

199. 'उगते हुए सूरज' का देश किसे कहा जाता है?
(a) म्यांमार (b) जापान
(c) भारत (d) नॉर्वे

200. किस संविधान संशोधन के द्वारा मताधिकार की आयु को 21 वर्ष से घटा कर 18 वर्ष कर दिया गया?
(a) 55वाँ संशोधन अधिनियम, 1986
(b) 56वाँ संशोधन अधिनियम, 1987
(c) 61वाँ संशोधन अधिनियम, 1989
(d) इनमें से कोई नहीं

व्याख्या सहित उत्तर

भौतिक विज्ञान

1. (c) साइक्लोट्रॉन की आवृत्ति वेग पर निर्भर नहीं करेगी।

$$V = \frac{1}{T} = \frac{Bq}{2\pi M}$$

2. (c) समतापीय परिवर्तन में प्रति मोल पर कार्यरत कार्य है–

$$PV = RT \Rightarrow P = \frac{RT}{V}$$

अत: $W = P.dv = \int_{V_1}^{V_2} \frac{RT}{V} dv$

$$= RT \log_e \frac{V_2}{V_1}$$

3. (b) न्यूटन के शीतलन नियम के अनुसार–

$$\frac{\theta_1 - \theta_2}{t} = \alpha\left[\frac{\theta_1 + \theta_2}{2} - \theta_0\right]$$

दी गई स्थिति के लिए

$$\frac{70-50}{5} = \alpha\left[\frac{70+50}{2} - 20\right] \quad ...(i)$$

यदि अगले 10 मिनट के बाद ताप θ हो तो,

$$\frac{50-\theta}{10} = \alpha\left[\frac{50+\theta}{2} - 20\right] \quad ...(ii)$$

समीकरण (i) और (ii) को हल करने पर प्राप्त होगा– $\theta = 30°C$

4. (a) किस पिण्ड के पलायन के लिए

गतिज ऊर्जा = स्थितिज ऊर्जा

या $\frac{1}{2}mv^2 = \frac{GM_1}{d/2} + \frac{GM_2 m}{d/2}$

या $v^2 = \frac{4G}{d}(M_1 - M_2)$

या $v = 2\sqrt{\frac{G(M_1 + M_2)}{d}}$

5. (b) सेल्सियस पैमाने के हिमांक को 0°C तथा भाप बिन्दु का 100°C अंकित किया जाता है तथा फॉरेनहाइट पैमाने में हिमांक को 32°F तथा भाप बिन्दु का 212°F अंकित किया जाता है। 40°C पर फॉरेनहाइट तथा सेल्सियम थर्मामीटरों का पाठ्यांक एक समान होता है।

6. (b) न्यूटन के शीतलन नियम के शीतलन की दर

$$\frac{\Delta\theta}{t} \propto (\theta_{av} - \theta)$$

या $\frac{\Delta\theta}{t} = K(\theta_{av} - \theta)$

या $\frac{(\theta_{av} - \theta)t}{\Delta\theta} = K$

∴ $\left(\frac{\theta_{av} - \theta}{\Delta\theta_1}\right)t_1 = \left(\frac{\theta_{av_2} - \theta}{\Delta\theta_2}\right)t_2$

∵ $\theta_{av_1} = \frac{62+61}{2} = 61.5$

$$\Delta\theta = 62 - 61 = 1°C, t_1 = T$$

$$\theta_{av_2} = \frac{46+45.5}{2} = 45.75$$

∵ $\Delta\theta_2 = 46 - 45.5 = 0.5°C$

∴ $\frac{(61.5-30)T}{1} = \frac{(45.75-30)t_2}{0.5}$

⇒ $t_2 = T$

7. (a) माध्यम में चाल $c_m = \frac{1}{\sqrt{\mu\varepsilon}}$

निर्वात में चाल $c_0 = \dfrac{1}{\sqrt{\mu_0 \varepsilon_0}}$

$\therefore$ अपवर्तनांक $\mu = \dfrac{c_0}{c_m} = \sqrt{\dfrac{\mu\varepsilon}{\mu_0\varepsilon_0}}$

8. (a) धारा (i) $= \dfrac{E}{R + r}$

$2 = \dfrac{E}{2 + r}$ ...(i)

और $0.5 = \dfrac{E}{a + r}$ ...(ii)

समीकरण (i) और (ii) द्वारा

$\dfrac{2}{0.5} = \dfrac{a + r}{2 + r}$

$4 = \dfrac{a + r}{2 + r}$

तो, $3r = 1 \Rightarrow r = \dfrac{1}{3}\Omega$

9. (a) एक मीटर त्रिज्या के खोखले गोले पर विद्युत विभव 1000V है, तो गोले के केंद्र से $\dfrac{1}{4}$ मीटर दूरी पर विश्व 1000V होगा क्योंकि आवेशित चालक गोले के अंदर विद्युत क्षेत्र शून्य होता है तथा सभी बिंदुओं पर विभव भी एक समान होता है।

10. (d) यदि एक वायु स्तम्भ में ध्वनि तरंगें सम्पीडन तथा विरलन के रूप में हो रही है, तो क्रमागत एमीडन व विरलनों में ऊष्मा का कोई भी स्थानांतरण नहीं होगा। क्योंकि वायु ऊष्मा का एक अधम चालक है।

11. (a) निकिल लौह अनुचुम्बकत्व प्रदर्शित करेगा।

12. (d) तनी हुई डोरी में उत्पन्न तरंगों का प्रतिरूप स्थिर तरंगें भी कहलाता है तथा अप्रगामी तरंगें भी कहलाता है। दो सिरों से बंधी हुई एक तनी हुई डोरी में आपतित परावर्तित तरंगों के अध्यारोपण के कारण जो तरंगे उत्पन्न होती है, उन्हें स्थिर या अप्रगामी तरंगें कहते हैं।

13. (c) $1\mu_2 = \dfrac{1}{\sin c}$

$\dfrac{\mu_2}{\mu_1} = \dfrac{\lambda_1}{\lambda_2} = \dfrac{1}{\sin c}$

$\dfrac{6000}{4000} = \dfrac{1}{\sin c} = c = \sin^{-1}\left(\dfrac{2}{3}\right)$

14. (b) पूर्ण आंतरिक परावर्तन होगा–

$i > c$

$\Rightarrow \sin i > \sin c \Rightarrow \sin 45° > \dfrac{1}{\mu}$

$\Rightarrow \mu > \sqrt{2} \Rightarrow \mu > 1.4$

15. (b) किसी अप्रगामी तरंग में वह बिंदु जहाँ तरंग का आयाम शून्य होता है, निस्पंद कहलाता है। निस्पदं बिंदु पर तरंग का आयाम शून्य हो जाता है।

16. (b) जब ध्वनि तरंग वायु से जल में प्रवेश करती है तो इनकी आवृत्ति नहीं बदलती है। परंतु इनका आवर्तकाल, वेग तथा तरंगदैर्ध्य बदल जाता है।

17. (a) $i = \dfrac{q}{t} = 100 \times e$

$B_{centre} = \dfrac{\mu_0}{4p} \cdot \dfrac{2pi}{r} = \dfrac{\mu_0}{4p} \cdot \dfrac{2p \times 100e}{r}$

$= \dfrac{\mu_0 \times 200 \times 1.6 \times 10^{-19}}{4 \times 0.8} = 10^{-17}\mu_0$

18. (c) मानव नेत्र में केंद्रण या फोकस लेंस की सतह की उत्तलता में परिवर्तन द्वारा किया जाता है।

19. (b) जब नेत्र लेंस की क्षमता बढ़ती है, तो दूर दृष्टि दोष उत्पन्न हो जाता है।

20. (d) उपरोक्त सभी कथन सत्य है।

21. (c) ΔABC में,

$\tan 60° = \dfrac{100}{x}$

$\Rightarrow x = \dfrac{100}{\sqrt{3}}$ ... (i)

ΔABD में, $\tan 30° = \dfrac{100}{x + y}$

$\Rightarrow x + y = 100\sqrt{3}$

$\Rightarrow y = 100\sqrt{3} - \dfrac{100}{\sqrt{3}}$

$= \dfrac{200}{\sqrt{3}}$ मीटर

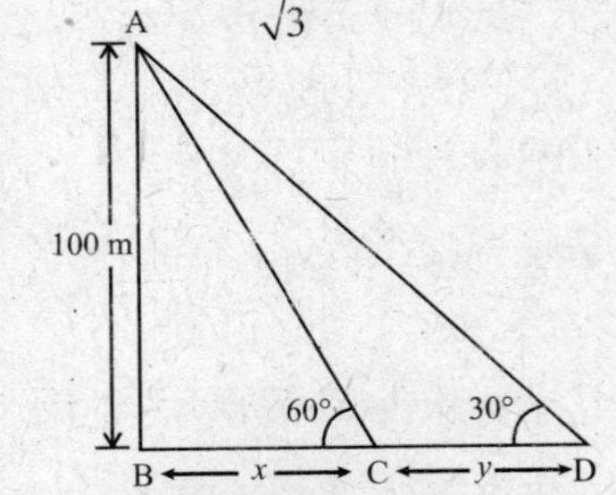

22. (a) पहली गेंद के लिये,

$h = 0 \times t_1 + \dfrac{1}{2}gt_1^2$

$\Rightarrow t_1 = \sqrt{\dfrac{2h}{g}}$ ... (i)

दूसरी गेंद के लिये,

$2h = 0 \times t_2 + \dfrac{1}{2}gt_2^2$

$\Rightarrow t_2 = \sqrt{\dfrac{4h}{g}}$ ... (ii)

समी. (i) व (ii) से

$t_1 : t_2 = 1 : \sqrt{2}$

23. (a) $F = ma = m \times \dfrac{v}{t}$

$= 0.1 \times \dfrac{10}{0.1} = 10\ N$

24. (d) चूँकि गेंद को ऊपर फेंका गया है और वापस नीचे आती है, इसलिये महत्तम ऊँचाई पर पहुँचने में लगा समय, कुल लगे सम का आधा होगा अर्थात् $t_{max} = 2$ सेकण्ड उच्चतम बिन्दु पर वेग शून्य होता है, अत:

$0 = u - gt_{max}$

$\Rightarrow u = t_{max} = 10 \times 2 = 20$ मीटर सेकण्ड$^{-1}$

($\because g = 10$ मीटर/सेकण्ड$^{-2}$)

25. (a) कार्य $= \vec{F}.\vec{s}$

$= (5\hat{i} + 3\hat{j} + 4\hat{k}).(6\hat{i} - 5\hat{k})$

$= (5\hat{i} + 3\hat{j} + 4\hat{j}).(6\hat{i} + 0\hat{j} - 5\hat{k})$

$= (30 + 0 - 20) = 10$ इकाई

26. (d) वृत्तीय गति में

$a = \dfrac{v^2}{r}$

$\Rightarrow a \,\alpha\, v^2$

$\therefore \dfrac{a_2}{a_1} = \left(\dfrac{v_2}{v_1}\right)^2 = \left(\dfrac{2v_1}{v_1}\right)^2 = 4$

$\Rightarrow a_2 : a_1 = 4 : 1$

27. (c) कोणीय वेग $= \dfrac{\Delta\theta}{\Delta t}$

$= \dfrac{2\pi}{60}$ रेडियन सेकण्ड$^{-1}$

$= \dfrac{\pi}{30}$ रेडियन सेकण्ड$^{-1}$

(चूँकि घड़ी की मिनट वाली भुजा 60 सेकण्ड में 360° या 2π का कोण बनाती है)

28. (a) कैपलर के नियम से, $T^2 \propto R^3$

$\therefore \left(\dfrac{T_2}{T_1}\right)^2 = \left(\dfrac{R_2}{R_1}\right)^3$

$\Rightarrow \dfrac{T_2}{4} = \left(\dfrac{4R}{R}\right)^{3/2}$

$\Rightarrow T_2 = 4 \times 8 = 32$ घण्टे

29. (b) पृथ्वी की सतह से 'h' ऊँचाई पर

$g' = g\left(1 - \dfrac{2h}{R_e}\right) = g\left(1 - \dfrac{64}{6400}\right)$

($\because R_e = 6400$ किमी)

$= g(1 - 0.01) = 0.99g$ मीटर सेकण्ड$^{-2}$

30. (b) $\omega = 2$ रेडियन/सेकण्ड

$y = 20$ मिमी

$a = 60$ मिमी

$v = \omega\sqrt{a^2 - y^2}$

$= 2\sqrt{(60)^2 - (20)^2}$

$= 113$ मिमी/सेकण्ड$^{-1}$

31. (d) किसी निकाय का द्रव्यमान केन्द्र उसमें उपस्थित अवयवी कणों के द्रव्यमान पर निर्भर करता है। अत: जब लोलक को खोखला करते हैं, तो द्रव्यमान केन्द्र का भार कम हो जाता है परन्तु रेत के भरने से द्रव्यमान केन्द्र का भार बढ़ जाता है।

32. (a) पहले तन्तु के लिये,

$$H = \frac{V^2}{R_1}t_1$$

$$\Rightarrow \quad R_1 = \frac{V^2}{H}t_1 \quad \text{... (i)}$$

दूसरे तन्तु के लिये,

$$H = \frac{V^2}{R_2}t_1$$

$$\Rightarrow \quad R_2 = \frac{V^2}{H}t_1 \quad \text{...(ii)}$$

समान्तर क्रम में रखने पर,

$$H = \frac{V^2}{R_2}t_p$$

$$\Rightarrow \quad R_p = \frac{V^2}{H}t_p \quad \text{... (iii)}$$

समीकरण (i), (ii) व (iii) से,

$$\frac{1}{R_p} = \frac{1}{R_1}+\frac{1}{R_2}$$

$$\Rightarrow \quad \frac{H}{V^2t_p} = \frac{H}{V^2t_1}+\frac{H}{V^2t_2}$$

$$\Rightarrow \quad \frac{1}{tp} = \frac{1}{10}+\frac{1}{15}$$

$$tp = 6 \text{ मिनट}$$

33. (c) निर्वात में ऊष्मा स्थानान्तरण विकिरण के रूप में होता है क्योंकि पदार्थ की अनुपस्थिति के कारण संवहन तथा चालन सम्भव नहीं होता।

34. (a) बड़ी बूँद का आयतन = n × छोटी बूँद का आयतन

$$\Rightarrow \quad \frac{4}{3}\pi R^3 = n\frac{4}{3}\pi r^3$$

$$\Rightarrow \quad R = n^{1/3}r \quad \text{... (i)}$$

छोटी बूँद का विभव $V = \frac{1}{4\pi\varepsilon_0}\frac{q}{r}$

$$\Rightarrow \quad q = V \times 4\pi\varepsilon_0 r \quad \text{...(ii)}$$

अत: बड़ी बूँद का विभव $V' = \frac{1}{4\pi\varepsilon_0}\times\frac{nq}{R}$

$$\Rightarrow \quad V' = \frac{nq\times 4\pi\varepsilon_0 r}{n^{1/3}r\times 4\pi\varepsilon_0 r\times q}.V = n^{2/3}V$$

35. (d) $I \alpha \frac{1}{r^2}$

$$\therefore \quad \frac{I_2}{I_t} = \left(\frac{r_1}{r_2}\right)^2 = \left[\frac{r_1}{r_1(1+2\%)}\right]^2$$

$$\Rightarrow \quad I_2 = I_1(1+2\%)^{-2}$$

$$\Rightarrow \quad I_2 = I_1(1-4\%) \text{(द्विपद प्रमेय से)}$$

अत: तीव्रता 4% घट जाती है।

36. (d) $r = \frac{\sqrt{2mK}}{qB} \Rightarrow K \propto \frac{q^2}{m}$

$$\Rightarrow \quad \frac{K_p}{K_d} = \left(\frac{q_p}{q_d}\right)^2\times\frac{m_d}{m_p} = \left(\frac{1}{1}\right)^2\times\frac{2}{1} = \frac{2}{1}$$

$$\Rightarrow \quad K_p = 2 \times 50 = 100 \text{ keV}$$

37. (a) उत्तल लेंस की फोकस दूरी

$$f = \frac{1}{P} \text{ मीटर}$$

या $\quad f = \frac{1}{5}\times 100$ सेमी

या $\quad f = 20$ सेमी

$$\frac{1}{f} = \frac{1}{v}-\frac{1}{u} \text{ से,}$$

यहाँ, $\quad f = 20$ सेमी

$u = -10$ सेमी

$$\frac{1}{v} = \frac{1}{u}+\frac{1}{f}$$

$$= \frac{1}{-10}+\frac{1}{20}$$

$$= \frac{-2+1}{20} = -\frac{1}{20}$$

$$\therefore \quad v = -20 \text{ सेमी}$$

अत: प्रतिबिम्ब लेन्स से 20 सेमी की दूरी पर वस्तु की तरफ बनेगा।

38. (b) व्यतिकरण की घटना में,

तीव्रता $I_0 = I_1+I_2+2\sqrt{I_1I_2}\cos\alpha$

यदि $\cos\alpha = 1$, I_0 महत्तम है।

तथा $\cos\alpha = -1$, I_0 न्यूनतम है।

$$\therefore \quad I_{max} = 4I+I+2\sqrt{4I\times I} = 9I$$

$$I_{max} = 4I+I-2\sqrt{4I\times I} = I$$

39. (b) दूरदर्शी की आवर्धन क्षमता होती है।

$$m = \frac{f_0}{f_e}$$

40. (c) व्यतिकरण में,

फ्रिन्ज चौड़ाई $\beta = \frac{\lambda D}{d}$

(दिया है)

$$\beta' = \frac{\lambda\times 2D}{\frac{d}{2}} = 4\times\frac{\lambda D}{d}$$

$$= 4\beta$$

41. (a) $f' = f_0\left[\frac{v+v_0}{0-v_0}\right]$ से,

जहाँ, v निर्वात अथवा वायु में वेग है।

$$\Rightarrow \quad 400 = f_0\left[\frac{340+50}{340-50}\right]$$

$$\Rightarrow \quad f_0 = \frac{400\times 290}{390}$$

= 297.4 चक्र/सेकण्ड

= 300.0 चक्र/सेकण्ड

42. (d) $f' = \left[\frac{v-v_0}{v-v_s}\right]$ से,

यहाँ, $\quad v_0 = 0 \quad$ (∵ श्रोता स्थिर है)

$$\Rightarrow \quad f' = f_0\left[\frac{v}{v-\frac{v}{10}}\right]$$

$$= f_0\left[\frac{1}{9/10}\right]$$

$$\Rightarrow \quad \frac{f'}{f_0} = \frac{10}{9}$$

जब श्रोता तथा स्रोत एक-दूसरे की ओर आ रहे हैं।

43. (d) $\phi = 3t^2 + 4t + 2$

$$\Rightarrow \quad e.m.f. = \frac{d\phi}{dt} = 6t+4$$

$$\therefore \quad \left|\frac{d\phi}{dt}\right|_{t=2} = 16 \text{ वोल्ट}$$

44. (b) दर्शाये गये चित्र में चिन्ह X चुम्बकीय क्षेत्र की दिशा को बताता है जो कि पढ़ने वाले से दूर रखे पृष्ठ के लम्बवत् होती है। तार 2 के कारण, तार 1 पर चुम्बकीय क्षेत्र B_{21} नीचे की ओर दिष्ट होगा। चूँकि धारायें i_1 व i_2 विपरीत दिशाओं में हैं, अत: तार 1 पर लगने वाला बल बाँयी ओर तथा तार 2 पर लगने वाला बल दायीं ओर होगा। अत: दोनों तार एक दूसरे को प्रतिकर्षित करेंगे।

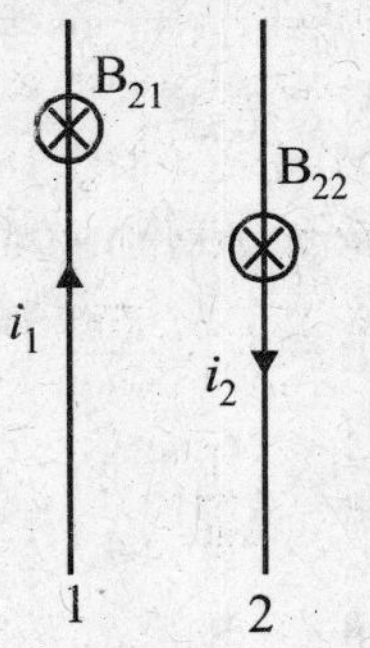

45. (a) $\lambda = 2d = 2$m

$$v = \frac{v}{\lambda} = \frac{360 \text{ मीटर सेकण्ड}^{-1}}{2 \text{ मीटर}}$$

= 180 हर्ट्ज

हम जानते हैं कि लगातार संपीडन व विरलन के बीच की दूरी, तरंगदैर्ध्य की आधी होती है।

46. (b) $\frac{1}{R_P} = \frac{1}{R}+\frac{1}{R}+\frac{1}{R} = \frac{3}{R}$

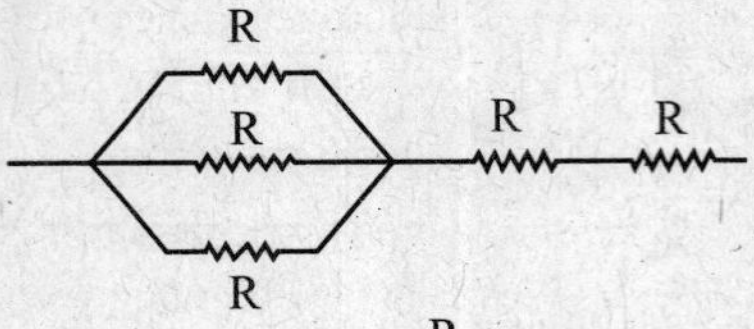

$\Rightarrow \quad R_P = \dfrac{R}{3}\Omega$

$R_S = R + R = 2R\Omega$

$\therefore \quad R_{net} = R_P + R_S$

$= 2R + \dfrac{R}{3} = \dfrac{7R}{3}\Omega$

47. (c) सम्बन्ध $\tan\theta = \dfrac{X_L - X_C}{R}$ से,

जहाँ, $X_L - X_C$ परिपथ की नैट प्रतिबाधा है।

$\theta = \tan^{-1}\left(\dfrac{X_L - X_C}{R}\right)$

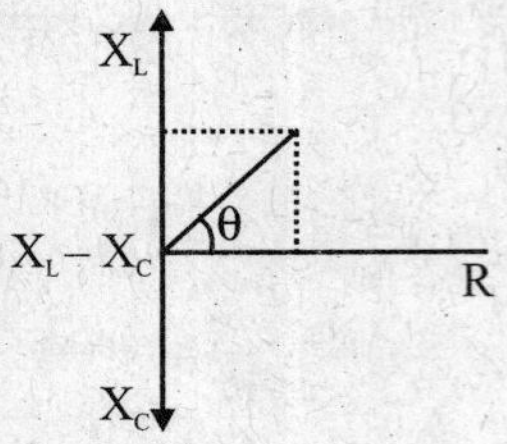

$X_C = 0$

$\Rightarrow \quad \theta = \tan^{-1}\dfrac{\sqrt{3}R}{R}$

$\Rightarrow \quad \theta = \tan^{-1}\sqrt{3} = 60°$

48. (b) फ्रिज उतनी ऊष्मा अवशोषित नहीं करता जितनी दर निकालता है। अत: कमरा गर्म हो जायेगा।

49. (d) $R_t = R_0(1 + \alpha\Delta t)$

$\therefore\ 5R = R_0(1 + \alpha \times 50)$ ...(i)

तथा $6R = R_0(1 + \alpha \times 100)$ ...(ii)

समीकरण (i) व (ii) को हल करने पर,

$\alpha = \dfrac{1}{200}\Omega/0°C$ ...(iii)

$\therefore$ समीकरण (i) तथा (iii) से,

$5R = R_0\left(1 + \dfrac{50}{200}\right)$

$5R = R_0\left(1 + \dfrac{1}{4}\right)$

$\Rightarrow \quad 5R = \dfrac{5}{4}R_0$

$\Rightarrow \quad R_0 = 4R\Omega$

50. (c) $N = N_0\left(\dfrac{1}{2}\right)^n$ से, ... (1)

जहाँ, N_0 = तत्व की प्रारम्भिक मात्रा

N = t समय पश्चात् शेष मात्रा

$\dfrac{N}{N_0} = \dfrac{1}{16} = \left(\dfrac{1}{2}\right)^2$ ... (2)

समीकरण (1) तथा (2) से

$\therefore \quad n = 4 = \dfrac{t}{T_{1/2}}$

अत: तत्व की अर्द्ध आयु $T_{1/2} = \dfrac{120}{4}$

= 30 दिन

51. (c) बल $F = qvB = \dfrac{mv^2}{r}$

जहाँ, $\dfrac{mv^2}{r}$ अभिकेन्द्र बल है।

$\Rightarrow \quad r = \dfrac{mv^2}{qB}$

$\therefore \quad r' = \dfrac{m \times 2v}{q \times \dfrac{B}{2}} = \dfrac{4 \times mv}{qB} = 4r$

52. (c) स्पष्ट है कि प्रत्येक बिन्दु आवेश द्वारा उत्पन्न वैद्युत क्षेत्र, उस वैद्युत क्षेत्र के बराबर तथा विपरीत होता है जो विकर्णीय रूप से व्यवस्थित विपरीत बिन्दु आवेश द्वारा उत्पन्न होता है। अत: घन के केन्द्र पर नैट वैद्युत क्षेत्र शून्य होता है।

53. (a) संधारित्र में संचित ऊर्जा

$U = \dfrac{1}{2}CV^2$

$= \dfrac{1}{2}10 \times 10^{-6} \times (100)^2\,J$

$= 0.05\ J$

54. (c) जब एक दण्ड चुम्बक, एक धारावाही कुण्डली के बीच गिराई जाती है, तो कुण्डली के चुम्बकीय क्षेत्र में परिवर्तन होता है जिससे कुण्डली में प्रेरित धारा उत्पन्न हो जाती है। इस प्रेरित धारा की दिशा इस प्रकार होती है कि यह चुम्बक की गति का विरोध करती है। अत: चुम्बक का त्वरण 'g' से कम होता है।

55. (d) आर्सेनिक तथा फॉस्फोरस पाँचवें समूह में होते हैं अर्थात् इनकी संयोजकता 5 है तथा अर्द्धचालक को चालन के लिये ये इलेक्ट्रॉन प्रदान करते हैं। अत: अर्द्धचालक में मिलाने पर ये *n*-प्रारूपी अर्द्धचालक बनाते हैं।

56. (b) प्रक्षेप्य के लिये.

$H_{max} = \dfrac{u^2\sin^2\alpha}{2g}$

$R = \dfrac{u^2\sin 2\alpha}{g}$

दिया है–$H_{max} = R$

$\Rightarrow \dfrac{u^2\sin^2\alpha}{2g} = \dfrac{u^2\sin 2\alpha}{g}$

$\Rightarrow \quad \sin^2\alpha = 4\sin\alpha\cos\alpha$

$\Rightarrow \quad \tan\alpha = 4$

$\Rightarrow \quad \alpha = \tan^{-1}4$

$\Rightarrow \quad \alpha = 76°$

57. (d) प्रश्न से स्पष्ट है,

$\lambda' = 2\lambda$

$\Rightarrow \quad \lambda = \dfrac{\lambda_1}{2}$

$\therefore E_2 - E_1 = \dfrac{hc}{\lambda'} - \dfrac{hc}{\lambda'} \quad (\because \lambda' = 0.5\,\lambda)$

$\Rightarrow \quad \Delta E = \dfrac{2hc}{\lambda} - \dfrac{hc}{\lambda}$

$= \dfrac{hc}{\lambda}$

$\Rightarrow \quad \Delta E = E_1$

58. (b) $F = \dfrac{mv^2}{r}$ $F' = \dfrac{\left(\dfrac{3m}{2}\right)\left(\dfrac{3v}{2}\right)^2}{\left(\dfrac{3r}{2}\right)}$

$\Rightarrow F' = \dfrac{9}{4}F$

अत: अभीष्ट प्रतिशत $= \left(\dfrac{F'-F}{F}\right) \times 100$

$= \left(\dfrac{5F}{4F} \times 100\right)\% = 125\%$

59. (a) $KE = \dfrac{p^2}{2m}$

$\Rightarrow \quad KE \propto p^2$

$\Rightarrow \quad \dfrac{p_2}{p_1} = \sqrt{\dfrac{KE_2}{KE_1}}$

$= \sqrt{2}$

60. (a) $E = \dfrac{hc}{\lambda}J = \dfrac{hc}{\lambda \times 1.6 \times 10^{-19}}eV$

$\Rightarrow E = \dfrac{6.6 \times 10^{-34} \times 3 \times 10^8}{5400 \times 10^{-10} \times 1.6 \times 10^{-19}}eV$

$\Rightarrow E = 2.3\ eV$

रसायन विज्ञान

61. (a) धातुओं की अपचायक सामर्थ्य B > C > A होगा। जिस धातु के इलेक्ट्रोड विभव (E°) का मान अधिक ऋणात्मक होता है, वह धातु प्रबल अपचायक होती है।

62. (c) HCOOH का मान निम्न होगा। HCOOH एक प्रबल अम्ल है। प्रबल अम्ल का मान सबसे निम्न होता है।

63. (b) हार्डी शुल्जे के नियम के अनुसार, विपरीत आवेशित आयनों पर आवेश का मान अधिक होता है, अत: इनके अवक्षेपण की सामर्थ्य भी अधिक होती है।

64. (c) जहाज की तली में बहुत से मैग्नेशियम ब्लॉक जल एवं लवण की क्रिया को रोकने के लिए रखे जाते हैं। मैग्नेशियम की सतह पर Mgo की एक पतली परत विद्यमान होती है जो धातु की आंतरिक सतह को नमी के साथ क्रिया करने से रोकती है।

65. (c) O^{2-} आयन की आयनिक त्रिज्या का मान अधिकतम है।

66. (d) $CuSO_4 + Zn \rightarrow ZnSO_4 + Cu$

यह अभिक्रिया प्रतिस्थापन की है, चूंकि Cu तथा Zn एक-दूसरे को प्रतिस्थापित कर रहे हैं।

67. (d) किसी इलेक्ट्रॉन का कोणीय संवेग

$= Mvr = \frac{nh}{2\pi}$ (यहाँ n एक संख्या है)

अतः 5वें कक्ष में $= \frac{5h}{2\pi} = \frac{2.5h}{\pi}$

68. (c) अमोनिया गैस सोडियम के साथ क्रिया करके सोडामाइड बनाती है।

$2Na + 2NH_3 \rightarrow 2NaNH_2 + H_2\uparrow$

सोडामाइड

69. (c) $K_2Cr_2O_7 + 4H_2SO_4 + 3H_2S \rightarrow$

$K_2SO_4 + Cr(SO_4)_3 + 7H_2O + 3S$

हरा

अभिक्रिया में क्रोमियम सल्फेट बनता है, जिसका रंग हरा होता है। अतः विलयन का रंग हरा हो जाता है।

70. (d) रेडियोएक्टिव पदार्थ के परमाणु का नाभिक अस्थायी होता है।

71. (a) जब एकलक इकाई बार-बार जुड़कर एक लम्बी शृंखला बनाती है तथा उप-उत्पाद के रूप में कोई अणु भी नहीं निकलता, तो बना हुआ उत्पाद योगात्मक बहुलक कहलाता है। उदाहरण टेफ्लॉन, पॉलीथीन, स्टॉयरीन, पी.वी.सी. आदि।

$nCH_2 = CH_2\ (CH_2 - CH_2)_n$

पॉलीथीन

बैकेलाइट योगात्मक बहुलक नहीं होता।

72. (c) स्थिर ताप पर औद्योगिक रासायनिक अभिक्रिया को संतुलित बनाए रखने के लिए गर्म या ठंडा करने की आवश्यकता होती है। इसके लिए एन्थैल्पी परिवर्तन राशि की आवश्यकता होती है। साम्यावस्था स्थिरांक की ताप निर्भरता की गणना करने के लिए भी एन्थैल्पी परिवर्तन राशि की आवश्यकता होती है।

73. (b) हाइड्रोजन-ऑक्सीजन ईंधन सेल में हाइड्रोजन के दहन से दो इलेक्ट्रोडो के दहन से दो इलेक्ट्रोडो के मध्य विभवांतर की उत्पत्ति होती है।

74. (c) अम्ल का पूर्ण वियोजन स्थिरांक होगा–

$K = K_1 \times K_2$

$= 1.0 \times 10^{-5} \times 5.0 \times 10^{-10} = 5 \times 10^{-15}$

75. (c) Mn ऑक्सीकारक की अभिक्रिया दर्शाता है। मात्रा $KMnO_4$ में Mn की ऑक्सीकरण संख्या x है।

$K = +1 \quad \Rightarrow \quad O = -2$

$\therefore \quad 1 + x - 4 \times 2 = 0 \Rightarrow \quad x = 7$

$MnSO_4$ में Mn की ऑक्सीकरण संख्या

$x - 2 = 0 \quad \therefore \quad x = 2$

इस प्रकार $KMnO_4$ बनने पर Mn की ऑक्सीकरण संख्या 7 से घट कर 2 हो जाती है। अतः Mn ऑक्सीकारक का कार्य करता है और स्वयं अपचयित (Reduction) हो जाता है।

76. (d) ला शातेलिए सिद्धांत के आधार पर तीनों के संदर्भ में जानकारियाँ प्राप्त की जा सकती है।

77. (d) सोडियम लॉरिल सल्फेट ($C_{12}H_{25}OSO_3Na$) डिटरजेंट है।

78. (d) ऐल्युमिनियम का निष्कर्षण क्रायोलाइट में मिले एल्यूमिना के विद्युत अपघटन द्वारा किया जाता है। यह एल्यूमिना को अच्छा सुचालक बनाता है तथा गलन ताप को भी कम करता है।

79. (d) C_4H_6 में एक त्रिबन्ध या दो द्विबन्ध होते हैं।

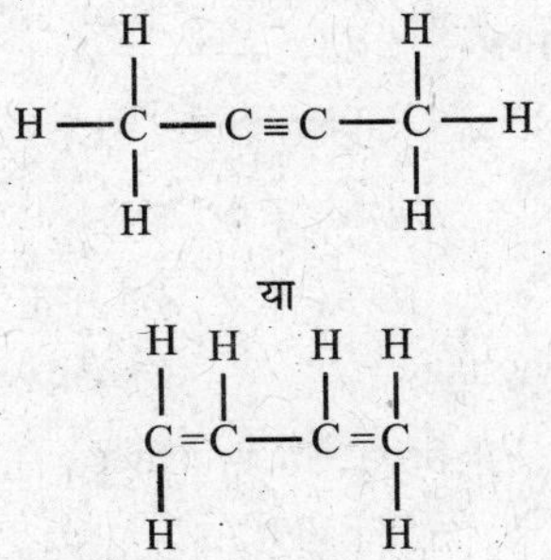

80. (c) $V_1 = 400$ सेमी^{3}, $V_2 = ?$

$P_1 = 1$ वायुमण्डल, $P_2 = 1.25$ वायुमण्डल

$T_1 = 7 + 273 = 280$ K

$T_2 = 77 + 273 = 350$ K

गैस समीकरण $\frac{P_1V_1}{T_1} = \frac{P_2V_2}{T_2}$

$\frac{1 \times 400}{280} = \frac{1.25 \times V_2}{350}$

$\Rightarrow \quad V_2 = \frac{400 \times 350}{280 \times 1.25} = 400$ सेमी^{3}

81. (d) ऐसीटिल क्लोराइड (CH_3COCl) की ऐमीन से अभिक्रिया कराने पर, यह ऐमीन के N परमाणु से जुड़े H परमाणु को —$COCH_3$ समूह द्वारा विस्थापित कर देता है। 3° ऐमीनों (जैसे ट्राइमेथिल ऐमीन) में कोई भी H-परमाणु नाइट्रोजन के साथ बँधा नहीं होता अतः 3° ऐमीन, ऐसीटिल क्लोराइड से अभिक्रिया नहीं करते है।

82. (b) NH_2NH_2 (हाइड्रेजीन) तथा NaOH के द्वारा $>C=O$ समूह का $>CH_2$ समूह में अपचयन वुल्फ किश्नर अपचयन कहलाता है।

$$CH_3-\overset{\overset{O}{\|}}{C}-CH_3 + NH_2.NH_2 \xrightarrow{NaOH} CH_3CH_2CH_3 + N_2 + H_2O$$

83. (a) ग्रिगनार्ड अभिकर्मक, $>C=O$ (कार्बोनिल समूह) युक्त यौगिकों के साथ योग उत्पाद बनाता है। ऐल्डिहाइडों तथा कीटोनों दोनों में $>C=O$ समूह उपस्थित होता है अतः यह ग्रिगनार्ड अभिकर्मक से अभिक्रिया करते हैं। दिए गए अन्य अभिकर्मक केवल –CHO समूह युक्त यौगिकों अर्थात् ऐल्डिहाइडों के साथ अभिक्रिया करते हैं।

84. (b) खाद्य पदार्थ (भोजन) का विकिरण करने पर, भोज्य पदार्थों को सड़ाने वाले तथा बीमारी (रोग) उत्पन्न करने वाले विषाणु, कवक [जिन्हें सूक्ष्म जीव (microorganism) भी कहा जाता है] मर जाते हैं। जिसमें भोजन के कारण उत्पन्न होने वाली विषाक्तता कम हो जाती है।

85. (b) कम-से-कम एक द्वि-बन्ध की उपस्थिति तथा द्वि-बन्धित कार्बन परमाणुओं पर भिन्न समूहों की उपस्थिति, ज्यामिति समावयवता दर्शाने के लिए दो आवश्यक शर्तें हैं। 2-ब्यूटीन इन दोनों शर्तों को सन्तुष्ट करती है अतः यह समपक्ष या सिस तथा विपक्ष या ट्रान्स रूपों में पाई जाती हैं।

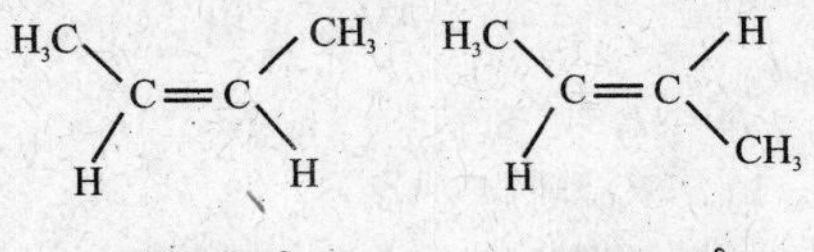

सिस-2-ब्यूटीन   ट्रान्स-2-ब्यूटीन

86. (c) ऐल्कोहॉल H-बन्ध बनाते हैं अतः इनका क्वथनांक संगत ऐल्केनों, ईथरों, ऐल्डिहाइडों तथा ऐल्किन हैलाइडों की अपेक्षा अधिक होता है इसलिए दिए गए यौगिकों में से, n-ब्यूटिल ऐल्कोहॉल का क्वथनांक (boiling point) सबसे अधिक है।

87. (a) मैग्नीशियम सल्फेट हेप्टाहाइड्रेट ($MgSO_4.7H_2O$) को एप्सम लवण कहते हैं।

88. (c) नाइट्रस अम्ल, 1° ऐलिफैटिक ऐमीनों के $-NH_2$ समूह को –OH समूह में परिवर्तित कर देता है अतः

$CH_3NH_2 + NHO_2 \rightarrow CH_3OH + N_2\uparrow + H_2O$

मेथेनॉल

89. (b) नाइट्रीकरण एक इलेक्ट्रॉन स्नेही प्रतिस्थापन अभिक्रिया है। इलेक्ट्रॉन दानी समूह (जैसे $-CH_3$, C_2H_5 आदि) की उपस्थिति बेन्जीन नाभिक को इलेक्ट्रॉन स्नेही प्रतिस्थापन के प्रति और अधिक सक्रिय बना देती है। अतः टॉलूईन ($C_6H_5CH_3$) तीव्रता से नाइट्रीकरण अभिक्रिया देता है।

90. (d) रेक्टिफाइड या परिशोधित स्पिरिट, 95% एथेनॉल तथा 5% जल का स्थिरक्वाथी मिश्रण (azeotropic mixture) है।

91. (b) वास्तविक गैस के लिए,

$$\left(\frac{\partial U}{\partial V}\right) \neq 0$$

इसका मान धनात्मक होता है।

$$\left[\because \left(\frac{\partial U}{\partial V}\right)_T = -p + T\left(\frac{\partial p}{\partial T}\right)_V\right]$$

92. (c) उत्पादों, अभिकारकों तथा उत्प्रेरक का योग/निराकरण (removal) साम्य स्थिरांक के मान को

प्रभावित नहीं करता। यद्यपि विलायक को परिवर्तित करने पर साम्य स्थिरांक परिवर्तित हो जाता है।

93. (c) कार्य एक पथ फलन है तथा अथातथ अवकलन (inexact differential) पथ फलन के लिए ही प्रयुक्त किया जाता है। अतः कार्य अवकलन, dw एक अथातथ अवकलन है।

94. (a) चूँकि दी गई अभिक्रिया एक सन्तुलित रासायनिक अभिक्रिया है अतः होने वाला एन्थैल्पी परिवर्तन, अभिक्रिया की एन्थैल्पी (Δ, H) कहलाता है। (यदि रखे, यहाँ होने वाले एन्थैल्पी परिवर्तन को दहन एन्थैल्पी नहीं कहा जा सकता क्योंकि अभिक्रिया में CO के दो अणु भाग ले रहे है।)

95. (c) $\frac{r_1}{r_2} = \frac{V_1}{t_1} \times \frac{t_2}{V_2} = \sqrt{\frac{M_2}{M_1}}$

$V_1 = H_2$ का आयतन = 16 मिली

$V_2 = SO_2$ आयतन = ?

$t_1 = t_2 = 100$

$M_1 = H_2$ का अणुभार = 2

$M_2 = SO_2$ का अणुभार $= 32 + 2 \times 16 = 64$

ये मान सभी (i) में रखने पर,

$$\frac{16}{100} \times \frac{100}{V_2} = \sqrt{\frac{64}{2}} \Rightarrow \frac{16}{V_2} = 4\sqrt{2}$$

$$\Rightarrow \quad V_2 = \frac{16}{4\sqrt{2}} = 2\sqrt{2} = 2.828 \text{ मिली}$$

96. (c) $[OH^-] = \sqrt{K_b . C}$

$= \sqrt{1.0 \times 10^{-5} \times 0.1} = 10^{-3}$

$pOH = -\log [OH^-] = -\log 10^{-3} = 3$

$pH = 14 - pOH = 14 - 3 = 11$

97. (b) *sp*-संकरित कक्षकों में, *s* तथा *p* लक्षण समान (प्रत्येक 50%) होता है।

(a) $CH_4 \Rightarrow 4bp \Rightarrow sp^3$ संकरण

अतः इसमें *s* गुण 25% तथा *p* गुण 75% है।

(b) $CH \equiv CH \Rightarrow 2bp \Rightarrow sp$ संकरण

अतः इसमें *s* गुण *p* गुण समान है।

(c) $CH_4 \Rightarrow 3bp \Rightarrow sp^2$ संकरण

अतः इसमें *s* गुण 33.33 तथा *p* गुण 66.66% है।

(d) $CH_3^- \Rightarrow 4\ bp \Rightarrow sp^3$ संकरण

अतः इसमें *s* गुण 25% तथा *p* गुण 75% है।

98. (a) लेड अम्ल बैटरी के आवेशन के समय ऐनोड तथा कैथोड पर निम्न अभिक्रियाएँ होती हैं —

ऐनोड पर, $PbSO_4 = 2H_2O \rightarrow PbO_2 + 3H^+ + HSO_4^- + 2e^-$

कैथोड पर, $Pb^{2+} + H^+ + 2e^- \rightarrow Pb + HSO_4^-$

अतः केथौड पर pb^{2+}, Pb में अपचयित होता है।

99. (c) ऊष्माशोषी अभिक्रियाओं में, ऊष्मा अवशोषित होती है अतः एन्थैल्पी परिवर्तन (ΔH) का चिन्ह धनात्मक होता है।

100. (c) दे-ब्रॉग्ली तरंगदैर्ध्य, $\lambda = \frac{2\pi r_n}{n}$

$\therefore$ कक्ष की परिधि, $2\pi r_n = \lambda n$

$= 4 \times 4 = 16 Å$

101. (a) जल में स्थायी कठोरता Ca तथा Mg के क्लोराइड व सल्फेट के कारण होती हैं।

जल में अस्थायी कठोरता Ca तथा Mg के बाइकार्बोनेट्स के कारण होती है।

102. (c) $NiCl_2 \xrightarrow{\text{वैद्युत-अपघटन}} Ni^{2+} + 2Cl^-$

ऐनोड पर, $2Cl^- \rightarrow Cl_2 + 2e^-$

कैथोड पर, $Ni^2 + 2e^- \rightarrow Ni$

1 मोल 2F 1 मोल

58.6 ग्राम 2F 58.6 ग्राम

$\because$ 2F विद्युत द्वारा निक्षेपित हुई Ni की मात्रा = 58.6 ग्राम

$\because$ 4F विद्युत द्वारा निक्षेपित होने वाली Ni की मात्रा

$$= \frac{58.6}{2F} \times 4F = 117.4 \text{ ग्राम}$$

103. (c) KI विलयन में I_2 संकर आयन I_3^- बनाता है किस कारण यह इसमें घुलनशील है।

104. (a) क्लोरीन हेप्टाक्लोराइड (Cl_2O_7) परक्लोरिक अम्ल का एनहाइड्राइड है।

$$2HClO_4 \xrightarrow{\Delta} Cl_2O_7 + H_2O$$

105. (b) 0.05 M Ba $(OH)_2$ विलयन

$\cong 2 \times 0.05$ N $Ba(OH)_2$

$\cong 0.10$ N Ba $(OH)_2$

$\therefore \quad P^{OH} = -\log [OH^-]$

$= -\log [0.10]$

$= 1$

$P^H = 14 - P^{OH}$

$= 14 - 1$

$= 13$

106. (b) आवर्त सारणी में, बाएँ से दाएँ जाने पर आयनन विभव बढ़ता है लेकिन नाइट्रोजन का IE_1 ऑक्सीजन से अधिक है। यह नाइट्रोजन के अत्यधिक स्थिर विन्यास के कारण होता है। (अर्द्ध-पूर्णकक्षक)।

107. (b) CdS $\rightarrow$ पीला, CuS $\rightarrow$ काला

ZnS $\rightarrow$ सफेद, CoS $\rightarrow$ काला

108. (a) केवल (प्रबल अम्ल + दुर्बल क्षार) और (दुर्बल अम्ल + प्रबल क्षार) के लवण जल अपघटित होते हैं। (अर्थात् ये जल में अम्लीयता और क्षारीयता दिखाते हैं) $KClO_4$ प्रबल अम्ल और प्रबल क्षार का लवण है। इसलिए जल में जल अपघटित नहीं होता।

$$KClO_4 \rightleftharpoons K^+ + ClO_4^-$$

$$H_2O \rightleftharpoons OH^- + H^+$$

KOH HClO$_4$

प्रबल प्रबल

109. (b) इलेक्ट्रॉन की तरंग प्रकृति का निरूपण सर्वप्रथम डी-ब्रोग्ली द्वारा किया गया। जिन्होंने इलेक्ट्रॉनों की तरंग-प्रकृति के लिए निम्नलिखित समीकरण दिया है–

$$\lambda = \frac{h}{mv}$$

110. (b) ऑक्सीजन, अपने से अधिक विद्युत ऋणात्मक तत्व के साथ बने यौगिक में धनात्मक ऑक्सीकरण अवस्था दर्शाता है। चूँकि F ऑक्सीजन की अपेक्षा अधिक विद्युत ऋणात्मक है अतः F_2O में, इसकी ऑक्सीकरण अवस्था +2 है।

111. (d) प्राकृतिक रबड़ को 3–5% सल्फर के साथ गर्म करने पर, सल्फर कार्बन के साथ तिर्यक बन्ध बना लेता है। यह प्रक्रम वल्कनीकरण कहलाता है। अतः रबड़ के वल्कनीकरण में सल्फर का प्रयोग किया जाता है।

112. (a) एस्टर, अम्ल जल अपघटन (acid hydrolysis) पर अम्ल तथा ऐल्कोहॉल बनाते हैं।

$$CH_3COOC_2H_5 + H_2O \xrightarrow[(H_3O^+)]{H^+}$$

एथिल ऐसीटेट

$$CH_3COOH + C_2H_5OH$$

ऐसीटिक अम्ल एथेनॉल

$$C_2H_5COOCH_3 + H_2O \xrightarrow[(H_3O^+)]{H^+}$$

मेथिल प्रोपिओनेट

$$C_2H_5COOH + CH_3OH$$

प्रोपिओनिक अम्ल मेथेनॉल

113. (a) $He_2^+ (2 + 2 - 1 = 3) = \sigma 1s^2, \sigma^* 1s^1$,

बन्ध कोटि $= \frac{N_b - N_a}{2}$

(N_b = बन्धित इलेक्ट्रॉन, N_a = प्रतिबन्धित इलेक्ट्रॉन)

$$= \frac{2-1}{2} = \frac{1}{2} = 0.5$$

114. (a) CO का आण्विक कक्षक विन्यास निम्न है।

CO (6 + 8 = 14)

$= KK^* \sigma 2s^2, \sigma^* 2s^2, \pi 2p^2_x \approx \pi 2p^2_y\ \sigma 2p^2_z$

(* = प्रतिबन्धित कक्षक)

अतः बन्धित इलेक्ट्रॉनों की संख्या = 8

प्रतिबन्धित इलेक्ट्रॉनों की संख्या = 2

115. (b) 1° ऐल्कोहॉलों में से केवल एथेनॉल ही I_2 तथा NaOH के साथ पीले रंग का आयोडोफॉर्म बनाता है।

$$CH_3CH_2OH + 4I_2 + 6\ NaOH \xrightarrow{\Delta}$$

एथिल ऐल्कोहॉल आयोडीन

$CHI_3 + 5\,NaI + HCOONa + 5H_2O$

आयोडोफॉर्म

यह परीक्षण आयोडोफॉर्म परीक्षण कहलाता है।

116. (b) परिक्षेपण माध्यम में, कोलाइडी कणों की सतत् यादृच्छिक गति का पता सर्वप्रथम राबर्ट ब्राउन ने लगाया था। अत: इसे ब्राउनियन गति कहा जाता है।

117. (d) नाभिक की त्रिज्या, $r = R(a)^{1/3}$

$$\Rightarrow \frac{r_{He}}{r_H} = \left(\frac{A_{He}}{A_H}\right)^{1/3}$$

जहाँ, A = परमाणु भार

$$\frac{r_{He}}{r_H} = \left(\frac{4}{1}\right)^{1/3} = (4)^{1/3} = 1.6$$

118. (d) सान्द्र H_2SO_4 का प्रयोग क्लोरीन गैस को शुष्क करने के लिए किया जाता है क्योंकि यह Cl_2 गैस से अभिक्रिया नहीं करता है। (जबकि दिए गए अन्य अभिकर्मक क्लोरीन से अभिक्रिया करते है।)

119. (b) आर्सेनिक, प्लेटिनम उत्प्रेरक की सक्रियता को कम कर देता है अत: यह, प्लेटिनम उत्प्रेरक के लिए जहर का कार्य करता है।

120. (b) सा.ता. दा. (273 K) पर, ग्लूकोस के जलीय विलयन का वाष्प दाब = 760 मिमी Hg

373 K पर,

वाष्प दाब = 740 मिमी Hg,

हम जानते हैं,

वाष्प दाब में आपेक्षिक अवनमन ∝ विलेय का मोल प्रभाज

$$\frac{p^0 - p}{p^0} = \chi_A$$

$$\frac{760 - 740}{760} = \chi_A$$

$$\frac{20}{76} - \chi_A$$

$$\chi_A = \frac{1}{38}$$

वनस्पति विज्ञान

121. (c) पादपों द्वारा नाइट्रोजन NO_3^- तथा NH_4^+ दोनों ही रूपों में अवशोषित किया जाता है।

122. (a) 2NADH (H^+) से 6ATP अणु प्राप्त होंगे क्योंकि 1NADH अणु 3ATP अणुओं का निर्माण करता है।

123. (c) जीर्ण ऊतकों व पके हुए फल में अधिक मात्रा में इथाइलिन का संश्लेषण होता है।

124. (b) काइटिन नाइट्रीकृत पॉलीसैकेराइड है।

125. (a) कोशिका चक्र में, तारककाय का विभाजन अंतरावस्था में होता है। दो कोशिका चक्रों के बीच की अवस्था को अंतरावस्था कहते हैं। यह तीन भागों में विभाजित होती है– G_1, S व G_2 तारककाय का विभाजन अंतरावस्था की G_1 अवस्था में होता है।

126. (c) चिकनी ER प्रोटीन संश्लेषण में भाग लेती है।

127. (c) लाइसोसोम एकल झिल्ली कोशिकांग है। एकल झिल्ली कोशिकांगों को सूक्ष्मकाय भी कहा जाता है। एकल झिल्ली कोशिकांग के अन्य उदाहरण है–परऑक्सीझोम, स्फेरोसोम तथा ग्लाइको ऑप्सीसोम।

128. (a) कैम्बियम (एधा) रहित संवहनी फूल बंद संवहनी फूल कहलाता है।

129. (c) आर्थोट्रोपस में निभाग, बीजाण्डवृत्त व बीजाण्डद्वार एक सीधी रेखा में होते हैं।

130. (a) सजातपुष्पी परागण में पुष्प का निषेचन, उसी पौधे के दूसरे पुष्प के परागण द्वारा होता है। सजात पुष्पी परागण, परागण का ही एक प्रकार है।

131. (b) खनिज, विटामिन व प्रोटीन की उच्च मात्रा वाली फसलों के बीच प्रजनन कराने की क्रिया जैव प्रबलीकरण कहलाती है। जैव प्रबलीकरण प्रबलीकरण की अन्य क्रियाओं से भिन्न है, क्योंकि इसमें खाद्य पादप के पोषक मानों को बढ़ाने पर जोर दिया जाता है।

132. (d) परिदलपुंज उस स्थिति को कहते हैं, जिसमें ब्राह्मदलपुंज व दलपुंज भिन्न नहीं होते हैं।

133. (b) ससीमाक्षी पुष्पक्रम में मुख्य अक्ष पुष्प में समाप्त हो जाता है, जिससे पुष्पक्रम में अधिक वृद्धि नहीं होती है।

134. (c) वर्ग रोडो फायरसी (लाल वर्णक) में उपस्थित प्रकाश-संश्लेषी वर्णक क्लोरोफिल –Q, d हैं।

135. (c) फ्लोरीडियन स्टार्च रोडोफॉयसी का संगृहीत भोजन है। यह ग्लाइकोजन व एमाइलोपेक्टिन के समान है।

136. (c) कवक की कोशिका भिति काइटिन की बनी होती है जिसे कवकीय सेल्युलोस भी कहा जाता है। काइटिन ऐसिटाइल ग्लुकोस समाइन की बनी होती है।

137. (c) गोनीयूलेक्स लाल डायनोफ्लैजिलेट है।

138. (c) उत्परिवर्तन गामा विकिरण द्वारा प्रेरित किया जा सकता है।

139. (b) फास्फोरस चक्र पारिस्थितिकी तंत्र में गैसीय जैव-भू-रासायनिक चक्र नहीं है। यह अवसादी जैव भू-रासायनिक चक्र होता है।

140. (c) प्रवर्तक DNA की अनुलेखन इकाई का भाग नहीं है।

141. (d) जब पुष्प का मुख्य अक्ष या आशय चपटा होता है, अर्थात् पुष्पाक्ष चपटा होता है। पुष्पक अवृन्तीय तथा आशय पर इकट्ठे लगे होते हैं। पुष्पक प्राय: दो प्रकार के होते हैं। बाहर की ओर रश्मि पुष्पक बड़े तथा केन्द्र में बिम्ब पुष्पक, सम्पूर्ण पुष्पक्रम एक अकेले पुष्प की भाँति दिखाई देता है, पुष्पक्रम मुण्डक या केपिटुलम कहलाता है। **उदाहरण** गेंदा, सूरजमुखी। यह एस्टेरेसी (कम्पोजिटी) कुल का विशेष लक्षण है।

142. (c) अनुपर्ण या अनुपत्र पत्ती के पार्श्व तल पर दो उभार के रूप में दिखाई देते हैं। चिरलग्न प्रकार के अनुपर्ण पत्ती के साथ सदैव जुड़े रहते हैं। जैसे–आम गुड़हल (*हिबिस्कस*)।

143. (c) पेपो (pepo) फल मांसल एवं गूदेदार होते हैं तथा बहुत कुछ बेरी के समान होते हैं, परंतु वह फल, युक्ताण्डपी, अधोवर्ती (जायांगोपरिक) अण्डाशय, बहुअण्डपी एवं भित्तीय बीजाण्डासन से विकसित होते हैं। फल एककोष्ठीय व बहुबीजी होते हैं। बाह्य फल भित्ति छिलका जबकि अंत:फलभित्ति व मध्यफल भित्ती में विभेदन नहीं होता। यह फल कुकरबिटेसी कुल का विशेष लक्षण है। उदाहरण: खीरा, लौकी, खरबूजा इत्यादि।

144. (a) फसल चक्रण एक खेत में फसलों की एक के बाद एक (एकान्तरण क्रम) खेती का क्रम है। जैसे–अनाज के बाद दलहन, तिलहन तथा उसके बाद चारा फसल या परती भूमि रखना। इस विधि में मृदा का संगठन संरक्षित रहता है तथा मृदा की उर्वरता बनी रहती है। क्योंकि विभिन्न फसलों की मृदा खनिज आवश्यकताएँ भिन्न-भिन्न होती हैं तथा दलहन की फसलें भूमि वायुमण्डलीय नाइट्रोजन का स्थिरीकरण करने के लिए उत्तरदायी भी होती हैं।

145. (a) पौधों में विभिन्न तत्त्वों की उपयोगिता का निर्धारण, मृदाविहीन संवर्धन द्वारा पौधों को उगाकर किया जाता है इस प्रणाली द्वारा पौधे उगाए जाने की यह तकनीक हाइड्रोपोनिक्स कहलाती है। मृदाविहीन संवर्धन विशेष रूप से दो प्रकार का होता है। बालू संवर्धन एवं विलयन संवर्धन।

146. (a) हरितलवक हरे रंग के लवक होते हैं, जो पौधों में प्रकाश-संश्लेषण की प्रक्रिया में भाग लेते हैं। हरितलवक में स्थायी या अस्थायी रूप से स्टार्च का संचय रहता है। विकसित पौधों की एक कोशा में 20 से 50 हरितलवक हो सकते हैं। उच्चवर्ग के पौधों में हरितलवक की आकृति डिस्कॉयड (4-6μm) व्यास तथा मोटाई (2-4μm) समान चपटे, गोल व अण्डाकार या दीर्घवृत्ताकार प्रकार के होते हैं।

147. (b) जटा अथवा कॉयर (coir) व्यापारिक दृष्टि से एक महत्वपूर्ण रेशा है, जो, कोकस न्यूसीफेरा (Crocos nucifera) अथवा नारियल (कुल एरीकेसी) के फलों की रेशेदार मध्यफल भित्ति (mesocarp) से प्राप्त होता है। यह रेशा अत्यन्त हल्का, लचीला, जलरोधी तथा यान्त्रिक आघातों का प्रतिरोधक होता है, किन्तु यह कम टिकाऊ एवं अधिक रुक्ष होता है, इसका प्रयोग मोटी रस्सी, मछली, पकड़ने का जाल इत्यादि बनाने के लिए किया जाता है।

148. (d) जीर्णता (senescence) किसी जीव अथवा उसके किसी अंग की मृत्यु से पहले उत्पन्न होने वाली अवस्था है। पारिभाषिक रूप से यह नष्टीभवन की सभी प्रक्रियाओं (deteriorative processes) का

योग है, जो किसी जीव के क्रियात्मक जीवन को प्राकृतिक रूप से नष्ट कर देते हैं।

149. (a) आलू कन्द होता है, जो तने का भूमिगत रूपान्तरण है। इसमें वायवीय प्ररोह के अन्तिम सिरे भोजन संग्रह के कारण फूल जाते हैं। कन्द में सर्पिल क्रम में कुछ गर्त उपस्थित होते हैं, जिन्हें 'आँखें' कहते हैं। ये आँखें पर्वसन्धियों को प्रदर्शित करती हैं तथा इनके गर्त में कलिकाएँ पाई जाती हैं।

150. (c) आवृत्तबीजियों में नर युग्मकोद्भिद एक नलिका कोशिका (tube cell) तथा एक जनन कोशिका (generative cell) द्वारा निर्मित होता है। यह जनन कोशिका विभाजित होकर दो नर युग्मकों का निर्माण करती है। अत: आवृत्तबीजियों का नर युग्मकोद्भिद त्रिकोशिकीय होता है।

जन्तु विज्ञान

151. (c) गर्भावस्था का चिकित्सकीय समापन (MTP) गर्भावस्था के 12 हफ्तों तक सुरक्षित माना जाता है।

152. (a) टर्नर सिंड्रोम से पीड़ित महिला में XO समेत 45 कोमोसोम होते हैं। टर्नर सिंड्रोम एक ऐसी गुणसूत्रीय अवस्था है जिससे महिला का विकास प्रभावित होता है।

153. (d) सिक्रिटिन हॉर्मोन गृहणी से स्रावित होता है। सिक्रिटिन हॉर्मोन अग्न्याशय को भी उद्दीपित करता है।

154. (d) वसा का अवशोषण सरल विसरण विधि द्वारा होता है।

155. (c) सांस छोड़ते समय डायफ्राम का आकार गुम्बद के आकार का हो जाता है।

156. (c) हिचकी को श्वासोच्छवास के समय कोमल तालु में कंपन के रूप में परिभाषित कर सकते हैं। आहारनाल की संवेदी तांत्रिकाओं में अव्यवस्था के कारण हिचकी उत्पन्न होती है।

157. (b) रूधिर कणिका व फाइब्रिनोजन रहित रुधिर सीरम कहलाता है। रूधिर प्लाज्मा में से फाइब्रिनोजन को पृथक् करने के बाद सीरम प्राप्त होता है।

158. (c) पेशीय तंतुक में गहरे हल्के पट्ट एक्टिन प्रोटीन एवं मायोसिन प्रोटीन के कारण दिखाई देते हैं। पेशीय तंतुक में उपस्थित हल्के पट्टों का निर्माण एक्टिन और मायोसिन दोनों से मिलकर होता है।

159. (b) अण्डवाहिनी नलिका का वह भाग जो अण्डाशय के सबसे निकट स्थित है, वायुकोष्ठिया कहलाता है।

160. (b) शुक्रजनन नलिकाओं से शुक्राणुओं का स्रावण होना वीर्यसेचन कहलाता है।

161. (b) पेशीतंतुक पेशी तंतु में समानांतर व्यवस्थित होते हैं।

162. (a) शरीर की चालक तथा नियंत्रण रहित क्रियाएँ स्वायत तंत्रिका तंत्र द्वारा नियंत्रित होती है।

163. (d) भारत में सबसे अधिक प्रचलित गर्भ निरोधक उपाय अंत: गर्भाशयी युक्ति (IUDs) है।

164. (d) मानव रुधिर में कोलेस्ट्रोल का सामान्य स्तर 180-200 mg% से ज्यादा हो जाता है, तो यह धमनियों पर ज़मा होने लगता है। इसे ऐथिरोस्क्लेरोसिस कहते हैं।

165. (c) मनुष्य में सामान्य निरन्न रुधिर शर्करा स्तर 80-100 mg प्रति 100 ml रुधिर होता है। भोजन ग्रहण करने के दो घंटे बाद यह मात्रा 160 mg प्रति 100 ml रुधिर तक जा सकती है। इन स्तरों से अधिक रुधिर शर्करा की मात्रा मधुमेह रोग की सूचक है।

166. (d) वयस्कों में खाली पेट रुधिर ग्लूकोज स्तर 60mg/100ml में होता है। वयस्कों में सामान्यत: इसका सांद्रण 90mg/100ml होता है, जबकि आहार के साथ यह घटता-बढ़ता रहता है।

167. (d) स्वस्थ मनुष्य में लगभग 5-6 लीटर रुधिर होता है, जिसका pH मान 7.4 होता है। यह एक तरल संयोजी ऊतक है, जो दो भागों से मिलकर बना होता है-प्लाज्मा (55%) एवं रुधिराणु (45%)। रुधिर का प्रमुख कार्य खाद्य पदार्थों एवं ऑक्सीजन का संवहन करना है।

168. (b) सामान्य वयस्क व्यक्ति के हृदय का वजन लगभग 300 ग्राम होता है।

169. (c) हृद् पेशी हृदय में पाई जाती है, जो अनैच्छिक पेशियां हैं, जबकि हृदय में ऐच्छिक पेशियों का अभाव रहता है। ऐच्छिक पेशियां अस्थियों के साथ जुड़ी रहती हैं, जो इच्छा शक्ति के नियंत्रण में होती हैं।

170. (a) एस्पिरिन की मदद से रुमैटिक हृदय रोग का इलाज किया जाता है।

171. (c) स्वस्थ हृदय हेतु व्यक्ति का संतुलित आहार, पर्याप्त निद्रा लेना आवश्यक होता है और सही मात्रा में शारीरिक व्यायाम करना भी।

172. (d) हृदय के संकुचन (Systole) एवं शिथिलन (Diastole) को सम्मिलित रूप से हृदय की धड़कन कहते हैं। एक वयस्क व्यक्ति का हृदय सामान्य अवस्था में 72 बार प्रति मिनट तथा भ्रूण की अवस्था में 150 बार प्रति मिनट धड़कता है।

173. (a) रेसर्पिन (reserpine) एक औषधि है जो राउवोल्फिया सरपेन्टाइना (Rauwalfia serpentina) की जड़ों से प्राप्त की जाती है। यह उच्च रक्तदाब तथा अधिक उत्तेजना को कम करने के लिए प्रयोग की जाती है। अत: कुछ विषाणुओं में केवल डी.एन.ए. एवं कुछ विषाणुओं में आर.एन.ए. आनुवंशिक पदार्थ होता है।

174. (d) विषाणु अकोशिकीय, अंतराकोशिकीय पूर्ण परजीवी होते हैं। ये मुख्यत: न्यूक्लिक अम्ल व प्रोटीन के बने होते हैं। इनमें न्यूक्लिक अम्ल DNA या RNA होता है। यह केवल जीवित कोशिकाओं के अन्दर ही क्रियाशील होते हैं। अत: कुछ विषाणुओं में केवल डीएनए एवं कुछ विषाणुओं में आरएनए आनुवंशिक पदार्थ होता है।

175. (d) खाद्य विषाक्तता (food poisoning) क्लॉस्ट्रीडियम बॉटुलिनम (Clostridium botulinum) द्वारा होती है। साल्मोनेला टाइफी (Solmonella typhi) टायफाइड रोग पैदा करता है। ई. कोलाई (E. Coli) आंतों में परजीवी के रूप में रहता है।

176. (a) सभी प्रोकैरियोटिक जीवों को जगत-मोनेरा (Monerae) में रखा गया है। जैसे-नीले-हरे शैवाल तथा जीवाणु। ये जीव मुख्यत: विघटनकारी (decomposer) का कार्य करते हैं।

177. (a) कोशिका सिद्धांत जर्मन वैज्ञानिक मेथियस श्लाइडेन (Mathias Schleiden) तथा थियोडर श्वान (Theodor Schwann) ने 1839 में प्रतिपादित किया था।

178. (a) अमेरिकी वैज्ञानिक डब्ल्यू. स्टेनले (W Stanely; 1935) ने तम्बाकू के मोजेक विषाणु (tobacco mosaic virus) का क्रिस्टलीकरण किया था तथा इसके लिए उन्हें नोबल पुरस्कार प्रदान किया गया था।

179. (a) मानव शरीर के सभी अंगों में आंख एक ऐसा अंग है जो कि हानिकारक विकिरणों से सर्वाधिक सुप्रभाव्य है। उदाहरणार्थ, सूर्य की हानिकारक पराबैंगनी किरणों के प्रति मनुष्य की आंखें सर्वाधिक संवेदनशील होती हैं।

180. (b) रक्त में शर्करा की मात्रा का नियंत्रण मानव गुर्दे का सामान्य कार्य नहीं है, अन्य तीनों मानव गुर्दे के सामान्य कार्य हैं।

General English

181. (c) According to constructive approach children are very creative when they come to invent new words in language. They tend to recreate their knowledge into their schemas. On the foundation of his learning child creates new words.

182. (a) Such interactive learning in reading is called dialogic reading. Dialogic reading encourage the learning skill in a child.

183. (a) Listening is one of the four core skills of language acquisition. Other three skills are speaking, reading and writing. By creating opportunities for learners to listen to a variety of language sources and people, a teacher can develop the listening skills of language learners or children.

184. (d) Since the primary level is the formative period of childrens learning process, so it is most important to have accuracy in language. Grammar is also an integral part of the primary curriculum.

Both (A) and (R) are true and (R) is the correct explanation of (A).

185. (a) Such a theory is referred as an 'Approach' to a language learning. The approach usually includes a set of ideas or beliefs and principles.

186. (d) In formative evaluation, the teachers or instructor has the opportunity to monitor and evaluate the learning of students and gather feedback to improve their teaching.

187. (d) Total Physical Response method was developed by James Asher. It is a method of teaching a language or vocabulary concepts by using physical movements to react to verbal input.

188. (d) Deductive approach is a teacher-centred method. In this approach, teacher give rules to learners, then examples and then practices. Deductive approach is very useful to teach the grammar to students.

189. (a) While giving a free writing task to learner in Class V, the teacher must ensure the fluency and accuracy of the content.

190. (a) The word bottom up refers to focus on the words and phrases.

सामान्य ज्ञान

191. (a) उच्च न्यायालय के जज के सेवानिवृत होने की आयु 62 वर्ष है।

192. (b) प्रसिद्ध कवि कालिदास गुप्त सम्राट चंद्रगुप्त II के राजदरबार में थे। चंद्रगुप्त II को 'विक्रमादित्य' भी कहा जाता है। कालिदास उसके नवरत्नों में से एक थे।

193. (d) भारतीय संघीय व्यवस्था कनाडा की संघ व्यवस्था पर आधारित है। भारतीय संघ निर्माण के आधार पर (विखण्डित होने के तरीके पर) तथा केन्द्रीयकरण की प्रवृत्ति के आधार पर कनाडाई संघ के सदृश है।

194. (c) अजंता की गुफा सबसे पुराना स्मारक है।

195. (a) ज्वालामुखी विस्फोट, बाढ़ तथा भूकम्प प्राकृतिक आपदाएँ है जबकि परमाणु विस्फोट एक मानवकृत आपदा है।

196. (a) गयासुद्दीन बलबन ने अपने आप को नायब-ए-खुदा कहा।

197. (d) भारत अपने सभी मैच UAE में खेलेगा। भारत ने पाकिस्तान जाकर मैच खेलने से इंकार कर दिया था।

198. (b) न्यूयॉर्क सिटी को 'Big Apple' के नाम से जाना जाता है।

199. (b) 'उगते हुए सूरज का देश' जापान को कहा जाता है। जापान को निप्पॉन भी कहा जाता है।

200. (c) 61वाँ संविधान संशोधन अधिनियम, 1989 द्वारा मताधिकार की आयु, जो पहले 21 वर्ष निर्धारित थी, को घटाकर 18 वर्ष कर दिया गया। भारत में रहने वाला कोई भी व्यक्ति 18 वर्ष की आयु पूरी करने के पश्चात् मताधिकार का प्रयोग कर सकता है।

❑❑❑

प्रैक्टिस सेट–9

भौतिक विज्ञान

1. एक विद्यार्थी 1 मी. परिशुद्ध लम्बाई के सरल लोलक के गुरुत्व जनित त्वरण g का मान निकालता है। 1 सेकेंड अल्पतमांक वाली एक विराम घड़ी का प्रयोग करके वह 20 दोलनों का समय 40 सेकेंड नोट करता है। इस प्रेक्षण के लिए निम्नलिखित में से कौन-सा कथन सही है?

(a) आवर्तकाल T के मापन में त्रुटि 0.05 सेकेंड है

(b) आवर्तकाल T के मापन में त्रुटि 1 सेकेंड है

(c) g के निर्धारण में प्रतिशत त्रुटि 5% है

(d) g के निर्धारण में प्रतिशत त्रुटि 3.5% है

2. एक कण X– अक्ष के अनुदिश इस प्रकार चलता है कि निर्देशांक (x), समय (t) के साथ समीकरण $x = 2 - 5t + 6t^2$ मीटर के अनुसार बदलता है। कण का प्रारम्भिक वेग है–

(a) –5 मी./से (b) –3 मी./से

(c) 6 मी./से (d) 1.3 मी./से

3. 120 मीटर लम्बी एक ट्रेन 10 मीटर/से. की चाल से पश्चिम की ओर जा रही है। एक व्यक्ति जो 5 मी/से. की समान चाल से मोटर साइकिल चला रहा है, इस ट्रेन को विपरीत दिशा में पार करता है। इस व्यक्ति को ट्रेन को पार करने में समय लगेगा–

(a) 8 सेकण्ड

(b) 10.0 सेकण्ड

(c) 12.0 सेकण्ड

(d) इनमें से कोई नहीं

4. एक संयुक्त सूक्ष्मदर्शी में अभिदृश्यक एवं नेत्रिका की आवर्धन क्षमताएं क्रमशः m_1 एवं m_2 हैं। सूक्ष्मदर्शी की आवर्धन क्षमता होगी–

(a) $m_1 \times m_2$ (b) $m_1 + m_2$

(c) $\frac{m_1}{m_2}$ (d) $\frac{m_2}{m_1}$

5. एक हवा का बुलबुला कांच के एक गुटके में एक ओर से देखने पर 6 सेमी गहराई पर दिखाई देता है तथा विपरीत दिशा से देखने पर 4 सेमी गहराई पर दिखाई देता है। यदि कांच का अपवर्तनांक 1.5 हो, तो कांच की पट्टी की मोटाई होगी–

(a) 10 सेमी

(b) 6.67 सेमी

(c) 15 सेमी

(d) इनमें से कोई नहीं

6. स्थिर शक्ति देने वाली मशीन के द्वारा एक पिंड को सरल रेखा के अनुदिश चलाया जाता है। समय t में पिण्ड द्वारा चली गई दूरी अनुक्रमानुपाती होगी–

(a) $t^{1/2}$ (b) $t^{3/4}$

(c) $t^{3/2}$ (d) t^2

7. एक कार 10 मी. त्रिज्या के वृत्तीय क्षैतिज पथ पर 10 मी./से की नियत चाल से चल रही है। कार की छत से 1.00 मी. लम्बाई की एक हल्की दृढ़ छड़ द्वारा एक साहुल-सूत्र लटकाया गया है। पथ से छड़ द्वारा बना कोण है–

(a) 0 (b) 30°

(c) 45° (d) 60°

8. तीन कण, प्रत्येक का द्रव्यमान m, भुजा a वाले समबाहु त्रिभुज के तीनों कोनों पर रखे गए हैं। त्रिभुज की भुजाएँ बढ़ाकर $2a$ कर दी गई है। निकाय पर किया गया कार्य है–

(a) $\frac{Gm^2}{a}$ (b) $\frac{3Gm^2}{a}$

(c) $\frac{3}{2}\frac{Gm^2}{a}$ (d) $\frac{1}{2}\frac{Gm^2}{a}$

9. एक 100 वोल्ट परास का वोल्टमीटर जिसका आन्तरिक प्रतिरोध 20 किलोओम, एक उच्च प्रतिरोध R के श्रेणीक्रम में 110 वोल्ट की स्त्रोत से जुड़ा है। यदि वोल्टमीटर का पाठ्यांक 5 वोल्ट हो, तो R का मान है–

(a) 210 kΩ (b) 315 Ω

(c) 420 kΩ (d) 4440 Ω

10. जल की बूँद लाल-गर्म लोहे के तवे पर छिटक जाती है। बूँद गोलाकार हो जाती है तथा तुरंत वाष्पित नहीं होती है, क्योंकि–

(a) जल का क्वथनांक बढ़ जाता है

(b) इस स्थान पर तवे का ताप गिर जाता है

(c) तवे तथा बूँद के बीच एक जल की वाष्प की तह बन जाती है जो ऊष्मा चालन को रोकती है

(d) लाल-गर्म तवा ऊष्मा की कुचालक है

11. सरल आवर्त गति करते हुए एक कण का साम्य स्थिति से 3 सेमी. दूरी पर त्वरण 12 सेमी./से^{2} है, तो आवर्तकाल होगा–

(a) 2 सेकेंड (b) 4 सेकेंड

(c) 3.14 सेकेंड (d) 10 सेकेंड

12. किसी माध्यम में प्रकाश की चाल 1.5×10^8 मी./से है। माध्यम में जाने वाली प्रकाश-किरण के लिए क्रांतिक कोण c है–

(a) 30° (b) 45°

(c) 60° (d) 90°

13. अपवर्तनांक 1.55 के काँच से दोनों फलकों की समान वक्रता-त्रिज्या के द्वि-उत्तल लेंस निर्मित करते हैं। यदि लेंस की फोकस दूरी 20 सेमी. है, तो वक्रता त्रिज्या का मान होगा–

(a) 22 सेमी. (b) 18 सेमी.

(c) 16 सेमी. (d) 40 सेमी.

14. 4×10^{-9} कूलॉम-मी द्विध्रुव आघूर्ण का कोई वैद्युत द्विध्रुव 5×10^4 न्यूटन-कूलॉम परिमाण के किसी एकसमान वैद्युत क्षेत्र की दिशा से 30° पर सरेखित है। द्विध्रुव पर कार्यरत् बल-आघूर्ण का परिमाण होगा–

(a) 3×10^{-4} न्यूटन-मी

(b) 10^{-4} न्यूटन-मी

(c) 5×10^{-9} न्यूटन-मी

(d) 6.5×10^{-6} न्यूटन-मी

15. लेन्ज के नियम द्वारा दिशा निर्धारित की जाती है–
(a) परिपथ में विभवान्तर की
(b) परिपथ में धारा की
(c) परिपथ में प्रेरित धारा की
(d) उपरोक्त में से कोई भी नहीं

16. जब एकसमान अनुप्रस्थ-काट a, लम्बाई l तथा प्रतिरोध R के तार को वृत्ताकार आकृति में मोड़ दिया जाता है, तो व्यास के सिरों पर स्थित दो बिन्दुओं के मध्य प्रतिरोध होगा–
(a) $\frac{R}{4}$ (b) $\frac{R}{8}$
(c) 4R (d) $\frac{R}{2}$

17. ओम का नियम है–
(a) $V = \frac{R}{I}$ (b) $I = V \times R$
(c) $R = V^2 \times I$ (d) $V = IR$

18. एक संप्रेक्षण लाइन अपचायी ट्रांसफॉर्मर में जिनकी प्राथमिक कुंडली में 4000 फेरे हैं, 2300 वोल्ट पर शक्ति निवेशित करती है। 230 वोल्ट निर्गत शक्ति प्राप्त करने के लिए द्वितीयक कुंडली में फेरों की संख्या होगी–
(a) 100 (b) 200
(c) 400 (d) 150

19. एक ट्रांजिस्टर के लिए $\beta = 30$, $R_L = 4$ किलो ओम तथा निवेशी प्रतिरोध $R_{in} = 400$ ओम है, तो वोल्टेज-प्रवर्धन का मान होगा–
(a) 300 (b) 200
(c) 100 (d) 50

20. किसी रेडियोसक्रिय पदार्थ की अर्द्ध-आयु 4 दिन है। इस पदार्थ का 100 ग्राम द्रव्यमान 12 दिन के लिए छोड़ दिया जाता है। इसके द्रव्यमान में कमी का मान होगा–
(a) 87.5 ग्राम (b) 12.5 ग्राम
(c) 40.5 ग्राम (d) 10.5 ग्राम

21. *p–n* संधि में चालन का संचालन कौन करता है?
(a) बहुसंख्यक वाहक
(b) अल्पसंख्यक वाहक
(c) होल
(d) इलेक्ट्रॉन

22. 1 *amu* बराबर होता है–
(a) 1.6×10^{-27} kg (b) 931 MeV
(c) 1.6×10^{-27}g (d) प्रयुक्त सभी

23. धनात्मक किरणें समरूप होती हैं–
(a) α–किरणें (b) β–किरणें
(c) γ–किरणें (d) इनमें से कोई नहीं

24. कौन-सा बल प्रकृति में सार्वभौमिक है?
(a) नाभिकीय बल
(b) विद्युत चुम्बकीय बल
(c) दुर्बल बल (d) गुरुत्वीय बल

25. एक आदर्श वोल्टमीटर का प्रतिरोध होता है–
(a) निम्न (b) उच्च
(c) अनन्त (d) शून्य

26. एक भू-अभिनति (Geostationary) उपग्रह का परिक्रमण काल होता है–
(a) 12 घण्टे (b) 24 घण्टे
(c) 6 घण्टे (d) 48 घण्टे

27. प्रकाश तरंगों के संचरण में दोलन की दिशा तथा ध्रुवण दिशा के बीच का कोण है–
(a) 0º (b) 90º
(c) 45º (d) 80º

28. एक विद्युत पंखा बन्द कमरे में चालू किया जाता है। कमरे में वायु–
(a) ठण्डी होगी
(b) गर्म होगी
(c) समान ताप पर रहेगी
(d) ठण्डा या गर्म होना वायुमण्डलीय दाब पर निर्भर करता है

29. एक ठोस गोला समान ऊँचाई परन्तु भिन्न आनति के दो विभिन्न आनत समतलों से लुढ़कता है। इन दिनों स्थितियों में–
(a) नीचे आने की चाल तथा समय समान होंगे
(b) चाल समान होगी परन्तु नीचे आने का समय असमान होगा
(c) चाल असमान होगी परन्तु नीचे आने का समय समान होगा
(d) चाल तथा नीचे आने के समय असमान होंगे

30. जब आप बर्फ के घन बनाते हो, तब जल की एण्ट्रॉपी–
(a) परिवर्तित नहीं होती
(b) बढ़ जाती है
(c) घट जाती है
(d) बढ़ना या घटना प्रयोग की जाने वाली विधि पर निर्भर करता है

31. 273 K ताप तथा वायुमण्डलीय दाब पर बर्फ की स्लैब के पिघलने के दौरान–
(a) बर्फ-जल निकाय द्वारा वायुमण्डल पर किया गया कार्य धनात्मक है
(b) वायुमण्डल द्वारा बर्फ-जल निकाय पर किया गया कार्य धनात्मक है
(c) बर्फ-जल निकाय की आंतरिक ऊर्जा घटती है
(d) उपरोक्त में से कोई नहीं

32. एक मीटर त्रिज्या के एक आवेशित खोखले गोलीय चालक के पृष्ठ पर 1000 वोल्ट का विभव है तब केन्द्र से 1/4 मी दूरी पर विद्युत विभव होगा–
(a) 1000 वोल्ट (b) 500 वोल्ट
(c) 250 वोल्ट (d) शून्य

33. किसी कुण्डली में प्रेरित विद्युत वाहक बल 0.1 सेकण्ड में 1 वेबर से 0.1 वेबर तक परिवर्तित होता है–
(a) 1/9 वोल्ट (b) 0.09 वोल्ट
(c) 1 वोल्ट (d) 9 वोल्ट

34. एक धारावाही सीधे तार से 0.02 मी पर उत्पन्न चुम्बकीय क्षेत्र का मान 10^{-6} W/m² है चालक में प्रवाहित धारा का मान है–
(a) 0.1 A (b) 1 A
(c) शून्य (d) 10 A

35. बोहर त्रिज्याओं का अनुपात है–
(a) 1 : 2 : 3 (b) 2 : 4 : 6
(c) 1 : 4 : 9 (d) 1 : 3 : 5

36. किसी रेडियोधर्मी की अर्ध आयु 2 सेकण्ड तथा 4 परमाणु है तब एक अर्ध आयु के बाद बचे हुए परमाणुओं की संख्या हो सकती है–
(a) 1 (b) 2
(c) 3 (d) 4

37. किसी प्रकाश विद्युत सतह का कार्य फलन 3.3 eV है, उसके लिए देहली आवृत्ति का मान होगा
(a) 8×10^{15} हर्ट्ज (b) 5×10^{16} हर्ट्ज
(c) 4×10^{11} हर्ट्ज (d) 8×10^{10} हर्ट्ज

38. संधारित्र में एकत्र ऊर्जा तथा आवेशित करते समय व्यय ऊर्जा का अनुपात है
(a) 1 : 1 (b) 1 : 2
(c) 1 : 1/2 (d) 2 : 1

39. एक ध्वनि स्रोत 40 किमी/घण्टा के वेग से किसी स्थिर श्रोता की ओर गति करता हुआ 2000 हर्ट्ज आवृत्ति की ध्वनि उत्पन्न करता है। यदि ध्वनि का वेग 1220 किमी/घण्टा है, तो श्रोता द्वारा सुनी गयी आभासी आवृत्ति होगी–
(a) 220 हर्ट्ज (b) 1920 हर्ट्ज
(c) 2068 हर्ट्ज (d) 2086 हर्ट्ज

40. धारिता का क्या मान होगा यदि एक पतली धातु की पट्टिका को दो समानान्तर प्लेट के संधारित्र के मध्य में रख दी जाती है, A = प्लेटों का क्षेत्रफल, *d* = प्लेटों के मध्य दूरी
(a) $\frac{\varepsilon_0 A}{d}$ (b) $\frac{2\varepsilon_0 A}{d}$
(c) $\frac{4\varepsilon_0 A}{d}$ (d) $\frac{\varepsilon_0 A}{2d}$

41. एक आदर्श गैस का वर्ग-माध्य मूल वेग है (जहाँ संकेतों के अर्थ सामान्य हैं)-

(a) $v_{rms} = \sqrt{\frac{3MT}{R}}$

(b) $v_{rms} = \sqrt{\frac{3RT}{M}}$

(c) $v_{rms} = \sqrt{\frac{3RM}{T}}$

(d) $v_{rms} = \sqrt{3RMT}$

42. किस दशा में स्थितिज ऊर्जा घटती है?

(a) स्प्रिंग को संपीडित करने पर

(b) स्प्रिंग को खींचने पर

(c) किसी पिण्ड को गुरुत्वीय बल के विरुद्ध चलाने पर

(d) जल में वायु के बुलबुले के ऊपर उठने पर

43. एक साइकिल गति कर रही है। दोनों पहियों पर पृथ्वी द्वारा लगाया गया घर्षण बल-

(a) अगले पहिये पर पीछे की ओर तथा पिछले पहिये पर आगे की ओर कार्य करता है

(b) अगले पहिये पर आगे की ओर तथा पिछले पहिये पर पीछे की ओर कार्य करता है

(c) दोनों पहियों पर पीछे की ओर कार्य करता है

(d) दोनों पहियों पर आगे की ओर कार्य करता है

44. एक कण एक समान त्वरण में 4 सेकण्ड के प्रथम दो क्रमागत अन्तरालों में 24 मी व 64 मी दूरियाँ तय करता है। उसकी प्रारम्भिक गति है

(a) 1 मी./से.　(b) 10 मी./से.

(c) 5 मी./से.　(d) 2 मी./से.

45. भौतिक राशियाँ प्रेरकत्व, धारिता तथा प्रतिरोध को क्रमशः L, C तथा R से प्रदर्शित किया जा रहा है। आवृति की विमा वाला संयोजन है-

(a) LC　(b) $(LC)^{-1/2}$

(c) L/C　(d) C/L

46. घर्षणरहित क्षैतिज सतह पर रखी L लम्बाई की एक एकसमान रस्सी को एक सिरे से बल F द्वारा खींचा जाता है। इस सिरे से l दूरी पर रस्सी में तनाव होगा-

(a) F　(b) $\frac{l}{L}F$

(c) $\frac{L}{l}F$　(d) $\left(l - \frac{l}{L}F\right)$

47. 1000 मी/से की चाल से एक गोली चलाई जाती है। यदि g = 10 मी/से² है तो बन्दूक का निशाना-

(a) सीधा लक्ष्य की ओर होना चाहिए

(b) लक्ष्य से 5 सेमी ऊपर होना चाहिए

(c) लक्ष्य से 10 सेमी ऊपर होना चाहिए

(d) लक्ष्य से 15 सेमी ऊपर होना चाहिए

48. एक फोटान की ऊर्जा $E = h\nu$ होती है, जहाँ ν कम्पनी संख्या प्रति सेकण्ड व h प्लांक स्थिरांक है। प्लांक स्थिरांक की विमायें हैं-

(a) $[M^0L^0T^0]$　(b) $[ML^2T^{-1}]$

(c) $[ML^2T^{-2}]$　(d) $[ML^2T^{-3}]$

49. एक कण आयाम a की सरल आवर्त गति कर रहा है। जब कण की स्थिजि ऊर्जा उसके दोलन के दौरान अधिकतम मान की एक चतुर्थांश है, तब कण का साम्य स्थिति से विस्थापन होगा-

(a) $a/4$　(b) $a/3$

(c) $a/2$　(d) $2a/3$

50. दो मोल गैस के रुद्धोष्म प्रसार में उसकी आन्तरिक ऊर्जा में 100 जूल का ह्रास हुआ। इस प्रक्रिया में गैस द्वारा किया गया कार्य है-

(a) शून्य　(b) –100 जूल

(c) 200 जूल　(d) 100 जूल

51. किसी गैस की विशिष्ट ऊष्मा-

(a) के केवल दो मान C_p और C_v होते हैं

(b) का मान दिए हुए तापमान के लिए निश्चित होता है

(c) का मान शून्य और अनन्त के बीच कुछ भी हो सकता है

(d) का मान गैस के द्रव्यमान पर निर्भर करता है

52. पानी की अनेक छोटी बूँदें जिनमें प्रत्येक की त्रिज्या r है, मिलकर R त्रिज्या की एक बड़ी बूँद बनाती है। इस घटना में ताप वृद्धि होगी-

(a) $\frac{3T}{RJ}$　(b) $\frac{3T}{rJ}$

(c) $\frac{3T}{J}\left(\frac{1}{r}+\frac{1}{R}\right)$　(d) $\frac{3T}{J}\left(\frac{1}{r}-\frac{1}{R}\right)$

53. एक ही पदार्थ के दो तारों की लम्बाइयों का अनुपात 1 : 2 है तथा उनकी त्रिज्याओं का अनुपात $1:\sqrt{2}$ है। यदि उन्हें समान बल लगाकर खींचा जाये तो उनकी लम्बाइयों में वृद्धि का अनुपात होगा-

(a) $2:\sqrt{2}$　(b) $\sqrt{2}:2$

(c) 1 : 1　(d) 1 : 2

54. पृथ्वी व चन्द्रमा के द्रव्यमान व त्रिज्या क्रमशः M_1, R_1 व M_2, R_2 है। उनके केन्द्रों के बीच की दूरी d है। उनके बीच मध्य बिन्दु से m द्रव्यमान के कण को किस न्यूनतम वेग से प्रक्षेपित करना चाहिए जिससे वह अनन्त पर पहुँच जाएगा-

(a) $2\sqrt{\frac{G}{d}(M_1+M_2)}$

(b) $2\sqrt{\frac{2G}{d}(M_1+M_2)}$

(c) $2\sqrt{\frac{GM}{d}(M_1+M_2)}$

(d) $2\sqrt{\frac{GM}{d}\frac{(M_1+M_2)}{(R_1+R_2)}}$

55. एक दीवार विभिन्न पदार्थों की परन्तु समान मोटाई की दो परतों A व B से बनी हैं। A की ऊष्मा चालकता B से दोगुनी है स्थायी ऊष्मीय साम्यावस्था में दीवार के सिरों का तापान्तर 36°C है। परत A के सिरों का तापान्तर होगा-

(a) 6°C　(b) 12°C

(c) 18°C　(d) 24°C

56. दो पिण्डों के बीच बल, सदैव ....।

(a) समान और विपरीत दिशा में प्रयुक्त होते हैं

(b) समान और एक ही दिशा में प्रयुक्त होते हैं।

(c) असमान और विरुद्ध दिशा में प्रयुक्त होते हैं।

(d) पृथक बल होते हैं।

57. खुले मुँह के बर्तन में 60°C पर वायु भरी है। बर्तन को ताप T तक गर्म करने पर वायु का एक-चौथाई भाग निकल जाता है ताप T का मान है-

(a) 80°C　(b) 444°C

(c) 333°C　(d) 171°C

58. 10 सेमी × 10 सेमी आकार के साबुन की फिल्म बनाने में किये गये कार्य की मात्रा होगी-

(पृष्ठीय तनाव $T = 3 \times 10^{-2}$ न्यूटन/मी)

(a) 6×10^{-4} जूल　(b) 3×10^{-4} जूल

(c) 6×10^{-3} जूल　(d) 6×10^{-2} जूल

59. किसी भू स्थिर उपग्रह को अपनी कक्षा से दूसरी कक्षा में ले जाया जाता है। यदि पृथ्वी के केन्द्र से दूसरी कक्षा की दूरी पहली कक्षा की दूरी से दोगुना हो तो उसका दूसरी कक्षा में आवर्तकाल होगा-

(a) 4.8 घण्टे　(b) $48\sqrt{2}$ घण्टे

(c) 48 घण्टे　(d) 24 घण्टे

60. एक व्यक्ति का लिफ्ट में भार जब स्थिर होता है और जब वह एक समान त्वरण a से नीचे जाती है, का अनुपात 3 : 2 हैं तो a का मान है (g = पृथ्वी का गुरुत्वीय त्वरण)-

(a) $3/2g$　(b) $g/3$

(c) $2/3g$　(d) g

रसायन विज्ञान

61. यदि दो इलेक्ट्रॉनिक स्तरों के बीच ऊर्जा अंतर 46.12 किलोकैलोरी / मोल है, उत्सर्जित प्रकाश की आवृत्ति क्या होगी जब इलेक्ट्रॉन उच्च अवस्था से निम्न अवस्था में आता है?

($N_h = 9.52 \times 10^{-14}$ किलोकैलोरी सेकेंड/मोल जहाँ N = आवोगाद्रो संख्या तथा h प्लांक स्थिरांक है।)

(a) 3.84×10^{14} चक्कर/सेकंड
(b) 4.84×10^{14} चक्कर/सेकंड
(c) 2.34×10^{10} चक्कर/सेकंड
(d) 4.34×10^{10} चक्कर/सेकंड

62. नाभिकस्नेही योगात्मक अभिक्रियाओं के प्रति अधिकतम क्रियाशीलता दर्शाने वाला अम्ल व्युत्पन्न है–

(a) CH_3CONH_2
(b) $(CH_3CO)_2O$
(c) CH_3COCl
(d) CH_3COOR

63. ध्रुवण क्षमता का सही क्रम है–

(a) $Li^+ > Na^+ > K^+ > Rb^+$
(b) $Li^+ > K^+ > Na^+ > Rb^+$
(c) $Na^+ > Li^+ > K^+ > Rb^+$
(d) $Na^+ > Rb^+ > Li^+ > K^+$

64. $Mg(OH)_2$ के लिए K_{sp} 0.4×10^{-11} है तब इस विलयन का pH मान है–

(a) 5 (b) 8.5
(c) 10.3 (d) 12

65. वह स्पीशीज जो लुईस अम्ल की भाँति तो कार्य करती है, परन्तु ब्रॉन्स्टेड अम्ल की भाँति है–

(a) NH_2^- (b) O^{2-}
(c) BF_3 (d) OH^-

66. चारकोल पर ऑक्लेजिक अम्ल के अधिशोषण में चारकोल है–

(a) अधिशोषित (b) अधिशोषण
(c) अधिशोषक (d) अवशोषित

67. निम्नलिखित में से कौन-सा अणुसंख्य गुण धर्म नहीं है?

(a) परासरण दाब
(b) ध्रुवण घूर्णकता
(c) क्वथनांक में उन्नयन
(d) हिमांक में अवनमन

68. सिल्वर के निष्कर्षण में लैड को अशुद्धि के रूप में किस विधि द्वारा पृथक् किया जाता है?

(a) सायनाइड विधि
(b) सोल्वे विधि
(c) पार्क विधि
(d) फेन प्लवन विधि

69. निम्नलिखित में से कौन-सा अपचायक के रूप में कार्य नहीं होता है?

(a) CO_2 (b) SO_2
(c) NO_2 (d) ClO_2

70. सोडियम धातु के सेल किनारे, $a = 4.29$Å के साथ bcc जालक में क्रिस्टलित होती है। सोडियम परमाणु की त्रिज्या होगी–

(a) 1.82 Å (b) 1.86 Å
(c) 1.85 Å (d) 1.80 Å

71. क्रोमिल क्लोराइड परीक्षण निम्न की निश्चितता के लिए किया जाता है–

(a) SO_4^{2-} (b) Cr^{3+}
(c) Cl^- (d) Cr^{3+} तथा Cl^-

72. कैल्शियम कार्बोनेट ($CaCO_3$) बंद पात्र में निम्न प्रकार वियोजित होता है $CaCO_3(s) \rightleftharpoons CaO(s)$; $\Delta H = 11$ किलोजूल, तो कार्बन डाईऑक्साइड का दाब–

(a) बढ़ता है यदि ताप बढ़ाया जाए
(b) बढ़ता है यदि उत्प्रेरक प्रयुक्त किया जाए
(c) घटता है यदि ताप बढ़ाया जाए
(d) बढ़ता है यदि ताप नियत रखने के लिए अक्रिय गैस प्रवाहित की जाती है

73. किसमें कार्बन की उच्चतम प्रतिशतता होगी?

(a) विद्युत अपघटनी तन्त्र
(b) कास्ट आयरन (ढलवाँ लोहा)
(c) स्टील
(d) स्टेनलैस स्टील

74. कौन-से कणों की भेदन क्षमता अधिक है?

(a) α – कणों (b) β – कणों
(c) γ – कणों (d) सभी समान हैं

75. निम्न धातु सतह पर अपने ऑक्साइड से संरक्षित रहती है–

(a) Au (b) Ag
(c) Al (d) Fe

76. जल में ऋणावेशित मिट्टी के निलम्बन को अवक्षेपित होने के लिए किसकी निम्नतम मात्रा आवश्यक होगी?

(a) ऐलुमिनियम क्लोराइड की
(b) पोटैशियम सल्फेट की
(c) सोडियम हाइड्रॉक्साइड की
(d) हाइड्रोक्लोरिक अम्ल की

77. एक धात्विक तत्व का अस्तित्व एक घनीय जालक के रूप में है। इकाई सेल की प्रत्येक भुजा 2.88 Å है, धातु का घनत्व 7.20 ग्राम सेमी.$^{-3}$ है, तो 100 ग्राम धातु में इकाई सेल होगी–

(a) 5.00×10^{22} (b) 5.23×10^{22}
(c) 5.82×10^{23} (d) 5.92×10^{23}

78. किसी अभिक्रिया की कोटि के लिए निम्न में से कौन-सा कथन सत्य है?

(a) यह दर समीकरण में अभिकारकों की मोलर सांद्रताओं के घातों के योग है
(b) यह सदैव एक पूर्ण संख्या है
(c) यह कभी भी शून्य नहीं होती
(d) यह एक सैद्धांतिक परिकल्पना है, जो अभिक्रिया क्रियाविधि में दर ज्ञात करने की चरण अभिक्रिया पर निर्भर करता है

79. बंध ऊर्जाओं का सही अवरोही क्रम है–

(a) $C-C > N-N > O-O > F-F$
(b) $F-F > O-O > N-N > C-C$
(c) $O-O > F-F > N-N > C-C$
(d) $C-C > O-O > N-N > F-F$

80. NF_3, NCl_3, NBr_3 तथा NI_3 लुईस क्षारों की क्षारकता का सही क्रम होगा–

(a) $NF_3 < NCl_3 < NBr_3 < NI_3$
(b) $NCl_3 < NF_3 < NBr_3 < NI_3$
(c) $NCl_3 < NBr_3 < NF_3 < NI_3$
(d) $NI_3 < NF_3 < NCl_3 < NBr_3$

81. वर्ग समतल $[Pt(CN)_4]^{2-}$ आयन में अयुग्मित इलेक्ट्रॉनों की संख्या है–

(a) 2 (b) 1
(c) 0 (d) 3

82. 3*d*-कक्षक के इलेक्ट्रॉन के लिए क्वाण्टम संख्याओं का कौन-सा समूह सही है?

(a) $n = 3, l = 0, m = 0, s = -1/2$
(b) $n = 2, l = 3, m = 0, s = +1/2$
(c) $n = 3, l = 1, m = 0, s = -1/2$
(d) $n = 3, l = 2, m = 1, s = +1/2$

83. क्लोरोबेन्जीन के फीनॉल में परिवर्तन के दौरान होता है–

(a) इलेक्ट्रॉनरागी प्रतिस्थापन
(b) नाभिकरागी प्रतिस्थापन
(c) मुक्त मूलक प्रतिस्थापन
(d) इलेक्ट्रॉनरागी योग

84. ऐमिलोपेक्टिन बहुलक है–

(a) β-D-ग्लूकोस का
(b) α-D-ग्लूकोस का
(c) β-D-फ्रक्टोस का
(d) α-D-फ्रक्टोस का

85. बहुलकों का संघनन होने पर–

(a) तुरन्त ही उच्च अणुभार वाला बहुलक बन जाता है

(b) तुरन्त ही निम्न अणुभार वाला बहुलक बन जाता है

(c) सम्पूर्ण अभिक्रिया के दौरान बहुलक का अणुभार बढ़ता है

(d) ये अपने अणुभार से कोई विशिष्ट सम्बन्ध नहीं दर्शाते हैं।

86. निम्न धातु ऑक्साइडों में से कौन-सा सर्वाधिक क्षारीय है?

(a) ZnO (b) Al_2O_3
(c) As_2O_3 (d) K_2O

87. $^{238}U_{92}$ से $^{206}Pb_{82}$ तक की रेडियोऐक्टिव विघटन श्रेणी में निकलने वाले β-कणों की संख्या है–

(a) 10 (b) 8
(c) 6 (d) 2

88. किसी संकुल में एकदन्तीय लिगेण्डों की संख्या कहलाती है

(a) ऑक्सीकरण संख्या

(b) प्राथमिक संयोजकता

(c) उपसहसंयोजन संख्या

(d) EAN

89. $$CH_3CH_2OH \xrightarrow[\text{पद I}]{Cl_2} CH_3CHO \xrightarrow[\text{पद II}]{3Cl_2} Cl_3CCHO$$

उपरोक्त अभिक्रियाओं, में पद 1 तथा पद II में Cl_2 की भूमिका क्रमशः है–

(a) ऑक्सीकरण, क्लोरीनीकरण

(b) अपचयन, क्लोरीनीकरण

(c) ऑक्सीकरण, योग

(d) अपचयन, प्रतिस्थापन

90. उस अभिक्रिया को पहचानिए, जो वात्या भट्टी में नहीं होती है–

(a) $CaCO_3 \rightarrow CaO + CO_2$

(b) $CaO + SiO_2 \rightarrow CaSiO_3$

(c) $2Fe_2O_3 + 3C \rightarrow 4Fe + 3CO_2$

(d) $CO_2 + C \rightarrow 2CO$

91. हैलोजनों की इलेक्ट्रॉन बन्धुता का सही क्रम है–

(a) $F > Cl > Br > I$

(b) $Cl > F > Br > I$

(c) $Cl > F > I > Br$

(d) $Br > Cl > F > I$

92. धातु कार्बोनिल (कार्बधात्विक) संकुलों में M—C बन्ध होता है–

(a) आयनिक

(b) आयनिक लक्षण के साथ सहसंयोजक

(c) सहसंयोजक

(d) उपसहसंयोजक

93. Fe^{2+} आयनों से युक्त विलयन के MnO_4^- के साथ H^+ आयनों के आधिक्य की उपस्थिति में रेडॉक्स अनुमापन के दौरान, स्थानान्तरित होने वाले इलेक्ट्रॉनों की संख्या है-

(a) 6 (b) 5
(c) 4 (d) 2

94. धातुकर्मिकी प्रक्रम जिसमें धातु गलित अवस्था में प्राप्त होती है, कहलाता है-

(a) प्रगलन (b) भर्जन
(c) निस्तापन (d) झाग प्लवन

95. निम्न में से कौन-सा सही नहीं है?

(a) परमाणुओं का नाभिक, नाभिकीय अभिक्रियाओं में भाग लेता है

(b) $_{20}Ca^{40}$ तथा $_{18}Ar^{40}$ आइसोटॉन है।

(c) 1u द्रव्यमान क्षति लगभग 931.5 MeV के समान होती है

(d) (U^{238}) श्रेणी को $(4n + 2)$ श्रेणी भी कहते हैं।

96. भूरे वलय परीक्षण में, वलय के भूरे रंग का कारण है–

(a) फेरस नाइट्रेट

(b) फेरिक नाइट्रेट

(c) NO तथा NO_2 का मिश्रण

(d) नाइट्रोसोफेरस सल्फेट

97. निम्न में से कौन-सा बेन्जीन के साथ निर्जलीय ऐलुमिनियम क्लोराइड की उपस्थिति में क्रिया करके ऐसीटोफीनॉन देता है?

(a) CH_3Cl (b) CH_3COOH
(c) CH_3CHO (d) CH_3COCl

98. कार्बोक्सिलिक अम्ल जलीय NaOH में घुल जाते हैं। क्योंकि अम्लों का होता है-

(a) प्रोटॉनीकरण

(b) विप्रोटॉनीकरण

(c) कार्बोक्सिलीकरण

(d) विकार्बोक्सिलीकरण

99. NCl_3 का जल-अपघटन, NH_3 तथा X देता है। निम्न में से कौन-सा X है?

(a) $HClO_4$ (b) $HClO_3$
(c) HOCl (d) $HClO_2$

100. इलेक्ट्रॉनों की कमी वाला अणु है?

(a) CCl_4 (b) PCl_5
(c) BF_3 (d) SF_6

101. ClF_3 में उपस्थित संकरण है–

(a) sp^2 (b) sp^3
(c) dsp^2 (d) sp^3d

102. कूलॉम के बल के कार्य करने हेतु परमाणु का न्यूनतम आकार होगा–

(a) 10^{-12} मीटर (b) 10^{-15} मीटर
(c) 10^{-10} मीटर (d) 10^{-8} मीटर

103. निम्न में से किसके साथ ल्यूकस अभिकर्मक सबसे तेजी से क्रिया करता है–

(a) ब्यूटेनॉल-1

(b) ब्यूटेनॉल-2

(c) 2-मेथिल-प्रोपेनॉल-2

(d) 2-मेथिल-प्रोपेनॉल-1

104. सबसे अधिक आयनन ऊर्जा वाला तत्व है–

(a) Na (b) Li
(c) K (d) Rb

105. एक चुम्बक एक अनन्त लम्बाई की खोखली नली में इस प्रकार गिराया जाता है कि चुम्बक की लम्बाई नली के अक्ष के अनुदिश हो, तो–

(a) चुम्बक की चाल बढ़ती चली जायेगी तथा अन्त में नियत हो जायेगी।

(b) चुम्बक की चाल घटती चली जायेगी तथा अन्त में शून्य हो जायेगी।

(c) चुम्बक का त्वरण घटता चला जायेगा तथा फिर नियत हो जायेगा।

(d) चुम्बक नियत त्वरण g से गिरती जायेगी।

106. हाइड्राइड आयन का इलेक्ट्रॉनिक वितरण है–

(a) $1s^0$ (b) $1s^1$
(c) $1s^2$ (d) $1s^1, 2s^1$

107. बैन्जीन में बन्ध क्रम है–

(a) 1 (b) 2
(c) 1.5 (d) इनमें से कोई नहीं

108. HCHO, NH_3 से क्रिया करके देता है–

(a) यूरोट्रोपीन (b) बेकेलाइट
(c) टेरेलीन (d) ग्यालेपटेल

109. निम्न में से कौन-सा डाइअम्ल गर्म करने पर शीघ्रता से ऐनहाइड्राइड देता है?

(a) फ्यूमेरिक अम्ल

(b) मैलेइक अम्ल

(c) मैलिक अम्ल

(d) टेरीथैलिक अम्ल

110. एक विलयन जिसमें 1 ली डाइऑक्सेन में 4 ग्राम पॉलिवाइनिल क्लोराइड बहुलक उपस्थित है, का परासरण दाब 27°C पर 4.1×10^{-4} वायुमण्डल पाया गया। बहुलक का अपेक्षित अणुभार है?

(a) 1500 (b) 10000
(c) 2.4×10^5 (d) 2×10^{12}

111. निम्न में से कौन-सी मोनोईन, ज्यामितीय समावयवता नहीं दर्शाती है?
(a) C_4H_8 (b) C_3H_6
(c) C_5H_{10} (d) C_8H_{16}

112. 10^{-2} M HCl में हाइड्रॉक्सिल आयन सान्द्रता है–
(a) 1×10^{1} मोल डेसीमी$^{-3}$
(b) 1×10^{-12} मोल डेसीमी$^{-3}$
(c) 1×10^{-1} मोल डेसीमी$^{-3}$
(d) 1×10^{-14} मोल डेसीमी$^{-3}$

113. निम्न में से कौन-सा यौगिक जल में विलेय है परन्तु विलयन में कोई ऑक्सी-अम्ल नहीं बनाता है?
(a) SO_2 (b) OF_2
(c) SCl_4 (d) SO_3

114. एक बन्द पात्र में, एक मोल अमोनिया तथा एक मोल हाइड्रोजन क्लोराइड को मिलाने पर अमोनियम क्लोराइड गैस का निर्माण होता है। इस प्रक्रम के लिए–
(a) $\Delta H > \Delta U$
(b) $\Delta H = \Delta U$
(c) $\Delta H < \Delta U$
(d) ΔH व ΔU में कोई सम्बन्ध नहीं है

115. कार्बोनिल यौगिक में हाइड्रॉक्सिल ऐमीन के साथ संघनन पर बनने वाला उत्पाद कहलाता है–
(a) हाइड्रोजाइड (b) ऑक्सिम
(c) हाइड्रेजीन (d) हाइड्रेजोन

116. 7 N HCl का 1 ली विलयन बनाने के लिए, 10 N तथा 4 N HCl के आवश्यक तापमान है–
(a) 10 N HCl का 0.50 ली तथा 4 N HCl का 0.50 ली
(b) 10 N HCl का 0.60 ली तथा 4 N HCl का 0.40 ली
(c) 10 N HCl का 0.80 ली तथा 4 N HCl का 0.20 ली
(d) 10 N HCl का 0.75 ली तथा 4 N HCl का 0.25 ली

117. यदि सामान्य ऐलुमिनियम इलेक्ट्रोड तथा सामान्य हाइड्रोजन इलेक्ट्रोड का युग्म, 1.66 V वि.वा.व. (emf) उत्पन्न करता है, तो Al का मानक विभव है–
(a) – 1.66 V (b) + 1.66 V
(c) – 0.83V (d) + 0.83 V

118. $2SO_2(g)+O_2(g) \xrightarrow{V_2O_5} SO_3$ उदाहरण है–
(a) उदासीनीकरण अभिक्रिया का
(b) समांगी उत्प्रेरण का
(c) विषमांगी उत्प्रेरण का
(d) अनुत्क्रमणीय अभिक्रिया का

119. विलेयता गुणनफल मानों के गलत क्रम का चयन कीजिए–
(a) $CoS > CuS$
(b) $NiS > PbS$
(c) $Fe(OH)_2 > Fe(OH)_2$
(d) $Ni(OH)_2 > Cr(OH)_3$

120. परमाणु क्रमांक 21 वाला तत्व है–
(a) हैलोजन (b) प्रारूपी तत्व
(c) संक्रमण तत्व (d) क्षार धातु

वनस्पति विज्ञान

121. 'फूलिश सीडलिंग' नामक धान की बीमारी से किस हॉर्मोन का पता लगाया गया ?
(a) इथाइलीन (b) जिबरेलिन
(c) ऑक्सिन (d) काइनेटिन

122. दिए गए चित्र में गुणसूत्रीय उत्परिवर्तन का एक प्रकार है। यह उत्परिवर्तन के किस प्रकार को प्रदर्शित करता है?

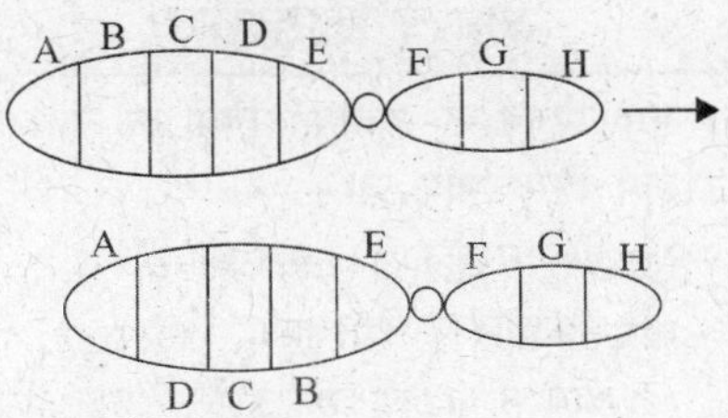

(a) डिलीशन
(b) डुप्लीकेशन
(c) इन्वर्जन
(d) रेसीप्रोकल ट्रांसलोकेशन

123. किस मार्ग से पराग नलिका अण्डाशय (Ovule) में प्रवेश करती है?
(a) निभाग (b) बीजाण्डद्वार
(c) बीजाण्डवृंत (d) ये सभी

124. इकोलॉजी शब्द किसने दिया था?
(a) लिनियस (b) विलियम
(c) ओडम (d) हेकल

125. ह्यूमस किसमें पाई जाती है?
(a) मृदा के सबसे ऊपरी स्तर में
(b) मृदा के मध्य स्तर में
(c) मृदा के गहरे स्तर में
(d) इनमें से कोई नहीं

126. प्रोटीन का सर्वाधिक महत्त्वपूर्ण स्रोत है–
(a) सोयाबीन (b) गेहूँ
(c) चावल (d) चना

127. रेसरपिन नामक एल्केलॉइड निम्न में से किस पौधे से प्राप्त होता है?
(a) अश्वगंधा से (b) ओपियम से
(c) सर्पगंधा से (d) कैनाबिस से

128. कोशिका अंगक, जो केवल पौधों में पाया जाता है–
(a) गाल्जी बॉडी (b) प्लास्टिड (लवक)
(c) माइटोकॉण्ड्रिया (d) राइबोसोम

129. पुष्पीय पौधों में स्टोमेटा खुलने और बंद होने के कारण हैं–
(a) उनकी जेनेटिक बनावट
(b) हॉर्मोन्स का प्रभाव
(c) पत्तियों में गैस का दाब
(d) गार्ड (रक्षक) कोशिकाओं के स्फीति दाब में परिवर्तन

130. परासरण में विसरण होता है–
(a) जल का
(b) विलेय का
(c) स्वतंत्र ऊर्जा का
(d) विलेय तथा विलायक का

131. किस तत्व की कमी से पादप की पत्तियाँ पीले रंग की दिखने लगती हैं?
(a) आयरन (b) सल्फर
(c) कैल्शियम (d) पोटैशियम

132. नील-हरित शैवाल में होता है–
(a) क्लोरोफिल-a (b) क्लोरोफिल-b
(c) दोनों (a) व (b) (d) इनमें से कोई नहीं

133. प्रकाश-संश्लेषण की अंधकार अभिक्रिया को क्या कहते हैं?
(a) एफोटिक एक्शन
(b) ब्लैकमैन क्रिया
(c) एलैक एक्शन
(d) उपरोक्त में से कोई नहीं

134. अनॉक्सी श्वसन होता है–
(a) माइटोकॉण्ड्रिया में
(b) लाइसोसोम में
(c) सायटोप्लाज्म में
(d) केंद्रक में

135. मैलिक डीहाइड्रोजिनेज से कौन-सा पदार्थ बनता है?
(a) मैलिक एसिड
(b) ऑक्जेलो एसिटिक एसिड
(c) सक्सिनिक एसिड
(d) उपरोक्त में से कोई नहीं

136. प्यूनेरिया आधार से जुड़ा होता है–
(a) जड़ द्वारा (b) तने द्वारा
(c) हास्टोरिया द्वारा (d) राइजोइड्स द्वारा

137. भूमि उर्वरता को बढ़ाने के लिए सर्वाधिक लाभदायक पादप समूह कौन-सा है?
(a) लाल शैवाल (b) कवक
(c) टेरिडोफाइट्स (d) जीवाणु

138. माइकोप्लाज्मा होता है–
(a) ग्राम निगेटिव
(b) ग्राम पॉजिटिव
(c) दोनों (a) व (b)
(d) उपरोक्त में से कोई नहीं

139. प्रोमेरिस्टेम कहाँ पाया जाता है?
(a) प्ररोह शीर्ष में (b) भ्रूण में
(c) जड़ शीर्ष में (d) इंटरकेलेरी क्षेत्र में

140. जीन उत्परिवर्तन होता है–
(a) DNA में उपस्थित जींस के क्रम परिवर्तन के कारण
(b) सहलग्नता के कारण
(c) ब्रीडिंग के कारण
(d) नाइट्रोजिनस बेस के क्रम परिवर्तन के कारण

141. पादप कोशिका में कोशिकापंजर निर्मित होता है-
(a) सूक्ष्मनलिकाओं द्वारा
(b) सूक्ष्मतन्तुओं द्वारा
(c) मध्यस्थ तन्तुओं द्वारा
(d) ये सभी

142. पौधों में भोजन का संग्रह होता है-
(a) स्टार्च के रूप में
(b) इन्सुलिन के रूप में
(c) लैक्टोज के रूप में
(d) माल्टोज के रूप में

143. प्रकाश-श्वसन, निम्नलिखित पौधों का अभिलक्षण है-
(a) C_3-पादप
(b) C_4-पादप
(c) वायवीय श्वसन करने वाले पादप
(d) उपरोक्त में से कोई नहीं

144. बहुवर्षीय पौधों में भोजन का संग्रह होता है-
(a) जड़ों में (b) तने में
(c) पत्तियों में (d) फलों में

145. प्रकाश-संश्लेषण हेतु सर्वाधिक प्रभावी रंग है-
(a) लाल (b) नीला
(c) बैंगनी (d) इनमें से कोई नहीं

146. रन्ध्रों के खुलने एवं बन्द होने की क्रिया में जब K^+ आयनों का आगम होता है, तो निम्नलिखित का निर्गम होता है-
(a) Na^+ (b) K^+
(c) Cl^- (d) H^+

147. विटामिन-B_1 का सर्वोत्तम स्रोत है-
(a) सम्पूर्ण गेहूँ की रोटी (whole wheat bread)
(b) कॉड के यकृत का तेल (cod liver oil)
(c) अण्डे (eggs)
(d) दही (curd)

148. साइकस की कोरेलॉएड जड़ों में एनाबीना (नील-हरित शैवाल) पाया जाता है, इस सम्बन्ध को कहते हैं-
(a) सहोपकारिता (b) परजीविता
(c) सहजीविता (d) प्रतिजीविता

149. पौधों में जिंक का मुख्य कार्य क्या है?
(a) नत्रजन का संश्लेषण करना
(b) फास्फोरस का संश्लेषण करना
(c) ट्रिप्टोफॉस संश्लेषण के लिये आवश्यक
(d) बोरान की संक्रियता को बढ़ाना

150. जिन्जिबर ऑफिसिनेल है, एक-
(a) पत्ती (b) रूपांतरित तनें
(c) जड़ (d) रूपांतरित जड़

जन्तु विज्ञान

151. यदि मानव की शुक्रवाहिनियों को काट कर हटा दिया जाए, तो–
(a) वीर्य में शुक्राणु अचल होंगे
(b) शुक्राणुजनन नहीं होगा
(c) वीर्य में शुक्राणु नहीं होंगे
(d) वीर्य में शुक्राणु केंद्रकविहीन होंगे

152. जंतुओं का वृद्धि वक्र किस प्रकार का होता है?
(a) डेल्टा वक्र (b) बीटा वक्र
(c) सिग्मॉइड वक्र (d) एल्फा वक्र

153. आनुवंशिकी शब्द किसने दिया था?
(a) मेण्डल ने (b) बैटसन ने
(c) मॉर्गन ने (d) मिलर ने

154. DNA का रेप्लीकेशन होता है–
(a) $3' \rightarrow 5'$ दिशा में
(b) $5' \rightarrow 3'$ दिशा में
(c) दोनों $3' \rightarrow 5'$ और $5' \rightarrow 3'$ दिशा में
(d) उपरोक्त में से कोई नहीं

155. प्रथम क्लोन भेड़ का क्या नाम है?
(a) काली (b) रोली
(c) डॉली (d) पौली

156. DDT को पेस्टीसाइट की तरह उपयोग में नहीं लिया जाता, क्योंकि–
(a) यह अन्य पेस्टीसाइडों से बहुत कम प्रभावी है
(b) इसकी उत्पादन दर अधिक होती है
(c) जीवों में इसके प्रति तुरंत प्रतिरोध उत्पन्न हो जाता है
(d) यह आसानी से विघटित नहीं होता है

157. सोयाबीन फसल को उगाने के लिए किस जीव को जैव उर्वरक के रूप में इस्तेमाल करते हैं?
(a) नॉस्टॉक (b) एनाबीना
(c) राइजोबियम (d) एजोटाबैक्टर

158. ELISA का पूरा नाम लिखिए–
(a) एन्जाइम लिंक्ड आयन सोर्वेंट एसे
(b) एन्जाइम लिंक्ड इम्युनो सोर्वेंट एसे
(c) एन्जाइम लिंक्ड इन्डकक्टि सोर्वेंट एसे
(d) उपरोक्त में से कोई नहीं

159. जनसंख्या में व्यक्तियों के आगमन को क्या कहते हैं?
(a) विदेशवास (b) प्रवर्जन
(c) देशांतरागमन (d) दोनों (a) व (c)

160. आर्थ्रोपोडा का जंतु कौन-सा है?
(a) जोंक (b) नेरीस
(c) दीमक (d) ऑक्टोपस

161. हेमीकॉर्डेटा में रुधिर परिसंचरण तंत्र होता है–
(a) खुला (b) बंद
(c) कम विकसित (d) अनुपस्थित

162. मास्ट कोशिकाएँ स्त्रावित करती है–
(a) सीरोटोनिन (b) हिपैरिन
(c) हिस्टामिन (d) ये सभी

163. सरीसृप व पक्षियों को जोड़ने वाली कड़ी किसे माना जाता है?
(a) डिप्नोई (b) स्फीनोडॉन
(c) कीवी (d) आर्किऑप्टेरिक्स

164. दुग्ध प्रोटीन है–
(a) रेनिन (b) गैलेक्टोज
(c) केसीन (d) प्रोसीन

165. कोशिकीय श्वसन के दौरान उत्पन्न ऊर्जा कहाँ संगृहित की जाती है?
(a) केंद्रक (b) ATP
(c) जीवद्रव्य (d) सायटोप्लाज्म

166. स्फिग्मोमैनोमीटर के द्वारा नापा जाता है–
(a) हृदय स्पंदन दर (b) नाड़ी दर
(c) रक्तदाब (d) तंत्रिका आवेग दर

167. अमीबा में मनुष्य के वृक्क के समान (कार्य में) संरचना है–

(a) नाभिक
(b) प्लाज्मोडेस्मेटा
(c) प्लाज्मा झिल्ली
(d) संकुचनशील रिक्तिका

168. मानव में कितनी कशेरुकाएं होती हैं?
(a) 31 (b) 32
(c) 33 (d) 34

169. ताप नियंत्रक केंद्र किस भाग में स्थित होता है?
(a) मेरुरज्जु (b) सेरेबेलम
(c) पीयूष संधि (d) हाइपोथैलेमस

170. थायरॉक्सिन स्रावित होता है–
(a) थाइरॉइड से (b) वृषण से
(c) अधिवृक्क से (d) पीयूष ग्रंथि से

171. असुरक्षित पेयजल एवं बुरी सफाई द्वारा विकासशील देशों में उत्पन्न तीन संचरणीय रोग हैं-
(a) तीव्र प्रवाहिका, कैंसर तथा गाउट
(b) मलेरिया, तीव्र प्रवाहिका तथा सिस्टोसोमियासिस
(c) आन्कोसर्कता, ल्यूकीमिया तथा ऑर्थराइटिस
(d) कमेटिज्म, मलेरिया तथा एड्स

172. निम्नलिखित में से कौन पोटैशियम अल्पता से सम्बद्ध है?
(a) गुर्दा क्षति तथा पेशीय लकवा
(b) निम्न रक्तचाप
(c) रक्ताल्पता
(d) जोड़ों का दर्द तथा धूमिल दृष्टि

173. शल्यक्रिया में आर्थो प्लास्टी क्या है?
(a) ओपेन हार्ट सॅर्जरी
(b) गुर्दा प्रत्यारोपण
(c) कूल्हे के जोड़ का प्रतिस्थापन
(d) रुधिर आदान

174. आनुवांशिक अभियंत्रण के निम्नलिखित प्रभावों पर विचार कीजिए-
1. रोग प्रतिरोध
2. वृद्धिवर्धन
3. जन्तु क्लोनिंग
4. मानव क्लोनिंग
उपर्युक्त में जो कुछ सफलता के साथ परीक्षित किए गए वे हैं-
(a) 1, 3 तथा 4 (b) 2, 3 तथा 4
(c) 1, 2 तथा 4 (d) 1, 2 तथा 3

175. जिस विटामिन में कोबाल्ट होता है, वह है-
(a) b_1 (b) b_2
(c) b_6 (d) b_{12}

176. सूची-I को सूची-II के साथ सुमेलित कीजिए तथा सूचियों के नीचे दिए गए कूट का प्रयोगकर सही उत्तर चुनिए-

सूची-I (रेडियो समस्थानिक)	सूची-II (निदानसूचक उपयोग)
A. आर्सेनिक-74	1. थॉयराइड ग्रन्थि की सक्रियता
B. कोबाल्ट-61	2. रक्त व्यतिक्रम
C. आयोडीन-131	3. ट्यूमर
D. सोडियम-24	4. कैंसर

कूट :

	A	B	C	D
(a)	1	2	3	4
(b)	4	3	1	2
(c)	3	4	1	2
(d)	4	3	2	1

177. हीमोग्लोबिन के बारे में निम्न कथनों पर विचार कीजिए-
1. इसमें लौह होता है।
2. यह रक्त में ऑक्सीजन का वाहक है।
3. यह रक्त को लाल रंग प्रदान करता है।
4. यह कुछ रोगों के प्रति प्रतिरक्षा प्रदान करता है।
इन कथनों में से सही विकल्प चुनिए-
(a) 1, 2 तथा 4 सही है।
(b) 1, 2 तथा 3 सही है।
(c) 2, 3 तथा 4 सही है।
(d) 1, 3 तथा तथा 4 सही है।

178. प्रकाशीय सजावट तथा विज्ञापन के लिए विसर्जन नलिकाओं में प्रयुक्त होने वाली गैस है-
(a) कार्बन डाइ ऑक्साइड
(b) अमोनिया
(c) सल्फर-डाइ ऑक्साइड
(d) निऑन

179. "इंडियन इन्स्टीट्यूट ऑफ नेचुरोपैथी एण्ड यौगिक साइंस" स्थित है-
(a) पुणे में (b) लखनऊ में
(c) हैदराबाद में (d) बंगलौर में

180. लैसर बीम का उपयोग होता है-
(a) कैंसर चिकित्सा में
(b) हृदय की चिकित्सा में
(c) आंख की चिकित्सा में
(d) गुर्दे की चिकित्सा में

General English

181. In the following question, out of the four alternatives, select the alternative which best expresses the meaning of the idiom/phrase.
To bend over backwards
(a) To accommodate every unreasonable request usually without getting anything back
(b) Stepping away from an unpleasant situation
(c) To make every effort to achieve something, especially to be fair or helpful
(d) Submitting oneself completely to a higher authority

182. In the following question, a sentence has been given in Active/Passive voice. Out of the four alternatives suggested, select the one which best expresses the same sentence in Passive/Active voice.
The office boy vacuums and dusts the office every morning.
(a) Every morning the office was vacuumed and dusted by the office boy.
(b) Every morning the office had been vacuumed and dusted by the office boy.
(c) Every morning the office is vacuumed and dusted by the office boy.
(d) Every morning the office has been vacuumed and dusted by the office boy.

183. In the following question, out of the four alternatives, select the alternative which is the best substitute of the phrase.
Feeling or showing deep and solemn respect.
(a) Pious (b) Reverent
(c) Humble (d) Devout

184. In the following question, the sentence given with blank is to be filled in with an appropriate wor(d). Select the correct alternative out of the four and indicate it by selecting the appropriate option.
I have been paying taxes for the past five years, yet I do not have the .... to vote as I am not a citizen.
(a) authority (b) responsibility
(c) right (d) claim

185. Select the antonym of 'to chuckle'.
(a) to snicker (b) to guffaw
(c) to lament (d) to chortle

186. In the following question, out of the four alternatives, select the alternative which is the best substitute of the phrase.
To declare invalid an official agreement, decision or result.
(a) To annul (b) To negate
(c) To efface (d) To undo

187. Rearrange the parts of the sentence in the correct order.
This may sound like
P-the actual problem
Q-at the scale of
R-a lot, until one looks
(a) QRP (b) RQP
(c) PRQ (d) PQR

188. In the following question, some part of the sentence may have errors. Find out which part of the sentence has an error and select the appropriate option. If a sentence is free from error, select 'No Error'. Which part of the sentence has an error?
Ajay glanced up (A)/at her laughing(B)/ and watched her intently. (C) No error (D)
(a) A (b) B
(c) C (d) D

189. In the following question, the sentence given with blank is to be filled in with an appropriate word. Select the correct alternative out of the four and indicate it by selecting the appropriate option.
I didn't know he had such a/an .... collection of books.
(a) sweeping (b) major
(c) elaborate (d) extensive

190. Select the synonym of 'Caricature'.
(a) adulation (b) eulogy
(c) cartoon (d) hokum

सामान्य ज्ञान

191. हमारी पृथ्वी का सन्निकट परिमाप है–
(a) 25000 किमी. (b) 30000 किमी.
(c) 20000 किमी. (d) 13000 किमी.

192. निम्नलिखित में से किसने 'टका' (Takka) नामक चांदी का सिक्का चलाया था?
(a) अलाउद्दीन खिलजी
(b) कुतुबुद्दीन ऐबक
(c) इल्तुतमिश
(d) बलबन

193. महाकुंभ 2025 का आयोजन किस शहर में हो रहा है?
(a) हरिद्वार (b) उज्जैन
(c) नासिक (d) प्रयागराज

194. भारतीय सेवा का तोपखाना प्रशिक्षण केंद्र कहाँ स्थित है?
(a) अम्बाला (b) पुणे
(c) दिल्ली (d) चेन्नई

195. एक धर्म-निरपेक्ष राज्य वह है–
(a) जिसके नागरिकों की धार्मिक भावनाएँ हैं
(b) जो धर्म के विरुद्ध है
(c) जो धर्महीन है
(d) जिसका स्वयं का कोई धर्म नहीं है

196. सरदार सरोवर बाँध किस नदी पर बनाया जा रहा है?
(a) नर्मदा (b) ताप्ती
(c) खेतड़ी (d) नेयवली

197. हेनले पासपोर्ट इंडेक्स 2025 के अनुसार भारत की पासपोर्ट रैंकिंग क्या है?
(a) 80वें स्थान (b) 82वें स्थान
(c) 85वें स्थान (d) 83वें स्थान

198. 'नरेंद्र मोदी-द मैन, द टाइम्स' नामक पुस्तक लिखी गई है–
(a) डॉ. अजय शर्मा द्वारा
(b) प्रो. चमनलाल द्वारा
(c) किंगशुक नाग द्वारा
(d) नीलांजन मुखोपाध्याय द्वारा

199. पुरापाषाण काल में आदिमानव के मनोरंजन का साधन था–
(a) शिकार (b) जुआ
(c) संगीत (d) घुड़सवारी

200. 'ऑपरेशन फ्लड' कार्यक्रम का सम्बंध है–
(a) मृदा संरक्षण से
(b) बाढ़ नियंत्रण से
(c) दुग्ध आपूर्ति बढ़ाने से
(d) बाढ़ पीड़ितों हेतु कोष एकत्र करने से

व्याख्या सहित उत्तर

भौतिक विज्ञान

1. (a) आवर्तकाल, $T = \frac{t}{n} = \frac{40}{20} = 2$ सेकेंड

समय मापने में भिन्नातमक त्रुटि होगी

$$\frac{\Delta T}{T} = \frac{\Delta t}{t} = \frac{1}{40}$$

∴ आवर्तकाल मापने में त्रुटि होगी

$$\Delta T = T \times \frac{\Delta t}{t}$$

अत: $= 2 \times \frac{1}{40} = \frac{1}{20} = 0.05$ सेकेण्ड

2. (a) $x = 2 - 5t + 6t^2$

अर्थात्

$$v = \frac{dx}{dt}$$

$$\Rightarrow v = \frac{d(2 - 5t + 6t^2)}{dt}$$

$\Rightarrow v = -5 + 12t$

आरंभ में, $t = 0$ रखने पर

∴ $v = -5$ मी/से

3. (a) ट्रेन की विपरीत दिशा में पार करने में लगा समय

$$= \frac{l_1 + l_2}{v_1 + v_2}$$

यहां l_1 = ट्रेन की लम्बाई = 120 मी, $l_2 = 0$

v_1 = ट्रेन का वेग = 10 मी/से.

v_2 = मोटर साइकिल का वेग = 5 मी/से

$$t = \frac{120 + 0}{10 + 5} = \frac{120}{15} = 8 \text{ सेकण्ड}$$

4. (a) अभिदृश्यक लेन्स के कारण वस्तु के प्रतिबिम्ब में m_1 गुना आवर्धन होगा और नेत्रिका के कारण, अभिदृश्यक से आवर्धन प्रतिबिम्ब में पुन: m_2 गुना आवर्धन होगा। अत: सूक्ष्मदर्शी की आवर्धन क्षमता $= m_1 \times m_2$

5. (c) माना पट्टिका की मोटाई t है एवं वायु के बुलबुले की सिरे से दूरी x है।

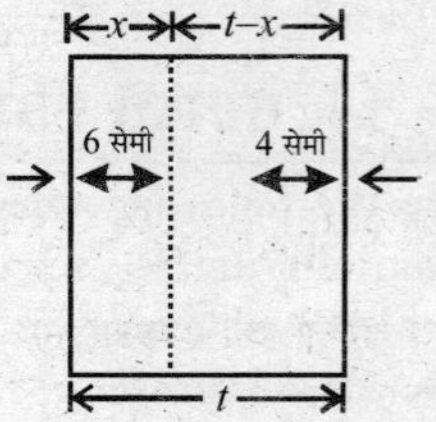

भाग (1) से देखने पर

$$1.5 = \frac{x}{6} \Rightarrow x = 9 \text{ सेमी}$$

भाग (2) से देखने पर

$$1.5 = \frac{(t - x)}{4} = 1.5 = \frac{(t - 9)}{4}$$

$t = 15$ सेमी

6. (c) $P = \frac{W}{t} = \frac{F \times x}{t} = Fu$

$$\left(\because \frac{x}{t} \text{ स्थिर}\right)$$

$F = ma$ तथा $u = at$

इसलिए, a^2t = नियतांक

$$s = \frac{1}{2}at^2$$

$$\therefore s^2 = \frac{1}{2}a^2t^4 = \frac{1}{4}a(^2t)t^3$$

अथवा $s^2 \propto t^3$ अथवा $s^2 \propto t^{3/2}$

7. (c) वृत्तीय पथ की त्रिज्या $(r) = 10$ मी

कार की चाल $(v) = 10$ मी/से

इसलिए, $\tan\theta = \frac{v^2}{rg}$

$\Rightarrow \tan\theta = \dfrac{(10)^2}{10\times 10}$

$\Rightarrow \theta = \tan^{-1}(1)$

$\therefore \theta = 45°$

8. (c) किया गया कार्य अन्तिम स्थितिज ऊर्जा – प्रारंभिक स्थितिज ऊर्जा

$= 3\left(-\dfrac{Gm^2}{2a}\right) - 3\left(-\dfrac{Gm^2}{a}\right) = \dfrac{3}{2}\dfrac{Gm^2}{a}$

9. (c)

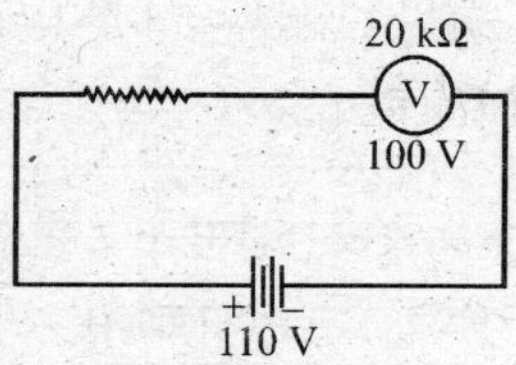

वोल्टमीटर के सिरों पर विभवान्तर = 5V

$\therefore$ परिपथ में धारा, $i = \dfrac{5}{20\times 10^3}$

$= 0.25 \times 10^{-3}$ A

प्रतिरोध R के सिरों पर विभान्तर

$V_1 = 110 - 5 = 105$ V

अत: $R = \dfrac{V_1}{i} = \dfrac{105}{0.25\times 10^{-3}}$

$= 420 \times 10^3$

$= 420\ \Omega$

10. (c) इसके कारण यह है कि तवे तथा बूँद के बीच एक जल की वाष्प की तह बन जाती है जो ऊष्मा चालन को रोकती है।

11. (c) त्वरण $(a) = 12$ सेमी/से^{2}

विस्थापन $(y) = 3$ सेमी

इसलिए,

$a = \omega^2 y \Rightarrow \omega^2 = \dfrac{a}{y}$

$\Rightarrow \omega^2 = \dfrac{12}{3} \Rightarrow \omega^2 = 4$

$\Rightarrow \omega = 2$ सेकेंड $^{-1}$

$\therefore T = \dfrac{2\pi}{\omega} = \dfrac{2\times 3.14}{2} = 3.14$ सेकेंड

12. (a) माध्यम में प्रकोश की चाल है

$= 1.5 \times 10^8$ मी/से

$n = \dfrac{3.0\times 10^8}{1.5\times 10^8} = 2 \qquad \left(\because n = \dfrac{c}{v}\right)$

$\Rightarrow \sin c = \dfrac{1}{n} \Rightarrow \sin c = \dfrac{1}{2}$

$\Rightarrow c = \sin^{-1}\left(\dfrac{1}{2}\right)$

$\therefore c = 30°$

13. (a) $n = 1.55$

$f = 20$ सेमी

$\dfrac{1}{f} = (n-1)\left(\dfrac{1}{R_1} - \dfrac{1}{R_2}\right)$

$R_1 = +R$

$R_2 = -R$

$\dfrac{1}{f} = (n-1)\left(\dfrac{1}{R} + \dfrac{1}{R}\right) = \dfrac{2(n-1)}{R}$

$\therefore$ वक्रता त्रिज्या होगी $R = 2(n-1)f$

$= 2(1.55 - 1) \times 20 = 22$ सेमी

14. (b) $p = 4 \times 10^{-9}$ कूलॉम-सी$E = 5 \times 104$ न्यूटन/कूलॉम

$\theta = 30°$

अत: $\tau = pE\sin\theta$

$\Rightarrow \tau = 4 \times 10^{-9} \times 5 \times 10^4 \times \sin 30°$

$\therefore \tau = 10^{-4}$ न्यूटन-मी

15. (c) किसी बन्द परिपथ में प्रेरित धारा की दिशा का निर्धारण लेन्ज के नियम से किया जाता है।

16. (a) प्रत्येक अर्द्धवृत्ताकार भाग का प्रतिरोध,

$R' = \pi R = d$

ये दोनों अर्द्धवृत्ताकार भाग समान्तर क्रम में होंगे, अत: तुल्य प्रतिरोध

$\dfrac{1}{R_{eq}} = \dfrac{1}{R'} + \dfrac{1}{R'} \quad R_{eq} = \dfrac{\frac{R}{2}\times\frac{R}{2}}{\frac{R}{2}+\frac{R}{2}} = \dfrac{R}{4}$

17. (d) ओम के नियम के अनुसार,

$V \propto I$

$V = IR$

18. (c) $V_P = 2300$ वोल्ट

$V_S = 230$ वोल्ट

$N_P = 4000$

अत:

$\dfrac{V_S}{V_P} = \dfrac{N_S}{N_P}$

$\therefore N_S = \dfrac{V_S}{V_P} \times N_P$

$= \dfrac{230}{2300} \times 4000 = 400$ फेरे

19. (a) $\beta = 30, R_L = 4$किलो ओम

$R_{in} = 400$ ओम

उभयनिष्ठ-उत्सर्जक प्रवर्धक में,

$A_v = \beta\left(\dfrac{R_L}{R_{in}}\right)$

$\Rightarrow A_v = 30 \times \dfrac{4000}{400}$

$\therefore A_v = 300$

20. (a) प्रश्नानुसार, $T_{1/2} = 4$ दिन

अर्द्ध-आयु कालों की संख्या, $n = \dfrac{12}{4} = 2$

$\Rightarrow m = m_0\left(\dfrac{1}{2}\right)^n$

$\Rightarrow m = 100 \times \left(\dfrac{1}{2}\right)^3$

$\therefore m = 12.5$ ग्राम

इसलिए द्रव्यमान में कमी का मान होगा

$= m_0 - m = 100 - 125 = 87.5$ ग्राम

21. (a) p-n सन्धि में, ऊष्मीय विक्षोभ के कारण सन्धि के आर-पार बहुसंख्यक आवेश वाहकों का विसरण प्रारम्भ हो जाता है। n क्षेत्र से कुछ इलेक्ट्रॉन p क्षेत्र में तथा p क्षेत्र से कुछ कोटर n क्षेत्र में विसरित हो जाते हैं विसरण के पश्चात् ये आवेश बाह्य वाहक अपने-अपने पूरकों से मिलकर परस्पर उदासीन हो जाते हैं इस प्रकार p-n सन्धि में चालन का संचालन बहुसंख्यक वाहक होते हैं।

22. (d)1 amu (or 1u)

$= 1.6605402 \times 10^{-27}$ kg

$= 1.6605402 \times 10^{-24}$ g

यदि $m = 1$ amu, $c = 3 \times 10^8$ m/s

तब E = 931 MeV

23. (a) धनात्मक किरणों तथा α-किरणों पर आवेश समान होता है, जबकि He का द्रव्यमान $= 2\times$ प्रोटॉन का द्रव्यमान अत: धनात्मक α–किरणों के अधिक समरूप होती है।

24. (b) विद्युत चुम्बकीय बल प्रकृति में सार्वभौमिक है।

25. (c)अधिक प्रतिरोध का वोल्टमीटर सही पाठ्यांक देता है एक वोल्टमीटर आदर्श वोल्टमीटर कहा जाता है तब इसका प्रतिरोध अनन्त होता है।

26. (b) भू-अभिनति उपग्रह का परिक्रमण काल, पृथ्वी के अपनी अक्ष के परित: घूमने के काल T = 24 घण्टे के बराबर होना चाहिये।

27. (a) दोलन का तल संचरण की दिशा के लम्बवत् होता है तथा ध्रुवण तल के भी लम्बवत होता है। अत: ध्रुवण तल तथा संचरण की दिशा के बीच कोण 0° है।

28. (b) जब विद्युत पंखे को चालू किया जाता है, तो विद्युत ऊर्जा यांत्रिक ऊर्जा में परिवर्तित हो जाती है जो कि तुरन्त ऊष्मीय ऊर्जा में परिवर्तित हो जाती है। इसका कारण यह है कि बन्द कमरे में घूमता हुआ पंखा कमरे में कणों की स्थानान्तरीय ऊर्जा को बढ़ा देता है अत: कमरे का ताप बढ़ जाता है।

29. (b) शुद्ध लुढ़कन गति में, यांत्रिक ऊर्जा संरक्षित रहती है। अत: जब आनत समतलों की ऊँचाईयाँ समान हैं, तब दोनों स्थितियों में गोले की चाल समान रहेगी। परन्तु चूँकि समतल पर नीचे की ओर त्वरण $a \propto \sin\theta$, अत: त्वरण तथा नीचे आने के समय असमान होंगे।

30. (c) एण्ट्रापी निकाय की अव्यवस्था (disorder) की माप है। बर्फ के घन जमने पर व्यवस्था बढ़ती है। अथवा अव्यवस्था घटती है। अत: एण्ट्रापी घटती है।

31. (b) जब 273K पर बर्फ की एक स्लैब पिघलती है, तब जल का आयतन बर्फ के आयतन से कम होता है अर्थात् आयतन घटता है। अत: बर्फ जल निकाय द्वारा किया गया कार्य ऋणात्मक है अर्थात् वायुमण्डल द्वारा बर्फ-जल निकाय पर धनात्मक कार्य किया जाता है। यह बर्फ-जल निकाय की आंतरिक ऊर्जा बढ़ा देता है।

32. (a) चालक आवेशित गोले के भीतर विद्युत क्षेत्र शून्य होता है और उसके सभी बिन्दुओं पर विभव समान रहता है जो सतह के विभव के बराबर होता है। अत: केन्द्र से $\frac{1}{4}$ मी की दूरी पर विभव का मान 1000 वोल्ट होगा।

33. (d) प्रेरित विद्युत वाहक बल $e = -\frac{d\phi}{dt} = \frac{\phi_2 - \phi_1}{dt}$

$$\frac{1-0.1}{0.1} = 9 \text{ वोल्ट}$$

34. (a) अनन्त लम्बाई के चालक के लिये चुम्बकीय बल

$$B = \frac{\mu_0}{4\pi} \times \frac{2i}{a}$$

$$(10^{-6}) = \frac{10^{-7} \times 2 \times i}{0.02}$$

या $i = 0.1\,A$

35. (c) n वीं बोहर कक्षा की त्रिज्या (हाइड्रोजन तथा हाइड्रोजन जैसे परमाणु के लिये)

$$r_n = 0.53 \frac{n^2}{2} \text{ Å}$$

∴ त्रिज्याओं का अनुपात $= (1)^2 : (2)^2 : (3)^2 = 1 : 4 : 9$

36. (b) समयान्तराल जिसमें रेडियोधर्मी पदार्थ का द्रव्यमान या अर्ध आयु के बाद बचे हुए परमाणुओं की संख्या,

$$N = \frac{N_0}{2}$$

इसलिए, यहाँ $N = \frac{4}{2} = 2$

37. (a) $E = h\nu$

$$3.3 \times 1.6 \times 10^{-19} = 6.6 \times 10^{-34} \times \nu$$

$$\nu = \frac{3.3 \times 16 \times 10^{-19}}{6.6 \times 10^{-34}}$$

$$= 0.8 \times 10^{15}$$

38. (d) संधारित्र की आधी ऊर्जा = आवेशित करते समय क्षय ऊर्जा

$$\text{अत:} \quad \frac{\text{संधारित्र में एकत्रित ऊर्जा}}{\text{आवेशित करते समय क्षय ऊर्जा}} = \frac{2}{1}$$

39. (c) आभासी आवृत्ति, $n' = n\left(\frac{v}{v - v_s}\right)$

$$= \frac{2000 \times 1220}{(1220 - 40)}$$

$$= 2068 \text{ हर्ट्ज}$$

40. (a) जब धातु की पट्टी संधारित्र के मध्य रख दी जाती है तो प्लेटों के बीच धारिता,

$$C = \frac{\varepsilon_0 A}{(d - t)}$$

यहाँ प्लेट बहुत पतली है इसीलिये

$$C = \frac{\varepsilon_0 A}{d} \qquad (\because t \to 0)$$

41. (b) गैसों के अणुगति सिद्धान्त के अनुसार

$$P = \frac{MNv_{rms}^2}{3V}$$

या $3pV = MNv^2_{rms}$

या $3RT = MNv^2_{rms}$

(गैस समीकरण $pV = RT$ से)

या $3RT = Mv^2_{rms}$

$\Rightarrow \quad v_{rms} = \sqrt{\frac{3RT}{M}}$

42. (d) प्रत्येक वस्तु अपनी न्यूनतम स्थितिज ऊर्जा में आने की प्रवृत्ति रखती है। पानी में हवा का बुलबुला भी इसी सिद्धान्त पर कार्य करता है तथा ऊपर उठकर अपनी स्थितिज ऊर्जा को न्यूनतम रखता है। अत: जल में वायु के बुलबुले के ऊपर उठने से स्थितिज ऊर्जा का ह्रास होता है।

43. (a) साइकिल को गतिमान रखने हेतु पैडलिंग आवश्यक है। अत: एक बल निश्चित रूप से साइकिल पर कार्य करेगा। अब पृथ्वी और पिछले पहिये के स्पर्श बिन्दु पर लगने वाले बल की दिशा पीछे की ओर तथा घर्षण की दिशा आगे की ओर होगी जबकि अगले पहिये पर घर्षण पीछे की ओर कार्य करेगा।

44. (a) $\because s = ut + \frac{1}{2}at^2$

$t = 4$ सेकण्ड पर, $s = 24$ मी

$24 = 4u + \frac{1}{2}a(4)^2$

या $8a = 4u = 24$

या $2a = u = 6$ ....(i)

$t = 8$ सेकण्ड पर, $s = 24 + 64 = 88$ मी

$\therefore \quad 8 = 8u + \frac{1}{2}a(8)^2$

या $32a + 8u = 88$

या $4a + u = 11$

समी (i) व (ii) को हल करने पर

$u = 1$ मी/से

45. (b) L-C-R परिपथ की अनुवादी आवृत्ति

$$f = \frac{1}{2\pi\sqrt{LC}}$$

आवृत्ति की विमायें $= \frac{1}{\sqrt{LC}}$ की विमायें

$= (LC)^{-1/2}$ की विमायें

46. (d) माना रस्सी की एकांक लम्बाई का द्रव्यमान m है, तब कुल

लम्बाई L का द्रव्यमान = mL

∴ आरोपित बल $F = (mL)\,a$

या $a = \frac{F}{mL}$

अत: रस्सी के सिरे से l दूरी पर तनाव

= लम्बाई $(L - l)$ पर कार्यरत बल

अर्थात् $T = m(L - l)\,a = \frac{m(L-l)F}{mL}$

$$= \left(1 - \frac{l}{L}\right)F$$

47. (b) गोली द्वारा लक्ष्य तक पहुँचने में लिया गया समय

$$= \frac{100}{100} = 0.1 \text{ सेकण्ड}$$

अत: गोली द्वारा चली गयी ऊर्ध्वाधर दूरी

$$s = ut + \frac{1}{2}gt^2$$

$$= 0 \times (0.1) + \frac{1}{2} \times 10 \times (0.1)^2$$

$= 0.05$ मी $= 5$

अर्थात् बन्दूक को लक्ष्य से 5 सेमी ऊपर साधना चाहिए।

48. (b) $\because \quad E = h\nu$ या $h = \frac{E}{\nu}$

अत: h की विमायें $= \frac{E \text{ की विमायें}}{\nu \text{ की विमाये}}$

$$= \frac{[ML^2T^{-2}]}{[M^0L^0T^{-1}]} = [ML^2T^{-1}]$$

49. (c) सरल आवर्त गति करते हुए कण की स्थितिज ऊर्जा

$$= \frac{1}{2}m\omega^2 y^2$$

अधिकतम स्थितिज ऊर्जा $\frac{1}{2}m\omega^2 a^2$

दिया है $U = \frac{1}{4}U_{max}$

$$\therefore \quad \frac{1}{2}m\omega^2 y^2 = \frac{1}{4}\frac{1}{2}m\omega^2 a^2$$

$$\Rightarrow \quad y = \pm\frac{a}{2}$$

50. (d) ऊष्मागतिकी के प्रथम नियम से

$$dQ = dU + dW$$

रुद्धोष्म प्रसार में $dQ = 0$

$dW = -dU = -(-100)$ जूल

$= 100$ जूल

51. (a) गैस की केवल दो विशिष्ट ऊष्मायें होती हैं

(1) समान आयतन पर (C_v)

(2) समान दाब पर (C_p)

52. (d) माना n छोटी बूँदें मिलकर एक

$$\frac{4}{3}\pi r^3 \cdot n = \frac{4}{3}\pi R^3 \Rightarrow n = \frac{R^3}{r^3}$$

∴ पृष्ठीय क्षेत्र में वृद्धि $\Delta A = 4\pi r^2 n - 4\pi R^2$

$$\Delta A = 4\pi r^2 \frac{R^3}{r^3} - 4\pi R^2$$

$$= 4\pi r^2\left(\frac{1}{r} - \frac{1}{R}\right)$$

किया गया कार्य $W = T\Delta A$ ...(i)

परन्तु $W = JH = ms\,\Delta\theta J$ ...(ii)

सभी (i) व (ii) से $m\Delta\theta qJ = T\Delta A$

($\because s = 1$)

$$\therefore \quad \Delta\theta = \frac{T\Delta A}{mJ}$$

$m = \frac{4}{3}\pi R^3$ तथा ΔA का मान रखने पर

अर्थात् $$\Delta\theta = \frac{T \cdot 4\pi R^3\left(\frac{1}{r} - \frac{1}{R}\right)}{\frac{4}{3}\pi R^3 J}$$

या $$\Delta\theta = \frac{3T}{J}\left(\frac{1}{r} - \frac{1}{R}\right)$$

53. (c) यंग प्रत्यास्थता गुणांक

$$Y = \frac{mgL}{\pi r^2 l}$$

समान पदार्थ तथा समान आरोपित बल से खींचे गये तारों के लिए

$$\frac{l_1}{l_2} = \frac{L_1 r_2^2}{L_2 r_1^2}$$

दिया है– $\frac{L_1}{L_2} = \frac{1}{2}, \frac{r^1}{r^2} = \frac{1}{\sqrt{2}}$

$$\therefore \quad \frac{l_1}{l_2} = \frac{1}{2} \times \frac{2}{1} = 1:1$$

54. (a) किस पिण्ड के पलायन के लिए

गतिज ऊर्जा = स्थितिज ऊर्जा

या $$\frac{1}{2}mv^2 = \frac{GM_1}{d/2} + \frac{GM_2 m}{d/2}$$

या $$v^2 = \frac{4G}{d}(M_1 - M_2)$$

या $$v = 2\sqrt{\frac{G(M_1 + M_2)}{d}}$$

55. (b) समान्तर फलकों के बीच प्रवाहित ऊष्मा

$$Q = \frac{KA\Delta\theta}{d}t$$

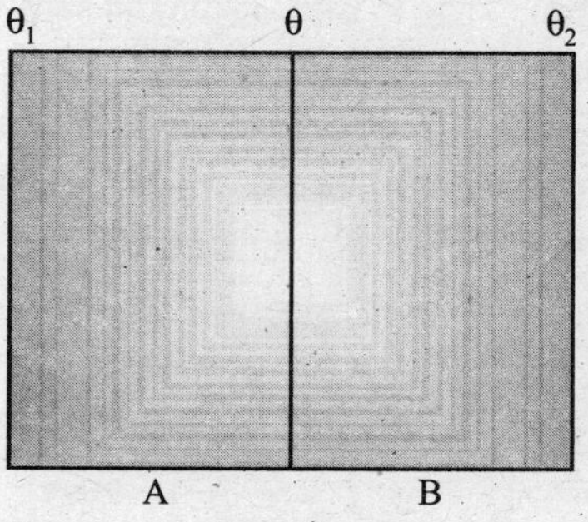

यदि θ, A, d, t नियत है, तब

$(\theta_1 - \theta)\, 2K = (\theta - \theta_1)\, K$

या $2 = (\theta_1 - \theta = (\theta - \theta_2)$

$\because \quad \theta_1 - \theta_2 = 36°C$

$\therefore \quad \theta_2 = \theta_1 - 36$

सभी (i) से

या $3 = (\theta_1 - \theta) = 36$

या $= \theta_1 - \theta = 12$

अत: A के सिरों के बीच तापान्तर 12°C है।

56. (a) दो पिण्डों के बीच बल सदैव समान और विपरीत दिशा में प्रयुक्त होते हैं। किसी पिण्ड पर दबाव या खिचाव को बल (Force) कहते हैं। बल का मात्रक S.I. पद्धति में न्यूटन होता है।

57. (d) चूँकि बर्तन खुला है, अत: p स्थिर होगा, चार्ल्स के नियम से

$$\frac{V_1}{V_2} = \frac{T_1}{T_2}$$

$$\because \quad V = \frac{m}{p}$$

या $$V \propto \frac{1}{\rho} \Rightarrow \frac{V_1}{V_2} = \frac{\rho_2}{\rho_1}$$

$$\therefore \quad \frac{\rho_2}{\rho_1} = \frac{T_1}{T_2}$$

या $$\rho_1 T_1 = \rho_2 T_2$$

$$\because \rho_1 = \frac{m}{V}, \rho_2 = \frac{m - m/4}{V} = \frac{3m}{4V},$$

$T_1 = (60 + 273) = 333$ K

$$\therefore \; T_2 = \frac{p_1}{p_2} \cdot T_1 = \frac{4}{3} \times 333 = 444 \text{ K}$$

या $= 171°C$

58. (a) किया गया कार्य है $W = T\,\Delta A$

चूँकि साबुन की फिल्म के दो पृष्ठ होते हैं।

$\therefore \Delta A = 2 \times (10 \times 10)$ सेमी$^2 = 2 \times 10^{-2}$ मी^{2}

$\therefore \; W = T\,\Delta A = 3 \times 10^{-2} \times 2 \times 10^{-2}$

$= 6 \times 10^{-4}$ जूल

59. (b) कैप्लर के नियम से

$$T^2 \propto r^3$$

या $$\frac{T_1^2}{T_2^2} = \frac{r_1^3}{r_2^3}$$

भू-स्थैतिक उपग्रह के लिए $T_1 = 24$ घण्टे

$$\therefore \quad \frac{(24)^2}{T_2^2} = \frac{r^3}{(2r)^3}$$

या $$T_2^2 = (24)^2 \times 8$$

$$\Rightarrow \quad T_2 = 48\sqrt{2} \text{ घण्टे}$$

60. (b) प्रश्नानुसार

$$\frac{W_1}{W_2} = \frac{mg}{m(g-a)} = \frac{3}{2}$$

या $$\frac{g}{g-a} = \frac{3}{2}$$

$$\Rightarrow \quad a = \frac{g}{3} \text{ मी/से}^2$$

रसायन विज्ञान

61. (b) प्रश्नानुसार, दो इलेक्ट्रॉनिक स्तरों के मध्य ऊर्जा का अन्तर,

$E_2 = E_1 = 46.12$ किलोकैलोरी/मोल

$N_h = 9.52 \times 10^{-14}$ किलोकैलोरी सेकेंड/मोल

बोहर सिद्धान्त के अनुसार, $E_2 - E_1 = N_h v$

$$v = \frac{E_2 - E_1}{N_h}$$

$$v = \frac{46.12}{9.52 \times 10^{-14}}$$

$= 4.84 \times 10^{14}$ चक्कर/सेकेंड

62. (c) Cl एक इलेक्ट्रॉनग्राही समूह होने के कारण कार्बोनिल कार्बन पर इलेक्ट्रॉन घनत्व को कम करके C = O आबन्ध को अधिक ध्रुवीय बना देता है जिसमें इसकी नाभिक स्नेही योगात्मक अभिक्रियाओं के प्रति क्रियाशीलता बढ़ जाती है।

63. (a) एक छोटे क्षेत्र पर धनावेश की सान्द्रता अधिक होने पर, छोटे धनायन में ध्रुवण क्षमता उच्च होती है।

इसलिए धनायनों की ध्रुवण क्षमता का सही क्रम निम्न प्रकार होगा

$Li^+ > Na^+ > K^+ > Rb^+$

64. (c) $Mg(OH)_2$ निम्न प्रकार वियोजित होता है:

$$Mg(OH)_2 \rightarrow Mg^{2+} + 2OH^-$$

s मोल/ली s मोल/ली 2s मोल/ली

(s = विलेयता)

$K_{sp} = [Mg^{2+}]\,[OH^-]^2$

$= (s)\,(2s)^2 = 4s^2$

$4s^3 = 0.4 \times 10^{-11}$

$s^3 = 10^{-12}$

$s = 10^{-4}$

चूँकि $Mg(OH)_2$ के 1 मोल से 2 मोल $[OH^-]$ प्राप्त होते हैं

अत: $[OH^-] = 2 \times 10^{-4}$

$pOH = -\log[OH^-]$

$= -\log(2 \times 10^{-4}) = 3.7$

$pH = 14 - pOH$

$= 14 - 3.7 = 10.3$

65. (c) BF_3 इलेक्ट्रॉन न्यून यौगिक होने के कारण लूईस अम्ल की भाँति व्यवहार करता है, परन्तु H-परमाणुओं की अनुपस्थिति के कारण यह ब्रॉन्स्टेड अम्ल की भाँति कार्य नहीं करता।

66. (c) कोलॉयड पृष्ठ से चिपक जाने वाले पदार्थ को अधिशोष्य कहते हैं तथा उस तल जिससे यह चिपकती है अधिशोषक कहते हैं गैस तथा आयन अधिशोषण होते हैं, जबकि ठोस पृष्ठ अधिशोषक होते हैं।

67. (c) अणुसंख्य गुणधर्म केवल उपस्थित अणुओं की संख्या पर आधारित होते हैं तथा उनकी प्रकृति अथवा अन्य किसी विशेषता द्वारा प्रभावित नहीं होते हैं। उदाहरणार्थ–किसी भी गैस के 1 ग्राम अणु का NTP पर 22.4 लीटर आयतन होगा क्योंकि गैसीय आयतन एक अणुसंख्य गुणधर्म हैं; जैसे–परासरण दाब, हिमांक, अवनमन, क्वथनांक उन्नयन तथा वाष्प दाब। अतः ध्रुवण घूर्णकता अणुसंख्य गुणधर्म नहीं है।

68. (c) अर्जेन्टीफैरस लैड से Ag के निष्कर्षण में Pb अशुद्धि को पार्क प्रक्रम द्वारा हटाया जाता है।

69. (a) CO_2, SO_2, NO_2 तथा ClO_2 में से CO_2 अपचायक के रूप में कार्य नहीं करती हैं क्योंकि CO_2 में कार्बन परमाणु +4 ऑक्सीकरण अवस्था में है यह इलेक्ट्रॉन ग्रहण कर सकता है किन्तु इलेक्ट्रॉन दे नहीं सकता है अतः CO_2 अपचायक के रूप में कार्य नहीं करती हैं।

70. (b) bcc जालक के सूत्रानुसार,

$$r = \frac{a\sqrt{3}}{4} = \frac{\sqrt{3}}{4} \times 4.29 = 1.86 \text{ Å}$$

71. (c) क्लोराइड को अम्लीय पोटैशियम डाइक्रोमेट से अभिकृत करने पर क्रोमिल क्लोराइड (CrO_2Cl_2) की लाल नारंगी वाष्प उत्पन्न होती है। ये वाष्प NaOH विलयन को पीला कर देती है। जब इसमें अम्लीय लेड ऐसीटेट मिलाया जाता है, तो लेड क्रोमेट का पीला अवक्षेप प्राप्त होता है। यह परीक्षण क्रोमिल क्लोराइड परीक्षण कहलाता है तथा Cl^- आयनों की उपस्थिति को सिद्ध करता है।

72. (a) बढ़ता है यदि ताप बढ़ाया जाए। ताप बढ़ाने पर अग्र अभिक्रिया की दर बढ़ने से CO_2 का निर्माण अधिक होगा। फलस्वरूप दाब बढ़ जाता है।

73. (b) ढलवाँ लोहा (cast iron), लोहे का सबसे अशुद्ध रूप है। क्योंकि इसमें कार्बन की प्रतिशतता अधिकतम होती है।

स्टेनलैस स्टील तथा स्टील में इसकी अपेक्षाकृत कार्बन की प्रतिशतता कम होती है।

74. (c) γ-कणों की भेदन क्षमता β-कणों से 100 गुना अधिक तथा β-कणों की भेदन क्षमता α-कणों से 100 गुना अधिक होती है।

75. (c) ऐलुमिनियम को वायु में खुला रखने पर, इसकी सतह पर इसके ऑक्साइड (Al_2O_3) की परत जम जाती है। चूँकि यह परत अक्रिय (या कम क्रियाशील) होती है अतः एलुमिनियम का पुनः संक्षारण से बचाव करती है।

76. (a) जल में मौजूद ऋणावेशित मिट्टी के कणों के निलम्बन को अवक्षेपित होने के लिए ऐलुमिनियम क्लोराइड की निम्नतम मात्रा की आवश्यकता होती है।

77. (c) प्रश्नानुसार, इकाई सेल का आयतन

$= (2.88 \text{ Å})^3 = (2.88 \times 10^{-8} \text{ सेमी})^3$

$= 23.9 \times 10^{-24}$ सेमी^{3}

$\because$ 100 ग्राम धातु का आयतन $= \frac{\text{भार}}{\text{घनत्व}}$

$= \frac{100}{7.20} = 13.9$ सेमी^{3}

$\therefore$ 13.9 सेमी^{3} में इकाई सेलों की संख्या

$= \frac{13.9 \text{ सेमी}^3}{23.9 \times 10^{-24} \text{ सेमी}^3}$

$= 5.82 \times 10^{23}$

78. (a) किसी भी अभिक्रिया की कोटि दर समीकरण में अभिकारकों की मोलर सान्द्रताओं के घातों के योग के बराबर होती है।

79. (a) बन्ध ऊर्जा, बन्धित परमाणुओं पर एकल युग्मों की संख्या में वृद्धि के साथ बढ़ती है, इसलिए बन्ध ऊर्जा का क्रम C–C > N–N > O–O > F–F होगा। यह बन्धित परमाणुओं पर उपस्थित एकल युग्म के इलेक्ट्रॉनों के मध्य विद्युत स्थैतिक प्रतिकर्षण की मौजूदगी के कारण होता है।

80. (a) प्रश्नानुसार, N—X बन्ध में विद्युत ऋणात्मकता का अन्तर जितना अधिक होगा, N-परमाणु पर उतना ही अधिक आंशिक धनावेश होगा, जिससे परमाणु की इलेक्ट्रॉन युग्म देने की प्रवृत्ति उतनी ही कम हो जाती है। अतः क्षारकता का सही क्रम $NF_3 < NCl_3 < NBr_3 < NI_3$ होगा।

81. (c) Pt का इलेक्ट्रॉनिक विन्यास निम्न है:

$Pt = [Xe]\ 4f^{14}, 5d^9, 6s^1$

$\therefore \quad Pt^{2+} = [Xe]\ 4f^{14}, 5d^8, 6s^0$

$[Pt(CN)_4]^{2-} = [Xe]4f^{14}$

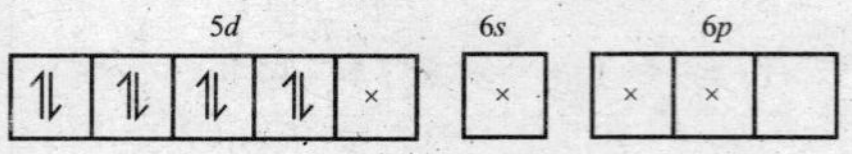

dsp^2 संकरण

$\Rightarrow$ वर्ग समतल

अतः $[Pt(CN)_4]^{2-}$ आयन में कोई भी अयुग्मित इलेक्ट्रॉन उपस्थित नहीं है।

82. (d) 3*d*-कक्षक के लिए, $n = 3$

d-कक्षक के लिए, $l = 2$

तथा , $m = 2, -1, 0, +1, +2$

$s = \pm\frac{1}{2}$

$\therefore$ 3*d*-कक्षक के लिए सही समूह है।

$n = 3, l = 2, m = 1, s = +\frac{1}{2}$

83. (b)

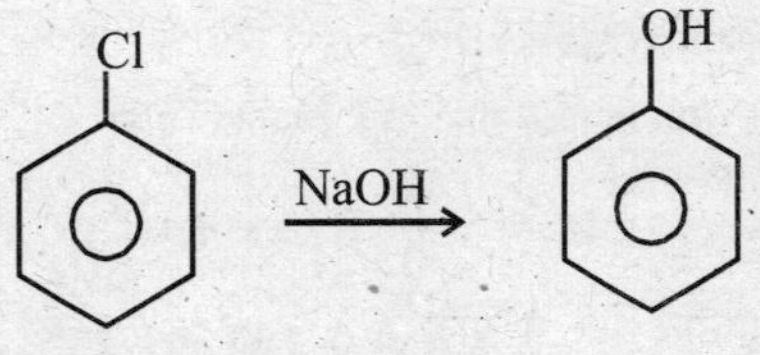

उपरोक्त अभिक्रिया में एक समूह, अन्य के द्वारा प्रतिस्थापित हो रहा है अतः यह प्रतिस्थापन अभिक्रिया का उदाहरण है। चूँकि, आक्रमणकारी तथा निष्कासक (leaving) दोनों समूह नाभिकरागी हैं। अतः यह नाभिकरणी प्रतिस्थापन का उदाहरण है।

84. (b) ऐमिलोपेक्टिन, α-D-ग्लूकोस इकाईयों का रेखीय व शाखित शृंखला बहुलक है।

85. (c) संघनन बहुलीकरण में निम्न पद प्रयुक्त होते हैं।

$$\underset{\text{एकलक}}{A + B} \xrightarrow{\text{संघनन}} \underset{\text{द्विलक}}{A - B}$$

$$A - B + A \xrightarrow{\text{संघनन}} A - B - A$$

$$A - B - A + B \longrightarrow A - B - A - B$$

इस प्रक्रम के लिए किसी प्रारम्भक (initiator) की आवश्यकता नहीं होती है तथा यह पद वृद्धि बहुलीकरण कहलाता है।

86. (d) आवर्त सारणी के किसी आवर्त में बायीं से दायीं ओर चलने पर ऑक्साइडों का क्षारीय गुण घटता है। इसका कारण विद्युत-धनात्मक लक्षण का घटना है जिसके कारण बन्ध की ध्रुवता तथा ऑक्सीजन व अन्य परमाणु के मध्य अन्तरनाभिकीय दूरी घटती है।

अतः क्षार धातु ऑक्साइड सर्वाधिक क्षारीय होते हैं तथा हैलोजन ऑक्साइड (ऑक्सीजन हैलाइड) सर्वाधिक अम्लीय होते हैं।

$\therefore$ K_2O दिए गए ऑक्साइडों में से सर्वाधिक क्षारीय है।

87. (c) β-कणों की संख्या = 2 × α कणों की संख्या – (परमाणु क्रमांक में परिवर्तन)

α-कणों की संख्या $= \frac{238 - 206}{4} = 8$

$\therefore$ β-कणों की संख्या $= 2 \times 8 - (92 - 82)$

$= 16 - 10 = 6$

88. (c) किसी संकुल आयन में, एकदन्तीय लिगेण्डों की संख्या, उस संकुल की समन्वय संख्या या उपसहसंयोजन संख्या कहलाती है।

89. (a) $CH_3CH_2OH \xrightarrow[\text{पद I}]{Cl_2} CH_3CHO$

उपरोक्त अभिक्रिया ऑक्सीकरण का उदाहरण है।

(ऑक्सीकरण के फलस्वरूप —CH_2OH समूह, —CHO समूह में परिवर्तित हो जाता है।)

$$CH_3CHO \xrightarrow[\text{पद II}]{3Cl_2} Cl_3.C.CHO$$

इस पद से क्लोरीनीकरण होता है। (जिसमें H परमाणु, Cl द्वारा प्रतिस्थापित हो जाते हैं।)

90. (c) वात्या भट्टी में होने वाली अभिक्रियाएँ निम्न हैं:

$$3Fe_2O_3 + CO \rightarrow 2Fe_3O_4 + CO_2$$
$$CaCO_3 \rightarrow CaO + CO_2$$
$$C + CO_2 \rightarrow 2CO$$
$$CaO + SiO_2 \rightarrow CaSiO_3$$
$$2C + O_2 \rightarrow 2CO$$

अत: अभिक्रिया $2Fe_2O_3 + 3C \rightarrow 4Fe + 3CO_2$, वात्या भट्टी में नहीं होती है।

91. (b) किसी वर्ग में नीचे जाने पर इलेक्ट्रॉन बन्धुता क्रम में घटती है। परन्तु फ्लुओरीन का आकार अत्यन्त छोटा होने के कारण, आने वाला इलेक्ट्रॉन अत्यधिक प्रतिकर्षण का अनुभव करता है। इस प्रतिकर्षण को समाप्त करने के लिए मुक्त ऊर्जा का कुछ भाग प्रयुक्त हो जाता है। इस कारण फ्लुओरीन की इलेक्ट्रॉन बन्धुता, क्लोरीन की अपेक्षा कम होती है।

∴ हैलोजनों की इलेक्ट्रॉन बन्धुता का क्रम

	Cl	> F	> Br	> I
इलेक्ट्रॉन बन्धुता	348.5	332.6	324.7	295.5

(किलोजूल मोल में)

92. (d) धातु कार्बोनिल उपसहसंयोजक यौगिक होते हैं। ये CO के एकाकी युग्म को, शून्य संयोजी संक्रमण धातु जैसे–Ni, Fe आदि के रिक्त कक्षक में दान के फलस्वरूप बनते हैं। अत: धातु कार्बोनिकल में M — C बन्ध उपसहसंयोजक होता है।

93. (b) $MnO_4^- + 8H^+ + 5e^- \rightarrow Mn^{2+} + 4H_2O$

$$[Fe^{2+} \rightarrow Fe^{3+} + e^-] \times 5$$

$$MnO_4^- + 8H^+ + 5Fe^{2+} \rightarrow Mn^{2+} + 5Fe^{3+} + 4H_2O$$

अत: पाँच इलेक्ट्रॉन स्थानान्तरित होते हैं।

94. (a) प्रगलन वह प्रक्रम है, जिसमें धातु गलित अवस्था में प्राप्त होती है। भर्जन तथा निस्तापन के फलस्वरूप धातु ऑक्साइड प्राप्त होते हैं, जबकि झाग प्लवन, अयस्क के सान्द्रण का प्रक्रम है।

95. (b) आइसोटॉन (समन्यूट्रॉनिक) वे स्पीशीज होती हैं जिनमें न्यूट्रॉनों की संख्या समान होती है।

${}_{20}Ca^{40}$ में,

न्यूट्रॉनों की संख्या $= 40 - 20 = 20$ तथा

${}_{18}Ar^{40}$ में,

न्यूट्रानों की संख्या $= 40 - 18 = 22$

अत: ${}_{20}Ca^{40}$ तथा ${}_{18}Ar^{40}$ आइसोटॉन (समन्यूट्रॉनिक) नहीं हैं।

96. (d) वलय परीक्षण में, नाइट्रेट लवण में, ताजा बना $FeSO_4$ विलयन तथा परखनली की दीवार के सहारे एक बूँद सान्द्र H_2SO_4 मिलाने पर, फेरस नाइट्रोसोसल्फेट का एक भूरा वलय प्राप्त होता है।

$$NaNO_3 + H_2SO_4 \rightarrow NaHSO_4 + HNO_3$$
$$2HNO_3 + 6FeSO_4 + 3H_2SO_4 \rightarrow 3Fe_2(SO_4)_3 + 2NO + 4H_2O$$
$$FeSO_4 + NO \rightarrow [Fe.\ NO]SO_4$$

फेरस नाइट्रोसो सल्फेट

97. (d) बेन्जीन की ऐसीटिल क्लोराइड से (निर्जलीय $AlCl_3$ की उपस्थिति में) क्रिया के फलस्वरूप ऐसीटोफीनॉन बनता है यह अभिक्रिया फ्रीडल-क्रॉफ्ट ऐसीलीकरण कहलाती है।

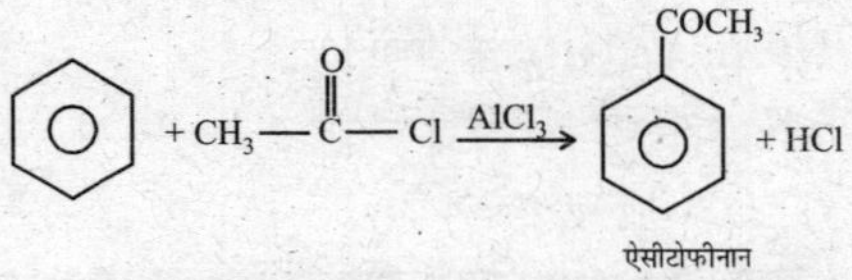

98. (b) कार्बोक्सिलिक अम्ल जलीय NaOH में घुलकर एक प्रोटॉन दान करते हैं। (विप्रोटॉनीकरण) तथा अम्ल का सोडियम लवण बनाते हैं।

$$—COOH + NaOH \rightarrow COONa + H_2O$$

99. (c) NCl_3 जल-अपघटन पर NH_3 अथवा NH_4OH तथा HOCl देता है।

$$NCl_3 + 4H_2O \rightarrow NH_4OH + 3HOCl$$
(X)

100. (c) BF_3 की संरचना

:F̤: :B: :F̤:
  :F̤:

BF_3 में एक इलेक्ट्रॉन युग्म की कमी होती है, वह इलेक्ट्रॉन युग्म को ग्रहण करता है। अत: BF_3 एक लुईस अम्ल है।

101. (d) ClF_3 में sp^3d संकरण पाया जाता है इस अणु की आकृति त्रिकोणीय द्विपिरामिडीय होती है।

102. (b) नाभिकीय बलों की परास 10^{-15} मीटर है। 10^{-15} मीटर की दूरी तक कूलॉम बल, नाभिकीय बल से अत्यन्त दुर्बल (weak) होता है। अत: कूलॉम बल के प्रभावी होने के लिए आवेशित कणों के बीच न्यूनतम दूरी 10^{-15} मीटर होनी चाहिए।

103. (c) सान्द्र HCl तथा निर्जल $ZnCl_2$ का मिश्रण, ल्यूकस अभिकर्मक कहलाता है। ल्यूकस अभिकर्मक में ऐल्कोहॉल मिलाने पर तृतीयक ऐल्कोहॉल तुरन्त अभिक्रिया करता है, द्वितीयक ऐल्कोहॉल 5 मिनट में क्रिया करता है किन्तु प्राथमिक ऐल्कोहॉल अभिक्रिया नहीं करता। इस प्रकार इन सभी में 2-मेथिल-प्रोपेनॉल-2

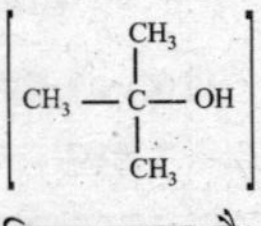

ल्यूकस अभिकर्मक से सबसे तेजी से क्रिया करता है।

104. (b) आवर्त सारणी में, किसी समूह में ऊपर से नीचे जाने पर आयनन ऊर्जा का मान घटता जाता है क्योंकि आकार में वृद्धि होती जाती है। अत: इन सभी में लीथियम (Li) की आयनन ऊर्जा सबसे अधिक होती है।

आयनन	Li	Na	K	Rb
ऊर्जा	5.4	5.1	4.3	4.3

105. (a) जब चुम्बक पाइप में गिराया जाता है, तो यह गुरुत्व के कारण त्वरित होता है। पाइप में प्रेरित धारा इसके गिरने का विरोध करती है। वेग बढ़ने से प्रेरित धारा बढ़ती है। अत: प्रेरित धारा के कारण चुम्बक के गिरने से त्वरण घटता जाता है और फिर यह शून्य हो जाता है अर्थात् गिरती चुम्बक का वेग बढ़ता जाता है तथा अन्त में यह नियत हो जाता है।

106. (c) (H^-) हाइड्राइड आयन में दो इलेक्ट्रॉन होते हैं। इसलिए इसका इलेक्ट्रॉनिक वितरण $1s^2$ होता है।

107. (c) बेन्जीन का बन्ध क्रम 1 व 2 के बीच का होता है, अत: बेन्जीन का बन्ध क्रम 1.5 होता है।

108. (a) फॉर्मेल्डिहाइड, अमोनिया से क्रिया करके यूरोट्रोपीन या हेक्सामीन बनाता है, जो दवा में मूत्र-कृमिनाशक के रूप में प्रयुक्त होता है

$$6HCHO + 4NH_3 \rightarrow (CH_2)_6N_4 + 6H_2O$$

फॉर्मेल्डिहाइड अमोनिया यूरोट्रोपीन जल

109. (b) समपक्ष-डाइअम्ल गर्म करने पर शीघ्रता से ऐनहाइड्राइड देते हैं चूँकि मैलेइक अम्ल एक समपक्ष डाइअम्ल है, अत: यह शीघ्रता से मैलेइक ऐनहाइड्राइक बनता है।

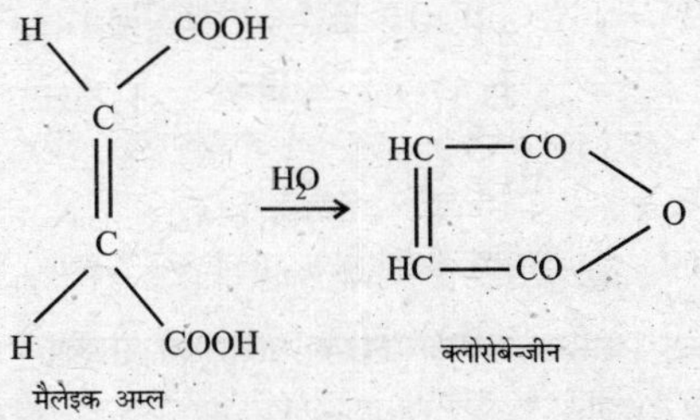

110. (c) दिया है, PVC का भार, W = 4 ग्राम

विलयन का आयतन, V = 1 ली

परासरण दाब, $\pi = 4.1 \times 10^{-4}$ वायुमण्डल

तापमान, $T = 27°C = 27 + 273 = 300$ K

$$\Rightarrow \pi V = nRT$$

या $\pi V = \frac{w}{M}RT$ (जहाँ, M = अणुभार)

$$4.1 \times 10^{-4} \times 1 = \frac{4}{M} \times 0.0821 \times 300$$

$$M = \frac{4 \times 0.0821 \times 300}{4 \times 10^{-4} \times 1}$$

$$M = 2.4 \times 10^5$$

111. (b) ज्यामितीय समावयवता दर्शाने के लिए आवश्यक परिस्थितियाँ हैं।

(i) द्विबन्ध की उपस्थिति

(ii) समान द्विबन्धित कार्बन पर भिन्न समूहों की उपस्थिति

(iii) निकटतम् द्विबन्धित कार्बन परमाणुओं पर कम से कम एक समान समूह की उपस्थिति

अत: $C_3H_6(\overset{3}{C}H_3—\overset{2}{C}H=\overset{1}{C}H_2)$

द्विबन्धित कार्बन परमाणु (C_1) पर समान समूह की उपस्थिति के कारण ज्यामितीय समावयवता नहीं दर्शाता है।

112. (b) $[H^+]\,[OH^-] = 10^{-14}$

$$[10^{-2}]\,[OH^-] = 10^{-14}$$

$$[OH^-] = \frac{10^{-14}}{10^{-2}}$$

$$= 1 \times 10^{-12} \text{ मोल डेसीमी}^{-3}$$

113. (b) OF_2 जल में विलेय है परन्तु जल में ऑक्सीअम्ल का विलयन नहीं बनाता, जबकि SO_2, SCl_4 तथा SO_3 सभी जल में ऑक्सी अम्ल का विलयन बनाते हैं।

$$SO_2 + H_2O \longrightarrow H_2SO_3$$
सल्फ्यूरस अम्ल

$$SCl_4 + 3H_2O \longrightarrow H_2SO_3 + 4HCl$$
सल्फ्यूरस अम्ल

$$SO_3 + H_2O \longrightarrow H_2SO_4$$
सल्फ्यूरिक अम्ल

114. (c) $NH_3(g) + HCl(g) \rightarrow NH_4Cl(g)$

1 मोल 1 मोल 1 मोल

$$\Delta H = \Delta U + n_g RT$$

जहाँ, n_g = गैसीय उत्पादों के मोलों की संख्या – गैसीय अभिकारकों के मोलों की संख्या

$$= 1 - 2 = 1$$

$$\Delta H = \Delta U - RT$$

$$\therefore \Delta H < \Delta U$$

115. (b)

$$>C{=}O + H_2NOH \longrightarrow >C{=}NOH + H_2O$$

कार्बोनिल यौगिक हाइड्रॉक्सिल ऐमीन ऑक्सिम

116. (a) माना 10 N HCl के V लीटर तथा 4 N HCl के (1 – V) लीटर को मिलाकर 7 N HCl का 1 लीटर विलयन बनाया गया।

$$N_1V_1 + N_2V_2 = NV$$

$$10V + 4(1 - V) = 7 \times 1$$

$$10V + 4 - 4V = 7$$

$$6V = 7 - 4$$

$$V = \frac{3}{6} = 0.50 \text{ L}$$

10 N HCl का आयतन = 0.50 L

4 N HCl का प्रयुक्त आयतन = 1 – 0.50 = 0.50 L

117. (a) $E^o_{\text{सेल}} = E^o_{2H^+/H_2} - E^o_{Al^{3+}/Al}$

$$1.66 = 0 - E^o_{Al^{3+}/Al}$$

$$E^o_{Al^{3+}/Al} = -1.66 \text{ V}$$

118. (c) $2SO_2(g) + O_2(g) \xrightleftharpoons[\text{ठोस}]{V_2O_5} 2SO_3(g)$

इस अभिक्रिया में, अभिकारकों तथा उत्प्रेरक की अवस्था भिन्न है। अत: यह विषमांगी उत्प्रेरण का उदाहरण है।

119. (c) $Fe(OH)_2$ के लिए K_{sp},

$K_{sp} = [Fe^{2+}]\,[OH^-]^2$

$= (s)\,(2s)^2 = 4s^3$

जबकि $Fe(OH)_3$ के लिए K_{sp}

$K_{sp} = [Fe^{3+}]\,[OH^-]^3$

$= (s)\,(3s)^3 = 27s^4$

अत: $Fe(OH)_2$ के K_{sp} का मान $Fe(OH)_3$ के K_{sp} से अधिक होता है, K_{sp} का मान 10 की ऋणात्मक घातों में होता है।

120. (c) परमाणु क्रमांक 21 वाले तत्व का इलेक्ट्रॉनिक विन्यास निम्न है:

$$1s^2, 2s^2, 2p^6, 3s^2, 3p^6, 4s^2, 3d^1$$

चूँकि इस तत्व के *d*-कक्षक आंशिक रूप से भरे हुए है। अत: यह *d*-ब्लॉक का तत्व है। *d*-ब्लॉक के तत्वों को संक्रमण तत्व भी कहा जाता है।

वनस्पति विज्ञान

121. (b) धान के खेत में फफूँद लगने के कारण होने वाले अत्यधिक लम्बे पादप को बेकेन या फूलिश सीडलिंग बीमारी कहते हैं। यह जिबरेलिन अर्थात् जिबरेला फ्यूजीकुराई हॉर्मोन से होती है।

122. (c) इन्वर्जन में क्रोमोसोम (गुणसूत्र) का एक टुकड़ा टूटता है तो अपने विपरीत क्रम में जुड़ जाता है।

123. (d) अण्डाशय में पराग नलिका के पहुँचने के प्रमुख तीन मार्ग होते हैं–बीजाण्डद्वारीय प्रवेश, निभागीय प्रवेश तथा बीजाण्ड वृत्त।

124. (d) हेकल ने इकोलॉजी शब्द की खोज की थी।

125. (a) ह्यूमस मृदा के सबसे ऊपरी स्तर में पाई जाती है। इसका निर्माण मृत कार्बनिक पदार्थों के अपघटन की प्रक्रिया द्वारा होता है।

126. (a) सोयाबीन को प्रोटीन से भरपूर माना जाता है। इसमें लगभग 43% प्रोटीन तथा 20% तेल की मात्रा पाई जाती है।

127. (c) रेसरपिन एल्केलॉइड रॉउवॉल्फिया सर्पेण्टाइना (सर्पगन्धा) कुल– एपोसाइनेसी पौधे की जड़ों से प्राप्त होती है। इसका उपयोग रक्तचाप, साँप के काटने तथा मानसिक विकृतियों के इलाज में किया जाता है।

128. (b) कोशिका अंगक जो केवल पौधों में पाया जाता है। प्लास्टिड (लवक) है।

129. (d) पुष्पीय पौधों में स्टोमेटा खुलने और बंद होने के कारण हैं गार्ड (रक्षक) कोशिकाओं के स्फीति दाब में परिवर्तन।

130. (a) परासरण में जल का विसरण होता है।

131. (d) पोटैशियम की कमी से हरी पत्तियों के ऊपरी भाग झुलस जाते हैं और किनारे पीले रंग के हो जाते हैं।

132. (a) नील-हरित शैवाल तथा उच्च पौधों में क्लोरोफिल-*a* अत्यधिक विकसित होता है।

133. (b) प्रकाश संश्लेषण अधंकार अभिक्रिया की खोज सर्वप्रथम ब्लेकमैन ने की थी, इसलिए इसे ब्लैकमैन क्रिया भी कहा जाता है।

134. (c) अनॉक्सी श्वसन सायटोप्लाज्म में होता है।

135. (b) मैलिक एसिड डीहाइड्रोजिनेज एन्जाइम के द्वारा मैलेट डीहाइड्रोजिनेटेड या ऑक्सीकृत होकर आक्जेलो एसिटिक एसिड बनता है।

136. (d) राइजोइड्स शाखित बहुकोशिकीय व तिरछे सेप्टा युकत होते हैं। ये फ्यूनेरिया आधार से जुड़े होते हैं।

137. (d) भूमि उर्वरकता को बढ़ाने के लिए सर्वाधिक लाभदायक पादप समूह जीवाणु है।

138. (a) माइकोप्लाज्मा ग्राम निगेटिव होते हैं।

139. (b) प्रोमेरिस्टेम, भ्रूण से उत्पन्न होता है, इसलिए इसे 'प्रीमोरडियल' या 'भ्रूणीय मेरीस्टेम' भी कहते हैं।

140. (d) जीन उत्परिवर्तन या पॉइन्ट उत्परिवर्तन आण्विक स्तर पर जीन की रासायनिक संरचना में परिवर्तन के कारण होता है।

141. (d) कोशिका पंजर (cytoskeleton) कोशिकीय गति (cell mobility) से सम्बन्धित होता है। यह तीन संरचनात्मक घटकों द्वारा निर्मित होता है, जिन्हें सूक्ष्म नालिकाएँ (microtubules), सूक्ष्म तन्तु (microfilaments) तथा मध्यस्थ तन्तु (intermediate filaments) कहा जाता है, सूक्ष्म नलिकाएँ ट्यूबुलिन प्रोटीन द्वारा निर्मित होती हैं और कोशिका विभाजन के दौरान गुणसूत्रीय गति में सहायक होती हैं। सूक्ष्म तन्तु एक्टिन प्रोटीन द्वारा और मध्यस्थ तन्तु किरेटिन, विमेण्टिन तथा डेस्मिन द्वारा निर्मित होते हैं। सूक्ष्म तन्तु कोशिकीय गति (cell movement) में तथा कोशिकीय खाँच (cell furrow) तथा कोशिका पट्ट (cell plate) के निर्माण में सहायक होते हैं।

142. (a) स्टार्च या मण्ड एक महत्त्वपूर्ण पॉलीसैकेराइड है, जो बीजों, फलों तथा प्रकन्द (rhizome) इत्यादि में संग्रहित भोजन के रूप में पाया जाता है। यह α-1, 4 बन्ध द्वारा जुड़े α-D ग्लूकोज की लम्बी श्रृंखला द्वारा निर्मित होता है।

143. (a) प्रकाश-श्वसन केवल C_3- पादप में पाया जाता है। इस क्रिया में, हरित लवक में निर्मित 2-C यौगिक ग्लाइकोलिक अम्ल श्वसन क्रियाधार (respiratory substrate) होता है। प्रकाश-श्वसन के दौरान उच्च O_2/CO_2 अनुपात के कारण RuBP कार्बोक्सिलेस एक ऑक्सीजिनेस की भाँति कार्य करता है।

144. (d) आवृतबीजियों (बहुवर्षीय) में पुष्प फल के रूप में विकसित हो जाता है, जो भोजन संग्रह का मुख्य स्थल है। जड़, तना एवं पत्तियाँ भी भोजन संग्रह का कार्य कर सकती हैं, किंतु ऐसा सभी पौधों में नहीं होता है।

145. (a) प्रकाश, प्रकाश-संश्लेषण हेतु अत्यन्त महत्त्वपूर्ण कारक है क्योंकि यह ऊर्जा का स्रोत होता है। प्रकाश-संश्लेषण प्रकाश के दृश्य स्पेक्ट्रम अर्थात् 380-760 nm में होता है। मोनोक्रोमेटिक प्रकाश में प्रकाश-संश्लेषण की क्रिया लाल प्रकाश में सर्वाधिक उसके पश्चात् नीले प्रकाश में होतीं है, जबकि हरे प्रकाश में प्रकाश-संश्लेषण सबसे कम होता है। यद्यपि पॉलीक्रोमेटिक प्रकाश में यह सर्वाधिक होता है।

146. (d) रन्ध्रों के खुलने तथा बन्द होने की क्रिया हेतु K^+ पम्प की परिकल्पना लेविट (1947) द्वारा प्रस्तुत की गयी थी। रन्ध्रों के खुलने के समय हरितलवक अथवा माइटोकॉण्ड्रिया के H^+ आयनों को ग्रहण करने के कारण द्वार कोशिकाओं (guard cells) की pH बढ़ जाती है। pH मान में वृद्धि के कारण स्टार्च के जल अपघटन द्वारा फॉस्फोइनाल पायरुवेट का निर्माण होता है, जो CO_2 से संयुक्त होकर ऑक्सेलोएसीटेट बनाता है। यह ऑक्सेलोएसीटेट, मैलेट तथा H^+ में वियोजित हो जाता है। साइटोकाइनिन, ATP तथा cAMP की सहायता से द्वार कोशिकाएँ H^+ आयनों को बाहर निकालती हैं और समीप की एपीडर्मल कोशिकाओं से K^+ आयनों को अवशोषित कर लेती हैं। इन K^+ आयनों को सन्तुलित करने के लिए काफी मात्रा में Cl^- आयन भी अवशोषित किए जाते हैं।

147. (a) विटामिन-B_1 (थायमीन) अनेक बीजों विशेषकर अनाज के दानों के बाह्य आवरण में पाया जाता है। पॉलिशरहित चावल तथा अनाज के सम्पूर्ण दाने से बना भोजन इस विटामिन के अच्छे स्रोत हैं। वृहदान्त्र में जीवाणुओं द्वारा भी इस विटामिन का संश्लेषण होता है।

148. (c) सहजीवन (symbiosis) में अंत:क्रिया करने वाले दोनों जीव परस्पर लाभान्वित होते हैं और इस प्रकार का सम्बन्ध अविकल्पी (obligatory) होता है। उदाहरण के लिए, नील-हरित शैवाल एनाबीना, साइकस की कोरेलॉएड जड़ों में रहता है और नाइट्रोजन का स्थिरीकरण करता है।

149. (c) पौधों में जिंक ट्रिप्टोफॉस संश्लेषण के लिए आवश्यक है। इसके साथ साथ जिंक पौधों में हारमोन का निर्माण भी करता है।

150. (d) जिन्जिबार ऑफिसिनेल है, एक रूपांतरित जड़।

जन्तु विज्ञान

151. (c) यदि मनुष्य (पुरुष) की शुक्रवाहिनियों को काट कर हटा दिया जाए तो उसका वीर्य शुक्राणु रहित हो जाएगा।

152. (c) मनुष्य के अलावा सभी उच्च प्राणियों में वृद्धि वक्र की आकृति 'S' है, जिसे सिग्मॉइड वृद्धि वक्र कहते हैं।

153. (b) सर्वप्रथम डब्ल्यू. बैटसन (1905) ने आनुवंशिकी शब्द का प्रतिपादन किया था।

154. (c) DNA का रेप्लीकेशन एक दिशीय और द्विदिशीय दोनों प्रकार से होता है।

155. (c) प्रथम क्लोन भेड़ का नाम डॉली है। जिसे ऑस्ट्रेलिया में बनाया गया था।

156. (d) DDT को पेस्टीसाइड की तरह उपयोग में नहीं लिए जाने का मुख्य कारण यह है कि यह प्रकृति में आसानी से विघटित नहीं हो पाता, जिसके कारण यह हवा, जल व मिट्टी के प्रदूषण को बढ़ाता है।

157. (c) सोयाबीन एक लेग्यूम है, जो सहजीवी रूप से राइजोबियम से जुड़ा रहता है, अत: इसे उगाने के लिए राइजोबियम जीव को जैव उर्वरक के रूप में इस्तेमाल करते हैं।

158. (b) ELISA-TEST, HIV के लिए किया जाता है।

159. (b) किसी भी जनसंख्या में जीवों के आगमन को प्रवर्जन कहा जाता है।

160. (c) दीमक (टर्माइट) को सफेद चींटियाँ भी कहा जाता है, जो आर्थ्रोपोडा के वर्ग-एरेक्निडा से संबंधित है।

161. (a) हेमीकॉर्डेटा (Hemichordata) में रुधिर परिसंचरण तंत्र खुला होता है। इसका मतलब है कि इन जीवों का रुधिर रक्त नलिकाओं से बाहर निकलकर शरीर में बिखर जाता है और फिर वापस रक्त नलिकाओं में लौटता है। इस प्रकार का तंत्र एक खुली परिसंचरण प्रणाली को दर्शाता है।

162. (d) मास्ट कोशिकाएँ सीरोटोनिन, हिपैरिन, और हिस्टामिन का स्राव करती हैं। ये कोशिकाएँ शरीर में सूजन, एलर्जी और इन्फ्लेमेटरी प्रतिक्रियाओं में महत्वपूर्ण भूमिका निभाती हैं। हिपैरिन रक्त का थक्का जमने से रोकता है, हिस्टामिन शरीर में सूजन पैदा करता है और सीरोटोनिन तंत्रिका तंत्र में काम करता है।

163. (d) आर्कियोप्टेरिक्स सरीसृप व पक्षियों को जोड़ने वाली कड़ी हैं।

164. (c) केसीन एक दुग्ध प्रोटीन है। यह जन्तुओं के शिशुओं के भोजन का प्रमुख भाग बनाता है।

165. (b) ऊर्जा फॉस्फेट बन्ध के रूप में ATP में संग्रहित होती है।

166. (c) स्फिग्मोमैनोमीटर के द्वारा रक्त दाब नापा जाता है, जिसका आविष्कार रिवारॉकी ने वर्ष 1986 में किया था।

167. (b) अमीबा में मनुष्य के वृक्क के समान प्लाज्मोडेस्मेटा की संरचना है।

168. (c) मानव में 33 कशेरुकाएं होती हैं- ग्रीवा-7, वक्ष-12, लम्बर-5, सेक्रम-5, तथा कॉक्सिक-4।

169. (d) तापमान नियमन, भूख, प्यास व भावनात्मक प्रतिक्रियाओं के उच्च तन्त्रिकीय केन्द्र हाइपोथैलेमस में पाए जाते हैं।

170. (a) टायरोसिन अमीनों अम्ल द्वारा उत्पन्न होने वाला आयोडीन युक्त अमीन हॉर्मोन थायरॉक्सिन थाइरॉइड ग्रन्थि से स्रावित होता है।

171. (b) **असुरक्षित पेयजल** एवं गंदगी द्वारा विकासशील देशों में उत्पन्न तीन संचरणीय रोग हैं–मलेरिया, तीव्र प्रवाहिका तथा सिस्टोसोमियासिस।

172. (a) **पोटैशियम** शरीर के लिए आवश्यक खनिज तत्त्व है, जिसके स्रोत मांस, दूध, अनाज, फल व सब्जियां है। इसका महत्त्व अम्ल-क्षार संतुलन, जल संतुलन तथा तंत्रिकाओं की कायिकी से है। इसकी कमी से उच्च रक्तचाप, पेशियों की दुर्बलता तथा अंगघात (Paralysis) का खतरा रहता है।

173. (c) आर्थोप्लास्टी एक शल्यक्रिया प्रक्रिया है जिसमें शरीर के किसी जोड़, जैसे कूल्हे या घुटने के जोड़, को कृत्रिम (आर्टिफिशियल) जोड़ से प्रतिस्थापित किया जाता है। यह प्रक्रिया सामान्यत: उन लोगों के लिए की जाती है जिनके जोड़ में गंभीर क्षति या दर्द होता है।

174. (d) **आनुवंशिक अभियंत्रण** से रोग प्रतिरोध, क्लोनिंग और **वृद्धिवर्द्धन** के क्षेत्र में अनेकों उपलब्धियां प्राप्त हुई हैं। जंतु क्लोनिंग के द्वारा डॉली नामक मेमना पैदा किया गया। मानव क्लोनिंग पर अमेरिका में अनुसंधान जारी था लेकिन उसकी संदेहास्पद स्थिति देखते हुए अमरीकी सरकार ने उस पर रोक लगा दी है।

175. (d) **विटामिन B_{12}** को साइनोकोबाल्मिन कहते हैं क्योंकि इसमें कोबाल्ट उपस्थित रहता है। यह लाल रक्त कणों को आवश्यक प्रोटीन प्रदान करता है। रक्ताल्पता (एनिमिया) के इलाज में इसका प्रयोग किया जाता है।

	नाम	स्रोत
1.	विटामिन B_1	अनाज, सोयाबीन, बेरी-बेरी, अण्डा, मांस
2.	विटामिन B_2 कोलोसिस	पनीर, अण्डा, हरी सब्जियां, (राइबोफ्लैविन) पत्तियां, मांस

3.	विटामिन B_6	दूध, यीस्ट, अनाज रक्तक्षीणता, चर्म (पाइरीडॉक्सिन) मांस,
4.	विटामिन B_{12} (साइनोकोबाल्मिन)	मांस, मछली, रक्त क्षीणता, अण्डा, दूध

176. (c)

A. **आर्सेनिक**–74 3. ट्यूमर

B. **कोबाल्ट**–60 4. कैंसर

C. **आयोडीन**–131 1. थायरॉयड ग्रन्थि की सक्रियता में

D. **सोडियम**–24 2. रक्त व्यतिक्रम के निदान हेतु प्रयोग किया जाता है।

177. (b) खून में स्थित लाल पदार्थ, हीमोग्लोबिन कहलाता है। यह एक प्रोटीन वर्णक है जिसमें लोहे की मात्रा होती है। हीमोग्लोबिन का कार्य शरीर में ऑक्सीजन का वहन करना होता है। यह रोगों से प्रतिरक्षा नहीं प्रदान करता है।

178. (d) निऑन गैस का उपयोग विशेष रूप से निऑन लाइट्स में किया जाता है, जो विज्ञापन बोर्ड्स, सजावट और संकेतों के लिए प्रकाश देती हैं। निऑन गैस को विद्युत धारा के संपर्क में आने पर चमकता है, जो इसे प्रकाशीय सजावट में बहुत लोकप्रिय बनाता है।

179. (d) भारतीय प्राकृतिक चिकित्सा और योग विज्ञान संस्थान बंगलौर में स्थित है। यह संस्थान प्राकृतिक चिकित्सा (नेचुरोपैथी) और योग के अध्ययन और प्रचार के लिए काम करता है, और इसमें चिकित्सा के प्राकृतिक और वैकल्पिक उपचार पद्धतियों पर ध्यान केंद्रित किया जाता है।

180. (c) **लेसर बीम** का उपयोग आंखों के मोतियाबिन्द के ऑपरेशन के इलाज के लिए किया जा रहा है। आजकल बिना चीरफाड़ के ऑपरेशन के लिए लेसर बीम का उपयोग कैंसर, किडनी स्टोन, ट्यूमर आदि के ऑपरेशन में किया जा रहा है।

General English

181. (c) Phrase 'to bend over backwards' means 'to make every effort to achieve something, especially to be fair or helpful'. Eg.: She will bend over backwards to help you; you just have to ask.

182. (c) The given sentence is in simple present tense, so the passive voice will be according to the following rule: Active—Subject + verb (1st form) + s/es + object. Passive — Object + is/am/are + verb (3rd form) + by + Subject. So, the correct passive of the given sentence will be: 'Every morning the office is vacuumed and dusted by the office boy'.

183. (b) Reverent is the correct substitute of given phrase (feeling or showing deep and solemn respect)

184. (c) Right is the correct option to fill in the blanks, as we all have our voting right.

185. (c) 'Chuckle' means 'laugh inwardly and quietly'. So, lament will be its antonym. which means, 'mourn aloud' or 'express sorrow' while other options are synonyms of 'chuckle'.

186. (a) 'Annul' will be the correct substitute of the given phrase to declare invalid an official agreement, decision, or result.

187. (b) This may sound like a lot until one looks at the scale of the actual problem.

188. (a) Part (A) of the sentence is wrong, delete preposition 'on'. Correct sentence is 'Ajay glanced at her laughing and watched her intently.

189. (d) 'Extensive' is the correct word to be filled in the blank as 'extensive' means 'huge'. I did not know he had such an extensive collection of books.

190. (c) Caricature and cartoon both mean a picture, description, or imitation of a person that creates a comic effect.

सामान्य ज्ञान

191. (b) लगभग 4.54 अरब वर्ष पुरानी हमारी पृथ्वी से सूर्य की दूरी लगभग 14 करोड़ 96 लाख किमी है। इसकी विषुवतीय परिधि 40,0.75.02 किमी है। अत: पृथ्वी का सन्निकट परिमाप 30000 किमी है।

192. (c) इल्तुतमिश ने 'टंका' नामक चांदी का सिक्का चलाया था। कुतुबुद्दीन ऐबक की मृत्यु के बाद इल्तुतमिश दिल्ली का शासक 1210 ई. में बना, जिसने 1236 ई. तक शासन किया। इल्तुतमिश पहला तुर्क सुल्तान था जिसने शुद्ध अरबी सिक्के चलवाये। इसने सल्तनतकालीन दो महत्वपूर्ण सिक्के चांदी का 'टंका' (लगभग 175 ग्रेन का), तांबे का 'जीतल' चलवाया। इल्तुतमिश ने इक्ता व्यवस्था' का प्रचलन किया।

193. (d) महाकुंभ 2025 का भव्य और आध्यात्मिक रूप से महत्त्वपूर्ण आयोजन है, जो 13 जनवरी से 26 फरवरी, 2025 तक उत्तर प्रदेश के प्रयागराज में आयोजित किया जाएगा।

194. (c) भारतीय सेना का तोपखाना प्रशिक्षण केन्द्र नई दिल्ली में स्थित है। यहाँ भारी बन्दूकों तथा तोपों संबंधी प्रशिक्षण दिया जाता है।

195. (d) एक धर्म-निरपेक्ष राज्य से अभिप्राय एक ऐसे राज्य से होता है, जो किसी धर्म विशेष को संरक्षण प्रदान नहीं करता तथा अपने नागरिकों से धार्मिक आधार पर भेदभाव नहीं करता।

196. (a) गुजरात में नर्मदा नदी पर निर्मित सरदार सरोवर दुनिया का दूसरा सबसे बड़ा बाँध हैं। यह बहुउद्देशीय सरदार सरोवर परियोजना का हिस्सा है।

197. (c) द हेनले पासपोर्ट इंडेक्स 2025 के अनुसार भारत का पासपोर्ट 85वें स्थान पर है, जबकि पिछले साल 80वें स्थान पर था। इंडेक्स के अनुसार भारतीय पासपोर्ट धारक अब 57 देशों में बिना वीजा के यात्रा कर सकते हैं। सिंगापुर लगातार दूसरे साल भी दुनिया के सबसे शक्तिशाली पासपोर्ट की सूची में शीर्ष स्थान पर है।

198. (d) 'नरेन्द्र मोदी-द मैन, द टाइम्स' नामक पुस्तक नीलाजन मुखोपाध्याय द्वारा लिखित है। यह पुस्तक वर्ष 2013 में प्रकाशित हुई थी।

199. (a) पुरापाषाण काल की गुफाओं से प्राप्त चित्रकारी के साक्ष्यों से यह स्पष्ट प्रमाण मिलता है कि इस काल में आदिमानव के मनोरंजन का साधन 'शिकार' था।

200. (c) 'नेशनल डेयरी डेवलपमेण्ट बोर्ड' (एन.डी.डी.बी.) ने वर्ष 1970 में 'ऑपरेशन फ्लड' कार्यक्रम की शुरूआत की थीं। यह विश्व का सबसे बड़ा डेयरी विकास कार्यक्रम भी है।

❑❑❑

प्रैक्टिस सेट–10

भौतिक विज्ञान

1. यदि 19.6 न्यूटन का बल किसी 10 किग्रा के पिण्ड पर लगाया जाता है तक वह ठीक गतिमान होने की स्थिति में आता है। तल के समान्तर यदि इस पिण्ड पर 5 किग्रा का द्रव्यमान रख दिया जाये तो सतह से समान्तर संयुक्त वस्तु को गति कराने के लिए आरोपित बल का मान होगा–

(a) 29.4 N (b) 39.2 N
(c) 18.6 N (d) 42.6 N

2. किसी लड़की के गुटके की एक नत समतल पर खींचना उसे ऊर्ध्वाधर ऊपर की ओर खींचने से आसान होता है, क्योंकि–

(a) घर्षण कम हो जाता है।
(b) द्रव्यमान कम हो जाता है।
(c) भार का थोड़े भाग को खींचना होता है।
(d) 'g' कम हो जाता है।

3. 5 सेमी लम्बी एक फ्रेम को 20°C के पानी की सतह से खींचने के लिए उसके भार के अलावा 728 डाइन का अधिकतम बल लगाना पड़ता है। पानी का पृष्ठ तनाव होगा–

(a) 7.28 न्यूटन/सेमी
(b) 7.28 डाइन/सेमी
(c) 72.8 डाइन/सेमी
(d) 7.28×10^2 डाइन/सेमी

4. एक पीतल की चकती एक स्टील की प्लेट में बने छिद्र में सही फिट है। चकती को छिद्र में बाहर निकाला जा सकता है। यदि इस निकाय को-

(a) पहले गर्म किया जाये फिर ठण्डा किया जाये
(b) पहले ठण्डा किया जाये एवं फिर गर्म किया जाये
(c) गर्म किया जाये
(d) ठण्डा किया जाये

5. एक कृष्ण वस्तु का ताप 300 K है। इससे उत्सर्जित ऊर्जा की दर निम्न के समानुपाती है–

(a) 300 (b) $(300)^2$
(c) $(300)^3$ (d) $(300)^4$

6. समीकरण $\omega = \frac{1}{2}kx^2$ में k की विमा होगी–

(a) $[M^1 L^0 T^{-2}]$ (b) $[M^1 L^1 T^{-2}]$
(c) $[M^1 L^1 T^{-2}]$ (d) $[M^1 L^0 T^{-2}]$

7. ऊर्ध्वाधर नीचे की ओर गति करता हुआ एक प्रोटॉन उत्तर दिशा में इंगित चुम्बकीय क्षेत्र में प्रवेश करता है। प्रोटॉन का विचलन किस दिशा में होगा?

(a) पूर्व (b) पश्चिम
(c) उत्तर (d) दक्षिण

8. हाइड्रोजन परमाणु की निम्न ऊर्जा स्तर में ऊर्जा –13.6 इलेक्ट्रॉन वोल्ट है। हाइड्रोजन परमाणु में क्वाण्टम संख्या 2 के संगत स्तर की ऊर्जा होगी–

(a) –2.72 इलेक्ट्रॉन वोल्ट
(b) –0.85 इलेक्ट्रॉन वोल्ट
(c) –0.54 इलेक्ट्रॉन वोल्ट
(d) –3.4 इलेक्ट्रॉन वोल्ट

9. किसी घूमती हुई चकती की त्रिज्या एकाएक आधी कर दी जाए जबकि उसका द्रव्यमान वही रहे तो उसका कोणीय वेग हो जाएगा–

(a) चार गुना (b) दोगुना
(c) आधा (d) अपरिवर्तित

10. 25 सेमी फोकस दूरी वाले उत्तल लेन्स के अक्ष पर 1.5 सेमी ऊँचा एक बिम्ब रखा गया है। इसका वास्तविक प्रतिबिम्ब लेन्स से 75 सेमी की दूरी पर बनता है। प्रतिबिम्ब का आकार होगा–

(a) 4.5 सेमी (b) 3.0 सेमी
(c) 0.75 सेमी (d) 0.5 सेमी

11. एक अवर्णक युग्म में प्रयुक्त लेन्सों के काँच की वर्ण-विक्षेपण क्षमताओं 5 : 3 के अनुपात में हैं। यदि अवतल लेन्स की फोकस दूरी 15 सेमी हो तो दूसरे लेन्स की प्रकृति तथा फोकस दूरी होगी–

(a) उत्तल, 9 सेमी (b) अवतल, 9 सेमी
(c) उत्तल, 25 सेमी (d) अवतल, 25 सेमी

12. फ्रानहॉफर रेखायें निम्नलिखित में से किसका उदाहरण हैं?

(a) सतत् स्पेक्ट्रम
(b) बैन्ड स्पेक्ट्रम
(c) उत्सर्जन स्पेक्ट्रम
(d) अवशोषण स्पेक्ट्रम

13. यंग का प्रयोग प्रमाणित करता है कि–

(a) प्रकाश कणों से बना होता है
(b) प्रकाश तरंगों से बना होता है
(c) प्रकाश न तरंगों से और न कणों से बना होता है
(d) फ्रिन्ज की चौड़ाई दोनों स्लिटों के बीच की दूरी पर निर्भर नहीं करती है

14. स्वरित्र अपने समीप के स्वरित्र से 5 विस्पन्द/सेकण्ड देता है। अन्तिम स्वरित्र की आवृत्ति प्रथम स्वरित्र की आवृत्ति से दोगुनी है। प्रथम व अन्तिम स्वरित्र की आवृत्तियाँ क्रमशः हैं–

(a) 200, 400 (b) 205, 410
(c) 195, 390 (d) 100, 200

15. दो वस्तुओं A तथा B के ताप क्रमशः 727°C तथा 327°C है। उनमें विकरित होने वाली ऊष्माओं की दरों H_A तथा H_B के अनुपात $H_A : H_B$ का मान होगा-

(a) 727 : 327 (b) 5 : 3
(c) 25 : 9 (d) 625 : 81

16. यदि दूरदर्शी से किसी दूर की वस्तु को देखते समय अचानक एक मक्खी अभिदृश्यक लेन्स पर आकर बैठ जाती है तो सही कथन है–

(a) प्रतिबिम्ब में मक्खी बड़ी दिखाई देगी
(b) प्रतिबिम्ब में मक्खी छोटी दिखाई देगी
(c) प्रतिबिम्ब में तीव्रता घट जाएगी
(d) प्रतिबिम्ब की तीव्रता बढ़ जाएगी

17. एक प्रिज्म से, जिसका कोण 5° है, श्वेत प्रकाश का निर्गमन किया जाता है। यदि लाल व नीले रंगों की किरणों के लिए अपवर्तनांक क्रमशः 1.64 तथा 1.66 हों, तो दोनों रंगों के बीच विक्षेपण कोण होगा–

(a) 0.1^o (b) 0.2^o
(c) 0.3^o (d) 0.4^o

18. पानी में हवा के बुलबुले के चमकने का कारण है–
(a) प्रकाश का विवर्तमान
(b) प्रकाश का विक्षेपण
(c) प्रकाश का प्रकीर्णन
(d) प्रकाश का पूर्ण आन्तरिक परावर्तन

19. प्रकाश के लिए डॉप्लर प्रभाव के सन्दर्भ में पद 'अभिरक्त विस्थापन' प्रदर्शित करता है–
(a) आवृत्ति में कमी (b) आवृत्ति में वृद्धि
(c) तीव्रता में कमी (d) तीव्रता में वृद्धि

20. एक मोटर गाड़ी 124 कम्पन/से आवृत्ति का हॉर्न बजाती हुई 72 किमी/घण्टा के वेग से एक ऊँची दीवार की ओर गति करती है। ड्राइवर द्वारा सुनी परावर्तित ध्वनि की आवृत्ति होगी (ध्वनि का हवा में वेग 330 मी/से)–
(a) 109 कम्पन/से (b) 132 कम्पन/से
(c) 140 कम्पन/से (d) 248 कम्पन/से

21. एक पिण्ड को 62^oC से 61^oC तक ठण्डा होने में T मिनट लगते हैं, जब परिपार्श्व का तापमान 30^oC है। इसी परिपार्श्व के तापमान में 46^oC से 45.5^oC तक ठण्डा होने में पिण्ड को लगने वाला समय होगा–
(a) T मिनट से अधिक
(b) T मिनट के बराबर
(c) T मिनट से कम
(d) T/2 मिनट के बराबर

22. 10^{-10} मी तरंगदैर्ध्य वाले X-किरण पुंज में फोटॉन का संवेग है–
(a) 1.5×10^{-23} किग्रा-मी/से
(b) 6.6×10^{-24} किग्रा-मी/से
(c) 6.6×10^{-44} किग्रा-मी/से
(d) 2.2×10^{-52} किग्रा-मी/से

23. एक रेडियोएक्टिव तत्व का विघटन स्थिरांक λ है। उसकी अर्द्ध-आयु तथा औसत आयु क्रमशः होगी–
(a) $\frac{1}{\lambda}$ तथा $\frac{1n2}{\lambda}$
(b) $\frac{1n2}{\lambda}$ तथा $\frac{1}{\lambda}$
(c) λ (in 2) तथा $\frac{1}{\lambda}$
(d) λ (in 2) तथा $\frac{1}{\lambda}$

24. हाइड्रोजन परमाणु में इलेक्ट्रॉन के निम्न संक्रमणों में किसमें ऊर्जा परिवर्तन अधिकतम होगा?
(a) $n = 2$ से $n = 1$ तक
(b) $n = 3$ से $n = 1$ तक
(c) $n = 4$ से $n = 2$ तक
(d) $n = 3$ से $n = 2$ तक

25. हाइड्रोजन परमाणु में एक इलेक्ट्रॉन 5.2×10^{-11} मी त्रिज्या की एक वृत्तीय कक्षा में घूमता है और नाभिक पर 12.56 T चुम्बकीय प्रेरण उत्पन्न करता है। इलेक्ट्रॉन की गति के कारण उत्पन्न विद्युत धारा का मान होगा– (दिया है। $\mu_0 = 4\pi \times 10^{-7}$ वेबर-मी)
(a) 6.53×10^{-3} ऐम्पियर
(b) 13.25×10^{-10} ऐम्पियर
(c) 9.6×10^{6} ऐम्पियर
(d) 1.04×10^{-3} ऐम्पियर

26. जर्मेनियम का इलेक्ट्रॉनिक विन्यास 2, 8, 18 तथा 4 है। इसमें थोड़ा एन्टीमनी मिलाकर अपद्रव्यी अर्द्धचालक बनाया जाता है–
(a) प्राप्त पदार्थ n प्रकार का जर्मेनियम होगा जिसमें इलेक्ट्रॉन की संख्या होल की संख्या के बराबर होगी।
(b) प्राप्त पदार्थ p- प्रकार का जर्मेनियम होगा।
(c) प्राप्त पदार्थ n- प्रकार का जर्मेनियम होगा जिसमें कमरे के ताप पर इलेक्ट्रॉनों की संख्या होल की संख्या की अपेक्षा अधिक होगी।
(d) प्राप्त पदार्थ n- प्रकार का जर्मेनियम होगा जिसमें कमरे के ताप पर इलेक्ट्रॉनों की संख्या होल की संख्या की अपेक्षा कम होगी।

27. एक इलेक्ट्रॉन की विराम ऊर्जा 0.511 MeV है। इलेक्ट्रॉन को इसके विरामावस्था 0.5 c वेग तक त्वरित किया जाता है। इसकी ऊर्जा का अन्तर होगा–
(a) 0.026 MeV (b) 0.051 MeV
(c) 0.079 MeV (d) 0.105 MeV

28. किसी प्रकाश विद्युत सेल में ऊर्जा का रूपान्तरण होता है–
(a) रासायनिक से विद्युतीय
(b) चुम्बकीय से विद्युतीय
(c) प्रकाशीय से विद्युतीय
(d) यान्त्रिक से विद्युतीय

29. एक रेडियो आइसोटोप की अर्द्ध आयु 5 वर्ष है। 15 वर्ष में इस पदार्थ का कितना अंश क्षय होगा?
(a) 1 (b) 3/4
(c) 7/8 (d) 1/8

30. हाइड्रोजन परमाणु निम्नतम ऊर्जा स्तर में इलेक्ट्रॉन का कोणीय संवेग होता है–
(a) π/h (b) h/π
(c) $h/2\pi$ (d) $2\pi/h$

31. एक अर्द्धचालक को ताप T_1K से T_2K तक ठण्डा किया जाता है। इसका प्रतिरोध को ताप–
(a) कम होगा
(b) बढ़ेगा
(c) पहले कम होगा फिर बढ़ेगा
(d) कोई परिवर्तन नहीं होगा

32. एक प्राथमिक सेल का विद्युत वाहक बल 2 वोल्ट है। जब यह लघुपतित कर दिया जाता है तो यह 4 ऐम्पियर की धारा देता है। सेल का (ओम में) आन्तरिक प्रतिरोध है–
(a) 0.5 (b) 5.0
(c) 2.0 (d) 8.0

33. एक समान्तर पट्ट संधारित में t_1 मोटाई का K_1 परावैद्युतांक वाला पदार्थ और t_2 मोटाई का K_2 परावैद्युतांक वाला पदार्थ भरा है तो इस संधारित्र की धारिता का मान होगा–
(a) $\varepsilon_0 A / \left(\frac{t_1}{K_1} + \frac{t_2}{K_2}\right)$
(b) $\varepsilon_0 A / \left(\frac{K_1}{t_1} + \frac{K_2}{t_2}\right)$
(c) $\varepsilon_0 A / \left(\frac{t_1}{K_2} + \frac{t_2}{K_1}\right)$
(d) $\varepsilon_0 A / \left(\frac{K_2}{t_1} + \frac{K_1}{t_2}\right)$

34. नमक (सोडियम क्लोराइड) को वायु में रखने पर 1 सेमी दूर सोडियम तथा क्लोरीन आयनों के बीच बल F कार्य करता है। वायु की विद्युतशीलता तथा पानी का परावैद्युतांक क्रमशः ε_0 तथा K है। जब नमक का टुकड़ा पानी में रखा जाता है तो 1 सेमी दूर सोडियम तथा क्लोरीन आयनों के बीच विद्युत बल कार्य करेगा–
(a) F/K (b) FK/ε_0
(c) $F/K\varepsilon_0$ (d) $F\varepsilon_0/K$

35. स्पर्शज्या धारामापी जब एक मानक प्रतिरोध के साथ श्रेणीक्रम में सम्बन्धित कर दिया जाता है तो इसे प्रयोग में लाया जा सकता है–
(a) अमीटर की तरह
(b) वोल्टमीटर की तरह
(c) वॉटमीटर की तरह
(d) अमीटर और वोल्टमीटर दोनों की तरह

36. प्रेरण के एक समरूप चुम्बकीय क्षेत्र B में स्वतन्त्रतापूर्वक लटकी एवं दण्ड चुम्बक पर कार्य करते हुए बल-आघूर्ण τ की विक्षेप θ

के साथ परिवर्तन की दर अधिकतम होगी जब–

(a) $\theta = 0^o$ (b) $\theta = 45^o$
(c) $\theta = 60^o$ (d) $\theta = 90^o$

37. व्यास d तथा लम्बाई l के एक ताँबे के तार के सिरों पर विभवान्तर लगाकर केवल, d दोगुना करने पर अनुगमन वेग–

(a) दोगुना हो जाएगा
(b) आधा रह जाएगा
(c) अपरिवर्तित रहेगा
(d) उपरोक्त में से कोई नहीं

38. किसी गोलाकार संधारित्र के दो गोलों की त्रिज्याएँ 0.5 मी. और 0.6 मी. है। यदि इनके बीच पूरी तरह 6 परावैद्युतांक वाला माध्यम भर दें तो संधारित्र की धारिता का मान होगा–

(a) 3.3×10^{-10} फैरड
(b) 2×10^{-9} फैरड
(c) 2 फैरड
(d) 18 फैरड

39. निर्वात् की विद्युतशीलता तथा चुम्बकशीलता क्रमशः ε_0 तथा μ_0 है। किसी माध्यम की संगत राशियाँ ε तथा μ हैं, माध्यम का अपवर्तनांक है-

(a) $\sqrt{\dfrac{\mu\varepsilon}{\mu_0\varepsilon_0}}$ (b) $\sqrt{\dfrac{\mu_0\varepsilon_0}{\mu\varepsilon}}$

(c) $\sqrt{\dfrac{\mu_0\varepsilon_0}{\mu\varepsilon}}$ (d) $\sqrt{\dfrac{\mu_0\varepsilon_0}{\mu\varepsilon}}$

40. पानी से भरे एक गोले के अन्दर एक विद्युत द्विध्रुव उत्तर-दक्षिण दिशा में रखा जाता है। कौन सा कथन सत्य है?

(a) गोले की ओर विद्युत फ्लक्स आ रहा है।
(b) गोले से बाहर विद्युत फ्लक्स जा रहा है।
(c) जितना विद्युत फ्लक्स गोले की ओर आ रहा है उतना ही विद्युत फ्लस्क गोले से बाहर जा रहा है।
(d) पानी विद्युत फ्लस्क को गोले के अन्दर नहीं जाने देता है।

41. पृथ्वी के किसी स्थान पर नतिकोण प्रदान करता है–

(a) पृथ्वी के चुम्बकीय क्षेत्र का क्षैतिज घटक
(b) भौगोलिक याम्योत्तर की अवस्थिति
(c) पृथ्वी के क्षेत्र का ऊर्ध्वाधर घटक
(d) पृथ्वी के चुम्बकीय क्षेत्र की दिशा

42. दोलन चुम्बकत्वमापी की रकाब में रखी हुई चुम्बक को जब विक्षेपित किया जाता है तो उसका आवर्तकाल होगा–

(a) $2\pi\sqrt{I|MB}$ (b) $2\pi\sqrt{MB|I}$

(c) $2\pi\sqrt{MBI}$ (d) $2\pi\sqrt{I/g}$

43. चुम्बकीय बल रेखाएँ–

(a) हमेशा एक दूसरे को काटती हैं
(b) हमेशा संवृत बनाती हैं
(c) चुम्बक के ध्रुव से बहुत दूर इकट्ठी होने लगती हैं
(d) निर्वात में होकर नहीं गुजरती हैं

44. फैराडे नियतांक का मान है–

(a) 9.65×10^4 कुलॉम
(b) 9.65×10^4 जूल
(c) 6.03×10^{27} जूल
(d) 1.6×10^{-19} कुलॉम

45. 500 वॉट और 200 वॉट के बल्व 220 वोल्ट विभवान्तर पर प्रयोग करने के लिए बनाए गए हैं। यदि बल्बों को पहले समान्तर क्रम में और दूसरी बार श्रेणीक्रम में जोड़ा जाए तो दोनों दशाओं में 500 वॉट एवं 200 वॉट बल्बों द्वारा उत्पन्न ऊष्मा का अनुपात होगा–

(a) 5/2, 2/5 (b) 5/2, 2/5
(c) 2/5, 5/2 (d) 2/5, 2/5

46. फैराडे नियतांक F, इलेक्ट्रॉन आवेश e तथा आवोगाद्रो संख्या N में सम्बन्ध है-

(a) F = N/e (b) F = Ne
(c) $N = Fe^2$ (d) $F = N^2e$

47. 360 चक्कर/मिनट लगाने वाले गतिपालक चक्र का कोणीय वेग है-

(a) 12π (b) 6π
(c) 3π (d) 2π

48. विद्युत चुम्बकीय प्रेरण में, कुण्डली में प्रेरित विद्युत वाहक बल निर्भर नहीं करता है–

(a) फ्लक्स में परिवर्तन पर
(b) समय पर
(c) परिपथ के प्रतिरोध पर
(d) इनमें से कोई नहीं

49. छड़ की गति होगी-

(a) आवर्ती परन्तु दोलनी नहीं
(b) दोलनी परन्तु सरल आवर्त गति नहीं
(c) रैखिक आवर्ती गति
(d) कोणीय आवर्ती दोलनी

50. एक ट्रायोड वाल्व में प्रवर्धन निम्न में से किसकी क्रिया द्वारा उत्पन्न होता है?

(a) फिलामेन्ट (तन्तु)
(b) कैथोड
(c) ग्रिड
(d) प्लेट

51. वैद्युत चालकता की इकाई है–

(a) ओम (b) $ओम^{-1}$
(c) मी/म्हो (d) म्हो/मी

52. यदि एक तारे का प्रकाश लाल छोर की ओर विस्थापित होता है, तो-

(a) तारा पृथ्वी की ओर उपगमित हो रहा है
(b) तारा पृथ्वी से दूर जा रहा है
(c) तारे का आभासी आवृत्ति वास्तविक आवृत्ति से कम होगी
(d) (b) व (c) दोनों सही हैं

53. प्रति न्यूक्लिऑन बन्धन ऊर्जा एवं परमाणु क्रमांक के बीच वक्र हीलियम नाभिक के लिये तीव्र शिखर रखता है, इसका अर्थ है कि हीलियम–

(a) को आसानी से तोड़ा जा सकता है
(b) बहुत स्थायी है
(c) विखण्डनीय पदार्थ की तरह प्रयुक्त किया जा सकता है
(d) रेडियो सक्रिय है

54. बैटरी द्वारा प्रवाहित धारा अधिकतम होगी, यदि–

(a) आन्तरिक प्रतिरोध बाह्य प्रतिरोध के तुल्य हो
(b) आन्तरिक प्रतिरोध बाह्य प्रतिरोध से बड़ा हो
(c) आन्तरिक प्रतिरोध बाह्य प्रतिरोध से छोटा हो
(d) उपरोक्त में से कोई नहीं

55. प्रदर्शित परिपथ में A तथा B के बीच तुल्य प्रतिरोध का मान है–

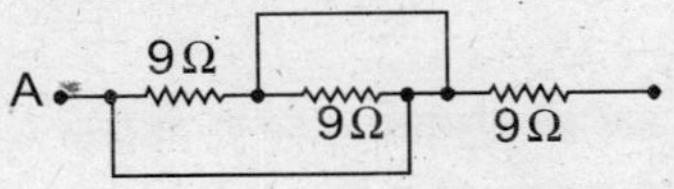

(a) 27Ω (b) 18Ω
(c) 9Ω (d) 3Ω

56. 3×10^4 सेमी तरंगदैर्ध्य की किसी रेडियो तरंग के फोटॉनों में ऊर्जा होती है–

(a) 6.62×10^{-10} जूल
(b) 19.86×10^{-24} जूल
(c) 6.62×10^{-28} जूल
(d) 2.2×10^{-35} जूल

57. गुरुत्वाकर्षण क्षेत्र होता है–

(a) संरक्षी (b) असंरक्षी
(c) वैद्युत चुम्बकीय (d) चुम्बकीय

58. एक अति चालक पदार्थ होता है–

(a) लौह चुम्बकीय
(b) लौह वैद्युतीय
(c) प्रतिचुम्बकीय
(d) अनुचुम्बकीय

59. इलेक्ट्रॉन सूक्ष्मदर्शी प्रकाशिक सूक्ष्मदर्शी से अधिक उपयोग है क्योंकि–

(a) इसकी विभेदन क्षमता अधिक है
(b) इसे संभालना आसान है
(c) इसकी कीमत कम है
(d) इसकी विभेदन सीमा अधिक है

60. पृथ्वी के दो उपग्रह S_1 और S_2 एक ही कक्षा में घूम रहे हैं। S_1 का द्रव्यमान S_2 के द्रव्यमान का चार गुना है। निम्नलिखित में से कौन-सा कथन सत्य है?

(a) S_1 का आवर्तकाल S_2 के आवर्तकाल से चार गुना है
(b) दोनों उपग्रहों के लिए पृथ्वी और उपग्रह की स्थितिज ऊर्जाएँ बराबर हैं
(c) S_1 और S_2 दोनों उपग्रह समान चाल से घूम रहे हैं
(d) दोनों उपग्रह की गतिज ऊर्जाएँ समान हैं

रसायन विज्ञान

61. उस घोल की मोललता ज्ञात कीजिए जिसमें 18 ग्राम ग्लूकोस (अणुभार = 180) 500 ग्राम जल में घुला हुआ हो-

(a) 2.0 m (b) 0.5 m
(c) 1.0 m (d) 0.2 m

62. निम्न में से किसकी विद्युत-ऋणात्मकता सबसे अधिक है?

(a) P (b) S
(c) Cl (d) Br

63. जल की अस्थायी कठोरता किसकी उपस्थिति के कारण होती है?

(a) $CaSO_4$ (b) $Ca(HCO_3)_2$
(c) $NaHCO_3$ (d) $MgSO_4$

64. निम्न में से किसमें परॉक्साइड आयन अनुपस्थित हैं?

(a) H_2O_2 (b) PbO_2
(c) SrO_2 (d) BaO_2

65. उत्कृष्ट गैस जिसे कैंसर के इलाज में प्रयुक्त किया जाता है–

(a) हीलियम (b) आर्गन
(c) रेडॉन (d) क्रिप्टॉन

66. क्लोरोफॉर्म निम्न के आंशिक अपचयन से प्राप्त किया जा सकता है–

(a) CCl_4 (b) CH_4
(c) $CHCl_3$ (d) CH_2OH

67. एक तत्व का इलेक्ट्रॉनिक विन्यास $1s^2, 2s^2\ 2p^6, 3s^2\ 3p^3$ है। आवर्त सारणी में इस तत्व के ठीक नीचे वाले तत्व का परमाणु क्रमांक क्या है?

(a) 49 (b) 31
(c) 34 (d) 33

68. एक रासायनिक अभिक्रिया उत्प्रेरक X द्वारा उत्प्रेरित होती है, अतः X–

(a) अभिक्रिया की सक्रियण ऊर्जा बढ़ाता है।
(b) अभिक्रिया के साम्य स्थिरांक को प्रभावित नहीं करता है।
(c) अभिक्रिया के वेग नियतांक को घटाता है।
(d) अभिक्रिया की एन्थैल्पी कम करता है।

69. परमाणु $^{238}_{92}X$ से एक α–कण तथा इसके बाद एक β–कण के उत्सर्जन के पश्चात् परमाणु में न्यूट्रॉनों की संख्या कितनी होगी?

(a) 144 (b) 143
(c) 142 (d) 146

70. रेडियोऐक्टिव C^{14} की अर्द्ध-आयु 5760 वर्ष है। कितने वर्षों में C^{14} का 200 मिलीग्राम आदर्श 25 मिलीग्राम रह जायेगा?

(a) 23040 वर्ष (b) 17280 वर्ष
(c) 11520 वर्ष (d) 5760 वर्ष

71. ईंधन का अपस्फोटरोधी गुण बढ़ाने के लिये निम्न में से मिलाया जाता है?

(a) लेड टेट्रा ऐथिल एवं ऐथिल ब्रोमाइड
(b) लेड ऑक्साइड
(c) लेड ब्रोमाइड
(d) जिंक ब्रोमाइड

72. निम्न में से कौन-सा यौगिक ध्रुवण घूर्णक रूपों में विद्यमान होता है?

(a) $CH_3—CH(CH_3)—CH_2OH$
(b) $CH_3—CH_2—CH_2OH$
(c) $CH_3CH_2—CH(OH)—CH_3$
(d) $CH_3(CH_2)_3—CH_2OH$

73. O_2, H_2O_2 व O_3 में O—O बन्ध लम्बाई का सही क्रम है–

(a) $H_2O_2 < O_3 < O_2$
(b) $O_2 > O_3 > H_2O_2$
(c) $O_2 > H_2O_2 > O_3$
(d) $H_2O_2 > O_3 > O_2$

74. बेकेलाइट का निर्माण किसके मध्य अभिक्रिया द्वारा होता है?

(a) फीनॉल तथा फॉर्मेल्डिहाइड
(b) एथिलीन ग्लाइकॉल तथा डाइमेथिल टैरेफ्थेलेट
(c) यूरिया तथा फॉर्मेल्डिहाइड
(d) टेट्रामेथिलीन ग्लाइकॉल तथा हेक्सा मेथिलीन डाई आइसोसायनेट

75. AgCl की विलेयता किसमें निम्नतम् होगी?

(a) 0.01 M NaCl
(b) 0.01 M $CaCl_2$
(c) शुद्ध जल
(d) 0.001 M $AgNO_3$

76. मर्करी ही केवल ऐसी धातु है जो 0°C पर द्रव है, इसका कारण है–

(a) उच्च वाष्प दाब
(b) उच्च आयनन ऊर्जा तथा दुर्बल धात्विक बन्ध
(c) निम्न आयनन विभव
(d) उच्च परमाण्विक भार

77. एल्कीन $R—CH = CH_2$ की B_2H_6 क्रिया के पश्चात् प्राप्त उत्पाद का क्षारीय हाइड्रोजन परॉक्साइड द्वारा ऑक्सीकरण करने पर बनता है–

(a) $R—C(=O)—CH_3$
(b) $R—CH(OH)—CH_2(OH)$
(c) $R—CH_2—CHO$
(d) $R—CH_2—CH_2—OH$

78. राउल्ट नियम के अनुसार किसी विलयन के वाष्प दाब में आपेक्षिक अवनमन बराबर है–

(a) विलेय के मोलों के
(b) विलायक के मोल प्रभाज के
(c) विलायक के मोलों के
(d) विलेय के मोल प्रभाज के

79. नाइट्रोजन अणु की आद्य अवस्था में संयोजी कोश के इलेक्ट्रॉनों का विन्यास $(\sigma 2s^2)\cdot(\sigma 2s^2), (\pi 2p^4), \sigma 2p^2$ है अतः नाइट्रोजन अणु में बन्ध क्रम है–

(a) 3 (b) 0
(c) 1 (d) 2

80. एक इलेक्ट्रॉन (द्रव्यमान $= 9.1 \times 10^{-28}$ ग्राम) जो 3.0×10^4 सेमी/से (0.001% तक सही) के वेग से गति कर रहा है, की स्थिति में अनिश्चितता क्या होगी? ($h/4\pi$ का अनिश्चितता सिद्धान्त में उपयोग कीजिएं, जहाँ $h = 6.626 \times 10^{-27}$ अर्ग- से)

(a) 3.84 सेमी (b) 1.92 सेमी
(c) 7.68 सेमी (d) 5.76 सेमी

81. अभिक्रिया $CH_3CHO + HCN \rightarrow CH_3CH(OH)CN$ में एक किरेल केन्द्र उत्पन्न होता है। यह उत्पाद होगा
(a) मेसो यौगिक
(b) रैसिमिक मिश्रण
(c) वाम ध्रुवण घूर्णक
(d) दक्षिण ध्रुवण घूर्णक

82. $CH_3-CH=CHCH_2CHCH_2COOH$ (with NH_2 on the CH)

का आई. यू.पी.ए.सी. नाम है–
(a) 5-ऐमीनो-2-हेप्टीनोइक अम्ल
(b) β-ऐमीनो δ-हेप्टीनोइक अम्ल
(c) 5-ऐमीनो-हेक्स-2-ईन-कार्बोक्सिलिक अम्ल
(d) 3-ऐमीनो-5-हेप्टीनोइक अम्ल

83. एक उत्क्रमणीय अभिक्रिया में साम्य पर उत्प्रेरक–
(a) अग्र अभिक्रिया की गति बढ़ा देता है।
(b) पश्च अभिक्रिया की गति बढ़ा देता है।
(c) अग्र एवं पश्च दोनों अभिक्रियाओं की गति समान रूप से बढ़ाता है।
(d) उपरोक्त में से कोई नहीं

84. एक इलेक्ट्रॉन के लिए $n=2, l=1$ है। इसके लिए कुल चुम्बकीय क्वाण्टम संख्याएँ होगी–
(a) 3 (b) 2
(c) 1 (d) शून्य

85. प्रोपीन एवं प्रोपाइन में विभेद करने के लिए प्रयुक्त होने वाला अभिकर्मक है–
(a) क्षारीय $KMnO_4$
(b) ब्रोमीन जल
(c) $[Ag(NH_3)_2]^+$
(d) अमोनियम $AgNO_4$

86. एथिल ऐमीन की नाइट्रस अम्ल से क्रिया कराने पर बनता है–
(a) एथिल नाइट्राइट
(b) एथिल एल्कोहॉल
(c) नाइट्रो एथेन
(d) ऐसीटिक अम्ल

87. अभिक्रिया $2SO_3 \rightarrow 2SO_2 + O_2$ के लिये साम्य स्थिरांक (K_c) का व्यंजक है–
(a) $\frac{2[SO_2][O_2]}{2[SO_3]}$ (b) $\frac{[SO_2][O_2]}{[SO_3]}$
(c) $\frac{[SO_3]^2}{[SO_2][O_2]}$ (d) $\frac{[SO_2]^2[O_2]}{[SO_3]^2}$

88. वर्ग में ऊपर से नीचे जाने पर कौन-सा गुण सदैव बढ़ता है?
(a) आयनन विभव
(b) इलेक्ट्रॉन बन्धुता
(c) विद्युत ऋणात्मकता
(d) परमाणु त्रिज्या

89. $CH_3CH_2I + NaOR \rightarrow CH_3CH_2OR + NaI$. यह अभिक्रिया है–
(a) वुर्ट्ज अभिक्रिया
(b) विलियमसन संश्लेषण
(c) विलियमसन सतत ईथरीकरण प्रक्रम
(d) कर्टियस अभिक्रिया

90. एक लवण का जलीय विलयन क्षारीय है, लवण बना है–
(a) प्रबल अम्ल एवं प्रबल क्षार से
(b) प्रबल अम्ल एवं दुर्बल क्षार से
(c) दुर्बल अम्ल एवं दुर्बल क्षार से
(d) दुर्बल अम्ल एवं प्रबल क्षार से

91. उच्च हाइड्रोकार्बनों को निम्न हाइड्रोकार्बनों में परिवर्तित करने की प्रक्रिया कहलाती है–
(a) समावयवीकरण
(b) भंजन
(c) हाइड्रोसंभवन
(d) खनन

92. *d*-ब्लॉक के तत्वों द्वारा निम्न गुण प्रदर्शित नहीं होता–
(a) परिवर्ती संयोजकता
(b) जटिल यौगिक बनाने की प्रवृत्ति
(c) प्रतिचुम्बकत्व
(d) अनुचुम्बकत्व

93. $BaCl_2(s)$ और $BaCl_2 \cdot 2H_2O(s)$ की विलयन ऊष्मा क्रमशः –20.6 और 8.8 किलोजूल मोल$^{-1}$ है। निम्न अभिक्रिया के लिए जलीयकरण ऊष्मा का मान है।

$BaCl_2(s) + 2H_2O \rightarrow BaCl_2 \cdot 2H_2O(s)$
(a) 29.4 किलोजूल
(b) –29.4 किलोजूल
(c) –11.8 किलोजूल
(d) 38.2 किलोजूल

94. $SO_3^{2-}, S_2O_4^{2-}$ और $S_2O_6^{2-}$ ऋणायनों में सल्फर की ऑक्सीकरण अवस्थाओं का क्रम है–
(a) $S_2O_4^{2-} < S_2O_6^{2-} < SO_3^{2-}$
(b) $S_2O_6^{2-} < S_2O_4^{2-} < SO_3^{2-}$
(c) $S_2O_4^{2-} < SO_3^{2-} < S_2O_6^{2-}$
(d) $SO_3^{2-} < S_2O_4^{2-} < S_2O_6^{2-}$

95. निम्न में से कौन-सा सही नहीं है?
(a) बॉयल तापमान, $T_B = \frac{b}{aR}$
(b) क्रान्तिक दाप, $P_c = \frac{a}{27b^2}$
(c) क्रान्तिक ताप, $T_c = \frac{8a}{27Rb}$
(d) क्रान्तिक आयतन, $V_v = 3b$

96. लैन्थेनाइड श्रेणी में बाएँ से दाएँ जाने पर लैन्थेनाइड हाइड्रॉक्साइडों की क्षारकता–
(a) बढ़ती है
(b) घटती है
(c) पहले बढ़ती है फिर घटती है
(d) पहले घटती है फिर बढ़ती है

97. Ge (II) यौगिक प्रबल अपचायक है जबकि Pb (IV) यौगिक प्रबल ऑक्सीकारक होते हैं क्योंकि–
(a) लेड, जर्मेनियम की तुलना में अधिक धनविद्युती है।
(b) लेड का आयनन विभव जर्मेनियम से कम होता है।
(c) Pb^{2+} और Pb^{4+} की आयनिक त्रिज्याएँ Ge^{2+} और Ge^{4+} की आयनिक त्रिज्याओं से बड़ी है।
(d) अक्रिय युग्म प्रभाव जर्मेनियम की तुलना में लेड में अधिक सक्रिय है।

98. निम्न यौगिकों में से किसका एक संरचनात्मक समावयवी प्रतिबिम्बरूपता दर्शाने में सक्षम है?
(a) C_3H_8 (b) $C_3H_6Br_2$
(c) C_5H_{12} (d) C_6H_{14}

99. द्वितीय कोटि की अभिक्रिया के लिए विशिष्ट अभिक्रिया वेग की इकाई है–
(a) से$^{-1}$
(b) मोल ली$^{-1}$ से$^{-1}$
(c) ली$^{-2}$ मोल$^{-2}$ से$^{-1}$
(d) ली मोल$^{-1}$ से$^{-1}$

100. एक कार्बनिक यौगिक जिसका अणुसूत्र C_7H_8O है, NaOH में घुल जाता है। यह $FeCl_3$ के साथ विशिष्ट रंग देता है ब्रोमीन के साथ क्रिया कराने पर यह ट्राइब्रोमो व्युत्पन्न देता है। यह यौगिक है–
(a) बेन्जिल ऐल्होहॉल
(b) *o*-क्रीसॉल
(c) *m*-क्रीसॉल
(d) *p*-क्रीसॉल

101. सही कथन पहचानिए–

(a) प्लास्टर ऑफ पेरिस को जिप्सम के आंशिक ऑक्सीकरण से प्राप्त किया जाता है।

(b) जिप्सम में कैल्सियम की प्रतिशतता प्लास्टर ऑफ पेरिस से कम होती है।

(c) जिप्सम को प्लास्टर ऑफ पेरिस को गर्म करके प्राप्त किया जाता है।

(d) प्लास्टर ऑफ पेरिस को जिप्सम के जलयोजन में प्राप्त किया जा सकता है।

102. जब 3, 3- डाइमेथिल-2 ब्यूटेनॉल को H_2SO_4 के साथ गर्म किया जाता है, तो अधिक मात्रा में प्राप्त होने वाला उत्पाद है–

(a) 3, 3- डाइमेथिल-1- ब्यूटीन

(b) 2,3- डाइमेथिल-2- ब्यूटीन

(c) 2,3 डायमेथिल-1- ब्यूटीन

(d) उत्पाद (b) के समपक्ष तथा विपक्ष समावयवी

103. सोडियम को 40% NaCl व 60% $CaCl_2$ के द्रवित मिश्रण का वैद्युत अपघटन करके प्राप्त किया जाता है क्योंकि–

(a) Ca^{2+}, NaCl को Na में अपचयित कर सकता है।

(b) $CaCl_2$ विद्युत चालन में मदद करता है।

(c) यह मिश्रण NaCl से कम गलनांक रखता है।

(d) Ca^{2+}, NaCl से Na को विस्थापित कर सकता है।

104. 25°C पर AgCl की विलेयता 1.8×10^{-3} ग्राम/ली है। AgCl का विलेयता गुणनफल होगा (Ag = 108, Cl = 35.5)

(a) 1.57×10^{-10}

(b) 1×10^{-10}

(c) 3.24×10^{-6}

(d) 1×10^{-6}

105. अभिक्रिया $(CH_3)_2CO \xrightarrow{Na/C_2H_5OH} (CH_3)_2CHOH$, कहलाती है–

(a) रोजेनमुण्ड अपचयन

(b) बूबो-ब्लांक अपचयन

(c) साबात्ये-सेण्डेरेन्स अपचयन

(d) क्लीमेन्सन अपचयन

106. एक एल्कीन के ओजोनी अपघटन पर केवल एक ही कार्बनिक यौगिक प्राप्त होता है, एल्कीन है–

(a) $CH_3—CH = CH_2$

(b) $CH_3—CH=CH—CH_3$

(c) $CH_3—C(CH_3)=CH$

(d) $CH_3—CH_2—CH=CH_2$

107. परमाणुओं का एक समूह लिगैण्ड के रूप में कार्य कर सकता है जब–

(a) यह एक छोटा अणु है

(b) यह अप्रयुक्त इलेक्ट्रॉन युग्म रखता है

(c) यह एक ऋणावेशित आयन है

(d) यह एक धनावेशित आयन है

108. एक As_2S_3 सॉल ऋणात्मक आवेश रखता है। इस सॉल को अवक्षेपित करने की अधिकतम क्षमता है?

(a) $CaCl_2$ (b) $AlCl_3$

(c) K_2SO_4 (d) Na_3PO_4

109. आयोडीन स्पीशीज के आकार का बढ़ता क्रम है–

(a) $I > I^- > I^+$

(b) $I^- > I > I^+$

(c) $I^+ > I^- > I$

(d) $I > I^+ > I^-$

110. निम्न में से किसकी विलेयता जल में सबसे अधिक है?

(a) NH_3 (b) PH_3

(c) AsH_3 (d) SbH_3

111. निम्न में से किस इलेक्ट्रॉनिक विन्यास में दूसरे तथा तीसरे आयनन विभव के बीच का अन्तर सबसे अधिक होगा?

(a) $1s^2, 2s^2\,2p^6, 3s^1$

(b) $1s^2, 2s^2\,2p^6, 3s^2$

(c) $1s^2, 2s^2\,2p^6$

(d) $1s^2, 2s^2\,2p^5$

112. निम्न में से किस विलयन/विलायक में AgCl की विलेयता सबसे कम होगी?

(a) 0.01 M NaCl

(b) 0.01 M $CaCl_2$

(c) शुद्ध जल

(d) 0.001 M $AgNO_3$

113. अभिक्रिया जिसमें सभी अभिकारकों तथा उत्पादों की अवस्था द्रव है, के लिए निम्न में से क्या सही है?

(a) $\Delta H = \Delta E$ (b) $\Delta H = \Delta W$

(c) $\Delta H > \Delta E$ (d) इनमें से कोई नहीं

114. N^{3-}, O^{2-}, F^- तथा Na^+ की आयनिक त्रिज्याओं का क्रम है–

(a) $N^{3-} > O^{2-} > F^- > Na^+$

(b) $N^{3-} > Na^+ > O^{2-} > F^-$

(c) $Na^+ > O^{2-} > N^{3-} > F^-$

(d) $O^{2-} > F^- > Na^+ > N^{3-}$

115. पृष्ठ केन्द्रित घनीय जालक में, एक इकाई सेल कितने इकाई सेलों द्वारा समान रूप से साझित रहती है?

(a) 4 (b) 2

(c) 6 (d) 8

116. उत्प्रेरक के अधिशोषण सिद्धान्त के अनुसार अभिक्रिया का वेग बढ़ता है, क्योंकि–

(a) उत्प्रेरक के सक्रिय केन्द्र पर अभिकारक के अणुओं के अधिशोषक के कारण अधिक सान्द्रता होती है

(b) अधिशोषण प्रक्रम के लिए अणुओं की सक्रियण ऊर्जा का मान अधिक हो जाता है

(c) अधिशोषण ऊष्मा उत्पन्न करता है जिसके कारण अभिक्रिया का वेग बढ़ता है

(d) अधिशोषण अभिक्रिया की सक्रियण ऊर्जा का मान कम करता है

117. HF, HCl, HBr तथा HI में सबसे दुर्बल अम्ल है–

(a) HF (b) HCl

(c) HBr (d) HI

118. विरंजक चूर्ण का अणुसूत्र है–

(a) $CaCl_2$ (b) Ca_2OCl_2

(c) $CaOCl_2$ (d) $CaCl_2CaOCl$

119. निम्न में से कौन-सा कार्बन धात्विक यौगिक है?

(a) लीथियम एथॉक्साइड

(b) एथिल लीथियम

(c) लीथियम ऐसीटेट

(d) लीथियम कार्बाइड

120. निम्न में से कौन-सी धातु अमलगम का निर्माण नहीं करती है?

(a) सोना (b) सिल्वर

(c) जिंक (d) आयरन

वनस्पति विज्ञान

121. वायुमण्डल की O_2 बनी है-

(a) सूक्ष्मजीव क्रियाओं से

(b) जल अपघटन से

(c) हरे पौधों द्वारा प्रकाश-संश्लेषण से

(d) जीवों के उपापचायी क्रिया से

122. निम्नलिखित में, मैन्ग्रोव वनस्पति है-

(a) राइजोफोरा मेनजी

(b) फाइकस रिलिजिओसा

(c) मैंजिफेरा इंडिका

(d) क्वरेकस इनकाना

123. दाँत के टार्टर (tartor) में पाया जाता है–
(a) ई. कोलाई
(b) ई. हिस्टोलिटिका
(c) ई. लिन्जिवेलिस
(d) अमीबा प्रोटियस

124. पेनिसिलिन (penicillin) निम्न में से किससे प्राप्त होता है?
(a) जीवाणु से (b) विषाणु से
(c) कवक से (d) शैवाल से

125. हरे पौधे अपना भोजन स्वयं बनाते हैं, खरगोश घास पर निर्भर रहता है। चील कभी-कभी खरगोश को खाती है अन्यथा अन्य शाकाहारी प्राणियों पर निर्भर होती है। उत्पादक उपभोक्ता एवं द्वितीय उपभोक्ता के संबंध में कौन-सा क्रम सही होगा?
(a) घास - चील- खरगोश
(b) खरगोश - घास - चील
(c) चील - खरगोश - घास
(d) घास - खरगोश - चील

126. कोशिका विभाजन की मिओसिस प्रक्रिया होती है–
(a) कायिक कोशिकाओं में
(b) जनन कोशिकाओं में
(c) (a) एवं (b) दोनों में
(d) दोनों में से किसी में नहीं

127. मेण्डल द्वारा किए गए एक संकर क्रॉस के फलस्वरूप प्राप्त प्रथम संतति पीढ़ी में प्रभावी व अप्रभावी लक्षण क्रमशः किस अनुपात में वंशानुगत होंगे?
(a) 1 : 3 (b) 2 : 3
(c) 3 : 1 (d) 3 : 2

128. वे जीव जो अजीवीय माध्यम से भोजन प्राप्त करते हैं, कहलाते हैं–
(a) साइजोफाइट्स (b) अधिपादप
(c) परजीवी (d) मृतोपजीवी

129. मरुस्थलीय पादप अधिकतर होते हैं–
(a) रसदास (b) शाकीय
(c) विषमवर्णी (d) अधिपादप

130. वह हानिकारक पादप जो भारत में हानिकारक जलीय घास बन गया–
(a) पाइनस रॉक्सवर्गी
(b) आइकोर्निया कैपीपस
(c) रोडोडेन्ड्रॉन अरबोरियम
(d) क्वेरकस इन्काना

131. नील (Indigo), इन्डिगोफेरा टिगोरिआ नामक पौधे से प्राप्त की जाती है। पौधे का वह कौन-सा भाग है जिससे यह प्राप्त होती है?
(a) जड़
(b) बीज
(c) पत्तियों एवं युवा शाखाओं से
(d) मूलरोमों से

132. पुष्प के खुलने व बन्द होने की गति निम्नलिखित में से है–
(a) अनुकुंचन (b) स्वतः प्रेरित गति
(c) जिओट्रोपिज्म (d) चलन

133. प्रकाश-संश्लेषण में कार्बन स्वांगीकरण का प्रथम स्थिर उत्पाद है–
(a) ग्लूकोज
(b) मण्ड
(c) पाइरुविक अम्ल
(d) फॉस्फोग्लिसरिक अम्ल

134. चरी-बरसीम-धान-मटर फसल चक्र चलाने के लिए कितने खेतों की आवश्यकता होगी?
(a) 2 (b) 1
(c) 4 (d) 3

135. दाना हेतु ज्वर का प्रति हेक्टेयर बीज दर क्या है?
(a) 12 कि.ग्रा. (b) 16 कि.ग्रा.
(c) 22 कि.ग्रा. (d) 20 कि.ग्रा.

136. जब भूमि का ढलान अधिकतर ऊँचा-नीचा हो तब सिंचाई का कौन-सा तरीका अधिक क्षमतावान होता है?
(a) सतह तरीका
(b) छिड़काव तरीका
(c) भूमि के अन्दर पानी
(d) इनमें से कोई नहीं

137. छिड़काव सिंचाई की विधि की डिजाइन जलापूर्ति के लिए होती है–
(a) पौधों के जड़-क्षेत्र को पानी देने के लिए
(b) पौधों के ऊपरी भाग पर पानी देने के लिए
(c) पत्तियों को पानी देने के लिए
(d) सम्पूर्ण पौधे के लिए

138. प्रोटीन संश्लेषण का कोशिका में स्थान होता है–
(a) लाइसोसोम्स (b) राइबोसोम्स
(c) पैरोक्सीसोम्स (d) माइटोकॉण्ड्रिया

139. प्रकाश 'सश्लेषण में सर्वप्रथम कौन-सा स्टेबल (टिकाऊ) इन्टरमीडिएट पदार्थ बनता है?
(a) ग्लूकोज
(b) फार्मेल्डिहाइड
(c) फॉस्फोग्लिसरिक एसिड
(d) फॉस्फोग्लिसरेल्डिहाइड

140. पपेन निकाला जाता है–
(a) पॉपी से (b) पपीता से
(c) रबड़ से (d) चीड़ से

141. आलू के मोजैक रोग का कारण है–
(a) विषाणु,
(b) फफूंदी
(c) बैक्टीरिया
(d) उपर्युक्त में कोई नहीं

142. फाइटोफ्थोरा इन्फेस्टैन्स के कारण होने वाली बीमारी को चिन्हित कीजिये–
(a) आलू का अगेती झुलसा
(b) आलू का पछेती झुलसा
(c) बाजरे का अरगट
(d) अरहर का उखटा

143. गेरुई रोग होता है–
(a) बीज द्वारा (b) बैक्टीरिया द्वारा
(c) फफूंदी द्वारा (d) विषाणु द्वारा

144. निम्नलिखित में से कौन-सा जोड़ा सही है–
(a) धान - सफेद गिडार
(b) आलू - दीमक
(c) गन्ना - गन्धी
(d) चना - फली बेधक

145. अब तक पौधों की वृद्धि को प्रभावित करने वाले लगभग कितने कारकों की पहचान की गई है?
(a) 55 (b) 60
(c) 52 (d) 50

146. गेहूँ में करनाल बन्ट होता है–
(a) बैक्टीरिया से
(b) फफूंदी से
(c) जिंक की कमी से
(d) विषाणु से

147. अरहर में प्रति हेक्टेयर नत्रजन कितना डालते हैं?
(a) 15–20 कि. ग्रा.
(b) 45–60 कि.ग्रा.
(c) 35–45 कि. ग्रा.
(d) 65–75 कि. ग्रा.

148. फीड का एन. एफ. ई. ...... से बना होता है–
(a) डाइजस्टेबल प्रोटीन
(b) घूलनशील कार्बोहाइड्रेट
(c) डाइजस्टेबल क्रुड फाइबर
(d) डाइजस्टेबल वसा

149. पौधे नत्रजन को किस रूप में लेते हैं–
(a) नाइट्रेट (b) नाइट्राइट
(c) सल्फेट (d) क्लोराइड

150. दानों में नाइट्रोजन की आपूर्ति किससे होती है?
(a) पुरानी पत्तियों से
(b) पौधों की जड़ों से
(c) तना से
(d) प्रकाश संश्लेषण से

जन्तु विज्ञान

151. निम्नलिखित में से आकस्मिक गहरे नि:श्वसन का कारण है-
(a) रुधिर में O_2 का सान्द्रण बढ़ना
(b) रुधिर में CO_2 का सान्द्रण बढ़ना
(c) रुधिर में CO_2 का सान्द्रण घटना
(d) रुधिर में O_2 का सान्द्रण घटना

152. निम्नलिखित में से किस हॉर्मोन के कारण भय या गुस्से की अवस्था में रुधिर दाब हृदय गति बढ़ जाती है?
(a) एड्रीनेलीन (b) प्रोजेस्टीरॉन
(c) थायरॉक्सिन (d) इन्सुलिन

153. वृक्क की उत्सर्जी इकाई है-
(a) सेमनिफेरस ट्यूब्यूल
(b) ग्लोमेरुलस
(c) नेफ्रॉन
(d) यूरेटर

154. मधुमेह से पीड़ित व्यक्ति के मूत्र में शर्करा उत्सर्जन का कारण है-
(a) इन्सुलिन का अल्पस्रावण
(b) एड्रीनल ग्रन्थि का अधिक स्रावण
(c) थायरॉइड ग्रन्थि की कम क्रियाशीलता
(d) वेसोप्रेसिन का अधिक स्रावण

155. एलिफेन्टेसिस (elephantasis) रोग का कारक निम्न में से कौन-सा प्राणी है?
(a) एलिफेन्टेसिस (b) कीट
(c) प्रोटोजोआ (d) मोलस्का

156. संघ-पोरीफेरा का मुख्य लक्षण है-
(a) 2 जोड़ी पाद (b) अन्तरगुहा
(c) नाल तंत्र (d) रक्त गुहा

157. वह प्रक्रिया जिसके द्वारा गैसें रक्त में प्रवेश करती हैं तथा रक्त से बाहर निकलती हैं कहलाती हैं-
(a) अवशोषण
(b) परासरण
(c) विसरण
(d) उपरोक्त में से कोई नहीं

158. निम्न में से मनुष्य की आँत में पाया जाने वाला जीवाणु है-
(a) बिब्रियो कोलेरी
(b) ई. कोलाई
(c) बैसिलस एन्थ्रासिस
(d) राइजोबियम

159. सड़क दुर्घटना में घायल अज्ञात समूह वाले व्यक्ति को तुरन्त रुधिर चढ़ाने की आवश्यकता है। उसे किस रुधिर समूह का रुधिर चढ़ाया जाना चाहिये?
(a) रुधिर समूह B
(b) रुधिर समूह A
(c) रुधिर समूह O
(d) रुधिर समूह AB

160. स्तनधारियों के शुक्राणु की जीवन क्षमता (viability) के सम्बंध में निम्नलिखित में कौन-सा कथन असत्य है?
(a) शुक्राणु केवल 24 घंटों तक जीवित रह पाता है
(b) शुक्राणु की जविता, माध्यम के pH पर निर्भर करती है
(c) शुक्राणु की जीविता इसकी गति पर निर्भर करती है
(d) शुक्राणुओं को एक गाढ़े निलम्बन में सान्द्रित होना चाहिये

161. PCR तथा RFLP विधियाँ हैं-
(a) एन्जाइम के अध्ययन की
(b) आनुवंशिक रुपान्तरण की
(c) डी एन ए क्रमांकन की
(d) आनुवंशिक फिंगरप्रिंटिग की

162. मनुष्य की तुलना में मेंढक की इरीथ्रोसाइट्स होती हैं-
(a) केन्द्रकरहित किन्तु हीमोग्लोबिन युक्त
(b) केन्द्रक तथा हीमोग्लोबिन युक्त
(c) अत्यधिक छोटी तथा संख्या में कम
(d) केन्द्रक युक्त किन्तु हीमोग्लोबिन रहित

163. मानव नेत्र की शलाका प्रकार की प्रकाशग्राही कोशिकाओं में पाया जाने वाला बैंगनी-लाल वर्णक, रोडोप्सिन, एक व्युत्पन्न है-
(a) विटामिन-C का
(b) विटामिन-D का
(c) विटामिन-K का
(d) विटामिन-A का

164. वर्तमान समय में भारत में गर्भनिरोध की सर्वाधिक मान्य विधि है-
(a) ट्युबेक्टोमी
(b) डायाफ्राम
(c) अंत: गर्भाशयी युक्तियाँ
(d) सर्वाइकल कैप

165. मलेरिया परजीवी के स्पोरोजॉएट हेतु आप कहाँ देखेंगे?
(a) पीड़ित व्यक्ति की लाल रुधिर कणिकाओं में
(b) संक्रमित मनुष्य की प्लीहा में
(c) मच्छर की लार ग्रन्थियों में
(d) संक्रमित मादा मच्छर की लार में

166. जब दो असंवर्धित जीवों अथवा श्रेणियों का संकरण कराया जाता है तो F_1 संकर अपने जनकों से उच्च गुणवत्ता वाले होते हैं। यह परिघटना कहलाती है-
(a) रुपान्तरण
(b) स्प्लाइसिंग
(c) कायान्तरण
(d) संकर ओज

167. निम्नलिखित में से कौन उच्च जीवों में जीन क्लोनिंग हेतु एक वाहक के रूप में प्रयुक्त होता है?
(a) बैकुलो विषाणु
(b) साल्मोनेला टाइफीम्युरियम
(c) राइजोपस नाइग्रीकैन्स
(d) रिट्रो विषाणु

168. देह तरल में Ca^{2+} का निम्न स्तर हो जाने के कारण उत्पन्न हो सकता है-
(a) अपतानिका
(b) रक्ताल्पता
(c) एन्जाइना पेक्टोरिस
(d) गठिया

169. एक वर्ष से कम आयु के शिशुओं में, स्तनपान के स्थान पर निम्न प्रोटीनी एवं निम्न कैलोरीयुक्त भोजन देने के कारण होने वाला रोग है।
(a) मेरेस्मस (b) रिकेट्स
(c) क्वाशिओरकर (d) पेलाग्रा

170. मनुष्य के रुधिर प्लाज्मा में उपस्थित ग्लोब्युलिन, प्राथमिक रूप से सम्मिलित होते हैं-
(a) शरीर की रक्षात्मक प्रविधियों में
(b) शरीरिक द्रव्यों के परासरणीय नियंत्रण में
(c) रुधिर में ऑक्सीजन के संवहन में
(d) रक्त के स्कंदन में

171. निम्नांकित जोड़ों में किसका सुमेल है?
(a) निमोनिया - फेफड़े
(b) मोतियाबिन्द - थायरॉइड ग्रन्थि
(c) पीलिया - आंख
(d) मधुमेह - यकृत

172. पेथोजीन, जो सामान्य जुकाम के लिए उत्तरदायी है, फैलता है-
(a) आर्थोमिक्सो वायरस
(b) रिनो वायरस
(c) ल्यूकीमिया वायरस
(d) पोलियो वायरस

173. खाद्य पदार्थों के परीक्षण हेतु निम्नांकित में से कौन-सा प्रयुक्त होता है?
(a) सोडियम कार्बोनेट
(b) एसीटिलीन

(c) बेन्जोइक अम्ल
(d) सोडियम क्लोराइड

174. अग्न्याशय को पाचक रस के उत्पादन के लिए उत्तेजित करने वाला हॉर्मोन निम्न में से कौन है?
(a) रेनिन (b) ट्रिप्सिन
(c) सिक्रिटिन (d) पेप्सिन

175. निम्नांकित में से कौन-सा रक्त के हीमोग्लोबिन के साथ अनुत्क्रमणीय संश्लिष्ट बनाता है?
(a) कार्बन डाई-ऑक्साइड
(b) शुद्ध नाइट्रोजन गैस
(c) कार्बन मोनोऑक्साइड
(d) कार्बन डाई-ऑक्साइड और हीलियम का मिश्रण

176. साइनोकोबालमिन है-
(a) विटामिन सी (b) विटामिन बी$_2$
(c) विटामिन बी$_6$ (d) विटामिन बी$_{12}$

177. पोलियो का वायरस शरीर में प्रवेश करता है-
(a) मच्छर के काटने से
(b) दूषित भोजन तथा जल से
(c) थूक से
(d) कुत्ते के काटने से

178. शरीर के किस भाग में पित्त का निर्माण होता है?
(a) यकृत
(b) तिल्ली
(c) पित्ताशय की थैली
(d) अग्न्याशय

179. मानव शरीर में सबसे छोटी ग्रन्थि कौन-सी है?
(a) एड्रीनल (b) थायरॉइड
(c) अग्न्याशय (d) पिट्यूटरी

180. सर्वदाता वह व्यक्ति है जिसका रुधिर वर्ग होता है-
(a) A (b) B
(c) AB (d) O

General English

Directions (Q. 181-183) : In the following questions, some parts of the sentences have errors and some are correct. Find out which part of a sentence has an error. If the sentence is error free, your answer is (d).

181. No sooner (a)/ had he said it (b)/ when he realised his fault. (c)/ No error (d)

182. Human nature is more or less (a)/ the same in India (b)/ likewise in Europe. (c)/ No error (d)

183. By accidentally (a)/ he befriends an elephant trained in a circus (b)/ and with his help reaches Mumbai (c)/ No error (d).

Directions (Q. 184-187) : In the following questions, sentences are given with blanks to be filled with an appropriate word(s). Four alternatives are suggested for each question. Choose the correct alternative out of the four.

184. Rita .... her cooking last night.
(a) does not do
(b) did not do
(c) will not do
(d) would not do

185. I have known her .... the end of the World War-II.
(a) from (b) since
(c) during (d) towards

186. His appointment may .... some new life into the committee.
(a) increase (b) inject
(c) infect (d) insure

187. The pages of the book .... by Ravi were lying on the floor.
(a) torn off (b) torn away
(c) torn of (d) torn in

Directions (Q. 188-190) : In the following questions, out of the four alternatives, choose the one which best expresses the meaning of the given word.

188. Determination :
(a) Looseness (b) Vacillating
(c) Deterioration (d) Firmness

189. Amend :
(a) Increase (b) Improve
(c) Simplify (d) Reduce

190. Obstruction :
(a) Encouragement
(b) Disapproval
(c) Hindrance
(d) Assistance

सामान्य ज्ञान

191. प्लासी के युद्ध में सिराजुद्दौला की हार का मुख्य कारण क्या था?
(a) सेनापति मीर जाफर के नेतृत्व वाली सेना ने युद्ध में भाग नहीं लिया।
(b) सिराजुद्दौला के प्रधानमन्त्री ने अंग्रेजों के स्थान की गलत सूचना दी।
(c) अंग्रेजों ने सिराजुद्दौला की सेना की खाद्य आपूर्ति बन्द कर दी और उन्हें आत्मसमर्पण करने के लिए मजबूर किया।
(d) अंग्रेजों को सिराजुद्दौला के महल में प्रवेश करने का गुप्त रास्ता पता था।

192. चेरा पन्हारा अनुष्ठान किससे संबंधित है?-
(a) ओडिशा की रथ यात्रा
(b) पंजाब की बैसाखी
(c) गुजरात की नवरात्रि
(d) पश्चिम बंगाल की दुर्गा पूजा

193. निम्नलिखित में से कौन-सी भारत की सबसे ऊँची पर्वत चोटी है?
(a) नन्दा देवी (b) नमचा वरचा
(c) कामेट (d) मकालु

194. मॉर्ले-मिण्टो सुधारों की शुरुआत के समय भारत का वायसराय कौन था?
(a) लॉर्ड वेवेल
(b) लॉर्ड एटली
(c) लॉर्ड मिंटो
(d) लॉर्ड लिनलिथगो

195. कौन-सा देश ने दुनिया की सबसे बड़ी नौसेना रक्षा प्रदर्शनी 'EURONAVAL 2024' की मेजबानी की है?
(a) चीन (b) फ्रांस
(c) भारत (d) रूस

196. समशीतोष्ण घास के मैदान .... की खेती के लिए आदर्श होते हैं।
(a) अंगूर (b) सेब
(c) गेहूँ (d) कपास

197. उपाधियों का उन्मूलन किसके अन्तर्गत आता है?
(a) सांस्कृतिक और शैक्षिक अधिकार
(b) शोषण के विरुद्ध अधिकार
(c) स्वतन्त्रता के अधिकार
(d) समता के अधिकार

198. भारतीय संविधान का इनमें से कौन-सा अनुच्छेद शोषण के विरुद्ध अधिकार प्रदान करता है?
(a) अनुच्छेद-22
(b) अनुच्छेद-25
(c) अनुच्छेद-23
(d) अनुच्छेद-21

199. निम्नलिखित में से किस प्रायद्वीपीय नदी में सबसे बड़ी जलनिकासी घाटी (अपवाह बेसिन) है?
(a) नर्मदा (b) गोदावरी
(c) कृष्णा (d) महानदी

200. आईसीसी पुरुष चैंपियंस ट्रॉफी 2025 की मेज़बानी कौन-सा देश कर रहा है?
(a) भारत (b) आस्ट्रेलिया
(c) पाकिस्तान (d) इंग्लैण्ड

व्याख्या सहित उत्तर

भौतिक विज्ञान

1. (a) सीमांत घर्षण ($F_1 R \therefore F_1 \propto M$) वस्तु के द्रव्यमान पर निर्भर करता है। इसलिए आरोपित बल का मान होगा

$$\frac{(F_1')}{(F_1)} = \frac{m'}{m}$$

$$\Rightarrow (F_1) = \frac{3}{2} \times F_1 = \frac{3}{2} \times 19.6 = 29.4 \text{ N}$$

2. (c) किसी लकड़ी के गुटके एक नत समतल पर खींचना उसे ऊर्ध्वाधर ऊपर की ओर खींचने से आसान होता है क्योंकि भार का थोड़े भाग को ही खींचना होता है।

3. (c) $T = \frac{F}{21} = \frac{728}{2 \times 5}$

$\therefore$ $T = 72.8$ डाइन/सेमी

4. (d) एक पीतल की चकती एक स्टील की प्लेट में बने छिद्र में सही फिट है। चकती को छिद्र में से बाहर निकाला जा सकता है, यदि इस निकाय को ठण्डा किया जाये क्योंकि पीतल का रेखीय प्रसार गुणांक स्टील की अपेक्षा अधिक होता है, इसलिए ठण्डा होने पर पीतल स्टील की अपेक्षा सिकुड़ता है, सिकुड़ने पर यह ढीला हो जाता है।

5. (d) एक कृष्ण वस्तु का ताप 300 K है। इससे उत्सर्जित की दर $E \propto T^4 \Rightarrow E \propto (300)^4$ के समानुपाती होगी।

6. (a) $\omega = \frac{1}{2} KX^2$

$$\Rightarrow [K] = \frac{[\omega]}{[X^2]} = \left[\frac{ML^2T^{-2}}{L^2}\right]$$

$$= [MT^{-2}] = M^1L^0T^{-2}$$

7. (a) पूर्व दिशा में प्रोटॉन का विचलन होगा।

8. (d) $E_n = \frac{-13.6}{n^2} = \frac{-13.6}{4}$

$= -3.4$ इलेक्ट्रॉन वोल्ट

9. (a) कोणीय संवेग संरक्षण के नियम से

$$I_1\omega_1 = I_2\omega_2$$

या $m_1R_1^2\omega_1 = m_2R_2^2\omega_2$

दिया है– $m_1 = m_2, R_1 = 2R_2$

$\therefore$ $m_1(2R_2)^2\omega_1 = m_1R_2^2\omega_2$

या $\omega_2 = 4\omega_1$

अत: कोणीय वेग चार गुना हो जायेगा।

10. (b) आवर्धन $m = \frac{1}{O} = \frac{-v}{u}$

दिया है– $O = 1.5$ सेमी

लेन्स के सूत्र से $\frac{1}{f} = \frac{1}{v} + \frac{1}{u}$

$$\frac{1}{25} + \frac{1}{75} - \frac{1}{u} \Rightarrow u = \frac{-75}{2} \text{ सेमी}$$

$$\therefore \frac{I}{15} = \frac{-75}{\left(\frac{-75}{1}\right)} \Rightarrow I = 3 \text{ सेमी}$$

11. (a) अवर्णक संयोग के लिए

$$\frac{\omega}{\omega'} = -\frac{f}{f'}$$

दिया है $\frac{\omega}{\omega'} = \frac{5}{3'}F = -15$ सेमी

$$\therefore \frac{5}{3} = -\frac{(-15)}{f^{-1}}$$

या $f' = +9$ सेमी (उत्तल लेन्स)

12. (d) फ्रानहॉफर रेखायें सूर्य के प्रकाश के सतत् वर्णक्रम का वर्णमण्डल द्वारा अवशोषण होने पर प्राप्त होती है, अत: यह अवशोषण वर्णक्रम का उदाहरण है।

13. (b) यंग प्रयोग द्वारा व्यतिकरण का प्रायोगिक प्रदर्शन किया गया। व्यतिकरण प्रकाश की तरंग प्रकृति पर आधारित है। अत: यंग प्रयोग दर्शाता है कि प्रकाश तरंगों से मिलकर बना है तथा व्यतिकरण उत्पन्न करने के लिए कम से कम दो तरंगों का होना आवश्यक है।

14. (a) प्रत्येक स्वरित्र अपने पास वाले स्वरित्र के साथ 5 विस्पन्द उत्पन्न करता है।

इसलिए कुल विस्पन्दों की संख्या

$= 40 \times 5 = 200$

यदि पहले व अन्तिम स्वरित्र की आवृत्तियाँ n_1 व n_2 हों तो

$$n_2 - n_1 = 200 \quad \text{...(i)}$$

प्रश्नानुसार $n_2 = 2n_1$

$\therefore$ $n_1 = 200$ हर्ट्ज

तथा $n_2 = 400$ हर्ट्ज

15. (d) स्टीफन के नियम से, विकसित ऊष्मा की दर

$$H \propto T^4$$

$$\therefore \frac{H_A}{H_B} = \left(\frac{727}{327} + \frac{273}{273}\right)^4 = \left(\frac{1000}{600}\right)^4 = \frac{625}{81}$$

$\therefore$ $H_A : H_B = 625 : 81$

16. (c) अभिदृश्यक पर बैठी मक्खी का प्रतिबिम्ब नहीं दिखेगा परन्तु कुछ प्रकाश किरणों के नहीं गुजर पाने के कारण प्रतिबिम्ब की तीव्रता घट जाएगी।

17. (a) $A = 5°, \mu_r = 1{:}64, \mu_b = 1.66$

कोणीय विक्षेपण $\theta = (\mu_b - \mu_r) A$

$= (1.66 - 1.64) \times 5 = (0.02 \times 5)° = 0.1°$.

18. (d) जब प्रकाश की किरण सघन माध्यम (हवा) से विरल माध्यम (हवा का बुलबुला) में प्रवेश करती है तो वे आन्तरिक रूप से पूर्णतया परावर्तित हो जाती है जिससे हवा का बुलबुला चमकने लगता है।

19. (a) बैंगनी से लाल रंग तक की तरंगदैर्ध्य परास 4000Å–7800Å है।

अभिरक्त विस्थापन में तरंगदैर्ध्य बढ़ेगी

अत: $v = \frac{c}{\lambda}$ से आवृत्ति घटेगी।

20. (c) यहाँ स्रोत तथा श्रोता समान हैं, अत: श्रोता द्वारा सुनी जाने वाले आभासी आवृत्ति

$$n' = n\left(\frac{v + v_0}{v - v_s}\right)$$

$$= 124 \times \left(\frac{330 + 20}{330 - 20}\right)$$

$= 140$ कम्पन/से

21. (b) न्यूटन के शीतलन नियम के शीतलन की दर

$$\frac{\Delta\theta}{t} \propto (\theta_{av} - \theta)$$

या $\frac{\Delta\theta}{t} = K(\theta_{av} - \theta)$

या $\frac{(\theta_{av} - \theta)t}{\Delta\theta} = K$

$$\therefore \left(\frac{\theta_{av} - \theta}{\Delta\theta_1}\right)t_1 = \left(\frac{\theta_{av_2} - \theta}{\Delta\theta_2}\right)t_2$$

$$\because \theta_{av_1} = \frac{62 + 61}{2} = 61.5$$

$$\Delta\theta = 62 - 61 = 1°C, t_1 = T$$

$$\theta_{av_2} = \frac{46 + 45.5}{2} = 45.75$$

$$\because \Delta\theta_2 = 46 - 45.5 = 0.5°C$$

$$\therefore \frac{(61.5 - 30)T}{1} = \frac{(45.75 - 30)t_2}{0.5}$$

$$\Rightarrow t_2 = T$$

22. (b) $p = \frac{h}{\lambda} = \frac{6.6 \times 10^{-34}}{10^{-10}} = 6.6 \times 10^{-24}$ किग्रा-मी/से

23. (b) अर्द्ध-आयु $T_{1/2} = \frac{\log_e 2}{\lambda} = \frac{In2}{\lambda}$

तथा औसत आयु $= \frac{1}{\lambda}$

24. (b) हाइड्रोजन परमाणु के लिए

ऊर्जा में परिवर्तन $\Delta E = Rhc\left(\frac{1}{n_1^2} - \frac{1}{n_2^2}\right)$

दिये गये विकल्पों के अनुसार

$$\Delta E_1 = Rhc\left(\frac{1}{1^2}-\frac{1}{2^2}\right)=\frac{3}{4}Rhc = 0.75\,Rhc$$

$$\Delta E_2 = Rhc\left(\frac{1}{1^2}-\frac{1}{3^2}\right)=\frac{8}{9}Rhc = 0.88\,Rhc$$

$$\Delta E_3 = Rhc\left(\frac{1}{2^2}-\frac{1}{4^2}\right)=\frac{3}{16}Rhc = 0.187\,Rhc$$

$$\Delta E_4 = Rhc\left(\frac{1}{2^2}-\frac{1}{3^2}\right)=\frac{5}{36}Rhc = 0.138\,Rhc$$

अत: ऊर्जा में अधिकतम परिवर्तन विकल्प (b) द्वारा प्रदर्शित है।

अर्थात् $\Delta E_2 = 0.88Rhc$

25. (d) वृत्तीय कक्षा के केन्द्र पर उत्पन्न चुम्बकीय क्षेत्र

$$B=\frac{\mu_0}{4\pi}\left(\frac{2\pi i}{r}\right)$$

या $i=\frac{4\pi}{\mu_0}\left(\frac{rB}{2\pi}\right)$

दिया है– $r = 5.2\times10^{-11}$ मी, $B = 12.56$ टेसला

$$\therefore\ i=\frac{10^7\times5.2\times10^{-11}\times12.56}{2\times3.14}$$

$= 1.04\times10^{-3}$ ऐम्पियर

26. (c) ऐन्टिनी (Sb) पंचसंयोजी धातु है, अत: यह Ge के साथ मिलकर n- प्रकार का अर्द्धचालक बनाता है, जिसमें इलेक्ट्रॉन बहुसंख्यक आवेश के रूप में तथा होल अल्पसंख्यक आवेश के रूप में उपस्थित होते हैं।

27. (c) $E=\frac{E_0}{\sqrt{1-v^2/c^2}}$

$\because\ v = 0.5\,c$

$$\therefore\ E=\frac{E_0}{\sqrt{1-0.25}}=\frac{E_0}{\sqrt{0.75}}$$

$$\therefore\ \Delta E = E - E_0$$

$$= E_0\left(\frac{1}{\sqrt{0.75}}-1\right)$$

$$= 0.511\left(\frac{1}{\sqrt{0.75}}-1\right)$$

$= 0.079$ MeV

28. (c) फोटोवैद्युत सेल में प्रकाशीय ऊर्जा वैद्युत ऊर्जा में बदलती है।

29. (c) अर्द्ध-आयुओं की संख्या $\frac{15}{5}=3$

अत: 3 अर्द्ध आयुओं के पश्चात् विघटित रेडियोऐक्टिव पदार्थ की मात्रा

$$=1-\left(\frac{1}{2}\right)^3=\frac{7}{8}\ \text{भाग}$$

30. (c) nवें ऊर्जा स्तर के लिए कोणीय संवेग $\frac{nh}{2\pi}$

हाइड्रोजन परमाणु के निम्नतम स्तर के लिए $n = 1$

$\therefore$ कोणीय संवेग $=\frac{h}{2\pi}$

31. (b) अर्द्धचालकों के लिए

$$T\propto\frac{1}{R}$$

अत: इसे T_1K से T_2K तक ठण्डा करने पर इसका प्रतिरोध बढ़ेगा।

32. (a) सेल का वि0 वा0 बल $E = i\,(R + r)$

लघुपतित करने पर $R = 0$

अत: आन्तरिक प्रतिरोध $r=\frac{E}{i}=\frac{2}{4}=0.5$ ओम

33. (a) दो भिन्न मोटाई (t_1, t_2) के माध्यमों के लिए

$$C=\frac{\varepsilon_0 A}{\left(\frac{t_1}{K_1}+\frac{t_2}{K_2}\right)}$$

34. (a) वायु में बल $F_a=\frac{1}{4\pi\varepsilon_0}\frac{q_1q_2}{r^2}=\frac{F_a}{K}$

निर्वात में बल $F_m=\frac{1}{4\pi\varepsilon_0 K}\frac{q_1q_2}{r^2}=\frac{F_a}{K}$

($\because$ दोनों स्थितियों में r नियत है)

$$=\frac{F}{K}$$

35. (b) स्पर्शज्या धारामापी को श्रेणीक्रम में किसी प्रतिरोध के साथ जोड़ने पर यह एक वोल्टमीटर की तरह कार्य करेगा।

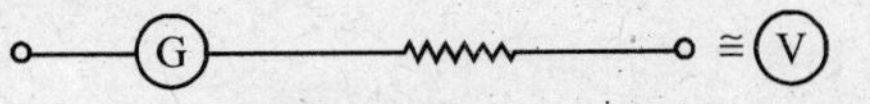

36. (a) चुम्बकीय क्षेत्र में B में चुम्बक पर लगने वाले बल युग्म का आघूर्ण

$$\tau = MB\sin\theta$$

अवकलन करने पर

$$\frac{dt}{d\theta}=MB\cos\theta$$

$\frac{dt}{d\theta}$ के अधिकतम मान के लिए

$$\cos\theta = 1 \Rightarrow \theta = 0^\circ$$

37. (c) अनुगमन वेग $vd=\frac{i}{neA}$

$\because$ विशिष्ट प्रतिरोध $\rho=\frac{RA}{t}$ या $A=\frac{\rho l}{R}$

$$\therefore\ vd=\frac{i}{ne\frac{\rho l}{R}}=\frac{iR}{ne\rho l}$$

चूँकि वेग vd तार के व्यास पर निर्भर नहीं करता है।

अत: अनुगमन वेग नहीं बदलेगा।

38. (b) गोलीय संधारित्र की धारिता

$$C=4\pi\varepsilon_0 K\frac{ab}{t-a}$$

$$=\frac{6\times0.5\times0.6}{9\times10^9(0.6-0.5)}$$

$$=\frac{1.8}{0.9\times10^9}=2\times10^{-9}\ \text{फैरड}$$

39. (a) माध्यम में चाल $c_m=\frac{1}{\sqrt{\mu\varepsilon}}$

निर्वात में चाल $c_0=\frac{1}{\sqrt{\mu_0\varepsilon_0}}$

$\therefore$ अपवर्तनांक $\mu=\frac{c_0}{c_m}=\sqrt{\frac{\mu\varepsilon}{\mu_0\varepsilon_0}}$

40. (c) चूँकि द्विध्रुव में दो समान तथा विपरीत आवेश होते हैं,

$\therefore$ गोले से बाहर आने वाला फ्लक्स

= गोले के अन्दर जाने वाला फ्लक्स

अत: गोले के अन्दर का कुल फ्लक्स = 0

41. (d)

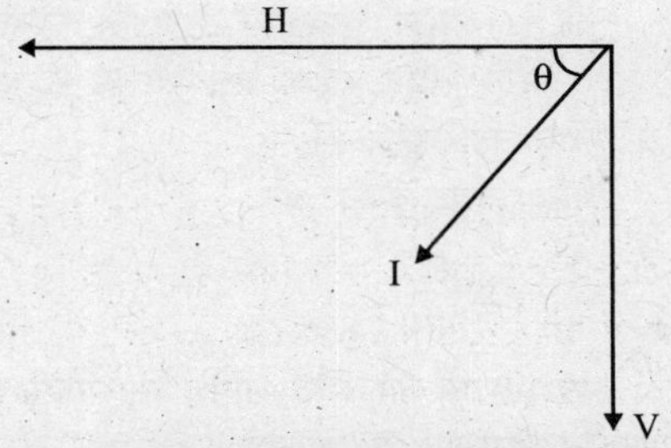

चूँकि नमन कोण, परिणामी तीव्रता (I) का क्षैतिज घटक (H) के साथ बना कोण है, अर्थात् दूसरे शब्दों में नमन कोण हमें पृथ्वी के चुम्बकीय क्षेत्र को दिशा दर्शाता है।

42. (a) $T=2\pi\sqrt{\frac{I}{MB}}$

जहाँ I = जड़त्व आघूर्ण

M = चुम्बकीय आघूर्ण

B = चुम्बकीय क्षेत्र की तीव्रता

43. (b) चुम्बकीय रेखायें चुम्बक के बाहर उत्तर से दक्षिण तथा चुम्बक के अन्दर दक्षिण से उत्तर की ओर चलती है। अत: चुम्बकीय बल रेखायें बन्द लूप बनाती हैं।

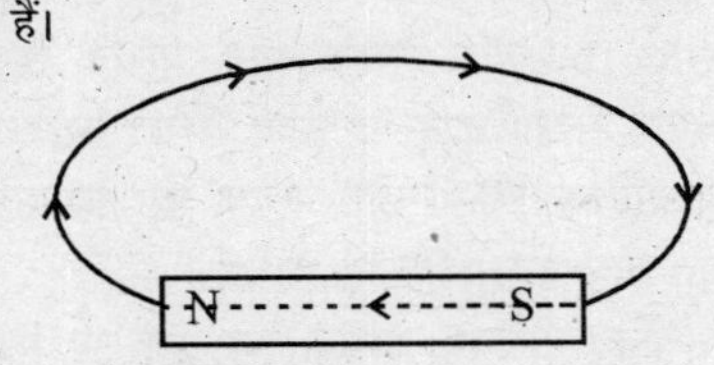

44. (a) फैराडे नियतांक $F = Ne$

$= 6.023\times10^{23}\times1.6\times10^{-19}$

$= 96368$ कूलॉम

$= 9.65\times10^4$ कूलॉम

45. (a) सामानान्तर क्रम में, V नियत है।

$$\therefore\ H=\frac{V^2}{R}\ \text{तथा}\ P=\frac{V^2}{R}\Rightarrow H\propto P$$

अत: $\frac{H_1}{H_2} = \frac{P_2}{P_1} = \frac{500}{200} = \frac{5}{2}$

श्रेणीक्रम में, I नियत है।

अत: $\frac{H_1}{H_2} = \frac{P_1}{P_2} = \frac{200}{500} = \frac{2}{5}$

46. (b) फैराडे नियतांक = वैद्युत आवेश × आवोगाद्रो संख्या

$\therefore \quad F = Ne$

47. (a) दिया है, चक्कर प्रति मिनट = 360

1 चक्कर/मिनट = 2π रेडियन/मिनट

$= \frac{2\pi}{60}$ रेडियन/से

360 चक्कर/मिनट के लिये,

$\frac{2\pi}{60} \times 360 = 12\pi$ रेडियन/सेकण्ड

48. (c) विद्युत चुम्बकीय प्रेरण में कुण्डली में उत्पन्न प्रेरित विद्युत वाहक बल परिपथ के प्रतिरोध पर निर्भर नहीं करता है।

प्रेरित विद्युत वाहक बल,

$e = -N\frac{d\phi}{dt}$

49. (d) इस प्रकार के आघूर्ण में, मरोड़ी कम्पन कोणीय विस्थापन के समनुपाती होता है।

$\pi \propto \theta$

$\pi = 2k\theta$, जहाँ k एक नियतांक है।

इसलिए, छड़ की गति कोणीय आवर्ती दोलनी होगी।

50. (c) ट्रायोड वाल्व के प्रबर्धन ग्रिड की क्रिया के द्वारा उत्पन्न होता है।

51. (d) वैद्युत चालन का मात्रक म्हो/मीटर है।

52. (d) जब तारे का प्रकाश लाल छोर की ओर विस्थापित होता है, तो उसकी तरंगदैर्ध्य बढ़ जाती है और उसकी आभासी आवृत्ति वास्तविक आवृत्ति से कम हो जाती है, इसलिए तारा पृथ्वी से दूर जा रहा होता है।

53. (b) प्रति न्यूक्लिऑन बन्धन ऊर्जा एवं द्रव्यमान संख्या ग्राफ पर उच्च स्थिति पर आने वाले तत्व अधिक स्थायी होते हैं एवं इस ग्राफ पर नीचे स्थित तत्व अस्थायी होते हैं।

चूँकि हीलियम नाभिक इस ग्राफ पर शिखर पर है, अत: यह अधिक स्थायी है।

54. (a) जब आन्तरिक प्रतिरोध बाह्य प्रतिरोध के बराबर होता है तो बैटरी से प्रवाहित धारा अधिकतम होती है।

55. (d) परिपथ में तीनों प्रतिरोध सामान्तर क्रम में है, अत: तुल्य प्रतिरोध

$\frac{1}{R} = \frac{1}{R_1} + \frac{1}{R_2} + \frac{1}{R_3}$

$= \frac{1}{9} + \frac{1}{9} + \frac{1}{9}$

$\Rightarrow R = 3\Omega$

56. (c) फोटॉन की ऊर्जा $E = \frac{hc}{\lambda}$

$= \frac{6.6 \times 10^{-34} \times 3 \times 10^8}{3 \times 10^2}$

$= 6.6 \times 10^{-28}$ जूल

57. (a) गुरुत्वाकर्षण क्षेत्र संरक्षी होता है।

58. (c) एक अति चालक पदार्थ प्रतिचुम्बकीय होता है।

59. (a) इलेक्ट्रॉन सूक्ष्मदर्शी में 1Å तरंगदैर्ध्य का इलेक्ट्रॉन पुँज प्रयोग किया जाता है, ऐसा करने पर इसकी विभेदन क्षमता साधारण सूक्ष्मदर्शी से 5000 गुना अधिक हो जाती है।

60. (c) चूँकि दोनों उपग्रह S_1 और S_2 एक ही कक्षा में घूम रहे हैं, अत: उनकी कक्षीय चाल समान होगी।

रसायन विज्ञान

61. (d) मोललता $= \frac{\text{विलेय के मोल}}{\text{विलयन का भार}} \times 100$

$= \frac{18}{180} \times \frac{1000}{500} = 0.2$ m

62. (c) जो भी तत्व दिये गए हैं उनमें सबसे अधिक विद्युत-ऋणात्मकता Cl की होगी। एक आवर्त में विद्युत ऋणात्मकता बढ़ती जाती है जबकि एक समूह में घटती जाती है।

63. (b) जल की अस्थायी कठोरता $Ca(HCO_3)_2$ के कारण होती है।

64. (b) pbO_2 में पराक्सॉइड आयन अनुपस्थित है।

65. (c) रेडॉन एक रेडियोएक्टिव पदार्थ है इसका अर्द्ध-आयुकाल 3.8 दिन है। यह कैंसर के उपचार में प्रयुक्त की जाती है।

66. (a) कार्बन टेट्राक्लोराइड का आयरन और जल (भाप) द्वारा आंशिक अपचयन करने पर क्लोरोफॉर्म प्राप्त होता है।

$$\underset{\text{कार्बन ट्रेटा क्लोराइड}}{CCl_4} + 2[H] \xrightarrow{Fe + H_2O} \underset{\text{क्लोरोफॉर्म}}{CHCl_3} + HCl$$

67. (d) दिये गये तत्व का इलेक्ट्रॉनिक विन्यास $= 1s^2, 2s^2 2p^6, 3s^2 3p^3$ है।

यह फॉस्फोरस तत्व का इलेक्ट्रॉनिक विन्यास है यह IIIA वर्ग का तत्व है तथा फॉस्फोरस से नीचे वाले तत्व का परमाणु क्रमांक 33 (आर्सेनिक) है।

68. (b) किसी रासायनिक अभिक्रिया में उत्प्रेरक अग्र तथा विपरीत क्रिया की दर को समान रूप से बढ़ाता है अत: साम्य स्थिरांक प्रभावित नहीं होता।

69. (b) किसी परमाणु से एक $\alpha-$ कण का उत्सर्जन होने पर द्रव्यमान संख्या में चार इकाई की कमी तथा परमाणु क्रमांक में दो इकाई की कमी होती है। $\beta-$ कण उत्सर्जित होने पर एक इकाई की वृद्धि परमाणु क्रमांक में होती है परन्तु द्रव्यमान संख्या अप्रभावित रहती है।

$${}_{92}X^{238} \xrightarrow{-\alpha} {}_{90}Y^{234} \xrightarrow{-\beta} {}_{91}Z^{234}$$

Z परमाणु में 91 प्रोटॉन है।

न्यूट्रॉनों की संख्या = द्रव्यमान संख्या – प्रोटॉनों की संख्या

$= 234 - 91 = 143$

70. (b) दिया है: $t_{1/2} = 5760$ वर्ष

$\Rightarrow \quad N = N_0 \left(\frac{1}{2}\right)^n$

या $\quad 25 = 200 \left(\frac{1}{2}\right)^n$

या $\quad \left(\frac{25}{200}\right) = \left(\frac{1}{2}\right)^n$

$\left(\frac{1}{8}\right) = \left(\frac{1}{2}\right)^n$

या $\quad \left(\frac{1}{2}\right)^3 = \left(\frac{1}{2}\right)^n$

$\therefore \quad n = 3$

$\Rightarrow \quad T = n \times t_{1/2}$

या $\quad = 3 \times 5760$ वर्ष

$\therefore \quad T = 17,280$ वर्ष

71. (a) ईंधन में लेड टेट्रा एथिल एवं एथिल ब्रोमाइड मिलाने पर अपस्फोटरोधी गुण बढ़ता है।

72. (c) 2- ब्यूटेनॉल में असममित कार्बन परमाणु उपस्थित होने के कारण यह ध्रुवण घूर्णक रूपों में विद्यमान होता है।

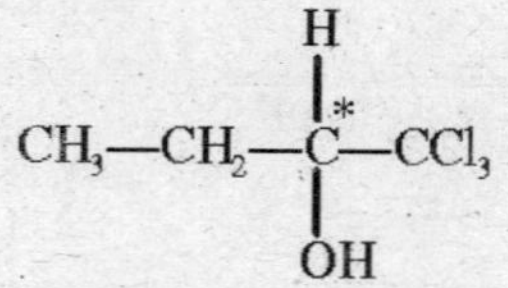

C^* = असममित कार्बन परमाणु

73. (d) O—O बन्ध लम्बाई H_2O_2 में $= 1.48$ Å

O_3 में $= 1.26$Å

O_2 में $= 1.21$Å

अत: O—O बन्ध लम्बाई का घटता क्रम निम्न प्रकार होगा

$H_2O_2 > O_3 > O_2$

74. (a) बेकेलाइट का निर्माण फीनॉल तथा फॉर्मेल्डिहाइड के मध्य अभिक्रिया द्वारा होता है।

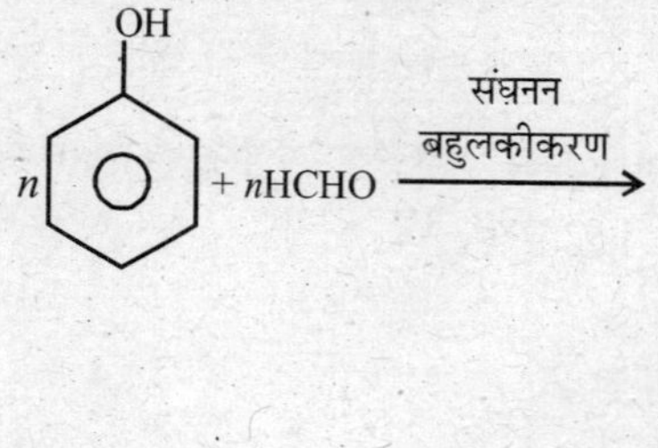

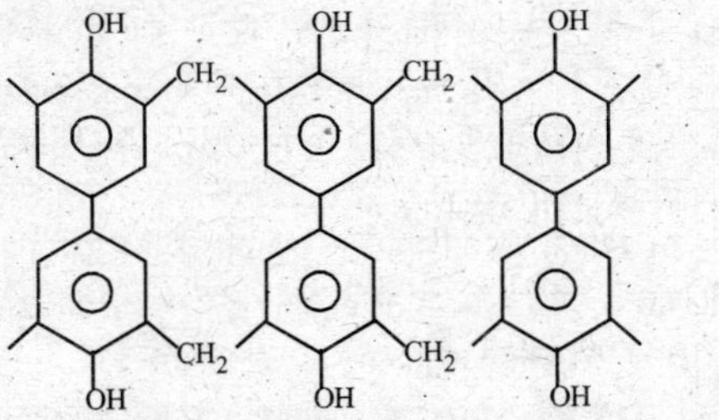

बेकेलाइट

75. (b) $CaCl_2 \rightleftharpoons Ca^{2+} + 2Cl^-$

0.01 M $CaCl_2$ के विलयन में Cl^- आयन (समआयन प्रभाव) की अधिकता होने के कारण AgCl की विलेयता कम होगी।

76. (b) मर्करी परमाणुओं की आयनन ऊर्जा उच्च होती है तथा इसके परमाणुओं के मध्य दुर्बल धात्विक बन्ध उपस्थित होने के कारण यह 0°C ताप पर द्रव होती है।

77. (d) $3R—CH=CH_2 + B_2H_6 \rightarrow$
$(R—CH_2—CH_2—)_3B$
$\downarrow H_2O_2$ (ऑक्सीकरण)
$R—CH_2—CH_2—OH$

78. (b) राउल्ट के नियम के अनुसार, वाष्प दाब का आपेक्षिक अवनमन विलेय के मोल प्रभाज के बराबर होता है अर्थात्

$$\frac{p-P_S}{p} = X_B$$

जहाँ p = शुद्ध विलायक का वाष्प दाब
p_s = विलयन का वाष्प दाब
X_B = विलेय का मोल प्रभाज

79. (a) बन्ध क्रम $= \dfrac{N_b - N_a}{2}$

जहाँ N_b = आबन्धी इलेक्ट्रॉनों की संख्या
N_a = प्रतिबन्धी इलेक्ट्रॉनों की संख्या

$N_2(14) = \sigma 1s^2, \sigma^* 1s^2, \sigma 2s^2, \sigma^* 2s^2, \pi 2p_x^2$
$= \pi 2p_y^2, \sigma 2p_z^2$

N_2 में बन्ध क्रम $= \dfrac{10-4}{2} = 3$

80. (b) दिया है:

$\Delta v = 3 \times 10^4 \times \dfrac{0.001}{100} = 0.3$ हाइजेनबर्ग के अनिश्चितता सिद्धान्त के अनुसार

$$\Delta x; m\Delta v \geq \frac{h}{4\pi},$$

$$\Delta x = \frac{h}{m \times \Delta v \times 4\pi}$$

$$= \frac{6.626 \times 10^{-27}}{9.1 \times 10^{-28} \times 0.3 \times 4 \times 3.14}$$

= 1.92 सेमी

81. (b)

$$CH_3—\underset{\underset{O}{\|}}{C}—H + HCN \longrightarrow CH_3—\underset{\underset{OH}{|}}{\overset{\overset{CN}{|}}{C}}—H$$

d एवं *l*-रूप

उत्पाद में एक असममित कार्बन परमाणु उपस्थित होने के कारण यह 50% दक्षिण ध्रुवण घूर्णक (dextrorotatory) और 50% वाम ध्रुवण घूर्णक (leavorotatory) रूप में उपस्थित होता है।

अत: उत्पाद एक रैसिमिक मिश्रण होगा।

82. (d)

$$\overset{7}{C}H_3—\overset{6}{C}H=\overset{5}{C}H—\overset{4}{C}H_2—\underset{\underset{NH_2}{|}}{\overset{3}{C}H}—\overset{2}{C}H_2\overset{1}{C}OOH$$

3-ऐमीनो-5-हेप्टीनोइक अम्ल

83. (c) किसी उत्क्रमणीय अभिक्रिया में उत्प्रेरक अग्र तथा विपरीत दोनों अभिक्रियाओं की गति को समान रूप से बढ़ाता है।

84. (a) दिया है, $n = 1, l = 1$

कुल चुम्बकीय क्वाण्टम संख्याएँ
$= 2l + 1 = 2 \times 1 + 1 = 3$

85. (d) प्रोपीन तथा प्रोपाइन में विभेद के लिए प्रयुक्त अभिकर्मक अमोनियम $(AgNO_4)$ है।

86. (b)

$$\underset{\text{एथिल ऐमीन}}{C_2H_5NH_2} + \underset{\text{नाइट्रस अम्ल}}{HNO_2} \rightarrow \underset{\text{एथिल ऐल्कोहॉल}}{C_2H_5OH} + N_2 + H_2O$$

87. (d) $2SO_3 \rightarrow 2SO_2 + O_2$

$$K_c = \frac{[SO_2]^2[O_2]}{[SO_3]^2}$$

88. (d) किसी वर्ग में ऊपर से नीचे जाने पर कक्षाओं की संख्या बढ़ने के कारण परमाणु त्रिज्या सदैव बढ़ती है।

89. (b) $CH_3CH_2I + NaOR \rightarrow CH_3CH_2OR + NaI$

इस अभिक्रिया की विलियसमन संश्लेषण कहते हैं। यह ईथर निर्माण की महत्वपूर्ण विधि है।

90. (d) दुर्बल अम्ल तथा प्रबल क्षार से बने लवण का जलीय विलयन क्षारीय होता है।

91. (b) उच्च हाइड्रोकार्बन को निम्न हाइड्रोकार्बन में परिवर्तन की प्रक्रिया को भंजन कहते हैं।

$$CH_3-(CH_2)_8-CH_3 \xrightarrow{770K} CH_3(CH_2)_4CH_3 + C_4H_8$$

92. (c) परिवर्ती संयोजकता, जटिल यौगिक बनाने की प्रवृत्ति तथा अनुचुम्बकत्व *d*-ब्लॉक के तत्वों के मुख्य गुण हैं।

93. (b) $BaCl_2(s) + aq \rightarrow BaCl_2(aq)$;
$\Delta H = -20.6$ किलोजूल ....(i)
$BaCl_2 \cdot 2H_2O(s) + aq \rightarrow BaCl_2(aq)$
$\Delta H = +8.8$ किलोजूल ...(ii)

समीकरण (i) को दो पदों में तोड़ने पर–

$BaCl_2(s) + 2H_2O(l) \rightarrow BaCl_2 \cdot 2H_2O(s)$;
$\Delta H = \Delta H_1$

$BaCl_2 \cdot 2H_2O(s) + aq \rightarrow BaCl_2(aq)$;
$\Delta H = \Delta H_2$
$\Delta H_1 = \Delta H_2 = -20.6$
$\Delta H_1 + 8.8 = -20.6$
$\Delta H_1 = -29.4$ किलोजूल

94. (c) SO_3^{2-} में; $x + (-2 \times 3) = -2$
$\therefore \quad x = +6 - 2 = +4$

$S_2O_4^{2-}$ में; $2x + (-2 \times 4) = -2$
$2x = +8 - 2 = +6$
$x = +3$

$S_2O_6^{2-}$ में; $2x + (-2 \times 6) = -2$
$2x = +12 - 2 = 10$
$x = +5$

अत: सल्फर की ऑक्सीकरण अवस्थाओं का विभिन्न आयनिक प्रजातियों में बढ़ता हुआ क्रम इस प्रकार है–

$$S_2O_4^{2-} < SO_3^{2-} < S_2O_6^{2-}$$

95. (a) वॉयल तापमान, $T_B = \dfrac{a}{Rb}$

96. (b) लैन्थेनाइड श्रेणी में बाएँ से दाएँ जाने पर इनके हाइड्रोक्साइडो को क्षारीयता घटती है क्योंकि लैन्थेनाइड संकुचन के कारण M^{3+} आयनों का आकार घटता है अत: सहसंयोजक लक्षण बढ़ता है और आयनिक लक्षण घटता है।

97. (d) अक्रिय युग्म प्रभाव वर्ग में ऊपर से नीचे जाने पर बढ़ता है अर्थात +2 आयनिक अवस्था बनाने की प्रवृत्ति भी नीचे जाने पर बढ़ती है।

यही कारण है कि Pb (IV) यौगिक प्रबल ऑक्सीकारक हैं और ये अपचयित होकर अधिक स्थायी Pb (II) यौगिक बनाते हैं।

98. (b) $C_3H_6Br_2$ से संरचनात्मक समावयवी है

$\underset{(i)}{BrCH_2CH_2CH_2Br}$,

$\underset{(ii)}{BrCH_3CHBr_2CH_3}$

$\underset{(iii)}{Br_2CHCH_2CH_3}$,

$\underset{(iv)}{CH_3-CBr_2CH_3}$

उपरोक्त समावयविकों में केवल समावयवी (ii) में किरैल कार्बन परमाणु उपस्थित है अत: यह प्रतिबिम्बरूपता प्रदर्शित करेगा।

99. (d) द्वितीय कोटि की अभिक्रिया के लिए

$$\frac{dx}{dt} = k\,(\text{सान्द्रता})^2$$

$$k = \frac{\text{सान्द्रता}}{\text{समय}} \times \frac{1}{(\text{सान्द्रता})^2}$$

$$= \text{सान्द्रता}^{-1}\ \text{समय}^{-1}$$

$$= \text{ली मोल}^{-1}\ \text{से}^{-1}$$

100. (c) चूँकि यौगिक NaOH में विलेय है और $FeCl_3$ के साथ विशिष्ट रंग (बैंगनी रंग) देता है। अत: यह फीनॉल है। यह ब्रोमीन के साथ क्रिया करके ट्राइब्रोमोव्युत्पन्न देता है इसका अर्थ है कि इस यौगिक में *o*- और *p*- स्थान रिक्त है अत: यह *m*- क्रीसॉल है।

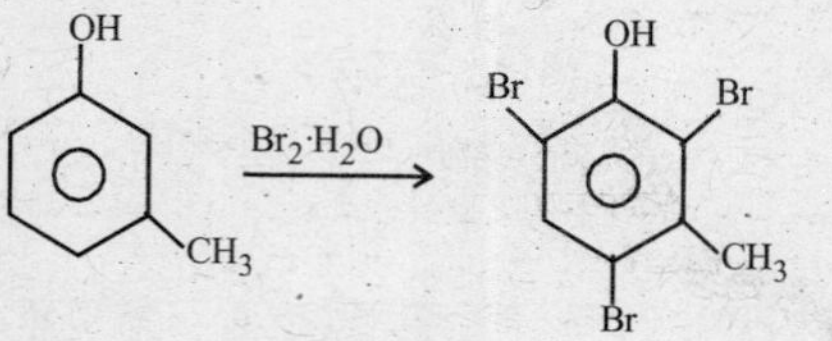

m-क्रीसॉल

(अणुसूत्र = $C_7H_5OBr_3$)

101. (a) जिप्सम ($CaSO_4 \cdot 2H_2O$) में कैल्सियम की प्रतिशतता प्लास्टर ऑफ पेरिस ($CaSO_4 \cdot \frac{1}{2}H_2O$) से कम होती है।

$$\underset{\text{जिप्सम}}{2CaSO_4.2H_2O} \xrightarrow{\Delta} \underset{\text{प्लास्टर ऑफ पेरिस}}{(CaSO_4)_2.H_2O} + 3H_2O$$

102. (b) जब एक ऐल्कोहॉल का निर्जलीकरण होता है, तो परिणामस्वरूप एल्कीन बनती है। वह एल्कीन जिसमें द्विबन्ध से जुड़े कार्बन परमाणुओं से अधिक प्रतिस्थापी जुड़े होते हैं, मुख्य उत्पाद के रूप में प्राप्त होती है।

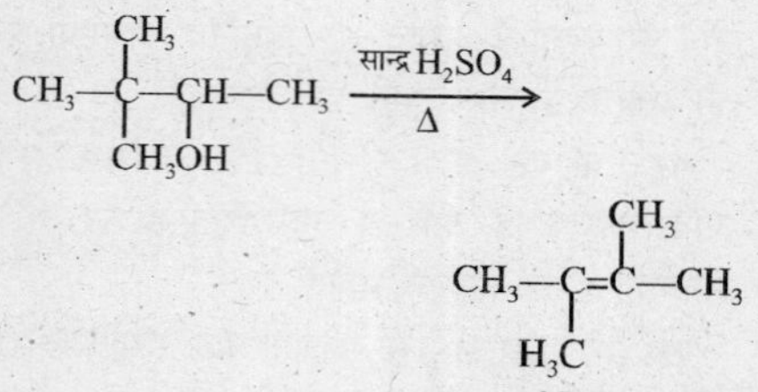

2, 3-डाइमेथिल-2-ब्यूटीन

103. (a) सोडियम क्लोराइड के वैद्युत अपघटन में 40% NaCl तथा 60% $CaCl_2$ के मिश्रण का प्रयोग किया जाता है क्योंकि Ca^{2+}, NaCl को Na में अपचयित कर सकता है।

104. (a) AgCl की विलेयता

$$= 1.8 \times 10^{-3} \text{ ग्राम/ली}$$

$$= \frac{1.8 \times 10^{-3}}{143.5} \text{ मोल/ली}$$

$$= 1.25 \times 10^{-5} \text{ मोल/ली}$$

AgCl का विलेयता गुणनफल = $(\text{विलेयता})^2$

$$= (1.25 \times 10^{-5})^2 = 1.57 \times 10^{-10}$$

105. (b) बूबो-ब्लांक अपचयन

$$\underset{\text{ऐसीटोन}}{(CH_3)_2CO} + 2H \xrightarrow{Na/C_2H_5OH} \underset{\text{आइसो प्रोपिल ऐल्कोहॉल}}{(CH_3)_2CHOH}$$

106. (a) सममित ऐल्कीन ओजोनीकरण पर केवल एक ही उत्पाद देती है।

$$CH_3-CH=CH-CH_3 \xrightarrow[H_2O_2]{O_3} 2CH_3CHO$$

107. (b) वह परमाणु या परमाणु समूह जिस पर एक अप्रयुक्त इलेक्ट्रॉन युग्म (एकाकी युग्म) उपस्थित होता है अर्थात् जो धातु परमाणु के साथ एकाकी युग्म को दान करके बन्ध बनाता है, लिगैण्ड कहलाता है।

108. (b) As_2S_3 ऋणावेशित होने के कारण, धनात्मक आयन के द्वारा अवक्षेपित होता है। धनात्मक आवेश की मात्रा में वृद्धि के साथ, सॉल की अवक्षेपित करने की क्षमता भी बढ़ती है। अत: $AlCl_3$ की Al^{3+} आयनों की उपस्थिति के कारण As_2S_3 सॉल को अवक्षेपित करने की क्षमता सर्वाधिक है।

109. (b) धनायन का आकार अपने परमाणु से हमेशा छोटा होता है तथा ऋणायन का आकार अपने परमाणु से हमेशा बड़ा होता है अत:

$$I^- > I > I^+$$

110. (a) यौगिक जो जल के साथ अन्तराअणुक हाइड्रोजन बन्ध का निर्माण करता है, जल में आसानी से विलेय होता है। अमोनिया जल के साथ अन्तर अणुक हाइड्रोजन बन्ध का निर्माण करती है। अत: अमोनिया की घुलनशीलता जल में अत्यधिक होती है।

111. (b) अक्रिय गैसों के इलेक्ट्रॉनिक विन्यास अधिक स्थायी होने के कारण उनके आयनन विभव का मान सर्वाधिक होता है। यदि द्वितीय तथा तृतीय आयनन विभव में अन्तर अधिक है इसका अर्थ है कि दो इलेक्ट्रॉन त्याग करने के पश्चात् तत्व अक्रिय गैस का विन्यास प्राप्त कर लेता है। अत: बाह्यतम कक्षा में इलेक्ट्रॉनों की संख्या 2 होनी चाहिए।

112. (b) समआयन की उपस्थिति में विलेयशीलता घटती है, किन्तु विलेयता गुणनफल का मान सदैव स्थिर रहता है।

113. (a) $\Delta H = \Delta E + \Delta n_g RT$

∴ अभिक्रिया जिसमें सभी प्रतिफलों की अवस्था द्रव है

$$\Delta n_g = 0$$

$$\therefore \quad \Delta H = \Delta E$$

114. (a) दिए गए सभी आयन समइलेक्ट्रॉनिक आयन हैं। सम इलेक्ट्रॉनिक आयनों के लिए जैसे-जैसे प्रभावी नाभिकीय आवेश बढ़ता है, आयनिक त्रिज्याएँ घटती हैं।

अत:

$${}_7N^{3-} > {}_8O^{2-} > {}_9F^- > {}_{11}Na^+$$

115. (b) इकाई सेल के पृष्ठ के केन्द्र पर स्थित बिन्दु, इस प्रकार की दो सेलों द्वारा स्वीकृत साझीकृत होता है। अत: इसका 1/2 वाँ भाग ही एक सेल के लिए उत्तरदायी होगा।

116. (a) गैसीय अभिकारक के अणु अधिशोषक की सतह पर मुक्त बन्ध द्वारा अधिशोषित रहते हैं जो अभिक्रिया की दर को बढ़ाता है। मुक्त बन्धों का उत्प्रेरक पर वितरण सभी स्थानों पर समान नहीं होता उत्प्रेरक के गड्ढे, कोनों तथा दरारों पर इनका सान्द्रण अधिक होता है। उत्प्रेरक की क्रियाशीलता इन स्थानों पर अभिकारक अणुओं के अधिशोषण के कारण अधिकतम होती है अत: इन स्थानों को सक्रिय केन्द्र भी कहते हैं।

117. (a) अम्लों की शक्ति उनकी वियोजन की मात्रा पर निर्भर करती है। वियोजन की क्षमता बन्धन ऊर्जा के मान पर निर्भर करती है। यदि बन्धन ऊर्जा का मान अधिक होगा तो वियोजन की मात्रा कम होगी तथा अम्ल दुर्बल होगा।

हैलोजन अम्लों के बन्धन ऊर्जा का क्रम

$$HF > HCl > HBr > HI$$

हैलोजन अम्लों की अम्लीय शक्ति का क्रम

$$HI > HBr > HCl > HF$$

118. (c) विरंजक चूर्ण का अणुसूत्र $CaOCl_2$ है।

119. (b) यौगिक जिसमें कार्बन तथा धातु के बीच बन्ध उपस्थित हो उसे कार्ब-धात्विक यौगिक कहते हैं।

उदाहरण–

CH_3—Mg—BrC_2H_5Li

मेथिल मैग्नीशियम ब्रोमाइड एथिल लीथियम

120. (d) लोहे को छोड़ कर अन्य सभी धातु मर्करी में विलेय होती हैं। मर्करी, में धातु के विलयन को अमलगम कहते हैं।

वनस्पति विज्ञान

121. (c) हरे पौधों के द्वारा प्रकाश-संश्लेषण से वायुमण्डल की O_2 बनी है। O_2 प्रकाश-संश्लेषण की प्रक्रिया का एक उप उत्पाद है।

122. (a) राइजोफोरा मेनजी एक मैन्ग्रोव वनस्पति है। मैन्ग्रोव वनस्पति वह वनस्पतियाँ या वे पौधे होते हैं जो समुद्र के किनारों पर मिलते हैं। ये वनस्पतियाँ भिन्न-भिन्न तरह के जलीय जीवों के लिए ज्यादा आवश्यक होती हैं।

123. (b) ई. हिस्टोलिटिका दाँत के टार्टर में पाया जाता हैं। यह मानव की मुख्यगुहा में मौजूद रहने वाला एक जीवी प्रोटोजोअन प्राणी हैं।

124. (c) कवक से पेनिसिलिन नाम का प्रतिजैविक मिलता हैं। सबसे पहले एलेक्जेण्डर फ्लेमिंग ने पेनिसिलिन की खोज की।

125. (d) घास-खरगोश-चील। यह क्रम उत्पादक, उपभोक्ता, द्वितीय उपभोक्ता से संबंधित विषय में उचित है। यह दर्शायी गयी व्यवस्था खाद्य श्रृंखला कही जाती हैं। जिसमें एक जीव द्वारा दूसरे अन्य जीव को खाया जाता हैं।

126. (c) कायिक कोशिकाओं तथा जनन कोशिकाओं में कोशिका विभाजन की मिओसिस की क्रिया होती हैं।

127. (c) मेण्डल के द्वारा किए गए संकर क्रॉस के परिणामस्वरूप प्रथम संतति पीढ़ी में प्राप्त प्रभावी तथा अप्रभावी लक्षण 3 : 1 अनुपात में होगा।

128. (d) 'मृतोपजीवी' जीव अजीवीय माध्यम के द्वारा भोजन प्राप्त करते हैं। इन्हें अपघटक भी कहते हैं। क्योंकि ये कार्बनिक पदार्थों को अकार्बनिक पदार्थों में बदल देते हैं।

129. (a) मरूस्थलीय पादप ज्यादातर रसदार होते हैं। उस क्षेत्र में जल की कमी की वजह से इन पादपों में जल संचय का गुण मौजूद होता हैं।

130. (b) "आइकोर्निया कैपीपस" नाम का पौधा भारत में आते ही एक हानिकारक जलीय घास बन गया। जल में तैरने वाला यह एक जलीय पौधा हैं जिसे 'बंगाल का शोक' के नाम से भी जानते हैं।

131. (c) इन्डिगोफेरा टिगोरिआ नाम के पौधे से 'नील' प्राप्त होती हैं। मुख्य: 'नील' इन्डिगोफेरा टिगोरिआ पौधे की पत्तियों तथा युवा पत्रियों से मिलती हैं। पत्रियों को सुखाने पर नील मिलता हैं।

132. (a) 'अनुकुंचन' के द्वारा पुष्प के खुलने व बंद होने की गति होती हैं। पुष्पों के खुलने व बंद होने की गति हार्मोन नियंत्रित से भी होती है।

133. (d) 'फॉस्फोग्लिसरिक अम्ल' प्रकाश-संश्लेषण में कार्बन स्वांगीकरण का पहला स्थिर उत्पाद हैं। ग्लाइकोलिसिस के समय यह उत्पाद बनता है। यह अम्ल 3 कार्बन यौगिक हैं।

134. (a) सस्य योजना (Cropping Scheme) के अन्तर्गत जितने वर्ष का फसल चक्र (Crop rotation) होगा उसको लागू करने के लिए फार्म पर उतने ही खेतों की आवश्यकता होती है। उदाहरण ात: एक वर्षीय फसल चक्र के लिए एक खेत, दो वर्षीय फसल चक्र के लिए दो खेत और चार वर्षीय फसल चक्र के लिए चार खेतों की आवश्यकता होगी, क्योंकि फसल चक्र की हर फसल हर वर्ष लेनी होती है। चरी-बरसीम-धान-मटर की फसल चक्र दो वर्षीय फसल चक्र है अत: इसके लिये दो खेतों की आवश्यकता होगी।

135. (a) दाना हेतु ज्वार का बीज दर 12-15 किग्रा प्रति हेक्टेयर है जबकि चारे की फसल के लिए बीज दर 30-35 किग्रा. है।

136. (b) ऊँची-नीची व ढ़ालुआँ स्थलाकृति तथा रेगिस्तानी क्षेत्रों में सिंचाई की उपयुक्त विधि छिड़काव/बौछारी सिंचाई (Sprinkler Irrigation) है।

137. (b) छिड़काव सिंचाई विधि में पानी की बौछार या वर्षा या फुहारा के रूप में पौधों के ऊपर डाला जाता है।

138. (b) कोशिका में प्रोटीन का संश्लेषण राइबोसोम्स (Ribosomes or microsome) पर होता है। राइबोसोम्स का मुख्य कार्य प्रोटीन संश्लेषण है। प्रोटीन संश्लेषण की क्रिया RNA द्वारा सम्पन्न होती है।

139. (c) प्रकाश संश्लेषण की कैल्विन चक्र (C_3 पौधे में) में प्रथम स्निर सृष्ट (First stable product) फॉस्फोग्लिसरिक एसिड (PGA) होती है। जबकि हैच-स्लैक चक्र (C_4 पौधे) में प्रथम स्थिर सृष्ट ऑक्जेलोएसीटेट होता है।

140. (b) हरे व कच्चे पपीते पर कटान लगाकर निकाले दूध को सुखाने पर जो पदार्थ बनता है, वह पपेन कहलाता है। यह बहुत से औद्योगिक कार्यों में, जैसे-मांस को नरम बनाने बियर बनाने, तथा उनको मुलायम करने आदि में प्रयोग होता है इसका मुख्य उपयोग दवा बनाने में होता है।

141. (a) आलू के मोजेक रोग (Mosaics) विषाणुओं (Virus) द्वारा फैलते हैं। इनमें पत्तियों पर नसें उभरती हैं और बाद में पीली पड़ जाती हैं। पत्तियों का रंग हल्का होने लगता है। बाद में पत्तियों का आकार छोटा हो जाता है तथा रोगग्रस्त पौधों में आलू भी छोटे आकार के लगते हैं। यह विषाणु प्राय: एफिड (माहू) द्वारा फैलाये जाते हैं।

142. (b) फाइटोफ्थोरा इन्फेस्टान (Phytopthora infestans) नामक फंगस के कारण आलू की पछेती झुलसा रोग (Late blight of Potato) लगता है। इस रोग में पत्तियों की नसों, तनों और डण्ठलों पर छोटे भूरे रंग के धब्बे उभरते हैं जो बाद में काले पड़ जाते हैं और पौधे का पूरा भाग सड़-गल जाता है। रोकथाम में देरी होने पर आलू के कन्द भी भूरे बैंगनी रंग में बदलने के बाद गलने लगते हैं।

143. (c) गेरूई रोग (Rest) का कारक फफूंदी (Fungus) है।

144. (d) फली बेधक, कीट चना में लगता है। इसकी गिडर फलियों में छेद करके अपने सिरे को फलियों के अन्दर डालकर दोनों को खाती है।

145. (c) पौधों की वृद्धि को प्रभावित करने वाले कारकों की पहचान अब तक 52 हो चुकी है।

146. (b) गेहूँ का करनाल बन्ट रोग (Karnal Bunt or Wheat) कारक फफूँदी (Fungus) है। इसके लिये उत्तरदायी Fungus-Neovossia indica है। इस रोग में किसी विशेष बाली में कुछ दाने ही काले चूर्ण में बदलते हैं। इसके बीजाणु मिट्टी में पाये जाते हैं। नम वातावरण में रोग अधिक फैलता है।

147. (a) दलहनी फसल होने के नाते अरहर के पौधे स्वयं ही अपनी नाइट्रोजन की आवश्यकता को अपनी जड़ों में पाई जाने वाली ग्रन्थियों में उपस्थित राइजोबियम जीवाणुओं की सहायता से वातावरण की नत्रजन को लेकर पूरा कर लेते हैं। प्रारम्भ के 30 दिन तक जब तक कि राइजोबियम जीवाणुओं का कार्य तीव्र गति से प्रारम्भ नहीं हो जाता है, पौधों को भूमि से ही नत्रजन लेनी होती है। अत: कमजोर व बलुई भूमियों में जिनमें जीवांश की मात्रा कम हो, प्रति हैक्टर करीब 20-30 किलोग्राम नाइट्रोजन डालना आवश्यक होता है।

148. (b) फीड (चारा) का NFE घुलनशील कार्बोहाइड्रेट (soluable Carbohydrate) होता है। कार्बोहाइड्रेट का यह भाग साधारण शर्करा, स्टार्च तथा अर्धसैल्यूलोज (Hemicellulose) का बना होता है।

149. (a) पौधों द्वारा नाइट्रोजन का अवशोषण धनीयन अमोनिया एवं ऋणायन नाइट्रेट (NG_4 तथा NO_2) दोनों ही अवस्थाओं में होता है।

150. (a) पौधे दानों में नाइट्रोजन की आपूर्ति पुरानी पत्तियों से लेते हैं।

जन्तु विज्ञान

151. (b) आकस्मिक गहरे नि:श्वसन का कारण है- "रूधिर में CO_2 का सान्द्रण बढ़ना। शरीर के ऊतकों में CO_2 की सान्द्रता बढ़ने पर O_2 की सान्द्रता घटती हैं।

152. (a) भय या गुस्से के समय में रूधिर दाब ह्दय की गति का बढ़ जाना 'एड्रीनेलीन' हार्मोन के कारण होता हैं। इसका कार्य शरीर के ऊतकों में अधिकांश मात्रा में O_2 को ले जाना है।

153. (c) 'नेफ्रॉन' वृक्क की एक उत्सर्जी इकाई हैं। लगभग 1 से 1.5 लाख नेफ्रॉन एक वृक्क में मौजूद होते हैं। इकसे द्वारा उत्सर्जी पदार्थ रक्त को छानकर मूत्रमार्ग के द्वारा बाहर निकल जाते हैं।

154. (d) मधुमेह से पीड़ित व्यक्ति के मूत्र में शर्करा उत्सर्जन का कारण हैं 'वेसोप्रेसिन का अधिक स्रावण'। इसमें पीड़ित व्यक्ति को बार-बार मूत्र त्यागने की जरूरत होती है। इसे डायबिटीज इन्सीपिड्स रोग भी कहते है।

155. (c) 'प्रोटोजोआ' नामक प्राणी एलिफेन्टेसिस नामक रोग का कारक होता है। इस रोग को फाइलेरिया भी कहा जाता है।

156. (c) संघ-पोरीफेरा का प्रमुख लक्षण होता हैं 'नाल तंत्र'। भोजन करने हेतु नाल तंत्र जरूरी है।

157. (b) 'परासरण' यह वह प्रक्रिया होती हैं जिसके द्वारा रक्त में गैसें प्रवेश कर अथवा रक्त से बाहर निकलती हैं। रक्त में ऑक्सीजन (O_2) का पहुँचना और रक्त से CO_2 का दोबारा फेफड़ों तक जाना।

158. (b) मनुष्य की आँत में मिलने वाला जीवाणु हैं- ई. कोलाई। मानव शरीर में पाए जाने वाले यह जीवाणु जिनसे शारीरिक तंत्र व्यवस्थित रहने में मदद मिलती हैं। जीवाणुओं के इन समूहों को माइक्रोफ्लोरा भी कहते हैं।

159. (c) सड़क दुर्घटना में घायल अज्ञात समूह वाले व्यक्ति को रूधिर समूह O चढ़ाया जाना चाहिए। क्योंकि यह सभी समूह की तरह काम करता है। इसमें

कोई भी एन्टीजन मौजूद नहीं है। कार्ल लैण्डस्टीनर द्वारा इस रक्त समूह की खोज की गई थी।

160. (a) 'शुक्राणु केवल 24 घंटों तक ही जीवित रहता हैं।' उपरोक्त कथन स्तनधारियों के शुक्राणु की जीवन क्षमता से संबंधित कथनों में असत्य है।

161. (d) आनुवंशिक फिंगरप्रिंटिंग के लिए दो विधियाँ हैं– PCR तथा RFLP। इन दोनों विधियों की सहायता से किसी भी अज्ञात DNA का अन्तर किसी भी तरह से ज्ञात किया जा सकता है।

162. (b) मानव की तुलना में मेंढक की इरीथ्रोसाइट्स केन्द्रक अथवा हीमोग्लोबिन युक्त होती हैं। सामान्यत: स्तनधारियों में इरीथ्रोसाइट्स केन्द्रक के बिना होती हैं।

163. (d) मानव नेत्र की शलाका जैसी प्रकाशग्राही कोशिकाओं में मौजूद रहने वाला रोडोसिन, विटामिन-A का व्युत्पन्न हैं।

164. (c) 'अंत: गर्भाशयी युक्तियाँ' वर्तमान में भारत में गर्भनिरोध की सबसे अधिक मान्य विधि हैं।

165. (d) मलेरिया परजीवी के स्पोरोजॉएट संक्रमित मादा मच्छर की लार में मौजूद होते हैं।

166. (d) 'संकर ओज' परिघटना वह होती हैं जिसके अंतर्गत दो अरुवंर्धित जीवों व श्रेणियों का जब संकरण होता हैं तो F_1 संकर अपने जनकों से उच्च गुणवत्ता की श्रेणी वाले हो जाते हैं।

167. (d) उच्च जीवों में जीन क्लोनिंग के लिए 'रिट्रो विषाणु' एक वाहक के रूप में प्रयुक्त होता है। ये विषाणु DNA से युक्त जन्तु विषाणु होते हैं।

168. (a) देह तरल में Ca^{2+} का स्तर निम्न हो जाने से अपतानिका उत्पन्न हो सकता हैं। अपतानिका का सामान्य कारण कैल्शियम की कमी है।

169. (a) 'मेरेस्मस रोग' यह 1 वर्ष से कम आयु के बच्चों में, स्तनपान की जगह पर प्रोटीन तथा कैलोरीयुक्त भोजन देने की वजह से होता हैं। इस बीमारी में बच्चे का शरीर कमजोर, दुबला-पतला हो जाता हैं तथा त्वचा पर झुर्रियाँ आ जाती है।

170. (a) मानव के रूधिर प्लाज्मा में मौजूद ग्लोब्युलिन, प्राथमिक रूप से शरीर की रक्षात्मक प्रविधियों में सम्मिलित होते है।

171. (a) निमोनिया फेफड़ों में होने वाला रोग है यह अत्यधिक ठण्ड लगने से होता है। यह रोग प्राय: बच्चों में ही होता है। मोतियाबिन्द आंख की बीमारी है इसमें व्यक्ति की आंख के लेंस से स्पष्ट दिखाई नहीं देता है। पीलिया से यकृत प्रभावित होता है, रक्त का बनना बन्द हो जाता है जिससे व्यक्ति के शरीर में पीलापन और कमजोरी महसूस होती है। मधुमेह शरीर में इन्सुलिन की कमी से होने वाला रोग है। इन्सुलिन अग्नाशय से निकलता है जो शरीर में शुगर की मात्रा बनाए रखने में योगदान देता है।

172. (b) पेथोजीन, जो सामान्य जुकाम के लिए उत्तरदायी है, रिनो वायरस से फैलता है। पोलियो वायरस–यह रोम निस्यन्दी विषाणु (Filtrable virus) के कारण होता है। विषाणु मुंह या नाक के रास्ते से शरीर में प्रवेश करता है और आंत में आश्रय लेने के बाद रक्त प्रवाह में आ जाता है इससे सिरदर्द, ज्वर और वमन आदि लक्षण प्रकट होते हैं, ल्यूकीमिया एक धातु रक्त रोग है जिसमें श्वेत रक्त कणिकाओं की संख्या बहुत अधिक बढ़ जाती है।

173. (c) खाद्य पदार्थों के परीक्षण हेतु या खाद्य पदार्थों को सुरक्षित रखने के लिए बेन्जोइक अम्ल का प्रयोग होता है। इस अम्ल में खाद्य पदार्थ काफी दिनों तक उसी अवस्था में बना रहता है। एसीटिलीन फलों के पकाने के काम आता है। सोडियम कार्बोनेट कपड़े धोने में इस्तेमाल किया जाता है। सोडियम क्लोराइड (NaCl) खाने का नमक है।

174. (b) अग्नाशय को पाचक रस के उत्पादन के लिए उत्तेजित करने वाला हार्मोंस ट्रिप्सिन है, अग्नाशय के अंतस्थलों में एमाइलेज ट्रिप्सिन, कार्बोक्सिपेप्टिडेसूकाइपेज् मॉल्टोज तथा रेनिन पाए जाते हैं। एमाइलेज और मॉल्टोज कॉर्बोहाइड्रेट को, ट्रिप्सिन प्रोटीन को तथा लाइपेज वसा को पचाता है, रेनिन दूध को फाड़ने का कार्य करता है।

175. (c) कॉर्बन मोनो ऑक्साइड (CO) एक जहरीली गैस है जो मुख्यत: मोटर गाड़ी के ईंधन जलने पर निकलती है। यह रक्त में हीमोग्लोबिन के साथ मिलकर कार्बोक्सी हीमोग्लोबिन बनाती है जो शरीर के विभिन्न भागों में ऑक्सीजन के प्रवाह को रोकता है अंतत: इससे आदमी की मौत हो सकती है। ज्ञातव्य है कि हीमोग्लोबिन लाल रक्त कण के कोशिका द्रव्य में एक प्रोटीन वर्णक और लोहे से बनता है। इसका मुख्य कार्य रक्त संचालन क्रिया के दौरान फुफ्फुस से O_2 ग्रहण करना है और ऑक्सीहिमोग्लोबिन में बदल देना है तथा पुन: ऊतकों तक पहुंचने पर ऑक्सीजन अलग हो जाता है। ऊतक ऑक्सीजन ग्रहण कर लेते हैं अर्थात O_2 के संचालन का कार्य करते हैं।

176. (d)

विटामिन	अम्ल
विटामिन C	ऍस्कार्बिक अम्ल
विटामिन B_2	राइबोफ्लोविन
विटामिन B_6	पाइरीडॉक्सिन
विटामिन B_7	बायोटिनिक अम्ल
विटामिन B_{12}	साइनोकोबालमिन
विटामिन D	कैल्सिफैरॉल
विटामिन E	टोकोफैरॉल
विटामिन K	फिलोक्विनास

177. (b) पोलियो एक विषाणुजनित रोग है यह विषाणु मुंह या नाक के रास्ते से शरीर में प्रवेश करता है और आंत में आश्रय लेने के बाद रक्त प्रवाह में आ जाता है। इससे सिरदर्द, ज्वर और वमन आदि लक्षण प्रकट होते हैं। शरीर इससे बचने हेतु रोग प्रतिकारक पदार्थ का निर्माण करने लगता है, जिससे विषाणु मर जाता है और रोगी पूर्णत: सही हो जाता है। इससे रोगी में इस रोग की असंक्राम्यता उत्पन्न हो जाती है।

178. (a) पित्त पीलापन तथा हरापन लिए एक क्षारीय द्रव है जिसका स्राव यकृत करता है। इसमें जल, पित्त अम्ल (Bile acids), पित्तवर्णक तथा अन्य अकार्बनिक और कार्बनिक पदार्थ रहते हैं। इसमें कोई एन्जाइम नहीं रहता है। यह प्रत्यक्षत: किसी पोषक तत्त्व को विखण्डित नहीं कर पाता है यह आंत में वसा को विखण्डित करने वाले एन्जाइमों की क्रिया को तीव्र कर देता है।

179. (d) **पिट्यूटरी ग्रन्थि**–कपाल की स्फेनॉयड अस्थि के सेलाटर्सिका नामक गर्त में स्थित होती है। यह एक छोटी ग्रंथि है, यह दो पिण्डों से मिलकर बनी होती है तथा स्त्रियों में अपेक्षाकृत बड़ी तथा गर्भावस्था में और भी बड़ी हो जाती है। इस ग्रंथि को मास्टर ग्रंथि भी कहते हैं।

180. (d) रक्त समूह की खोज लैंड स्टीनर ने 1900 ई. में की थी। इसके लिए इन्हें सन् 1930 में नोबेल पुरस्कार मिला। उनके अनुसार एण्टीजन या ग्लाइको प्रोटीन की उपस्थिति के आधार पर मनुष्य में 4 प्रकार के रुधिर वर्ग होते हैं–

रुधिर वर्ग	एन्टीजन एण्टीबॉडी
O कोई नहीं	A व B दोनों
A केवल A	केवल B
B केवल B	केवल A
AB A, B दोनों	कोई नहीं

अत: रक्त समूह O को सर्वदाता रक्त समूह कहा जाता है क्योंकि इसमें कोई एन्टीजन नहीं है। उसी प्रकार AB को सर्वग्राही कहा जाता है क्योंकि इसमें कोई एण्टीबॉडी नहीं है।

General English

181. (c) Use 'than' instead of 'when' because the sentence which starts from 'No sooner' is always followed by than.

182. (c) Replace 'likewise' with 'as' because the same is followed by relative pronoun 'that' or 'as'.

183. (d) No error

184. (b) Use 'did not do' here because from the use of 'last night the sentence' indicates about past.

185. (b) Use 'since' because since is used with the present perfect or past perfect tence to denote a time in the past until a later past time or until now.

186. (b) The write words is inject.

187. (a) Use "torn off" which refers to separate something by tearing.

188. (d) Determination means 'certainty' firmness has also the same meaning as determination.

189. (b) Amend means 'modify'. Improve has also the same meaning as amend.

190. (c) Obstruction means 'interruption' Hindrance has also the same meaning as obstruction.

सामान्य ज्ञान

191. (a) प्लासी के युद्ध में सिराजुद्दौला की हार का मुख्य कारण 'सेनापति' मीर जाफर के नेतृत्व वाली सेना का युद्ध में भाग नहीं लेना था। प्लासी का युद्ध बंगाल के नवाब सिराजुद्दौला एवं ब्रिटिश कम्पनी के मध्य 23 जून, 1757 ई. को लड़ा गया था। इस युद्ध में अंग्रेजों ने नवाब के रिश्तेदारों, अमीरों एवं सेनापति मीर जाफर को प्रलोभन देकर अपने पक्ष में कर लिया था, जिससे सिराजुद्दौला की सेना युद्ध में पराजित हो गई थी।

192. (a) चेरा पन्हारा अनुष्ठान ओडिशा की रथ यात्रा से संबंधित है। यह जगन्नाथ पुरी रथ यात्रा से संबंधित है, जिसमें गजपति राजा सोने की झाड़ु से भगवान जगन्नाथ, बलभद्र एवं सुभद्रा की मूर्तियों के स्थान को स्वयं साफ करते हैं। यह परम्परा शुरुआत से आज तक जारी है।

193. (a) दिए गए विकल्पों के अनुसार, नन्दा देवी भारत की सबसे ऊँची पर्वत चोटी है। लेकिन भारत की सभी पर्वत चोटियों में सबसे ऊँची पर्वत चोटी कंचनजंघा है। दिए गए विकल्पों में कंचनजंघा नहीं होने के कारण इसका सही उत्तर नन्दादेवी होगा। नन्दा देवी भारत की दूसरी सबसे ऊँची चोटी है। यह उत्तराखण्ड के चमोली गढ़वाल जिले में अवस्थित है। इसकी ऊँचाई 7817 मीटर (25646 फीट) है।

194. (c) मार्ले-मिण्टो सुधारों के समय भारत के वायसराय लॉर्ड मिण्टो थे। इनके कार्यकाल (1807-1813 ई.) में ही मार्ले-मिण्टो सुधार आरम्भ हुआ था। मार्ले उस वक्त भारत सचिव (वायसराय) के पद पर कार्यरत थे। इनका मुख्य उद्देश्य राष्ट्रवादियों के मध्य फूट डालना, उदारवादियों को धोखे में रखना तथा साम्प्रदायिक निर्वाचन पद्धति को अपनाकर राष्ट्रीय एकता खण्डित करना था।

195. (b) EURONAVAL 2024, जो दुनिया की प्रमुख नौसेना रक्षा प्रदर्शनी है, 4-7 नवंबर, 2024 को पेरिस में आयोजित की गई।

196. (c) समशीतोष्ण घास के मैदान गेहूँ की खेती के लिए आदर्श होते हैं।

गेहूँ एक समशीतोष्ण कटिबन्धीय फसल है। इसमें फसल बोते समय तापमान 10-15°C के मध्य तथा पकते समय 20-28°C होना चाहिए। यह दोमट मिट्टी पर ज्यादा उपज देती है। विशिष्ट गुण के कारण इसे विश्व के कई भागों में उपजाया जाता है। भारत में गेहूँ दूसरी सबसे ज्यादा उगाई जाने वाली फसल है। यहाँ विश्व उत्पादन का आठ प्रतिशत गेहूँ उगाया जाता है।

197. (d) उपाधियों का उन्मूलन समता के अधिकार के अन्तर्गत आता है। भारतीय संविधान के भाग-3 में अनुच्छेद (12-35) तक मौलिक अधिकारों का प्रावधान किया गया है।

समता का अधिकार (अनुच्छेद-14 अनुच्छेद-18) के अन्तर्गत अनुच्छेद-18 में उपाधियों के अन्त की व्यवस्था की गई है। इस अनुच्छेद में स्पष्ट किया गया है कि राज्य, सेना या विद्या संबंधी सम्मान के अलावा कोई भी उपाधि प्रदान नहीं करेगा।

198. (c) भारतीय संविधान का अनुच्छेद-23 शोषण के विरुद्ध अधिकार प्रदान करता है।

भारतीय संविधान के भाग-3 में अनुच्छेद-12 से 35 तक मौलिक अधिकारों का वर्णन किया गया है। इसमें अनुच्छेद-23 शोषण के विरुद्ध नागरिकों की रक्षा करता है। इसके तहत मानव तस्करी, बाल श्रम एवं बेगार पर प्रतिबन्ध आरोपित किया गया है साथ ही यह अधिकार नागरिकों एवं गैर नागरिकों दोनों को प्राप्त है।

199. (b) प्रायद्वीपीय नदी गोदावरी में सबसे बड़ी जलनिकासी घाटी (अपवाह बेसिन) है।

दक्षिण की गंगा नाम से प्रचलित गोदावरी नदी का उद्गम महाराष्ट्र नासिक जिले में अवस्थित त्र्यम्बकेश्वर पहाड़ी से होता है। इसकी कुल लम्बाई लगभग 1465 किमी है, जो महाराष्ट्र, तेलंगाना, आंध्र प्रदेश और छत्तीसगढ़ से होकर बहती है। इसकी सहायक नदियाँ प्रदरा, पूर्णा, मंजरा, पेनगंगा, प्रन्हिता, इन्द्रावती, मनेर और सबरी हैं।

200. (c) आईसीसी पुरुष चैंपियंस ट्रॉफी 2025, 19 फरवरी से 9 मार्च 2025 तक आयोजित होगी। यह 1996 के बाद पाकिस्तान द्वारा आयोजित पहला वैश्विक क्रिकेट टूर्नामेंट होगा, जिसमें यूएई न्यूट्रल वेन्यू के रूप में शामिल है।

❑❑❑

प्रैक्टिस सेट-11

भौतिक विज्ञान

1. एक प्रकाश की किरण वायु से जब द्रव में जाती है तो, परावर्तन के पश्चात् कोण पर विचलित हो जाती है। यदि आपतित कोण 60° हो, तो द्रव का अपवर्तनांक है–

(a) $\sqrt{\frac{3}{2}}$ (b) $\sqrt{\frac{2}{3}}$

(c) $\frac{\sqrt{3}}{2}$ (d) $\frac{\sin 60^o}{\sin 45^o}$

2. एक तार में 2 मिली. सेकण्ड में 400 माइक्रोकूलॉम का आवेश गुजरता है। धारा का औसत मान होगा–

(a) 2 ऐम्पियर (b) 0.2 ऐम्पियर

(c) 4 ऐम्पियर (d) 20 ऐम्पियर

3. 4 वोल्ट की बैट्री से 1 ओम तथा 3 ओम के प्रतिरोध श्रेणीक्रम में जुड़े हैं। बैट्री से होकर प्रवाहित धारा होगी–

(a) 1 ऐम्पियर (b) 3 ऐम्पियर

(c) 4 ऐम्पियर (d) 4.75 ऐम्पियर

4. एक मशीन किसी पिण्ड को t समय तक स्थिर शक्ति से चलाती है। पिण्ड द्वारा चली गयी दूरी समानुपाती है–

(a) $t^{3/2}$ (b) t^2

(c) $t^{1/2}$ (d) t

5. जल में तैरते एक बर्फ के टुकड़े का 195 सेमी^{3} आयतन जल से बाहर है। यदि बर्फ का आ.घ. 0.9 तथा जल का आ. घ. 1.03 हो, तो बर्फ के टुकड़े का कुल आयतन होगा–

(a) 1000 सेमी^{3} (b) 1200 सेमी^{3}

(c) 1440 सेमी^{3} (d) 1545 सेमी^{3}

6. एक कमरे की कांच की खिड़कियों का कुल क्षेत्रफल 15 मी^{2} है तथा कांच की मोटाई 2 मिमी है। यदि कमरे के अन्दर का ताप 20°C तथा बाहर का ताप 60°C हो, तो ऊष्मा किस दर से कमरे में प्रवेश कर रही है? (कांच के लिए $K = 2 \times 10^{24}$ एम. के. एस. मात्रक)–

(a) 30 कैलोरी/से. (b) 60 कैलोरी/से.

(c) 25 कैलोरी/से. (d) 45 कैलोरी/से.

7. एक प्रिज्म का कोण 60° तथा अल्पतम विचलन कोण 38° है। प्रिज्म के पदार्थ का अपवर्तनांक है–($\sin 49^o = 0.74$)

(a) 1.48 (b) 2.40

(c) 1.50 (d) 2.50

8. दो सीधे लम्बे समान्तर तार एक-दूसरे से $2r$ की दूरी पर हैं। प्रत्येक तार में से धारा i एक ही दिशा में बह रही है। दोनों तारों के बीच एक बिन्दु पर जो प्रत्येक तार से r दूरी पर है चुम्बकीय क्षेत्र की तीव्रता होगी–

(a) $\frac{i}{r}$ (b) $2\frac{i}{r}$

(c) $\frac{4i}{r}$ (d) 0

9. वह तापमान जिस पर ध्वनि का वेग, 0° C पर ध्वनि के वेग से दोगुना होता है–

(a) 819°C (b) 553.3°C

(c) 100°C (d) इनमें से कोई नहीं

10. दो एक आकार के बराबर लम्बाई के समान तारों के व्यास का अनुपात 1 : 2 है तथा वह श्रेणीक्रम में जुड़े हैं। यदि उनमें से एक समान धारा प्रवाहित की जाए, तो तारों में उत्पन्न ऊष्मा का क्रमशः अनुपात होगा–

(a) 4 : 1 (b) 1 : 4

(c) 2 : 1 (d) 1 : 2

11. किसी पुरुष के स्वर की आवृत्ति 600 कम्पन/सेकण्ड है तथा उत्पन्न ध्वनि तरंगों की लम्बाई $\frac{2}{3}$ मी है। यदि किसी महिला के स्वर के तरंगों की लम्बाई 100 सेमी हो, तो उसकी आवृत्ति होगी–

(a) 400 कम्पन्न/से. (b) 500 कम्पन/से.

(c) 600 कम्पन/से. (d) 800 कम्पन/से.

12. किसी बिन्दु पर किसी वस्तु से आने वाले ऊष्मीय विकिरण की तीव्रता वस्तु से बिन्दु की–

(a) दूरी के समानुपाती होती है

(b) दूरी के व्युत्क्रमानुपाती होती है

(c) दूरी के वर्ग के समानुपाती है

(d) दूरी के वर्ग के व्युत्क्रमानुपाती है

13. किसी कृष्णिका का माप 100°C से बढ़कर 473°C हो जाए तो उसकी ऊर्जा हो जाएगी–

(a) दो गुनी (b) 16 गुनी

(c) 8 गुनी (d) 81 गुनी

14. दो डम्बल के जोड़े को जब एक-दूसरे से टकराते हैं, तो उत्पन्न ध्वनि होती है–

(a) गोलीय (b) वृत्तीय

(c) बेलनाकार (d) समतल

15. 0.00542 का कोटिमान है–

(a) 10^{-5} (b) 10^{-4}

(c) 10^{-3} (d) 10^{-2}

16. एक वर्नियर कैलिपर्स का अल्पतमांक 0.1 मिमी है तथा इसकी शून्यांक त्रुटि –0.4 मिमी है। यदि छड़ की लम्बाई नापते समय मुख्य स्केल का पाठ्यांक 3.6 सेमी है तथा वर्नियर का चौथा मुख्य स्केल के एक अंकन के समरेखीय है, तो छड़ की लम्बाई है–

(a) 3.6 सेमी (b) 3.68 सेमी

(c) 3.64 सेमी (d) इनमें से कोई नहीं

17. एक मोमबत्ती की ज्वाला का प्रतिबिम्ब अवतल दर्पण के सामने उससे 24 सेमी की दूरी पर बनता है। यदि ज्वाला की लम्बाई 12 सेमी तथा प्रतिबिम्ब की लम्बाई 8 सेमी है, तब दर्पण की फोकस दूरी है–

(a) 14 सेमी (b) 15 सेमी

(c) 20.4 सेमी (d) 14.4 सेमी

18. 2.0 तथा 2.5 डायोप्टर क्षमता के दो उत्तल लेन्सों को सम्पर्क में रखने पर संयोजन

की क्षमता डायोप्टर में तथा फोकस दूरी सेन्टीमीटर में है–

(a) 0.5, 20 (b) 4.5, 25
(c) 4.5, 22.2 (d) 0.5, 200

19. एक बादल भूमि के सापेक्ष 20×10^4 वोल्ट विभव पर है तथा भूमि से उसकी दूरी 60 मीटर है। जब भूमि पर बिजली गिरती है, तो भूमि पर 65 कूलॉम का आवेश स्थानान्तरित होता है। किया गया कार्य है–

(a) 78×10^7 जूल (b) 3.007×10^6 जूल
(c) 22×10^4 जूल (d) 1.30×10^6 जूल

20. तालाब के किनारे खड़ा व्यक्ति तालाब की तली पर मछली को देखता है। मछली को शूट करने के लिए निशाना लगाना होगा–

(a) मछली के कुछ ऊपर
(b) मछली के कुछ नीचे
(c) मछली के कुछ दायीं ओर
(d) मछली के कुछ बांयी ओर

21. पानी से भरा एक शंकु 4 मीटर त्रिज्या के ऊर्ध्वाधर वृत में घुमाया जाता है। एक परिक्रमण का अधिकतम आवर्तकाल क्या होगा?

(a) 2 सेकण्ड
(b) 4 सेकण्ड
(c) 1 सेकण्ड
(d) 6 सेकण्ड

22. 15 ग्राम ईंधन को जलाने पर जो ऊष्मा उत्पन्न होती है वह 6 किलोग्राम जल का ताप 15°C से 45°C तक बढ़ा देती है। इस ईंधन का ऊष्मीय मान, यदि जल की विशिष्ट ऊष्मा 4.2 जूल/ग्राम°C है, होगा–

(a) 25.2 किलोजूल/ग्राम
(b) 126 किलोजूल/ग्राम
(c) 53 किलोजूल/ग्राम
(d) 50.4 किलोजूल/ग्राम

23. एक गोला दो समान्तर दर्पणों के बीच में रखा गया है। उसके कितने प्रतिबिम्ब बनेंगे?

(a) 5 (b) 7
(c) 3 (d) अनन्त

24. 1 अश्वशक्ति की मोटर से एक विडोलक द्वारा 3.73 लीटर जल का विडोलन किया जाता है। यदि सम्पूर्ण शक्ति ऊष्मा उत्पन्न करने में प्रयुक्त होती है, तो जल का तापमान 20°C बढ़ाने के लिए आवश्यक समय कितना होगा?
(माना 1 अश्वशक्ति = 746 वॉट तथा J = 4.2 जूल/कैलोरी)

(a) 14 मिनट
(b) 7 मिनट
(c) 10 मिनट
(d) इनमें से कोई नहीं

25. किसी पिण्ड का वायु में भार 320 ग्राम-भार तथा जल में 280 ग्राम-भार है। 1.65 आपेक्षिक घनत्व वाले द्रव में पूर्णतया डुबाने पर उसके भार में कितनी कमी आएगी?

(a) 66 ग्राम-भार (b) 77 ग्राम-भार
(c) 36 ग्राम-भार (d) 12 ग्राम-भार

26. किसी 200 मी ऊंची मीनार की छोटी चोटी से पत्थर को ऊर्ध्वाधर ऊपर की ओर 20 मी/से की चाल से प्रक्षेपित करने पर पृथ्वी से टकराते समय इसकी चाल होगी–

(a) 60 मी/से (b) 85 मी/से
(c) 70 मी/से (d) 76 मी/से

27. 150 किग्रा की एक तोप से 1.5 किग्रा का एक गोला दागा जाता है, जो 60 मी/से के वेग से निकलता है। तोप के पीछे हटने का वेग होगा–

(a) 10.5 मी/से
(b) 6 मी/से
(c) 0.6 मी/से
(d) इनमें से कोई नहीं

28. निम्न में से कौन-सा नियम प्रेरित विद्युत वाहक बल की दिशा को बताता है?

(a) ऐम्पियर का नियम
(b) फ्लेमिंग का राइट-हैण्ड नियम
(c) फ्लेमिंग का लैफ्ट-हैण्ड
(d) मैक्सवेल का कॉर्क-स्क्रू नियम

29. चित्र में, A और B के बीच तुल्यांकी प्रतिरोध होगा–

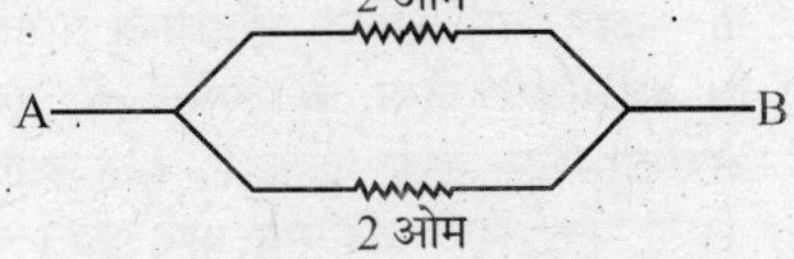

(a) 2 ओम (b) 1 ओम
(c) 1.5 ओम (d) 2.5 ओम

30. एक मनुष्य समतल दर्पण से 3 मी/से की गति से दौड़ रहा है। वह अपने प्रतिबिम्ब से जिस वेग से दूर भाग रहा है, वह है–

(a) 6 मी/से (b) 3 मी/से
(c) 1.5 मी/से (d) 9 मी/से

31. गुरुत्व क्षेत्र में किसी ऊंचाई से एक गेंद विराम अवस्था से मुक्त रूप से गिरना प्रारम्भ करती है और आधी दूरी t सेकण्ड में तय कर लेती है, इसे शेष आधी दूरी तय करने में समय लगेगा–

(a) $t/4$ से
(b) $3t/4$ से
(c) $(\sqrt{2}-1)t$ से
(d) $(1-\sqrt{2})t$ से

32. एक ट्रक, एक कार और एक मोटरसाइकिल की गतिज ऊर्जाएं समान हैं। यदि समान अवरोधक बल लगाए जाएं और वे क्रमशः x, y और z दूरी पर रुकें तो–

(a) $x > y > z$ (b) $x < y < z$
(c) $x \approx 4 \approx 8z$ (d) $x = y = z$

33. 5 मी लम्बी रस्सी के लटके हुए झूले पर 25 किग्रा संहति का एक लड़का बैठा है। एक व्यक्ति रस्सी को इस प्रकार खींचता है, कि रस्सी ऊर्ध्वाधर से 30° का कोण बनाती है। लड़के की गुरुत्व स्थितिज ऊर्जा में सन्निकट वृद्धि होगी–

(a) 164.15 जूल
(b) 1225 जूल
(c) 625 जूल
(d) कोई वृद्धि नहीं

34. एक 40 ग्राम वजन के चीनी के टुकड़े पर 0.96 आपेक्षिक घनत्व की 5.76 ग्राम मोम से लेप किया गया। यदि लेपित टुकड़े का भार जल में 14.76 ग्राम हो, तो चीनी का आपेक्षिक घनत्व होगा–

(a) 1.83 (b) 1.6
(c) 1.29 (d) 1.08

35. एक 400 किग्रा की लिफ्ट इस्पात की रस्सी से आधारित है, जोकि 800 किग्रा का भार सुरक्षित रूप से वहन कर सकती है। न्यूनतम दूरी जिसमें लिफ्ट को रोका जा सकता है, यदि यह 1 मी/से की गति से नीचे उतर रही है, होगी– (g = 10 मी/से^{2})

(a) 4 मी
(b) 20 मी
(c) $\frac{1}{20}$ मी
(d) इनमें से कोई नहीं

36. एक छड़ AB, 2 मी लम्बी है तथा सिरे A से 120 सेमी की दूरी पर सन्तुलित होती है। उसी सिरे A पर 200 ग्राम का भार लगाया जाता है। तो वह केन्द्र पर स्थित एक बिन्दु पर भी सन्तुलित होती है। छड़ का भार है–

(a) 1000/3 ग्राम
(b) 1000 ग्राम
(c) 300 ग्राम
(d) इनमें से कोई नहीं

37. 120 किग्रा का लकड़ी का एक लट्ठा पानी पर तैरता है। लट्ठे को पूरा डूबाने के लिए इस प्रकार रखा जाने वाला भार होना चाहिये : ($d_{लट्ठा}$ = 600 किग्रा/मी^{3})

(a) 80 किग्रा (b) 50 किग्रा
(c) 60 किग्रा (d) 30 किग्रा

38. एक पीतल की छड़ को जस्ते की मापनी से नापा जाता है जोकि 0°C पर यथार्थ तथा 1 मी लम्बी है। उसकी प्रेक्षित लम्बाई 10°C पर होगी–
($\alpha_B = 0.000019/°C$ तथा $\alpha_{Zn} = 0.000029/°C$)
(a) 100.001 सेमी (b) 99.9 सेमी
(c) 100.01 सेमी (d) 99.99 सेमी

39. तीन विभिन्न द्रवों *a*, *b*, *c* के समान द्रव्यमान का ताप 15°C, 25°C, 35°C है। *a* तथा *b* को मिलाने पर मिश्रण 21°C तापमान प्राप्त करता है। *b* तथा *c* मिलाने पर मिश्रण 32°C तापमान प्राप्त करता है। यदि *a* और *c* को मिलाया जाये तो मिश्रण का तापमान होगा–
(बर्तन का जल तुल्यांक नगण्य मानिए)
(a) 33.5°C
(b) 32.78°C
(c) 30.56°C
(d) इनमें से कोई नहीं

40. एक कम्पित वस्तु 1 सेकण्ड में 240 कम्पन करती है। वायु में ध्वनि की चाल 320 मी/से है। कम्पित वस्तु के द्वारा किए गए 15 कम्पनों में वायु में ध्वनि कितनी दूर जाएगी?
(a) 320 मी (b) 10 मी
(c) 40 मी (d) 20 मी

41. एक धारामापी की सुग्राहिता 0.5 माइक्रो ऐम्पियर है। इसमें 2×10^{-5} ऐम्पियर धारा प्रवाहित करने से विक्षेप होगा–
(a) 40 (b) 70
(c) 10 (d) शून्य

42. एक *i* लम्बाई की परिनालिका में फेरों की संख्या *n* है। एक अन्य परिनालिका, जिसकी लम्बाई 1/2 है, में भी फेरों की संख्या *n* है–परन्तु यह फेरे दो परतों में लपेटे गए हैं। जब दोनों परिनालिकाओं में समान धारा बह रही हो, तो द्वितीय एवं प्रथम परिनालिका के केन्द्र पर चुम्बकीय क्षेत्रों की तीव्रता का अनुपात होगा–
(a) 2 : 1 (b) 1 : 1
(c) 1 : 2 (d) 1 : 4

43. एक समतल दर्पण क्षैतिज से 30° कोण बना रहा है। यदि एक ऊर्ध्वाधर किरण दर्पण से टकराती है, तो दर्पण एवं परावर्तित किरण के मध्य कोण होगा–
(a) 30° (b) 45°
(c) 60° (d) 90°

44. एक विद्युत हीटर 90 लीटर पानी को 10°C से 80°C तक एक घण्टे में गर्म करने के लिए प्रयोग किया जाता है। यदि उसकी दक्षता 90% हो, तो इसे चलाने की लागत, जबकि ऊर्जा लागत 90 पैसे प्रति किलोवॉट-घण्टा है, होगी–
(a) ₹ 1.75 (b) ₹ 1.42
(c) ₹ 1.80 (d) ₹ 7.35

45. एक प्रकाश उत्सर्जन डायोड (LED) के सिरों पर विभवपात 2 वोल्ट है तथा 10 मिली ऐम्पियर की धारा प्रवाहित होती है। जब इसे एक प्रतिरोध R के साथ 6 वोल्ट की बैट्री पर प्रयोग करते हैं तब R का मान है–
(a) 40 kΩ (b) 4 kΩ
(c) 200 kΩ (d) 400 kΩ

46. एक इलेक्ट्रॉन 0.2 वेबर/मी^{2} के चुम्बकीय क्षेत्र में 2×10^7 मी/से के वेग से क्षेत्र के लम्बवत् गति कर रहा है। इलेक्ट्रॉन पर लगने वाला बल होगा–
(a) 6.4×10^{-11} न्यूटन
(b) 64×10^{-14} न्यूटन
(c) 0.64×10^{-12} न्यूटन
(d) 4.8×10^{-13} न्यूटन

47. एक तेल की पतली पर्त पानी पर तैर रही है। एक प्रकाश किरण 45° के आपतन कोण पर तेल की सतह पर आपतित होती है, किरण द्वारा पानी के अन्दर बनाए गए अपवर्तन कोण का मान होगा।
(तेल का अपवर्तनांक = 145, पानी का अपवर्तनांक = 1.33)
(a) $\sin^{-1}(0.53)$ (b) $\sin^{-1}(0.49)$
(c) $\sin^{-1}(0.65)$ (d) $\sin^{-1}(0.38)$

48. एक वस्तु 10 सेमी फोकस दूरी वाले अभिसारी लेन्स से 15 सेमी दूर रखी है, तो स्क्रीन पर उसका प्रतिबिम्ब बनता है। अभिसारी लेन्स के सम्पर्क में एक अपसारी लेन्स रखा जाता है और इसके कारण पुनः स्पष्ट प्रतिबिम्ब प्राप्त करने के लिए स्क्रीन को 30 सेमी पीछे हटाना पड़ता है, अपसारी लेन्स की फोकस दूरी है–
(a) 90 सेमी
(b) 45 सेमी
(c) 60 सेमी
(d) इनमें से कोई नहीं

49. एक दूर दृष्टि दोष वाला व्यक्ति अपनी आंख से 60 सेमी से कम की दूरी की वस्तु स्पष्टतयाः नहीं देख पाता। यदि वह एक पुस्तक को आंख से 30 सेमी की दूरी पर पढ़ना चाहे, तो लेन्स का प्रकार एवं फोकस दूरी होगी–
(a) 20 सेमी फोकस दूरी का अवतल लेन्स
(b) 60 सेमी फोकस दूरी का अवतल लेन्स
(c) 20 सेमी फोकस दूरी का उत्तल लेन्स
(d) 60 सेमी फोकस दूरी का उत्तल लेन्स

50. एक परिपथ में पाँच एक समान चालक चित्रानुसार जुड़े हैं। दो समान चालक परिपथ जोड़े जाते हैं जैसा कि छिद्रित रेखाओं से प्रदर्शित है।
जोड़ने से पहले तथा बाद में प्रतिरोधों का अनुपात होगा–

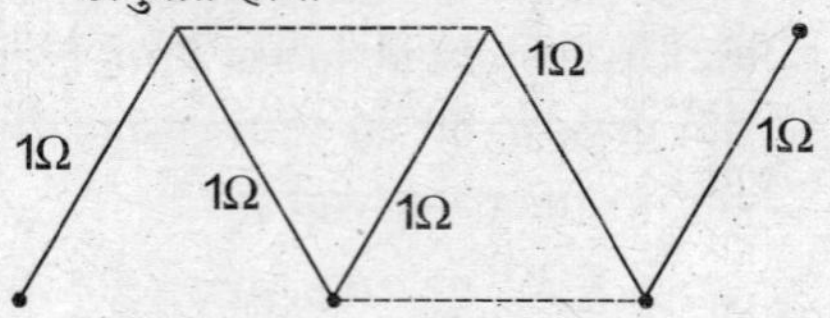

(a) $\frac{7}{5}$ (b) $\frac{3}{5}$
(c) $\frac{5}{3}$ (d) $\frac{6}{5}$

51. 0.6Ω आन्तरिक प्रतिरोध वाली 12 वोल्ट बैटरी 3 प्रतिरोधों 4Ω, 6Ω तथा 1Ω से श्रेणी में इस प्रकार जुड़ी है कि 4Ω तथा 6Ω के प्रतिरोध समान्तर हैं तथा इन समान्तर प्रतिरोधों की श्रेणी में 1Ω का प्रतिरोध लगा हुआ है। 1Ω प्रतिरोध में गुजरने वाली धारा होगी–
(a) 3 ऐम्पियर (b) 2 ऐम्पियर
(c) 1 ऐम्पियर (d) 6.5 ऐम्पियर

52. एक 1.5 किलोवॉट का हीटर 25 ली. पानी का तापमान 10°C से 40°C तक बढ़ाता है। पानी गर्म करने में लगभग समय लगा होगा–
(a) 2 मिनट (b) 25 मिनट
(c) 35 मिनट (d) 60 मिनट

53. एक धनावेशित तथा एक ऋणावेशित गोले को तांबे के तार से जोड़ने पर गोलों के उदासीन होने में 1 मिली सेकण्ड का समय लगता है तथा इस समय में तार से होकर 200 माइक्रो कूलॉम आवेश गुजर जाता है। तार में प्रवाहित धारा का मान होगा–
(a) 0.2 ऐम्पियर (b) 0.1 ऐम्पियर
(c) 0.4 ऐम्पियर (d) 0.6 ऐम्पियर

54. एक सोलेनॉइड (परिनालिका) की लम्बाई 1.5 मी एवं व्यास 4 सेमी है और इसमें 10 चक्कर (टर्न) प्रति सेमी है। 5 ऐम्पियर की धारा इसमें बह रही है। सोलेनॉएड के अन्दर अक्ष पर चुम्बकीय प्रवाहन क्षेत्र होगा–
(a) $2\pi \times 10^{-3}$ टेस्ला
(b) $2\pi \times 10^{-5}$ टेस्ला
(c) $2\pi \times 10^{-3}$ गॉस
(d) $2\pi \times 10^{-5}$ गॉस

55. गति के नियम किसने प्रतिपादित किये?

(a) न्यूटन
(b) गैलीलियो
(c) चैडविक
(d) इनमें से कोई नहीं

56. 20 किग्रा द्रव्यमान के ब्लॉक पर 2 मीटर की दूरी तक 5 न्यूटन का बल लगाया जाता है, तो ब्लॉक की गतिज ऊर्जा होगी–

(a) 20 जूल (b) 15 जूल
(c) 10 जूल (d) 5 जूल

57. आवेश प्रवाह की दर को कहते हैं–

(a) विभव
(b) धारा
(c) विभावन्तर
(d) इनमें से कोई नहीं

58. पृथ्वी पर वायुमण्डल होने का कारण है–

(a) गुरुत्व
(b) वायु
(c) बादल
(d) पृथ्वी का चुम्बकीय क्षेत्र

59. कार्य करने की दर को कहते हैं–

(a) ऊर्जा
(b) शक्ति
(c) बल
(d) इनमें से कोई नहीं

60. यदि वस्तु का द्रव्यमान दोगुना कर दिया जाता है, तो वस्तु की गतिज ऊर्जा होगी–

(a) आधी
(b) दोगुनी
(c) एक-चौथाई
(d) इनमें से कोई नहीं

रसायन विज्ञान

61. एक लीटर पात्र में अभिक्रिया $2H_2S(g) \rightleftharpoons 2H_2(g) + S_2(g)$ का साम्य मिश्रण 0.5 मोल H_2S, 0.10 मोल H_2 तथा 0.4 मोल S_2 मोल था। तब साम्य स्थिरांक K_c का मान मोल/ली$^{-1}$ में होगा–

(a) 0.008 (b) 0.004
(c) 0.160 (d) 0.016

62. अभिक्रिया $CaCO_3(s) \rightleftharpoons CaO(s) + CO_2(g)$, चूने की भट्टी में पूर्णता की ओर अग्रसर होती है, इसका कारण है–

(a) $CaCO_3$ की अपेक्षा CaO अधिक स्थायी है
(b) इसका उच्च ताप
(c) CaO विघटित नहीं होता है
(d) CO_2 लगातार निकलती रहती है

63. अनुचुम्बकत्व (paramagnetism) निम्न में से उन अणुओं में प्रदर्शित किया जाता है, जो–

(a) चुम्बकीय क्षेत्र में आकर्षित नहीं होते
(b) केवल इलेक्ट्रॉन युग्म रखते हैं
(c) धनावेशित होते हैं
(d) अयुग्मित इलेक्ट्रॉन रखते हैं।

64. NH_3 व BF_3 के मध्य होता है–

(a) वैद्युतसंयोजक बन्ध
(b) सहसंयोजक बंध
(c) उपसहसंयोजक बन्ध
(d) हाइड्रोजन बंध

65. किसी इलेक्ट्रॉनिक संक्रमण के लिए स्पेक्ट्रम रेखा की तरंगदैर्ध्य (λ) निम्न के व्युत्क्रमानुपाती होती है–

(a) संक्रमित इलेक्ट्रॉनों की संख्या
(b) परमाणु का नाभिकीय आवेश
(c) संक्रमण में प्रयुक्त ऊर्जा-स्तरों में अन्तर
(d) संक्रमित इलेक्ट्रॉनों का वेग

66. निम्न में से किस यौगिक में ऑक्सीजन की ऑक्सीजन संख्या न्यूनतम है?

(a) $FeSO_4.(NH_4)SO_4.6H_2O$
(b) $K_4Fe(CN)_6$
(c) $Fe(CO)_5$
(d) $Fe_{0.94}O$

67. $C_{17}H_{35}COONa$ एक–

(a) साबुन है (b) अपमार्जक है
(c) रेयान है (d) रबड़ है

68. एल्केन का सामान्य सूत्र है–

(a) C_nH_{2n+2} (b) C_nH_{2n}
(c) C_nH_{2n-2} (d) C_nH_n

69. वर्षा के पानी का pH मान है–

(a) 0 (b) 7
(c) >7 (d) <7

70. निम्न में से ऑक्सेलिक अम्ल का सूत्र है–

(a) C_6H_5COOH (b) $C_2H_2O_4$
(c) MH_3COOH (d) C_2HO_4

71. वायु के सम्पर्क में रखने पर ब्लीचिंग पाउडर बेकार हो जाता है क्योंकि–

(a) यह वायु में O_2 से प्रभावित होता है
(b) यह CO_2 अवशोषित करता है एवं $CaCO_3$ बनाता है
(c) यह अपघटन द्वारा Cl_2 उत्पन्न करता है
(d) उपरोक्त में से कोई नहीं

72. कठोर जल को मृदु जल में परिवर्तित करने के लिए प्रयोग होने वाले कैलगन का सूत्र है–

(a) $Na_6P_6O_{18}$
(b) $C_{17}H_{15}COONa$
(c) $Na_2AlSi_2O_3$
(d) उपरोक्त में से कोई नहीं

73. एक धातु के ऑक्साइड में 40 प्रतिशत ऑक्सीजन है। धातु की संयोजकता 3 है। धातु का परमाणु भार है–

(a) 36 (b) 72
(c) 24 (d) इनमें से कोई नहीं

74. यौगिक जिसका अणुसूत्र C_4H_6 है, में होता है–

(a) एक त्रिबन्ध या दो द्विबन्ध
(b) एक द्विबन्ध
(c) एक त्रिबन्ध एवं एक द्विबन्ध
(d) सभी एकल बन्ध

75. तत्वों के गुण होते हैं–

(a) उसी क्षैतिज आवर्त में समान
(b) उनकी परमाणु संख्या के आवर्त फलन
(c) नाभिक में न्यूट्रॉनों तथा प्रोटॉनों की संख्या द्वारा ज्ञात
(d) उनके अणु द्रव्यमान के आवर्त फलन

76. रेडियोएक्टिव विघटन में, नाभिक एक बार में उत्सर्जित करता है–

(a) केवल 'α' या 'β' कण
(b) 'α' तथा 'β' कण दोनों
(c) 'α' या 'β' कण तथा ('γ' गामा फोटॉन)
(d) 'α' किरण, 'β' किरण तथा 'γ' उत्सर्जन

77. γ विकिरण की चाल का प्रकाश की चाल से तुलना के सम्बन्ध में कौन-सा सही विकल्प है?

(a) γ विकिरण की चाल > प्रकाश की चाल से
(b) γ विकिरण की चाल = प्रकाश की चाल से
(c) γ विकिरण की चाल < प्रकाश की चाल से
(d) γ विकिरण की चाल, प्रकाश की चाल से कम, अधिक या बड़ी हो सकती है विशिष्ट दशाओं में

78. प्रोटॉन है–

(a) भारी हाइड्रोजन का नाभिक
(b) एक मूलभूत कण
(c) धनावेशित कण
(d) ये सभी

79. 16 मिली हाइड्रोजन का विसरण 100 सेकण्ड में होता है। उसी समय में SO_2 के विसरण का आयतन होगा (S = 32, O = 16, H = 1)

(a) 90.4 मिली (b) 0.25 मिली
(c) 2.8 मिली (d) इनमें से कोई नहीं

80. अभिक्रिया $Fe + CuSO_4 \rightarrow Cu + FeSO_4$ में Cu होता है–
(a) अपचयित
(b) न उपचयित न अपचयित
(c) उपचयित
(d) इनमें से कोई नहीं

81. C_2H_2 बनाने की प्रयोगशाला विधि में NH_3, H_2S, AsH_3 और PH_3 जैसी अशुद्धियों को दूर करने के लिए इसे प्रवाहित करते हैं–
(a) कास्टिक सोडा विलयन में से
(b) H_2O में से
(c) $CuSO_4$ के अम्लीय विलयन में से
(d) इनमें से कोई नहीं

82. समस्थानिक के परमाणु द्रव्यमानों में अन्तर का कारण होता है–
(a) प्रोटॉन की संख्या में अन्तर
(b) इलेक्ट्रॉनों की संख्या में अन्तर
(c) परमाणु संख्या में अन्तर
(d) नाभिक में विद्यमान न्यूट्रॉनों की भिन्न संख्या

83. तीन भिन्न द्रवों *a*, *b* और *c* के समान द्रव्यमान का तापमान 15°C, 25°C और 35°C है। *a* और *b* को मिलाने पर मिश्रण 22°C तापमान प्राप्त करता है, *b* तथा *c* को मिलाने पर मिश्रण 31°C तापमान प्राप्त करता है। यदि *a* तथा *c* को मिलाया जाए, तो मिश्रण का तापमान होगा (बर्तन का जल तुल्यांक नगण्य मानिए)
(a) 33°C (b) 30.56°C
(c) 26.5°C (d) इनमें से कोई नहीं

84. 0.01 मोल HCl का pH है–
(a) 1 (b) 2
(c) 0 (d) 7

85. निम्न रासायनिक अभिक्रिया के साम्यावस्था स्थिरांक लिखिए–
$mA + nB \rightarrow pC + qD$
(a) $Kc = \dfrac{[A]^m \times [B]^n}{[C]^p \times [D]^q}$
(b) $Kc = \dfrac{[A\,B]^{m+n}}{[C\,D]^{p+q}}$
(c) $Kc = \dfrac{[C]^p \times [D]^q}{[A]^m \times [B]^n}$
(d) $Kc = \dfrac{[C]^{\frac{1}{m}} \times [D]^{\frac{1}{n}}}{[A]^{\frac{1}{p}} \times [B]^{\frac{1}{q}}}$

86. किसे हास्य गैस कहते हैं?
(a) N_2O (b) NO
(c) N_2O_3 (d) NO_2

87. निम्न में से कौन-सा फॉस्फोरस अम्ल कहलाता है?
(a) H_3PO_4 (b) H_3PO_2
(c) H_3PO_3 (d) HPO_3

88. $CuSO_4.5H_2O$ + सान्द्र H_2SO_4 का उत्पाद क्या होगा?
(a) $CuSO_4$ (b) SO_2
(c) SO_3 (d) H_2S

89. सर्पेक-प्रक्रम प्रयोग करते हैं, जब अयस्क होता है–
(a) श्वेत बॉक्साइड (b) लाल बॉक्साइड
(c) Na_3AIF_6 (d) माइका

90. मिश्रधातु 'सोल्डर' निम्न दो धातुओं से बनती है–
(a) Pu, Cu (b) Pb, Sn
(c) Sn, Cu (d) Pb, Bi

91. ग्लूकोस का 0.5 ग्राम $ली^{-1}$ विलयन, एक कार्बनिक यौगिक के 2.5 ग्राम $ली^{-1}$ विलयन के समपरासरी है। इस कार्बनिक यौगिक का अणुभार होगा
(a) 300 (b) 600
(c) 900 (d) 200

92. निम्न में से कौन-सा कथन सत्य नहीं है?
(a) Al, NaOH से अभिक्रिया करके, H_2 मुक्त करता है
(b) $AlCl_3$ लूइस अम्ल है
(c) Al, विद्युत तारों के निर्माण में प्रयुक्त किया जाता है
(d) बॉक्साइट के शुद्धिकरण के हॉल प्रक्रम के दौरान NaOH का प्रयोग किया जाता है

93. 25°C पर, निम्नलिखित इलेक्ट्रोड के लिए इलेक्ट्रोड विभव (वोल्ट में) का मान होगा
Ni^{2+} (0.1 M) | Ni(*s*)
(Ni^{2+}/Ni का मानक अपचयन विभव = – 0.25 वोल्ट,
$\dfrac{2.303\,RT}{E} = 0.06$
(a) – 0.28 वोल्ट (b) – 0.34 वोल्ट
(c) – 0.82 वोल्ट (d) – 0.22 वोल्ट

94. एक कार्बनिक यौगिक का प्रतिशत संघटन निम्नलिखित है—C = 40%, H = 6.67%, O = 53.33% यदि इसका वाष्प घनत्व 30 है, तो यौगिक का अणूसूत्र होगा–
(a) CHO_2
(b) CH_2O
(c) $C_2H_4O_2$
(d) इनमें से कोई नहीं

95. 27°C पर हाइड्रोजन अणु का अधिकतम प्रायिकता वेग (सेमी/से में) होगा–
(a) 19.3×10^4 (b) 17.8×10^4
(c) 24.93×10^9 (d) 17.8×10^8

96. एक दुर्बल अम्ल का 0.1 जलीय विलयन, 2% आयनित होता है। जल का आयनिक गुणनफल 1×10^{-14} है। $[OH^-]$ की सान्द्रता होगी–
(a) 5×10^{-12} M
(b) 2×10^{-3} M
(c) 1×10^{-14} M
(d) इनमें से कोई नहीं

97. हाइड्रोजन के परमाण्विक स्पेक्ट्रम की लाइमन श्रेणी में H_β रेखा प्राप्त करने के लिए n_1 तथा n_2 के मान क्रमशः होंगे–
(a) 3 तथा 5 (b) 2 तथा 3
(c) 1 तथा 3 (d) 2 तथा 4

98. आयोडोफॉर्म, $AgNO_3$ के साथ गर्म करने पर अवक्षेप देता है जबकि क्लोरोफॉर्म नहीं, क्योंकि–
(a) आयोडोफॉर्म में C—I बन्ध दुर्बल है तथा क्लोरोफॉर्म में C—Cl बन्ध प्रबल है
(b) क्लोरोफॉर्म सहसंयोजी है
(c) आयोडोफॉर्म आयनिक है
(d) उपरोक्त में से कोई नहीं

99. निम्न में से किसमें उपसहसंयोजक बन्ध उपस्थित नहीं हैं?
(a) SO_2 (b) HNO_3
(c) H_2SO_3 (d) NHO_2

100. पाँचवें ऊर्जा-स्तर में कक्षकों की कुल संख्या है–
(a) 5 (b) 10
(c) 18 (d) 25

101. एक ऑक्सीकरण-अपचयन अभिक्रिया में, डाइक्रोमेट ($Cr_2O_7^{2-}$) आयन, Cr^{3+} आयन में अपचयित हो जाता है। इस अभिक्रिया में $K_2Cr_2O_7$ का तुल्यांकी भार होगा–
(a) $\dfrac{\text{अणुभार}}{3}$ (b) $\dfrac{\text{अणुभार}}{6}$
(c) $\dfrac{\text{अणुभार}}{1}$ (d) $\dfrac{\text{अणुभार}}{2}$

102. हाइड्रोजन स्पेक्ट्रम की बामर श्रेणी में चौथी रेखा की तरंग संख्या होगी– (R = 1,09,677 $सेमी^{-1}$)
(a) 24,630 $सेमी^{-1}$
(b) 24,360 $सेमी^{-1}$
(c) 24,730 $सेमी^{-1}$
(d) 24,372 $सेमी^{-1}$

103. 9.2 ग्राम N_2O_4 को एक लीटर के पात्र में साम्यावस्था प्राप्त होने तक गर्म किया जाता है

$N_2O_4(g) \rightleftharpoons 2NO_2(g)$

यदि साम्यावस्था पर, 50% N_2O_4 वियोजित हो जाता है, तो साम्य स्थिरांक होगा–

(N_2O_4 का अणुभार = 92)

(a) 0.1 (b) 0.4
(c) 0.3 (d) 0.2

104. इस्पात को रक्त तप्त ताप से निम्न ताप पर गर्म करके, धीरे-धीरे ठण्डा करने का प्रक्रम कहलाता है–

(a) कठोरीकरण (hardening)
(b) एनीलीकरण (annealing)
(c) टैम्परीकरण (tempering)
(d) नाइट्राइडिकरण (nitriding)

105. निम्न में से कौन-सी अभिक्रिया रोजेनमुण्ड अभिक्रिया कहलाती है?

(a) ऐल्डिहाइडों का ऐल्कोहॉलो में अपचयन
(b) अम्लों का अम्ल क्लोराइडों में परिवर्तन
(c) ऐल्कोहॉलो का हाइड्रोकार्बनों में अपचयन
(d) अम्ल क्लोराइडों का ऐल्डिहाइडों में अपचयन

106. मेथिल ऐल्कोहॉल, कोबॉल्ट अथवा रोडियम उत्प्रेरक की उपस्थिति में, कार्बन मोनॉक्साइड के साथ अभिक्रिया करके, यौगिक 'A' बनाता है। यौगिक 'A' को लाल फॉस्फोरस उत्प्रेरक की उपस्थिति में HI के साथ गर्म करने पर यौगिक 'B' उत्पन्न होता है। यौगिक 'B' है–

(a) $CH_3.COOH$
(b) $CH_3.CHO$
(c) $CH_3.CH_2.I$
(d) $CH_3.CH_3$

107. ऐमिलोज तथा ऐमिलोपेक्टिन का मिश्रण कहलाता है–

(a) लेक्टोस (b) स्टार्च
(c) सेलुलोस (d) सुक्रोस

108. ऐल्कोहॉली सुपेयों में प्रयुक्त होने वाला यौगिक है–

(a) मेथेनॉल (b) एथेनॉल
(c) फीनॉल (d) ग्लिसरॉल

109. कैलगन, जो जल के मृदुकरण के लिए प्रयुक्त किया जाता है, का सूत्र है–

(a) $Na_2[Na_4(PO_3)_6]$
(b) $Na_4[Na_2(PO_3)_6]$
(c) $Na_2[Na_4(PO_4)_5]$
(d) $Na_4[Na_4(PO_4)_6]$

110. निम्न में से कौन-सा यौगिक जल में विलेय है परन्तु विलयन में कोई ऑक्सी-अम्ल नहीं बनाता है?

(a) SO_2 (b) OF_2
(c) SCl_4 (d) SO_3

111. कौन-सी अभिक्रिया घटित नहीं हो सकती है?

1. $CuSO_4 + Fe \rightarrow FeSO_4 + Cu$
2. $MgSO_4 + Cu \rightarrow CuSO_4 + Mg$
3. $MgSO_4 + Fe \rightarrow FeSO_4 + Mg$

(a) 2 तथा 3
(b) 1 तथा 2
(c) 1 तथा 3
(d) इनमें से कोई नहीं

112. $_{11}N^{24}$ से $_{11}Na^{23}$ के द्वारा बनता है–

(a) $_0n^1$ उत्सर्जन
(b) β-उत्सर्जन
(c) *K*-इलेक्ट्रॉन कैप्चर
(d) α-उत्सर्जन

113. जब हाइड्रोजन अणु अपने परमाणुओं में अपघटित होते हैं, तब किस अवस्था में सबसे अधिक मात्रा में हाइड्रोजन परमाणु प्राप्त होते हैं?

(a) उच्च ताप और कम दाब
(b) कम ताप और उच्च दाब
(c) उच्च ताप और उच्च दाब
(d) कम ताप और कम दाब

114. निम्न में से कौन HCl से H विस्थापित नहीं करता?

(a) Cu (b) Mg
(c) Na (d) Al

115. 100 amu He में He परमाणुओं की संख्या होती है–

(a) 1.6×10^{-24}
(b) 6.023×10^{-23}
(c) $2.5 \times 6.023 \times 10^{23}$
(d) $25 \times 1.6 \times 10^{-24} \times 6.023 \times 10^{23}$

116. $Ca(NO_3)_2$ का वान्ट हॉफ कारक होता है–

(a) एक (b) दो
(c) तीन (d) चार

117. जलीय विलयन में अमोनियम नाइट्रेट के अपघटन के लिए निम्न आंकड़े दिए गए हैं–

N_2 का आयतन (cc में)	समय (min में)
6.25	10
9.00	15
11.40	20
13.65	25
35.05	अनन्त

अभिक्रिया की कोटि है–

(a) शून्य (b) एक
(c) दो (d) तीन

118. एक बन्द अवरोधक पात्र में ताप बढ़ाने के लिए द्रव को पैडल से हिलाया जाता है तो, निम्न में से कौन-सा सही है?

(a) $\Delta E = W \neq 0, q = 0$
(b) $\Delta E = W = q \neq 0$
(c) $\Delta E = 0, W = q \neq 0$
(d) $W = 0, \Delta E = q \neq 0$

119. नीला थोथा है–

(a) $MgSO_4 \cdot 5H_2O$
(b) $CuSO_4 \cdot 5H_2O$
(c) $CaSO_4 \cdot 5H_2O$
(d) $ZnSO_4 \cdot 5H_2O$

120. निम्न में से कौन सा लुईस अम्ल नहीं है?

(a) $AlCl_3$ (b) $AlCl_3$
(c) $SnCl_4$ (d) $FeCl_3$

वनस्पति विज्ञान

121. निम्नलिखित में से कौन जटिल ऊतक है?

(a) दृढ़ कोशिकाएँ (sclereids)
(b) दारु (xylem)
(c) स्थूलकोण ऊतक (collenchyna)
(d) दृढ़ोतक (Selerencyma)

122. निम्नलिखित में से कौन-सी मृदा कृषि हेतु सर्वोत्तम होती है?

(a) चिकनी मृदा (clay)
(b) सिल्ट (silt)
(c) सिल्ट तथा चिकनी मिट्टी के साथ दोमट का मिश्रण
(d) दोमट मृदा (loamy soil)

123. आवृत्तबीजियों में मादा युग्मकोद्भिद कहलाता है-

(a) भ्रूणपोष (endosperm)
(b) भ्रूणकोष (embryo sac)
(c) भ्रूण (embyro)
(d) युग्मनज (zygote)

124. पथरीय अंत: फलभित्ति (stony endocarp) पाई जाती है-

(a) पुंजफल (aggregate) में
(b) अष्ठि फल (drupe) में
(c) सरसफल (berry) में
(d) पोमफल (pome) में

125. निम्नलिखित में से किसमें बीज फल के भीतर नहीं पाए जाते हैं?

(a) अनावृत्तबीजियों में
(b) आवृत्तबीजियों में
(c) टेरिडोफाइट्स में
(d) ब्रायोफाइट्स में

126. लीची का खाने योग्य भाग है-

(a) सेमिला (semilla)
(b) एरिल (aril)
(c) फलभित्ति (pericarp)
(d) वृन्त (pedicel)

127. निम्नलिखित में से कौन-सा फलों को पकाने के लिए प्रयोग होता है?
(a) C_2H_2 (b) C_2H_4
(c) C_2H_6 (d) C_2H_8

128. निम्नलिखित में से कौन-सा 'बॉग मॉस' (bog moss) कहलाता है?
(a) पॉलीट्राइकम (b) स्फैग्नम
(c) फ्यूनेरिया (d) रिक्सिया

129. बिन्दुस्त्रवण (guttation) एक प्रक्रिया है, जिसमें-
(a) स्टोमेटा द्वारा पौधों से जल की हानि होती है
(b) हाइडेथोड्स द्वारा पौधों से जल की हानि होती है
(c) वातरन्ध्रों द्वारा पौधों से जल की हानि होती है
(d) घावों द्वारा पौधों से जल की हानि होती है

130. कम्पोजिटी कुल से सम्बन्धित फल है-
(a) पुंजफल (aggregate)
(b) सिप्सेला (cypsela)
(c) अष्ठिल फल (drupe)
(d) पोम (pome)

131. फ्यूनेरिया के बीजाणुद्भिद का विकास प्रारम्भ होता है-
(a) पुंधानी में (b) सम्पुट में
(c) प्रोटोनीमा में (d) स्त्रीधानी में

132. पौधों में निम्नलिखित में से कौन-सा तत्त्व सर्वाधिक होता है?
(a) C (b) Zn
(c) Ca (d) Mg

133. क्लोरोफिल का निम्नलिखित में से कौन-सा प्रकार प्रकाश-संश्लेषण में प्रत्यक्ष रूप से भाग लेता है?
(a) क्लोरोफिल-*a* (b) क्लोरोफिल-*b*
(c) जैन्थोफिल (d) कैरोटिनॉएड

134. कपास के तन्तु होते हैं-
(a) तने से निकाले गए तन्तु
(b) बीज के बाह्य त्वचीय तन्तु
(c) फलों के बाह्य त्वचीय तन्तु
(d) जड़ों से निकाले गए तन्तु

135. कैक्टस के शूल (spines) होते हैं, रूपान्तरित-
(a) शल्क (scales)
(b) तना (stem)
(c) पत्तियाँ (leaves)
(d) पर्णवृन्त (petioles)

136. कवकमूल होता है-
(a) शैवालों एवं कवकों का सम्बन्ध
(b) कवकों एवं उच्च पादपों का सम्बन्ध
(c) शैवालों एवं उच्च पादपों का सम्बन्ध
(d) उपरोक्त में से कोई नहीं

137. पादपों में जल निरन्तरता किसके कारण होती है?
(a) परासरण (b) अधिचूषण
(c) बिन्दुस्त्राव (d) आसंजन बल

138. साइकस में परागण होता है-
(a) तीन कोशिकीय अवस्था में
(b) चार कोशिकीय अवस्था में
(c) दो कोशिकीय अवस्था में
(d) एक कोशिकीय अवस्था में

139. भिण्डी किस कुल से सम्बन्धित है?
(a) मालवेसी (b) कुकुरबिटेसी
(c) लिलिएसी (d) ब्रेसिकेसी

140. पादपों में भोजन किस रूप में स्थानान्तरित होता है?
(a) सुक्रोस (b) फ्रक्टोस
(c) ग्लूकोस (d) लैक्टोस

141. दो भिन्न आवासों के राज्य क्षेत्रों में सन्धि स्थान पर जैव विविधता की उपस्थिति कहलाती है-
(a) बॉटल नैक प्रभाव
(b) एज प्रभाव
(c) सन्धि स्थान प्रभाव
(d) पाश्चर प्रभाव

142. निम्न में से कौन-सा अनावृतबीजियों का लक्षण नहीं है?
(a) समान्तर शिराविन्यास
(b) बहुवर्षी पौधे
(c) भिन्न शाखाएँ (लम्बी एवं छोटी)
(d) वाहिनीयुक्त जाइलम

143. निम्न में से कौन-सा पादप उत्पाद सबसे कठोर है?
(a) लिग्निन (b) क्यूटिन
(c) सुबेरिन (d) स्पोरोपोलेनिन

144. मशरूम का खाने योग्य भाग है-
(a) बेसिडियोकार्प
(b) द्वितीयक कवकजाल
(c) प्राथमिक कवकजाल
(d) तृतीयक कवकजाल

145. उष्णकटिबन्धीय वन में कुछ जातियों के विलुप्त होने का मुख्य कारण क्या है?
(a) वन नष्टीकरण (b) वनीकरण
(c) प्रदूषण (d) मृदा अपरदन

146. कोशिका चक्र की अवस्था में गुणसूत्र मध्यवर्ती प्लेट पर व्यवस्थित होते हैं?
(a) मध्यावस्था में (b) पश्चावस्था में
(c) अंतावस्था में (d) पूर्वावस्था में

147. पत्तियों के विलगन का कारण है-
(a) ABA (b) साइटोकाइनिन
(c) ऑक्सिन (d) जिबरेलिन

148. कैलिप्ट्रा बनता है-
(a) स्त्रीधानी से (b) सम्पुट से
(c) पुंधानी से (d) कॉल्यूमेला से

149. साइएथियम पुष्पक्रम पाया जाता है-
(a) मोरस में (b) डॉर्सटीनिया में
(c) फाइकस में (d) यूफोर्बिया में

150. पौधों का मुख्य उत्पाद है-
(a) तना (b) जड़
(c) फूल (d) पत्तियाँ

जन्तु विज्ञान

151. निम्नलिखित कथनों में से कौन-सा सत्य है?
(a) अमायलिनी तंत्रिका तंतुओं में साल्टेटरी चालन होता है
(b) निसिल कण माँसपेशी तंतुओं में पाए जाते हैं
(c) अमायलिनी तंत्रिका तंतुओं में रेन्वियर का नोड नहीं होता है
(d) अमायलिनी तंत्रिका तंतु मायलिन परत से पूरी तरह आच्छादित होते हैं

152. अध्यांकन (imprinting) का सिद्धान्त किसने प्रतिपादित किया?
(a) निको टिन्बर्जन
(b) चार्ल्स डार्विन
(c) कोनरॉड लॉरेन्ज
(d) कार्ल वॉन फ्रिश

153. निम्नलिखित में से कौन-सा वर्गिकी की दृष्टि से सही समुच्चय है?
(a) कटल फिश, जेली फिश, सिल्वर फिश
(b) चमगादड़, कबूतर, चील
(c) लोब्सटर्स, मकड़ी, श्रिम्प्स
(d) ऑयस्टर, ओटर, ऑक्टोपस

154. एक हीमोग्लोबिन अणु से ऑक्सीजन के कितने अणु बंध सकते हैं?
(a) एक (b) दो
(c) तीन (d) चार

155. समुद्री सर्पों में होती है-
(a) बेलनाकार पूँछ
(b) पूँछ के सिरे पर शुष्क हॉर्नी शल्क
(c) पार्श्व से दबी पूँछ
(d) अधोपृष्ठ से चपटी पूँछ

156. निम्नलिखित में से कौन-सा पक्षी अपना घोंसला नहीं बनाता है?
(a) कौवा (b) तोता
(c) कोयल (d) गौरेया

157. फाइलेरिया का कारक है-
(a) वूचेरेरिया बैन्क्रोफ्टी
(b) लीशमानिया डोनोवेनी
(c) प्लाज्मोडियम वाइवेक्स
(d) ट्रिपेनोसोमा गैम्बियन्स

158. भारत का सबसे बड़ा विलुप्तप्राय पक्षी है-
(a) गिद्ध
(b) फ्लेमिंगो
(c) ग्रेट इन्डियन बस्टर्ड
(d) ग्रेट इन्डियन हॉर्नबिल

159. निम्नलिखित में से कौन-सा हानिकारक सामाजिक कीट है?
(a) दीमक (b) बॉम्बिक्स मोरी
(c) टैकर्डिया लैका (d) एपिस इन्डिका

160. आर्कियोप्टेरिक्स है-
(a) एक जीवित जीवाश्म
(b) एक स्तनी
(c) एनीलिडा एवं आर्थ्रोपोडा के बीच की संयोजी कड़ी
(d) सरीसृपों एवं पक्षियों के बीच की संयोजी कड़ी

161. प्रणाली रक्ताल्पता का कारण है-
(a) विटामिन-K की अनुपस्थिति
(b) विटामिन-B_{12} का अभाव
(c) विटामिन-K का अभाव
(d) इन्ट्रिन्जिक फैक्टर की उपस्थिति

162. कौन.सा जीव त्वचा से साँस लेता है?
(a) साँप (b) केंचुआ
(c) बन्दर (d) मनुष्य

163. mRNA का डी.एन.ए. में नकल किया जाना, कहलाता है-
(a) प्रतिकरण (b) अनुलेखन
(c) अनुवादन (d) विलोम अनुलेखन

164. निम्नलिखित में से कौन-सा युग्म सुमेलित है?
(a) फॉस्फोइनॉल पाइरूवेट कार्बोक्सिकाइनेज-ग्लूकोनियोजेनेसिस्
(b) फॉस्फोफ्रक्टोकाइनेज-ग्लाइकोलिसिस
(c) सक्सिनेट डिहाइड्रोजिनेज-क्रेब्स चक्र
(d) यूरियेज-यूरिया

165. मसि ग्रंथि पाई जाती है-
(a) स्पंज में (b) तारा मीन में
(c) सीपिया में (d) जेली फिश में

166. निम्नलिखित में कौन जीवित जीवाश्म है?
(a) ट्राइलोबाइट (b) आर्कियोप्टेरिक्स
(c) नॉटिल्स (d) चीता

167. Y-गुणसूत्र पर पाए जाने वाले जीन कहलाते हैं-
(a) होलैन्ड्रिक जीन
(b) बेसिक जीन
(c) प्लियोट्रॉपिक जीन
(d) पॉलीजेनिक जीन

168. निम्नलिखित में से कौन-सा कोशिकाँग DNA रहित होने पर भी द्विगुणन में समर्थ है?
(a) प्लाज्मिड (b) माइटोकॉण्ड्रिया
(c) सेण्ट्रियॉल (d) केन्द्रक

169. कशेरुकी नख व्युत्पन्न है-
(a) स्वच्छ स्तर से (b) अंकुरण स्तर से
(c) कणी स्तर से (d) किरण स्तर से

170. दाँत का कौन-सा भाग इनैमल से ढका होता है?
(a) क्राउन (b) मूल
(c) डेन्टाइन (d) ये सभी

171. निम्नलिखित में से कौन-सा लेक्टोजेनिक हॉर्मोन है?
(a) प्रोलैक्टिन (b) ऑक्सीटोसिन
(c) FSH (d) प्रोजेस्टेरॉन

172. निम्नलिखित में किस जन्तु-समूह में ट्रोकोफोर डिम्भक वैलिगर डिम्भक बनता है?
(a) मोलस्का
(b) आर्थ्रोपोडा
(c) एनीलिडा
(d) प्लेटीहेल्मिन्थीज

173. ऐस्कैरिस अपना जीवन चक्र पूरा करने के लिए एक नए पोषी को एकत्रित करने के बाद जिस पथ का अनुसरण करता है, वह है-
(a) आँत → यकृत → हृदय → फेफड़ा → ग्रसनी → निगल द्वार → आमाशय → आँत
(b) बाहर → आँत → यकृत → हृदय → फेफड़ा → ग्रसनी → निगल द्वार → आँत
(c) आँत → यकृत → हृदय → फेफड़ा → ग्रसनी → निगल द्वार → आमाशय → आँत → बाहर
(d) बाहर → आँत → यकृत → हृदय → फेफड़ा → ग्रसनी → निगल द्वार → आमाशय → आँत → बाहर

174. यदि एक वर्णान्ध पुरुष एक सामान्य परन्तु इस गुण के वाहक स्त्री से विवाह करता है, तो सन्तानों में-
(a) सभी सामान्य परन्तु इस गुण की वाहक लड़कियाँ होंगी
(b) सभी नर तथा 50% मादाएँ वर्णान्ध होंगी
(c) सभी मादाएँ तथा 50% नर वर्णान्ध होंगे
(d) 50% नर तथा 50% मादाएँ वर्णान्ध होंगी

175. सिस्टरनी, जो गॉल्जी कॉम्पलेक्स बनाते हैं, वे होते हैं-
(a) खुरदरे (b) ध्रुवित
(c) अध्रुवित (d) जालिकारूपी

176. ऑब्ट्यूरेटर छिद्र श्रोणि मेखला में पाया जाता है-
(a) उभयचर के (b) सरीसृप के
(c) पक्षी के (d) स्तनी के

177. न्यूरोजेनिक हृदय पाया जाता है-
(a) राज कर्कट में (b) घोंघे में
(c) तिलचट्टा में (d) जोंक में

178. यूरोपाइजियल ग्रन्थि का सम्बन्ध है-
(a) छिपकली से
(b) शार्क से
(c) मेंढक से
(d) कबूतर से

179. किस संघ के प्राणियों के संधियुक्त पाद होते हैं?
(a) मोलस्का
(b) सूत्रकृमि
(c) आर्थोपोडा
(d) इकाइनोडर्मेटा

180. निम्नलिखित प्रदूषकों में कौन अजैव निम्नीकरण है?
(a) पारद (b) प्लास्टिक
(c) कैडमियम (d) ये सभी

General English

Directions (181-188): Read the passage given below and answer the questions that follow:

1. An overnight bus journey took us from Mumbai to Aurangabad. We were greeted by an early morning chill, to be expected in the month of February, one of the best times to visit the area.
2. Upon reaching, we made an early start for Ellora, located about 20 minutes from Aurangabad. Ellora has a cluster of caves dedicated to three major religions: Buddhism, Jainism and Hinduism. Each has its own distinctive features and architectural style. What remains embedded in my memory of Ellora is, undoubtedly, the Kailash Temple.
3. Dedicated to Lord Shiva, the temple and the surrounding monuments are stunning – a living testimony of the workmanship of that era. As we entered the temple premises we fell silent, as if in a trance. After a while, we realized that we had left each other's company.

Each of us had sought solitude and silence to imbibe the grandeur of the place.

4. The shrine or the 'lingam' was in a dark room, the darkness dissipated by the light of a single candle. The darkness and the silence created a spiritual and mystical environment for experiencing one-to-one communion with God. This feeling of complete enchantment fills my mind when I close my eyes and invoke the image of Ellora.

181. According to the writer, February is the best time to visit Ajantâ and Ellora because:
(a) of its great weather.
(b) it is the time of festivals.
(c) it is vacation time.
(d) it has less tourists at that time.

182. According to the text, Ellora is famous for ....
(a) its caves and their distinctive architectural style.
(b) the huge beautiful rocks found there.
(c) its scenic beauty.
(d) its place of pilgrimage.

183. 'Each of us had sought solitude and silence to imbibe the <u>grandeur</u> of the place.' The underlined word is an example of a/an
(a) Verb (b) Adverb
(c) Adjective (d) Noun

184. The phrase 'living testimony' mentioned in this text means a/an ....
(a) evidence given in court.
(b) example of something from the past.
(c) living creature who witnesses some incident.
(d) witness of a crime.

185. The writer says he went into a 'trance' because ....
(a) he was mesmerized by the beauty of the Shiva temple.
(b) the temple was so quiet.
(c) the temple was so peaceful.
(d) there was no one else in the temple.

186. The fact that India has always respected all religious beliefs can be concluded from the fact that ....
(a) one can find architectural styles of both Hindus and Muslims in these caves.
(b) a Shiva temple existed so many centuries ago.
(c) the caves devoted to Hinduism, Jainism and Buddhism, all existed in the same vicinity.
(d) the visitors that come to visit these temples are of secular nature.

187. The writer conveys the spiritual vibrations of the Shiva temple by ....
(a) describing the feelings aroused in him inside the dark temple.
(b) mentioning how the silence inside the temple helped him to connect with God.
(c) closing his eyes to invoke the image of Shiva.
(d) describing his feeling of enchantment whenever he thinks of the temple.

188. The writer and his companions left each other because they ....
(a) lost track of time and wandered off.
(b) did not want to enter the same temple together.
(c) did not want to share their feelings with each other.
(d) wanted to immerse themselves in the beauty of the caves in solitude.

Directions (189-190): Read the passage given below and answer the questions that follow:

1. Heidi was enjoying herself in her new surroundings; she looked about till she found a shed, built against the hut, where the goats were kept; she peeped in, and saw it was empty. She continued her search and presently came to the fir trees behind the hut. A strong breeze was blowing through them, and there was a rushing and roaring in their topmost branches, Heidi stood still and listened. The sound growing fainter, she went on again, to the farther corner of the hut, and so round to where her grandfather was sitting. Seeing that he was in exactly the same position as when she left him, she went and placed herself in front of the old man, and putting her hands behind her back, stood and gazed at him. Her grandfather looked up, and as she continued standing there without moving, "What is it you want?" he asked.
2. "I want to see what you have inside the house," said Heidi.
3. "Come then!" and the grandfather rose and went before her towards the hut.
4. The old man turned and looked searchingly at the child, whose dark eyes were sparkling in delighted anticipation of what she was going to see inside. "She is certainly not wanting in intelligence," he murmured to himself.
5. The old man now opened the door and Heidi stepped inside after him; she found herself in a good-sized room, which covered the whole ground floor of the hut. A table and a chair were the only furniture; in one corner stood the grandfather's bed, in another was hearth with a large kettle hanging above it; and on the further side was a large door in the wall - this was the cupboard. Everything that Alm Uncle needed for his food and clothing was kept in this cupboard.
6. Heidi looked carefully round the room, and asked, "Where am I to sleep, grandfather?"
7. "Wherever you like," he answered.

189. We know that Heidi had never come to her grandfather's house because she ....
(a) did not know where the animals were kept.
(b) was looking into every nook and corner.
(c) enjoyed the sound of the fir trees.
(d) stared at her grandfather for a long time.

190. Heidi gazed at her grandfather silently because she ....
(a) was afraid of him.
(b) wanted to ask him a question.
(c) wanted to go for a walk with him.
(d) wanted him to show her the inside of his house.

सामान्य ज्ञान

191. मातृदेवी की पूजा किस सभ्यता से सम्बन्धित थी ?
(a) आर्य सभ्यता
(b) भूमध्यसागरीय सभ्यता

(c) सिन्धु घाटी सभ्यता
(d) उत्तर वैदिक सभ्यता

192. राजस्थान के माउण्ट आबू में स्थित दिलवाड़ा का मन्दिर किस धर्म के अनुयायियों के द्वारा निर्मित किया गया था ?
(a) बौद्धों द्वारा (b) जैनियों द्वारा
(c) हिन्दुओं द्वारा (d) सिखों द्वारा

193. गीत गोविन्द किसकी कृति है ?
(a) जयदेव (b) कल्हण
(c) कालिदास (d) राजाराव

194. शिवाजी का राज्याभिषेक कब हुआ था ?
(a) 1627 ई. (b) 1674 ई.
(c) 1680 ई. (d) 1670 ई.

195. 'शिक्षा' शब्द किससे सम्बन्धित है ?
(a) संघ–सूची (b) राज्य सूची
(c) समवर्ती सूची (d) अवशिष्ट विषय

196. 'राजा दैवी अधिकार से' संपन्न है–इससे मिलता-जुलता सिद्धांत है 'राजा की गरिमा' इस दूसरे सिद्धांत को प्रतिपादित करने वाला प्रथम मुस्लिम शासक था–
(a) अलाउद्दीन खिलजी
(b) कुतुबुद्दीन ऐबक
(c) इल्तुतमिश
(d) बलबन

197. कोल बाँध परियोजना का निर्माण भारत में निम्नलिखित में से किस नदी पर हुआ?
(a) कृष्णा (b) सतलुज
(c) गोदावरी (d) नर्मदा

198. 'एक राष्ट्र, एक चुनाव' पहल की सिफारिश करने वाली उच्च स्तरीय समिति का नेतृत्व किसने किया ?
(a) पूर्व राष्ट्रपति राम नाथ कोविंद
(b) प्रधानमंत्री नरेंद्र मोदी
(c) वित्त मंत्री निर्मला सीतारमण
(d) गृह मंत्री अमित शाह

199. भारत में नियोजित अर्थव्यवस्था आधारित है–
(a) समाजवादी व्यवस्था पर
(b) मिश्रित अर्थव्यवस्था पर
(c) पूंजीवादी व्यवस्था पर
(d) गांधीवादी व्यवस्था पर

200. राष्ट्रीय आधुनिक कला दीर्घा कहाँ स्थित है ?
(a) नई दिल्ली (b) कोलकाता
(c) पटना (d) मुंबई

व्याख्या सहित उत्तर

भौतिक विज्ञान

1. (a) यहां $i = 60°, r = 60° - 15° = 45°$

$${}_a n_g = \frac{\sin i}{\sin r} = \frac{\sin 60°}{\sin 45°}$$

$$= \frac{\sqrt{3}/2}{1/\sqrt{2}}$$

$$\frac{\sqrt{3}}{\sqrt{2}} = \sqrt{\frac{3}{2}}$$

2. (b) यहां q = 400 माइक्रोकूलॉम = 400 $\times 10^{-6}$ कूलाम

$t = 2$ मिली सेकण्ड

$= \frac{2}{1000} = 2 \times 10^{-3}$ सेकण्ड

धारा $i = \frac{q}{t}$

$\therefore \quad i = \frac{400 \times 10^{-6}}{2 \times 10^{-3}} = 200 \times 10^{-3}$

$= 0.2$ ऐम्पियर

3. (a) $R = R_1 + R_2 = 1 + 3 = 4$ ओम; $V = 4$ वोल्ट

बैट्री से प्रवाहित धारा

$$i = \frac{V}{R} = \frac{4}{4} = 1 \text{ ऐम्पियर}$$

4. (a) शक्ति $P = \frac{W}{t}$ (इकाई समय में किया गया कार्य)

$$W = P \times t$$
$$F \times s = P \times t$$
$$\Rightarrow \quad ma \times s = P \times t$$
$$\Rightarrow m \times \frac{2s}{t^2} \times s = P \times t$$

$(\because s = 0 + \frac{1}{2}at^2)$

$$\Rightarrow \quad s^2 = \frac{Pr^3}{2m}$$
$$\Rightarrow \quad s^2 \ \alpha \ t^3$$
$$\Rightarrow \quad s \ \alpha \ t^{3/2}$$

5. (d) $\frac{\text{बर्फ के डूबे भाग का आयतन}}{\text{बर्फ के टुकड़े का कुल आयतन}}$

$= \frac{\text{बर्फ का आ. घ.}}{\text{जल का आ. घ.}}$

$\therefore \quad \frac{V - 195}{V} = \frac{0.9}{1.03}$

$\Rightarrow 1.03\,V - 195 \times 1.03 = 0.9V$

$\Rightarrow 0.13\,V = 195 \times 1.03$

$\therefore \quad \frac{195 \times 1.03}{.013} = 1545$ सेमी^{3}

6. (b) ऊष्मा हानि की दर

$$\frac{Q}{t} = \frac{KA(\theta_1 - \theta_2)}{d}$$

यहां $A = 15$ मी^{2}, $d = 2$ मिमी

$= \frac{2}{1000} = 0.002$ मी

$\theta_1 = 60°C, \theta_2 = 20°C, K = 2 \times 10^{-4}$ (एम. के. एस. मात्रक)

$\therefore \quad \frac{Q}{t} = \frac{2 \times 10^{-4} \times 15 \times 40}{0.002} = 60$ कैलोरी/से.

7. (a) यहां $A = 60°, \delta_m = 38°$

$$= \frac{\sin[(A + d_m)/2]}{\sin(A/2)}$$

$$\therefore = \frac{\sin[(60° + 38°)/2]}{\sin(60°/2)}$$

$$= \frac{\sin 49°}{\sin 30°} = \frac{0.74}{0.5} = 1.48$$

8. (d) दोनों तारों द्वारा मध्य बिन्दु पर समान व विपरीत चुम्बकीय क्षेत्र उत्पन्न होता है। अत: दिए गए बिन्दु पर चुम्बकीय क्षेत्र की तीव्रता शून्य है।

9. (b) 0°C पर ध्वनि का वेग = 332 मी./से.

चूंकि 1°C ताप बढ़ाने पर, ध्वनि का वेग 0.6 मी./से. बढ़ जाता है।

अत: 0.6 मी./से. से वेग बढ़ता है = 1°C ताप वृद्धि पर

$\therefore$ 332 मी./से. वेग बढ़ेगा $= \frac{1 \times 332}{0.6}$

$= 553.3°C$

10. (a) $R = \frac{\rho L}{\pi r^2}$ तथा $H = \frac{i^2 R}{4.2}$ कैलोरी/से.

$$\therefore H = \frac{i^2 \rho L}{4.2 \times \pi r^2}$$

$$\therefore H \propto \frac{1}{r^2} \text{ या } \frac{H_1}{H_2} = \frac{r_2^2}{r_1^2} \left(\frac{2}{1}\right)^2 = \frac{4}{1}$$

$\because H_1 : H_2 = 4 : 1$

11. (a) $n = 600$ कम्पन्न/से, $\lambda = 1$ मी.

$v = n_1 \lambda_1 = n_2 \lambda_2$

$600 \times \frac{2}{3} = n_2 \times 1 \Rightarrow n_2 = 400$ कम्पन/से.

12. (d) किसी बिन्दु पर किसी वस्तु से आने वाले ऊष्मीय विकिरण की तीव्रता वस्तु से बिन्दु की दूरी के वर्ग के व्युत्क्रमानुपाती है।

13. (b) $E \propto R^4 \quad \Rightarrow \frac{E_1}{E_2} = \frac{T_1^4}{T_2^4}$

$$\Rightarrow \frac{E_1}{E_2} = \left(\frac{100 + 273}{473 + 273}\right)^4 = \left(\frac{373}{746}\right)^4$$

$\Rightarrow \frac{E_1}{E_2} = \left(\frac{1}{2}\right)^4 = \frac{1}{16} \Rightarrow E_2 = 16\,E_1$

14. (a) दो डम्बल के जोड़े को आपस में टकराने पर ध्वनि गोलीय होती है।

15. (d) $0.00542 = 5.42 \times 10^{-3}$

चूंकि $5.42 > \sqrt{10} = 3.16$

अत: कोटिमान $= 10^{-3+1} = 10^{-2}$

16. (b) अल्पतमांक = 0.1 मिमी = 0.01 सेमी

छड़ की लम्बाई = मुख्य पैमाने का पाठ्यांक + वर्नियर का मिलने वाला भाग × अल्पतमांक ± शून्यांक त्रुटि

$= 3.6 + 4 \times 0.01 + 0.04$

$= 3.6 + 0.04 + 0.04 = 3.68$ सेमी

17. (d) $\frac{I}{O} = -\frac{v}{u} \Rightarrow -\frac{8}{12} = -\left(\frac{-24}{u}\right)$

$\Rightarrow u = -36$ सेमी

सूत्र $\frac{1}{v}+\frac{1}{u} = \frac{1}{f}$ से,

$\therefore \frac{1}{-24}+\frac{1}{-36} = \frac{1}{f}$

$\Rightarrow \frac{1}{f} = \frac{-3-2}{72} = \frac{-5}{72}$

$\Rightarrow f = \frac{-72}{5} = 14.4$ सेमी

18. (c) यहां $P_1 = +2.0$ डायोप्टर, $P_2 = +2$

संयोग का क्षमता

$P = P_1 + P_2 = 2 + 2.5 = 4.5$

$\frac{1}{F} = \frac{1}{f_1} + \frac{1}{f_2} = P_1 + P_2 = 2 + 2$

$\Rightarrow F = \frac{1}{4.5}$ मी $= \frac{100}{4.5}$ सेमी

$\Rightarrow = \frac{200}{9} = 22.2$ सेमी

19. (d) $W = V \times q$. $V = 2 \times 10^4$ वोल्ट, q

$\therefore W = 2 \times 10^4 \times 65$

$= 130 \times 10^4 = 1.30 \times 10^6$ जूल

20. (b) हम जानते हैं कि पानी में वस्तु अपनी गहराई से कम गहराई पर दिखाई देती है। मछली को शूट करने के लिए निशाने को कुछ नीचे लगाना होगा।

21. (b) जब पानी से भरा एक शंकु ऊर्ध्वाधर वृत्त में घुमाया जाता है तो उच्चतम बिन्दु पर उसका वेग

$v \geq \sqrt{gr}$

तथा $v = r\omega = r\frac{2\pi}{T}$

$\therefore \frac{2\pi r}{T} \geq \sqrt{gr}$

$T \leq \frac{2\pi r}{\sqrt{rg}}$

$\leq 2\pi\sqrt{\frac{r}{g}}$

$\leq 2\pi\sqrt{\frac{4}{9.8}}$

$\leq 2 \times 3.14 \times 0.6388$

≤ 4 सेकण्ड

अत: $T_{max} = 4$ सेकण्ड

22. (d) ईंधन का ऊष्मीय मान

$Q = ms\,\theta$

यहां $m = 6$ किग्रा,

$\theta = (45 - 15)^\circ C = 30^\circ C$

$s = 4.2$ जूल/ग्राम°C

$= 4.2 \times 10^3$ जूल/किग्रा°C

$\therefore Q = 6 \times 4.2 \times 10^3 \times 30$ जूल

$= 756$ किलो जूल

15 ग्राम ईंधन का उष्मीय मान = 756 किलो जूल

अत: 1 ग्राम ईंधन का ऊष्मीय मान

$= \frac{756}{15}$ किलो जूल/ग्राम

$= 50.4$ किलो जूल/ग्राम

23. (d) ∵ दर्पण समान्तर है, अत: $\theta = 0$

प्रतिबिम्बों की संख्या

$n = \frac{360^\circ}{\theta} = \frac{360^\circ}{0} =$ (अनन्त)

24. (b) P = 1 अश्वशक्ति = 746 वॉट

चूंकि कुल शक्ति ऊष्मा उत्पन्न करने में खर्च हो रही है, अत:

$W = JQ$

$\Rightarrow Pt = J\,ms\,\Delta\theta$

$\Rightarrow Pt = J\,(vd)s\,\Delta\theta$

$\therefore 746 \times t = 4.2 \times (3.73 \times 10^{-3} \times 10^3) \times 10^3 \times (20 - 0)$

$\therefore t = \frac{42 \times 373 \times 20}{746}$

$t = 420$ सेकण्ड

$t = \frac{420}{60} = 7$ मिनट

25. (a) पिण्ड को जल में डुबाने पर भार में कमी

= (320 – 280) ग्राम-भार

= 40 ग्राम-भार

द्रव का आपेक्षिक घनत्व

$= \frac{\text{द्रव में डुबाने पर पिण्ड के भार में कमी}}{\text{जल में उसी पिण्ड के भार में कमी}}$

∴ द्रव में डुबाने पर पिण्ड के भार में कमी = (1.65 × 40) ग्राम-भार = 66 ग्राम-भार।

26. (a) पत्थर की ऊर्ध्वाधर ऊपर की ओर चाल 20 मी/से है,

इसलिए ऊर्ध्वाधर नीचे की ओर गति के लिए

$u = -20$ मी/से

$v^2 = u^2 - 2gh$

$= (-20)^2 - 2 \times 10 \times 200$

$= 60$ मी/से

27. (c) संवेग संरक्षण के नियम से,

$150 \times u + 1.5 \times 60 = 0 \Rightarrow 150u + 90 = 0$

$u = -\frac{90}{150} = -0.6$ मी/से

ऋणात्मक चिह्न यह दर्शाता है कि तोप की दिशा गोले की दिशा के विपरीत होगी।

28. (b) फ्लेमिंग का राइट-हैण्ड नियम प्रेरित विद्युत वाहक बल की दिशा को बताता है।

29. (b)

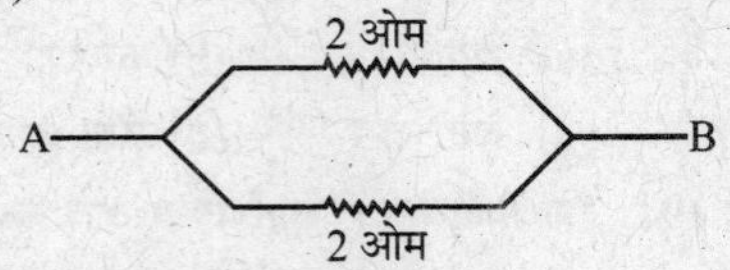

2 ओम व 2 ओम समान्तर क्रम में है।

∴ तुल्य प्रतिरोध, $\frac{1}{R} = \frac{1}{2}+\frac{1}{2} = 1 \Rightarrow R =$ 1 ओम

30. (a) मनुष्य के प्रतिबिम्ब का वेग $= 2v = 2 \times 3 = 6$ मी/से

31. (c) न्यूटन के गति के द्वितीय नियम से,

$h = ut + \frac{1}{2}gt^2$

∵ पिण्ड विरामावस्था में था

$\therefore u = 0$

प्रश्नानुसार,

$\frac{h}{2} = \frac{1}{2}gt^2$

$\therefore h = gt^2$ ....(i)

यदि सम्पूर्ण ऊंचाई तय करने में लगा समय t_1 हो तो

$h = \frac{1}{2}gt_1^2$ .....(ii)

समीकरण (i) से,

$gt_1^2 = \frac{1}{2}gt_1^2$

$t_1 = t\sqrt{2}$

अत: बची हुई आधी दूरी तय करने में लगा अभीष्ट समय

$(t_1 - t) = t\sqrt{2} - t$

$= t(\sqrt{2} - 1)$

32. (d) कार्य = ऊर्जा = अवरोधक बल × दूरी

∴ दूरी $= \frac{\text{ऊर्जा}}{\text{अवरोधक बल}}$

चूंकि सभी के लिए ऊर्जा तथा अवरोधक बल समान हैं, अत: ये समान दूरियां तय करेंगी। अर्थात्

$x = y = z$

33. (a) ∵ झूले को बिन्दु A से B तक लाने पर रस्सी ऊर्ध्वाधर से 30° का कोण बनाती है। अत: ΔOBC में,

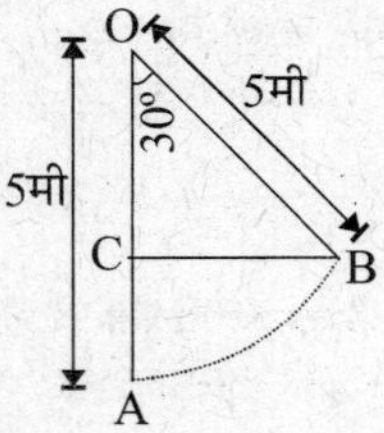

$$\cos 30^\circ = \frac{OC}{OB} = \frac{OC}{5}$$

$\therefore$ $OC = 5\cos 30^\circ = 5 \times \sqrt{3}/2$

$AC = (OA - OC)$

$$= 5 - \frac{5\sqrt{3}}{2} = 5 - \frac{5 \times 1.732}{2}$$

$= 5 - 4.33 = 0.67$

माना A बिन्दु पर स्थितिज ऊर्जा शून्य है। जब झूला B बिन्दु पर है, तब

गतिज ऊर्जा $= mg \times h$

अत: स्थितिज ऊर्जा में वृद्धि $= 25 \times 9.8 \times 0.67$

$= 164.15$ जूल

34. (b) मोम लेपित टुकड़े का भार = (40 + 5.76) ग्राम = 45.76 ग्राम

टुकड़े का जल में भार = 14.76 ग्राम

जल में टुकड़े के भार में कमी = (45.76 – 14.76)

= 31 ग्राम

मोम लेपित टुकड़े का आयतन = हटाए गए जल का आयतन

= 31 सेमी^{3}

मोम का आयतन $= \frac{\text{द्रव्यमान}}{\text{घनत्व}} = \frac{5.76}{0.96} = 6$ सेमी^{3}

चीनी का आयतन = (31 – 6) सेमी^{3} = 25 सेमी^{3}

चीनी का घनत्व $= \frac{\text{द्रव्यमान}}{\text{आयतन}}$

$= \frac{40}{25} = 1.6$ ग्राम/सेमी^{3}

चीनी का आपेक्षिक घनत्व $= \frac{1.6 \text{ ग्राम/सेमी}^3}{1.0 \text{ ग्राम/सेमी}^3} = 1.6$

35. (c) $\because$ $T = w + F$

$\Rightarrow$ $T = m(g + a)$

$\Rightarrow$ $a = \frac{T}{m} - g$ $a = \frac{800g}{400} - g$

$= 2g - g = g$

$a = g = 10$ मी/से^{2}

अत: रोकने के लिये अधिकतम मन्दन

$= -10$मी/से^{2}

न्यूटन के गति के तृतीय समीकरण से,

$v^2 = u^2 + 2as$

$\therefore$ $0 = 1^2 + 2(-10) \times s$

$s = \frac{1}{20}$ मी.

36. (b) चित्र में AB छड़ तथा O छड़ का मध्य बिन्दु है, जहां छड़ का भार कार्य करेगा। M सन्तुलन बिन्दु है।

OM = 1.20 – 1.00 = 0.20 मी.

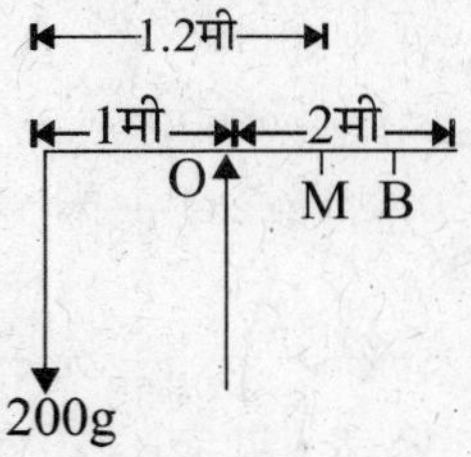

O के परित: आघूर्ण लेने पर,

$200 \times AO = W \times OM$

$200 \times 1 = W \times 0.2$

$W = \frac{200}{0.2} = 1000$ ग्राम

37. (a) लट्ठे का आयतन

$V = \frac{m}{d} = \frac{120}{600} = 0.2$ मीटर^2

यदि लट्ठा सम्पूर्ण रुप से पानी में डूबा है तो हटाये गये पानी का भार $= Vd_W$

$= 0.2 \times 10^3 = 200$ किग्रा।

अत: लट्ठे पर रखा गया अतिरिक्त भार

= 200 किग्रा – 120 किग्रा

= 80 किग्रा

38. (d) जस्ते (मापनी) का रेखीय प्रसार गुणांक अधिक है, अत: जस्ते की 100 सेमी लम्बी छड़ में वृद्धि पीतल की 100 सेमी लम्बी छड़ में वृद्धि से अधिक होगी। इस प्रकार प्रेक्षित लम्बाई 100 सेमी से कम होगी।

जस्ते की 100 सेमी लम्बी छड़ का 10°C ताप बढ़ाने पर लम्बाई में वृद्धि

$\Delta L_1 = \alpha_1 \times 100 \times \Delta t$

$= 0.029$ सेमी

पीतल की 100 सेमी लम्बी छड़ का 10°C ताप बढ़ाने पर लम्बाई में वृद्धि

$\Delta L_2 = \alpha_2 \times 100 \times \Delta t$

$= 0.019$ सेमी

प्रेक्षित लम्बाई $= 100 - (\Delta L_1 - \Delta L_2)$

$= 99.99$ सेमी

39. (c) माना प्रत्येक द्रव्य का द्रव्यमान m और उसकी विशिष्ट ऊर्जाएं क्रमश: s_1, s_2, s_3 हैं। जब द्रव a तथा b को मिलाते हैं, तो

$ms_1(21 - 15) = ms_2(25 - 21)$

$\Rightarrow$ $6s_1 = 4s_2$

$\Rightarrow$ $\frac{s_1}{s_2} = \frac{2}{3}$ .....(i)

जब द्रव b तथा c को मिलाते हैं, तो

$ms_2(32 - 25) = ms_3(35 - 32)$

$\Rightarrow$ $7s_2 = 3s_3$

$\Rightarrow$ $\frac{s_2}{s_3} = \frac{3}{7}$ .....(ii)

समीकरण (i) व (ii) से,

$\frac{s_1}{s_2} \times \frac{s_2}{s_3} = \frac{2}{3} \times \frac{3}{7}$

$\frac{s_1}{s_3} = \frac{2}{7}$ ....(iii)

जब a तथा c को मिलाते हैं, तो माना मिश्रण का ताप t है।

तब $ms_1(t - 15) = ms_3(35 - t)$

$\frac{s_1}{s_3} = \frac{35 - t}{t - 15}$

$\Rightarrow$ $\frac{2}{7} = \frac{35 - t}{t - 15}$

$\Rightarrow 2(t - 15) = 7(35 - t)$

$\Rightarrow 2t - 30 = 245 - 7t$

$\therefore$ $t = \frac{275}{9} = 30.56°C$

40. (d) 240 कम्पनों में लिया गया समय = 1 सेकण्ड

1 कम्पन में लिया गया समय

= आवर्तकाल

$= \frac{1}{240}$ सेकण्ड

15 कम्पनों में लिया गया समय

$= 15T = 15 \times \frac{1}{240} = \frac{1}{16}$

ध्वनि द्वारा इस समय में तय की गई दूरी

= ध्वनि की चाल × समय

$= 320 \times \frac{1}{16} = 20$ मी

41. (a) धारा सुग्राहिता,

$K = 1/\theta$

$\therefore$ $\theta = 1/K$

$= \frac{2 \times 10^{-5}}{0.5 \times 10^{-6}} = 40$

42. (a) $B = \frac{\mu_0 Ni}{l}$ टेस्ला

दूसरी अवस्था में परिनालिका दो परिनालिकाओं के तुल्य है, जिनमें से प्रत्येक में $l/2$ लम्बाई में $n/2$ फेरें हैं।

अत: इस दशा में चुम्बकीय क्षेत्र

$B' = B + B = 2B$

$\therefore$ $B' : B = 2B : B = 2 : 1$

43. (c) अत: स्पष्ट है कि दर्पण व परावर्तित किरण के बीच 60° का कोण बनता है।

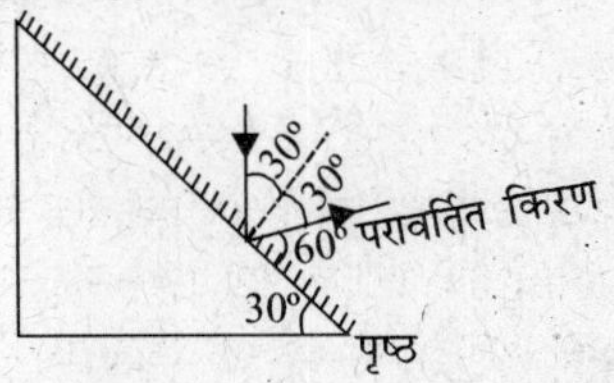

44. (d) 90 लीटर जल को 10°C से 80°C तक गर्म करने के लिए आवश्यक ऊष्मा

$\Delta H = 90,000 \times 1 \times (80 - 10)$

$= 6.3 \times 10^6$ कैलोरी

$= 6.3 \times 4.2 \times 10^6$ जूल

चूंकि हीटर की दक्षता 90% है, अत: यदि व्यय ऊर्जा W जूल हो, तो

$\frac{W \times 90}{100} = 6.3 \times 10^6 \times 4.2$

$\Rightarrow \quad W = \frac{6.3 \times 10^6 \times 4.2}{0.9}$

$= 2.94 \times 10^7$ जूल

$\because$ 1 किलोवॉट घण्टा = 3.6×10^6 जूल

$\therefore \quad W = \frac{2.94 \times 10^7}{3.6 \times 10^6}$ किलो-वॉट

= 8.17 किलोवॉट-घण्टा

$\therefore$ अभीष्ट लागत = ₹ (8.17 × 0.90)
= ₹ 7.35

45. (d) प्रकाश उत्सर्जन डायोड अग्र बायसित *p-n* संधि डायोड है।

परिपथ में धारा = 10 मिली ऐम्पियर

$= 10 \times 10^{-3}$ ऐम्पियर

परिपथ में वोल्टता = 6 – 2 = 4 वोल्ट

ओम के नियमानुसार,

V = IR

$\therefore R = \frac{V}{I} = \frac{4}{10 \times 10^{-3}} = 400\ \Omega$

46. (b) $F = qvB \sin \theta$

$= 1.6 \times 10^{-19} \times 2 \times 10^7 \times 0.2 \times \sin 90^\circ$

$= 64 \times 10^{-14}$ न्यूटन

47. (a) $n_1 \sin t_1 = n_2 \sin t_2 = n_3 \sin t_3$

$\Rightarrow \sin t_3 = \frac{n_1}{n_3} \sin t_1$

$= \frac{1}{1.33} \sin 45^\circ = \frac{1}{1.33} \times \frac{1}{\sqrt{2}}$

$= 0.53$

$\Rightarrow \quad t_3 = \sin^{-1}(0.53)$

48. (c) लेन्स के सूत्र $\frac{1}{f} = \frac{1}{v} - \frac{1}{u}$ से

($\because u$ = 15 सेमी तथा f = 10 सेमी)

$= \frac{1}{10} - \frac{1}{15}$

v = 30 सेमी

स्क्रीन को 30 सेमी पीछे हटाने पर,

v = (30 + 30) सेमी = 60 सेमी

u = – 15 सेमी

$\therefore \quad \frac{1}{f'} = \frac{1}{60} + \frac{1}{15} = \frac{5}{60}$

$\Rightarrow \quad f' = \frac{60}{5}$ = 12 सेमी

अब $\quad \frac{1}{f_1} + \frac{1}{f_2} = \frac{1}{f'}$ से

$\therefore \quad \frac{1}{10} + \frac{1}{f_2} = \frac{1}{12}$

$\Rightarrow \quad \frac{1}{f_2} = \frac{1}{12} - \frac{1}{10} = \frac{10-12}{120}$

$= -\frac{2}{120}$

f_2 = – 60 सेमी

ऋण चिन्ह का अर्थ है कि लेन्स (अपसारी) अवतल है।

49. (d) व्यक्ति दूर दृष्टि दोष से पीड़ित है। इसके उपचार के लिए ऐसा लेन्स चाहिए जो आंख से 30 सेमी दूरी पर रखी वस्तु का प्रतिबिम्ब 60 सेमी दूर बना सके।

माना लेन्स की फोकस दूरी f है।

$\frac{1}{f} = \frac{1}{u} - \frac{1}{v}$

$\therefore \quad \frac{1}{f} = \frac{1}{30} - \frac{1}{60}$

$= \frac{2-1}{60} = \frac{1}{60}$

$f = 60$

अत: 60 सेमी फोकस दूरी का उत्तल लेंस चाहिए।

50. (c) दो चालकों को जोड़ने के पश्चात् परिपथ निम्न चित्रानुसार होगा। सममिति के आधार पर, हम कह सकते हैं कि मध्य चालक विद्युत आवेश स्थानान्तरण द्वारा प्रभावित नहीं होगा। चालकों को जोड़ने से पहले परिपथ का प्रतिरोध

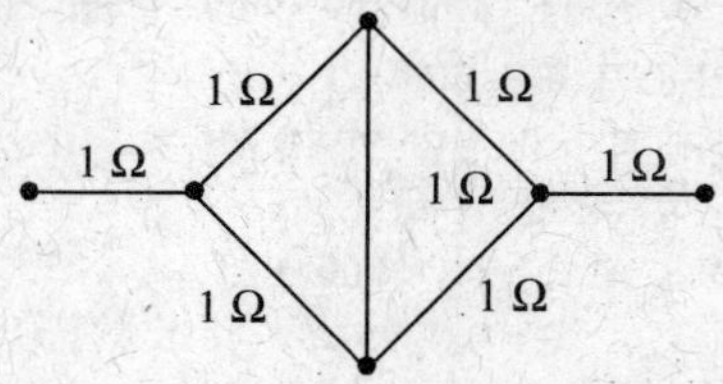

$R_1 = 1 + 1 + 1 + 1 + 1 = 5\Omega$

चालकों को जोड़ने के पश्चात् परिपथ का प्रतिरोध

$R_2 = 2 + \frac{2}{2} = 3\ \Omega$

$\frac{R_1}{R_2} = \frac{5}{3}$

51. (a) माना 4Ω व 6Ω के समान्तर संयोजन का तुल्य प्रतिरोध R' है।

$\therefore \quad \frac{1}{R'} = \frac{1}{4} + \frac{1}{6} = \frac{5}{12}$

$\therefore \quad R' = 2.4\ \Omega$

परिपथ का कुल प्रतिरोध

$R = (2.4 + 1 + 0.6) = 4\Omega$

अत: 1Ω के प्रतिरोध में प्रवाहित धारा,

$i = 12/4 = 3$ ऐम्पियर

52. (c) यदि पानी गर्म करने पर t सेकण्ड का समय लगे तो

$\Delta H = Pt = 1.5 \times 10^3 \times t$ जूल

$\Delta H = \frac{1.5 \times 10^3 \times t}{4.2}$ कैलोरी

$\therefore \quad \Delta H = ms\,\Delta t$

$= 25 \times 10^3 \times 1 \times 30$

अत: $\frac{1.5 \times 10^3 \times t}{4.2} = 25 \times 10^3 \times 30$

$\therefore \quad t$ = 2100 सेकण्ड

= 35 मिनट

53. (a) $I = \frac{q}{t}$

$= \frac{200 \times 10^{-6}}{1 \times 10^{-3}} = 0.2$ ऐम्पियर

54. (a) चुम्बकीय क्षेत्र,

$B = \mu_0 ni$

$= 4\pi \times 10^{-7} \times 5 \times 1000$

$= 2\pi \times 10^{-3}$ टेस्ला

55. (a) गति के नियम न्यूटन ने प्रतिपादित किये।

56. (c) त्वरण, $a = \frac{5}{20} = \frac{1}{4}$ मी/से^{2}

$v = \sqrt{2as} = \sqrt{\frac{2 \times 2}{4}} = 1$ मी/से

गतिज ऊर्जा $= \frac{1}{2}mv^2$

$= \frac{1}{2} \times 20\,(1)^2 = 10$ जूल

57. (b) आवेश के प्रवाह की दर को धारा कहते हैं।

58. (a) पृथ्वी, वायुमण्डल को गुरुत्व द्वारा बांधे रखती है।

59. (b) कार्य करने की दर को शक्ति कहते हैं।

60. (b) हम जानते हैं,

गतिज ऊर्जा, KE

$= \frac{1}{2}mv^2 \Rightarrow m' = 2m$

$(KE) = \frac{1}{2} \times (2m)v^2$

$= 2 \times \frac{1}{2}mv^2$

$(KE)' = 2\,(KE)$

रसायन विज्ञान

61. (d) $K = \frac{[H_2]^2 [S_2]}{[H_2S]^2} = \frac{(0.10)^2 (0.4)}{(0.5)^2}$

$= 0.016$

62. (d) चूना भट्टी में CO_2 लगातार निकलती रहती है, इसलिए अभिक्रिया अग्र दिशा की ओर चलती रहती है।

63. (d) ऐसे अणु जिनमें अयुग्मित इलेक्ट्रॉन होते हैं, अनुचुम्बकत्व प्रदर्शित करते हैं।

64. (c) NH_3 में नाइट्रोजन के पास एक एकांकी इलेक्ट्रॉन युग्म होता है, जबकि BF_3 एक इलेक्ट्रॉन न्यून यौगिक है अत: ये दोनों अणु उपसहसंयोजक बन्ध बनाते हैं।

65. (c) $\frac{1}{\lambda} = R_H \left[\frac{1}{n_1^2} - \frac{1}{n_2^2}\right]$

जहां, n = ऊर्जा स्तर,

λ = तरंगदैर्ध्य।

66. (c) $Fe(CO)_5$ यौगिक में ऑक्सीजन की ऑक्सीजन संख्या न्यूनतम है।

67. (a) $C_{17}H_{35}COONa$ एक साबुन है।

68. (a) एल्केन का सामान्य सूत्र C_nH_{2n+2} है।

69. (d) वर्षा के पानी का pH मान <7 है।

70. (b) आक्सेलिक अम्ल का सूत्र है $C_2H_2O_4$

71. (c) वायु के सम्पर्क में ब्लीचिंग पाउडर बेकार हो जाता है, चूंकि यह अपघटन द्वारा Cl_2 उत्पन्न करता है।

72. (a) कठोर जल को मृदु जल बनाने की कैलगन विधि में सोडियम मैटाफॉस्फेट $Na_2[Na_4(PO_3)_6]$ अर्थात् $Na_6P_6O_{18}$ का प्रयोग किया जाता है।

73. (a) धातु का परमाणु भार 36 है।

74. (a) C_4H_6 में एक त्रिबन्ध या दो द्विबन्ध होते हैं।

$CH_2 = CH — CH = CH_2$

या $CH_3 — C \equiv C — CH_3$

2-ब्यूटाइन

75. (b) तत्वों के गुण उनकी परमाणु संख्या (atomic numbers) के आवर्त फलन (periodic function) होते हैं।

76. (a) रेडियोएक्टिव विघटन में नाभिक एक बार में या तो α कण उत्सर्जित करता है या β कण।

77. (b) γ विकिरण का वेग, प्रकाश के वेग के समान होता है।

78. (c) प्रोटॉन एक परमाण्विक कण है। इसका प्रतीक p या p^+ है। यह एक धनावेशित कण है। यह मूल कण नहीं है (यद्यपि प्रारम्भ में इसे मूल कण माना जाता था)। यह हाइड्रोजन नाभिक के समान होता है, परंतु भारी हाइड्रोजन के नाभिक से भिन्न होता है।

79. (c) $\frac{r_1}{r_2} = \frac{V_1}{t_2} \times \frac{t_2}{V_2} = \sqrt{\frac{M_2}{M_1}}$ ..... (i)

$V_1 = H_2$ का आयतन = 16 मिली

$V_2 = SO_2$ का आयतन = ?

$t_1 = t_2 = 100$ से,

$M_1 = H_2$ का अणुभार = 2

$M_2 = SO_2$ का अणुभार

$= 32 + 2 \times 16 = 64$

ये मान समी. (i) में रखने पर,

$\frac{16}{100} \times \frac{100}{V_2} = \sqrt{\frac{64}{2}}$ या $\frac{16}{V_2} = 4\sqrt{2}$

या $V_2 = \frac{16}{4\sqrt{2}} = 2\sqrt{2} = 2.8$ मिली

80. (a) Cu अपचयित होता है।

81. (c) CaC_2 तथा H_2O की क्रिया द्वारा ऐसीटिलीन गैस C_2H_2 बनती है।

$CaC_2 + 2H_2O \rightarrow C_2H_2 + Ca(OH)_2$

ऐसीटिलीन में उपस्थित AsH_3, NH_3, PH_3 और H_2S आदि की अशुद्धियां दूर करने के लिए गैस को $CuSO_4$ के अम्लीय घोल में से प्रवाहित करते हैं।

82. (d) जिन तत्वों के परमाणु क्रमांक एक समान होते हैं, परंतु परमाणु भार भिन्न-भिन्न होते हैं, उन्हें समस्थानिक कहते हैं। ऐसे तत्वों में इलेक्ट्रॉनों तथा प्रोटॉनों की संख्या तो समान होती है, परंतु न्यूट्रॉनों की संख्या भिन्न-भिन्न होती है और इसी भिन्नता के कारण परमाणु भार भिन्न-भिन्न होते हैं।

83. (b) माना द्रवों a, b और c की विशिष्ट ऊष्माएं क्रमशः s_a, s_b और s_c हैं।

b द्वारा दी गई ऊष्मा

= a द्वारा ली गई ऊष्मा

$m \times s_b \times (25 - 22)$

$= m \times s_a \times (22 - 15)$

या $3s_b = 7s_a$

या $s_b = \frac{7s_a}{3}$

द्रवों b तथा c की समान मात्राएं मिलाने पर c द्वारा दी गई ऊष्मा = b द्वारा ली गई ऊष्मा

$m \times s_b \times (35 - 31)$

$= m \times s_b \times (31 - 25)$

या $4s_c = 6s_b = 6 \times \frac{7s_a}{3} = 14s_a$

या $sc = \frac{7}{2}s_a$

द्रवों a तथा c की समान मात्राएं मिलाने पर, c द्वारा दी गई ऊष्मा = a द्वारा ली गई ऊष्मा

$m \times s_c \times (35 - T) = m \times s_a \times (T - 15)$

या $\frac{7}{2}s_a\ (35 - T) = s_a(T - 15)$

या $7(35 - T) = 2(T - 15)$

या $245 - 7T = 2T - 30$

या $9T = 275$

$\therefore T = 30.56°C$

84. (b) 0.01 मोल HCl का pH^2 है।

85. (c) रासायनिक अभिक्रिया $mA + nB \rightarrow pC + qD$ का साम्यावस्था स्थिरांक है–

$$K_c = \frac{[C]^p \times [D]^q}{[A]^m \times [B]^n}$$

86. (a) प्रीस्टल ने वर्ष 1772 में सर्वप्रथम इस गैस को बनाया। इस गैस को सूँघने से हंसी आ जाती है। इस कारण इसे हँसाने वाली गैस (laughing gas) कहते हैं। ठण्डे और तनु HNO_3 को जब Zn के साथ क्रिया कराते हैं, तो N_2O प्राप्त होती है।

87. (c) H_3PO_3 फॉस्फोरस अम्ल है।

जब पोटैशियम फॉस्फाइट (जलीय) को HCl की अधिकता में क्रिया कराते हैं, तब फॉस्फोरस अम्ल प्राप्त होता है।

$K_2HPO_3 + 2HCl \longrightarrow 2KCl + H_3PO_3$

88. (a) $CuSO_4 . 5H_2O + H_2SO \longrightarrow CuSO_4 + 5H_2O$

उपरोक्त अभिक्रिया में सल्फ्यूरिक अम्ल एक निर्जलीकारक के रूप में कार्य करता है। $CuSO_4 . 5H_2O$ को 'नीला थोथा' भी कहते है।।

89. (a) जब अयस्क श्वेत बॉक्साइड होता है, तब सर्पेक प्रक्रम प्रयोग करते है। श्वेत बॉक्साइड (Al_2O_3, $2H_2O$) में जब SiO_2 की अशुद्धियों अधिक मात्रा में होती है, तब विधि का प्रयोग करते हैं।

90. (b) 'सोल्डर' मिश्रधातु का उपयोग इलेक्ट्रॉनिक उपकरणों में टांका लगाने के लिए किया जाता है। यह मुख्यत: Pb तथा Sn धातु की बनी होती है।

91. (c) ग्लूकोस विलयन की सान्द्रता (मोल/ली)

= कार्बनिक यौगिक की सान्द्रता (मोल/ली)

($\because$ दोनों समपरासरी विलयन है तथा समपरासरी विलयनों की सान्द्रताएँ समान होती है)

$\frac{0.5}{180} = \frac{2.5}{M}$

$M = \frac{2.5 \times 180}{0.5} = 900$

92. (d) NaOH का प्रयोग बेअर प्रक्रम में किया जाता है।

93. (a) $E_{\text{सेल}}$

$= E^\circ_{\text{सेल}} - \frac{2.303RT}{nF}\log\left[\frac{[Ni]}{[Ni^{2+}]}\right]$

$= -0.25 - \frac{0.06}{2}\log\left(\frac{1}{0.1}\right)$

$= -0.25 - 0.03$

$E_{\text{सेल}} = -0.28$ वोल्ट

94. (c)

परमाणु	प्रतिशतता/परमाणु भार	सरल अनुपात
C	$\frac{40}{12} = 3.33$	$\frac{3.33}{3.33} = 1$
H	$\frac{6.67}{1} = 6.67$	$\frac{6.67}{3.33} = 2$
O	$\frac{53.33}{16} = 3.33$	$\frac{3.33}{3.33} = 1$

संरचना सूत्र = CH_2O

संरचना सूत्र भार = 12 + 2 + 16 = 30

अणुसूत्र भार = संरचना सूत्र भार × 2

= 30 × 2 = 60

इसलिए अणुसूत्र $(CH_2O) \times 2$

$= C_2H_4O_2$

95. (b) अधिकतम प्रायिकता वेग $= \sqrt{\frac{8RT}{\pi m}}$

$T = (27°C + 273) = 300K$

H_2 का अणुभार = 2 ग्राम मोल$^{-1}$

H_2 का अधिकतम प्रायिकता वेग

$$= \sqrt{\frac{8 \times 8.314 \times 10^7 \times 300}{3.14 \times 2}}$$

$= 17.8 \times 10^4$ सेमी/से

96. (a) दुर्बल अम्ल के लिए

$[H^+] = C \times \alpha$ (α = आयनीकरण की प्रतिशतता)

$= 0.1 \times 0.02 = 2 \times 10^{-3}M$

$K_w = [H^+][OH^-]$

$$[OH^-] = \frac{K_w}{[H^+]} = \frac{1 \times 10^{-14}}{2 \times 10^{-3}}$$

$= 5 \times 10^{-12}$ M

97. (c) लाइमन श्रेणी में, जब एक इलेक्ट्रॉन तीसरे कक्षक से प्रथम कक्षक में कूदता है तो H_β रेखा उत्पन्न होती है।

$n_1 = 1, n_2 = 3$

98. (a) गर्म करने पर, CHI_3 का C — I बन्ध टूट जाता है तथा $CHCl_3$ का C — Cl बन्ध नहीं टूटता। अत: $AgNO_3$, आयोडोफॉर्म के साथ AgI का अवक्षेप देता है।

99. (c) H_2SO_3 की संरचना निम्न है।

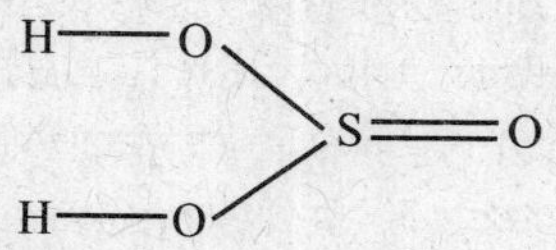

अत: इसमें कोई उपसहसंयोजक बन्ध उपस्थित नहीं है। HNO_2 दो चलावयवी रूपों (नाइट्राइल तथा नाइट्रो रूपों) का मिश्रण है।

100. (d) *n*-कोश में परमाण्विक कक्षकों की कुल संख्या $= n^2$

अत: पाँचवें कोश में कक्षकों की संख्या $= 5^2 = 25$

101. (b) $K_2\overset{+6}{Cr_2}O_7 + 4H_2SO_4 \rightarrow$

$K_2SO_4 + \overset{+3}{Cr_2}(SO_4)_3 + 4H_2O + 3[O]$

तुल्यांकी भार = $\frac{\text{अणुभार}}{\text{एक अणु में उपस्थित परमाणुओं की ऑक्सीकरण संख्या में परिवर्तन}}$

$= \frac{\text{अणुभार}}{2 \times 3} = \frac{\text{अणुभार}}{6}$

102. (d) $\bar{V} = R\left(\frac{1}{n_1^2} - \frac{1}{n_2^2}\right)$

बामर श्रेणी के लिए, $n_1 = 2$ तथा बामर श्रेणी की चौथी रेखा के लिए, $n_2 = 6$

$\because$ R= 109677 सेमी$^{-1}$

$$\bar{V} = 109677\left(\frac{1}{2^2} - \frac{1}{6^2}\right)$$

$$= 109677\left(\frac{1}{4} - \frac{1}{36}\right)$$

$\bar{V} = 24,372$ सेमी$^{-1}$

103. (d) $N_2O_4(g) .2NO_2(g)$

$[N_2O_4]$ की मोलर सान्द्रता $= \frac{9.2}{92} = 0.1$ मोल ली$^{-1}$

साम्यावस्था पर, जब 50% N_2O_4 विघटित हो जाता है।

$[N_2O_4] = 0.05M$

$[NO_2] = 0.1$ M

$$K_c = \frac{[NO_2]^2}{[N_2O_4]} = \frac{0.1 \times 0.1}{0.05} = 0.2$$

104. (d) इस्पात को रक्त तप्त ताप से निम्न ताप तक गर्म करके धीरे-धीरे ठण्डा करने का प्रक्रम एनीलीकरण (anneling) कहलाता है।

105. (d) रोजेनमुण्ड अभिक्रिया में, अम्ल क्लोराइड उत्प्रेरित अपचयन द्वारा अपने संगत ऐल्डिहाइडों में परिवर्तित हो जाते हैं।

$$\underset{\text{अम्ल क्लोराइड}}{R\text{-}\overset{O}{\overset{\|}{C}}\text{-}Cl} + H_2 \xrightarrow{pd,\ BaSO_4} \underset{\text{ऐल्डिहाइड}}{R\text{-}CHO} + HCl$$

106. (d)

$$\underset{\text{अम्ल क्लोराइड}}{CH_3OH} + CO \xrightarrow{\text{Rh उत्प्रेरक}} \underset{\text{ऐसीटिक अम्ल}}{\underset{(A)}{CH_3COOH}}$$

$$\xrightarrow[\text{लाल P}]{HI} \underset{\text{एथेन}}{\underset{(B)}{CH_3\text{-}CH_3}}$$

107. (b) ऐमिलोज (amylose) तथा ऐमिलोपेक्टिन (amylopectin) का मिश्रण स्टार्च कहलाता है।

ऐमिलोज जल में विलेय भाग है जबकि ऐमिलोपेक्टिन जल में अविलेय भाग है।

108. (b) एथेनॉल का प्रयोग ऐल्कोहॉली सुपेयों में किया जाता है।

109. (a) कैलगन का प्रयोग जल मृदुकारक के रूप में किया जाता है।

इसका सूत्र $Na_2[Na_4(PO_3)_6]$ है।

110. (b) OF_2 जल में विलेय है परन्तु जल में ऑक्सीअम्ल का विलयन नहीं बनाता, जबकि SO_2, SCl_4 तथा SO_3 सभी जल में ऑक्सी अम्ल का विलयन बनाते हैं।

$$SO_2 + H_2O \rightarrow \underset{\text{सल्फ्यूरस अम्ल}}{H_2SO_3}$$

$$SCl_4 + 3H_2O \rightarrow \underset{\text{सल्फ्यूरस अम्ल}}{H_2SO_3} + 4HCl$$

$$SO_3 + H_2O \rightarrow \underset{\text{सल्फ्यूरिक अम्ल}}{H_2SO_4}$$

111. (d) केवल रासायनिक अभिक्रिया 2 घटित नहीं हो सकती है। क्योंकि विद्युत रासायनिक श्रेणी में कॉपर का स्थान Mg से नीचे है। अत: Cu, $MgSO_4$ के विलयन से Mg को विस्थापित नहीं कर सकता है।

112. (a) $_{11}N^{24} \longrightarrow {}_{11}Na^{23} + {}_0n^1$

न्यूट्रॉन के उत्सर्जन से $_{11}Na^{23}$ बनता है।

113. (a)

$$\underset{\text{(हाइड्रोजन अणु)}}{H_2} \xrightarrow[2000°C]{\text{विद्युत आर्क}} \underset{\text{(परमाणवीय हाइड्रोजन)}}{2H} - 104.5 \text{ kcal}$$

यह एक ऊष्माशोषी क्रिया है।

ऊष्माशोषी क्रियाओं में ताप वृद्धि से साम्यावस्था अग्रिम दिशा की ओर विस्थापित हो जाती है। अग्रिम क्रिया को बढ़ाने के लिए दाब कम होना चाहिए क्योंकि ऊपर दी गई अभिक्रिया के लिए दाब वृद्धि, विपरीत क्रिया के अनुकूलित होगी। अत: अधिकतम मात्रा के लिए उच्च ताप व कम दाब सही परिस्थिति होती है।

114. (a) कॉपर HCl से हाइड्रोजन विस्थापित नहीं करती क्योंकि विद्युत रासायनिक श्रेणी में यह हाइड्रोजन के नीचे स्थित है जबकि Al, Na तथा Mg विद्युत रासायनिक श्रेणी में हाइड्रोजन के ऊपर स्थित है इसलिए ये H को विस्थापित कर देते हैं।

115. (d) पदार्थ में परमाणुओं की संख्या = ग्राम अणुभार $\times 6.023 \times 10^{23} \times$ परमाणुकता

$= \frac{\text{पदार्थ का भार}}{\text{ग्राम अणुओं की संख्या}} \times 6.023 \times 10^{23} \times$ परमाणुकता

$= 1$ amu $= 1.6 \times 10^{-24}$ g

100 amu $= 1.6 \times 100 \times 10^{-24}$ g

$= \frac{100 \times 1.6 \times 10^{-24}}{4} \times 6.023 \times 10^{23} \times 1$

$= 25 \times 1.6 \times 10^{-24} \times 6.023 \times 10^{23}$

116. (c) $Ca(NO_3)_2 \rightarrow Ca^{2+} + 2NO_3^-$

वान्ट हॉफ कारक का मान तीन होता है।

$H_2 + I_2 \rightarrow 2HI$

117. (b) प्रथम कोटि अभिक्रिया के लिए

$$k = \frac{2.303}{t} \log \frac{a}{a-x}$$

$$a \propto V_\infty (= 35.05) \text{ तथा } x \propto V_t$$

विभिन्न समय पर k का स्थिर मान निकलने पर यह प्रथम कोटि अभिक्रिया को प्रदर्शित करती है।

118. (a) जब ताप बढ़ेगा तो, न तो ऊष्मा निकाय के अन्दर प्रवेश करेगी और न ही बाहर निकलेगी, अर्थात् $q = 0$

$$\text{इसलिए } \Delta E = q + W = W$$

$$\Delta E = W \neq 0 \text{ और } q = 0$$

119. (b) $CuSO_4 . 5H_2O$ को नीला थोथा कहते हैं। यह एक नीले रंग का क्रिस्टलीय पदार्थ है जो कि जल में विलेय होता है।

120. (a) $AlCl_3$ sp^2 संकरित होता है जब यह जल के छ: संयोग अणुओं से संयोग करता है तो उसका एक रिक्त p-कक्षक तथा पाँच d-कक्षक इलेक्ट्रॉन युग्मों से भर जाते हैं जिससे परिणाम स्वरूप यह और अधिक इलेक्ट्रॉन ग्रहण नहीं कर सकता अर्थात् यह लूइस अम्ल के इलेक्ट्रॉन ग्राही की तरह कार्य नहीं करता।

वनस्पति विज्ञान

121. (b) **जटिल ऊतक** एक से अधिक प्रकार की कोशिकाओं द्वारा निर्मित होते हैं, जो साथ मिलकर एक इकाई की भाँति कार्य करती हैं। जल, लवण तथा संश्लेषित भोज्य पदार्थों का पौधे के विभिन्न भागों तक स्थानान्तरण करती हैं। जटिल ऊतक दो प्रकार के होते हैं–**जाइलम** तथा फ्लोयम।

122. (d) दोमट मिट्टी (loam soil), रेत (sand), सिल्ट (silt) तथा चिकनी मिट्टी (clay) का आपेक्षिक समसान्द्रण (relatively even concentration) मिश्रण होती है। दोमट मिट्टी में रेतीली मृदा की अपेक्षा पोषक पदार्थों तथा ह्यूमस की मात्रा अधिक होती है, सिल्टी मृदा की अपेक्षा जल के प्रवेश तथा निकासी की क्षमता अधिक होती है तथा चिकनी मिट्टी की अपेक्षा इसे सरलता से जोता जा सकता है। दोमट मिट्टी कंकरीली (gritty) और नम होती है तथा सरलतापूर्वक जल धारण कर सकती है।

दोमट मिट्टी कृषि तथा बागवानी हेतु अत्यन्त उपयुक्त होती है, क्योंकि इसमें पोषक पदार्थों तथा जल को धारण करने की पर्याप्त क्षमता होती है तथा इसमें जल का प्रवाह भी सुगमता से होता है। संसार के उपजाऊ भूमि वाले अनेक क्षेत्रों में इस प्रकार की मिट्टी पायी जाती है। दोमट मिट्टी के भी अनेक प्रकार होते हैं। जिनके लक्षणों में कुछ अंतर होता है। तथा इनमें से कुछ शेष अन्य की अपेक्षा जल की निकासी अधिक प्रभावी रूप से करती हैं।

123. (b) **भ्रूणकोष** (embyro sac) आवृत्तबीजी पादप के बीजाण्ड में पायी जाने वाली अण्डाकार संरचना है, जिसमें अण्ड (egg) उपस्थित होता है निषेचित अण्डे के साथ यह एक बीज में विकसित हो जाती है। भ्रूणकोष आवृत्तबीजी के मादा युग्मकोद्भिद को प्रदर्शित करता है, जिसमें आठ केन्द्रक होते हैं। इनमें एक केन्द्रक अण्डे में, बीजाण्ड द्वार के निकट दो लघु कालिक, समीपस्थ सिनर्जिड केन्द्रक, दो केन्द्रीय (जो एक परागकेन्द्रक से संयुक्त होकर भ्रूणपोष या एण्डोस्पर्म बनाते हैं) तथा भ्रणकोष के बीजाण्ड द्वार से विपरीत सिरे पर तीन प्रतिपिण्ड (antipodal) केन्द्रक होते हैं।

124. (b) **अष्ठिल फल** (drupe) फल का एक प्रकार है, जिसमें बाह्य माँसल भाग, अर्थात् बाह्य फल भित्ति (exocarp) या छिलका (skin) तथा मध्य फलभित्ति (measocarp) या गूदा (flesh) एक कठोर अंत: फलभित्ति (endocarp) को घेरे रहते हैं; जिसके भीतर एक बीज होता है। ये फल अधिकांशतया ऊर्ध्व अण्डाशय (superior ovary) वाले पुष्पों से तथा एकल अण्डप (single carpel) से विकसित होते हैं। पुष्प की अण्डाशय भित्ति से व्युत्पन्न कठोर, लिग्निफाइड 'स्टोन' अष्ठिफल का एक प्रमुख अभिलक्षण है। कॉफी, जोजोबा, आम, जैतून अधिकांश पाम (खजूर, नारियल, पाम इत्यादि) पिस्ता, *प्रूनस वंश* के सभी सदस्य, जिनमें बादाम (जिसकी मध्यफल भित्ति कुछ चर्ममय होती है।), खुबानी, चैरी, आडू, बेर इत्यादि अष्ठिफल उत्पन्न करने वाले कुछ प्रमुख पुष्पीय पादप हैं।

125. (a) अनावृतबीजियों में बीज फल के भीतर नहीं पाये जाते हैं।

126. (b) एरिल रज्जुभ (funiculus) (बीज का आसक्त बिन्दु) से निकला एक विशिष्ट ऊर्ध्व (outgrowth) या नाभिका (hilum) (जो बीज को घेरे रहता है) है। यह एक फलनुमा रचना बनाता है, जिसे आभासी फल कहते हैं। आभासी फल कई आवृत्तबीजी वर्गों में पाये जाते हैं। लीची तथा अन्य कई प्रकार के फलों में खाने योग्य भाग अति विकसित एरिल होता है तथा पेरीकार्प सतह की अपेक्षा बीज को घेरे रहता है।

127. (b) एथलीन (C_2H_4) फलों के परिपक्वन तथा पुष्पीय जीर्णता को तीव्र करके फलों की औसत आयु (shelf life) को कम कर देता है। टमाटर, केले तथा सेब एथलीन की उपस्थिति में शीघ्रता से पक जाते हैं। अन्य फलों के पास रखे हुए केले पर्याप्त मात्रा में इथाइलीन उत्पन्न करते हैं, जिससे फलों का परिपक्वन तीव्र हो जाता है। इथाइलीन पुष्पीय जीर्णता (floral sensescence) तथा पुष्पीय विलगन (floral abscission) को तीव्र करके कटे हुए पुष्पों तथा गमले में लगे पौधों की शैल्फ लाइफ (shelf life) को कम कर देता है।

128. (b) दलदली मॉस या बॉग मॉस या **स्फैग्नम** पीटयुक्त भूमि (peatland) पर पाया जाता है तथा दलदलों में पाया जाने वाला महत्त्वपूर्ण पादप है। यह अपने शुष्क भार से लगभग 20 गुना जल अवशोषित कर सकता है, तथा मृदा की अम्लता में वृद्धि करता है। तरल को अवशोषित करने की क्षमता तथा एण्टीसैप्टिक गुण के कारण इसका प्रयोग प्रथम विश्व युद्ध में घावों पर पट्टी बाँधने में भी किया गया था। **स्फैग्नम** पीटभूमि की खनिज रहित भूमि पर भी उग सकता है क्योंकि इसमें वर्षा के जल के खनिजों को अवशोषित करने की क्षमता होती है।

129. (b) उच्च मूल दाब तथा निम्न वाष्पोत्सर्जन की दशाओं में शाकीय पादपों (herbaceous plants) की पत्तियों के किनारों से अतिरिक्त जल का तरल बूँदों के रूप में ह्रास **बिन्दुस्रवण** (guttation) कहलाता है। यह प्रक्रिया उच्च नमी वाली मृदा में उगने वाले पौधों में होती है तथा गर्म एवं आर्द्र रातों में अत्यन्त सामान्य रूप से देखी जा सकती है। बिन्दुस्रवण की क्रिया पत्तियों की शिराओं से सिरों (vein ending) पर स्थित विशेष छिद्रों द्वारा होती है, जिन्हें जलरन्ध्र (water stomata) या हाइडेथेड्स (hydathodes) कहते हैं।

130. (b) एस्टेरेसी (कम्पोजिटी) कुल का फल एकीन के समान (achene like) होता है; जिसे **सिप्सेला** (cypsella) कहते हैं। यद्यपि यह दो संयुक्त अण्डपों द्वारा निर्मित होता है, किंतु इसमें केवल एक ही कोष्ठ (locule) होता है तथा प्रत्येक फल में केवल एक ही बीज पाया जाता है। प्राय: फल पर बाह्यदलीय ऊतक (calyx tissue) शेष रह जाता है, जिससे व्युत्पन्न **पैपस** (pappus) के कारण फल पंखदार (winged) अथवा शूकयुक्त (spiny) हो जाता है। **उदाहरण**–डेन्डेलायन (Dandelion) कुछ जातियों (हेलिएन्थस) में पैपस सूख कर गिर जाता है।

131. (d) **फ्यूनेरिया** में बीजाणुद्भिद (sporophyte) का विकास स्त्रीधानी (archegonium) में होता है, क्योंकि पुंधाणु (antherozoid) स्त्रीधानी में स्थित अण्डे से संयुक्त होकर द्विगुणित युग्मनज का निर्माण करता है, जो विभाजित होकर बीजाणुद्भिद के रूप में विकसित हो जाता है।

132. (a) C, H तथा O वृहत्पोषक तत्त्व (macro-nutrients) हैं, जो पौधों के शुष्क भाग के लगभग 96% भाग का निर्माण करते हैं तथा इन्हीं से शरीर के वृहत् अणु (macro-molecules) निर्मित होते हैं।

133. (a) क्लोरोफिल-a ($C_{55}H_{72}O_5N_4Mg$) एक सार्वत्रिक प्रकाश-संश्लेषी वर्णक है, जो सभी ऑक्सीजनिक प्रकाश-संश्लेषी जीवों में पाया जाता है। यह प्रकाश परिवर्तन (Photo-conversion) अर्थात् प्रकाश-संश्लेषण की प्राथमिक अभिक्रिया में भी सम्मिलित होता है, जिसमें प्रकाश ऊर्जा रासायनिक ऊर्जा के रूप में परिवर्तित हो जाती है। इसी कारण

क्लोरोफिल-a को प्राथमिक प्रकाश-संश्लेषी वर्णक (primary photosynthetic pigment) भी कहा जाता है।

134. (b) कपास के तन्तु बीजों के बाह्यत्वचीय रोम (epidermal hair) होते हैं। ये रोम दो प्रकार के (लम्बे एवं छोटे) होते हैं। लम्बे रोमों को 'लिंट' (lint) कहते हैं, जबकि छोटे रोम 'फज' (fuzz) कहलाते हैं। कपास के तन्तु वस्त्र उद्योग में महत्त्वपूर्ण रूप से प्रयोग होते हैं।

135. (c) **कैक्टाई** (cacti) सरस पादप (succulen) होते हैं, जो शुष्क वातावरण में उगते हैं तथा सूखे की लम्बी अवधि में भी जीवित रह सकते हैं। अधिकांश कैक्टाई में सामान्य पत्तियों के स्थान पर शूल (spines) अथवा शल्क (scales) होते हैं, जोकि पत्तियों का ही एक रूपान्तरण होते हैं। इन शूलों तथा शल्कों से वाष्पीकरण द्वारा जल की हानि होती है तथा शूल (काँटे) कैक्टस के पौधे की भक्षक जीवों (predators) से भी रक्षा करते हैं।

136. (b) कवकमूल (mycorrhiza) कवकों तथा उच्च पादपों की जड़ों के मध्य सहजीवी सम्बन्ध (symbiotic association) है। कवकमूलीय जड़ें प्रायः महीन कवक तन्तुओं द्वारा ढकी रहती हैं। जड़ों पर कवक वृद्धि से पौधे को कोई हानि नहीं होती है। कवकमूल द्वारा भूमि से जल के साथ-साथ फॉस्फोरस एवं नाइट्रोजन का भी अवशोषण होता है।

137. (d) पौधों में जल निरन्तरता आसंजन बल (adhesion force) के कारण होती है।

जब दो विलयनों को अर्द्धपारगम्य झिल्ली द्वारा अलग किया जाता है, दो विलयन के अणु अधिक सान्द्रता से कम सान्द्रता की तरफ गति करते हैं, यह क्रिया परासरण (osmosis) कहलाती है।

पौधों की पत्तियों से पानी का बूँदों के रूप में निकलना बिन्दुस्राव (guttation) कहलाता है।

138. (a) साइकस में परागण (Polination) 3-कोशिकीय अवस्था में होता है। परागकण (pollen grains) विभाजित होकर निम्न तीन प्रकार की कोशिका बनाते हैं–

(i) प्रोथेलियल कोशिका (Prothallial cell)

(ii) जनन कोशिका (Generative cell)

(iii) नलिका कोशिका (Tube cell)

139. (a) भिण्डी (lady finger), कपास (cotton) गुड़हल (gurhal) भाँग (hemp) इत्यादि मालवेसी कुल में आते हैं।

140. (a) पौधों मे प्रकाश संश्लेषण (photosynthesis) की क्रिया द्वारा बना भोजन फ्लोएम सुक्रोस के रूप में स्थानान्तरित होता है। ग्लूकोस के रूप में जन्तु अपना भोजन ग्रहण करते हैं। फ्रक्टोस (fructose) फलों से प्राप्त होने वाली तथा लैक्टोस (lactose) दूध से प्राप्त होने वाली शर्कराएँ हैं।

141. (b) दो भिन्न आवासों के राज्य क्षेत्रों के सन्धि स्थान पर जैव-विविधता (biodiversity) की उपस्थिति एज प्रभाव (edge effect) कहलाती है।

142. (d) अनावृतबीजी (gymnosperms) पौधों में जाइलम में केवल ट्रेकीड्स पाई जाती हैं। जाइलम पैरन्काइमा तथा वाहिनियाँ इनमें अनुपस्थित होती हैं। इन पौधों में समान्तर शिराविन्यास पाया जाता है। पौधे बहुवर्षीय होते हैं, तथा शाखाएँ लम्बी एवं छोटी दोनों प्रकार की होती हैं। Ca^{2+} पेशीय संकुचन, तन्त्रिका पेशीय कार्यों (neuromuscular functions) तथा तन्त्रिका आवेग संवहन (nerve impulse transmission) के लिए उत्तरदायी होता है।

143. (d) पौधों में कैरोटिनोइड (carotenoids) से मिलकर एक बहुलक बनता है, जिसे स्पोरोपोलेनिन (Sporopollenin) कहते हैं। यह पौधों का सबसे कठोर उत्पाद होता है।

लिग्निन द्वितीयक दीवारों (secondary walls) का मुख्य भाग होता है। क्यूटिन (cutin) पारदर्शी होता है जो सैल्युलोस से मिलकर पौधों की क्यूटिकल बनाता है।

सुबेरिन (suberin) एक मोमक-सदृश वसीय पदार्थ होता है जो कॉर्क कोशिका की दीवारों में पाया जाता है।

144. (a) मशरूम में टोपी और तना (cap and stalk) मिलकर एक रचना बनाते हैं, जिसे बेसिडियोकार्प (basidiocarp) या स्पोरोकार्प (sporocarp) कहते हैं। यह पौधे का खाने योग्य भाग होता है।

145. (a) वन नष्टीकरण (deforestation) ऊष्णकटिबन्धीय वनों में कुछ जातियों के विलुप्त होने का मुख्य कारण है। वनीकरण (afforestation) वनों को बचाने का एकमात्र उपाय है।

146. (a) कोशिका की मध्यावस्था (metaphase) में गुणसूत्र मध्यवर्ती प्लेट पर व्यवस्थित हो जाते हैं।

पूर्वावस्था (prophase) में गुणसूत्रों का संघनन, केन्द्रिका का विघटन विभाजन तर्कु (division spindle) का निर्माण तथा केन्द्रक कला का विघटन होता है।

पश्चावस्था (anaphase) में गुणसूत्र का केन्द्रमेल (centromere) दो अर्द्धभागों में विभाजित हो जाता है अंतयावस्था (telophase) में प्रत्येक ध्रुव पर उपस्थित गुणसूत्र समूह के चारों ओर नई केन्द्रक कला के बन जाने से एक सन्तति केन्द्रक (daughter nucleus) बनता है।

147. (a) एवासिसिक एजिड (ABA) एक प्रकार का हॉर्मोन है, जो पत्तियों तथा फलों के विलगन के लिए उत्तरदायी होता है। ऑक्सिन, जिबरेलिन तथा साइटोकाइनिन वृद्धि को नियन्त्रित करने वाले हॉर्मोन हैं, जो पत्तियों के विलगन को रोकते हैं।

148. (a) कैलिप्ट्रा (calyptra) कोशिकाओं की एक बारीक पर्त होती है जिसका निर्माण स्त्रीधानी (archegonium) से सम्पुट (capsule) मास की बीजाणुदभिद (sporophytic) पीढ़ी है।

पुंधानी (antheridia) एक छोटी संरचना होती है। जो बायोफाइटा तथा टेरिडोफाइटा समूह के पौधों में पुंमणु (antherozoids) का उत्पादन करती है।

149. (d) यूफोर्बिया - साइएथियम (Cyathium)

फाइकस - हाइपैन्थोडियम (Hypanthodium)

डॉर्सटीनिया - सीनेन्थियम (Coenanthium)

150. (c) पौधों का मुख्य उत्पाद फूल है।

जन्तु विज्ञान

151. (c) मायलिनी (myelinated) तंत्रिका तंतुओं में एक्सॉन झिल्ली के बाहर एक मायलिन खोल (myelin sheath) उपस्थित होता है। यह खोल निरन्तर (continuous) नहीं होता है बल्कि कुछ स्थानों पर खाँच के रूप में दबा होता है। इन्हें रेन्वियर के नोड (nodes of Ranvier) कहते हैं जो तन्त्रिकीय आवेग के साल्टेटरी (saltatory) संवहन में सहायक होते हैं। अमायलिनी (non-myelinated) तंत्रिका तन्तुओं में मायलिन खोल तथा रेन्वियर के नोड अनुपस्थित होते हैं।

152. (c) कोनरॉड लॉरेन्ज (Konrod Lorenz) ने प्राणि व्यवहार (animal behaviour) के क्षेत्र में कार्य किया। उन्होंने बत्तखों (ducks) एवं हंसनी (geese) पर अपना कार्य किया तथा अध्यंकन (imprinting) के सिद्धांत का प्रतिपादन किया।

153. (c) लोब्सटर्स (lobsters), मकड़ी (spider) तथा श्रिम्प्स (shrimps) सभी एक ही वर्गिकीय समूह (संघ-आर्थ्रोपोडा) के जन्तु हैं।

154. (d) हीमोग्लोबिन के प्रत्येक अणु में लौह (iron) के चार परमाणु (atoms) होते हैं जिनमें से प्रत्येक O == O संयोजी बन्धों (co-ordinated bonds) के द्वारा ऑक्सीजन के एक-एक अणु से बँध सकता है। इस प्रकार, हीमोग्लोबिन के एक अणु से ऑक्सीजन के चार अणु बँध सकते हैं।

155. (c) समुद्री सर्पों में पार्श्व से दबी पूँछ (laterally comprssed tail) पाई जाती है। पार्श्व से दबी पूँछ जल में नाव के पतवार के समान कार्य करती है तथा समुद्री सर्पों को जल में तैरने, सन्तुलन बनाने एवं दिशा परिवर्तन करने में सहायता करती है।

156. (c) कोयल (cuckoo) अपना घोंसला स्वयं नहीं बनाती है बल्कि वह कौवे के घोंसले में अण्डे देती है। कौवा ही कोयल के अण्डे सेता है तथा बच्चों का पालन-पोषण भी करता है।

157. (a) फाइलेरियासिस नामक रोग को हाथीपाँव का रोग अथवा एलीफैन्टियासिस (elephantiasis) भी कहा जाता है क्योंकि इस रोग से पीड़ित व्यक्ति के पैर हाथी के पाँव के समान मोटे (stout) तथा भारी-भरकम (heavy) हो जाते हैं। फाइलेरिया रोग फाइलेरियल कृमि अथवा वूचेरेरिया ब्रैन्क्रोफ्टी के कारण

होता है, जो कि मनुष्य के लिम्फेटिक एवं संयोजी ऊतकों में प्रवेश कर जाता है।

158. (c) ग्रेट इण्डियन बस्टर्ड (Great Indian Bustard) अथवा कोरिओटिस = आर्डीओटिस नाइग्रीसेप्स (Choriotis = Ardeotis nigriceps) एक लम्बी गर्दन तथा लम्बे पैरों वाला पक्षी है। इसे भारत की सबसे बड़ी विलुप्तप्राय पक्षी प्रजाति माना जाता है।

159. (a) दीमक (termite) एक हानिकारक सामाजिक कीट है। यह लकड़ी, कागज, चमड़ा, कपड़े तथा खेतों में फसलों इत्यादि को नष्ट कर देता है। बॉम्बिक्स मोरी, टैकार्डिया लैका तथा एपिस इण्डिका लाभप्रद सामाजिक कीट हैं क्योंकि इनसे क्रमश: रेशम, लाख तथा शहद एवं मोम प्राप्त होता है।

160. (d) छिपकलीनुमा पक्षी अथवा अर्किऑप्टेरिक्स (Archaeopteryx) एक प्राचीन जीवाश्म पक्षी है, जो पृथ्वी पर लगभग 150 मिलियन वर्ष पहले पाया जाता था। यह जीव सरीसृपों तथा पक्षियों के बीच की एक संयोजी कड़ी माना जाता है।

161. (b) सायनोकोबालएमीन अथवा विटामिन-B_{12} दुग्ध, अण्डे, यकृत तथा मछली इत्यादि से प्राप्त होता है तथा वृहदांत्र (colon) में उपस्थित कुछ जीवाणुओं द्वारा संश्लेषित भी होता है। इस विटामिन की कमी के कारण प्रणाली रक्ताल्पता (pemicious anaemia) नामक रोग हो जाता है तथा RBCs बड़ी, अपरिपक्व तथा हीमोग्लोबिन रहित हो जाती हैं।

162. (b) केंचुआ एनेलिडा जाति में पाया जाने वाला एक ट्यूब के आकार की जीव है। ये आमतौर पर मिट्टी में रहते हैं और मृत कार्बनिक पदार्थ खाते हैं।

163. (d) टेमिन (1964) ने रिट्रोविषाणुओं में आनुवंशिक सूचना के एक विलोम प्रवाह (अर्थात् mRNA से DNA) का वर्णन किया। इस प्रकार mRNA का DNA में नकल किया जाना, विलोम अनुलेखन या रिवर्स ट्रान्सक्रिप्टेज (reverse transcription) कहलाता है। यह क्रिया एक RNA निर्भर DNA पॉलीमरेज (RNA dependent DNA ploymerase) अथवा रिवर्स ट्रान्सक्रिप्टेज (reverse transscriptase) द्वारा होती है।

164. (a) C_4 पादपों में प्रकाश-संश्लेषण के दौरान CO_2 का प्रारम्भिक स्थिरीकरण मीजोफिल कोशिकाओं में होता है। कार्बन डाईऑक्साइड का प्राथमिक ग्राही फॉस्फोइनॉल पायरूवेट (PEP) होता है। यह PEP कार्बोक्सिलेज की उपस्थिति में CO_2 के साथ संयुक्त होकर ऑक्जेलोएसीटिक अम्ल अथवा ऑक्जेलोएसीटेट का निर्माण करता है।

165. (c) सीपिया अथवा कटल फिश (cuttle fish) संघ-मोलस्का का एक जन्तु है, जिसमें मसि ग्रन्थि (ink gland) पाई जाती है। मसि ग्रन्थियों से स्याही के समान एक पदार्थ उत्पन्न होता है, जिसका प्रयोग कटल फिश अपने शत्रुओं से छिपने अथवा बचने के लिए करती है।

166. (c) ट्राइबोलाइट्स आर्थोपोड्स जीवाश्म है, जो लगभग 600 वर्ष पुराने हैं। जीवाश्म आर्कियोप्टेरिक्स को पक्षी और सरीसृप के मध्य की कड़ी कहा जाता है। नॉटिल्स एक सिफैलोपोड (मोलस्का) जीव है, जो एक जीवित जीवाश्म है। चीता भी एक विलुप्त जीव है। अन्तिम जीवित चीता की सन् 1994 में दिल्ली चिड़ियाघर में मृत्यु हो गई थी।

167. (a) मनुष्य की कायिक कोशिकाओं में 46 गुणसूत्र होते हैं। इनमें से 44 (22 जोड़ी) को आटोसाम्स तथा 2 गुणसूत्र को हेटेरोसोम्स या लिंग गुणसूत्र कहते हैं। मानव में लिंग सहलग्न के लक्षण एवं उनकी वंशागति इन लिंग गुणसूत्रों पर उपस्थित लक्षणों के आधार पर होती है। लिंग गुणसूत्र-Y के असमजात खण्ड पर स्थित जीन लिंग सहलग्न जीन कहलाते हैं तथा ये विनिमय में भाग नहीं लेते हैं, जबकि समजात खण्ड पर स्थित जीन अपूर्ण लिंग सहलग्न जीन होते है एवं विनिमय के वक्त युग्म बनाने में सहायता करते हैं।

Y-गुणसूत्र के असमजात खण्ड में उपस्थित जीन पीढ़ी-दर-पीढ़ी पिता से पुत्रों में ही जाते हैं। अत: इन्हें होलैएन्ड्रिक जीन कहा जाता है। जीन जो एक समय में एक से अधिक गुणों को नियन्त्रित करता है, बहुप्रभावित जीन या बहुविकल्पी जीन तथा इस प्रभाव को बहुप्रभावित्व कहते हैं। जब एक ही जीन को एक से अधिक जीन नियन्त्रित करते हैं, तो ऐसे जीन्स को मल्टीपल या पॉलीजेनिक बहुकारक जीन्स कहते हैं।

168. (c) दो जोड़े तारककेंद्र (सेन्ट्रियॉल) मिलकर तारककाय (सेन्ट्रोसोम) का निर्माण करते है। तारककेन्द्र में DNA नहीं पाया जाता यद्यपि RNA की उपस्थिति मिलती है। इनमें द्विगुणन की क्षमता होती है। ये DNA की अनुपस्थिति में एस्ट्रॉल ध्रुव आधार बॉडीज (बिना DNA आवरण) तथा एक झिल्ली युक्त आवरण स्वयं की प्रतिकृति बना लेते हैं।

ये सूक्ष्म कोशिकाँग त्रिकतन्तुओं के नौ समूहों का बना होता है। ये लगभग सभी यूकैरियोटिक कोशिका में हैं, प्रोटोजोआ, प्रोटिस्टस (अपवाद अमीबा) कुछ कवकों, ब्रायोफाइट्स एवं टेरिडोफाइट्स में समान रूप से पाया जाता है। लेकिन उच्च वर्गीय पौधे आवृतबीजी और अनावृतबीजी में इसका अभाव होता है।

169. (d) कशेरुकी-वर्टीब्रेटा में नख, बाल, खुर, पंख एवं सींग इत्यादि रक्षा आवरण कहलाते हैं। ये रक्षा संरचनाएँ केराटीन प्रोटीन की बनी होती हैं। कशेरुकी नख किरण पर्त (स्ट्रेटम कॉरनम) का व्युत्पन्न होते हैं। किरण पर्त, स्वच्छपर्त (स्ट्रेटम ल्यूसीडम) के ऊपर स्थित होती है। इनका जीवद्रव्य सूखकर कड़े पदार्थ केरोटिन में बदल जाता है।

170. (a) मनुष्य तथा अन्य स्तनधारियों के दाँत बाह्य त्वचा एवं डर्मिस दोनों के बने होते हैं। दाँत को तीन भागों- शिखर, ग्रीवा एवं जड़ में विभाजित किया जा सकता है। शिखर (crown) मसूड़ों के बाहर निकला हुआ चमकीला भाग होता है, जिसके ऊपर सफेद चमकीले रंग का कठोर इनैमल का आवरण चढ़ा होता है। ग्रीवा शिखर के नीचे मसूड़ों में स्थित होती है, जबकि जड़ (root) जबड़ों की अस्थि में बनी गर्तिका (socket) में पाया जाता है।

171. (a) प्रोलैक्टिन हॉर्मोन या लेक्टोजेनिक हॉर्मोन पिट्यूटरी ग्रन्थि के अग्र पिण्ड से स्रावित हॉर्मोन है, जो प्रसव-काल के समय अधिक मात्रा में स्रावित होकर मादा की स्तन ग्रन्थियों में वृद्धि करके दुग्ध के स्रावण को नियन्त्रित करता है। यह कॉर्पस ल्यूटियम को प्रोजेस्टेरॉन हॉर्मोन स्रावण को भी प्रेरित करता है, जबकि ऑक्सीटोसिन हॉर्मोन पीयूष ग्रन्थि के पश्चपिण्ड का स्रावण है।

यह हॉर्मोन दुग्ध ग्रन्थियों से दुग्ध निकलने के लिए प्रेरित करता है। इस हॉर्मोन का स्रावण, प्रसव पीड़ा से पहले तथा प्रसव पीड़ा के दौरान एवं शिशु द्वारा स्तनपान के समय अधिक हो जाता है, इसलिए इसे जन्म हार्मोन या दुग्ध प्रेरित हॉर्मोन भी कहा जाता है। अण्डाशय सम्पुटिकाओं की वृद्धि FSH के द्वारा प्रेरित की जाती है।

172. (a) मोलस्का विकास की प्रक्रिया (कायान्तरण) प्रत्यक्ष और अप्रत्यक्ष दोनों प्रकार से होती है। जब यह अप्रत्यक्ष प्रक्रिया होती है, तब ग्लाइकीडियम या ट्रोकोफोर लारवा विशेष लक्षण युक्त वैलिगर लारवा बनाता है।

173. (d) ऐस्कैरिस अपना जीवन चक्र पूरा करने के लिए एक नए पोषी को संक्रमित करने के बाद निम्नलिखित एक पथ का अनुसरण करता है।

पोषी की विष्ठा के साथ बाहर → आँत → यकृत → हृदय → फेफड़ा → ग्रसनी → ग्रसिका (निगल द्वार) → आमाशय → छोटी आँत → वयस्क परजीवी → निषेचित अण्ड → पोषी की विष्ठा द्वारा बाहर

174. (c) वर्णान्धिता एक दुर्बल x सहलग्न लक्षण (अप्रभावी लिंग सहलग्न विकार) है। यह लक्षण पुरुष के x गुणसूत्र पर स्थित होता है। यदि एक वर्णान्ध पुरुष (X^c) सामान्य स्त्री (XX) से विवाह करता है, तो F_1 सन्तानों में केवल पुत्रियों मे ही वर्णान्धता का जीन आता है (X^c) ये वाहक कहलाती हैं अब यदि ये पुत्रियों (वाहक) फिर किसी वर्णान्ध पुरुष से विवाह करती हैं, तो F1 सन्तानों में सभी पुत्रियाँ (मादाएं) एवं आधे (50%) नर पुत्र में वर्णान्धता का जीन जाएगा, ये पुत्र वर्णान्ध होंगे।

175. (b) गॉल्जी बॉडीज की खोज सर्वप्रथम कैमिलो गॉल्जी ने पशुओं की कोशिकाओं के अध्ययन के दौरान केन्द्रक के पास पालिका संरचना के समूह के रूप में सन् 1898 में की। ये मुड़ी हुई थैलियाँ 3-20 एकल इकाइयों से मिलकर बनी होती हैं तथा समानान्तर झिल्लियों के रूप में जीवद्रव्य कला एवं अन्त:प्रद्रव्यी जालिका के मध्य फैली रहती हैं।

इन चपटी दोहरी (परत वाली) झिल्लियों को सिस्टरनी कहते हैं। ये सिस्टरनी (थैलियाँ) किनारे पर

मुड़कर एक प्यालेनुमा आकृति बनाती हैं तथा गॉल्जी कॉम्प्लेक्स को एक निश्चित ध्रुवणता प्रदान करती हैं।

176. (d) ऑब्ट्यूरेटर छिद्र (फोरामेन) इस्चियम और प्यूबिस के मध्य, स्तनधारियों में पाया जाने वाला एक चौड़ा बड़ा रिक्त स्थान होता है। यह स्तनधारियों की श्रोणि मेखला में पाया जाता है। श्रोणि मेखला में दो समान अर्द्धांश होते हैं, जिनमें प्रत्येक के तीन अस्थियाँ इलियम, इस्चियम एवं प्यूबिस होती हैं। दोनों अर्द्धांश की प्यूबिस आपस में जुड़कर प्यूबिक सिम्फाइसिस का निर्माण करती हैं। इलियस एवं इस्चियम द्वारा एसीटा बुलम गुहा का निर्माण होता है, जिसमें फीमर का सिरा कन्दुक खल्लिका सन्धि बनाकर फिट होता है। ऑब्ट्यूरेटर फोरमेन समस्त जीवन भर एक झिल्ली द्वारा ढका रहता है।

177. (c) न्यूरोजेनिक हृदय तिलचट्टे में पाया जाता है। तिलचट्टे में हृदय स्पन्दन तन्त्रिका आवेग द्वारा प्रारम्भ किया जाता है। तिलचट्टे का हृदय पैरिकार्डियल कोटर में टर्गा के नीचे मध्य पृष्ठ तल में स्थित होता है। इसके हृदय में 13 कॉटिकॉइडल (लचीले), कक्ष होते हैं जो आपस में जुड़े होते हैं। वेन्ट्रीकुलर वाल्व इनका खुलने का नियमन करता है।

178. (d) यूरोपाइजियल ग्रन्थि का सम्बन्ध पक्षी वर्ग से है। इन ग्रन्थियों को प्रीन ग्रन्थियाँ या तेलीय ग्रन्थि भी कहा जाता है। ये त्वचा ग्रन्थियाँ पुच्छ के आधार पर पाई जाती हैं। इसके अतिरिक्त पक्षी वर्ग में कोई त्वचा ग्रन्थि नहीं पाई जाती। हालाँकि प्रीन्स ग्लैन्डस ऑस्ट्रिच (शतुरमुर्ग) तथा तोतों में नहीं पाई जाती।

179. (a) आर्थोपोडा ब्राह्यकंकाल, खंडित शरीर और संयुक्त पाद युक्त अकशेरुकीय प्राणियों का एक समूह है। उनका शरीर संधियुक्त पाद सहित खंडित होता है।

180. (d) पारद, प्लास्टिक एवं कैडमियम सभी अजैव-निम्नकरणीय अथवा अक्षयकारी प्रदूषक है। ऐसे पदार्थ, जिनका सूक्ष्म जीवधारियों द्वारा विघटन नहीं होता या विघटन की दर बहुत कम होती है, अक्षयकारी प्रदूषक कहलाते है।

General English

181. (a) As per the given passage, According to the writer, February is the best time to visit Ajanta and Ellora because of its great weather.

182. (a) According to the given text, it is clear that Ellora is famous for its caves and there distinctive architectural style.

183. (d) In the given sentence the underlined word 'grandeur' is an example of a noun. A noun is a word that generally functions as the name of a specific object or set of objects, such as living creatures, places, actions, qualities, states of existence, or ideas.

184. (b) The correct meaning of the given phrase 'living testimony' in this text is a/an example of something from the past.

185. (a) As per the given passage, the writer says he went into a 'trance' because he was mesmerized by the beauty of the Shiva temple.

186. (c) According to the passage, the fact that India has always respected all religious beliefs can be concluded from the fact that the caves devoted to Hinduism, Jainism and Buddhism, all existed in the same vicinity.

187. (b) As per the information given in the passage , the writer conveys the spiritual vibrations of the Shiva temple by mentioning how the silence inside the temple helped him to connect with God.

188. (d) As per the given passage, the writer and his companions left each other because they wanted to immerse themselves in the beauty of the caves in solitude.

189. (b) We know that Heidi had never come to her grandfather's house because she was looking into every nook and corner.

190. (d) As per the passage, Heidi gazed at her grandfather silently because she wanted him to show her the inside of his house.

सामान्य ज्ञान

191. (c) मातृदेवी की पूजा सिन्धु घाटी सभ्यता से संबंधित थी। सिन्धु घाटी सभ्यता के विभिन्न स्थलों से नारियों की बहुसंख्यक मूर्तियाँ मिली हैं। जिन्हें मातृदेवी से संबंधित माना जाता है।

192. (b) राजस्थान के माउंट आबू में स्थित दिलवाड़ा का मन्दिर जैन धर्म के अनुयायियों द्वारा निर्मित किया गया था। चालुक्य नरेश भीम प्रथम के शासनकाल में उसके सामंत विमल ने आबू पहाड़ी पर दिलवाड़ा के प्रसिद्ध मन्दिर का निर्माण कराया था।

193. (a) गीत गोविंद जयदेव की कृति है। जयदेव त्रिपुरी के कलचुरी शासक लक्ष्मणसेन के दरबार में निवास करता था।

194. (b) शिवाजी का राज्याभिषेक 1674 ई. में हुआ था। राज्याभिषेक के बाद शिवाजी ने 'छत्रपति' की उपाधि धारण की।

195. (c) शिक्षा समवर्ती सूची का विषय है। इस पर कानून बनाने का अधिकार केन्द्र एवं राज्य दोनों को है। 42वें संविधान संशोधन 1976 द्वारा शिक्षा को राज्य सूची से हटाकर समवर्ती सूची में शामिल किया गया।

196. (d) राजा की गरिमा का सिद्धांत प्रतिपादित करने वाला प्रथम मुस्लिम शासक बलबन था। उसने दरबारियों से कहा था कि राजा एक दैवी संस्था है। उसने अपने पुत्रों से राजा के संबंध में कहा–'राजा का हृदय' ईश्वर की कीर्ति को प्रतिबिंबित करता है।

197. (b) कोल बाँध परियोजना का निर्माण सतलुज नदी पर हुआ है। कृष्णा नदी पर नागार्जुन सागर बांध स्थित है। नर्मदा नदी पर सरदार सरोवर बाँध, बरगी, ओंकारेश्वर तथा इंदिरा सागर बाँध स्थित है। गोदावरी नदी पर पोचम्पाद परियोजना स्थित है।

198. (a) पूर्व राष्ट्रपति राम नाथ कोविंद की अध्यक्षता वाली उच्च स्तरीय समिति ने दो चरणों में एक साथ चुनाव कराने के लिए संविधान में संशोधन का सुझाव दिया- पहला, लोकसभा और राज्य विधानसभा चुनावों को एक साथ कराना, उसके बाद राष्ट्रीय और राज्य चुनावों के 100 दिनों के भीतर नगरपालिका और पंचायत चुनावों को एक साथ कराना।

199. (b) भारत में नियोजित अर्थव्यवस्था मिश्रित अर्थव्यवस्था पर आधारित है। मिश्रित अर्थव्यवस्था में सार्वजनिक क्षेत्र के साथ-साथ निजी क्षेत्र की विशेषताएँ पाई जाती हैं।

200. (a) राष्ट्रीय आधुनिक कला दीर्घा नई दिल्ली में स्थित है। यह संस्कृति मंत्रालय के तहत एक प्रमुख कला दीर्घा है। इसकी स्थापना 29 मार्च 1954 को हुई थी। नई दिल्ली में जयपुर हाउस में मुख्य संग्रहालय है। 1954 में औपचारिक रूप से इसका उद्घाटन उपाध्यक्ष डॉ. एस. राधाकृष्णन ने किया था। इसमें प्रसिद्ध मूर्तिकारों जैसे डी.पी.राय चौधरी, रामकिंकर बैज द्वारा निर्मित आधुनिक मूर्तियों का संग्रह है।

❑❑❑

प्रैक्टिस सेट–12

भौतिक विज्ञान

1. एक कार्नो इंजन के गर्त (सिंक) का तापन 300 K है और इसकी दक्षता 40% है। स्रोत ताप को कितना बढ़ाया जाए कि इंजन की दक्षता इसकी पहली दक्षता से 50% अधिक हो जाए ?

(a) 275 K (b) 325 K
(c) 250 K (d) 380 K

2. एक वर्गाकार कुण्डली का क्षेत्रफल 10^{-2} मीटर^2 है। इसका तल 10^{-3} टेसला के एकसमान चुम्बकीय क्षेत्र के लम्बवत् है। कुण्डली से बद्ध चुम्बकीय फ्लक्स है–

(a) 10 वेबर (b) 10^{-5} वेबर
(c) 10^5 वेबर (d) 100 वेबर

3. एक मीटर सेतु (तार की लम्बाई 100 सेमी) से एक रिक्त स्थान में 2 Ω का प्रतिरोध जोड़ा जाता है तथा दूसरे रिक्त स्थान में 2 Ω से बड़ा एक अज्ञात प्रतिरोध जोड़ा जाता है। जब इन प्रतिरोधों के स्थान आपस में बदल दिए जाते हैं, तो सन्तुलन बिन्दु 20 सेमी खिसक जाता है। सभी प्रकार की अशुद्धियों को नगण्य मानने पर अज्ञात प्रतिरोध है–

(a) 3 Ω (b) 4 Ω
(c) 5 Ω (d) 6 Ω

4. प्रत्यावर्ती धारा की माप दिष्ट धारा अमीटर द्वारा नहीं की जा सकती, क्योंकि–

(a) प्रत्यावर्ती धारा दिष्ट धारा अमीटर से प्रवाहित नहीं हो सकती
(b) दिष्ट धारा अमीटर क्षतिग्रस्त हो जाएगा
(c) पूर्णचक्र के लिए धारा का औसत मान शून्य होता है
(d) प्रत्यावर्ती धारा की दिशा परिवर्तित होती है

5. किसी गैस की आण्विक विशिष्ट ऊष्मा को नियत आयतन तथा नियत दाब पर क्रमशः C_v तथा C_p से दर्शाया जाता है, तब–

(a) $C_p - C_v$ का मान एक परमाणुक आदर्श गैस की अपेक्षा द्विपरमाणुक आदर्श गैस में अधिक होता है।
(b) $C_p + C_v$ का मान एक परमाणुक आदर्श गैस की अपेक्षा द्विपरमाणुक आदर्श गैस में अधिक होता है।
(c) C_p / C_v का मान एक परमाणुक आदर्श गैस की अपेक्षा द्विपरमाणुक आदर्श गैस में अधिक होता है।
(d) $C_p . C_v$ का मान एक परमाणुक आदर्श गैस की अपेक्षा द्विपरमाणुक आदर्श गैस में अधिक होता है।

6. ड्यूटरॉन की आबंधन ऊर्जा 2.2 MeV ओर ${}^4_2He$ की 28 MeV है। यदि दो ड्यूटरॉनों के संलयन से एक ${}^4_2He$ प्राप्त हो तो विमुक्त हुई ऊर्जा होगी–

(a) 25.8 MeV (b) 23.6 MeV
(c) 19.2 MeV (d) 30.2 MeV

7. हाइड्रोजन परमाणु का आयनन विभव 132.6 eV है। न्यूनतम ऊर्जा स्थिति वाले हाइड्रोजन परमाणुओं को 12.1 eV फोटॉन ऊर्जा वाले एकवर्णी विकिरण द्वारा उत्तेजित किया गया है। बोहर सिद्धांत के अनुसार, इस प्रक्रम में हाइड्रोजन द्वारा उत्सर्जित स्पेक्ट्रमी रेखाएँ होंगी–

(a) दो (b) तीन
(c) चार (d) एक

8. जब एक लम्बे स्प्रिंग को 2 सेमी. खींचा जाता है तो इसमें संचित स्थितिज ऊर्जा U होती है। यदि इसे 8 सेमी. खींचा जाए तो इसमें संचित स्थितिज ऊर्जा होगी–

(a) $4U$ (b) $8U$
(c) $16U$ (d) $U/4$

9. एक अन्तरिक्ष यान का द्रव्यमान 1000 किग्रा है। इसका पृथ्वी की सतह से स्वतंत्र अन्तरिक्ष में प्रमोचन किया जाता है। g एवं R (पृथ्वी की त्रिज्या) के मान क्रमशः 10 मी/से^{2} तथा 6400 किमी है। इस कार्य के लिए आवश्यक ऊर्जा होगी–

(a) 6.4×10^8 जूल
(b) 6.4×10^9 जूल
(c) 6.4×10^{10} जूल
(d) 6.4×10^{11} जूल

10. विद्युत चुम्बकीय विकिरण है–

(a) α-किरणें (b) β-किरणें
(c) γ-किरणें (d) धन किरणें

11. समान ताप पर आदर्श गैस के अणुओं का वर्ग माध्य मूल वेग है–

(a) समान
(b) अणुभार के वर्गमूल के व्युत्क्रमानुपाती
(c) अणुभार के व्युत्क्रमानुपाती
(d) अणुभार के अनुक्रमानुपाती

12. 2 किग्रा. के एक ब्लॉक को एक 10 मी. ऊँचे आनत तल पर खींचने में 300 जूल कार्य करना पड़ता है। g को 10 मी/से^{2} मानते हुए घर्षण विरुद्ध किया गया कार्य होगा–

(a) 200 जूल (b) 100 जूल
(c) शून्य (d) 1000 जूल

13. दो पतले लेंस सम्पर्क में रखे हैं तथा संयोजन की फोकस दूरी 80 सेमी है। यदि एक लेंस की फोकस दूरी 20 सेमी है, तो दूसरे लेंस की क्षमता होगी–

(a) 1.66 डायोप्टर
(b) 4.00 डायोप्टर
(c) –1.00 डायोप्टर
(d) –3.75 डायोप्टर

14. एक ट्रांसफॉर्मर (परिणामित्र) के क्रोड (भीतरी भाग) को स्तरित बनाया जाता है क्योंकि इस प्रकार–

(a) भंवर धाराओं के कारण ऊर्जा के ह्रासों को कम किया जा सकता है
(b) ट्रांसफॉर्मर के भार को कम किया जा सकता है
(c) क्रोड को जंग लगने से बचया जा सकता है
(d) प्राइमरी और सैकंडरी कुंडलियों की वोल्टताओं का अनुपात बढ़ाया जा सकता है

15. सरल आवर्ती गति में कण की गतिज ऊर्जा का व्यंजक है $K = K_0 \cos^2 \omega t$ कण की अधिकतम स्थितिज ऊर्जा होगी–

(a) 0 (b) K_0
(c) $\frac{1}{2}K_0$ (d) $2K_0$

16. एक एकसमान वृत्तीय चक्रिका की त्रिज्या R है और इसका द्रव्यमान M है। इस चक्रिका के व्यास के सिरे पर चक्रिका को छूती हुई चक्रिका तलन से लम्ब दिशा के रेखा रूपी अक्ष के गिर्द चक्रिका का जड़त्व आघूर्ण होगा–

(a) MR^2 (b) $\frac{2}{5}MR^2$
(c) $\frac{3}{2}MR^2$ (d) $\frac{1}{2}MR^2$

17. माप करने पर जर्मेनियम (Ge) नाभिक की त्रिज्या $^9_4$Be की त्रिज्या से दोगुनी पाई गई। जर्मेनियम (Ge) में न्यूक्लिऑनों की संख्या होगी–

(a) 73 (b) 74
(c) 75 (d) 72

18. m द्रव्यमान तथा 1 लम्बाई की एक चेन क्षैतिज मेज पर इस प्रकार रखी हैं कि उसी लम्बाई का पाँचवाँ भाग नीचे लटक रहा है। इस भाग को मेज के ऊपर खींचने में कृत कार्य होगा–

(a) $\frac{mgl}{25}$ (b) $\frac{mgl}{50}$
(c) $\frac{mgl}{5}$ (d) $\frac{mgl}{20}$

19. चार स्वरित्र की आवृत्ति 256 है, इसे दूसरे स्वरित्र के साथ बजाने पर 3 विस्पन्द प्रति सेकण्ड सुनाई पड़ते हैं, दूसरे स्वरित्र की भुजा पर थोड़ा-सा मोम लगाकर उसे पहले स्वरित्र के साथ बजाने पर फिर तीन विस्पन्द प्रति सेकण्ड सुनाई पड़ते हैं, दूसरे स्वरित्र की आवृत्ति क्या हैं?

(a) 259 हर्ट्ज (b) 253 हर्ट्ज
(c) 262 हर्ट्ज (d) 280 हर्ट्ज

20. 10 MHz के सिग्नल के व्योम तरंग संचरण के लिए आयनमण्डल में इलेक्ट्रॉन घनत्व होना चाहिए–

(a) 1.2×10^{12} मी$^{-3}$ (b) 10^6 मी$^{-2}$
(c) 10^{14} मी$^{-3}$ (d) 10^{22} मी$^{-3}$

21. किसी ताप पर आदर्श गैस का आयतन 0°C पर, के आयतन का तीन गुना होगा?

(a) 546°C (b) 182°C
(c) 819°C (d) 640°C

22. लम्बाई b की एक छोटी रैखिक वस्तु f फोकस दूरी अवतल दर्पण की अक्ष के अनुदिश दर्पण के ध्रुव से u दूरी पर रखी है। प्रतिबिम्ब की लम्बाई है–

(a) $\left(\frac{f}{u-f}\right)b$ (b) $\left(\frac{f}{u-f}\right)^2 b$
(c) $\left(\frac{f}{u-f}\right)b^2$ (d) $\left(\frac{f}{u-f}\right)$

23. v वेग से θ कोण पर प्रक्षेपित की गयी वस्तु का क्षैतिज विस्थापन R है, समान वेग व समान कोण के लिए चन्द्रमा पर वस्तु की परास होगी–

(a) 6R (b) $\frac{R}{6}$
(c) 36R (d) $\frac{R}{36}$

24. एक वस्तु h ऊँचाई, l लम्बाई तथा θ कोण वाले आनत तल से फिसल रही है। वस्तु द्वारा आनत तल के ऊपर से नीचे आने में लिया गया समय होगा–

(a) $\sqrt{\frac{2l}{g}}$ (b) $\sin\theta \cdot \sqrt{\frac{2h}{g}}$
(c) $\frac{1}{\sin\theta}\sqrt{\frac{2h}{g}}$ (d) $\sqrt{\frac{2h}{g}}$

25. किसी गैस की नियत आयतन व नियत दाब पर विशिष्ट ऊष्माओं का अनुपात γ है। यदि गैस का नियत दाब पर आयतन V से 2V किया जाए, तो गैस की आन्तरिक ऊर्जा में परिवर्तन होगा–

(a) pV (b) $R/(\gamma-1)$
(c) $pV/(\gamma-1)$ (d) $\gamma pV/(\gamma-1)$

26. वैद्युत अपघटन प्रक्रिया में, वैद्युत अपघट्य के अन्दर वैद्युत धारा का प्रभाव निम्न में से किसके द्वारा होता है?

(a) इलेक्ट्रॉनों
(b) अणुओं
(c) धनात्मक एवं ऋणात्मक आयनों
(d) उपरोक्त

27. पृथ्वी के चारों ओर वृत्ताकार कक्षा में घूमते हुए एक कृत्रिम उपग्रह की कुल ऊर्जा (गतिज + स्थितिज) E_0 है। इसकी स्थितिज ऊर्जा है–

(a) E_0 (b) $-E_0$
(c) $1.5 E_0$ (d) $2E_0$

28. कैप्लर के अनुसार, किसी ग्रह के परिक्रमण काल T तथा उसकी सूर्य से दूरी r के मध्य, कौन-सा सम्बन्ध सही है?

(a) T^3r^3 = नियत
(b) T^2r^{-3} = नियत
(c) Tr^3 = नियत
(d) T^2r = नियत

29. एक केशनली में जल एक निश्चित ऊँचाई तक इतना चढ़ता है, कि पृष्ठ तनाव के कारण अधोमुखी बल द्रव के भार के कारण लगने वाले बल 75×10^{-4} न्यूटन से सन्तुलित हो जाता है। केशनली की आन्तरिक परिधि क्या होनी चाहिए, यदि जल का पृष्ठ तनाव 6×10^{-2} न्यूटन/मीटर हो?

(a) 1.25×10^{-2} मीटर
(b) 0.50×10^{-2} मीटर
(c) 6.5×10^{-2} मीटर
(d) 12.5×10^{-2} मीटर

30. दिये गये परिपथ में यदि प्रत्येक प्रतिरोध का मान 10Ω हो, तो भुजा AD में धारा का मान होगा–

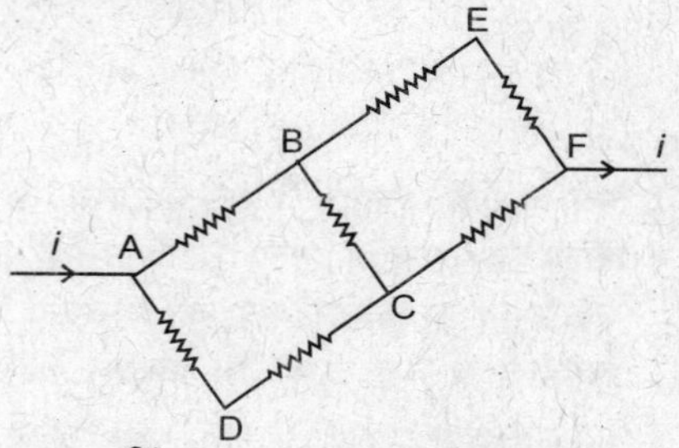

(a) $\frac{2i}{5}$ (b) $\frac{i}{5}$
(c) $\frac{4i}{5}$ (d) $\frac{3i}{5}$

31. विभवमापी प्रयोग में दो सेल एक साथ श्रेणीक्रम में जोड़े जाते हैं, तथा इनके लिए तार पर सन्तुलन की लम्बाई 8 मीटर है। यदि इस प्रकार से जोड़े गए सेलों में से एक सेल की ध्रुवता बदल दी जाये, तो सन्तुलन की लम्बाई 2 मीटर प्राप्त होती है। दोनों सेलों के विद्युत वाहक बलों का अनुपात है–

(a) 3 : 4 (b) 4 : 3
(c) 5 : 3 (d) 3 : 5

32. पृथ्वी से 1 तथा 10 प्रकाश वर्ष की दूर पर स्थित दो तारें समान प्रभा से चमकते प्रतीत होते हैं। दोनों की वास्तविक प्रभाओं का अनुपात होगा–

(a) 1 : 10 (b) 10 : 1
(c) 1 : 100 (d) 100 ; 1

33. 2 किग्रा भार के तीन पिण्ड A, B व C एक स्थिर घिरनी से होकर जाने वाली डोरी से बँधे हैं। पिण्ड B और C को जोड़ने वाली डोरी में तनाव होगा–

(a) शून्य
(b) 13 न्यूटन
(c) 3.3 न्यूटन
(d) 19.6 न्यूटन

34. निम्न में से कौन-सा कथन असत्य है?

(a) ध्वनि सीधी रेखा में चलती है
(b) ध्वनि एक प्रकार की ऊर्जा है
(c) ध्वनि तरंगों के रूप में चलती है
(d) ध्वनि वायु की अपेक्षा निर्वात में अधिक गति से चलती है

35. एक ध्वनि स्रोत 40 किमी/घण्टा के वेग से किसी स्थिर श्रोता की ओर गति करता हुआ 2000 हर्ट्ज आवृत्ति की ध्वनि उत्पन्न करता है। यदि ध्वनि का वेग 1220 किमी/घण्टा है, तो श्रोता द्वारा सुनी गयी आभासी आवृत्ति होगी–

(a) 220 हर्ट्ज (b) 1920 हर्ट्ज
(c) 2068 हर्ट्ज (d) 2086 हर्ट्ज

36. N गोलियाँ जिनका प्रत्येक का द्रव्यमान m किलोग्राम है, वेग v मीटर/सेकण्ड से एक दीवार पर दागीं जा रही हैं। यदि गोलियों के दागने की दर n प्रति सेकण्ड हो, तो इन गोलियों द्वारा दीवार पर प्रतिक्रिया बल होगा–

(a) mnv (b) $\frac{Nmv}{n}$
(c) $\frac{nNm}{v}$ (d) $\frac{nNv}{m}$

37. एक लिफ्ट जिसका त्वरण गुरुत्वीय त्वरण के समान है, नीचे की ओर आ रही है। लिफ्ट की सतह पर रखी गई M द्रव्यमान की वस्तु को क्षितिज की दिशा में खींचा जाता है, यदि घर्षण गुणांक μ है, तो वस्तु द्वारा उत्पन्न घर्षणी प्रतिरोध होगा–

(a) Mg (b) μMg
(c) 2μMg (d) शून्य

38. चित्रानुसार, चार आवेशों को वर्ग ABCD के कोनों पर रखा गया है। केन्द्र O पर रखे आवेश पर बल है–

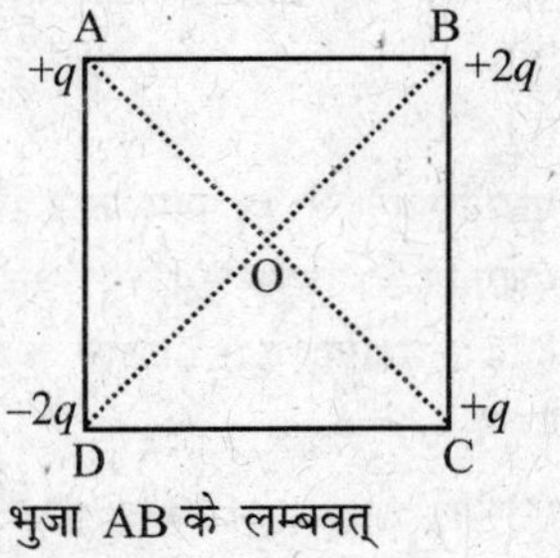

(a) भुजा AB के लम्बवत्
(b) शून्य
(c) विकर्ण AC के अनुदिश
(d) विकर्ण BD के अनुदिश

39. संकेत आवृत्ति (अर्थात श्रव्यतरंग) को वाहक तरंग पर अध्यारोपण करने की प्रक्रिया कहलाती है–

(a) संचरण (b) अभिग्रहण
(c) मॉड्डुलन (d) संसूचन

40. 1.
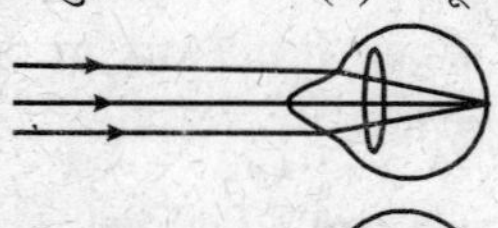

2.
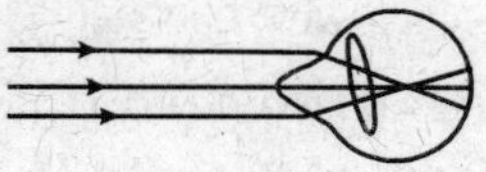

3.
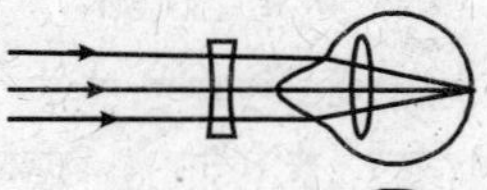

4.
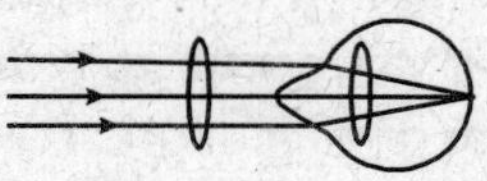

उपरोक्त चित्रों के विषय में कौन-सा कथन असत्य है?

(a) 1-दर्शाता है दूर दृष्टि दोष
(b) 2-दर्शाता है निकट दृष्टि दोष
(c) 3-दर्शाता है निकट दृष्टि दोष का संशोधन
(d) 4-दर्शाता है दूर दृष्टि दोष का संशोधन

41. ध्रुवित ग्लास धूप के चश्मों (sun glasses) में प्रयुक्त किए जाते हैं, क्योंकि–

(a) यह केवल एक फैशन की वस्तु है
(b) इसका रंग अच्छा है
(c) ध्रुवण के कारण यह प्रकाश की तीव्रता आधी कर देते हैं
(d) यह सस्ता है

42. जब त्वरित इलेक्ट्रॉनों का कोई पुंज किसी लक्ष्य से टकराता है, तो X-किरणों का सतत् स्पेक्ट्रम उत्सर्जित होता है। 40000 वोल्ट पर संचालित X-किरण नलिका से उत्सर्जित X-किरण स्पेक्ट्रम में निम्नलिखित में कौन-सी तरंगदैर्ध्य अनुपस्थित होगी?

(a) 0.5A° (b) 1.0A°
(c) 0.25A° (d) 1.5A°

43. यदि C_1 एवं C_2 धारिता वाले दो संधारित्र समान्तर क्रम में जोड़े जाए तथा q आवेश दोनों पर बाँटा जाये, तो C_1 और C_2 पर आवेश का अनुपात होगा–

(a) $\frac{1}{C_1C_2}$ (b) C_1C_2
(c) $\frac{C_2}{C_1}$ (d) $\frac{C_1}{C_2}$

44. यौगिक सूक्ष्मदर्शी में, मध्यवर्ती प्रतिबिम्ब होता है–

(a) वास्तविक, सीधा तथा बड़ा
(b) वास्तविक, उल्टा तथा बड़ा
(c) आभासी, सीधा तथा बड़ा
(d) आभासी, सीधा तथा छोटा

45. 100 मीटर ऊँची टीवी मीनार के चारों ओर औसत जनसंख्या घनत्व 1000/किमी² है। यदि पृथ्वी की त्रिज्या 6.4×10^6 मीटर है, तो मीनार द्वारा कितनी जनसंख्या को प्रसारण किया जाएगा?

(a) 4×10^6 (b) 3×10^6
(c) 6×10^6 (d) 2×10^6

46. v_e और v_p क्रमशः पृथ्वी व किसी अन्य ग्रह पर पलायन वेग हैं। यदि अन्य ग्रह की त्रिज्या पृथ्वी की त्रिज्या की दोगुनी परन्तु माध्य घनत्व के बराबर है, तो निम्न में से कौन-सा सम्बन्ध सही होगा?

(a) $ve = 2v_p$ (b) $v_e = \frac{v_p}{2}$
(c) $v_e = \frac{v_p}{4}$ (d) $ve = 2v_p$

47. P-N सन्धि के पास निम्न में से कौन-सा ग्राफ आवेश-घनत्व तथा दूरी के बीच सही ग्राफ है?

(a)
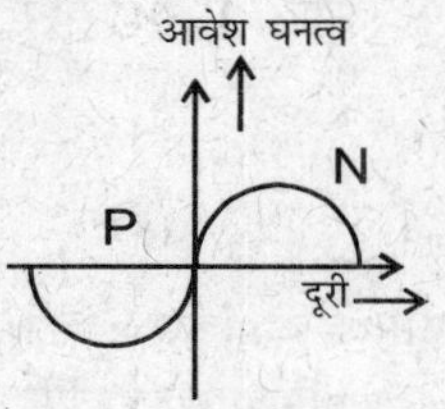

(b)
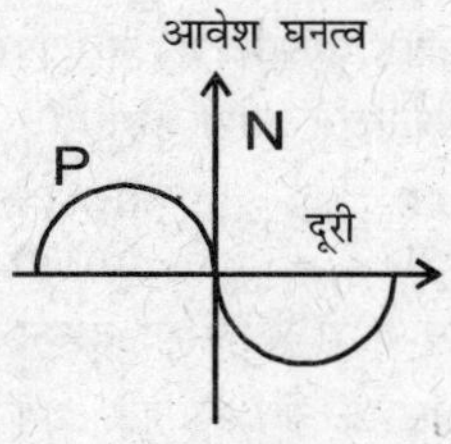

(c)
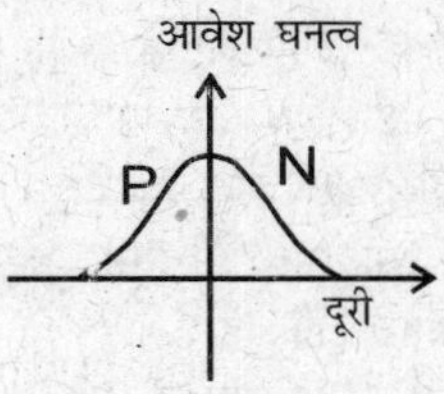

(d)
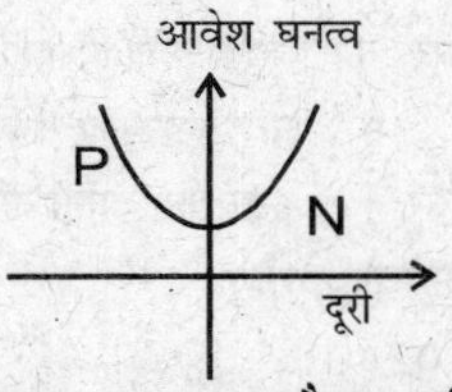

48. अवक्षय परत का वैद्युत प्रतिरोध अधिक होता है क्योंकि–

(a) इसके अन्दर आवेश वाहक नहीं होते
(b) इसके अन्दर अधिक मात्रा में आवेश वाहक होते हैं
(c) इसमें आवेश वाहक के रूप में इलेक्ट्रॉन होते हैं
(d) इसमें होल आवेश वाहक के रूप में होते हैं

49. पानी की असंख्य छोटी बूँदें जिनमें से प्रत्येक की त्रिज्या r है मिलकर एक R त्रिज्या की बड़ी बूँद बनाती है, तो ऐसा होने में ताप की वृद्धि होगी (पानी का पृष्ठ तनाव T है तथा ऊष्मा यान्त्रिकी का तुल्यांक J से प्रदर्शित है)–

(a) $\frac{2T}{rJ}$ (b) $\frac{3T}{RJ}$

(c) $\frac{3T}{J}\left(\frac{1}{r}-\frac{1}{R}\right)$ (d) $\frac{3T}{J}\left(\frac{1}{r}-\frac{1}{R}\right)$

50. एक कृष्ण पिण्ड के स्पेक्ट्रम से प्रदर्शित होता है कि यह तरंगदैर्ध्य पर अधिकतम ऊर्जा उत्सर्जित करती है। कृष्ण पिण्ड का ताप इस प्रकार परिवर्तित होता है कि $\frac{30}{4}$ तरंगदैर्ध्य पर अधिकतम ऊर्जा उत्सर्जित होता है। अब कृष्ण वस्तु से उत्सर्जित शक्ति किस गुणांक से बढ़ जायेगी?

(a) $\frac{64}{27}$ (b) $\frac{256}{81}$

(c) $\frac{16}{9}$ (d) $\frac{4}{3}$

51. एक ट्रायोड के लिए $r_p = 10$ किलो ओम तथा $g_m = 3$ मिली म्हो है। यदि प्लेट प्रतिरोध के लोड प्रतिरोध को दोगुना कर दिया जाए, तो वोल्टता लाभ होगा–

(a) 10 (b) 15

(c) 20 (d) 30

52. निम्न में से कौन-सा कथन सही नहीं है?

(a) ए. सी. एवं डी. सी. डायनेमो दोनों में क्षेत्र चुम्बक होती है

(b) ए. सी. एवं डी. सी. डायनेमो दोनों में सर्पी वलय होते हैं

(c) ए. सी. एवं डी. सी. डायनेमो दोनों में आर्मेचर होते हैं

(d) दोनों ए. सी. एवं डी. सी. डायनेमो यान्त्रिक ऊर्जा को विद्युत ऊर्जा में बदलते हैं

53. 1.64×10^{-3} वायुमण्डलीय दाब तथा 200 K ताप पर 1 cc आयतन वाली गैस में अणुओं की संख्या होगी–

(a) 6.02×10^{16}

(b) 2.63×10^{16}

(c) 3.01×10^{19}

(d) 12.04×10^{19}

54. nवें कक्ष में गति करते हुए इलेक्ट्रॉन के संवेग का आघूर्ण होगा–

(a) nh (b) $\frac{h}{2\pi n}$

(c) $\frac{nh}{2\pi}$ (d) $n^2\frac{h}{2\pi}$

55. एक ठोस बेलन 1.2 मीटर ऊँचाई से एक नियत तल की ओर लुढ़ककर नीचे आ रहा है। तल के निचले सिरे पर उसका रेखीय वेग होगा–

(a) 3.96 मीटर/सेकण्ड

(b) 39.6 मीटर/सेकण्ड

(c) 1.98 मीटर/सेकण्ड

(d) 3.6 मीटर/सेकण्ड

56. अचर वेग v से गतिमान m द्रव्यमान का एक गोला उसी द्रव्यमान के विपरीत दिशा में v वेग से गतिमान दूसरे गोले से टकराकर चिपक जाता है। संघट्ट के पश्चात् निकाय का वेग होगा–

(a) शून्य (b) $\frac{v}{2}$

(c) v (d) $2v$

57. किसी घन के पदार्थ का घनत्व उसकी भुजा की लम्बाई तथा द्रव्यमान माप कर ज्ञात किया जाता है। यदि भुजा मापन तथा द्रव्यमान मापन में त्रुटियाँ क्रमशः 2% तथा 3% हो, तो घनत्व में अधिकतम त्रुटि होगी–

(a) 1% (b) 5%

(c) 7% (d) 9%

58. यदि एक स्पर्शज्या धारामापी की कुण्डली के फेरों व कुण्डली की त्रिज्या को दोगुना कर दिया जाए, तो उसके परिवर्तन गुणांक का मान होगा–

(a) k (b) $2k$

(c) $4k$ (d) $k/4$

59. आयनों का एक पुंज 2×10^5 मीटर/सेकण्ड के वेग से 4×10^{-2} टेस्ला तीव्रता वाले एक समान चुम्बकीय क्षेत्र में लम्बवत् प्रवेश करता है। यदि आयन का विशिष्ट आवेश 5×10^7 कूलॉम/किग्रा हो, तो आयनों द्वारा अपनाये गये वृत्ताकार मार्ग की त्रिज्या होगी–

(a) 0.16 मीटर

(b) 0.25 मीटर

(c) 0.10 मीटर

(d) 0.20 मीटर

60. यदि अपरिवर्ती बल-आघूर्ण किसी वस्तु पर लगाया जाए, तो–

(a) वस्तु में रेखीय त्वरण होगा

(b) वस्तु में कोणीय त्वरण होगा

(c) वस्तु समान चाल से घूर्णन करेगी

(d) विरामावस्था या एकसमान गति से सीधी रेखा में चलती रहेगी

रसायन विज्ञान

61. निम्नलिखित में से कौन-सा व्यंजक डी-ब्रॉग्ली सम्बन्ध को दर्शाता है?

(a) $\frac{h}{mv} = p$ (b) $\lambda = \frac{h}{mv}$

(c) $\lambda = \frac{h}{mp}$ (d) $\lambda m = \frac{v}{p}$

62. निम्नलिखित अभिक्रिया के लिए वाष्प घनत्व विधि द्वारा, XY के वियोजन की मात्रा 0.4 ज्ञात की गई। यदि XY का प्रेक्षित वाष्प घनत्व 100 हो तो इसका अणुभार होगा $XY \rightarrow X + Y$

(a) 140 (b) 70

(c) 280 (d) 210

63. सोडियम क्लोराइड क्रिस्टल की एकक कोशिका में परमाणुओं की संख्या है?

(a) 2 (b) 4

(c) 6 (d) 8

64. HCl (सांद्रता 0.1 मोल/लीटर) की pH एक है। 0.05 मोल/लीटर H_2SO_4 विलयन की pH ज्ञात कीजिए?

(a) 0.05 (b) 0.5

(c) 1 (d) 2

65. 0.1 M CH_3COOH तथा 0.1 M NaOH के अनुमापन में तुल्यांक बिंदु पर pH का मान क्या होगा?
(ऐसिटिक अम्ल के लिये $K_a = 1.8 \times 10^{-5}$)

(a) 7

(b) 7 और 8 के मध्य

(c) 8 और 9 के मध्य

(d) 6 और 7 के मध्य

66. 1 M NaOH 10 मिली के घोल का उदासीनीकरण करने के लिए 1 M H_2SO_4 के कितने मिली घोल की आवश्यकता होगी?

(a) 2.5 (b) 5.0

(c) 10.0 (d) 20.0

67. एक मिश्रण में 18 ग्राम जल और 414 ग्राम एथेनॉल है। मिश्रण में जल का मोल प्रभाज है- (मिश्रण का आदर्श व्यवहार मानते हुए)-

(a) 0.1 (b) 0.4

(c) 0.7 (d) 0.9

68. समान मोलरता वाले $BaCl_2$, NaCl तथा ग्लूकोस विलयनों के परासरण दाब का क्रम होगा–

(a) $BaCl_2$ > NaCl > ग्लूकोस

(b) NaCl > $BaCl_2$ > ग्लूकोस

(c) ग्लूकोस > $BaCl_2$ > NaCl
(d) ग्लूकोस > NaCl > $BaCl_2$

69. निम्नलिखित कथनों में से कौन-सा सहसंयोजक बन्ध के सम्बन्ध में सही नहीं है?
(a) परमाणुओं के बीच इलेक्ट्रॉनों का साझा होता है
(b) बन्ध दिशाहीन होता है
(c) बन्ध की शक्ति अतिव्यापन की मात्रा पर निर्भर करती है
(d) जो बन्ध बनता है वह ध्रुवीय हो भी सकता है और नहीं भी

70. हाइड्रोजन बन्ध उपस्थित नहीं है–
(a) ग्लिसरीन में
(b) जल में
(c) हाइड्रोजन सल्फाइड में
(d) हाइड्रोजन फ्लुओराइड में

71. नाभिकीय संयंत्रों में विमंदक के रूप में प्रयुक्त होता है–
(a) कैडमियम (b) यूरेनियम-235
(c) सीसा (d) भारी जल

72. एक अज्ञात यौगिक का मोलर द्रव्यमान 240 ग्राम/मोल तथा इसका मूलानुपाती सूत्र CH_2O है, तो इसका अणुसूत्र है–
(a) $C_4H_8O_4$ (b) $C_{12}H_{22}O_{12}$
(c) $C_6H_{12}O_6$ (d) $C_8H_{16}O_8$

73. निम्न में से कौन-सा कार्बनिक यौगिक Na के साथ H_2 देता है?
(a) CH_4 (b) C_2H_6
(c) C_2H_4 (d) C_2H_2

74. ''वाष्प दाब में आपेक्षिक अवनमन विलेय के मोल प्रभाज के बराबर होता है।'' यह निमय कहलाता है–
(a) हेनरी का नियम
(b) राउल्ट का नियम
(c) ओस्टवाल्ड का नियम
(d) आर्रेनिअस का नियम

75. "नीला थोथा" में कौन-सा बंध उपस्थित है?
(a) आयनिक बंध
(b) हाइड्रोजन बंध
(c) उपसहसंयोजक बंध
(d) उपरोक्त सभी

76. जब एक ठोस, द्रव में परिवर्तित होता है तो एन्ट्रॉपी–
(a) शून्य हो जाती है
(b) समान रहती है
(c) घटती है
(d) बढ़ती है

77. किसी अभिक्रिया में मुक्त ऊर्जा में होने वाली कमी प्रदर्शित करती है–
(a) ऊष्माक्षेपी अभिक्रिया
(b) समय अभिक्रिया
(c) स्वत: अभिक्रिया
(d) समतापीय अभिक्रिया

78. प्रथम आयनन ऊर्जा के घटते क्रम में तत्वों का सही क्रम है–
(a) Na > Mg > Ag
(b) Mg > Na > Al
(c) Al > Mg > Na
(d) Mg > Al > Na

79. लोहे का सबसे शुद्ध रूप है–
(a) ढलवाँ लोहा (b) कच्चा लोहा
(c) पिटवाँ लोहा (d) इस्पात

80. निम्न में से कौन-सा ऑक्साइड सफेद है परन्तु गर्म करने पर पीला हो जाता है?
(a) AgO (b) Ag_2O
(c) FeO (d) ZnO

81. गैसों के विसरण के लिए कौन-सा सम्बन्ध सही है?
(a) $r \propto d$
(b) $r \propto \sqrt{d}$
(c) $r \propto \frac{1}{\sqrt{d}}$
(d) इनमें से कोई नहीं

82. फिनोल, Br_2 से अभिक्रिया करके देता है–
(a) ऑर्थो-ब्रोमोफिनोल
(b) पैरा-ब्रोमोफिनोल
(c) 2, 4, 6-ट्राइब्रमोफिनोल
(d) 1, 3, 5-ट्राइब्रोमोफिनोल

83. रेडियोएक्टिव तत्व का अर्द्ध-आयु काल है–
(a) 0.693 (b) $\frac{1}{0.639}$
(c) $\frac{0.693}{k}$ (d) $\frac{k}{0.693}$

84. निम्न में से किस अभिकर्मक द्वारा आयोडीन का परीक्षण होता है?
(a) स्टार्च (b) यूरिया
(c) ग्लूकोस (d) ग्लिसरॉल

85. निम्न में से किसका आकार सबसे छोटा है?
(a) Na^+ (b) Mg^{2+}
(c) Ne (d) O^{2-}

86. निम्न में से किसके परीक्षण के लिए K_2HgI_4 प्रयोग किया जाता है?
(a) NH_4^+ (b) Cl^-
(c) Br^- (d) I^-

87. रेडियोएक्टिव पदार्थ की अर्द्ध-आयु काल 4 दिन है, तो दो दिन में विघटित पदार्थ की मात्र होगी–
(a) $\frac{1}{\sqrt{2}}$ (b) $-\frac{1}{\sqrt{2}}$
(c) 25% (d) $\frac{1}{8}$

88. KrF_2 में Kr के चारों ओर घूमते हुए इलेक्ट्रॉनों की संख्या होती है–
(a) 10 (b) 6
(c) 4 (d) 8

89. $H_2S_2O_8$ में सल्फर की ऑक्सीकरण संख्या है–
(a) +6 (b) +8
(c) +21 (d) +2

90. ऐक्रोलीन के निर्माण में आवश्यक यौगिक है–
(a) ग्लिसरॉल (b) बेन्जीन
(c) फिनोल (d) अमोनिया

91. लोहे की निष्क्रियता का कारण है–
(a) Fe_2O_3 (b) Fe_3O_4
(c) FeO (d) $Fe_2O_3{\cdot}3H_2O$

92. नाभिकीय रिएक्टर में प्रयुक्त ईंधन है–
(a) प्लूटोनियम (b) थोरियम
(c) रेडियम (d) ड्यूटीरियम

93. सोडियम एसीटेट के जल विच्छेदन पर प्राप्त होता है?
(a) अम्लीय विलयन
(b) क्षारीय विलयन
(c) उभयधर्मी विलयन
(d) उदासीन विलयन

94. सबसे अधिक अम्लीय है–
(a) 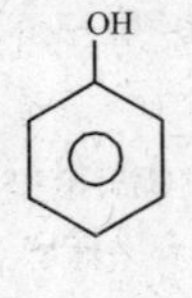

(b) 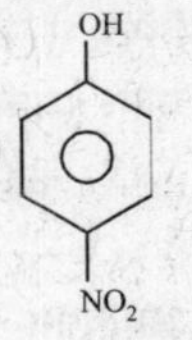

(c) 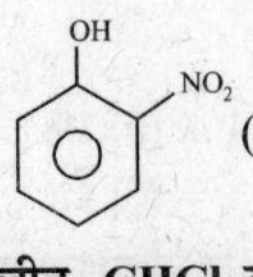

(d) 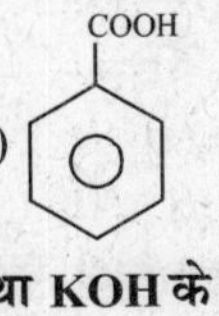

95. एनिलीन, $CHCl_3$ तथा KOH के साथ गर्म करने पर देती है–
(a) फेनिल आइसो सायनाइड
(b) सायनाइड
(c) फिनोल
(d) सैलिसिलिक अम्ल

96. Ag_2S से सिल्वर निष्कासित करने में प्रयुक्त अभिकर्मक है–
(a) NaCN
(b) O_2 की उपस्थिति में NaCN
(c) NaCl
(d) $AgNO_3$

97. Sn^{2+} के एक मोल का अपचयित, $K_2Cr_2O_7$ के मोलों की संख्या होती है–
(a) $\frac{1}{3}$ (b) 3
(c) $\frac{1}{6}$ (d) 6

98. निम्न में से कौन-सा नाभिक स्नेही योगात्मक अभिक्रिया सबसे अधिक आसानी से देता है?
(a) CH_3CHO
(b) CH_3CH_2CHO
(c) $CH_3-CH(CH_3)-CHO$
(d) HCHO

99. क्षारीय $KMnO_4$ के साथ क्रिया करने वाला यौगिक है–
(a) $CH_3-C(OH)(CH_3)-CH_3$
(b) $CH_3-CH-CH_3$
(c) $(CH_3)_3C-CH_2-OH$
(d) उपरोक्त में से कोई नहीं

100. निम्न में से कौन-सा युग्म, पीले अमोनियम सल्फाइड द्वारा पृथक किया जाता है–
(a) CdS, Bi_2S_3 (b) Bi_2S_3, PbS
(c) PbS, HgS (d) CdS, As_2S_3

101. निम्न में से कौन-सा लीबिंग प्रक्रम द्वारा मापा जाता है?
(a) C और H (b) N_2
(c) Cl_2 (d) Br_2

102. अमलगम का सबसे आवश्यक अवयव है–
(a) Fe (b) Pb
(c) Hg (d) Cr

103. अक्रिय गैसों के क्वथनांक व हिमांक में अंतर होता है–
(a) बहुत अधिक
(b) बहुत कम
(c) कोई अन्तर नहीं होता
(d) इनमें से कोई नहीं

104. हाइड्रोजन का रेडियोऐक्टिव समस्थानिक है–
(a) यूरेनियम
(b) ड्यूटीरियम
(c) ट्राइटियम
(d) इनमें से कोई नहीं

105. फिनोल तथा बैन्जोइक अम्ल को निम्न में से किसके द्वारा पृथक किया जा सकता है?
(a) $NaHCO_3$ (b) NaOH
(c) Na (d) PCl_5

106. निम्न में से किस तत्व की इलेक्ट्रॉन-बन्धुता सबसे अधिक होती है?
(a) F_2 (b) Cl_2
(c) Br_2 (d) I_2

107. गैलविन सैल में एनोड है–
(a) ऋणात्मक इलेक्ट्रोड
(b) धनात्मक इलेक्ट्रोड
(c) उदासीन इलेक्ट्रोड
(d) उपरोक्त में से कोई नहीं

108. O_2 अणु में उपस्थित अयुग्मित इलेक्ट्रॉनों की संख्या होती है–
(a) शून्य (b) एक
(c) दो (d) चार

109. ऊष्माक्षेपी अभिक्रिया में, उष्मा का–
(a) उत्सर्जन होता है
(b) अवशोषण होता है
(c) कुछ नहीं होता है
(d) पहले उत्सर्जन फिर अवशोषण होता है

110. अकार्बनिक ग्रेफाइट है–
(a) BN (b) BF_3
(c) B_2H_6 (d) इनमें से कोई नहीं

111. निम्न अभिक्रिया की रससमीकरणमिति है
$K_2S_2O_8(aq) + 2KI(aq) \rightarrow 2K_2SO_4(aq) + I_2(aq)$
(a) 2 : 2 (b) 1 : 1
(c) 1 : 2 (d) 2 : 1

112. ऊर्जा के क्वाण्टीकरण के आधार पर सर्वप्रथम परमाणु मॉडल प्रस्तावित करने वाले वैज्ञानिक थे-
(a) मैक्स प्लांक (b) नील्स बोर
(c) डी-ब्रॉग्ली (d) हेन्सनबर्ग

113. द्वितीय कोटि की अभिक्रिया की दर की इकाई है–
(a) समय$^{-1}$
(b) मोल ली$^{-1}$ समय$^{-1}$
(c) ली मोल$^{-1}$ समय$^{-1}$
(d) ली$^{-2}$ मोल$^{-2}$ समय$^{-1}$

114. क्लोरीन की अभिक्रिया ठण्डे तनु NaOH के साथ कराने पर क्लोरीन की ऑक्सीकरण अवस्था शून्य से परिवर्तित होकर हो जाती है–
(a) –1 तथा +5 (b) +1 तथा +4
(c) +5 तथा +3 (d) –1 तथा +1

115. Cu_2Cl_2/HCl के प्रयोग द्वारा बेन्जीन डाइऐजोनियम क्लोराइड का क्लोरोबेन्जीन में विघटन कहलाता है–
(a) राशिंग अभिक्रिया
(b) सेण्डमेयर अभिक्रिया
(c) कोल्बे अभिक्रिया
(d) कैनिजारो अभिक्रिया

116. निम्न में से कौन-सा आयन रंगीन विलयन देता है?
(a) Cu^+ (b) Zn^{2+}
(c) Ag^+ (d) Fe^{2+}

117. टाँका लगाने वाली धातु है
(a) Pb + Sb
(b) Pb + Sn
(c) Cu + Sn
(d) Cu + Zn

118. अमोनिया के औद्योगिक निर्माण के लिए प्रयुक्त उत्प्रेरक है–
(a) V_2O_5 (b) Pt
(c) Fe (d) $Ni(CO)_4$

119. ऐसीटोन की बेरियम हाइड्रॉक्साइड विलयन से अभिक्रिया कराने पर क्या उत्पाद बनता है?
(a) $CH_3-C(=O)-CH_2-C(CH_3)(OH)-CH_3$
(b) $CH_3-C(=O)-CH(CH_3)-CH(OH)-CH_3$
(c) $CH_3-C(=O)-CH(OH)-CH(CH_3)-CH_3$
(d) $CH_3-C(OH)(CH_3)-C(OH)(CH_3)-CH_3$

120. निनहाइड्रिन परीक्षण में बैंगनी रंग नहीं देने वाला α-ऐमिनो अम्ल है–
(a) प्रोलिन (b) ग्लाइसीन
(c) लाइसीन (d) ऐस्पार्टिक अम्ल

वनस्पति विज्ञान

121. निम्न में से कौन एक प्रोटीन नहीं है?
(a) एल्फा एमाइलेस
(b) राइबोजाइम
(c) हिस्टीडीन काइनेस
(d) नाइट्रोजीनेस

122. काली मिर्च है-
(a) शाक (b) झाड़ी
(c) वृक्ष (d) बेल

123. निम्न में से कौन खनिज पदार्थों की कमी से नहीं होता?
(a) हरिमहीनता
(b) पांडुरता
(c) पर्वों का छोटा होना
(d) नेक्रोसिस

124. रिट्रोवाइरस में आनुंवाशिक पदार्थ होता है–
(a) केवल DNA
(b) केवल RNA
(c) DNA या RNA
(d) या तो DNA या RNA

125. फ्यूनेरिया में कैलिप्ट्रा पैदा होता है-
(a) केप्सूल से (b) पुंधानी से
(c) कोल्यूमेला से (d) स्त्रीधानी से

126. कोशिका विज्ञान में प्रयोग की गयी हेला कोशिकाएँ (Hela cells) हैं–
(a) कैंसर अनुसंधान प्रयोगशाला में पैदा की गयी कैंसर कोशिकाएँ
(b) ग्रीवा कैंसर कोशिकाओं से व्युत्पन्न
(c) (a) व (b) दोनों
(d) उपरोक्त में से कोई नहीं

127. अदरक एक भूमिगत तना है यह जड़ से भिन्न है, क्योंकि–
(a) इसमें पर्णहरिम अनुपस्थित होता है
(b) यह भोजन संचित करता है
(c) इसमें पर्वसंधि तथा पर्व होते हैं
(d) इसमें जाइलम तथा वाहिकाएँ होती हैं

128. DNA प्रतिकृतियन में उपस्थित होता है–
(a) DNA लाइगेस
(b) DNA पॉलीमरेस व लाइगेस
(c) RNA पॉलीमरेस
(d) ये सभी

129. प्रोकैरियोट्स में DNA प्रतिकृतियन के दौरान DNA किससे बँधा होता है?
(a) गुणसूत्र से (b) मीसोसोम से
(c) केंद्रिका से (d) राइबोसोम से

130. कोशिका भित्ति में कौन-सा खनिज उपस्थित होता है?
(a) Na (b) Ca
(c) K (d) Mg

131. संवहन पूल में विभज्योतकी ऊतक होता है-
(a) काग या फैलम
(b) प्रोकैम्बियम
(c) अंतर पूलीय कैम्बियम
(d) पूलीय कैम्बियम

132. निम्नलिखित में से कौन पौधों में एक अच्छे आनुवांशिक वाहक के रूप में प्रयोग किया जाता है?
(a) बेसिलस थ्यूरिनजिएन्सिस
(b) एग्रोबैक्टीरियम ट्यूमिफेशिएंस
(c) स्यूडोमोनास पुटिडा
(d) ये सभी

133. बीडल एवं टैटम की एक जीन एक एंजाइम परिकल्पना प्रयोगों द्वारा किस पर सिद्ध की गई?
(a) सैकेरोमाइसीज
(b) न्यूरोस्पोरा क्रासा
(c) लेथाइरस ओडोरेटस
(d) क्लेवीसेप्स

134. तर्कुरूपी प्रारम्भ बनाता है-
(a) संवहन किरणें (b) अरीय पैरेनकाइमा
(c) ट्रैकिएरी तत्व (d) प्राथमिक फ्लोयम

135. जैव-संकेतक प्रयोग किए जाते हैं?
(a) ऑक्सीजन माँग के लिए
(b) वायु प्रदूषण के लिए
(c) खनिज पदार्थों की उपस्थिति के लिए
(d) ये सभी

136. क्या होता है जब हम राइजोबियम को गेहूँ के खेत में प्रविष्ट कराते हैं?
(a) उत्पादन में कोई वृद्धि नहीं (मृदा में नाइट्रोजन की मात्रा समान रहती है)
(b) उत्पादन में बहुत अधिक वृद्धि (मृदा में नाइट्रोजन की मात्रा बढ़ जाती है)
(c) मृदा की उर्वरता घट जाती है
(d) मृदा की उर्वरता बढ़ जाती है

137. एंजाइमों की सबसे अधिक संख्या पायी जाती है-
(a) लाइसोसोम में (b) क्लोरोप्लास्ट में
(c) माइटोकॉण्ड्रिया में (d) परॉक्सीसोम में

138. विषमबीजाणुकता एवं कुण्डलित पर्ण विन्यास (circinate ptyxis) उपस्थित होते है-
(a) ड्रायोप्टेरिस में (b) पाइनस में
(c) साइकस में (d) फ्यूनेरिया में

139. नारियल के किस भाग से जटा प्राप्त होती है?
(a) फलभित्ति से
(b) मध्य फलभित्ति से
(c) बाह्य फलभित्ति से
(d) अंत: फलभित्ति से

140. उबिश काय का स्त्रावण होता है-
(a) टेपेटम द्वारा
(b) बाह्यभित्ति द्वारा
(c) लघुबीजाणु मातृ कोशिका द्वारा
(d) एण्डोथीसियम द्वारा

141. पादप वर्गीकरण की लीनियन पद्धति आधारित है-
(a) आकारिकीय एवं शारीरिक लक्षणों पर
(b) विकास के प्रकार पर
(c) पुष्पीय लक्षणों पर
(d) उपरोक्त में से कोई नहीं

142. अदरक में कायिक जनन होता है-
(a) कलिका द्वारा (b) कन्द द्वारा
(c) तने द्वारा (d) प्रकन्द द्वारा

143. पादपों में बसन्तीकरण (vernalization) की आवश्यकता को प्रतिस्थापित करने वाला हॉर्मोन है-
(a) इथाइलीन (b) ऑक्सिन
(c) जिबरेलिन (d) साइटोकाइनिन

144. सहपत्र है, रूपान्तरित-
(a) दल (b) बाह्यदल
(c) पत्ती (d) सहपत्रचक्र

145. पादप भस्म प्रदर्शित करती है-
(a) पादपों के कार्बनिक पदार्थ को
(b) पादपों द्वारा अवशोषित खनिज लवणों को
(c) खनिज लवण एवं कार्बनिक पदार्थ दोनों को
(d) पादपों द्वारा अवशोषित सिलिका को

146. सबसे सूक्ष्म आवृतबीजी पुष्प है-
(a) वुल्फिया (b) रैननकुलस
(c) रेफ्लोसिया (d) स्टीलेरिया

147. मृदा परिच्छेदिका में ह्यूमस उपस्थित होती है-
(a) O-स्तर में (b) A-स्तर में
(c) B-स्तर में (d) C-स्तर में

148. पारितन्त्र में ऊर्जा का प्रवेश होता है-
(a) शाकाहारियों द्वारा (b) माँसाहारियों द्वारा
(c) उत्पादकों द्वारा (d) अपघटकों द्वारा

149. आवृतबीजी पौधों में सबसे सामान्य प्रकार का बीजाण्ड होता है-
(a) एम्फीट्रोपस प्रकार का
(b) एट्रोपस प्रकार का
(c) एनाट्रोपस प्रकार का
(d) सर्सिनोट्रोपस प्रकार का

150. पादपों द्वारा अवशोषण हेतु उपलब्ध जल होता है-
(a) गुरुत्व जल
(b) आर्द्रता जल
(c) कोशिकीय जल
(d) रासायनिक रूप से बंधित जल

जन्तु विज्ञान

151. एक बच्चे में पूँछ की उपस्थिति उदाहरण है-
(a) पूर्वजता का
(b) अपसारी विकास का
(c) अभिसारी विकास का
(d) उत्परिवर्तन का

152. एड्स के लिए ELISA निर्धारित करने के लिए हम प्रयोग करते हैं?
(a) वेस्टर्न ब्लोटिंग
(b) नॉर्दन ब्लोटिंग
(c) साउदर्न ब्लोटिंग
(d) ईस्टर्न ब्लोटिंग

153. गर्म तनु सूप नाम दिया था-
(a) ओपेरिन ने
(b) हेल्डेन ने
(c) यूरे ने
(d) इनमें से कोई नहीं

154. एक्वस (नेत्रोद) और विट्स (काचाभ) द्रव किसके द्वारा विभाजित होता है?
(a) लैंस द्वारा (b) आइरिस द्वारा
(c) रेटिना द्वारा (d) दृक तंत्रिका

155. जाति जो कम प्रजनन दर होने के कारण विलुप्त होने जा रही है?
(a) शेर (b) गंजा बाज
(c) विशाल पांडा (d) टापू जातियाँ

156. सूत्री विभाजनीय तुर्क में मुख्य प्रोटीन होती है-
(a) ट्यूबुलिन (b) मायोसीन
(c) ट्रोपोमायोसीन (d) डाइनिन

157. एड्रीनल ग्रंथि उत्पन्न होती है-
(a) एक्टोडर्म से
(b) मीसोडर्म से
(c) एक्टोडर्म एवं मीसोडर्म से
(d) एक्टोडर्म एवं एंडोडर्स से

158. मादा में सहायक लैंगिक लक्षण को बढ़ावा देता है?
(a) एंड्रोजन (b) प्रोजेस्टेरॉन
(c) एस्ट्रोजन (d) टेस्टोस्टीरॉन

159. X-सहलग्न अप्रभावी जीन-
(a) हमेशा नर में अभिव्यक्त होते हैं
(b) हमेशा मादा में अभिव्यक्त होते हैं
(c) घातक होते हैं
(d) उप-घातक होते हैं

160. स्नायु मुख्यतः बना होता है-
(a) रेटीकुलिन का (b) इलास्टीन का
(c) मायोसीन का (d) कोलेजन का

161. अग्न्याशय रस का स्त्रावण प्रेरित होता है-
(a) गैस्ट्रिन द्वारा
(b) सेक्रेटीन द्वारा
(c) एंटीरोग्रेस्ट्रॉन द्वारा
(d) एंटीरोकाइनेज द्वारा

162. एक्सोन व डेन्ड्राइट के बीच का संयोजन कहलाता है-
(a) सिनेप्स (b) सिनेप्सिस
(c) डेस्मोसोम (d) टाइट जंक्शन

163. अनियमित केंद्रक उपस्थित होते हैं-
(a) न्यूट्रोफिल में
(b) बेसोफिल्स में
(c) इओसिनोफिल्स में
(d) मोनोसाइट्स में

164. बच्चे के जन्म के बाद कौन-सा हॉर्मोन दुग्ध स्त्रावण के लिए उत्तरदायी होता है?
(a) ऑक्सीटोसिन (b) प्रोजेस्टीरॉन
(c) प्रोलेक्टिन (d) एस्ट्रोजन

165. हैमबर्गर शिफ्ट को-
(a) बाईकार्बोनेट शिफ्ट भी कहते हैं
(b) क्लोराइड शिफ्ट भी कहते हैं
(c) पोटैशियम शिफ्ट भी कहते हैं
(d) ये सभी

166. खोपड़ी में अस्थियों की संख्या है-
(a) 26 (b) 28
(c) 107 (d) 29

167. वायरॉइड पैदा करते हैं?
(a) टॉबोको मोजेक
(b) टुलिप यैलो मोजेक
(c) कॉलीफ्लावर मोजेक
(d) पोटेटो स्पिन्डल मोजेक

168. रीप्रेसर प्रोटीन उत्पन्न की जाती है-
(a) रेगुलेटर जीन द्वारा
(b) ओपरेटर जीन द्वारा
(c) संरचनात्मक जीन द्वारा
(d) प्रोमोटर जीन द्वारा

169. एसिड हाइड्रोलेस पाया जाता है-
(a) गॉल्जीकाय में (b) ER में
(c) लाइसोसोम में (d) रिक्तिका में

170. स्वायत्त तंत्रिका तंत्र प्रभाव डालता है-
(a) प्रतिवर्ती क्रिया पर
(b) संवेदी अंगों पर
(c) आंतरिक अंग पर
(d) उपरोक्त में से कोई नहीं

171. असम और नागालैंड के पहाड़ी वनों में पाया जाने वाला भारत का एकमात्र कपि है-
(a) ओरांगउटान (b) गिबन
(c) चिम्पैंजी (d) गुरिल्ला

172. अनियततापी प्राणियों के लिए निम्नलिखित में से कौन-सा सही है?
(a) उनका रक्त हर समय शीतल रहता है
(b) उनके शरीर का तापमान वायुमंडल के अनुसार बदलता रहता है
(c) उनके शरीर का तापमान सदा स्थिर रहता है
(d) वे रास्ते में आने वाले सभी प्राणियों का वध कर देते हैं

173. निम्न में से कौन-से नियततापी प्राणी हैं?
(a) ह्वेल (b) ह्वेल शार्क
(c) एलाइटीज (d) ड्रेको

174. कूटक किसमें नहीं पाया जाता?
(a) कुक्कुट (b) शुतुरमुर्ग
(c) बत्तख (d) मोर

175. निम्नलिखित में से कौन-सी प्रजाति भारत में स्थानीय स्तर पर विलुप्त हो गई है?
(a) जिप्स वल्चर
(b) साइबेरियाई सारस
(c) सफेद पेट वाले बगुले
(d) जंगली उलूक

176. नाभिकीय विकिरण का अत्यधिक दुष्प्रभाव सबसे पहले शरीर के किस अंग पर होता है?
(a) आंखें (b) फेफड़े
(c) त्वचा (d) अस्थि मज्जा

177. जानवरों में से किसके जबड़े नहीं होते?
(a) ट्राइगोन (b) शार्क
(c) मिक्साइन (d) स्फिर्ना

178. इनमें प्रतिस्कंदक नहीं होते-
(a) जोंक (b) बर्र
(c) मच्छर (d) खटमल

179. निम्नलिखित में से किस उभयचर की जिह्वा नहीं होती?
(a) स्फीनोडॉन
(b) सैलामैन्डर
(c) इक्थियोफिस
(d) नेक्ट्यूरस

180. निम्न में से कौन-से जानवर का संबंध मोलस्का से है?
(a) हैलियोटिस (b) खरगोश
(c) हाइला (d) हाइड्रा

General English

Direction (181-182): Fill in the blanks with appropriate prepositions.

181. ______men, many children were present.
(a) Beside
(b) Besides
(c) In
(d) None of the above

182. They marched ______ the street.
(a) in (b) into
(c) at (d) by

Directions (183-184): Change the voice.

183. Why did your brother write such a letter?
(a) Did your brother write such a letter?
(b) Why your brother did write such a letter?
(c) Why would such a letter is written by your brother?
(d) Why was such a letter written by your brother?

184. Some boys were helping the wounded man.
(a) Some boys is helping the wounded man
(b) The wounded man is being helped by some boys.
(c) The wounded man was being helped by some boys.
(d) The wounded man will be helped by some boys.

Direction (185-186): Select the correct phrasal verbs.

185. Please don't ____ our conversation.
(a) Break in
(b) Break into
(c) Break in on
(d) Break out

186. We had to _____ powdered milk as fresh milk was not available.
(a) Fall back
(b) Fall back on
(c) Fall out
(d) Fall off

Direction (187-188): Select the appropriate figure of speech from the given options.

187. The whole city went out to see the victorious general.
(a) Metonymy (b) Pun
(c) Metaphor (d) Oxymoron

188. Speech is silver, but silence is golden.
(a) Synecdoche (b) Simile
(c) Antithesis (d) Euphemism

Direction (189-190): Select the appropriate antonym of the given word.

189. Circuitous
(a) Resolute (b) Direct
(c) Purify (d) Stingy

190. Piquant
(a) Bland (b) Submit
(c) Sure (d) Unclear

सामान्य ज्ञान

191. निम्नलिखित में से किसने, चालीस रईसों (चहलगानी) के समूह को नष्ट कर दिया था?
(a) बहराम शाह (b) इल्तुतमिश
(c) रजिया (d) बलबन

192. कौन-सी भाषा संगम काल में प्रयोग की गयी थी?
(a) संस्कृत (b) तमिल
(c) तेलुगु (d) कन्नड़

193. कोल बाँध परियोजना का निर्माण भारत में निम्नलिखित में से किस नदी पर हुआ?
(a) कृष्णा
(b) सतलुज
(c) गोदावरी
(d) नर्मदा

194. यदि ग्रह की कक्षा दीर्घवृत्त है तो वह बिंदु जिस पर सूर्य होता है, क्या कहलाता है?
(a) केन्द्र (b) परिधि
(c) अभिकेन्द्र (d) फोकस

195. निम्नलिखित में से कहाँ अन्तर्राष्ट्रीय समुद्रीय संगठन का मुख्यालय स्थित है?
(a) लन्दन (b) जिनेवा
(c) पेरिस (d) रोम

196. गौतम बुद्ध की मां किस वंश से संबंधित थी?
(a) शाक्य वंश
(b) माया वंश
(c) लिच्छवि वंश
(d) कोलिय वंश

197. मुगलों एवं मेवाड़ के राणा के मध्य 'चित्तौड़ की संधि' किस शासक के शासन काल में हस्ताक्षरित हुई थी?
(a) अकबर
(b) जहांगीर
(c) शाहजहां
(d) औरंगजेब

198. जनवरी 2025 में लॉस एंजिल्स में जंगल की आग की तीव्रता में किस प्राकृतिक कारक ने योगदान दिया है?
(a) भारी वर्षा
(b) सांता एना हवाएँ
(c) बर्फीले तूफ़ान
(d) भूकंप

199. भारत में सूचना का अधिकार किस वर्ष में पारित किया गया?
(a) 2004 में (b) 1999 में
(c) 2005 में (d) 2009 में

200. भारत की काली मिट्टी उत्पादन के लिए बहुत उपयुक्त होती है–
(a) कपास की फसल के लिए
(b) धान की फसल के लिए
(c) गन्ने की फसल के लिए
(d) गेहूं की फसल के लिए

व्याख्या सहित उत्तर

भौतिक विज्ञान

1. (c) $\eta = 1 - \frac{T_2}{T_1}$

यहाँ पर T_1 को स्रोत का ताप माना गया है तथा T_2 को सिंक का ताप माना गया है।

$\eta = 40\% = 0.4$ तथा $T_2 = 300K$

अत: $0.4 = 1 - \frac{300}{T_1}$

$\Rightarrow T_1 = \frac{300}{1-0.4} = \frac{300}{0.6} = 500K$

यदि स्रोत के ताप (T_1) को XK तक बढ़ाया जाए तो,

$\eta = 40\% + \eta$ का 50%

$\eta = \frac{40}{100} + \frac{50}{100} \times \eta$

$= 0.4 + 0.5 \times 0.4 = 0.6$

$\therefore 0.6 = 1 - \frac{300}{500 + X} \Rightarrow X = 250K$

2. (b) फ्लक्स = चुम्बकीय × क्षेत्रफल

$= 10^{-3} \times 10^{-2} = 10^{-5}$ वेबर

अत: कुण्डली से वद्ध चुम्बकीय फ्लक्स 10^{-5} वेबर है।

3. (a)

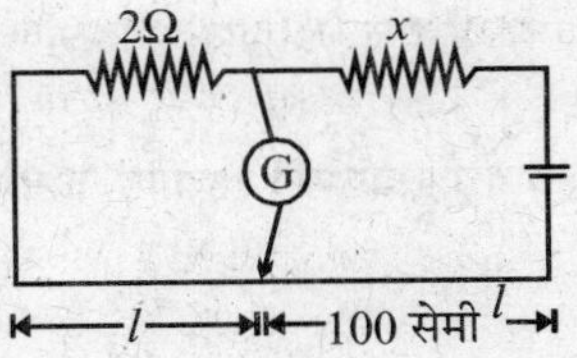

$$\frac{2\Omega}{x} = \frac{l}{(100-l)\text{सेमी}} \quad ...(i)$$

2Ω तथा x को परस्पर बदलने पर सन्तुलन बिन्दु 20 सेमी दायीं ओर खिसकेगा, क्योंकि अज्ञात प्रतिरोध x, $2\ \Omega$ से बड़ा है, अब

$$\frac{x}{2\Omega} = \frac{l+20\ \text{सेमी}}{100\ \text{सेमी} - (l+20\ \text{सेमी})}$$

$$\frac{x}{2\Omega} = \frac{l+20\ \text{सेमी}}{(80-l)\text{सेमी}} \quad ...(i)$$

समीकरण (i) तथा (ii) को हल करने पर

$$x = 3\Omega$$

4. (c) प्रत्यावर्ती धारा की माप दिष्ट धारा अमीटर द्वारा नहीं की जा सकती क्योंकि पूर्णचक्र के लिए धारा का औसत मान शून्य होता है।

5. (b) द्विपरमाणुक आदर्श गैस के लिए

$$C_v = \frac{5}{2}R$$

तथा $C_p = \frac{7}{2}R$

एक परमाणु आदर्श गैस के लिए

$C_v = \frac{3}{2}R$ तथा $C_p = \frac{5}{2}R$

6. (b) यह एक ऐसी अभिक्रिया है, जिसमें उत्पाद और अभिकर्मक नाभिकों की आबंधन ऊर्जा का अंतर ऊष्मीय ऊर्जा के रूप में प्राप्त होता है।

अत: विमुक्त ऊर्जा होगी–

$= \frac{4}{2}$He की आबंधन ऊर्जा $-2 \times {}^2_1H$ की आबंधन ऊर्जा

$= 28 - 2 \times 2.2$

$= 23.6$ Mev

7. (b) आयनन विभव की संगत आयनन ऊर्जा होगी $= -13.6$ eV

आपतित फोटॉन की ऊर्जा होगी $= 12.1$eV

अत: उत्तेजित कक्ष में इलेक्ट्रॉन की ऊर्जा होगी $= -13.6 + 12.1 = -1.5$eV

इस प्रकार

$$E_\eta = -\frac{13.6}{\eta^2}\text{eV}$$

$$\Rightarrow \quad -1.5 = \frac{-13.6}{\eta^2} = \eta = 3$$

अत: उत्तेजित कक्षा में इलेक्ट्रॉन की ऊर्जा तीसरी कक्षा के संगत होगी। यदि इलेक्ट्रॉन उत्सर्जित करता है–

$3 \to 2$, $3 \to 1$ तथा $2 \to 1$

तो ऐसी स्थिति में तीन स्पेक्ट्रमी रेखाएँ भी संभव है।

8. (c) माना स्प्रिंग की स्थितिज ऊर्जा

$$U = \frac{1}{2}KX^2$$

यहाँ K = स्प्रिंग नियतांक है– $\frac{U_1}{U_2} = \frac{X_1^2}{X_2^2}$

अत: $U_1 = U_1, X_1 = 2$ सेमी., $X_2 = 8$ सेमी.

$$\frac{U}{U_2} = \frac{(2)^2}{(8)^2} = \frac{4}{64} = \frac{1}{6}$$

$\therefore U_2 = 16U$

9. (c) पलायन वेग $v_e = \sqrt{2gR}$

आवश्यक गतिज ऊर्जा,

$$= \frac{1}{2}mv_e^2$$

$$= \frac{1}{2}m \times 2gR = mgR$$

$$= 1000 \times 10 \times 6.4 \times 10^6$$

$$= 6.4 \times 10^{10}\ \text{जूल}$$

10. (c) γ तथा X-किरणें विद्युत चुम्बकीय विकिरण हैं।

11. (b) समान ताप पर आदर्श गैस के अणुओं का वर्ग माध्य मूल वेग अणुभार के वर्गमूल के व्युत्क्रमानुपाती होता है।

12. (b) माना ब्लॉक को h ऊँचाई तक ले जाने में किया गया कार्य W = गुरूत्व के विरुद्ध किया गया कार्य Wg + घर्षण के विरुद्ध किया गया कार्य W

तो, $W = Wg + Wf$

$Wg = Mgh = 2 \times 10 \times 10 = 200$जूल

$300 = 200 + wf$

अत: $Wf = 300 - 200 = 100$ जूल

13. (d) $\frac{1}{F_1} = \frac{1}{f_1} + \frac{1}{f_2} = \frac{1}{f_1} + P$

$$\frac{100}{80} = \frac{100}{20} + P$$

$\therefore \quad P = -3.75$ डायोप्टर

14. (a) एक ट्रांसफॉर्मर (परिणामित्र) के क्रोड (भीतरी भाग) को स्तरित बनाया जाता है क्योंकि इस प्रकार भंवर धाराओं के कारण ऊर्जा के ह्रासों को कम किया जा सकता है।

15. (b) अधिकतम स्थितिज ऊर्जा

= अधिकतम गतिज ऊर्जा

$= K_0$

16. (c) माना चक्रिका के द्रव्यमान केंद्र से होकर गुजरने वाले अक्ष के पारित जड़त्व आघूर्ण है–

$$I_{cm} = \frac{1}{2}MR^2$$

यहाँ M चक्रिका का द्रव्यमान है और R चक्रिका की त्रिज्या है। चक्रिका तल के अक्ष के पारित चक्रिका का जड़त्व अघूर्ण है–

$$I = I_{cm} + MR^2$$

$$= \frac{1}{2}MR^2 + MR^2 = \frac{3}{2}MR^2$$

17. (d) माना जर्मेनियम (Ge) नाभिक की त्रिज्या है $= 2 \times \frac{9}{4}$Be

नाभिक की त्रिज्या $r_2 = 2r_1$

नाभिक की त्रिज्या है–

$R = R_0 A^{1/3}$

$$\therefore \quad \frac{R_1}{R_2} = \left(\frac{A_1}{A_2}\right)^{1/3}$$

$$\Rightarrow \quad \frac{r_1}{2r_2} = \left(\frac{9}{A_2}\right)^{1/3}$$

$\therefore \quad A_2 = 9 \times (2)^3 = 72$

अत: जर्मेनियम नाभिक में 72 न्यूक्लिऑन है।

18. (b) $\frac{1}{5}$ भाग का द्रव्यमान

$$m' = \frac{1}{5}m$$

मेज से इस गुरुत्व केन्द्र की दूरी $h = \frac{1}{10}l$

चेन ऊपर खींचने में किया गया कार्य

$W = m'gh$

$$= \frac{1}{5}m \times g \times \frac{1}{10}l = mgl/50.$$

19. (a) अज्ञात स्वरित्र की आवृत्ति $256 + 3 = 259$ या $256 - 3 = 253$ हो सकती है, मोम लगाने पर इसकी आवृत्ति घट जाएगी। इसकी आवृत्ति 259 है, तो यह मोम लगाने पर घटकर 253 रह जाएगी, अत: विस्पन्द $256 - 253 = 3$ सुनाई पड़ेंगे। यदि आवृत्ति 253 ली जाए तो इसकी नई आवृत्ति और स्रोत की आवृत्ति 256 का अन्तर बढ़ जाने के कारण अधिक विस्पन्द सुनाई पड़ने चाहिए थे, जबकि ऐसा नहीं होता। अत: अज्ञात आवृत्ति 259 है।

20. (a) $N_{max} = \frac{f_e^2}{81} = \frac{(10^7)^2}{81}$

$$= 1.2 \times 10^{12}\ \text{मी}^{-3}$$

21. (a) आदर्श गैस के लिये,

$\frac{V_1}{T_1} = \frac{V_2}{T_2}$ (स्थिर ताप पर)

$$\Rightarrow \quad T_2 = \frac{V_2}{V_1} \times T_1 = \frac{3V}{V} \times 273$$

$$= 3 \times 273\text{K} = 819\ \text{K}$$

$\Rightarrow T_2 = 819 - 273 = 546°C = 546°C$

22. (b) अवतल दर्पण की फोकस दूरी

$$\frac{1}{f} = \frac{1}{v} + \frac{1}{u} \quad ...(i)$$

समीकरण (i) का अवकलन करने पर

$$0 = -\frac{1}{v^2}dv - \frac{1}{u^2}du$$

$\therefore \; dv = -\dfrac{v^2}{u^2}\times b$ ...(ii)

$(\because du = b)$

पुन: समीकरण (i) से

$$\frac{1}{v} = \frac{1}{f} - \frac{1}{u}$$

$$= \frac{u-f}{fu}$$

$$\frac{u}{v} = \frac{u-f}{f}$$

$$\frac{v}{u} = \frac{f}{u-f} \quad ...(iii)$$

समीकरण (ii) व (ii) को सम्मिलित करने पर

$$= -\left(\frac{f}{u-f}\right)^2 b$$

अत: प्रतिबिम्ब की लम्बाई $= \left(\dfrac{f}{u-f}\right)^2 b$

23. (a) कण द्वारा प्राप्त क्षैतिज परास

$$R = \frac{u^2 \sin 2\theta}{g}$$

अत: $R \propto \dfrac{1}{g}$

चन्द्रमा पर, $g_m = \dfrac{g}{6}$

अत: $R_M = 6R$

24. (c) तल के साथ चली जाने वाली दूरी $= \dfrac{h}{\sin\theta}$

त्वरण $= g\sin\theta$

अत: समीकरण $S = \dfrac{1}{2}at^2$ से

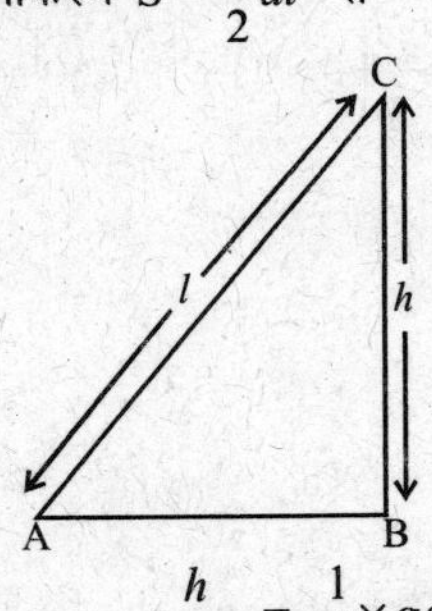

$$\Rightarrow \quad \frac{h}{\sin\theta} = \frac{1}{2}\times g\sin\theta t^2$$

या $$t^2 = \frac{2h}{g\sin^2\theta}$$

$$\Rightarrow \quad t = \frac{1}{\sin\theta}\sqrt{\frac{2h}{g}}$$

25. (c) $\Delta U = \mu C_V \Delta T$

$$= n\left(\frac{R}{\gamma-1}\right)\Delta T$$

$$\Rightarrow \Delta U = \frac{p\Delta V}{(\gamma-1)} = \frac{p(2V-V)}{(\gamma-1)}$$

$$= \frac{pV}{(\gamma-1)}$$

26. (c) विद्युत-अपघटन प्रक्रिया में, विद्युत-अपघट्य के धनात्मक एवं ऋणात्मक आयनों के द्वारा विद्युत धारा प्रवाहित होती है।

27. (d) स्थितिज ऊर्जा = 2 × (सम्पूर्ण ऊर्जा) = $2 \times E_0 = 2E$

चूँकि, $U = -\dfrac{GMm}{r}$

और $E_0 = -\dfrac{GMm}{r}$

28. (b) कैप्लर के अनुसार, $\dfrac{T^2}{r^3}$ = नियत

या $T^2 r^{-3}$ = नियत

29. (d) $2\pi r T = F = mg$

$$\therefore \quad 2\pi r = \frac{F}{T} = \frac{75\times10^{-4}}{6\times10^{-2}}$$

$= 12.5 \times 10^{-2}$ मीटर

30. (a) लूप ABCDA में किरचॉफ का नियम लगाने पर

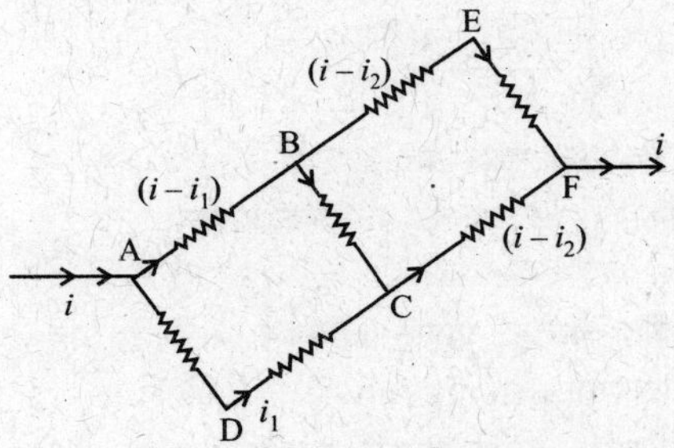

$$-10(i-i_1) - (10i_2 + 20i_1 = 0$$

$\Rightarrow 3i_1 - i_1 = i$ ...(i)

लूप BEFCB में

$$-20(i-i_2) + 10(i_1+i_2) + 10i_2 = 0$$

$\Rightarrow 3i_1 + 4i_2 = 2i$ ...(ii)

समी. (i) एवं (ii) से

$$i_1 = \frac{2i}{5}, i_2 = \frac{1}{5}$$

$$\Rightarrow \quad i_{AD} = \frac{2i}{5}$$

31. (c) $\dfrac{E_1}{E_2} = \dfrac{l_1+l_2}{l_1-l_2} = \dfrac{8+2}{8-2} = \dfrac{10}{6} = \dfrac{5}{3}$

32. (c) सूत्र $I = \dfrac{L}{r^2}$ से

$$\therefore \quad \frac{L_1}{r_1^2} = \frac{L_2}{r_2^2}$$ (चूँकि I समान है)

$$\Rightarrow \quad \frac{L_1}{L_2} = \frac{r_1^2}{r_2^2} = \left(\frac{1}{10}\right)^2$$

$= 1 : 100$

33. (b) B और C के बीच डोरी में तनाव

$$T = m_3 g - \frac{m_3(m_2+m_3-m_1)g}{(m_1+m_2+m_3)}$$

$$= \frac{2m_1 m_3 g}{(m_1+m_2+m_3)}$$

$= \dfrac{2\times2\times2}{6}\times 9.8 = 13$ न्यूटन

34. (d) ध्वनि के चलने के लिए वायु निर्वात की अपेक्षा अधिक विरल होती है अत: यह कथन कि ध्वनि निर्वात में, वायु की अपेक्षा अधिक गति से चलती है गलत है।

35. (c) आभासी आवृत्ति, $n' = n\left(\dfrac{v}{v-v_s}\right)$

$$= \frac{2000\times1220}{(1220-40)}$$

= 2068 हर्ट्ज

36. (a) गोलियों का कुल द्रव्यमान $= N_m$

समय $= \dfrac{N}{n}$

दीवार पर गोलियों का संवेग $= mv$

संवेग परिवर्तन की दर $= \dfrac{Nmvn}{t}$

∴ प्रतिक्रिया बल, $F = mnv$

37. (d) लिफ्ट के नीचे की ओर चलने पर

$R = m(g-a)$

अगर $a = g$

तो $R = 0$

$\therefore \quad F = \mu R = 0$

38. (d) केन्द्र O पर एकांक घन आवेश रखने पर, बिन्दु A व C पर रखे आवेशों के कारण परिणामी बल शून्य हो जाएगा और बिन्दु B और D पर रखे आवेशों का परिणामी बल विकर्ण BD के अनुदिश D की ओर होगा।

39. (c) वाहक + संकेत → मॉडुलन

40. (b) चित्र-2, निकट दृष्टि दोष दर्शाता है।

41. (c) ध्रुवित चश्मा प्रकाश की तीव्रता को आधा कर देता है।

42. (c) न्यूनतम तदंगदैर्ध्य,

$$\lambda_{min} = \frac{12375}{40000} = 0.30 \text{ A}^\circ$$

अत: 0.30 Å से कम की तरंगदैर्ध्य सम्भव नहीं है।

43. (b) समान्तर क्रम में

$$V_1 = V_2$$

$$\therefore \quad \frac{q_1}{C_1} = \frac{q_2}{C_2} \Rightarrow \frac{q_1}{q_2} = \frac{C_1}{C_2}$$

44. (b) मध्यवर्ती प्रतिबिम्ब, अभिदृश्यक द्वारा बनाया गया प्रतिबिम्ब होता है जोकि वास्तविक, उल्टा तथा बड़ा होता है।

45. (a) टी. वी. की मीनार द्वारा प्रसारित क्षेत्र

$= 2\pi h R \times$ जनसंख्या घनत्व

$$= 2\pi \times 100\; 6.4\times10^6 \times \frac{1000}{(10^3)^2}$$

$= 4 \times 10^6$

46. (a) $v_e = \sqrt{\frac{2GM}{R}} = R\sqrt{\frac{8}{3}\pi G\rho}$

यदि माध्य घनत्व नियत है, तो $v_e \propto R$

$\therefore \quad \frac{v_e}{v_p} = \frac{R_e}{R_p} = \frac{1}{2}$

$\Rightarrow \quad ve = \frac{v_p}{2}$

47. (a) P-N सन्धि की अवक्षय परत में, स्थिर धनात्मक आयन N-भाग में तथा स्थिर ऋणात्मक आयन P-भाग में पाये जाते हैं।

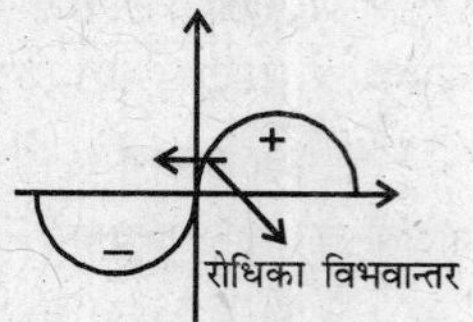

P-N सन्धि

48. (a) अवक्षय परत में मुख्यत: स्थिर आयन पाये जाते हैं तथा इसमें मुक्त आवेश वाहकों का अभाव रहता है।

49. (c) ताप में वृद्धि $\Delta\theta = \frac{3T}{Jsd}\left(\frac{1}{r} - \frac{1}{R}\right)$

जल के लिए $s = 1$

और $d = 1$

$\therefore \quad \Delta\theta = \frac{3T}{J}\left(\frac{1}{r} - \frac{1}{R}\right)$

50. (b) वीन नियम के अनुसार, $\lambda_m T =$ नियतांक

$\Rightarrow \quad \lambda_{m1}T_1 = \lambda_{m2}T_2$

$\Rightarrow \quad T_2 = \frac{\lambda_{m1}}{\lambda_{m2}}T_1$

$= \frac{\lambda_0}{3\lambda_0/4} \times T_1 = \frac{4}{3}T_1$

$p \propto T^4$

$\therefore \quad \frac{p_2}{p_1} = \left(\frac{T_2}{T_1}\right)^2$

$= \left(\frac{4/3T_1}{T_1}\right)^4 = \frac{256}{81}$

51. (c) वोल्टता लाभ,

$AV = \frac{\frac{\mu}{1+r_p}}{R_L}$

और $\mu = r_p \times g_m$

$\Rightarrow \quad \mu = 10 \times 10^3 \times 3 \times 10^{-3} = 30$

$\therefore A_V = \frac{\mu}{1+\frac{r_p}{2r_p}} = \frac{2}{3}\mu = \frac{2}{3} \times 30 = 20$

52. (b) केवल ए.सी. डायनेमों में सर्पी वलय पाये जाते हैं।

53. (a) $pV = NkT$

$\Rightarrow \quad N = \frac{pV}{kT}$

$= \frac{(1.64 \times 10^{-3} \times 1.01 \times 10^5) \times (1 \times 10^6)}{1.38 \times 10^{-23} \times 200}$

$= 6.02 \times 10^{16}$

54. (c) बोहर की परिकल्पनाओं के अनुसार, कोणीय संवेग क्वाण्टित होता है,

अर्थात् $\quad L = mv_n r_n = n\left(\frac{h}{2\pi}\right)$

55. (a) $mgh = \frac{1}{2}mv^2 + \frac{1}{2}I\omega^2$

$= \frac{1}{2}mv^2 + \frac{1}{2}\frac{mR^2}{2}\omega^2$

$= \frac{3}{4}mv^2$

$v = \sqrt{\frac{4gh}{3}}$

$= \sqrt{\frac{9.8 \times 1.2 \times 4}{3}}$

= 3.96 मीटर प्रति सेकण्ड

56. (a) निकाय का प्रारम्भिक संवेग

$= mv - mv = 0$

चूँकि वस्तुए. आपस में चिपक जाती हैं, अत: अन्तिम संवेग $= 2mV$

(जहाँ V सम्पूर्ण निकाय का वेग है)

संवेग संरक्षण के नियमानुसार,

प्रारम्भिक संवेग = अन्तिम संवेग

$\Rightarrow \quad 2mV = 0$

या $\quad V = 0$

57. (d) $\rho = \frac{m}{V}$

$= \frac{[M]}{[L^3]}$

$\therefore \quad \left|\frac{\Delta\rho}{\rho}\right| = \left|\frac{\Delta M}{M}\right| + 3\left|\frac{\Delta L}{L}\right|$

$= 3\% + 3 \times 2\%$

$= 3\% + 6\% = 9\%$

58. (a) परिवर्तन गुणांक,

$k = \frac{2RB_H}{\mu_0 N}$

(जहाँ R = त्रिज्या, और N = फेरों की संख्या)

59. (c) वृत्ताकार पथ की त्रिज्या,

$r = \frac{mv}{Bq} = \frac{v}{(q/m)B}$

$= \frac{2 \times 10^5}{5 \times 10^7 \times 4 \times 10^{-2}}$

= 0.10 मीटर

60. (b) चूँकि $\tau = I\alpha$

अत: वस्तु में कोणीय त्वरण होगा।

रसायन विज्ञान

61. (b) डी-ब्रॉग्ली के अनुसार, किसी इलेक्ट्रॉन का तरंगदैर्ध्य (λ) उसके संवेग (P) के व्युत्क्रमानुपाती होती है।

$\lambda \propto \frac{1}{p}$

या $\quad \lambda = \frac{h}{p}$ यहाँ $h =$ प्लांक नियतांक है।

$\because \quad P = mv$

$\therefore \quad \lambda = \lambda = \frac{h}{mv}$

62. (c) वियोजन की मात्रा है

$= \frac{D_T - D_O}{D_O}$

$0.4 = \frac{D_T - 100}{100}$

$D_T = 40 + 100 = 140$

$D_T = \frac{\text{अणुभार}}{2}$

अत: अणुभार होगा $= 2 \times D_T = 2 \times 140 = 280$

63. (b) सोडियम क्लोराइड में फलक केन्द्रित घनीय (fcc) संरचना पाई जाती है। अत: इसके एकक कोष्ठिका में परमाणुओं की संख्या 4 है जो निम्न प्रकार की जाती है।

एकक कोष्ठिका में परमाणुओं की संख्या

$= 8 \times \frac{1}{8} + 6 \times \frac{1}{2} = 4$

64. (c) $H_2SO_4 = 0.05 \times 2 = 0.1N$

$[H^+] = 10^{-1}$

$PH = -\log[H^+]$

$= -\log[10^{-1}] = 1$

65. (c)

$PH = 7 + \frac{1}{2}PKa + \frac{1}{2}\log C$

$= 7 + \frac{4.74}{2} + \frac{1}{2}\log 10^{-1}$

$= 8.87$

66. (b) उदासीनीकरण के लिए:

H_2SO_4 (अम्ल) का NV ≡ NaOH (क्षार) का NV

$2N \times V = N \times 10$

($\because H_2SO_4$ के लिए 1 M ≡ 2N)

$V = \frac{10}{2} = 5$ मिली

67. (a) मिश्रण में जल का मोल प्रभाज है

$= \frac{\text{जल के मोलों की संख्या (N)}}{\text{एथेनॉल के मोलों की संख्या } (\eta)}$

$N = 18/18\eta = 414/46$

अत: जल का मोल प्रभाज है

$$= \frac{18/18}{18/18 + 414/46}$$

$$= \frac{1}{10} = 0.1$$

68. (a) समान मोलरता के $BaCl_2$, NaCl तथा ग्लूकोस विलयनों का परासरण दाब उनके वाण्ट हॉफ कारक (i) पर निर्भर करता है। वाण्ट हॉफ कारक के बढ़ने पर परासरण दाब का मान बढ़ता है।

$BaCl_2$ व NaCl का 100% आयनन होने के कारण, ($BaCl_2$/NaCl) तथा ग्लूकोस विलयनों के परासरण दाब का क्रम निम्न होगा।

$BaCl_2 > NaCl >$ ग्लूकोस

$(i = 3)\ (i = 2)\ (i = 1)$

नोट – $\pi = iMST$

$\pi \propto i$

69. (b) सहसंयोजक बन्ध इलेक्ट्रॉनों की परस्पर साझेदारी से बनते हैं। ये दिशात्मक होते हैं तथा बन्ध की शक्ति अतिव्यापन की मात्रा पर निर्भर करती है, सहसंयोजक बन्ध ध्रुवीय व अध्रुवीय दोनों प्रकार के होते हैं।

70. (c) जब हाइड्रोजन परमाणु अत्यधिक विद्युतऋणी परमाणु (O, N, F) से जुड़ा होता है, तब हाइड्रोजन बन्ध बनता है। ग्लिसरीन, जल व HF में H-बन्ध उपस्थित होता है जबकि H_2S में H-बन्ध उपस्थित नहीं होता क्योंकि H_2S में H व S की विद्युत ऋणात्मकता में अधिक अन्तर नहीं है।

71. (d) नाभिकीय संयंत्रों में ग्रेफाइट व भारी जल का उपयोग मन्दक के रूप में किया जाता है। ये $_{92}U^{235}$ से मुक्त न्यूट्रॉनों की गति को कम करते हैं।

72. (d) मूलानुपाती सूत्र है $= CH_2O$ तो

मुलानुपाती भार है $= 12 + 2 + 16 = 30$

$$\eta = \frac{240}{30} = 8$$

अत: अणुसूत्र = (मूलानुपाती सूत्र)η होगा

$= (CH_2O)_8$

$= C_8H_{16}O_8$

73. (d) C_2H_2 कार्बनिक यौगिक N*a* के साथ H_2 होता है।

74. (b) राउल्ट के नियमानुसार, "वाष्पदाब में आपेक्षिक अवनमन विलेय के मोल प्रभाज के बराबर होता है"।

$$X_A = \frac{p^\circ - p^s}{p^\circ}$$

75. (d) नीला थोथा में उपरोक्त तीनों ही बंध उपस्थित होते हैं।

76. (d) किसी ठोस के द्रव में परिवर्तित होने पर उस तन्त्र की अनियमितता बढ़ती है जिसके फलस्वरूप एन्ट्रॉपी का मान बढ़ता है। ठोस, द्रव तथा गैस की एन्ट्रॉपी का क्रम निम्न है

$$\Delta S_{\text{ठोस}} < \Delta S_{\text{द्रव}} < \Delta S_{\text{गैस}}$$

77. (c) किसी अभिक्रिया में मुक्त ऊर्जा में होने वाली कमी स्वत: अभिक्रिया को प्रदर्शित करती है क्योंकि ΔG का मान ऋणात्मक होने पर अभिक्रिया स्वत: होती है।

78. (d) आवर्त में बायीं से दायीं ओर जाने पर आयनन विभव का मान बढ़ता है। किन्तु II A तत्वों का आयनन विभव, III A तत्वों से अधिक होता है क्योंकि IIA तत्वों में *s*-कक्षक पूर्ण रूप से भरा होता है। अत: आयनन विभव का क्रम है

IA < IIA > IIIA

Na < Mg > Al

अत: Mg > Al > NA

79. (c) लोहे के विभिन्न रूपों की शुद्धता का घटता क्रम है

पिटवाँ लोहा > इस्पात > ढलवाँ लोहा

80. (d) जिंक ऑक्साइड का रंग सफेद होता है किन्तु यह गर्म करने पर पीला हो जाता है। यह जिंक व्हाइट या चाइनीज व्हाइट के नाम के सफेद रंग के रूप में काम होता है। यह सफेद से अच्छा होता है क्योंकि यह H_2S से क्रिया कर ZnS देता है जो सफेद रंग का ही होता है।

81. (c) ग्राहम के विसरण नियम के अनुसार, ताप तथा दाब की समान परिस्थितियों में गैसों के विसरण की गति (*r*) उनके घनत्व के वर्गमूल के व्युत्क्रमानुपाती होती है:

$$r \propto \frac{1}{\sqrt{d}}$$

या $$\frac{r_1}{r_2} = \sqrt{\frac{d_2}{d_1}}$$

82. (c) फिनोल पर ब्रोमीन जल की अभिक्रिया से शत-प्रतिशत मात्रा में 2, 4, 6-ट्राइब्रोमोफिनोल का सफेद अवक्षेप बनता है:

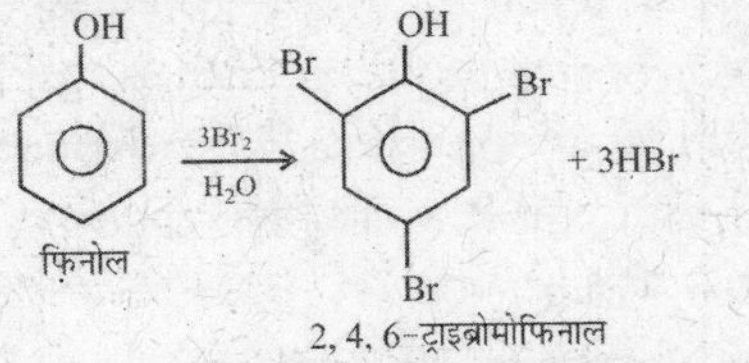

2, 4, 6–ट्राइब्रोमोफिनाल

83. (c) किसी रेडियोऐक्टिव पदार्थ का अर्द्ध-आयु काल

$$T_{1/2} = \frac{0.693}{k}$$

84. (a) स्टार्च अभिकर्मक द्वारा आयोडीन, का परीक्षण होता है। आयोडीन, स्टार्च के साथ नीला रंग देता है।

85. (b) जिन आयनों में इलेक्ट्रॉनों की संख्या समान किन्तु नाभिकीय आवेश भिन्न होता है। समइलेक्ट्रॉनी आयन कहलाते हैं, इन आयनों का आकार आवेश बढ़ने के साथ घटता जाता है।

तत्व/आयन	इलेक्ट्रॉनों की संख्या	त्रिज्या
Ne	101.6	1.6
O^{2-}	8 + 2 = 10	1.4
Na^+	11 − 1 = 10	0.95
Mg^{2+}	12 − 2 = 10	0.65

अत: इन सभी में Mg^{2+} का आकार सबसे छोटा है।

86. (a) अमोनियम (NH_4^+) आयन के परीक्षण के लिए नैसलर अभिकर्मक (K_2HgI_4 + NaOH) का प्रयोग किया जाता है। जलीय अमोनियम लवण नैसलर अभिकर्मक के साथ भूरे रंग का अवक्षेप देते हैं।

$2K_2HgI_4 + 4NaOH + NH_4Cl \longrightarrow$

नैसलर अभिकर्मक

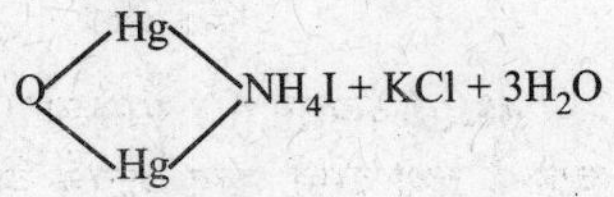

(भूरा अवक्षेप)

87. (a) अर्द्ध-आयु की संख्या $(n) = \frac{2}{4} = \frac{1}{2}$

हम जानते हैं–

$$N_t = N_0\left(\frac{1}{2}\right)^n = \left(\frac{1}{2}\right)^{1/2} = \frac{1}{\sqrt{2}}$$

88. (d) KrF_2 में Kr के चारों ओर घूमते हुए इलेक्ट्रॉनों की संख्या 8 होगी।

89. (a) $H_2S_2O_8$ को परडाइसल्फ्यूरिक अम्ल कहते हैं, इसमें परॉक्साइड बन्ध पाया जाता है। अत: इसमें दो ऑक्सीजन परमाणु की ऑक्सीकरण संख्या (–1) होती है।

माना $H_2S_2O_8$ में S की ऑक्सीकरण संख्या *x* है।

$(+1 \times 2) + 2x + (-1 \times 2) + (-2 \times 6) = 0$

$2 + 2x - 2 - 12 = 0$

$2x = +12$

$x = +6$

90. (a) ऐक्रोलीन के निर्माण में आवश्यक यौगिक ग्लिसरॉल है। ऐक्रोलीन, पोटैशियम हाइड्रोजन सल्फेट की उपस्थिति में ग्लिसरॉल को निर्जलीकृत करके बनाया जाता है।

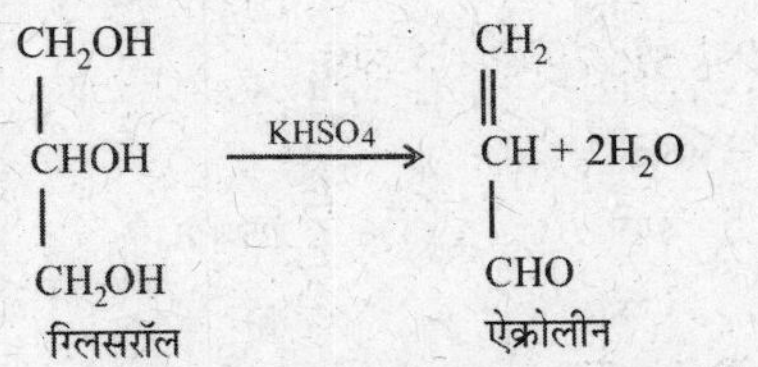

91. (a) जब लोहा ऑक्सीकारक पदार्थों जैसे सान्द्र HNO_3, $KMnO_4$ आदि के सम्पर्क में आता है, तो यह निष्क्रिय हो जाता हैं। लोहे की निष्क्रियता का मुख्य कारण उस पर फैरोसो-फैरिक ऑक्साइड (Fe_3O_4) की अत्यन्त पतली व अपारगम्य फिल्म का बनना है।

92. (a) नाभिकीय रिएक्टर में यूरेनियम (^{235}U) या प्लूटोनियम (^{239}Pu) नाभिकीय ईंधन के रूप में प्रयुक्त किए जाते हैं।

परमाणु संख्या (Z) = प्रोटॉनों की संख्या = इलेक्ट्रॉनों की संख्या।

93. (b) सोडियम एसीटेट एक प्रबल क्षार (NaOH) तथा दुर्बल अम्ल (CH_3COOH) का लवण है। अत: इसके जल विच्छेदन से क्षारीय विलयन प्राप्त होता है।

$CH_3COONa + H_2O \rightarrow CH_3COOH + NaOH$
सोडियम एसीटेट — एसीटिक एसिड (दुर्बल अम्ल) — सो. हाइड्रॉक्साइड (प्रबल भार)

94. (d) फिनोल, प्रकृति में अम्लीय होते हैं। इनकी अम्लीयता इलेक्ट्रॉन आकर्षी प्रतिस्थायी (–I प्रभाव) की –OH समूह के आर्थो या पैरा स्थिति पर उपस्थिति होने के कारण बढ़ती है। आर्थो-नाइट्रोफिनोल अन्तराण्विक हाइड्रोजन बन्ध के कारण पैरा-नाइट्रोफिनोल की अपेक्षा दुर्बल अम्ल है। अत: इस प्रकार इन यौगिकों की अम्लीयता का सही क्रम है।

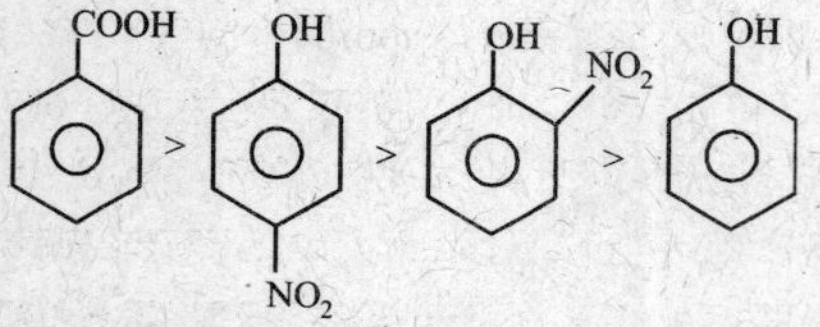

95. (a) एनिलीन, $CHCl_3$ तथा KOH के साथ गर्म करने पर अत्यन्त दुर्गन्धपूर्ण यौगिक फेनिल आइसो सायनाइड बनाती है। यह अभिक्रिया कार्बिलएमीन अभिक्रिया कहलाती है।

$$C_6H_5NH_2 + CHCl_3 + 3KOH \xrightarrow{\text{alc.}} C_6H_5CN + 3KCl + 3H_2O$$

फेनिल आइसो सायनाइड

96. (b) Ag_2S से सिल्वर निष्कासित करने में प्रयुक्त अभिकर्मक O_2 की उपस्थिति में NaCN है। इस विधि में सान्द्रित अयस्क को 0.4 से 0.5% NaCN विलयन में घोल लिया जाता है तथा विलयन में वायु प्रवाहित की जाती है जिससे सोडियम अर्जेन्टोसायनाइड नामक संकुल बनता है तथा वायु प्रतीप क्रिया को रोकती है।

$$Ag_2S + 4NaCN \xrightarrow{\text{वायु}} 2Na[Ag(CN)_2] + Na_2SO_4$$
$$\downarrow Zn$$
$$Na_2[Zn(CN)_4] + 2\,Ag\downarrow$$

97. (a) $Cr_2^{+6}O_7^{2-} + 14H^+ + 3Sn^{2+} \rightarrow 2Cr^{3+} + 7\,H_2O + 3Sn^4 +$

1 मोल $K_2Cr_2O_7$ = 6 तुल्यांक

1 मोल Sn^{2+} = 2 तुल्यांक

अत: 1 मोल $Sn^{2+} = \frac{2}{6} = \frac{1}{3}$ मोल

अत: Sn^{2+} के एक मोल, $K_2Cr_2O_7$ के $\frac{1}{3}$ मोलों को अपचयित करता है।

98. (d) HCHO, फॉर्मेल्डिहाइड; इन सभी में नाभिक स्नेही योगात्मक अभिक्रिया आसानी से देता है। ऐल्डिहाइड, कीटोन की अपेक्षा नाभिक स्नेही योगात्मक अभिक्रिया में अधिक सक्रिय होते हैं क्योंकि कीटोन में दूसरा ऐल्किल समूह या ऐरिल समूह होता है जबकि ऐल्डिहाइड में हाइड्रोजन परमाणु देता है। यह ऐक्किल या ऐरिल समूह हाइड्रोजन से बड़ा होने के कारण संक्रमण अवस्था में सहायता का प्रतिरोध करता है।

99. (a) केवल प्राथमिक तथा द्वितीयक ऐल्कोहॉल, क्षारीय $KMnO_4$ के साथ क्रिया करते हैं तथा ऑक्सीकृत होकर एल्डिहाइड तथा कीटोन बनाते हैं।

$$CH_3-\underset{|}{\overset{OH}{C}}H\cdots CH_3 \xrightarrow[\text{[O]}]{\text{क्षारीय } KMnO_4} CH_3-\overset{O}{\overset{\|}{C}}-CH_3$$

2-प्रोपेनॉल (द्वितीयक ऐल्कोहॉल) — ऐसीटोन (कीटोन)

$$(CH_3)_3\,C-CH_2OH \xrightarrow[\text{क्षारीय } KMnO_4]{\text{[O]}}$$
प्राथमिक ऐल्कोहॉल

$$(CH_3)_3\,C-CHO \xrightarrow[\text{क्षारीय } KMnO_4]{\text{[O]}} (CH_3)_3-COOH$$

100. (d) द्वितीय समूह के सल्फाइड अवक्षेप में पीला अमोनियम सल्फाइड मिलाकर हिलाने पर, कुछ सल्फाइड इसमें विलेय नहीं होते (IIA) और कुछ विलेय हो जाते हैं। अविलेय होने वाले सल्फाइड HgS, PbS, Bi_2S_3, CuS एवं CdS होते हैं, इन्हें IIA के भास्मिक मूलक कहते हैं। तथा विलेय होने वाले सल्फाइड As_2S_3, Sb_2S_3, SnS और SnS_2 होते हैं इन्हें IIB के भास्मिक मूलक होते हैं।

101. (a) कार्बन तथा हाइड्रोजन दोनों की उपस्थिति लीबिंग प्रक्रम द्वारा आकलित की जाती है। इस विधि में शुष्क यौगिक को शुष्क कॉपर ऑक्साइड के साथ वायु की उपस्थिति में गर्म किया जाता है। पदार्थ में कार्बन उपस्थित होने पर यह CO_2 में ऑक्सीकृत हो जाता है। यह CO_2 चूने को दूधिया कर देती है। यदि इसमें H भी उपस्थित हो, तो जल की कुछ बूँदें नली के ऊपरी भाग में एकत्रित हो जाती हैं। जल की उपस्थिति को निश्चित करने के लिए निर्जल क्यूप्रिक प्रयुक्त किया जाता है, क्योंकि जल, द्वारा इसका रंग सफेद से नीला हो जाता है।

102. (c) अमलगम का सबसे आवश्यक अवयव मरकरी है। Fe व Pt के अतिरिक्त सभी धातुएँ पारे में घुलकर अमलगम बनाती हैं। इसी कारण पारे को लोहे के पात्रों में रखा जाता है। Ag, Sn Zn एवं Hg का अमलगम दाँतों की गुहिकाओं को भरने में प्रयुक्त होता है।

103. (b) अक्रिय गैसों के क्वथनांक व हिमांक में अन्तर बहुत कम होता है। इन गैसों के गलनांक व क्वथनांक He से Xe तक बढ़ते हैं। फिर भी हीलियम के गलनांक व क्वथनांक अब तक ज्ञात तत्वों में सबसे कम हैं।

104. (c) ट्राइटियम $_1H^3$ हाइड्रोजन का रेडियोऐक्टिव समस्थानिक हैं। यह हाइड्रोजन का सबसे भारी समस्थानिक है तथा इसके नाभिक में 2-न्यूट्रॉन तथा एक प्रोटॉन होता है।

105. (a) फिनॉल तथा बैन्जोइक अम्ल को $NaHCO_3$ द्वारा अलग किया जा सकता है। बैन्जोइक अम्ल, $NaHCO_3$ में निम्न प्रकार क्रिया करता है।

$$C_6H_5COOH + NaHCO_3(aq) \rightarrow C_6H_5COONa + H_2O + CO_2$$

बैन्जोइक अम्ल — सोडियम बाइकार्बोनेट — सोडियम बेन्जोऐट

106. (b) VII, A समूह की इलेक्ट्रॉन-बन्धुता F से I तक घटती है। क्लोरीन की इलेक्ट्रॉन-बन्धुता समूह में सर्वाधिक है। फ्लोरीन की क्लोरीन से कम इलेक्ट्रॉन बन्धुता का कारण पहले से उपस्थित इलेक्ट्रॉन तथा नए जुड़ने वाले इलेक्ट्रॉन के बीच प्रतिकर्षण होता है।

अत: इलेक्ट्रॉन बन्धुता का सही क्रम है।

$$Cl_2 > Br_2 > F_2 > I_2$$

107. (a) गैलविन सैल, रासायनिक ऊर्जा को वैद्युत ऊर्जा में परिवर्तित करता है। इसे डैनियल सैल भी कहते हैं। इसमें ऋणात्मक इलैक्ट्रोड के रूप में एनोड होता है तथा धनात्मक इलैक्ट्रोड के रूप में कैथोड होता है।

108. (c) ऑक्सीजन अणु का आण्विक इलेक्ट्रॉनिक वितरण–

$O_2 = [(\sigma 1s)^2\ (\sigma^* 1s)^2 (\sigma 2s)^2 (\sigma^* 2s)^2 (\sigma 2px)^2 (\pi 2py)^2 (\pi 2pz)^2 (\pi^* 2py)^1 (\pi^* 2pz)^1$

अत: ऑक्सीजन अणु में दो अयुग्मित इलेक्ट्रॉन होते हैं। इसका बन्ध क्रम 2 होता है।

109. (a) यदि अभिक्रिया में ऊष्मा का उत्सर्जन होता है, वह अभिक्रिया ऊष्माक्षेपी अभिक्रिया कहलाती है।

110. (d) बोरोन नाइट्राइट (BN) बोरॉन ट्राइफ्लोराइड (BF_3) तथा डाइबोरेन (B_2H_6) इनमें से कोई भी अकार्बनिक ग्रेफाइट नहीं है।

111. (c) $K_2S_2O_8\ (aq) + 2KI(aq) \rightarrow 2K_2SO_4(aq) + I_2(aq)$

इस अभिक्रिया में 1 मोल $K_2S_2O_8$, 2 मोल KI से अभिक्रिया करता है। अत: इस अभिक्रिया की रससमीकरणमिति 1 : 2 है।

112. (b) नील्स बोर ने सर्वप्रथम ऊर्जा के क्वाण्टीकरण के सिद्धांत (जिसे मैक्स प्लांक ने दिया था।) के आधार पर परमाणु मॉडल प्रस्तुत किया था।

113. (b) द्वितीय कोटि की अभिक्रिया की दर

$$= \frac{\text{सान्द्रता में परिवर्तन}}{\text{समय}}$$

$$= \frac{\text{मोल/ली}}{\text{समय}}$$

$$= \text{मोल ली}^{-1}\ \text{समय}^{-1}$$

114. (d) क्लोरीन की ठण्डे व तनु NaOH के साथ अभिक्रिया कराने पर सोडियम क्लोराइड तथा सोडियम हाइपोक्लोराइड बनते हैं।

$$2NaOH\ (\text{ठण्डा}) + Cl_2 \rightarrow NaCl + NaClO + H_2O$$

सोडियम हाइपोक्लोराइट

माना NaCl में, Cl की ऑक्सीकरण अवस्था x है।

NaCl

$$+1 + x = 0$$
$$x = -1$$

माना NaClO में, Cl की ऑक्सीकरण अवस्था x है।

NaClO

$$+1 + x - 2 = 0$$
$$x - 1 = 0$$
$$x = +1$$

अत: क्लोरीन की ऑक्सीकरण अवस्था, शून्य से –1 तथा +1 में परिवर्तित होती है।

115. (b) 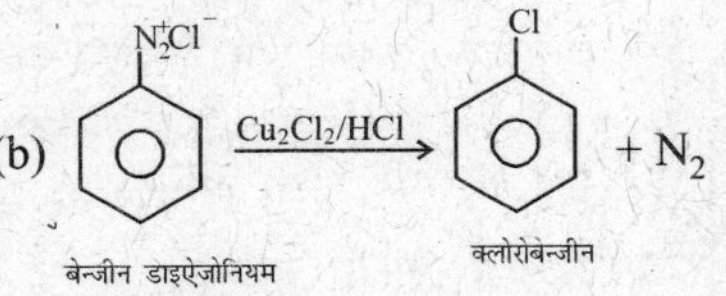

बेन्जीन डाइऐजोनियम क्लोराइड — क्लोरोबेन्जीन

यह अभिक्रिया सेण्डमेयर अभिक्रिया कहलाती है।

116. (b) संक्रमण तत्वों के आयनों का रंग उसमें उपस्थित अयुग्मित इलेक्ट्रॉनों या अपूर्ण d-कक्षकों की उपस्थिति के कारण होता है।

$Cu^+ (Z = 29) : [Ar]3d^{10}$ रंगहीन

$Zn^{2+} (Z = 30) : [Ar]3d^{10}$ रंगहीन

$Ag^+ (Z = 47) : [Kr]4d^{10}$ रंगहीन

$Fe^{2+} (Z = 26) : [Ar]3d^6$ रंगीन (हरा)

117. (b) लेड (Pb) + टिन (Sn) का मिश्रण सोल्डर (Solder) मिश्रण धातु बनाता है। जिसका उपयोग टांका लगाने में होता है।

118. (c) नाइट्रोजन तथा हाइड्रोजन को 1 : 3 में, उच्च तापमान (750 K), 200-250 वायुमण्डल दाब तथा Fe व Mo की उपस्थिति में मिलाने पर, अमोनिया प्राप्त होती है। यह प्रक्रम हाबर प्रक्रम कहलाता है।

$$N_2(g) + 3H_2(g) \xrightleftharpoons[\substack{750K \\ 200-250\ \text{वायु}}]{FeMo} 2NH_3(g)$$

इस प्रक्रम में पूर्णत: चूर्णित आयरन (Fe) उत्प्रेरक का तथा मॉलिब्डेनम (Mo), उत्प्रेरक वर्धक का कार्य करता है।

119. (a) $Ba(OH)_2$ से अभिकृत कराने पर, ऐसीटोन, ऐल्डोल संघनन के फलस्वरूप डाइऐसीटोन ऐल्कोहॉल बनाता है।

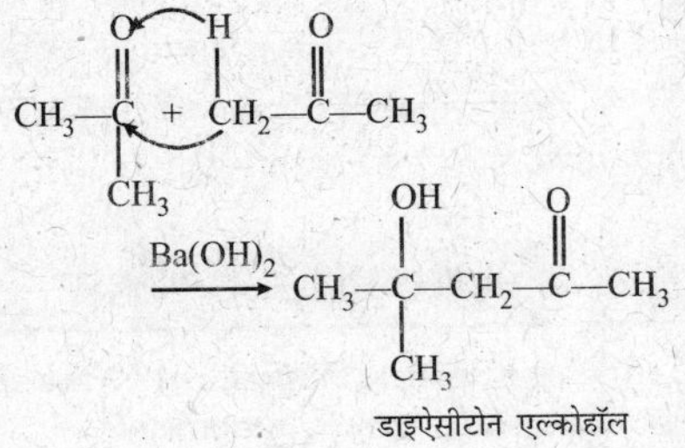

डाइऐसीटोन एल्कोहॉल

120. (a) निनहाइड्रिन परीक्षण, प्राथमिक ऐमीनों अम्ल की पहचान के लिए एक विशिष्ट परीक्षण है। प्रोलिन एक द्वितीयक ऐमीन अत: निनहाइड्रिन परीक्षण में पीला-नारंगी रंग देता है जबकि अन्य सभी α-ऐमीनो अम्ल निनहाइड्रिन परीक्षण में नीला-बैंगनी रंग देते है।

वनस्पति विज्ञान

121. (b) राइबोजाइम एक प्रोटीन नहीं है। टेट्राहाइमिना नाम के प्रोटोजोआ में इसे सेच द्वारा खोजा गया था।

122. (b) काली मिर्च एक झाड़ी है। यह एक काष्ठीय बहुवर्षीय नामक बेल के फल से मिलती है।

123. (b) 'पांडुरता' खनिज पदार्थों की कमी से नहीं होता। यह एक ऐसा लक्षण है जो अंधेरे में उगने वाले पौधों में विकसित होता है। जैसे–ऊतकों का कम विकास होना, क्लोरोफिल की कमी से पीलापन आना आदि।

124. (b) रिट्रोवाइरस में केवल RNA आनुवंशिक पदार्थ होता है। यह एक RNA विषाणु है। इसमें मौजूद रिवर्स ट्रान्सक्रिप्टेस एन्जाइम RNA से DNA का संश्लेषण करते है।

125. (d) फ्यूनेरिया में 'स्त्रीधानी से' कैलिप्ट्रा पैदा होता है।

126. (c) कोशिका विज्ञान में प्रयोग की गई हेला कोशिकाएँ होती है 'ग्रीवा कैंसर कोशिकाओं से व्युत्पन्न' तथा 'कैंसर अनुसंधान प्रयोगशाला में पैदा की गई कैंसर कोशिकाएं'।

127. (c) अदरक एक भूमिगत तना हैं यह जड़ से इसलिए भिन्न हैं क्योंकि इसमें पर्वसंधि व पर्व मौजूद होते हैं।

128. (d) RNA पॉलीमरेस, DNA लाइगेस तथा DNA पॉलीमरेस व लाइगेस DNA प्रतिकृतियन में मौजूद होते हैं।

129. (b) प्रोकैरियोट्स में DNA प्रतिकृतियन के दौरान DNA मीसोसोम से बंधा होता है। मीसोसोम जीवाणु की कोशिका कला में कुछ उभार रूपी संरचनाओं के रूप में पाया जाता है।

130. (b) कोशिका भित्ति में 'Ca' खनिज मौजूद होता है। इसमें लिपिड, प्रोटीन, लिग्निन, खनिज पदार्थ, जल, सैल्यूलोस आदि मौजूद होते हैं।

131. (d) संवहन पूल में 'पूलीय कैम्बियम' विभज्योतिकी ऊतक होता है।

132. (b) 'एग्रोबैक्टीरियम ट्यूमिफेशिएंस' पौधों में एक अच्छे आनुवांशिक वाहक के रूप में उपयोग किया जाता है।

133. (b) बीडल एवं टैटम की एक जीन एक एन्जाइम परिकल्पना के प्रयोगों के द्वारा 'न्यूरोस्पोरा क्रासा' पर सिद्ध की गई थी।

134. (c) तर्कुरूपी प्रारम्भक ट्रेकिएरी तत्व बनाता है। तुर्करूपी प्रारंभक नामक कोशिकाएँ लम्बी होती है।

135. (d) ऑक्सीजन की मांग हेतु, वायु प्रदूषण हेतु तथा खनिज पदार्थों की उपस्थिति के लिए जैव-संकेतक प्रयोग होते हैं।

136. (a) जब हम राइजोबियम को गेहूँ के खेत में प्रवेश कराते हैं तो उत्पादन में कोई वृद्धि नहीं होती तथा मृदा में नाइट्रोजन की मात्रा भी समान रहती है।

137. (c) एन्जाइमों की सबसे अधिक संख्या माइटोकॉण्ड्रिया में पायी जाती है। इसमें करीब 60-70% ऑक्सीकारी तथा अपचयी एन्जाइम मौजूद होते हैं।

138. (c) साइकस एवं पाइनस दोनों ही विषमबीजाणुक (heterosporous) पादप होते हैं, क्योंकि इन दोनों में दो प्रकार के बीजाणु अर्थात् लघु बीजाणु एवं दीर्घ बीजाणु उत्पन्न होते हैं, किंतु कुण्डलित विन्यास (circinateptyxis) केवल साइकस में पाया जाता है, जिसमें युवा पत्तियाँ एवं विशिष्ट प्रकार से कुण्डलित रहती हैं।

139. (b) जटा अथवा कॉयर (coir) व्यापारिक दृष्टि से एक महत्त्वपूर्ण रेशा है, जो, कोकस न्यूसीफेरा (Crocos nucifera) अथवा नारियल (कुल एरीकेसी) के फलों की रेशेदार मध्यफल भित्ति (mesocarp) से प्राप्त होता है। यह रेशा अत्यन्त हल्का, लचीला, जलरोधी तथा यान्त्रिक आघातों का प्रतिरोधक होता है, किंतु यह कम टिकाऊ एवं अधिक रुक्ष होता है, इसका प्रयोग मोटी रस्सी, मछली पकड़ने का जाल इत्यादि बनाने के लिए किया जाता है।

140. (a) टेपेटम परागकोश की भित्ति की सबसे भीतरी परत होती है, जो प्राय: पोषक कोशिकाओं की एकल परत द्वारा निर्मित होती है। यह परागकणों को पोषण प्रदान करती है। टेपेटम उबिश कार्य निर्माण भी करती हैं, जो परागकणों की बाह्य भित्ति के निर्माण में सहायक होता है।

141. (c) लीनियस द्वारा प्रतिपादित वर्गीकरण पद्धति, पादप वर्गीकरण की कृत्रिम पद्धति है। यह पद्धति मुख्यतया पुष्पीय लक्षणों पर आधारित होती है।

142. (d) अदरक *(जिन्जिबर ऑफिसिनेल)* एक सन्धिताक्षी प्रकन्द (sympodial rhizome) होता है। यह तने का भूमिगत रूपान्तरण है, जो बहुवर्षीय, माँसल चपटा, क्षैतिज तथा शाखित होता है। इसमें पर्व, पर्वसन्धियाँ, शल्कीय पत्तियाँ, कक्षस्थ कलिकाएँ पायी जाती हैं तथा पर्वसन्धियों पर जड़ें भी उपस्थित होती हैं।

143. (c) बसन्तीकरण (vernalization) बीजों अथवा नवांकुरों (seedlings) को कुछ समय के लिए दिया गया निम्न ताप उपचार है, जिसके कारण उनमें पुष्पन का समय शीघ्रता से आता है। परंतु जिबरेलिन के छिड़काव द्वारा पादपों में निम्न ताप उपचार (बसन्तीकरण) की आवश्यकता को प्रतिस्थापित किया जा सकता है।

144. (c) सहपत्र (bract) पत्ती का रूपान्तरण होता है, जिसके अक्ष में पुष्प अथवा पुष्पक्रम विकसित होता है। प्राय: सहपत्र तेज रंग वाले होते हैं, जिसके कारण इन्हें भूलवश पुष्प दल (petals) समझ लिया जाता है।

145. (b) यदि पौधे के शुष्क भाग को 600ºC पर ज्वलित किया जाए तो उसका कार्बनिक अंश विघटित होकर H_2O, CO_2, SO_2, N_2, NH_3, CH_4 आदि के रूप में वाष्प बनकर निकल जाता है और जो भस्म बचती है उसमें केवल अकार्बनिक पदार्थ पाए जाते हैं। इसे पादप भस्म (plant ash) कहते हैं। इस पादप भष्म के विश्लेषण द्वारा यह प्रदर्शित होता है, कि विभिन्न पादपों में लगभग 92 खनिज तत्त्व उपस्थित होते हैं।

146. (a) *वुल्फिया* अथवा डकवीड (Wilffia sp. or duckweed) एक जलप्लावी आवृतबीजी पौधा (floating aquatic ansiosperm) है, जिसमें सबसे सूक्ष्म पुष्प (लगभग 1मिमी व्यास) पाया जाता है, जबकि रेफ्लेसिया आर्नोल्डी (Raffesia arnoldi) का पुष्प संसार का सबसे बड़ा पुष्प (लगभग 1 मीटर व्यास) माना जाता है।

147. (b) ह्यूमस पूर्णतया अपघटित कार्बनिक पदार्थों द्वारा निर्मित होता है, जो खनिज पदार्थों के साथ मिले रहते हैं। यह गहरे भूरे अथवा काले रंग का होता है तथा मृदा परिच्छेदिका के A-स्तर (Horizon-A) के A_1 भाग अथवा ह्यूमिक (humic) अथवा 'मिलेनाइज्ड' (melanised) भाग में उपस्थित होती है।

148. (c) पृथ्वी पर ऊर्जा का मुख्य स्रोत सूर्य है। उत्पादक (हरे पौधे) सौर ऊर्जा को ग्रहण कर प्रकाश संश्लेषण की क्रिया द्वारा कार्बनिक भोजन का संश्लेषण करते हैं, जिससे सौर ऊर्जा, रासायनिक ऊर्जा के रूप में परिवर्तित होकर भोजन के रूप में संचित हो जाती है। यह संचित ऊर्जा भोजन के रूप में उत्पादकों से शाकाहारियों तथा मांसाहारियों तक पहुँचती है। इस प्रकार ऊर्जा उत्पादकों द्वारा पारितन्त्र में प्रवेश करती है तथा एक पोषी स्तर से दूसरे पोषी स्तर को स्थानान्तरित होती रहती है।

149. (c) प्रतीप (anatropous) बीजाण्ड आवृतबीजियों में पाया जाने वाला सबसे सामान्य प्रकार का बीजाण्ड होता है। इस प्रकार का बीजाण्ड 180º पर घूम कर उल्टा हो जाता है तथा माइक्रोपाइल (micropyle) एवं हाइलम (hilum) परस्पर अत्यन्त निकट आ जाते हैं। इस प्रकार का बीजाण्ड 80% से अधिक आवृतबीजियों में पाया जाता है।

150. (c) मृदा कणों के बीच उपस्थित सूक्ष्म छिद्रों, रन्ध्रों, नलिकाओं आदि में भरा जल केशिका जल (capillary water) कहलाता है। यह जल मृदा कणों द्वारा केशिकीय बल (capillary force) द्वारा जकड़ा रहता है, अत: यह भौम जल-स्तर (water table) में नहीं जा पाता। इस प्रकार केशिका जल मृदा में सभी ओर संवहन कर सकता है तथा पादपों द्वारा अवशोषण हेतु उपलब्ध रहता है।

जन्तु विज्ञान

151. (a) एक बच्चे में पूँछ की उपस्थिति होना 'पूर्वजता का' उदाहरण है। क्योंकि कभी-कभी ऐसा होता है कि जीव जातियों में अचानक से ऐसे लक्षण आ जाते हैं जो कि बहुत समय पहले उनके पूर्वजों में मौजूद होते थे।

152. (a) एड्स के लिए ELISA निर्धारित करने के लिए हम वेस्टर्न ब्लोटिंग प्रयोग करते हैं।

153. (b) हेल्डेन ने (JBS Halldane) गर्म तनु सूप का नाम दिया था। कार्बनिक पदार्थों का गर्म तनु सूप सरल कार्बनिक यौगिकों से युक्त समुद्री जल हेतु हेल्डेन ने उपयोग किया था।

154. (a) एक्वस (नेत्रोद) तथा विट्रस (काचाभ) द्रव लैंस के द्वारा विभाजित होता है। पारदर्शी, उभयोतल व संयोजी ऊतक से बना लैंस आइरिस के पीछे मौजूद होता है।

155. (c) कम प्रजनन दर होने के कारण विशाल पांडा की जाति विलुप्त होती जा रही है।

156. (a) सूत्री विभाजनीय तुर्क में ट्यूबुलिन मुख्य प्रोटीन होती है।

157. (c) एक्टोडर्म व मीसोडर्म से एड्रीनल ग्रंथि उत्पन्न होती है। एड्रीनल ग्रंथि भ्रूण की मीसोडर्म व न्यूरल एक्टोडर्म से निर्मित होती है।

158. (c) मादा में सहायक लैंगिक लक्षण को एस्ट्रोजन बढ़ावा देता है। यह लैंगिक लक्षणों पर प्रभावी होकर नारी विकास प्रभावशील बनाता है। इसे नारीविकास हार्मोन भी कहा जाता है।

159. (a) X-सहलग्न अप्रभावी जीन हमेशा नर में अभिव्यक्त होते हैं। मानव नर में X गुणसूत्र व Y गुणसूत्र मौजूद होते हैं तथा मादा में केवल X गुणसूत्र मौजूद होता है।

160. (b) स्नायु मुख्यत: इलास्टीन का बना होता है।

161. (b) 'सेक्रेटीन द्वारा' अग्न्याशय रस का स्रावण प्रेरित होता है।

162. (a) एक्सोन व डेन्ड्राइट के बीच का संयोजन को 'सिनेप्स' कहा जाता है। न्यूरोन के टीलोडेन्ड्रिया अन्य न्यूरोन के डेन्ड्राइट के साथ मिलकर सिनेप्स बनाते हैं।

163. (b) अनियमित केंद्रक 'बेसोफिल्स में' मौजूद होते हैं। इनका केंद्रक दो या दो से ज्यादा पालियों का बना होता है।

164. (a) बच्चे के जन्म के बाद 'ऑक्सीटोसिन' नामक हार्मोन दुग्ध स्रावण हेतु उत्तरदायी होता है। यह दुग्ध ग्रन्थियों की कूपिकाओं को संकुचित करने में मदद करता है। जिससे कि दुग्ध के स्रावण में मदद मिलती है।

165. (b) हैमबर्गर शिफ्ट को 'क्लोराइड शिफ्ट' भी कहा जाता है।

166. (d) खोपड़ी में मौजूद अस्थियों की संख्या 29 है।

167. (d) वायरॉइड पैदा करते हैं–पोटेटो स्पिंडल मोजेक। वायरॉइड एक स्वगुणित संक्रामक RNA कण होते हैं। इनकी खोज डेनर द्वारा की गई थी।

168. (a) रेगुलेटर जीन के द्वारा रीप्रेसर प्रोटीन की उत्पत्ति की जाती है।

169. (c) एसिड हाइड्रोलेस लाइसोसोम में पाया जाता है। इनकी खोज डी डुवे द्वारा की गई थी। इसे आत्मघ्रती थैली भी कहते हैं।

170. (c) 'आंतरिक अंग पर' स्वायत्त तंत्रिका तंत्र प्रभाव डालता है। यह तंत्र हृदय पेशियों तथा ग्रंथियों को तंत्रित करने में मदद करता है।

171. (b) असम और नागालैंड के पहाड़ी वनों में पाया जाने वाला भारत का एकमात्र कपि गिबन (Gibbon) है। यह छोटी आकृति के वृक्षों पर पाया जाने वाला आधुनिक कपि है।

172. (b) अनियततापी प्राणियों में शरीर का तापमान वायुमंडल के अनुसार बदलता रहता है जैसे–सरीसृप, मेढक इत्यादि, जबकि नियततापी प्राणियों में शरीर का तापमान वायुमंडल के साथ नहीं बदलता, बल्कि समान रहता है जैसे-पक्षी तथा स्तनी (मैमल)।

173. (a) ह्वेल, एक नियततापी प्राणी है।

174. (b) शुतुरमुर्ग एक बड़ा न उड़ने वाला पक्षी है, जिसमें कूटक (Ded) नहीं पाया जाता।

175. (b) साइबेरियाई सारस (Siberian Crane) भारत में स्थानीय स्तर पर विलुप्त हो गया है।

176. (a) नाभिकीय विकिरण का अत्यधिक दुष्प्रभाव सबसे पहले आंखों पर पड़ता है।

177. (c) मिक्साइन (Myxine) जबड़ा रहित (Jawless) जन्तु है। यह साइक्लोस्टोमेटा वर्ग का सदस्य है।

178. (b) बर्र में प्रतिस्कंदक नहीं होते हैं जबकि जोंक, मच्छर व खटमल में प्रतिस्कंदक पाए जाते हैं।

179. (c) सभी उभयचर संघ के उपसंघ वर्टीब्रेटा के अंतर्गत आते हैं। विकल्प (b), (c) तथा (d) वर्टीब्रेटा के वर्ग एम्फीबिया (उभयचर) के हैं, जिसमें इक्थियोफिस के जिह्वा नहीं होती।

180. (a) हैलियोटिस (Haliotis) हैलियोटिडी कुल का एकमात्र जीनस (Genus) है। इससे संबंधित जन्तु मोलस्का संघ के अंतर्गत आते हैं।

General English

181. (b) **Besides (Preposition)** = (in addition to or as well as somebody/something).

Beside (Preposition) (at the side of or next to somebody/something).

182. (b) March (verb)= (to walk somewhere quickly and in a determined way).

She marched into my office and asked why I hadn't written my report.

183. (d) Past Simple (Interrogative) Passive voice

Why + was/were+Subject + V_3 + by+ Object.

184. (c) Past Continuous Passive Voice

Subject + was/were+being+ V_3+by+Object.

185. (c) Break into = (enter or open forcibly; burgle).

Break in on = (to interrupt or disturb something)

Break out = (to start to exist or happen).

186. (b) **Fall back on** = (move or turn back; retreat).

Fall back on = to use something it other things have failed.

Fall out = (to drop from the place where it was attached).

Fall off = (to become smaller or lower).

187. (a) In **Metonymy** an object is described by the name of something which is associated with it.

A **Pun** consists of using a word in such a way that it is capable of using more than one application, the object being to introduce a ludicrous effect. For example, Guerrilla warfare is more than just throwing a banana.

An **Oxymoron** combines two contradictory terms. For example: dark light.

A **Metaphor** describes an object or action in a manner that is not literally true, but helps that to explain or compare an idea. For example, "Love is a battle field".

188. (c) In **Antithesis**, opposition or contrast of words or sentiments is made in the same sentence.

Euphemism – A mild or indirect world or expression substituted for one considered to be too harsh or blunt when referring to something unpleasant or embarrassing.

For example,

You are telling me a fairy tale.

(you are telling me lies).

In **Simile**, a comparison is made between two objects of different kinds which have at least one point in common.

For example,

As agile as a cat.

In **synecdoche**, a part is used to designate the whole or the whole to designate a part.

For example, Uneasy lies the head that wears the crown.

189. (b) **Circuitous (Adjective)** = (long and not direct; not straight).

The route through the forest seemed circuitous but the journey was pleasant.

Direct (Adjective) = going from one place to another without turning or stopping; straight.

190. (a) **Piquant (Adjective)** = (tasting pleasant but strong and spicy; interesting and exciting in a mysterious way).

Bland (Adjective) = (ordinary or not very interesting; mild or lacking in taste).

More piquant details of their private life were revealed.

Pop music these days is so bland.

Submit (Verb) = (to accept somebody's power or control; to give a plan, document etc. to an official organisation).

सामान्य ज्ञान

191. (d) इल्तुतमिश द्वारा स्थापित 'चहलगानी' समूह को बलबन ने नष्ट कर दिया था।

192. (b) संगम काल में तमिल भाषा का प्रयोग किया जाता था।

193. (b) कोल बाँध परियोजना का निर्माण सतलुज नदी पर हुआ है। कृष्णा नदी पर नागार्जुन सागर बांध स्थित है। नर्मदा नदी पर सरदार सरोवर बाँध, बरगी, ओंकारेश्वर तथा इंदिरा सागर बाँध स्थित है। गोदावरी नदी पर पोचम्पाद परियोजना स्थित है।

194. (d) ग्रह की कक्षा दीर्घवृत्त में जिस बिंदु पर सूर्य स्थित होता है, उसे फोकस कहते हैं।

195. (a) अन्तर्राष्ट्रीय समुद्री संगठन का मुख्यालय लंदन में स्थित है। इसकी स्थापना 1948 ई. में जेनेवा में हुई थी। 1959 में लंदन में हुई अपनी पहली बैठक के साथ यह संगठन संयुक्त राष्ट्र की एक एजेंसी के रूप में समुद्री जहाजों की निगरानी करता है। वर्तमान समय में विश्व के 176 देश इस संगठन के सदस्य हैं।

196. (d) गौतम बुद्ध का जन्म 563 ई.पू. में कपिलवस्तु के लुम्बिनी नामक स्थान पर हुआ था। इनके पिता शुद्धोधन शाक्य गण के मुखिया थे। इनकी माता श्रीमती मायादेवी कोलिय वंश की कन्या थी। इनकी मृत्यु गौतम बुद्ध के जन्म के 7वें दिन ही हो गई थी। गौतम बुद्ध के बचपन का नाम सिद्धार्थ था। इनका विवाह 16 वर्ष की अवस्था में यशोधरा के साथ हुआ था।

197. (b) 1615 ई. में मेवाड़ विजय के उपरांत राणा अमरसिंह तथा मुगल बादशाह जहांगीर के मध्य चित्तौड़ की संधि हुई। इसमें राणा ने मुगल बादशाह की अधीनता स्वीकार कर ली तथा बादशाह जहांगीर ने राणा को चित्तौड़ समेत समस्त भू-भाग वापस कर दिया जो अकबर के समय से मुगल आधिपत्य में था।

198. (b) लॉस एंजिल्स में जंगल की आग ने कहर बरपाया है। आग को सांता एना की तेज़ हवाओं ने और भड़काया है, जिसकी गति 100 मील प्रति घंटे तक पहुँचती है और परिस्थितियाँ बेहद शुष्क हैं।

199. (c) सूचना का अधिकार अधिनियम वर्ष 2005 में पारित हुआ था। यह कानून भारत के सभी नागरिकों को सरकारी फाइलों या रिकॉर्डों में दर्ज सूचना को देखने और उसे प्राप्त करने का अधिकार देता है।

200. (a) काली मिट्टी कपास की फसल के लिए बहुत उपयुक्त होती है। यह मिट्टी मुख्य रूप से भारत के दक्षिणी भाग में पाई जाती है। आंध्र प्रदेश, महाराष्ट्र, तमिलनाडु, गुजरात, दक्कन के पठार आदि क्षेत्रों में इसका विस्तार पाया जाता है। इसमें कैल्सियम, एल्युमीनियम, आयरन, मैग्नीशियम, कार्बोनेट आदि प्रचुर मात्रा में पाए जाते हैं, परन्तु फास्फोरस, नाइट्रोजन एवं कार्बनिक पदार्थ अल्प मात्रा में पाए जाते हैं। काली मिट्टी को 'रेगुर' के नाम से जाना जाता है।

❑❑❑

(नर्सिंग एप्टीट्यूड) महत्वपूर्ण प्रश्नावली

स्वास्थ्य एवं स्वास्थ्य समस्याएँ

1. हॉलिस्टिक कॉन्सेप्ट (Holistic concept) के अनुसार, स्वास्थ्य का अर्थ है–
(a) रोग का शरीर में अनुपस्थित होना
(b) उचित शारीरिक स्वास्थ्य
(c) साउंड बॉडी, साउंड माइंड, साउंड फैमिली और साउंड वातावरण
(d) अच्छे सामाजिक संबंध

2. पुरुष की उत्पत्ति के संबंध में किसका विशेष स्थान है?
(a) सत्व (मन) (b) आत्मा
(c) शरीर (d) ये सभी

3. मानव शरीर के जितने भी कर्म हैं, वे सभी किन पर आधारित हैं?
(a) दोष धातु
(b) मल
(c) 'a' व 'b' दोनों
(d) उपरोक्त में से कोई नहीं

4. शरीर में कितने प्रकार की अग्नियाँ मानी गई हैं?
(a) पाँच (b) आठ
(c) तेरह (d) पंद्रह

5. सत्व, आत्मा व शरीर को क्या कहा जाता है?
(a) त्रिदंड
(b) महाभूत बाहुल्य
(c) दूषवात दोष
(d) उपरोक्त में से कोई नहीं

6. 'स्वस्थता' के लिए आचार्य चरक ने किस शब्द का प्रयोग किया है?
(a) प्रसन्नेन्द्रिय
(b) दृढ़ेन्द्रिय
(c) जानेन्द्रिय
(d) इनमें से कोई नहीं

7. मानव शरीर में मुख्यतः कितने प्रकार की इन्द्रियाँ पाई जाती हैं?
(a) 2 (b) 6
(c) 7 (d) 10

8. सत्व (मन) को किस अन्य नाम से भी जाना जाता है?
(a) प्रसन्नेन्द्रिय (b) उभयेन्द्रिय
(c) दशेन्द्रियाँ (d) कर्मेन्द्रियाँ

9. विटामिन–A प्रोफायलेक्सिस कार्यक्रम (Vitamin-A Prophylaxis Programme) किसके अंतर्गत आता है?
(a) स्वास्थ्य एवं परिवार कल्याण मंत्रालय
(b) सामाजिक कल्याण मंत्रालय
(c) शिक्षा मंत्रालय
(d) गृह मंत्रालय

10. राष्ट्रीय आयोडीन अल्पता विकार कार्यक्रम किस मंत्रालय के अंतर्गत आता है?
(a) स्वास्थ्य एवं परिवार कल्याण मंत्रालय
(b) सामाजिक कल्याण मंत्रालय
(c) शिक्षा मंत्रालय
(d) गृह मंत्रालय

11. 31 मई को किस दिन के रूप में मनाया जाता है?
(a) विश्व जनसंख्या दिवस
(b) विश्व तम्बाकू दिवस
(c) विश्व स्वास्थ्य दिवस
(d) विश्व पर्यावरण दिवस

12. निम्नलिखित में से किसे मूड परिवर्ती औषधि कहा जाता है?
(a) शामक औषधियों को
(b) मनप्रभावी औषधियों को
(c) धूमक पदार्थों को
(d) एल्कोहल को

13. शामक औषधियाँ मुख्यतः किस तंत्र को प्रभावित नहीं करती हैं?
(a) केन्द्रीय तंत्रिका तंत्र
(b) पाचन तंत्र
(c) पेशीय तंत्र
(d) अन्तःस्रावी तंत्र

14. सुखाभास (यूफोरिया) निम्नलिखित में से किसके प्रभाव से होता है?
(a) शामक औषधियों से
(b) मनप्रभावी औषधियों के धूमक पदार्थों से
(c) धूमक पदार्थों से
(d) दोनों (a) एवं (b)

15. निद्रा को दूर करते हैं–
(a) बार्बिट्यूरेट्स
(b) बेंजोडाइजेपीन
(c) एंफीटामिन
(d) सायलोसाइबिन

स्वास्थ्य संगठन एवं संस्थाएँ

16. विश्व अस्थमा दिवस कब मनाया जाता है?
(a) 7 मई (b) 7 जनवरी
(c) 14 अगस्त (d) 4 दिसम्बर

17. निम्नलिखित में से कौन–सा सामुदायिक स्वास्थ्य परिचर्या के सिद्धान्तों में शामिल नहीं हैं?
(a) स्वास्थ्य सेवाएँ समुदाय की आवश्यकताओं पर आधारित होनी चाहिए
(b) स्वास्थ्य सेवाओं का समान रूप से वितरण होना चाहिए
(c) इन सर्विस एजुकेशन का प्रावधान होना चाहिए
(d) सामुदायिक स्वास्थ्य नर्स को समुदाय के व्यक्तियों से उपहार लेने चाहिए यदि, वो देना चाहते हैं तो

18. निम्नलिखित में से सामाजिक परिवर्तन किसके द्वारा लाया जा सकता है?
(a) जनसम्पर्क माध्यमों द्वारा
(b) जैविकीय कारकों द्वारा
(c) उपरोक्त नागरिक आपूर्ति द्वारा
(d) स्वैच्छिक संगठनों द्वारा

19. नर्सों के लिए सामुदायिक स्वास्थ्य परिचर्या में, निम्न में कौन–से तथ्य का अध्ययन आवश्यक है?
(a) सांस्कृतिक व पारिवारिक
(b) सामाजिक समस्याएँ
(c) आर्थिक स्तरीकरण
(d) उपरोक्त सभी

20. निम्नलिखित में से प्राथमिक स्वास्थ्य देखभाल के सिद्धान्तों में शामिल नहीं है–
(a) समान बँटवारा
(b) स्वास्थ्य सेवाओं का शहरीकरण
(c) समुदाय की भागीदारी
(d) रोकथाम पर जोर

21. प्राथमिक स्वास्थ्य केन्द्र का/के कार्य है/हैं–
(a) मातृत्व एवं शिशु स्वास्थ्य सेवाएँ और परिवार नियोजन सेवाएँ प्रदान करना
(b) राष्ट्रीय स्वास्थ्य कार्यक्रम का क्रियान्वयन
(c) स्कूल स्वास्थ्य सेवाएँ प्रदान करना
(d) उपरोक्त सभी

22. अंडर फाइव क्लीनिक के त्रिकोण का एपेक्स (Apex) प्रदर्शित करता है–
(a) बीमार बच्चों का इलाज एवं देखभाल
(b) फैमिली प्लानिंग
(c) स्वास्थ्य शिक्षा
(d) टीकाकरण

23. अंडर फाइव क्लीनिक के प्रतीक के चारों ओर का बॉर्डर, जोकि सभी दूसरे क्षेत्रों को छूता है, क्या प्रदर्शित करता है?
(a) बीमार बच्चों की देखभाल और इलाज
(b) फैमिली प्लानिंग
(c) स्वास्थ्य शिक्षा
(d) टीकाकरण

24. एक प्राथमिक स्वास्थ्य केन्द्र (PHC) कितनी जनसंख्या के अंदर स्थापित होता है?
(a) 3000-5000
(b) 20000-30000
(c) 30000-120000
(d) 2 लाख

25. शिशु मृत्यु दर है–
(a) एक वर्ष से कम उम्र के बच्चों की एक वर्ष में होने वाली मृत्यु की कुल संख्या
(b) एक वर्ष से कम उम्र के बच्चों में एक वर्ष में होने वाली कुल मृत्यु एवं बीमारियाँ
(c) एक वर्ष में प्रति 100 जन्मों पर, एक वर्ष से छोटे बच्चों की होने वाली कुल मृत्यु
(d) एक वर्ष में प्रति 1000 जीवित जन्मों पर, शिशुओं की होने वाली कुल मृत्यु की संख्या

26. फैमिली प्लानिंग प्रोग्राम कब प्रारम्भ किया गया था?
(a) 1950 में (b) 1953 में
(c) 1954 में (d) 1960 में

27. राष्ट्रीय स्वास्थ्य नीति 2002 के लक्ष्यों में शामिल है–
(a) पोलियो का 2005 तक उन्मूलन करना
(b) HIV की 2007 तक वृद्धि जीरो स्तर पर लाना
(c) MMR को 2010 तक 100 लाख करना
(d) उपरोक्त सभी

28. आशा (ASHA) का पूरा नाम क्या है?
(a) एसेसरी सोशल हेल्थ एक्टिवेटर
(b) एसेसरी सोशल हेल्थ एक्टीविटीज
(c) एक्क्रेडिटेड सोशल हेल्थ एक्टीविटीज
(d) एक्क्रेडिटेड सोशल हेल्थ एक्टीविटीज

29. आशा (ASHA) स्कीम को किसके अंतर्गत प्रारम्भ किया गया है?
(a) राष्ट्रीय स्वास्थ्य नीति
(b) NRHM
(c) BPL योजना
(d) एक्क्रेडिटेड सोशल हेल्थ एक्टीविटीज

30. राष्ट्रीय स्वास्थ्य नीति (National Health Policy) कब बनी थी?
(a) 1973 (b) 1983
(c) 1993 (d) 1998

31. LSD नशे की बुरी आदत होना कारण बनता है–
(a) निर्मूल भ्रम का
(b) फेफड़ों के विनष्टीकरण का
(c) मानसिक एवं भावनात्मक व्यवधानों
(d) वृक्कों के विनष्टीकरण का

32. LSD किसका उत्पाद है?
(a) कोको
(b) अफीम
(c) कैनाबिस सैटाइवा
(d) क्लेविसेप्स परप्यूरिया

33. निम्नलिखित में से किस बीमारी को WHO ने दुनिया से उन्मूलित घोषित किया है?
(a) पोलियो
(b) ह्यूमेन मंकी पॉक्स
(c) पॉक्स वायरस
(d) स्मॉलपॉक्स

स्वास्थ्य कार्यकर्त्ताओं की भूमिका एवं दायित्व

34. स्वस्थता को प्रभावित करने वाले कारक हैं–
(a) आनुवंशिक कारक
(b) आर्थिक कारक
(c) शैक्षणिक कारक (d) उपरोक्त सभी

35. बढ़ती स्वास्थ्य सेवाओं के कारण आज बाल–मृत्यु दर............।
(a) बढ़ी है
(b) घटी है
(c) ना घटी है ना बढ़ी है
(d) उपरोक्त में से कोई नहीं

36. स्वच्छ वातावरण, समुचित शिक्षा, शुद्ध पेयजल व पर्याप्त आवास का व्यक्ति के स्वास्थ्य पर............।
(a) बुरा प्रभाव पड़ता है।
(b) अच्छा प्रभाव पड़ता है।
(c) कोई प्रभाव नहीं पड़ता है।
(d) उपरोक्त में से कोई नहीं

37. निम्नलिखित में से किन कारकों से किसी भी देश में प्रजननता की दर प्रभावित होती है?
(a) सामाजिक–सांस्कृतिक कारकों से
(b) मनोवैज्ञानिक कारकों से
(c) जैविकीय कारकों से
(d) उपरोक्त सभी

38. चिकित्सीय समाजशास्त्र का उपयोग है–
(a) व्यक्ति एवं समुदाय का स्वास्थ्य स्तरीकरण करना
(b) सामाजिक संबंधों का विश्लेषण करना
(c) संक्रामक रोगों से सामाजिक कारकों की भूमिका का सर्वेक्षण करना
(d) उपरोक्त सभी

39. रोड टू हेल्थ कार्ड किसके लिए उपयोग में लाया जाता है?
(a) सड़क का आकार नापने के लिए
(b) बच्चों में वृद्धि (ग्रोथ) मॉनीटरिंग करने के लिए
(c) वयस्कों में ग्रोथ मॉनीटरिंग करने के लिए
(d) गर्भवती महिलाओं में ग्रोथ मॉनीटरिंग करने के लिए

40. जननी सुरक्षा योजना का प्रमुख उद्देश्य है–
(a) गर्भवती माताओं को आर्थिक सुरक्षा देना
(b) प्रसवोपरान्त आर्थिक सम्बल देना
(c) मातृ एवं शिशु दर पर नियंत्रण रखवाना
(d) BPL (Below Poverty Line) परिवारों में संस्थागत प्रसव को बढ़ावा देना व मातृ एवं शिशु मृत्यु दर पर नियंत्रण

41. सामुदायिक स्वास्थ्य के संबंध में सामाजिक परिवर्तन (Social change) को प्रभावित करने वाला/वाले कारक हैं–
(a) भौगोलिक कारक
(b) जैवकीय कारक
(c) यातायात व संचार के साधनों में बदलाव
(d) उपरोक्त सभी

42. बालवाड़ी पोषण कार्यक्रम किस मंत्रालयं के अंतर्गत आता है?
(a) स्वास्थ्य एवं परिवार कल्याण मंत्रालय
(b) सामाजिक कल्याण मंत्रालय
(c) शिक्षा मंत्रालय
(d) गृह मंत्रालय

43. पोलियो की दवा पिलाने के बाद पहचान करने हेतु बच्चों के मार्कर से निशान कहाँ लगाना चाहिए?
(a) सीधे हाथ के अँगूठे पर
(b) उलटे हाथ की सबसे छोटी अँगुली पर
(c) उलटे हाथ के अँगूठे पर
(d) सीधे हाथ की सबसे छोटी अँगुली पर

44. जन्म–दर है–
(a) एक वर्ष में कुल जन्मों की संख्या
(b) विशेष क्षेत्र में कुल जन्मों की संख्या
(c) एक वर्ष में एक हजार जनसंख्या पर कुल जीवित जन्मों की संख्या
(d) एक वर्ष में एक लाख जनसंख्या पर कुल जीवित जन्मों की संख्या

45. राष्ट्रीय मलेरिया नियंत्रण कार्यक्रम को किस वर्ष राष्ट्रीय मलेरिया उन्मूलन कार्यक्रम में परिवर्तित किया गया था?
(a) 1958 में (b) 1953 में
(c) 1954 में (d) 1955 में

46. एक स्वास्थ्य गाइड (Health guide) का प्रशिक्षण कितने समय का होता है?
(a) 50 घंटे (b) 100 घंटे
(c) 150 घंटे (d) 200 घंटे

47. एक स्वास्थ्य गाइड (Health guide) का प्रशिक्षण कितने समय का होता है?
(a) 1 माह (b) 2 माह
(c) 3 माह (d) 6 माह

48. एक स्वास्थ्य कर्मचारी कितनी जनसंख्या को निरीक्षित करता है?
(a) 100 ग्रामीण जनसंख्या
(b) 1000 ग्रामीण जनसंख्या
(c) 100 शहरी जनसंख्या
(d) 1000 शहरी जनसंख्या

पोषण एवं पोषण की कमी से रोग

49. मनुष्य के शरीर में अमीनो अम्लों की अतिरिक्त मात्रा संचित होती है–
(a) यकृत में
(b) वृक्क में
(c) प्लीहा में
(d) उपरोक्त में से कोई नहीं

50. वसा अतिरिक्त ऊर्जा का सर्वोत्तम संग्रह स्थल है क्योंकि–
(a) वसा द्वारा ग्लूकोज के ऑक्सीकरण की अपेक्षाकृत दुगनी ऊर्जा प्राप्त होती है
(b) वसा सामान्यतः शुद्ध व अजलीकृत (Unhydrated) अवस्था में संगृहीत होती है
(c) वसा छोटे–छोटे स्थानों में एकत्रित हो जाती है
(d) उपरोक्त सभी

51. भोजन के उस प्रमुख अवयव का नाम लिखिए जिसके बिना जीवित नहीं रहा जा सकता।
(a) कार्बोहाइड्रेट (b) खनिज लवण
(c) प्रोटीन (d) विटामिन

52. ग्लूकोज, गेलैक्टोज तथा फ्रक्टोज में एक समान आण्विक आकार एवं संगठन होता है तथा म्यूकोसल कोशिकाओं द्वारा इनका अवशोषण किया जाता है–
(a) एक समान दर से
(b) ग्लूकोज तीव्रता से अवशोषित किया जाता है
(c) फ्रक्टोज तीव्रता से अवशोषित किया जाता है
(d) गेलैक्टोज तीव्रता से अवशोषित किया जाता है

53. अमीनो अम्ल, वसा अम्ल तथा ग्लिसरॉल के मध्य कौन–सी समानता होती है?
(a) ये सभी कैलोरी के समृद्ध स्रोत होते हैं
(b) ये सभी प्रोटोप्लाज्म का निर्माण करते हैं
(c) ये दो प्रकार के भोजन के पाचन के अन्तिम उत्पाद हैं
(d) ये सभी वसा के रूप में संगृहीत किए जा सकते हैं

54. प्रोटीन की सबसे छोटी रचनात्मक इकाई है–
(a) अमीनो अम्ल (b) पेप्टाइड्स
(c) प्रोटियोजेज (d) पेप्टोन

55. संगृहीत ईंधन है–
(a) स्टार्च (b) इन्सुलिन
(c) ग्लाइकोजन (d) उपरोक्त सभी

56. लम्बे समय तक उपवास के समय में–
(a) सर्वप्रथम कार्बोहाइड्रेट का, इसके पश्चात वसा का तथा अंत में प्रोटीन उपापचयी पदार्थों का प्रयोग होता है
(b) सर्वप्रथम वसा का इसके पश्चात् यकृत तथा पेशियों में संगृहीत ग्लाइकोजन के रूप में कार्बोहाइड्रेट का तथा अंत में प्रोटीन का प्रयोग होता है
(c) सर्वप्रथम लिपिड्स प्रयोग होते हैं, फिर प्रोटीन तथा अंत में कार्बोहाइड्रेट
(d) उपरोक्त में से कोई नहीं

57. कार्बोहाइड्रेट की उपयुक्त मात्रा लेने के लिए किसी व्यक्ति को क्या खाना चाहिए?
(a) मीट (b) चावल
(c) गाजर (d) मूँगफली

58. शरीर में प्रोटीन के निर्माण के लिए आवश्यक खनिज है–
(a) सोडियम (b) आयरन
(c) सल्फर (d) पोटेशियम

59. कार्बोहाइड्रेट कार्य करता है–
(a) उत्प्रेरक की तरह
(b) ऊर्जा स्रोत की तरह
(c) एंजाइम की तरह
(d) बिल्डिंग मैटेरियल की तरह

60. प्रोटीन का पाचन घटित होता है–
(a) ग्रहणी और आमाशय में
(b) आमाशय और ग्रसिका में
(c) छोटी और बड़ी आंत में
(d) आंत और मलाशय में

61. शरीर में संश्लेषित नहीं होने वाले अमीनो अम्ल को कहते हैं–
(a) अनावश्यक (b) सक्रिय
(c) आवश्यक (d) निष्क्रिय

62. शरीर में ऑक्सीकरण द्वारा मुक्त हुई ऊर्जा की मात्रा कहलाती है–
(a) आधारीय उपापचयी दर
(b) कैलोरिक मान
(c) कार्यिकीय ईंधन मान
(d) उपापचयी दर

63. कोई राष्ट्र ओलम्पिक विजेताओं को बना सकता है, ये किसके द्वारा निश्चित किया जा सकता है?
(a) सही खुराक
(b) शरीर का आकार
(c) लम्बा जीवन
(d) स्वास्थ्य

मानव शरीर की संरचना एवं स्वच्छता

64. इन्नोमिनेट या कूल्हे की अस्थि कितनी अस्थियों से मिलकर बनती है?
(a) 2 (b) 3
(c) 4 (d) 5

65. मादाओं में श्रोणि मेखला नर से–
(a) सँकरा होता है
(b) चौड़ा होता है
(c) उथला होता है
(d) (a) तथा (b) दोनों

66. मनुष्य के हाथ का फेलेंजियल सूत्र है–
(a) 1, 2, 2, 2, 2 (b) 2, 1, 1, 1, 1
(c) 2, 3, 3, 3, 3 (d) 2, 3, 3, 2, 2

67. पैर के अँगूठे को क्या कहते हैं?
(a) पोलेक्स (b) होलेक्स
(c) पैलेक्स (d) हैलक्स

68. धमनी के लिए छिद्र की उपस्थिति किसका लाक्षणिक गुण है?
(a) ह्यूमरस (b) फीमर
(c) टिबिया फिबुला (d) रेडियो अल्ना

69. पटेला संबंधित है–
(a) कोहनी से
(b) जानु (Knee) से
(c) ग्रीवा से
(d) कलाई से

70. निम्न में से कौन–सी एक उपास्थि बिना श्रोणि मेखला को हानि पहुँचाएँ, शिशु के "शीघ्र" जन्म में सहायता करती है?
(a) हायलाइन उपास्थि
(b) लचीली उपास्थि
(c) कैल्सीफाइड उपास्थि
(d) तन्तुमय उपास्थि

71. लाल अस्थिमज्जा .... में पाई जाती है।
(a) लम्बी अस्थियों के सिरे पर
(b) छोटी अस्थियों के सिरे पर
(c) खोपड़ी की अस्थियों में
(d) लम्बी अस्थियों के दंड में

72. मनुष्य के पश्चपाद में अस्थियों की संख्या होती है–
(a) 14 (b) 21
(c) 24 (d) 30

73. एस्ट्रेगैलस और कैल्केनियम पाई जाती है–
(a) अग्रपाद मे (b) पश्चपाद में
(c) स्कैपुला में (d) क्लेविकल में

74. मनुष्य की गर्दन में पाई जाने वाली संधि कौन–सी होती है?
(a) कोणीय
(b) पाइवोट (Pivot)
(c) कब्जा (Hinge) (d) फाइब्रस

75. संधियों का स्नेहन किसके द्वारा किया जाता है?
(a) एपीडर्मिस
(b) डर्मिस
(c) टिम्पैनिक झिल्ली
(d) साइनोवियल द्रव

76. कंदुक खल्लिका संधि (बॉल एंड सॉकेट संधि) देखी जा सकती हैं–
(a) कलाई में (b) उँगलियों में
(c) गर्दन में (d) कंधे में

77. जंघा तथा निचले पाद के बीच घुटने की संधि कहलाती है–
(a) हिंज संधि
(b) ग्लाइडिंग संधि
(c) पाइवोट संधि
(d) स्थिर संधि

78. कलाई की संधि होती है–
(a) हिंज प्रकार की
(b) बॉल एवं सॉकेट प्रकार की
(c) पाइवोट प्रकार की
(d) उपरोक्त में से कोई नहीं

मस्तिष्क विकास एवं मानसिक स्वास्थ्य की अवधारणा

79. स्तनियों का मस्तिष्क उभयचरों से भिन्न होता है क्योंकि इनमें पाया जाता है–
(a) घ्राण पिण्ड (b) हाइपोथैलेमस
(c) कॉर्पस कैलोसम (d) सेरीबेलम

80. मनुष्य की द्वितीय क्रेनियल तंत्रिका का उद्‌गम होता है–
(a) आँख की सीलियरी पेशी से
(b) केवल रेटिना से
(c) रेटिना व लैन्स से
(d) आँख की ऑक्यूलर पेशी से

81. तनाव की स्थिति में कौन क्रियाशील रहता है?
(a) अनुकंपी तंत्रिका तंत्र
(b) परानुकंपी तंत्रिका तंत्र
(c) सोमेटिक
(d) संपूर्ण स्वायत्त तंत्रिका तंत्र

82. श्वेत पदार्थ बना होता है–
(a) एपेंडायमा से
(b) तंत्रिका कोशिकाओं से
(c) तंत्रिका तंतुओं से
(d) उपरोक्त में से कोई नहीं

83. स्वायत्त तंत्रिका तंत्र किसके ऊपर नियंत्रण रखता है?
(a) प्रतिवर्ती क्रियाओं पर
(b) कंकालीय पेशियों पर
(c) संवेदी अंगों पर
(d) आंतरिक अंगों पर

84. किसी व्यक्ति की एक दुर्घटना में स्मृति खत्म हो जाती है तो निम्न में से एक अंग दुर्घटनाग्रस्त हुआ होगा–
(a) डाइएनसिफेलॉन
(b) मेड्युला ऑब्लोंगेटा
(c) सेरीबेलम
(d) सेरीब्रम

85. पश्च मस्तिष्क में कौन–कौन से भाग होते हैं?
(a) पोन्स + सेरीबेलम
(b) हाइपोथेलेमस + सेरीबेलम
(c) मेड्युला ऑब्लोंगेटा + सेरीबेलम
(d) मेड्युला ऑब्लोंगेटा + सेरीबेलम + पोन्स

86. प्रतिवर्ती क्रिया के लिए निम्न में से कौन उत्तरदायी होता है?
(a) संवेदी तंत्रिकाएं
(b) मोटर तंत्रिकाएं
(c) अनुकंपीय तंत्रिका तंत्र
(d) केंद्रीय तंत्रिका तंत्र

87. सबसे छोटी तंत्रिका का नाम है–
(a) ट्रॉक्लियर (b) ओफ्थेलेमिक
(c) ऐब्ड्यूसेन्स (d) वेगस

88. आमाशय के दर्द के आवेगों को ग्रहण करने वाले संवेदी अंग कहलाते हैं–
(a) प्रोप्रिओरिसेप्टर्स
(b) एक्सटीरोरिसेप्टर्स
(c) स्वतंत्र तंत्रिका सिरा
(d) कीमोरिसेप्टर्स

89. कौन–सी क्रेनियल तंत्रिकाएँ केवल सेन्सरी कार्य करती हैं?
(a) ऑल्फैक्ट्री, ऑप्टिक
(b) ऑप्टिक, ऑक्यूलोमोटर
(c) हाइपोग्लोसल, ऑप्टिक
(d) हाइपोग्लोसल, ऑल्फैक्ट्री

90. यदि हृदय की अनुकंपी तंत्रिका को काट दिया जाए तो हृदय की धड़कन–
(a) बढ़ जाएगी (b) घट जाएगी
(c) वैसी ही रहेगी (d) रुक जाएगी

91. मनुष्य में निम्न में से कौन केन्द्रीय तंत्रिका तंत्र का आवरण बनाता है?
(a) ड्यूरामेटर तथा पायामेटर
(b) ड्यूरामेटर तथा अरेक्नॉइड झिल्ली
(c) अरेक्नॉइड झिल्ली तथा पायामेटर
(d) ड्यूरामेटर अरेक्नॉइड झिल्ली तथा पायामेटर

92. साधारण दो तंत्रिका–कोशिका प्रतिवर्ती चाप में समाहित होता है–
(a) संवेदी तंत्रिका कोशिका
(b) मेरुरज्जु
(c) कार्यकारी तंत्रिका कोशिका
(d) उपरोक्त सभी

93. प्रमस्तिष्क गोलार्द्ध (Cerebral hemisphere) केन्द्र है–
(a) सोचने का
(b) इच्छा शक्ति का
(c) युक्ति का
(d) उपरोक्त सभी

94. मेड्युला ऑब्लांगेटा से निकलने वाली कपालीय तंत्रिकाएं हैं–
(a) III, VII, IX
(b) IX, X, XI, XII, III
(c) VII, VIII, IX, X
(d) VII, IX, X, XI, XII

95. कौन–सी जोड़ी सही नहीं है?
(a) राइनोसिफेलॉन – घ्राण का कार्य
(b) हायपोथेलेमस – पिट्यूटरी
(c) सेरीबेलम – संतुलन
(d) मेड्युला ऑब्लाँगेटा – तापमान नियंत्रण

96. निम्न में से कौन–सा हॉर्मोन न्यूरोट्रान्समीटर होता है?
(a) एसीटाइलकोलीन एवं सीक्रीटिन
(b) कोलीसिस्टोकाइनिन एवं एसीटाइलकोलीन
(c) एड्रीनेलिन एवं एसीटाइलकोलीन
(d) कोलीसिस्टोकाइनिन एवं एड्रीनेलिन

97. एक्सॉन में तंत्रिका आवेग का संचरण निम्न में से किससे संबंधित है?
(a) विश्राम विभव से
(b) क्लोराइड आयन्स की सांद्रता से
(c) आवेग की शक्ति से
(d) क्रिया विभव से

98. झिल्ली में विभवांतर जो कि एक आवेग के संचरण के लिए उत्तरदायी होते हैं, के द्वारा निम्न में एक के कारण झिल्ली में परिवर्तन होता है–
(a) पारगम्यता (b) संरचना
(c) एनायन्स (d) सांद्रता

99. झिल्ली का विश्राम विभव होता है–
(a) – 60 से – 70 मिलीवोल्ट
(b) – 100 से – 10 मिलीवोल्ट
(c) 50 से 100 मिलीवोल्ट
(d) – 20 से – 30 मिलीवोल्ट

100. स्तनियों की मोटर तंत्रिका में आवेग के संचरण की दर होती है–
(a) 4 मीटर/सेकंड
(b) 10 मीटर/सेकंड
(c) 50 मीटर/सेकंड
(d) 100 मीटर/सेकंड

101. तंत्रिकीय संचरण के लिए आवश्यक खनिज है–
(a) आयरन (b) सोडियम
(c) फॉस्फोरस (d) मैग्नीशियम

102. अभिवाही तंत्रिका तंतु आवेग ले जाते हैं–
(a) प्रभावी अंगों से केन्द्रीय तंत्रिका तंत्र को
(b) ग्राही अंगों से केन्द्रीय तंत्रिका तंत्र को
(c) केन्द्रीय तंत्रिका तंत्र से पेशियों को
(d) केन्द्रीय तंत्रिका तंत्र से ग्राही अंगों को

103. तंत्रिका तंतु पर आवेग के लीकेज को रोकने के लिए किसकी सतह पाई जाती है?
(a) श्वान कोशिकाओं की
(b) न्यूरीलेमा की
(c) एक्सॉन की
(d) मायलिन शीथ की

संक्रामक रोग एवं देखभाल

104. टीकाकरण के पश्चात् जो अतिरिक्त खुराक प्रतिरक्षा के लिए दी जाती है, को क्या कहते हैं?
(a) आवश्यक खुराक
(b) अल्प खुराक
(c) बूस्टर खुराक
(d) प्रतिरोधी खुराक

105. एडवर्ड जेनर ने खोजा–
(a) पोलियो की वैक्सीन
(b) पोलियो के प्रति प्रतिरक्षा
(c) बड़ी माता की वैक्सीन
(d) बड़ी माता के प्रति प्रतिरक्षा

106. एंटीबायोटिक से संबंधित वैज्ञानिक हैं–
(a) ब्राउन (b) फ्लेमिंग
(c) ल्यूवेनहॉक (d) कोच

107. निम्नलिखित में से किस ग्रंथि का संबंध एड्स से होता है?
(a) थायरॉइड (b) थाइमस
(c) एड्रीनल (d) अग्न्याशय

108. थैलिडोमाइड एक नॉन बार्बीच्यूरेट शांतिकारक दवा गर्भवती स्त्रियों को दी जाती थी इसका उपयोग 1961 में बंद कर दिया गया क्योंकि इससे फोकोमेलिया होता था, इस स्थिति के परिणामस्वरूप–
(a) गर्भ का जल्दी गर्भपात हो जाता था
(b) गर्भ का विकास कम हो जाता था
(c) गर्भ का ठीक विकास नहीं हो पाता था
(d) इरिथ्रोब्लास्टोसिस फीटेलिस हो जाता था

109. हाइड्रोफोबिया (रेबीज) रोग किसके द्वारा होता है?
(a) वायरस (b) निमेटोड्स
(c) हेल्मिन्थस (d) प्रोटोजोआ

110. निम्न में से कौन–सी बीमारी मनुष्य में वायरस के द्वारा होती है?
(a) टिटनेस
(b) डीसेन्ट्री (दस्त)
(c) टायफाइड
(d) उपरोक्त में से कोई नहीं

111. पेराप्लेजिया किसमें लकवा होने को कहते हैं?
(a) दोनों पैर
(b) दोनों अग्रबाहु
(c) संपूर्ण शरीर
(d) केवल एक पैर

112. निम्न में से कौन–सा रोग घरेलू मक्खी द्वारा संचरित नहीं होता?
(a) टायफाइड (b) पीलिया
(c) कॉलेरा (d) पेचिश

113. इंटरफेरॉन्स किसके संक्रमण को दबाते हैं?
(a) बैक्टीरिया
(b) कवक
(c) कैंसर
(d) उपरोक्त में से कोई नहीं

114. ब्यूबोनिक प्लेग के पैथोजन किसके काटने के द्वारा संचरित होते हैं?
(a) पैडिक्युलस ह्यूमेनिस
(b) ग्लोसिना पैलपेलिस
(c) एडीज
(d) चिएपिस जिनोप्सिला

115. यदि किसी व्यक्ति के शरीर में इंटरफेरॉन उत्पादन देखा जाए अर्थात् वह व्यक्ति संक्रमित है–
(a) टायफाइड से (b) खसरे से
(c) टिटनेस से (d) मलेरिया से

116. निम्न में से किस रोग का उन्मूलन भारत से लगभग हो गया है?
(a) प्लेग
(b) काला अजार
(c) चेचक
(d) पोलियोमायलिटीज

117. डेंगू का संचरण होता है–
(a) क्यूलैक्स द्वारा
(b) नर एनोफिलिस द्वारा
(c) मादा एनोफिलिस द्वारा
(d) सी-सी मक्खी द्वारा

118. कुष्ठ रोग (Leprosy) किसके द्वारा उत्पन्न होता है?
(a) माइकोबैक्टीरिया (b) साल्मोनेला
(c) मोनोसिस्टिस (d) TMV

119. "कृष्ण फुफ्फुस" रोग पाया जाता है–
(a) कोयले की खानों में काम करने वालों में
(b) तेल शोधक कारखानों में काम करने वालों में
(c) किसानों में
(d) पेट्रोरसायन उद्योगों में काम करने वालों में

120. X-rays का उपयोग होता है–
(a) ECG (b) EEG
(c) CT–स्कैन में (d) एंडोस्कोपी में

प्राथमिक चिकित्सा

121. जब किसी औषधि को अस्थि मज्जा में प्रवेश कराया जाता है, तो इस पथ को कहा जाता है–
(a) इंटरापेरिटोनियल
(b) इंटराथीकल
(c) इंटरामेडुलरी
(d) इंटराआर्टियल

122. रुधिरस्राव पर नियंत्रण के लिए हम प्राथमिक चिकित्सा कैसे कर सकते हैं?
(a) रुधिरस्राव अंग को ऊपर उठाकर
(b) घाव को दबाकर

(c) घाव पर रुई या कपड़ा रखकर
(d) उपरोक्त सभी विधियों को अपनाकर

123. पेनिसिलिन की टेस्ट डोज (Test dose) किस पथ से दी जाती है?
(a) संबक्यूटेनियस (b) इंटराविनस
(c) इंटरमस्क्यूलर (d) इंटराडर्मल

124. सुरक्षित दवा देने के लिए नर्स को औषधि क्रम (Drug order) में किस तथ्य को ध्यानपूर्वक पढ़ना चाहिए?
(a) औषधि तथा मरीज का नाम
(b) औषधि की मात्रा तथा पथ
(c) तारीख तथा डॉक्टर के हस्ताक्षर
(d) उपरोक्त सभी

125. रूसी (Dandruff) के लिए प्रयोग होता है–
(a) ग्लिसरीन
(b) लौंग का तेल
(c) सेलेनियम सल्फाइड
(d) बोरिक एसिड

126. एक ही स्थान पर बार–बार इंजेक्शन (Injections) लगाने से हो सकता है–
(a) त्वचा का मोटा व क्षत–विक्षत होना
(b) तंत्रिकाओं की क्षति
(c) रुधिर वाहिनियों की दीवारों पर क्षति
(d) उपरोक्त सभी

127. घाव पर पट्टी बाँधना हमें किस प्रकार की सहायता देता है?
(a) हानिकारक रोगाणुओं से बचाता है
(b) रुधिर का थक्का बनाने में सहायक होता है
(c) घाव को ढंकने में सहायक है
(d) उपरोक्त सभी में सहायक है

128. जले हुए भाग को किससे बचाकर रखना चाहिए?
(a) मक्खियों से
(b) गंदगी से
(c) धूल से
(d) उपरोक्त सभी से

129. जीभ के नीचे दवाई दिए जाने के तरीके को कहते हैं–
(a) इंटरामस्क्यूलर
(b) सबक्यूटेनियस
(c) इंटराडर्मल
(d) संबलिंगुअल

130. जो दवाई मरीज के लिए मनोवैज्ञानिक तरीके से काम करती है, वह है–
(a) डमी
(b) नोबल ड्रग
(c) प्लेसेबो
(d) उपरोक्त में से कोई नहीं

131. यदि कोई व्यक्ति अम्लीय विष से रोगग्रस्त है तो उसे निम्न में से क्या नहीं देना चाहिए?
(a) चूने का पानी
(b) सिरका
(c) खड़िया मिट्टी
(d) मैग्नीशिया का घोल

132. हाफ लाइफ (Half life) अर्द्ध आयु 1/2 होती है–
(a) दवाई की मात्रा दोगुनी हो
(b) दवाई की मात्रा आधी हो
(c) दवाई की मात्रा चार गुनी हो
(d) दवाई की मात्रा चौथाई हो

133. औषधि देने की पैरेन्टेरल (Parenteral) विधि नहीं है–
(a) मुखीय (Oral)
(b) सबक्यूटेनियस (Subcutaneous)
(c) इंटरामस्क्यूलर (Intramuscular)
(d) इंटरावेनस (Intravenous)

134. डॉक्टर द्वारा लिखे निर्देशों में एक नर्स को कौन–सा निर्देश सबसे पहले पूरा करना चाहिए?
(a) इंजेक्शन सीफोटेक्सिम 1 ग्राम IV BD
(b) इंजेक्शन रैण्टैक 1 ml IV TDS
(c) इंजेक्शन पैरासीटामॉल 600 ml 1 टैबलेट TDS
(d) ऑक्सीजन देना

135. जब किसी रोगी को डाइयूरेटिक औषधियाँ दी जा रही हों, तो नर्स को निम्न सावधानी रखनी चाहिए–
(a) रोगी की रुधिर शर्करा तथा मूत्र शर्करा जाँचनी चाहिए
(b) रोगी को धूम्रपान नहीं करने की सलाह देनी चाहिए
(c) रोगी को लगातार शारीरिक व्यायाम करने की सलाह देनी चाहिए
(d) रोगी को संतुलित आहार लेने की सलाह देनी चाहिए
(d) कॉर्टिकोस्टीरॉइड का प्रयोग

बच्चों में शारीरिक वृद्धि, मनोवैज्ञानिक और सामाजिक विकास

136. कोशिका चक्र की G_2 अवस्था निम्न में से किसके संश्लेषण से पहचानी जाती है?
(a) mRNA केवल
(b) rRNA केवल
(c) rRNA एवं mRNA
(d) DNA

137. किसी बच्चे में थाइमस के क्षतिग्रस्त होने से हो सकती है–
(a) रुधिर के हीमोग्लोबिन अवयवों में कमी
(b) स्टेम कोशिकाओं के उत्पादन में कमी
(c) प्रतिजीवी की मध्यस्थता वाली प्रतिरक्षा में कमी
(d) कोशिकीय मध्यस्थता वाली प्रतिरक्षा में कमी

138. कॉन्ड्रियोसाइट्स, ओस्टिओसाइट्स तथा मीजेनकाइम कोशाओं में समसूत्रण विभाजन वयस्कों में किस प्रकार की वृद्धि का उदाहरण है?
(a) बहुगुणात्मक वृद्धि
(b) ओक्जेटिक वृद्धि
(c) एक्रीशनरी वृद्धि
(d) डीएक्सीलरेटिंग वृद्धि

139. वृद्धि वक्र दर्शाता है–
(a) वृद्धि दर
(b) विभिन्न अंतरालों पर वृद्धि माप
(c) निरपेक्ष वृद्धि (Growth)
(d) निरपेक्ष बढ़ाव (Increase)

140. T-कोशाएं पाई जाती है–
(a) थाइमस में (b) थायरॉइड में
(c) फेफड़ों में (d) वृक्क में

141. इनमें से कौन–सा शरीर का निर्माणकारी पदार्थ है?
(a) प्रोटीन (b) शर्करा
(c) खनिज लवण (d) वसा

142. एक बच्चे का भार 1 एवं 2 वर्षों की आयु के बीच 10 से 12 किग्रा बढ़ता है एवं उतने ही समय में एक किशोर बच्चे का भार 50 से 55 किग्रा बढ़ता है। प्रतिशत वृद्धि दर–
(a) छोटे बच्चे की अपेक्षा किशोर की 5 से 5.5% अधिक है
(b) छोटे बच्चे की किशोर की अपेक्षा अधिक है
(c) किशोर की छोटे बच्चे के ही समान है
(d) (a) तथा (b) दोनों

143. कटे हुए स्थान पर कोशिकाओं का एकत्र होना तथा कलिका का बनना है–
(a) मॉर्फेलेक्सिस
(b) रिपेरेटिव कलिका
(c) ब्लास्टेमा
(d) (a) व (b) दोनों

144. किशोरावस्था के दौरान तीव्र वृद्धि किस हॉर्मोन का परिणाम है?
(a) GSH
(b) थायरॉक्सिन
(c) GSH तथा थायरॉक्सिन दोनों
(d) उपरोक्त में से कोई नहीं

145. वृद्धि है–
(a) आकार में बढ़ोतरी
(b) भार में बढ़ोंतरी
(c) नए जीवद्रव्य का संश्लेषण
(d) उपरोक्त सभी

146. मॉर्फेलेक्सिस है–
(a) पूरे शरीर का पुनर्निर्माण
(b) कटे हुए पाद की वृद्धि
(c) घावों का भरना
(d) ब्लास्टेमा की सहायता से पुनरुद्भवन

147. क्षतिपूर्ति हाइपरट्रॉफी की अवधारणा मानी जाती है जब–
(a) एक अंग का पुनःपरिवर्धन हो
(b) शरीर का छोटा भाग पूरे प्राणी को जन्म देता हो
(c) युग्मित अंगों में से एक का ह्रास होने पर दूसरे द्वारा आकार में वृद्धि हो
(d) एक अंग का स्वतः त्याग हो

148. परिवर्धन करता हुआ भ्रूण दर्शाता है–
(a) कोई वृद्धि नहीं
(b) ऑक्सेटिक वृद्धि
(c) एक्रिशनरी वृद्धि
(d) मल्टीप्लिकेटिव वृद्धि

149. कोशिकीय वृद्धि किसके दौरान होती है?
(a) इंटरफेस
(b) माइटोटिक प्रावस्था
(c) उत्तर माइटोटिक प्रावस्था
(d) इंटरफेस तथा उत्तरमाइटोटिक प्रावस्था

150. एक्रिशनरी वृद्धि किसके कारण होती है?
(a) संरक्षित कोशिकाएं
(b) प्रविभाजी कोशिकाएं
(c) भ्रूणीय कोशिकाएं
(d) विभेदित कोशिकाएं

151. प्रथम 10-13 वर्ष की आयु में वृद्धि का नियंत्रण किसके द्वारा होता है?
(a) सोमेटोट्रॉफिक हॉर्मोन
(b) थायरॉक्सिन
(c) थायमोसिन
(d) गोनेडोट्रॉफिक हॉर्मोन

152. वृद्धि के दौरान संश्लेषित पदार्थ है–
(a) जीवद्रव्यीय
(b) एपोप्लास्मिक
(c) जीवद्रव्यीय तथा एपोप्लास्मेटिक
(d) न्यूक्लिक अम्ल

153. निरपेक्ष बढ़ोतरी से तात्पर्य है–
(a) जीवनकाल में कुल वृद्धि
(b) एक वर्ष में कुल वृद्धि
(c) किसी विशिष्ट शारीरिक अंग की वृद्धि
(d) विशिष्ट समय अंतराल के दौरान प्रारंभिक तथा अंतिम भार का अन्य कारकों से अप्रभावित अंतर

समस्याएँ, सावधानियाँ और रोकथाम

154. शारीरिक शिक्षा का मुख्य लक्ष्य क्या है?
(a) व्यक्ति का सर्वांगीण विकास करना
(b) खेलकूद के द्वारा व्यक्ति का मनोरंजन करना
(c) (a) और (b) दोनों
(d) उपर्युक्त में से कोई नहीं

155. लोगों को मुक्त समय का रचनात्मक उपयोग करने के लिए प्रशिक्षित करना क्या कहलाता है?
(a) शिविर
(b) प्रशिक्षण
(c) मनोरंजन
(d) इनमें से कोई नहीं

156. सीखने के स्थानांतरण का सिद्धांत कौन–सा है?
(a) सम्बद्ध प्रतिक्रिया सिद्धांत
(b) समान तत्त्वों का सिद्धांत
(c) अनुकरण सिद्धांत
(d) सकारात्मक स्थानांतरण

157. लोगों में किसी कार्य के प्रति उत्साह उत्पन्न करना व उन्हें प्रोत्साहित करना क्या है?
(a) मूल्यांकन (b) जनसंपर्क
(c) नेतृत्व (d) उपर्युक्त सभी

158. 'स्किनर' के द्वारा 'सीखने' से संबंधित दी गई परिभाषा क्या है?
(a) अनुभव एवं प्रशिक्षण द्वारा व्यवहार परिवर्तन को सीखना कहते हैं
(b) सीखना व्यवहार में उत्तरोत्तर सामंजस्य की प्रक्रिया है
(c) सीखना वातावरण का संगठन है
(d) संपूर्ण परिस्थिति का संगठन ही सीखना है

159. बालक–बालिकाओं में भिन्नता का आधार क्या है?
(a) ऊंचाई (b) मोटाई
(c) लिंग भेद (d) विकास

160. शारीरिक शिक्षा में किनका समेकन किया जा सकता है?
(a) केवल विज्ञान और सामाजिक विज्ञान
(b) केवल भाषा और विज्ञान
(c) अतिरिक्त पाठयक्रम गतिविधियां
(d) सभी

161. मनोरंजन के संगठन में सबसे महत्त्वपूर्ण कारक है–
(a) सामग्री (b) सुविधाएं
(c) नेतृत्व (d) योजना

162. निम्नलिखित में से कौन–सी अवधारणा आधुनिक शारीरिक शिक्षा की वास्तविक प्रकृति को दर्शाती है?
(a) आंदोलन का विज्ञान
(b) आंदोलन शिक्षा
(c) शारीरिक प्रशिक्षण
(d) एथलेटिक

163. मनोविज्ञान की दृष्टि से सहानुभूति है–
(a) एक भावना
(b) एक सामान्य जन्मजात प्रवृत्ति
(c) एक प्रतिवर्त क्रिया
(d) एक वृत्ति

164. स्कूल में शारीरिक शिक्षा कार्यक्रमों के प्रचार का प्रमुख माध्यम है–
(a) विज्ञापन (b) इंट्राम्यूरल
(c) छात्र (d) शिक्षक

165. प्रभावी प्रशासन के लिए, शारीरिक शिक्षा शिक्षक के पास होना चाहिए–
(a) उच्च योग्यता
(b) तकनीकी ज्ञान और कौशल
(c) अच्छा व्यक्तित्व
(d) शिक्षण क्षमता

166. भारतीयों को बढ़ावा देने के लिए आयोजित किया गया था–
(a) फ्री हैंड एक्सरसाइज
(b) देशी खेल
(c) मास लयबद्ध गतिविधियाँ
(d) दंड और बैठक

167. शिविर शिल्प में शामिल हैं–
(a) यांत्रिक कौशल
(b) मानसिक कौशल
(c) मोटर कौशल
(d) नस्लीय कौशल

168. शरीर वर्गीकरण की प्रणाली का आविष्कार करने के लिए पहचाने जाने वाले सबसे पहले व्यक्ति थे–
(a) हिप्पोक्रेट्स (b) क्रेचमेर
(c) हॉल (d) शेल्डन

169. एजुसैट सिस्टम की शुरुआत किस योजना के अंतर्गत की गई है?
(a) साफ्ट स्किल योजना
(b) इंग्लिश लैब
(c) राजीव गाँधी शिक्षण योजना
(d) डायरेक्ट टू होम

170. राजीव गाँधी एजुकेशन सिटी कहाँ बनाई गई है?
(a) मुरथल
(b) हाँसी
(c) कुण्डली (सोनीपत)
(d) जीन्द

171. पण्डित बी.डी.शर्मा स्वास्थ्य विज्ञान विश्वविद्यालय कहाँ अवस्थित है?
(a) रोहतक (b) पानीपत
(c) चरखी–दादरी (d) महेंद्रगढ़

172. राज्य में कार्यशील मजदूरों के बच्चों की शिक्षा के लिए बने स्वैच्छिक संगठन किस नाम से स्थापित किए गए हैं?
(a) पाठशाला
(b) व्यायाम शाला
(c) बचपन शाला
(d) इनमें से कोई नहीं

173. बेटी बचाओ, बेटी पढ़ाओ कार्यक्रम का उद्घाटन पानीपत में प्रधानमंत्री द्वारा किस तिथि को किया गया?
(a) 22 जनवरी, 2015
(b) 11 सितंबर, 2014
(c) 2 अक्टूबर, 2014
(d) 8 मार्च, 2015

किशोरावस्था में यौन शिक्षा

174. लैंगिक प्रजनन के स्थान पर अलैंगिक प्रजनन होता है तो वह कौन–सी क्रिया कहलाती है?
(a) सेमीगेमी (b) एम्फीमिक्सिस
(c) एपोस्पोरी (d) एपोमिक्सिस

175. अलैंगिक जनन की सभी विधियों में–
(a) उत्पन्न संततियाँ आनुवांशिक रूप से जनकों के समान होंगी
(b) उत्पन्न संततियाँ आनुवांशिक रूप से जनकों से भिन्न होंगी
(c) उत्पन्न संततियाँ जनकों के समान या असमान होंगी
(d) उपरोक्त में से कोई नहीं

176. व्यक्ति जो नर व मादा दोनों के द्वितीयक लैंगिक लक्षण प्रदर्शित करता है, कहलाता है–
(a) इंटरसैक्स (b) उभयलिंगी
(c) द्विलिंगी (d) गायनेन्ड्रोमॉर्फ

177. लैंगिक जनन में संततियाँ जनकों के समान होती है–
(a) संरचनात्मक रूप से परंतु कार्यात्मक रूप से नहीं
(b) कार्यात्मक रूप से परंतु संरचनात्मक रूप से नहीं
(c) कार्यात्मक तथा संरचनात्मक दोनों रूप से
(d) न ही कार्यात्मक रूप से और न ही संरचनात्मक रूप से

178. पोलीएस्ट्रस स्तनी है–
(a) मनुष्य (b) खरगोश
(c) कुत्ता (d) घोड़ा

179. अलैंगिक जनन की सामान्य विधि है–
(a) पुनरुद्भवन (b) बडिंग
(c) आर्कीयोसाइट्स (d) जेम्मा निर्माण

180. अलैंगिक जनन पाया जाता है–
(a) उच्च जंतुओं में
(b) निम्न जंतुओं में
(c) पौधों में
(d) उपरोक्त सभी में

181. एक समद्विभाजन द्वारा निर्मित एककों की संख्या होगी–
(a) दो (b) तीन
(c) चार (d) पाँच

182. लैंगिक तथा अलैंगिक पीढ़ी एकांतरण में जहाँ दोनों पीढ़ियाँ द्विगुणित हों तथा अगुणित अवस्था केवल गैमीट्स द्वारा प्रदर्शित हो तो वह अवस्था कहलाती है–
(a) पीढ़ी एकांतरण
(b) मेटाजेनेसिस
(c) पीडोजेनेसिस
(d) पार्थिनोजेनेसिस

183. एक ही जाति के दोनों लिंगों की आकारिकी में भिन्न कहलाता है–
(a) द्विलिंगता (b) विविधरूपता
(c) लैंगिक द्विरूपता (d) एकलिंगी

184. क्रिप्टोर्किडिज्म मनुष्य में कौन–सी अवस्था होती है?
(a) जब वृषण कोष में 2 वृषण होते हैं
(b) जब वृषण, वृषण कोष में नहीं आ पाते हैं
(c) जब वृषण, वृषण कोष में बड़े हो जाते हैं
(d) जब वृषण, वृषण कोष में अल्प विकसित रह जाते हैं

185. बल्बोयूरेथ्रल ग्रंथि को निम्न में से किस नाम से भी जाना जाता है?
(a) प्रोस्टेट ग्रंथि
(b) काउपर ग्रंथि
(c) पेरीनियल ग्रंथि
(d) मीबोमियन ग्रंथि

186. निम्न में से कौन–सी संरचना (नर में) सहायक जनन ग्रंथि है?
(a) प्रोस्टेट ग्रंथि
(b) जठर ग्रंथि
(c) मशरूमकाय ग्रंथि
(d) वंक्षण (Inguinal) ग्रंथि

187. काउपर्स ग्रंथियाँ पाई जाती हैं–
(a) मादा स्तनधारियों में
(b) नर स्तनधारियों में
(c) (a) तथा (b) दोनों में
(d) उपरोक्त में से कोई नहीं

188. सेमीनीफेरस नलिका में केन्द्रीय ल्यूमेन कब विकसित होता है?
(a) जन्म के पश्चात्
(b) यौवन अवस्था से पूर्व
(c) यौवन अवस्था में
(d) वृद्धावस्था में

189. सेमीनीफेरस नलिका में कुछ विशेष प्रकार की कोशिकाएं सरटोली कोशिकाएं होती हैं ये कोशिकाएं होती हैं–
(a) जनन कोशिकाएं
(b) प्रजनन कोशिकाएं
(c) दैहिक कोशिकाएं
(d) रक्षक कोशिकाएं

190. वृषण तथा उदर भित्ति के बीच संयोजी ऊतक की कोर्ड कौन–सी होती है?
(a) वृषण कोर्ड
(b) गुबरनेकुलम
(c) मीजेन्ट्रिक कोर्ड
(d) स्पर्मेटिक कोर्ड

191. स्क्रोटल कोष को कोडा एपीडिडाइमिस से जोड़ने वाला इलास्टिक ऊतक क्या कहलाता है?
(a) गुबरनेकुलम
(b) टेंडनीय कोर्ड
(c) स्क्रोटल लिगामेंट
(d) केपुट एपिडीडिमस

192. वृषण की सेमीनीफेरस नलिका जनन एपीथीलियम से आस्तरित होती है, जिसमें पाई जाती हैं–
(a) सरटोली कोशिकाएं
(b) स्पर्मेटोसाइट
(c) स्पर्मेटोगोनियम
(d) स्पर्मेटिड

193. स्पर्मेटिक कोर्ड के संकुचन से वृषण, वृषण कोष से उदरगुहा में नहीं आते हैं ऐसा निम्न में से कौन–सी संरचना के कारण होता है?
(a) इंगुइनल नलिका के संकरा होने से
(b) वृषण का गुबरनेकुलम टेस्टिस के द्वारा वृषण कोष से जुड़ा रहने से
(c) (a) तथा (b) दोनों
(d) वृषण के ऊपर वसाकाय एवं गुबरनेकुलम की उपस्थिति के कारण

194. वृषण की कौन–सी कोशिकाएं टेस्टोस्टीरोन स्रावित करती हैं?
(a) अंतराली कोशिकाएं अथवा लेडिग कोशिकाएं
(b) जनन एपीथीलियम की कोशिकाएं
(c) सरटोली कोशिकाएं
(d) द्वितीयक स्पर्मेटोसाइट्स

195. यदि मनुष्य में शुक्रवाहिनियों को काट कर हटा दें तो–
(a) वीर्य में शुक्राणु केन्द्रविहीन होंगे
(b) वीर्य में शुक्राणु नहीं होंगे
(c) शुक्राणुजनन नहीं होगा
(d) वीर्य में शुक्राणु अचल होंगे

196. स्तनियों के वृषण को ढंकने वाला कैप्सूल है–
(a) ट्यूनिका एल्बूजीनिया
(b) ट्यूनिका मेम्ब्रेना
(c) ट्यूनिका वेजाइनेलिस
(d) ट्यूनिका वेस्कुलोसा

197. स्तनियों में उदरीय गुहा तथा स्क्रोटल कोष को जोड़ने वाला उदरीय मार्ग कहलाता है–
(a) स्पर्मेटिक नलिका
(b) न्यूरेन्टेरिक नलिका

(c) इंगुइनल नलिका
(d) हेवर्सियन नलिका

198. यदि काउपर्स ग्रंथियाँ नष्ट कर दी जाएं तो प्रभाव होगा–
(a) शिश्न कड़ा/उत्तेजित होने पर
(b) स्पर्म पर
(c) लिंग पहचान पर
(d) लैंगिक व्यवहार पर

199. गुबरनेकुलम कॉर्डिस संकुचनशील संरचना है जो कि–
(a) स्क्रोटम में वृषणों के आने के लिए उत्तरदायी होती है
(b) उदर व वृषण गुहा के बीच वृषणों के प्रवर्जन के लिए उत्तरदायी होती है
(c) वृषणों से स्पर्मेटोजोआ के निकलने में सहायता करती है
(d) वृषणों को स्थिर बनाए रखती है

200. मनुष्य में दो वास डिफरेन्शिया किसमें खुलते हैं?
(a) यूरीनरी ब्लैडर में
(b) रेक्टम में
(c) यूरिथ्रा में
(d) शिश्न में

201. स्तनधारियों में टेस्टिकुलर डीजेनरेशन तथा प्रजनन तंत्र संबंधी विकृतियाँ किसकी कमी से उत्पन्न होती हैं?
(a) विटामिन A (b) विटामिन B
(c) विटामिन K (d) विटामिन E

202. टेस्टिस तथा ओवरी होते हैं–
(a) वृक्कों के पृष्ठ सतह पर स्थित
(b) वृक्क के अधर पर स्थित
(c) वृक्क के पार्श्व में स्थित
(d) वृक्क के डायगोनल पर स्थित

203. नर लैंगिक हॉर्मोन टेस्टोस्टीरॉन विशिष्ट लेडिग कोशिकाओं द्वारा स्रावित होता है जो स्थित होती हैं–
(a) वृक्कों में
(b) टेस्टिस की सेमिनीफेरस ट्यूब्यूल्स में
(c) टेस्टिस की सेमिनीफेरस ट्यूब्यूल्स को घेरने वाले संयोजी ऊतक में
(d) टेस्टिस की एपीडर्मिस को आस्तरित करने वाली कोशिकाओं में

गर्भावस्था एवं प्रसव के दौरान देखभाल

204. भ्रूण विज्ञान की वह कौन–सी शाखा है जो कि असामान्य भ्रूणीय विकास से संबंधित होती है?
(a) जेरेन्टोलोजी
(b) टेरेटोलोजी
(c) एम्ब्रियोलोजी
(d) उपरोक्त में से कोई नहीं

205. अपरिपक्व अवस्था पर अंडे क्या कहलाते हैं?
(a) माइक्रोलेसीथल (b) अण्डजनन
(c) ऊसाइट (d) जायगोट

206. किस अवस्था में अविभेदीकृत प्राइमोर्डियल जर्म कोशिकायें आकार में बड़ी होती हैं तथा उनके क्रोमोटिन की अधिकता वाले केन्द्रक स्पष्ट होते हैं?
(a) गुणन प्रावस्था
(b) वृद्धि प्रावस्था
(c) परिपक्वन प्रावस्था
(d) उपरोक्त सभी

207. स्तनधारियों में वृद्धि करते हुए ऊसाइट को घेरे हुए विशेष पोषक कोशिकाएं कहलाती हैं–
(a) फॉलिकल कोशिकाएं
(b) नर्स कोशिकाएं
(c) (a) तथा (b) दोनों
(d) उपरोक्त में से कोई नहीं

208. स्पर्मेटोजेनेसिस की प्रक्रिया किसके प्रभाव द्वारा संयमित होती है?
(a) ऑक्सीटोसिन
(b) वैसोप्रेसिन
(c) फॉलिकल स्टिमूलेटिंग हॉर्मोन
(d) ल्यूटिओट्रोपिक हॉर्मोन

209. आधुनिक भ्रूणिकी के जनक कहलाते हैं–
(a) अरस्तू (b) न्यूपोर्ट
(c) वॉन बीयर (d) स्पेलेन्जानी

210. सामान्यतः मनुष्य में या अन्य जन्तुओं में गैमीट्स रोगमुक्त होते है। क्योंकि–
(a) रोगाणु गैमीट्स पर आक्रमण नहीं करते
(b) गैमीट्स रोगों के प्रति इम्यून होते हैं
(c) जर्मप्लाज्म बहुत पहले पृथक हो जाता है और रोगग्रस्त सोमेटिक कोशिकाओं के सम्पर्क में नहीं रहता
(d) उपरोक्त में से कोई नहीं

211. स्पर्म के परिवर्धन की कौन–सी प्रावस्था, ओवम के परिवर्धन में भाग नहीं लेती?
(a) ध्रुवकाय का निर्माण
(b) गुणन प्रावस्था
(c) स्पर्मियोजेनेसिस
(d) वृद्धि प्रावस्था

212. नर प्राणियों में यूरेथ्रा से स्पर्मेटोजोआ का मुक्त होना कहलाता है–
(a) शुक्रजनन (Spermatogenesis)
(b) शुक्राणुजनन (Spermiogenesis)
(c) स्खलन (Ejaculation)
(d) वीर्यसेचन (Insemination)

213. अण्डजनन में होती है–
(a) गुणन प्रावस्था
(b) वृद्धि प्रावस्था
(c) परिपक्वन प्रावस्था
(d) उपरोक्त सभी

214. अंडाणुओं के निर्माण की क्रिया को कहते हैं–
(a) अण्डजनन (b) अंडोत्सर्ग
(c) अण्डनिक्षेपण (d) अण्डजता

215. मनुष्य में गैमीटोजिनेसिस के दौरान 100 द्वितीयक ऊसाइट से तथा 100 द्वितीयक स्पर्मेटोसाइट से कितने ओवा एवं स्पर्म उत्पन्न होंगे?
(a) 100 ओवा एवं 100 स्पर्म
(b) 100 ओवा एवं 200 स्पर्म
(c) 50 ओवा एवं 100 स्पर्म
(d) 200 ओवा एवं 200 स्पर्म

216. भ्रूणीय बॉडी निर्माण प्रावस्था में अभिलाक्षणिक होता है–
(a) बेसिक बॉडी प्लान होना
(b) कम प्रौढ़ लक्षण नियमन
(c) विकास की प्रावस्था जो अन्य स्पीशीज के समान होती है
(d) ऊतक पूर्ण निर्मित नहीं होते

217. वर्टीब्रेट्स में विकास के संदर्भ में निर्माण की अवधि का अर्थ है–
(a) गैस्ट्रुला का निर्माण
(b) जर्मलेयर्स का निर्माण
(c) ऊतक विभेदीकरण
(d) पैतृक निर्माण तथा गैमीट्स का विस्तार या सृजन

218. भ्रूणीय विकास का नियम दिया था–
(a) वॉन बीयर ने (b) हीकल ने
(c) वैलेस ने (d) मॉर्गन ने

219. मनुष्य के वृषण में जनन कोशिकाओं के परिपक्वन से नर युग्मक अथवा शुक्राणुओं का बनना कहलाता है–
(a) स्पर्मेटोजिनेसिस
(b) गैमीटोजिनेसिस
(c) ऊजिनेसिस
(d) उपरोक्त में कोई नहीं

220. मनुष्य में शुक्राणु, स्खलन के पश्चात किस दर से गति करते हैं?
(a) 2 से 4 मिमी/मिनट
(b) 2 से 4 फीट/मिनट
(c) 2 से 4 इंच/मिनट
(d) 2 से 4 सेमी/मिनट

221. अंडाणु में शुक्राणु के प्रवेश में निम्न में से कौन सहायक होता है?
(a) फर्टिलाइजिन
(b) एन्टीफर्टिलाइजिन
(c) स्पर्म लाइसिन
(d) निषेचन झिल्ली

222. फर्टिलाइजिन पदार्थ किसके द्वारा निकलते हैं?
(a) परिपक्व अंडे से
(b) शुक्राणुओं से
(c) अपरिपक्व अंडे से
(d) ध्रुव काय से

223. एक अत्यंत छोटी कोशा जो कि जंतुओं के अंडे के परिपक्वन के समय अलग हो जाती है, कहलाती है–
(a) प्राथमिक स्पर्मेटोगोनिया
(b) द्वितीय ऊगोनिया
(c) प्राथमिक ऊगोनिया
(d) ध्रुव काय

असामान्य गर्भावस्था एवं गर्भपात

224. ह्यूमन कोरिओनिक गोनेडोट्रोफिन हॉर्मोन (hCG) का कार्य है–
(a) गर्भावस्था के $1\frac{1}{2}$ महीने (6 सप्ताह) तक कॉर्पस ल्यूटियम को सुरक्षित रखना
(b) यह नर भ्रूण की लेडिंग (Leydig) कोशिकाओं को टेस्टोस्टीरॉन निर्माण के लिए प्रेरित करता है।
(c) वैंसीको योनिक फिस्टुला का निर्माण करना
(d) (a) तथा (b) दोनों

225. निम्न में से कौन–सा गोनोकोकल सलपिनजाइटिस (Gonococcal salpingitis) का चारित्रिक लक्षण नहीं है?
(a) यह एक यौन रोग है
(b) यह हमेशा दोनों फैलोपियन ट्यूब को प्रभावित करती है
(c) यह संक्रमण सामान्यतया मासिक चक्र के दौरान या बाद में ज्यादा होता है
(d) यह संक्रमण गर्भपात एवं बच्चे के जन्म के बाद ज्यादा होता है

226. निम्न में से कौन–सा कथन असत्य है?
(a) भ्रूणीय विकास के दौरान नोटोकॉर्ड का विकास गर्भ ठहरने के बाद 14-21 दिन के अन्दर हो जाता है
(b) भ्रूणीय विकास के दौरान बाहरी जननांगों का विकास गर्भ ठहरने के बाद 8-12 सप्ताह के भीतर हो जाता है
(c) भ्रूणीय विकास के दौरान सभी प्रमुख संरचनाओं का निर्माण गर्भ ठहरने के बाद 6-8 सप्ताह के भीतर हो जाता है
(d) गर्भ ठहरने के बाद 28 सप्ताह तक दोनों वृषण, (testicles) वृषणकोष (scrotum) में चले जाते हैं

227. निम्न में से कौन–सा परीक्षण HIV के संक्रमण का पता लगाने के लिए प्रयोग में नहीं लाया जाता है?
(a) एलिजा
(b) वेस्टर्न ब्लॉट
(c) पॉलीमेरेज चेन रिएक्शन (PCR)
(d) विडाल टेस्ट

228. निम्न में से कौन–सा पायोजेनिक सल्पिन्जाइटिस (Pyogenic salpaingitis) का चारित्रिक लक्षण है?
(a) यह एक यौन रोग है
(b) यह हमेशा दोनों फैलोपियन ट्यूब को प्रभावित करती है
(c) यह संक्रमण सामान्यतया मासिक चक्र के दौरान या बाद में ज्यादा होता है
(d) यह संक्रमण गर्भपात एवं बच्चे के जन्म के बाद ज्यादा होता है

229. कौन–सा कथन सत्य नहीं है?
(a) गर्भावस्था के दौरान कार्डियक आउटपुट बढ़ जाता है
(b) गर्भावस्था के दौरान स्ट्रोक मात्रा बढ़ जाती है
(c) गर्भावस्था के दौरान हृदय गति की दर कम हो जाती है
(d) गर्भावस्था के दौरान शिरापरक दाब बढ़ जाता है

230. निम्न में से कौन–सा कारक जननांग भ्रंश (Genital prolapse) के अधिग्रहण प्रिडिसपोसिंग कारक में शामिल नहीं है?
(a) प्रसव के दौरान सहायक संरचना में आघात होना
(b) सहायक संरचना की जन्मजात कमजोरी
(c) सहायक संरचना का सब– इन्पोल्यूसन
(d) गर्भाशय के वजन का बढ़ जाना

231. निम्न में से कौन–सा कथन सत्य है?
(a) गर्भावस्था के दौरान प्लाज्मा प्रोटीन का सांद्रण बढ़ जाता है
(b) गर्भावस्था के दौरान कुल प्लाज्मा प्रोटीन स्तर बढ़ जाता है
(c) गर्भावस्था के दौरान एल्ब्यूमिन स्तर बढ़ जाता है
(d) गर्भावस्था के दौरान ग्लोब्यूलिन स्तर हल्की–सी गिरावट प्रदर्शित करता है

232. जेनाइटल प्रोलेप्स (Genital prolapse) के जिम्मेदार कारकों में शामिल कारक नहीं है–
(a) पोस्टरजोनिवृत्ति एट्रोफी
(b) इन्ट्राएब्डोमिनल दाब का बढ़ जाना
(c) गर्भाशय के वजन का कम हो जाना
(d) सहारा देने वाली संरचनाओं की जन्मजात कमजोरी

233. स्वस्थ महिला में सम्पूर्ण गर्भावस्था के दौरान वजन में लगभग कुल कितनी वृद्धि हो जाती है?
(a) 4 किलोग्राम (b) 5 किलोग्राम
(c) 2 किलोग्राम (d) 11 किलोग्राम

234. गर्भावस्था के दौरान एम्निओटिक द्रव का कार्य होता है–
(a) यह आघात अवशोषक के रूप में कार्य करता है।
(b) यह तापक्रम को समान बनाए रखता है।
(c) यह भ्रूण की स्वतंत्र गति में सहायक होता है।
(d) उपरोक्त सभी

235. एक महिला को गर्भवती होने से बचने के लिए योनिक डायफ्राम का प्रयोग करते समय कौन–सी सावधानी रखनी चाहिए?
(a) इसे वीर्य स्खलन के तुरन्त पहले लगाना चाहिए।
(b) इसे वीर्य स्खलन के तुरन्त बाद हटा देना चाहिए।
(c) इसे संभोग करने से तीन घंटे पहले लगाना चाहिए तथा सम्भोग के बाद कम–से–कम 6 घंटे तक वहीं लगे रहने देना चाहिए उसके बाद हटाना चाहिए।
(d) इसे संभोग के तीन घंटे पहले लगाना चाहिए एवं सम्भोग के तुरन्त बाद हटा देना चाहिए।

236. गर्भावस्था के दौरान योनि की pH होती है–
(a) अम्लीय
(b) क्षारीय
(c) उदासीन
(d) कभी अम्लीय तथा कभी क्षारीय

237. बैरियर कोन्ट्रासेप्टिव विधियों का क्या कार्य है?
(a) ये डिम्बक्षरण का अवरोध करती हैं।
(b) ये निषेचित अंडे को गर्भाशय में आरोपित होने से रोकती हैं।
(c) ये शुक्राणुओं को योनि में संग्रह होने से रोकती हैं।
(d) उपरोक्त सभी

238. निषेचित अंडे का गर्भाशय की दीवार पर आरोपण किस दिन पूर्ण हो जाता है?
(a) दूसरे दिन (b) 11वें दिन
(c) 20वें दिन (d) पहले दिन

239. इन्ट्रायूटेराइन डिवाइस एक महिला को गर्भवती होने से कैसे रोकती है?
(a) यह डिम्बक्षरण को रोकती है।
(b) यह निषेचित अंडे को गर्भाशय में आरोपित होने से रोकती है।
(c) यह शुक्राणुओं को योनि में संग्रह होने से रोकती है।
(d) उपरोक्त सभी

240. गर्भावस्था में स्तनों में होने वाले भौतिक परिवर्तन है–
(a) स्तनों के आकार में वृद्धि हो जाती है।
(b) स्तनाग्र बड़े तथा उभरे हुए हो जाते है।
(c) स्तनों की वेस्कुलेरिटी बढ़ जाती है।
(d) उपरोक्त सभी

241. ओरल कोन्ट्रासेप्टिव पिल्स एक महिला को गर्भवती होने से कैसे बचाती हैं?
(a) ये डिम्बक्षरण को रोकती हैं।
(b) ये निषेचित अंडे को गर्भाशय में आरोपित होने से रोकती है।
(c) ये शुक्राणुओं को योनि में संग्रह होने से रोकती हैं।
(d) उपरोक्त सभी

242. निम्न में से गर्भावस्था (Pregnancy) का महत्त्वपूर्ण लक्षण है–
(a) स्तन के आकार में वृद्धि होना।
(b) बड़े, उभरे हुए तथा गहरे रंजक युक्त स्तनाग्र
(c) महिला जो कभी लैक्टेटेड नहीं रही उसके स्तनों से स्वीज स्रावित किए जा सकते हैं।
(d) उपरोक्त सभी

243. रजोनिवृत्ति देरी का क्या तात्पर्य है?
(a) जब रजोनिवृत्ति वाली अवस्था 40 वर्ष की आयु के बाद भी न आए।
(b) जब रजोनिवृत्ति वाली अवस्था 45 वर्ष की आयु के बाद भी न आए।
(c) जब रजोनिवृत्ति वाली अवस्था 50 वर्ष की आयु के बाद भी न आए।
(d) जब रजोनिवृत्ति वाली अवस्था 55 वर्ष की आयु के बाद भी न आए।

244. गर्भावस्था की वह समयावधि जिसे प्रथम तिमाही (First trimester) कहा जाता है–
(a) प्रथम 12 सप्ताह
(b) 5-6 सप्ताह
(c) 13-28 सप्ताह
(d) 29-40 सप्ताह

245. गर्भावस्था की वह समय अवधि जो द्वितीय तिमाही के नाम से जानी जाती है–
(a) प्रथम 12 सप्ताह
(b) 5-6 सप्ताह
(c) 13-28 सप्ताह
(d) 29-40 सप्ताह

246. गर्भावस्था की समय अवधि जिसे तृतीय तिमाही कहा जाता है–
(a) 29 - 40 सप्ताह (b) 20 - 32 सप्ताह
(c) 20 - 36 सप्ताह (d) 36 - 40 सप्ताह

247. हाइपोस्पाडियास (hypospadias) से ग्रसित व्यक्ति–
(a) में शुक्राणुओं का उत्पादन नहीं होता
(b) योनि में शुक्राणुओं का संग्रह नहीं कर पाता
(c) मूल त्याग नहीं कर सकता
(d) योनि में ज्यादा गहराई में शुक्राणुओं का संग्रह नही कर पाता

248. 12 सप्ताह के गर्भधारण में गर्भाशय का आकार हो जाता है?
(a) मुर्गी के अंडे के बराबर
(b) क्रिकेट की गेंद के समान
(c) भ्रूण के सिर के समान
(d) फुटबॉल के बराबर

249. निम्न में से कौन–सा कथन असत्य है?
(a) ऐसी महिलाएँ जिनमें मासिक चक्र नहीं होता है उनमें पेल्विक इनफ्लेमेटरी रोग (PID) होने की संभावना कम हो जाती है
(b) ऐसी महिलाएँ जोकि इन्ट्रायूटेराइन डिवाइस का प्रयोग करती हैं उनमें PID होने की संभावना ज्यादा होती है
(c) ऐसी महिलाएँ जोकि मुखीय (oral) गर्भनिरोधक दवाइयों का प्रयोग करती हैं उनमें PID होने की संभावना ज्यादा रहती है
(d) ऐसी महिलाएँ जोकि वैस्कोटॉमी करवाए हुए केवल एक पुरुष से ही संभोग करती हैं, उनमें PID होने की संभावना कम रहती है

250. गर्भावस्था में सर्विक्स का मुलायम (softening of cervix) हो जाना कहलाता है–
(a) जैक्वीमीयर लक्षण
(b) ओसिएण्डर लक्षण
(c) गुडल्स लक्षण
(d) हेगार लक्षण

251. एक पुरुष में वीर्य का निर्माण न हो पाना, कहलाता है–
(a) अस्पर्मिया (b) अजूस्पर्मिया
(c) एस्थीनोस्पर्मिया (d) टेट्राजूस्पर्मिया

252. यूटेराइन प्रोलेप्स का प्रकार जिसमें गर्भाशय काय, योनि इन्ट्रोइटस से बाहर आ जाती है, कहलाता है–
(a) Ist डिग्री
(b) IInd डिग्री
(c) IIIrd डिग्री
(d) IVth डिग्री

253. निम्न में से कौन–सा रूबेला के इन्ट्रायूटेराइन फेटल संक्रमण का परिणाम (consequence) है?
(a) जन्मजात बहरापन
(b) जन्मजात ह्रदय बीमारियाँ
(c) मोतियाबिन्द
(d) उपरोक्त सभी

254. फिब्राइड यूट्रस (fibroid uterus) से ग्रसित महिला में निम्न में से कौन–सा परिवर्तन देखने को नहीं मिलता है?
(a) एन्डोमेट्रियम का पृष्ठक्षेत्र बढ़ जाना
(b) सामान्य गर्भाशयी संकुचन प्रक्रिया में बदलाव
(c) एन्डोमेट्रियल हाइपोप्लेसिया
(d) पेल्विक कोंगेसन

255. एक महिला जो प्रथम बार गर्भवती हुई हो, कहलाती है–
(a) प्रीमीपैरा (b) मल्टीपैरा
(c) नलीग्रेविडा (d) प्रीमीग्रेविडा

256. निम्न में से फिब्राइड यूट्रस की मुख्य परेशानी है–
(a) लगातार मेनोरेगिआ की वजह से एनीमिया हो जाना
(b) तीव्र संक्रमण की वजह से पेरिटोनाइटिस हो जाना
(c) सारकोमा
(d) उपरोक्त सभी

257. प्रसव पूर्व सलाह (antenatal advice) में शामिल है–
(a) माता को प्रतिदिन अतिरिक्त 300 किलो कैलोरी लेने के लिए सलाह देना
(b) माता को आयरन तथा फोलिक एसिड टेबलेट लेनी चाहिए
(c) टिटनेस टॉक्सोइड टीकाकरण करवाना चाहिए
(d) उपरोक्त सभी

258. वीर्य में फ्रक्टोज की अनुपस्थिति का कारण हो सकता है–
(a) एक वृषण की अनुपस्थिति
(b) प्रोस्टेट ग्रन्थि की जन्मजात अनुपस्थिति
(c) टैस्टोस्टीरोन हॉर्मोन की अनुपस्थिति
(d) सेमीनल पुटिका की जन्मजात अनुपस्थिति

259. एण्डोमेट्रियोसिस (endometriosis) के उपचार हेतु काम में ली जाने वाली दवा है–
(a) प्रोजेस्टेरोन एवं एस्ट्रोजन की मिश्रित गोली
(b) डेनाजॉल
(c) GnRH एनॉलाग्ज
(d) उपरोक्त सभी

260. पुरुषों में पाई जाने वाली कमी जो कि जनन अक्षमता उत्पन्न करती है–
(a) वृषण का संक्रमण
(b) वृषणकोष का तापमान बढ़ जाना
(c) वृषणों का वृषणकोष में नहीं उतर पाना
(d) उपरोक्त सभी

व्याख्या सहित उत्तर

स्वास्थ्य एवं स्वास्थ्य समस्याएँ

1. (c) साउंड बॉडी, साउंड माइंड, साउंड फैमिली और साउंड वातावरण

2. (d) ये सभी

3. (c) 'a' व 'b' दोनों

4. (c) तेरह

5. (a) त्रिदंड

6. (b) दृढ़ेन्द्रिय

7. (a) 2

8. (b) उभयेन्द्रिय

9. (a) स्वास्थ्य एवं परिवार कल्याण मंत्रालय

10. (a) स्वास्थ्य एवं परिवार कल्याण मंत्रालय

11. (b) 31 मई को विश्व तम्बाकू दिवस मनाया जाता है तम्बाकू के सेवन से कैंसर होने की आशंका होती है। तम्बाकू चबाने से मुख का कैंसर तथा सिगरेट के धुएँ से फेफड़ों में कैंसर हो जाता है। इसलिए जनसमुदाय में इससे संबंधित जागरूकता बढ़ाने के लिए विश्व स्तर पर ये दिवस मनाया जाता है।

12. (b) मनप्रभावी औषधियों को

13. (b) पाचन तंत्र

14. (d) दोनों (a) एवं (b)

15. (c) एंफीटामिन

स्वास्थ्य संगठन एवं संस्थाएँ

16. (a) 7 मई

17. (d) सामुदायिक स्वास्थ्य नर्स को समुदाय के व्यक्तियों से उपहार लेने चाहिए यदि, वो देना चाहते हैं तो

18. (b) जैविकीय कारकों द्वारा

19. (c) आर्थिक स्तरीकरण

20. (a) समान बँटवारा

21. (d) उपरोक्त सभी

22. (b) फैमिली प्लानिंग

23. (c) स्वास्थ्य शिक्षा

24. (b) 20000-30000

25. (d) शिशु मृत्यु दर एक वर्ष में प्रति 1000 जीवित जन्मों पर, शिशुओं की होने वाली कुल मृत्यु की संख्या होती है। उच्च शिशु मृत्यु दर ग्रामीण समाज में एक गंभीर समस्या है जिसका कारण कम उम्र में विवाह, अशिक्षा, चिकित्सीय सुविधाएँ उपलब्ध न होना है।

26. (b) 1953 में

27. (d) राष्ट्रीय स्वास्थ्य नीति 2002 के लक्ष्यों में पोलियो को 2005 तक उन्मूलित करना, HIV की वृद्धि 2007 तक शून्य स्तर पर लाना, MMR को 2010 तक 100 लाख करना, आदि शामिल थे।

28. (d) एक्क्रेडिटेड सोशल हेल्थ एक्टीविटीज

29. (b) NRHM

30. (b) 1983

31. (a) निर्मूल भ्रम का

32. (a) कोको

33. (d) स्मॉलपॉक्स

स्वास्थ्य कार्यकर्त्ताओं की भूमिका एवं दायित्व

34. (d) उपरोक्त सभी

35. (b) घटी है

36. (a) बुरा प्रभाव पड़ता है।

37. (a) सामाजिक–सांस्कृतिक कारकों से

38. (c) चिकित्सीय समाजशास्त्र का कार्य संक्रामक रोगों में सामाजिक कारकों की भूमिका का सर्वेक्षण करना है। इस प्रकार का अध्ययन बहुत–सी महामारियों को फैलने से रोकने में अत्यन्त सहायक होता है। उदाहरण–एड्स (AIDS), स्वाइन फ्लू (Swine flu)।

39. (b) बच्चों में वृद्धि (ग्रोथ) मॉनीटरिंग करने के लिए

40. (d) BPL (Below Poverty Line) परिवारों में संस्थागत प्रसव को बढ़ावा देना व मातृ एवं शिशु मृत्यु दर पर नियंत्रण

41. (d) उपरोक्त सभी

42. (b) सामाजिक कल्याण मंत्रालय

43. (b) उलटे हाथ की सबसे छोटी अँगुली पर

44. (c) एक वर्ष में एक हजार जनसंख्या पर कुल जीवित जन्मों की संख्या

45. (a) 1958 में

46. (d) 200 घंटे

47. (c) 3 माह

48. (b) 1000 ग्रामीण जनसंख्या

पोषण एवं पोषण की कमी से रोग

49. (a) मानव शरीर में अतिरिक्त अमीनो अम्लों का संग्रह नहीं किया जा सकता है बल्कि उत्सर्जन होता है।

50. (d) वसा भी ऑक्सीकरण पर ऊर्जा उत्पादित करती है। यह कार्बोहाइड्रेट के समान भार से दुगनी से अधिक ऊर्जा उत्पादित करती है। पाचन के पश्चात् अतिरिक्त वसा एडीपोज ऊतक में संगृहीत हो जाती है और वसा कम स्थान में एकत्रित हो जाती है।

51. (c) प्रोटीन्स शरीर में मुख्यतः निर्माणकारी पदार्थ के रूप में उपयोग किए जाते हैं क्योंकि ये जीवद्रव्य का आवश्यक संघटक होते हैं।

52. (d) कार्बोहाइड्रेट्स टूटकर मोनोसैकेराइड्स के रूप में अवशोषित होते हैं। विभिन्न प्रकार के मोनोसैकेराइड्स विभिन्न दरों पर अवशोषित किए जाते हैं। विभिन्न शर्कराओं के अवशोषण की दर निम्न घटते क्रम में पाई जाती है– गैलेक्टोज, ग्लूकोज, फ्रक्टोज, मैनोज, जाइलोज।

53. (c) पाचन की प्रक्रिया के दौरान प्रोटीन अमीनो अम्लों में टूटता है। और अंततः सभी वसाएँ वसीय अम्ल, ग्लिसरॉल और मोनोग्लिसराइड्स में बदल जाती हैं।

54. (a) प्रोटीन की सबसे छोटी रचनात्मक इकाई अमीनो अम्ल अणुओं की बनी होती है इसलिए ये जल अपघटन पर अमीनो अम्ल बनाती है।

55. (c) ग्लाइकोजन जन्तुओं में पाया जाने वाला एक सामान्य पॉलीसैकेराइड है। कार्बोहाइड्रेट जन्तु शरीर में ग्लाइकोजन के रूप में संचित रहता है।

56. (a) सर्वप्रथम कार्बोहाइड्रेट का, इसके पश्चात वसा का तथा अंत में प्रोटीन उपापचयी पदार्थों का प्रयोग होता है।

57. (b) कार्बोहाइड्रेट अधिकांश जन्तुओं के भोजन में ऊर्जा का प्रमुख स्रोत होते हैं। कार्बोहाइड्रेट के प्रमुख स्रोत अनाज, फल, दूध, चावल और आलू होते हैं।

58. (c) यह प्रोटीन और कोएंजाइम संश्लेषण में महत्त्वपूर्ण भूमिका निभाता है। यह प्रोटीनों की द्वितीयक संरचनाओं में S = S और S – H बंध निर्मित करते हैं।

59. (b) कार्बोहाइड्रेट्स शरीर में प्रोटीन और वसाओं की तुलना में ऊर्जा उत्पादन के लिए अधिक उपयुक्त होते हैं। कार्बोहाइड्रेट्स शारीरिक कोशिकाओं में ग्लाइकोजन के रूप में संगृहीत रहता है और आवश्यकता पड़ने पर ऊर्जा उत्पादन के लिए उपयोग किया जाता है।

60. (a) ग्रहणी और आमाशय में

61. (c) आवश्यक अमीनो अम्ल भोजन से प्राप्त होते हैं, इनका निर्माण शरीर में नहीं होता है।

62. (c) ऊर्जा की वह मात्रा जो भोजन के ऑक्सीकरण के दौरान मुक्त होती है फिजियोलॉजिकल ईंधन मान (Physiological fuel value) कहलाती है।

63. (a) सही खुराक

मानव शरीर की संरचना एवं स्वच्छता

64. (b) कूल्हा (hip) अस्थि तीन अस्थियों के संलयन से बनती है ऊपर की ओर इलियम, अंदर की ओर प्यूबिस तथा इश्चियम प्यूबिस के नीचे स्थित होती है।

65. (b) महिलाओं में पैल्विक गर्डिल चौड़ा होता है जो प्रसव में सहायता करता है।

66. (c) 1 ह्यूमरस, 1 रेडियस, 1 अल्ना, 8 कार्पल अस्थियाँ 5 मेटा कार्पल अस्थियाँ, 5 डिजिट (14 फेलेंजिज) फेलेंजियल सूत्र : 2, 3, 3, 3, 3

67. (d) हाथ का अँगूठा पॉलेक्स तथा पैर का अँगूठा हॉलेक्स कहलाता है

68. (a) ह्यूमरस के ऑलीक्रेनॉन फोसा का आधारीय भाग एक सुप्रा ट्रोक्लियर फोरामेन से चिन्हित किया जाता है इससे होकर ब्रेकियल धमनी तथा तंत्रिका गुजरती हैं।

69. (b) पटेला चपटी अस्थि है पटेला को घुटने की चकती (Knee cap) भी कहते हैं।

70. (d) शिशु के जन्म के दौरान प्यूबिक सिम्फाइसिस जो कि फाइब्रस उपास्थि की बनी होती है, शिथिल होकर शिशु के जन्म के लिए स्थान बढ़ा देती है।

71. (a) लाल अस्थि मज्जा लम्बी अस्थियों जैसे–ह्यूमरस, फीमर के सिरों पर पाई जाती है।

72. (d) प्रत्येक पश्च पाद में 30 अस्थियाँ पाई जाती है, जाँघ में फीमर, घुटने में पटेला, पाद में टिबिया फिबुला, एंकिल में 7 टार्सल्स, तलुवे में 5 मेटाटार्सल्स, तथा उँगलियों में 14 फैलेंजिज।

73. (b) एस्ट्रागैलस तथा कैल्केनियम अस्थियाँ पश्च पाद की अस्थियाँ हैं।

74. (b) एटलस तथा एक्सिस के मध्य संधि तथा कोहनी के ठीक नीचे रेडियस एवं अल्ना के मध्य संधि आदि सभी खूँटीदार (Pivot) संधि के उदाहरण हैं।

75. (d) साइनोवियल झिल्ली, साइनोवियन द्रव स्रावित करती है यह संधियों को चिकनाहट (स्नेहक) प्रदान करता है।

76. (d) कंधे तथा कूल्हा संधियाँ, बॉल तथा सॉकेट संधियों के उदाहरण हैं।

77. (a) कोहनी, घुटना, टखना तथा अन्तर फेलेंजियल संधियाँ आदि हिंज या कब्जा संधि के उदाहरण हैं।

78. (d) कलाई की संधि विसर्पी प्रकार की होती है।

मस्तिष्क विकास एवं मानसिक स्वास्थ्य की अवधारणा

79. (c) कॉर्पस कैलोसम दोनों प्रमस्तिष्क गोलार्द्धों को जोड़ने वाली अर्धचंद्राकार तंत्रिका तंतुओं की बनी मोटी सफेद पट्टी है। ये केवल स्तनधारियों में पाई जाती है।

80. (b) ऑप्टिक तंत्रिका संवेदी होती है अतः यह रेटिना से उद्भावित (Originates) होती है और मध्य मस्तिष्क में वितरित रहती है।

81. (a) अनुकंपी तंत्रिका तंत्र शरीर के प्रतिरक्षा तंत्र की प्रतिकूल परिस्थितियों के प्रति क्रियाशीलता बढ़ाता है। यह तनाव की परिस्थिति, दर्द, भय और क्रोध में क्रियाशील हो जाता है।

82. (c) श्वेत मेड्यूलेटेड तंत्रिका तंतुओं का एक संघन जाल श्वेत द्रव्य (White matter) निर्मित करता है।

83. (d) स्वायत्त तंत्रिका तंत्र (Autonomic nervous system) अनैच्छिक प्रक्रियाओं जैसे–हृदय स्पंदन, होमियोस्टेसिस, शारीरिक तापमान, श्वासोच्छ्वास (Breathing)] आहारनाल की क्रमाकुंचन गतियों और ग्रंथियों के स्रावण का नियमन और समन्वय करता है।

84. (d) यदि एक स्तनधारी के मस्तिष्क में से प्रमस्तिष्क (Cerebrum) निकाल दिया जाए तो सचेतनाओं (Consciousness) और स्मृति (Memory) पर आधारित प्रतिक्रियाएँ (Responses) समाप्त हो जाती हैं।

85. (d) पश्च मस्तिष्क में दो पृथक भाग सम्मिलित होते हैं (i) मेटेनसेफेलॉन (मेड्युला ओब्लॉंगेटा) (ii) मायलेनसेफेलॉन (सेरीबेलम) तथा एक श्वेत द्रव्य की बनी एक चौड़ी अनुप्रस्थ पट्टी होती है जिसे पोन्स वैरोलाई (Pons varolii) कहते हैं।

86. (d) प्रतिवर्ती क्रिया (Reflex action) किसी उद्दीपन के प्रति एक तीव्र अनैच्छिक प्रतिक्रिया होती है जिसमें मस्तिष्क का कोई नियंत्रण नहीं होता। यह केन्द्रीय तंत्रिका तंत्र की मेरुरज्जु द्वारा नियंत्रित होती है।

87. (a) मनुष्यों में सबसे छोटी कपालीय तंत्रिका ट्रॉक्लियर होती है।

88. (c) त्वचीय संवेदांग संवेदी न्यूरॉन्स के डेन्ड्रॉन्स के अंतिम सिरे (तंत्रिका के स्वतंत्र छोर) होते हैं। ये स्पर्श, दर्द, दाब, ताप और ठंडक के प्रति संवेदी होते हैं।

89. (a) ऑल्फैक्ट्री, ऑप्टिक और ऑडिटरी तंत्रिकाएं कार्य में पूर्णतः संवेदी प्रकृति की होती हैं। ये तंत्रिकीय आवेगों को संवेदी अंगों से CNS तक ले जाती है।

90. (c) मायोजेनिक हृदय की तंत्रिका आपूर्ति काट देने पर भी यह नियमित रूप से धड़कता है।

91. (d) केन्द्रीय तंत्रिका तंत्र में मस्तिष्क व मेरुरज्जु सम्मिलित होते हैं। ये दोनों ही तीन सुरक्षात्मक आवरणों पायामेटर, अरेक्नॉइड और ड्यूरामेटर द्वारा घिरे रहते हैं।

92. (d) प्रतिवर्ती चाप तंत्रिका तंत्र की मूलभूत क्रियात्मक इकाई है। प्रतिवर्ती प्रतिक्रिया का तंत्रिकीय प्रेरणा पथ (Nerve impulse circuit) निम्न है

संवेदांग → CNS → क्रियाकारी अंग

93. (d) सेरीब्रम (प्रमस्तिष्क गोलार्द्ध) विचार, इच्छाशक्ति, तर्कशक्ति, स्मृति और अनुभव सीखने, ज्ञान प्राप्त करने और वाणी का केन्द्र होता है।

94. (d) VII, IX, X, XI, XII

95. (d) मेड्युला ऑब्लांगेटा रुधिर दाब, हृदय स्पंदन को नियंत्रित करता है

96. (c) तंत्रिकीय आवेग एसीटाइलकोलीन और एड्रीनेलिन नामक न्यूरोट्रांसमीटर्स की सहायता से एक्सॉन से डेन्ड्रोन में संचरित होते हैं। ये न्यूरोट्रांसमीटर्स सिनैप्टिक नोब की स्रावी वैसाइकल्स द्वारा उत्पन्न किए जाते हैं।

97. (d) एक तंत्रिका तंतु से होकर जाने वाली डीपोलेराइजेशन की तरंग क्रिया विभव (Action potential) कहलाती है। अर्थात् क्रिया विभव इस प्रकार आगे बढ़ता है जिस प्रकार किसी फ्यूज से होकर स्पार्क आगे बढ़ता है।

98. (a) Na^+ और K^+ की पारगम्यता।

99. (a) विश्राम या सुप्त कला विभव (Resting membrane potential) का मान – 40 से – 90 मिली वोल्ट के मध्य रहता है। औसतन यह मान – 70 उट होता है।

100. (d) 60 से 120 मी/से.

101. (b) तंत्रिकीय संचरण हेतु आवश्यक खनिज सोडियम है।

102. (b) तंत्रिकीय आवेगों का संचरण संवेदांगों से केन्द्रीय तंत्रिका तंत्र तक एफरेन्ट या संवेदी तंत्रिका तंतुओं द्वारा किया जाता है।

103. (d) यह एक मजबूत कुचालक स्तर होता है जोकि एक्सॉन की सतह से सभी आयनों के प्रवाह को रोक देता है और इस प्रकार आवेगों का क्षय (leakage) रुक जाता है।

संक्रामक रोग एवं देखभाल

104. (c) बूस्टर डोज इम्यूनोजन की वह मात्रा है जो कि अधिकांशतः वास्तविक मात्रा से कम होती है तथा प्रतिरक्षण को बनाए रखने के लिए दी जाती है।

105. (c) ब्रिटेन के एडवर्ड जेनर ने 1796 में बताया कि काउपॉक्स के वैक्सीनेशन द्वारा व्यक्ति को चेचक से रक्षित किया जा सकता है।

106. (b) ब्रिटेन के सर एलेक्जेन्डर फ्लेमिंग (1881–1955) ने प्रथम प्रतिजैविक 'पेनीसिलिन' की खोज 1929 में की। इसके लिए उन्हें **1945** में नोबेल पुरस्कार से सम्मानित किया गया।

107. (b) थाइमस एक महत्त्वपूर्ण ग्रंथि है जो प्रारंभिक जीवन में T–लिम्फोसाइट के निर्माण के

लिए आवश्यक है। एड्स विषाणु T–लिम्फोसाइट्स को नष्ट करता है इसलिए इसका उल्लेख एड्स के संबंध में होता है।

108. (c) फोकोमेलिया वह अवस्था है जब जन्म से ही शिशु के पाद या पादों के अग्रभाग अनुपस्थित होते हैं। इस अवस्था में हाथ या पैर शरीर से अनियमित आकृति की अस्थि से जुड़े रहते हैं।

109. (a) हाइड्रोफोबिया या रेबीज स्तनधारियों के केन्द्रीय तंत्रिका तंत्र का एक तीव्र विषाणुवीय संक्रमण है जो अधिकांशतः प्राणघातक होता है। मनुष्यों में इसका संक्रमण रेबीज जानवरों (चमगादड़, कुत्ता, आदि) के काटने से होता है।

110. (d) टिटनेस तथा टायफॉइड जीवाणुवीय रोग हैं तथा पेचिश प्रोटोजोअन द्वारा उत्पन्न होता है।

111. (a) पेराप्लेजिया का अर्थ है पैरों समेत शरीर के निचले हिस्से का लकवा।

112. (b) पीत ज्वर एक जीवाणुवीय रोग है जो कि स्टेगोमाइया जेनेरा की विभिन्न स्पीशीज के मच्छरों द्वारा संचरित होता है।

113. (d) इंटरफेरॉन्स विषाणुओं के संक्रमण को दबाते हैं।

114. (d) ब्यूबोनिक प्लेग जो कि चूहों तथा मनुष्य को प्रभावित करता है वह पास्ट्युरेला पेस्टिस द्वारा उत्पन्न होता है तथा इस रोग का संचरण जिनोप्सिला (जिनोप्सिला चिएपिस) द्वारा होता है।

115. (b) खसरा एक बहुत आम तथा घातक शिशु रोग है। यह एक वायरस रुबेला द्वारा होता है। वायरस के संक्रमण के कारण शरीर संक्रमण के विरुद्ध एंटीटॉक्सिन उत्पन्न करता है इसे इंटरफेरॉन कहते हैं।

116. (c) चेचक एक अतिसंक्रमणकारी रोग है। यह वायरस वेरियोला द्वारा होता है। अब यह रोग भारत से लगभग समाप्त हो चुका है।

117. (a) डेंगू को सामान्यतः 'हड्डी तोड़ बुखार' भी कहते हैं। यह वायरस से होता है। यह एडीज मच्छर की प्रजाति एवं क्यूलैक्स फेटीगेन्स द्वारा संचरित होता है।

118. (a) कुष्ठ रोग जीवाणुओं द्वारा उत्पन्न एक संक्रामक रोग है जो कि माइकोबैक्टीरियम लैप्री द्वारा उत्पन्न होता है।

119. (a) कार्बन कणों के जमाव के कारण।

120. (c) CT स्कैन एक रेडियोग्राफिक तकनीक है जिसमें X- किरणों की बीम के द्वारा शरीर की आंतरिक संरचना के स्पष्ट चित्र प्राप्त किए जाते हैं।

प्राथमिक चिकित्सा

121. (c) इंटरामेडुलरी

122. (d) रुधिर स्राव पर नियंत्रण के लिए हम प्राथमिक चिकित्सा में रुधिर स्राव अंग को ऊपर उठाकर रखते हैं जिससे स्राव का प्रवाह कम हो जाता है। इसके अतिरिक्त, घाव को अंगुली से शीघ्रतापूर्वक बंद करना चाहिए और घाव पर रुई की तह रखकर भी रुधिर स्राव को नियंत्रित किया जा सकता है।

123. (d) इंटराडर्मल

124. (d) उपरोक्त सभी

125. (c) सेलेनियम सल्फाइड

126. (d) उपरोक्त सभी

127. (d) घाव पर पट्टी बाँधने का प्रमुख उद्देश्य घाव को हानिकारक रोगाणुओं के संपर्क से बचाना तथा घायल अंगों को सहारा प्रदान करना है। इसके अतिरिक्त मरहम–पट्टी घाव को हानिकारक रोगाणुओं से बचाती है तथा रुधिर का थक्का बनने से घाव को ढंकने में सहायक होती है।

128. (d) जले हुए भाग की त्वचा नष्ट हो जाने से घाव खुला रहना हमेशा जोखिम भरा होता है। क्योंकि इसमें संक्रमण की संभावना बढ़ जाती है। इन भागों को गंदगी, मक्खी व धूल से बचाना चाहिए। इसके लिए केवल ढीले सूती कपड़े या चादर से इसे ढंक दें।

129. (d) जीभ के नीचे दवाई दिए जाने के तरीके को सबलिंगुअल कहते हैं। एंजाइना दर्द के समय मरीज को ट्राईनाइट्रोग्लिसरीन जीभ के नीचे रखने को दी जाती है यह हृदय की धमनियों का वेसो डायलेशन करती है।

130. (c) प्लेसेबो

131. (b) सिरका

132. (b) दवाई की मात्रा आधी हो

133. (d) इंटरावेनस (Intravenous)

134. (d) ऑक्सीजन देना

135. (a) रोगी की रुधिर शर्करा तथा मूत्र शर्करा जाँचनी चाहिए।

बच्चों में शारीरिक वृद्धि, मनोवैज्ञानिक और सामाजिक विकास

136. (c) G_2 प्रावस्था में कोशिका आगे वृद्धि करती है अधिक प्रोटीन तथा RNAs का संश्लेषण करती है अंगक संख्या में दुगने हो जाते हैं जैसे सेन्ट्रियॉल, माइटोकोन्ड्रिया, गॉल्गी एपरेट्स आदि G_2 प्रावस्था कोशिका को अपने विभाजन के लिए तैयार कर लेती है।

137. (d) जन्म के समय थाइमस प्रमुख रूप से एट्रोफिक्स रहती है यह ग्रंथि थायमोसिन हॉर्मोन, थाइमिक ह्यूमोरल फैक्टर, थाइमिक फैक्टर तथा थायमोपोइटिन स्रावित करती है। लिम्फोसाइट की संख्या में वृद्धि तथा भिन्नीकरण होता है ये लिम्फोसाइट क्लोन की विभिन्न वैराइटी में इन कारकों को प्रेरित करते हैं ये क्लोन विभिन्न प्रकार के विशिष्ट एंटीजन तथा रोगकारकों को नष्ट करते हैं थाइमस ग्रंथि मध्यवर्ती प्रतिरोधकता के लिए T-लिम्फोसाइट उत्पन्न करती है।

138. (c) एक्रीशनरी वृद्धि कुछ विशिष्ट प्रकार की कोशिकाओं जैसे कोन्ड्रियोसाइट, ओस्टियोसाइट तथा मीजेनकाइम में समसूत्री बहुविभाजन में पाई जाती है ये शरीर में विशिष्ट स्थानों पर पाई जाती है जैसे – जंतुओं की पश्च भ्रूणीय वृद्धि।

139. (b) वृद्धि वक्र वृद्धि क्रम की गणितीय व्याख्या है जिसे विभिन्न समयांतरालों (वर्षों में) पर ली गई जीव के भार की रूपरेखा से तैयार किया जा सकता है। यह सामान्यतः सिग्मॉइड वक्र (S आकृति का) होता है।

140. (a) थाइमस में

141. (a) प्रोटीन सायटोप्लाज्म के अवयवों का निर्माण कर वृद्धि तथा क्षतिग्रस्त ऊतकों की मरम्मत में सहायता करता है वस्तुतः प्रोटीन शरीर के मुख्य निर्माणकारी घटक हैं।

142. (b) छोटे बच्चे की किशोर की अपेक्षा अधिक है

143. (c) कुछ दिनों के बाद जब घाव भरने लगते हैं तब अभिन्नित कोशिकाएं एपीडर्मिस के नीचे जमा होने लगती हैं ये कोशिकाएँ समूह में एकत्रित होकर एक उभार बनाती हैं। यह पुनरुद्भवित कलिका या ब्लास्टेमा कहलाता है।

144. (c) बचपन की समाप्ति पर तथा प्यूबर्टी के दौरान वृद्धि थायरॉक्सिन तथा सोमेटोट्रोपिक हॉर्मोन द्वारा नियंत्रित की जाती है।

145. (d) वृद्धि को आकार, भार में वृद्धि एवं नए प्रोटोप्लाज्म के संश्लेषण के रूप में परिभाषित करते हैं।

146. (a) मोर्फेलेक्सिस में एक छोटे से टुकड़े से संपूर्ण शरीर का पुनः निर्माण होता है उदाहरण – हाइड्रा।

147. (c) युग्मित अंगों में से एक का ह्रास होने पर दूसरे द्वारा आकार में वृद्धि हो।

148. (d) इस प्रकार की वृद्धि में कोशिका वृद्धि एवं कोशिका बहुगुणन सम्मिलित किया जाता है जबकि शरीर की कोशिकाओं का औसत आकार लगभग स्थिर रहता है।

149. (d) पश्च माइटोटिक प्रावस्था में इंटरफेज सम्मिलित होती है इसमें वृद्धि प्रावस्था (G_1) संश्लेषी प्रावस्था (सिन्थेटिक फेज) तथा वृद्धि प्रावस्था (G_2) सम्मिलित रहती है।

150. (a) क्योंकि कुछ विशेष कोशिकाएं बहुकोशिकीय प्राणी में विशिष्ट स्थानों पर उपस्थित होती हैं जो कि स्थायी रूप से अविभेदीकृत रहती हैं तथा संग्रहित कोशिकाओं का कार्य करती हैं।

151. (c) यह थाइमस द्वारा स्रावित होता है तथा यौवन से पहले ही वृद्धि को रोक देता है।

152. (c) वृद्धि प्रोटोप्लाज्मिक तथा एपोप्लाज्मिक दोनों नए पदार्थों के जुड़ने से होती है।

153. (d) विशिष्ट समय अंतराल के दौरान प्रारंभिक तथा अंतिम भार का अन्य कारकों से अप्रभावित अंतर।

समस्याएँ, सावधानियाँ और रोकथाम

154. (a) व्यक्ति का सर्वांगीण विकास करना

155. (c) मनोरंजन

156. (b) समान तत्त्वों का सिद्धांत

157. (c) नेतृत्व

158. (b) सीखना व्यवहार में उत्तरोत्तर सामंजस्य की प्रक्रिया है

159. (c) लिंग भेद

160. (d) सभी

161. (b) सुविधाएं

162. (c) शारीरिक प्रशिक्षण

163. (d) एक वृत्ति

164. (c) इंट्राम्यूरल

165. (b) तकनीकी ज्ञान और कौशल

166. (c) मास लयबद्ध गतिविधियाँ

167. (b) मानसिक कौशल

168. (d) शेल्डन

169. (a) साफ्ट स्किल योजना

170. (c) कुण्डली (सोनीपत)

171. (c) रोहतक

172. (c) बचपन शाला

173. (a) 22 जनवरी, 2015

किशोरावस्था में यौन शिक्षा

174. (d) एपोमिक्सिस नए जीव का निर्माण होता है जो कि गैमीट्स संलयन एवं निर्माण को सम्मिलित किए बिना अलैंगिक प्रजनन के द्वारा होता है।

175. (a) अलैंगिक प्रजनन की वह विधि होती है जो आनुवांशिकीय समरूप क्लोन उत्पन्न करती है।

176. (d) गायनेन्ड्रोमॉर्फ

177. (b) लैंगिक प्रजनन में संततियाँ आनुवांशिक रूप से जनकों के समान नहीं होती हैं। वे भिन्नता दर्शाती हैं क्योंकि वे दो विभिन्न जनकों से लक्षण ग्रहण करती हैं।

178. (d) जंतु जिसमें प्रजनन काल के दौरान एस्ट्रस की पुनरावृत्ति होती है, पोलीएस्ट्रस कहलाते हैं उदाहरण के लिए चूहे, गाय, भेड़, सूअर, घोड़ा इत्यादि।

179. (b) जंतुओं में अलैंगिक प्रजनन का सबसे सामान्य रूप विखण्डन एवं मुकुलन होता है।

180. (b) अलैंगिक प्रजनन निम्न जन्तुओं के जन्तु विशेष में बिना गैमीट के निर्माण के होता है।

181. (a) दो

182. (b) मेटाजेनेसिस

183. (c) लैंगिक द्विरूपता

184. (b) स्तनियों में वृषण बाह्य उदरीय स्क्रोटल में स्थित होते हैं।

185. (b) यह नर स्तनियों में भी उपस्थित रहता है जो बल्वोयूरेथ्रल ग्रंथि के रूप में जाने जाते हैं। यह ब्लैडर के नीचे एवं यूरेथ्रा के पीछे स्थित होता है किन्तु वृषण के स्क्रोटल सैक में न उतर पाने को क्रिप्टोर्किज्म कहते हैं। इसमें जीव बंध्य हो जाता है।

186. (a) प्रोस्टेट ग्रंथि

187. (b) शिश्न में प्रवेश करने के पहले काउपर्स ग्रंथि यूरेथ्रा में खुलती है। यह स्रावण शिश्न ग्रंथि के लिए स्नेहक (Vibricants) की तरह कार्य करता है। यह यूरेथ्रा में मूत्र को उदासीन कर देता है।

188. (c) सेमिनिफेरस नलिकाएं वृषण के भीतर स्थित होती हैं। इस नलिका में केन्द्रीय ल्यूमेन यौवनावस्था में विकसित होता है। मानव में प्रत्येक वृषण लगभग 750 कुण्डलित शुक्र नलिकाओं का बना होता है, जोकि स्पर्मेटोजोआ को उत्पन्न करती हैं।

189. (d) शुक्र नलिकाएँ जर्मिनल एपीथिलियम द्वारा आस्तरित रहती हैं जो दो प्रकार की कोशिकाओं जर्म या स्पर्मेटोजेनिक एवं सरटोली या नर्स कोशिकाओं की बनी होती हैं। सरटोली कोशिकाएँ कुछ पिरामिड के आकार की कोशिकाएँ होती हैं जो कि शुक्राणुओं के विकास के लिए पोषण प्रदान करती हैं।

190. (d) यह इंग्वीनल कैनाल में से गुजरती है।

191. (a) गुबरनेकुलम तंतुमय संयोजी (लचीले) कॉर्ड होती है जो कि वृषणों को स्क्रोटल सैक के पश्च भाग से जोड़ती है। यह कॉर्ड वास्तविक मीजोर्कियम को प्रदर्शित करती है।

192. (a) सरटोली कोशिकाएँ शुक्र नलिकाओं में स्थित रहती हैं जो स्पर्मेटोजोआ को पोषित करती हैं।

193. (c) (a) तथा (b) दोनों

194. (a) लेडिग कोशिकाएँ या अंतराली कोशिकाएँ पिट्यूटरी ग्रंथि की अग्रपालि से स्रावित अंतराली कोशिका उद्दीपक हॉर्मोन (ICSH) के द्वारा नर हॉर्मोन टेस्टोस्टेरोन के स्रावण को उत्प्रेरित करती है।

195. (b) वासा डिफरेन्स का कार्य उच्च पेशीय स्तर की कमानुकुंचन गति के द्वारा शुक्राणुओं का संवहन होता है। जिस मनुष्य में यह पृथक–पृथक होती है उसका वीर्य शुक्राणु रहित हो जाएगा।

196. (a) प्रत्येक टेस्टीस बाहरी रूप से श्वेत तंतुमय सम्पुट, ट्यूनिका एल्बूजीनिया के द्वारा ढंका रहता है जो वृषण के अंदर तंतुमय सेप्टा उत्पन्न करता है।

197. (c) इस मार्ग से होकर वृषण, वृषण कोष में आते हैं।

198. (b) चूँकि काउपर ग्रंथि का स्राव यूरेथ्रा में शुक्राणु मार्ग को ल्यूब्रिकेट करवा है तथा यूरेथ्रा में मूत्र त्याग के कारण उत्पन्न अम्लीयता को उदासीन करता है एवं शुक्राणु को जीवित रखने हेतु माध्यम को क्षारीय बनाता है इसलिए इस ग्रंथि को नष्ट करने से शुक्राणुओं पर प्रभाव पड़ सकता है।

199. (d) प्रत्येक वृषण अपनी स्थिति सेक्टोरल सेक के साथ बनाए रखता है एवं यह पश्च स्क्रोटल भित्ति के द्वारा सधा रहता है अर्थात् यह तंतुमय पेशीय मीजोडर्म ऊतक के छोटे कॉर्ड के द्वारा संभले रहते हैं जिसे गुबरनेकुलम कहते हैं।

200. (c) यूरिथ्रा में

201. (d) इसे एंटीस्टेरिलिटी विटामिन के नाम से भी जाना जाता है।

202. (b) वृषण बाह्य-उदरीय स्क्रोटल सेक में स्थित रहते हैं एवं अंडाशय लिगामेंट (मीसोवेरियम) के द्वारा उदरीय भित्ति से जुड़ा रहता है। ये दोनों किडनी के अधर में स्थित होते हैं।

203. (c) शुक्र नलिकाओं के बीच उपस्थित पोलीहेड्रल अंतःस्रावी कोशिकाओं का समूह अंतराली या लेडिग कोशिका कहलाता है। ये स्टेरॉइड नर हॉर्मोन टेस्टेस्टेरॉन का स्रावण करती हैं।

गर्भावस्था एवं प्रसव के दौरान देखभाल

204. (b) मेन्सट्रुअल प्राणियों तथा भ्रूणीय विकृतियों का अध्ययन टेराटोलॉजी कहलाता है।

205. (c) ऊसाइट

206. (a) गुणन प्रावस्था

207. (a) ग्रेफियन फोलिकल लगभग 2.5 cm व्यास के होते हैं एवं इनमें द्वितीयक ऊसाइट कुछ बड़ी फोलिकुलर कोशिकाओं के द्वारा घिरी रहती है, ये पोषक कोशिकाएँ होती हैं जो अभिन्नित ऊगोनिया से बनी होती हैं।

208. (c) स्पर्मेटोजेनेसिस वृद्धि हॉर्मोन के नियंत्रण में होती है। L.H. एवं FSH दोनों ही स्राव हायपोथैलेमस के GnRH के नियंत्रण में होते हैं।

209. (c) मॉर्डन इम्ब्रियोलॉजी के जनक कार्ल अर्नेस्ट वॉन बीयर (1792 – 1876) हैं। इन्होंने 1872 में स्तनी ओवम को देखा।

210. (c) जर्मप्लाज्म बहुत पहले पृथक हो जाता है और रोगग्रस्त सोमेटिक कोशिकाओं के सम्पर्क में नहीं रहता।

211. (c) स्पर्मियोजेनेसिस

212. (c) स्खलन या सेमीनल इमीशन लैंगिक सम्पर्क के दौरान वीर्य के बलपूर्वक निष्कासन के कारण होता है। ये प्रोस्टेट ग्रंथि के द्वारा निकलता है एवं यूरेथ्रा में खुलता है।

213. (d) ऊजेनेसिस, अंडाशय के द्विगुणित जर्मीनल कोशिकाओं से अगुणित अंडाणु के निर्माण, विकास एवं परिपक्व होने की प्रक्रिया होती है। इसमें तीन अवस्थाएं होती हैं (i) गुणन प्रावस्था (ii) वृद्धि प्रावस्था (iii) परिपक्वन प्रावस्था।

214. (a) अंडाशय की द्विगुणित जर्मिनल कोशिकाओं (2n) से अगुणित अंडाणु के बनने की क्रिया ऊजेनेसिस कहलाती है।

215. (b) 100 ओवा एवं 200 स्पर्म

216. (c) विकास की प्रावस्था जो अन्य स्पीशीज के समान होती है

217. (d) पैतृक निर्माण तथा गैमीट्स का विस्तार या सृजन

218. (a) वॉन बीयर मॉर्डन एम्ब्रियोलॉजी के जनक कहलाते हैं, जिन्होंने जीवों के भ्रूणीय परिवर्धन का नियम दिया था।

219. (a) स्पर्मेटोजेनेसिस सेमीनीफेरस नलिकाओं की द्विगुणित जर्मिनल कोशिका से अगुणित कार्यात्मक स्पर्मेटोजोआ के निर्माण की प्रक्रिया है।

220. (a) 2 से 4 मिमी / मिनट

221. (c) स्पर्म अंडे की भित्ति को अधिकांश जीवों में एक्रोसोम से निर्मित स्पर्म लाइसिन की सहायता से भेदता है।

222. (a) परिपक्व अंडे से

223. (d) परिपक्वन प्रावस्था के दौरान, प्राथमिक ऊसाइट I मियोसिस के अंतर्गत दो अगुणित कोशिकाओं (n) को उत्पन्न करते हैं पहली बड़ी द्वितीयक ऊसाइट एवं छोटी प्रथम ध्रुवीय काय होती है, द्वितीयक ध्रुवीय काय के कार्यात्मक अंडा या ओवम का निर्माण द्वितीयक ऊसाइट के II मियोसिस के परिणामस्वरूप होता है।

असामान्य गर्भावस्था एवं गर्भपात

224. (a) (a) तथा (b) दोनों

225. (a) यह संक्रमण गर्भपात एवं बच्चे के जन्म के बाद ज्यादा होता है

226. (a) गर्भ ठहरने के बाद 28 सप्ताह तक दोनों वृषण, (testicles) वृषणकोष (scrotum) में चले जाते हैं

227. (b) वेस्टर्न ब्लॉट

228. (c) यह संक्रमण सामान्यतः मासिक चक्र के दौरान या बाद में ज्यादा होता है।

229. (c) गर्भावस्था के दौरान हृदय गति की दर कम हो जाती है।

230. (c) प्रसव के दौरान सहायक संरचना में आघात होना

231. (b) गर्भावस्था के दौरान कुल प्लाज्मा प्रोटीन स्तर बढ़ जाता है।

232. (c) गर्भाशय के वजन का कम हो जाना

233. (a) 11 किलोग्राम

234. (a) यह आघात अवशोषक के रूप में कार्य करता है, यह तापक्रम को समान बनाए रखता है, यह भ्रूण की स्वतंत्र गति में सहायक होता है।

235. (c) इसे संभोग करने से तीन घंटे पहले लगाना चाहिए तथा सम्भोग के बाद कम–से–कम 6 घंटे तक वहीं लगे रहने देना चाहिए उसके बाद हटाना चाहिए।

236. (a) अम्लीय

237. (c) ये शुक्राणुओं को योनि में संग्रह होने से रोकती है।

238. (b) 11 वें दिन

239. (b) ये निषेचित अंडे को गर्भाशय में आरोपित होने से रोकती है।

240. (a) स्तनों के आकार में वृद्धि हो जाती है, स्तनाग्र बड़े तथा उभरे हुए हो जाते है, स्तनों की वेस्कुलेरिटी बढ़ जाती है।

241. (a) ये डिम्बक्षरण को रोकती हैं।

242. (c) महिला जो कभी लैक्टेटेड नहीं रही उसके स्तनों से स्वीज स्रावित किए जा सकते है।

243. (a) जब रजोनिवृत्ति वाली अवस्था 55 वर्ष की आयु के बाद भी न आए।

244. (a) प्रथम 12 सप्ताह

245. (c) 13-28 सप्ताह

246. (a) 29 - 40 सप्ताह

247. (a) योनि में ज्यादा गहराई में शुक्राणुओं का संग्रह नहीं कर पाता

248. (c) भ्रूण के सिर के समान

249. (c) ऐसी महिलाएँ जो कि मुखीय (oral) गर्भनिरोधक दवाइयों का प्रयोग करती हैं उनमें PID होने की सम्भावना ज्यादा रहती है

250. (c) गुडल्स लक्षण

251. (a) अस्पर्मिया

252. (c) IIIrd डिग्री

253. (a) जन्मजात बहरापन, जन्मजात हृदय बीमारियाँ, मोतियाबिन्द

254. (c) एन्डोमेट्रियल हाइपोप्लेसिया

255. (a) प्रीमीग्रेविडा

256. (a) लगातार मेनोरेगिआ जिसकी वजह से एनीमिया हो जाना, तीव्र संक्रमण जिसकी वजह से पेरिटोनाइटिस हो जाना, सारकोमा

257. (a) माता को प्रतिदिन अतिरिक्त 300 किलो कैलोरी लेने के लिए सलाह करना, माता को आयरन तथा फोलिक एसिड टेबलेट लेनी चाहिए, टेटनस टॉक्सोइड टीकाकरण करवाना चाहिए।

258. (a) सेमीनल पुटिका की जन्मजात अनुपस्थिति

259. (a) प्रोजेस्टेरोन एवं एस्ट्रोजन की मिश्रित गोली, डेनाजॉल, GnRH एनॅलाग्ज

260. (a) वृषण का संक्रमण, वृषणकोष का तापमान बढ़ जाना, वृषणों का वृषणकोष में नहीं उतर पाना।

❑❑❑